Gabriele Saure
»Nacht über Deutschland«
Horst Strempel — Leben und Werk

Schriften
der Guernica-Gesellschaft 2

Gabriele Saure

»Nacht über Deutschland«

Horst Strempel — Leben und Werk

Mit einem Vorwort
von Jutta Held

Schriften der
Guernica-Gesellschaft 2

Argument

Verlag und Autorin danken Martin Strempel und allen anderen, die durch ihre Hilfe zum Erscheinen dieses Buches beigetragen haben. Besonderer Dank gilt Michael und Peter Cohn, New York, für ihre ideelle und materielle Unterstützung des Projekts.

Die Deutsche Bibliothek - CIP-Einheitsaufnahme
Saure, Gabriele:
»Nacht über Deutschland«: Horst Strempel - Leben und Werk /
Gabriele Saure. Mit einem Vorw. von Jutta Held. - Hamburg:
Argument-Verl., 1992
   (Schriften der Guernica-Gesellschaft ; 2)
   Zugl.: Osnabrück, Univ., Diss., 1990
ISBN 3-88619-393-4
NE: Guernica-Gesellschaft: Schriften der Guernica-Gesellschaft

Argument-Verlagsbüro: Rentzelstr. 1, 2000 Hamburg 13
Argument-Redaktion: Reichenberger Str. 150, 1000 Berlin 36
Lektorat: Michael Haupt
Gestaltung: Michael Cohn, New York / Johannes Nawrath, Hamburg
Konvertierung und Umbruch: Satz + Repro Kollektiv GmbH, Hamburg
Druck und Lithos: Druckerei in St. Pauli, Hamburg
Erste Auflage: 1992
Printed in Germany

Inhalt

Horst Strempel — Leben und Werk

Vorwort

Gabriele Saures Monographie über Horst Strempel erscheint in der Schriftenreihe der Guernica-Gesellschaft, in der Forschungen zur modernen Kunst publiziert werden, die nach der Praxis und Rolle der Künstler und Künste in den großen politischen und sozialen Kämpfen und Konflikten des zwanzigsten Jahrhunderts fragen.

Das Werk und Lebensschicksal Horst Strempels scheint zunächst das Paradebeispiel eines politisch engagierten Künstlers zu sein, der seine Kunst als Waffe verstand, der sich am antifaschistischen Kampf beteiligte und Deutschland 1933 als politisch Verfolgter verlassen mußte. Im Exil in Frankreich arbeitete er als Pressezeichner und Karikaturist für oppositionelle, linke Zeitungen, wurde interniert, floh aus dem Lager und entschloß sich, nach Deutschland zurückzukehren. Nach dem Krieg entschied er sich für die Sowjetische Besatzungszone und die DDR. Erstmalig relativ frei von materiellen Nöten beteiligte er sich nun voller Enthusiasmus an dem Versuch, einer linken Kultur, die er zuvor nur im halb Verborgenen, in einer geteilten Öffentlichkeit vertreten konnte, feste Strukturen zu verleihen. Er konnte sich als Künstler zu erstenmal prinzipiell anerkannt fühlen, war getragen und stimuliert von den Diskussionen und neuen Anforderungen, sodaß ihm in dieser Phase seine besten Werke gelangen. Unter ihnen wird sein antifaschistisches Gedenkbild bleiben, *Nacht über Deutschland,* das zu einem Symbolbild in der DDR wurde und an prominenter Stelle im *Alten Museum* ausgestellt war. Inzwischen ist es, kaum verwunderlich, in das Depot des Museums verbannt worden.

Der Lebensweg Strempels und sein Werk gehen jedoch nicht rein in diesem politischen Engagement auf. Gabriele Saure kann durch ihren umfassenden Œuvre-Katalog nachweisen, daß ein Großteil seines Werks traditionelle Gattungsmalerei darstellt, Landschaften, Portraits, Stilleben, die durchaus den modischen künstlerischen und publikumsnahen Trends angenähert sind. Es gelang Strempel nicht immer, private und öffentliche Kunst, formalästhetische und politische Entscheidungen zur Synthese zu bringen, und so hat sein Werk einen fragmentarischen, uneinheitlichen Charakter. Ebensowenig lassen sich in seiner Biographie Brüche und Inkonsequenzen leugnen. Im Exil schwankte er in seinen politischen Optionen, seine Motive, die ihn zur Rückkehr in das nationalsozialistische Deutschland bewogen, sind unklar, seine Entscheidung wurde ihm von einem ehemaligen politischen Freund wie Max Raphael nachhaltig verübelt. Schließlich endete sein Leben erneut in einer Art Exil. 1953 verließ er fluchtartig die DDR, entnervt und verstört von einer Kritik, die sich auf sein Werk zu konzentrieren begann und seine Arbeit behinderte. Er lebte zum Schluß in Westberlin, wo er kaum noch Resonanz fand und als Designer für eine Tapetenfabrik sein Geld verdiente.

Gabriele Saure hat den pathetischen Lebensweg dieses Künstlers, der sich in enger Bindung an die Kommunistische Partei und an andere antifaschistische und sozialistische Organisationen, aber auch in qualvoller Auseinandersetzung mit ihnen vollzog, mit sympathischer Sensibilität rekonstruiert, ohne je die nüchterne Distanz des historischen Überblicks zu verlieren. Sie erhellt die Bedingungen und Probleme des antifaschistischen Kampfes, die Widersprüche, in die sich Organisationen und Individuen vielleicht notwendig verstrickten, aus der Perspektive dieses individuellen Lebensschicksals, in dem sich die politischen, sozialen, und künstlerischen Konflikte des zwanzigsten Jahrhunderts kristallisieren. Dabei blendet sie die Selbstverleugnungen und moralischen Fragwürdigkeiten eines mit seiner Kunst politisch handelnden Menschen nicht aus, doch wie sie auf jegliche Heroisierung verzichtet, so enthält sie sich auch des vorschnellen politischen oder moralischen Urteils. Vielmehr versucht sie, die Facetten dieser Biographie und dieses Werks gegeneinander zu setzen und einander reflektieren zu lassen. Sie versteht es, die Werke von Strempel, vor allem die in der DDR geschaffenen, in einem Netz von Beziehungen zu sehen, in dem sie ihre umstrittene Bedeutung gewannen. Strempels eigene Äußerungen, die seiner Freunde, die der Kritiker im Westen und im Osten, werden konfrontiert, relativieren einander und lassen die Signifikanz und soziale Relevanz seiner Werke als einen konfliktreichen Prozeß erscheinen, in dem es um die Selbstbestimmung der Beteiligten ging, in dem Strempels Werk zwar ein Kristallisationspunkt war, in dem es aber um mehr ging als um seine Bilder. Es gelingt der Autorin auf behutsame Weise, an einer neuen Art der engagiert geschriebenen politischen Biographie und Werkgeschichte zu arbeiten, hinter der die Anregung durch Peter Weiss' *Ästhetik des Widerstands* steht, ein Werk, das auch zum Vorbild wissenschaftlicher Arbeit geworden ist, ja hinter dessen Konzeption es kein Zurück mehr geben kann. Über den kunsthistorischen Ertrag dieser Arbeit hinaus, der allein schon mit positivistischem Maß gemessen beeindruckend ist, hat die Autorin für die Exilgeschichte, ja für die Geschichte des zwanzigsten Jahrhunderts, soweit diese durch den europäischen Faschismus und Antifaschismus und die Konsequenzen dieser Konfrontation nach Kriegsende bestimmt wurde, einen bemerkenswerten Beitrag geleistet, mit dem sie neue Maßstäbe gesetzt hat. *Jutta Held*

Einleitung

Dem Werk Horst Strempels ist in den letzten Monaten eine unerwartete Aktualität zuteil geworden. Der Gedanke lag nahe, die im Herbst 1989 nahezu abgeschlossenen Recherchen nochmals aufzunehmen und die Untersuchung zumindest teilweise neu zu strukturieren, um nun einige leichter zugängliche Quellen nutzen zu können oder die Sicht auf bestimmte Dinge erneut zu überdenken und damit möglicherweise auch zu anderen Resultaten zu kommen. Der Gedanke wurde jedoch nach reiflicher Überlegung wieder fallengelassen. Der Grund für diese Entscheidung ist vor allem darin zu sehen, daß sich schon sehr früh herausgestellt hatte, daß eine umfassende und lückenlose Bearbeitung und Würdigung von Leben und Werk Horst Strempels nicht möglich sein würde. Das Bewußtsein vom fragmenthaften Charakter des Ergebnisses begleitete die Forschungen also seit langem. So liegt hiermit eine Dokumentation vor, die in vielen Punkten ergänzungs- und veränderungsbedürftig ist. Es ist zu erwarten, daß in den nächsten Monaten und Jahren neue Informationen hinzukommen werden, die viele der hier vertretenen Standpunkte ergänzen, andere sicher auch widerlegen werden. Das gilt insbesondere für die Zeitspanne von 1945 bis 1953.

Anmerkungen zur Methodik

Als Horst Strempel im Mai 1975 starb, war dies der Berliner Presse lediglich eine dpa-Meldung wert, die in wenigen Zeilen die Lebensstationen Strempels resümierte. Der Mensch Horst Strempel, sein Werk und seine Bedeutung für Berlin schien für die Leserschaft uninteressant zu sein. So bedauerlich diese Tatsache auch sein mag: diese Nachrufe waren symptomatisch für das Verhältnis zu dem Künstler und seiner Kunst.[1]

Kaum jemand stellte die Frage, wer dieser Künstler eigentlich sei, was ihn dazu bewogen habe, so zu malen und so zu handeln, wie er es tat. Bei den Versuchen, ihn zu begreifen, zog man gern Vergleiche aus dem Bereich der Mythologie heran, geradeso, als ob er nicht in die Gegenwart gehöre. »Odysseus zwischen Skylla und Charybdis«[2] oder »sozialistischer Parzival«[3] waren solche Metaphern, die seinen Standort charakterisieren sollten.

Das künstlerische Werk Horst Strempels ist bisher niemals umfassend oder in einem größeren Rahmen registriert worden. Die relativ große Anzahl von Gruppen- und Einzelausstellungen darf nicht darüber hinwegtäuschen, daß er kaum in das Bewußtsein der Öffentlichkeit gedrungen ist. Zwar stand er in den ersten Nachkriegsjahren häufiger im Mittelpunkt kunst- und kulturpolitischer Diskussionen, die in der SBZ/DDR geführt wurden, und war bis um 1950 auf allen wichtigen Ausstellungen vertreten; ein Großteil der Berliner Bevölkerung kannte ihn wegen seines Wandbildes im Bahnhof Friedrichstraße. Auch widmete man ihm seit den 60er Jahren fünf größere Personalausstellungen. Dennoch ist weder damals noch bis heute eine wissenschaftliche Würdigung seines künstlerischen Schaffens erfolgt, da kein Überblick über das Gesamtwerk vorlag; vor allem die Zeit vor 1945 konnte wegen fehlenden Bildmaterials kaum bearbeitet werden.

Grundlegend für die Abfassung der vorliegenden Arbeit war, was die eigene Motivation und die Herangehensweise an die Themenstellung anbelangt, vor allem die Untersuchung Jutta Helds zur Kunst und Kunstpolitik der Nachkriegsjahre,[4] auf die an anderer Stelle noch eingegangen werden wird. Die Darstellung von Leben und Werk Horst Strempels erhielt weiterhin entscheidende Impulse von Otto K. Werckmeisters Versuchen über Paul Klee[5] und der von Chryssoula Kambas verfaßten Studie über Walter Benjamin im Exil.[6] — In diesem Sinne ist die Biografie, deren grundlegende Intention es sein sollte, eine Verbindung herzustellen zwischen historisch festgelegten Grundbedingungen und dem daraus folgenden individuellem Handeln, auch als ein interdisziplinärer Beitrag zu einem Versuch authentischer Rekonstruktion von kollektiv und persönlich erfahrener Geschichte anzusehen. Die Sicht Horst Strempels auf seine Zeit ist, soweit sie sich rekonstruieren ließ, die Grundlage dieser aus vielen Facetten zusammengesetzten Studie — ungeachtet dessen, daß auch hier subjektive Faktoren lanciert werden, die einer objektiven Überprüfung oftmals nicht werden standhalten können.

Aus unterschiedlichen Erwägungen heraus mußten in dieser Arbeit Akzente gesetzt werden. Vorrangige Aufgabe war es, ein möglichst komplettes Werkverzeichnis zu erstellen, um das verstreute Werk zum frühestmöglichen Zeitpunkt zu sichern und zu dokumentieren und damit die Grundlage für vielleicht weitere Forschungen zu schaffen. Somit nimmt dieser Komplex auch hier den größten Raum ein. Neben der Erfassung seines Gesamtœuvres soll diese Arbeit auch den Zweck verfolgen, die Biografie Horst Strempels aufzuarbeiten, damit die einzelnen Lebensstationen nachvollzogen werden können. Das, was bisher dazu publiziert wurde, ist lückenhaft, teilweise nicht belegbar oder durch die persönliche Beziehung des jeweiligen Autors zum Künstler gefärbt. Überdies werden auch Falschinformationen wiederholt, die, zumindest teilweise, von Strempel selbst herrühren. Das gilt vor allem für Beweggründe und Umstände seiner Rückkehr nach Nazi-Deutschland 1941.

Die von mir verfaßte Biografie basiert einerseits auf einer kritischen Übernahme bzw. Verarbeitung dieser schon vorhandenen Informationen, andererseits war ich bestrebt, durch das Studium von Briefen und Lebensläufen[7] sowie das Befragen von Freunden und Bekannten Horst Strempels weitere Fakten zu ermitteln. Dabei blieben jedoch immer noch Unklarheiten und Widersprüche bestehen, die sowohl durch den zeitlichen Abstand zu den Ereignissen als auch durch individuelle Sichtweisen zu erklären sind. In einigen Fällen war es leider auch trotz intensiver Bemühungen nicht möglich, Personen, die potentiell etwas zur Klärung strittiger Punkte hätten beitragen können, zu einer Aussage zu bewegen.[8] Bezeichnenderweise handelt es sich in erster Linie um Vorgänge, bei denen schon aufgrund des vorliegenden Materials problematische Zusammenhänge angenommen werden müssen, wie z. B. Strempels Verhältnis zur KPD während der 30er Jahre, seine Entscheidung, Frankreich zu verlassen, oder die Schwierigkeiten, mit denen er infolge des Formalismus-Streits zu kämpfen hatte.

Neben den beiden vorgenannten, eher zur Systematisierung dienenden Punkten ist mir das Aufdecken von inneren Zusammenhängen von Person, Werk und Zeit, also von ideologischen, ästhetischen und historischen Aspekten wesentliches Anliegen. Aufgrund der Materialfülle kann dieser Anspruch nur ansatzweise und punktuell eingelöst werden, wie auch auf eine ausführliche, ins Detail gehende Werkanalyse verzichtet werden mußte. Stattdessen enthält das Werkverzeichnis in manchen Fällen weiterführende Hinweise zur Einzelwerkerschließung.

Auch die Beziehungsgeflechte mit Zeitgenossen, vor allem natürlich Künstlerkollegen, können in dieser Arbeit nur angedeutet, aber keinesfalls erschöpfend behandelt werden. Teile von Korrespondenzen mit Max Raphael und Cuno Fischer[9] sind noch vorhanden, so daß zumindest hier vage Schlüsse auf die Qualität der Beziehung gezogen werden können. Bei anderen, die immer wieder in diesem Zusammenhang genannt werden, wie André Lhote, Frans Masereel oder Max Ernst, mit denen Strempel ebenso zeitweilig ein engeres Verhältnis gepflegt haben soll, lassen sich wegen fehlender Quellen nur Vermutungen äußern. Weiterhin müßte auch die über 20 Jahre anhaltende Korrespondenz Horst Strempels mit seinem Freund Wilhelm Puff einer ausführlicheren Analyse unterzogen werden. In diesem Briefwechsel formulierte Strempel wohl am eindeutigsten und offensten seinen künstlerisch-gesellschaftlichen Standpunkt; auch

finden sich hier eine Unmenge von Informationen, oft nur in Anspielungen, über seine Vergangenheit. Puff hingegen war wohl die einzige Person, die kontinuierlich und intensiv eine Auseinandersetzung mit Strempel und seinem Werk suchte. Auf seine von idealistischer Ästhetik geprägten Wertungen über einzelne Kunstwerke konnte in diesem Zusammenhang nicht näher eingegangen werden; sie wurden jedoch häufig an den entsprechenden Stellen im Werkverzeichnis zitiert.

Es soll also versucht werden, aus den oben erwähnten Zusammenhängen die spezifischen Züge seines Werks herauszuarbeiten, um zu erkennen, wie Strempel sich mit seiner Kunst den jeweils vorgegebenen historischen Situationen stellt, wie sich politische Ereignisse, aber auch persönliche Erfahrungen in seinem Werk niederschlagen. Ein wesentlicher Gesichtspunkt dieser Untersuchung wird daher sein, Strempels Realismusbegriff zu beschreiben und dessen Entwicklung oder Veränderung zu verdeutlichen — im Zusammenhang mit stilkritischen Untersuchungen, die wechselseitige Einflüsse erläutern können. Der kommentierende Text konnte die hier gewonnenen Ergebnisse nur summarisch zusammenfassen und auf einzelne Aspekte, die in vielen Fällen noch weiterer Bearbeitung bedürfen, hinweisen. Auch schien es unumgänglich, manche Phasen des Werks herauszugreifen, andere hingegen zu vernachlässigen. Die Entscheidung für eine Akzentuierung des künstlerischen Werks bis 1953 mit den Schwerpunkten Exil und SBZ/DDR ist auf folgende Erwägungen zurückzuführen. Die Begrenzung erfolgte ursprünglich einerseits aufgrund des persönlichen Forschungsinteresses der Autorin, andererseits schien es geboten, sich zuerst auf solche Phasen zu konzentrieren, aus denen das Werk wegen »äußerer Umstände« derartig fragmentarisch überliefert war, daß bisher keine wissenschaftliche Analyse möglich schien. Das in Westberlin entstandene Œuvre ist sowohl durch eine Reihe von Ausstellungen, den Werkkatalog, den Strempel Ende der 60er Jahre anlegte sowie durch die noch im Nachlaß vorhandenen Werke relativ gut dokumentiert. Die zunächst getroffene Entscheidung, das nach 1953 entstandene Werk auch wegen des unübersehbaren Qualitätsabfalls, vor allem gegenüber den Jahren von 1945–1950, weitgehend außer acht zu lassen, mußte allerdings teilweise revidiert werden. Im Laufe der Recherchen wurde deutlich, daß das Spätwerk in einer bestimmten Kontinuität zu sehen ist und eine Reihe interessanter Aspekte aufweist, die, trotz in vielen Fällen mangelnden künstlerischen Niveaus, einer eingehenderen Betrachtung durchaus würdig sind.

Dieses Interesse macht in manchen Punkten eine Darstellung des politischen und vor allem des kulturpolitischen Umfeldes um so notwendiger, da Problemstellungen, die diese Monografie berühren, entweder kaum von der kunsthistorischen Forschung berücksichtigt oder zu allgemein, losgelöst von individuellen Gegebenheiten behandelt wurden.

Entsprechend den allgemeinen Zielsetzungen monografischer Bearbeitungen wurden die Lebensstationen Strempels ebenso wie sein künstlerisches Schaffen in chronologischer Abfolge beschrieben. Die Aufgliederung einzelner Abschnitte orientiert sich vorrangig an historischen Kriterien, die aber in der Regel mit den Phasen im persönlichen und ästhetischen Bereich übereinstimmten.

In anbetracht der Relevanz übergreifender Fragestellungen, die sich aus den oben angesprochenen Themen für die Kunstwissenschaft entwickeln lassen und die im folgenden noch näher erläutert werden sollen, muß erwogen werden, welchen Nutzen die Erarbeitung einer Künstlermonografie bringen kann, noch dazu, wenn es sich, wie im vorliegenden Fall, keineswegs um einen Künstler handelt, der uns eine große Anzahl sogenannter Meisterwerke hinterließ, und dessen Ruhm, durch geschickte Public Relations von ihm selbst oder durch Kunsthändler gesät, seinen Tod überdauert hätte.

Dennoch erscheint es notwendig, sich gerade mit solchen Künstlern auseinanderzusetzen, die mit ihrer Mittelmäßigkeit das Gros des künstlerischen Schaffens repräsentieren. Meisterwerke sind Glücksfälle; sie können nicht eine ganze Epoche charakterisieren, sondern zeigen lediglich das beste Ergebnis, das aus unzähligen kleinen (Fort-)Schritten erwuchs. Will man es überhaupt wagen, ein einigermaßen umfassendes Bild einer bestimmten Zeit geben zu wollen, muß man sich zunächst gerade auf die Norm beziehen — nicht zuletzt deshalb, um die Größe eines Meisterwerks richtig einschätzen zu können. Wünschenswert wäre allerdings eine wechselseitige Aufarbeitung von verallgemeinernden-verallgemeinerbaren und individuell orientierten Darstellungen.

Wenn auch die hier vorliegende Arbeit einem individuellen künstlerischen Lebenswerk gewidmet ist, so geschieht das in dem Bewußtsein, daß die persönliche Leistung zwar hervorgehoben, nicht aber überbewertet werden sollte. Um dieses zu vermeiden, ist die Autorin bestrebt, wesentliche Akzente auch auf äußere Zusammenhänge zu setzten — jedenfalls in dem Rahmen, der sich für eine erste Erfassung des künstlerischen Werks Horst Strempels bietet. So sollte versucht werden, den von den Organisatoren der Ausstellung »Widerstand statt Anpassung« in der Einleitung des Kataloges formulierten Bedenken gegen eine biografisch orientierte Darstellungsweise entgegenzutreten,[10] indem, wenn irgend möglich, auf Beziehungen zum Umfeld und auf Wechselwirkungen hingewiesen wurde, die beispielsweise in der Mitarbeit bei künstlerischen und politischen Organisationen ihren Ausdruck finden können.

Eine monografische Bearbeitung erscheint schon allein insofern gerechtfertigt, als sich zwar Strempels persönliche und künstlerische Entwicklung im Rahmen von politischen und historischen Ereignissen und den weitverzweigten Kunstdebatten der 20er bis 70er Jahre ganz eigenständig vollzogen hat, er aber offenbar keinen Einzelfall in seiner Generation der um die Jahrhundertwende Geborenen darstellt.[11] Das bewußte Erleben zweier Weltkriege und ihrer verhängnisvollen Konsequenzen, einer mißglückten deutschen Revolution, von Faschismus, Exil, Aufbau, Flucht — einer Folge von ausgesprochenen Krisensituationen — prägten ihn und seine Kunst. Ruhiges, kontinuierliches Arbeiten in stabilen Verhältnissen blieb zeit seines Lebens die Ausnahme. Trotzdem paßte er sich kaum an, weder künstlerisch noch politisch. Diese unnachgiebige, geradlinige Haltung ließ ihn wiederholt anecken bei denen, die meinten, ihn beispielsweise mit bürokratischen, engstirnigen Vorschriften unter Druck setzen und mit staatlichen Sanktionen belegen zu können; diese Haltung war es auch, die ihm nach seiner Flucht nach Westberlin dort den Kunstmarkt weitgehend verschloß. Allerdings führte sie auch dazu, daß er selbst heute noch vielerorts, berechtigter- oder unberechtigterweise mag dahingestellt sein, vom Mythos des individualistischen unbeugsamen Künstlers umgeben ist.

1932 waren es die konservativ-reaktionären Bürokraten der Weimarer Republik, die seine für sie allzu kritischen Bilder aus der »Großen Berliner Kunstausstellung« entfernen ließen. Atelierdurchsuchung, Verhaftung und ein Hetzartikel in Goebbels' »Angriff« folgten,[12] so daß Strempel sich bald nach der Machtergreifung der Nationalsozialisten für die Flucht aus dem faschistischen Deutschland entschied. — 1936 wurde Strempel aus der KPD, deren Mitglied er seit 1930 war, (vermutlich) ausgeschlossen. Seine angeblich illoyale, sprich kritische Einstellung gegenüber der Parteilinie, betreffend den Spanischen Bürgerkrieg und die Moskauer Schauprozesse, stempelte ihn zum Trotzkisten und damit zum Feind und Reaktionär. — Nach einer achtjährigen Phase, in der er sich beim Kulturaufbau in der SBZ/DDR und als Kunstpädagoge engagiert hatte, verließ er 1953 die DDR, weil der Druck der öffentlichen Kritik und vor allem von dogmatisch eingestellten, staatlich sanktionierten ›Kunstsachverständigen‹ für ihn unerträglich geworden war. Um seiner künstlerischen Freiheit willen nahm er es in Kauf, daß er im Westen, wo gerade in diesen Jahren die ungegenständliche Kunst propagiert und durch ein breitgefächertes System von Kunstpreisen und öffentlicher und privater Kunstförderung unterstützt wurde — denn im »Kalten Krieg« galt die abstrakte Kunst als das Synonym für Freiheit —, zu dieser Zeit künstlerisch fast vollkommen ignoriert wurde, so daß er kaum seinen Lebensunterhalt aus dem Verkauf seiner Bilder bestreiten konnte. Selbst die zuständigen Behörden sahen keinen Anlaß,

11

ihn als politischen Flüchtling zu akzeptieren, was faktisch bedeutete, daß er und seine Familie in jahrelanger Ungewißheit, ohne Zuzugsgenehmigung und ohne jegliches Recht auf Arbeit und soziale Unterstützung leben mußten. An seiner Lebensgeschichte, die von den Schwierigkeiten künstlerischer, politischer und persönlicher Selbstbehauptung ein Zeugnis ablegt, lassen sich eben diese sozial und politisch begründeten Reaktionen erkennen und kritisch reflektieren.

Die dialektische Beziehung von individuellem und gesellschaftlichem Anspruch, die gerade von kritisch eingestellten Künstlern eine stete Gratwanderung »zwischen Widerstand und Anpassung« verlangt, bestimmte den Lebensweg von Horst Strempel. Im Sinne von Erhard Frommhold[13] soll dieser Begriff hier zunächst nicht als moralische Kategorie verstanden werden; wie er im Hinblick auf Strempel Anwendung finden könnte, wird in dieser Arbeit anhand verschiedener Beispiele zu zeigen sein.

Im Werk Horst Strempels offenbart sich das Schaffen eines Künstlers, der, den erschlossenen Materialien nach zu urteilen, einen nicht unwesentlichen Beitrag zur humanistischen und antifaschistischen Kunst unserer Zeit geleistet und in der Nachkriegszeit in der Periode des Kulturaufbaus eine wichtige Rolle gespielt hat; gleichwohl fand er gerade in seinen kreativsten Phasen nicht immer die ungeteilte Zustimmung bei Publikum und Kritikern.

Die Darstellung von Leben und Werk mußte zwangsläufig lückenhaft bleiben. Um dennoch ein brauchbares Ergebnis zu bekommen, wurden zwei Fragestellungen kontinuierlich verfolgt. Der Beurteilung wurde einerseits seine humanistisch-antifaschistische Haltung zugrunde gelegt und die künstlerischen Ergebnisse daran gemessen; andererseits wurde versucht, von hier aus zu erschließen, was Strempel zur Entwicklung des Realismus im 20. Jahrhundert beigetragen hat — sei es nun zum kritischen Realismus oder zu dessen Fortentwicklung zu einer sozialistischen Kunst.

Das bildkünstlerische Werk — Sujets und Dimensionen

Die Darstellung des Menschen bestimmte das künstlerische Wirken Horst Strempels seit seinen Anfängen. Hier manifestieren sich anschaulich und unmittelbar die Einwirkungen gesellschaftlicher Veränderungen und persönlichen Erlebens. Ebenso sind hier am deutlichsten Zäsuren in seinem Werk aufzuspüren und die Dialektik von Kontinuität und Diskontinuität künstlerischen Schaffens liegt in diesem Sujet am ehesten offen.

Deshalb scheint es geboten, gerade an dieser Stelle einzugreifen und sein künstlerisches Schaffen von hier aus einer Beurteilung zu unterziehen. Aus diesem Grund werden die übrigen Genres wie Landschaften und Stilleben oder die angewandte Kunst nur sporadisch, wo es notwendig erscheint, herangezogen.

Will man sich mit dem Menschenbild Strempels beschäftigen, so sind zunächst seine Porträts zu nennen, die sich wie ein roter Faden durch sein Werk ziehen und so paradigmatisch seine Entwicklung aufzeigen können. In den frühen Jahren des Suchens werden die Bildnisse durch akademische Traditionen impressionistischer oder naturalistischer Provenienz bestimmt. Schon Anfang der 30er Jahre lockert sich der Stil auf durch stärkere expressive Einflüsse, die später durch Hinzunahme auch kubistischen Formenvokabulars nochmals variiert werden und so das Streben des Künstlers nach der Herausbildung eines eigenen Stils dokumentieren. Dargestellt werden identifizierbare, Strempel in der Regel wohl gut bekannte Personen, vor allem seine Frau. Die Porträts der Nachkriegsjahre zeigen eindringlich das Resultat dieser Bemühungen. In den 60er und 70er Jahren knüpft Strempel wieder an den Stil der Frühzeit an, hauptsächlich in Darstellungen mit mehr repräsentativem Charakter. Häufig handelt es sich vermutlich um Auftragsarbeiten, so bei dem Porträt des Bezirksbürgermeisters Spruch. Im Unterschied dazu werden private Bildnisse jedoch freier und expressiver gestaltet, eine Tendenz, die beispielsweise an dem Porträt seiner Frau von 1966 (WVZ 593, Abb. 140, S. 214) und an einem Selbstbildnis von 1971 (WVZ 624, Abb. 142, S. 215) hervortritt.

Bei der Bestimmung des der Kunst Strempels zugrundeliegenden Menschenbildes ist besonders auf die vielfigurigen Kompositionen, oft großen Formats, hinzuweisen. Schon 1930 zeigt sich in den von ihm sogenannten »weltanschaulichen« Arbeiten, in denen vor allem das menschliche Leiden, das Strempel in dieser Zeit als in den Auswüchsen des Kapitalismus begründet liegend ansieht, seine Stellungnahme für den Menschen. Diese Intention scheint sich zunehmend in den Werken des Exils zu verlieren. Die von jetzt an dominierende Privatisierung des Stoffes, unzweifelhaft als Reflex eigener Schwierigkeiten zu deuten, offenbart sich vor allem in der Wahl intimerer Sujets. Erst seit 1938 findet sich wiederum ein gesellschaftlicher Bezug in seinem Werk, allerdings unter veränderten Themenstellungen. Die Arbeiten spiegeln symbolhaft die nun möglicherweise anderen Lebensbedingungen; es werden Caféhaus-Szenen dargestellt oder metaphorische Bildtitel gefunden, wie zum Beispiel *Das Leben* (WVZ 106). In den ersten Nachkriegsjahren, einer privat wie künstlerisch relativ stabilen Phase, gelingt es Strempel, durch Zusammenfassung seiner bisherigen Erfahrungen in auch inhaltlich groß konzipierten Gemälden einerseits in gesellschaftlich relevanter Weise auf die jüngste Vergangenheit zu reagieren und andererseits einen entscheidenden künstlerischen Beitrag zum Entwurf einer Zukunft zu geben.

Während in dieser Zeit, bis etwa 1950, eine oft sehr direkte Reflexion der aktuellen Situation angestrebt wird, findet danach in Westberlin, wie schon während der Exilzeit, wiederum eine eher metaphorische Auseinandersetzung mit menschlichen Lebenssituationen, politischen Ereignissen und deren Auswirkungen auf den Menschen statt, wobei das Biografische wie auch die Konzentration auf die menschliche Psyche im allgemeinen eine offenbar sehr große Rolle spielen. Der soziale Bezug hingegen wird zur Seite gedrängt bzw. tritt er nur noch unterschwellig auf. Die zahlreichen Bilder des Mauerzyklus, die paradigmatisch die Überlagerung ursprünglich politischer Inhalte durch die Darstellung zwar individueller, aber dennoch kollektiv erfahrbarer Emotionen aufzeigen, nehmen in diesem Zusammenhang eine zentrale Stellung in Strempels Schaffen seit 1953 ein. Vorbereitet wurden sie jedoch schon vor dem Bau der Berliner Mauer durch seine persönliche Erfahrung mit der deutsch-deutschen Grenze in Arbeiten wie *Die Straße/Rote Ampel* (WVZ 340, Abb. 121, S. 205).

In indirektem Zusammenhang mit diesen Themen stehen die Stadtlandschaften, mit denen Strempel seit 1953 nicht nur den Aufbau Westberlins in einem kargen, unprätentiösen Stil festhielt, sondern die urbane Umgebung gleichzeitig im Hinblick auf ihre Bedeutung als Lebensraum charakterisierte; hier blieb allerdings — in realistischer Weise — kaum Platz für den Menschen.

Einen Gegensatz dazu bilden die Mädchen- und Frauenbilder, vor allem Aktdarstellungen, die Strempel immer stärker zu stilisieren sucht; gleichzeitig erfolgt eine deutliche Orientierung an dekorativen Prinzipien. Diese Tendenz läßt sich allerdings allgemein im Spätwerk Strempels feststellen und ist wesentlich auf seine 1955 einsetzende Beschäftigung mit Tapeten- und Stoffentwürfen zurückzuführen — einer Tätigkeit, der er zwar ausschließlich zum Broterwerb nachging, bei der er aber beachtliche Erfolge erzielen konnte.[14] Es mag jedoch auch, von ihm nicht unbedingt beabsichtigt und ihm selbst vielleicht noch nicht einmal bewußt, eine Angleichung an die im Westen bevorzugte abstrahierende Kunst stattgefunden haben. Eine leichtere Konsumierbarkeit seiner Werke, also bessere Verkaufschancen, hätte die Folge sein können, was aber, allem Anschein nach, nicht der Fall gewesen ist. Obwohl in diesen Jahren jedoch auch direkte politische und soziale Stellungnahmen in den Bildern vermieden wurden, trug das nicht zur Steigerung seines Marktwertes bei.[15]

Eine eindeutige und für alle Schaffensphasen zutreffende Bestimmung des Strempelschen Kunststils erweist sich als schwieriges Unterfangen. Die vielfältigen Einflüsse, denen er sich seit den 20er Jah-

ren ausgesetzt hatte, versetzten ihn in die Lage, den ihm eigenen Stil, der sich vor allem nach 1945 herausbilden konnte, zu entwickeln. Relikte vieler Kunstströmungen des ausgehenden 19. und des 20. Jahrhunderts, wie Impressionismus und Naturalismus, vor allem aber der Expressionismus der Dresdener »Brücke« und der Karl Hofers, sind in seinem Werk auszumachen. Daneben treten einerseits Stilelemente der Neuen Sachlichkeit, des Verismus und, in geringem Maße, des Konstruktivismus zutage, andererseits aber verschiedene Einflüsse älterer Kunst, insbesondere von Niederländern und Franzosen des 17. Jahrhunderts. Schlagwortartig vergröbernd könnte man seinen Kunststil mit »expressivem Realismus« am ehesten beschreiben.[16] Jedoch muß eine genauere Charakterisierung einer ausführlichen Analyse von ausgewählten Bildbeispielen der unterschiedlichen Phasen und Einflußbereiche vorbehalten bleiben.

Die ursprüngliche Intention, das bildkünstlerische Werk Horst Strempels annähernd komplett zu rekonstruieren und zu dokumentieren, ließ sich im Rahmen dieser Arbeit leider nicht realisieren. Bisher konnte lediglich ein Bruchteil des Gesamtœuvres ermittelt werden. Registriert wurden etwa 650 Gemälde, mehr als 1700 Arbeiten auf Papier, 250 Druckgrafiken und fast 100 Tapeten- bzw. Stoffentwürfe. Hinzu kommen 150 publizierte Pressezeichnungen aus den Jahren 1933 bis 1938, von denen jedoch keine Originale mehr vorhanden sind, weiterhin neun Wandgestaltungen, einige Entwürfe für Bucheinbände, kunsthandwerkliche Arbeiten, außerdem mehr als 100 Werke, die wegen fehlender Daten in dem Verzeichnis nicht berücksichtigt werden konnten.

Die Unvollständigkeit des Werkverzeichnisses wird in etwa deutlich bei einer Gegenüberstellung mit Angaben Horst Strempels über die Verlustrate seiner Arbeiten. Danach hat er »1933 fast alle Arbeiten der Jahre 1923–33« verloren. Bei Kriegsausbruch blieben 50 Öl- und Temperabilder, mehr als 400 Zeichnungen, darunter eine Mappe mit 20 Zeichnungen mit dem Titel *La guerre à Paris par là* und alle 150 publizierten Pressezeichnungen in Paris zurück; dort wurden sie dann 1941 von der Gestapo beschlagnahmt und vermutlich vernichtet.[17] Nur zehn Ölbilder und 30 Zeichnungen, die in Paris entstanden waren und sich 1940 noch in seinem Besitz befanden, konnte er retten. Diese blieben dann bei seiner Flucht aus der DDR zusammen mit mehr als 300 Gemälden und 1000 Zeichnungen aus der Zeit von 1945 bis 1952 in Atelier und Wohnung, wurden von der Volkspolizei bzw. dem Staatssicherheitsdienst in Verwahrung genommen, einige Jahre später allerdings Strempel zum größten Teil zurückgegeben. Wieviele Werke aber trotzdem noch in der DDR blieben, über unbekannte Kanäle in Privatbesitz gelangten oder über den Staatlichen Kunsthandel verkauft wurden — und somit gegenwärtig als verschollen gelten müssen —, ist nicht mehr festzustellen.[18] In den Jahren 1953 bis 1955 schuf er etwa 300 Arbeiten.[19] An anderer Stelle berichtete er, daß zwischen 1945 und 1965 »ca. 1000 Bilder, unzählige Zeichnungen und Graphiken, viele dekorative Arbeiten und 2000 Entwürfe für Stoffe und Tapeten« entstanden.[20]

Das Werkverzeichnis wurde aus Arbeiten erstellt, die sich in Strempels Westberliner Nachlaß, in Privatsammlungen und Museen befinden. Ferner wurden Ausstellungskataloge, Zeitungsartikel und andere Publikationen ausgewertet und, sofern sie genügend Informationen liefern konnten, in das Werkverzeichnis aufgenommen. Ein von Strempel selbst angelegter, allerdings unvollständiger Werkkatalog und eine Reihe unbezeichneter Negative halfen, das Werkverzeichnis an vielen Stellen zu ergänzen, ebenso wie ein Konvolut von ca. 200, von Strempel teilweise handschriftlich bezeichneten Fotografien, die sich 1953 in seinem Ostberliner Atelier befanden und heute im Archiv der Nationalgalerie Berlin aufbewahrt werden. Letztlich wurden auch Verweise in Briefen sowie nicht gedruckte Verkaufs- und Ausstellungslisten hinzugezogen.[21] — Zeitungen und Zeitschriften, die zur Vervollständigung des Verzeichnisses systematisch oder in Auszügen durchgesehen wurden, sind im Werkverzeichnis unter den Nummern der betreffenden Arbeiten aufgeführt.

Leben und Werk im Spiegel der Kritik

Die folgende Auswahl wichtiger Literatur zum künstlerischen Werk Horst Strempels gliedert sich in zwei unterschiedliche Aspekte. Zunächst wird in aller Kürze die unmittelbare Wirkung seiner Arbeiten resümiert, wie sie sich in Ausstellungsbeteiligungen und der darauf reagierenden zeitgenössischen Kunstkritik in Zeitungen und Zeitschriften manifestiert. In einem zweiten Abschnitt wird dann die kunstwissenschaftliche Rezeption, die u.a. auch diese zeitgenössischen Wertungen zugrunde legt, berücksichtigt werden.

Schon um 1930 genoß der junge Strempel einen gewissen Ruf als proletarisch-revolutionärer Künstler im Berlin der Weimarer Republik; seine Teilnahme an wichtigen Gruppenausstellungen der ARBKD oder ihr nahestehender Organisationen, wie beispielsweise der Ausstellung »Frauen in Not« oder der Ausstellung der holländischen Unabhängigen,[22] belegt dies und wurde von der zeitgenössischen linken Presse einige Male positiv vermerkt. Carl Einstein nahm ihn aus diesem Grund in die Propyläen-Kunstgeschichte des 20. Jahrhunderts auf[23] und die Moskauer »Prawda« soll ihm einen eigenen Artikel gewidmet haben.[24]

Während der Zeit des Faschismus, die Strempel bis 1941 im Exil in Frankreich und ab 1943 als Soldat in Griechenland verbrachte, wurde er weder in Deutschland noch in seinem Gastland beachtet. Eine namentliche Erwähnung in der französischen Exilpresse bezieht sich lediglich auf seine Teilnehme an einer Diskussionsveranstaltung beim »Kollektiv deutscher Künstler«.[25] Daran zeigt sich einerseits, daß er, seinem gewohnten Umfeld entrissen, die hoffnungsvollen künstlerischen Ansatzpunkte zunächst nicht genügend weiterentwickeln konnte, andererseits wird aber auch deutlich, daß er mit seiner Kunst den Anforderungen des vor allem international orientierten französischen Kunstmarktes noch nicht gewachsen war — ein Faktum, das sich durch den Experimental-Charakter seiner im Exil entstandenen Arbeiten zu bestätigen scheint.

Ein verändertes Rezeptionsverhalten läßt sich fast schlagartig ab 1946 feststellen. Durch sein Triptychon *Nacht über Deutschland* machte er die Öffentlichkeit so nachhaltig auf sich aufmerksam, daß seine vielfach ausgestellten und publizierten Werke von nun an ständig von der Kunstkritik registriert und beurteilt wurden — in den ersten Nachkriegsjahren mit überwiegend positiver Resonanz. Ein Stimmungsumschwung trat erst ein, als er in die Formalismus-Debatte hineingezogen wurde; nach anfänglich negativen Kritiken wurde er totgeschwiegen. Ein interessanter Aspekt, der sich bei einer näheren Analyse der damaligen Pressestimmen eröffnet, liegt in der Disparität von tatsächlicher künstlerischer Produktion auf der einen und von der Auswahl der besprochenen Werke auf der anderen Seite. In Strempels Schaffen wie auch bei den in den Ausstellungen präsentierten Werken überwiegen eindeutig neutrale Sujets, in den Kritiken hingegen, insbesondere in den detaillierteren, wird der Akzent jedoch fast ausnahmslos auf solche Arbeiten gelegt, die gesellschaftliche Belange im weitesten Sinn thematisieren. Der Bezug zur Gegenwart ist hier das beherrschende Kriterium für »gute« Kunst. Während allgemein immer wieder beklagt wurde, daß die bildenden Künstler sich nicht genügend mit aktuellen Themen auseinandersetzten, hob man den engen Zeitbezug im Schaffen Strempels häufig hervor.[26] In den ersten Nachkriegsjahren war dabei offenbar noch nicht ausschlaggebend, ob dabei expressionistische, kubistische oder andere moderne Stilformen Verwendung fanden.

Nach seiner Flucht nach Westberlin erregte Strempel dort zunächst durch allein diese Tatsache, weniger durch sein künstlerisches Werk, publizistisches Interesse; seine Ausstellungtätigkeit setzte erst 1955 mit einer Personalausstellung in der Galerie Rosen wieder ein. Von diesem Zeitpunkt an wurde bis zu Anfang der 60er Jahre bei vielen Ausstellungsbesprechungen sein Name erwähnt; außerdem wurde hin und wieder eine seiner neuen Arbeiten in Tageszeitungen reproduziert. Strempel wurde also auch mittels seines Œuvres wieder wahrgenommen, obgleich die lebhafte Resonanz der Nachkriegsjahre in Qualität und Quantität einzigartig blieb. Danach wurde es still um ihn; es fanden sich nur noch vereinzelte Erwähnungen, die häufig im Zusammenhang mit den Personalausstellungen standen.

Wie es bei vielen bildenden Künstlern der Fall ist, gibt es auch von Horst Strempel keine detaillierten Berichte über sein Leben; weder schrieb er Memoiren noch führte er Tagebücher. Ein Buch, das der befreundete Schriftsteller Ernst Roch über das Leben von Strempel schreiben wollte, kam aus unbekannten Gründen nicht zustande. Aus diesem Projekt befinden sich noch zwei von Strempel verfaßte stichpunktartige Listen mit Lebensdaten im Nachlaß, die aber kaum ergiebig sind, da nähere Bezüge fehlen. Offenbar orientiert sich vieles von dem, was über Strempel publiziert wurde weniger an wissenschaftlichen Recherchen als an seinen eigenen Angaben, wie beispielsweise an den aus unterschiedlichen Anlässen entstandenen Lebensläufen, die, ungeachtet gewisser Selbststilisierungen, teilweise ohne diese zu hinterfragen, übernommen wurden und deren Aussagen einer kritischen Überprüfung oft nicht standhalten.

Da bis heute keine größeren wissenschaftlichen Arbeiten über ihn erschienen sind und thematisch eingegrenzte oder kurzgefaßte monografische Aufsätze Ausnahmeerscheinungen blieben, läßt sich die Stellung Horst Strempels als Künstler fast ausschließlich an Zeitungsartikeln, die vor allem anläßlich von Ausstellungen verfaßt wurden, ablesen. Aber auch die oft knappen Erwähnungen in überblickhaften Publikationen bildeten, ungeachtet ihrer jeweiligen Quantität, durch bloße Benennung oder Hinweise auf einzelne Werke eine wesentliche Grundlage für diese Arbeit, sei es dadurch, daß sie auf bestimmte Sachverhalte und Einzelheiten erst aufmerksam machten oder daß hier Kontexte für eine mögliche Einordnung von Leben und Schaffen Horst Strempels formuliert wurden.

Die an diesem Ort zusammengestellte Literatur will und kann keine exakten und kompletten Diskussionsverläufe zu einzelnen hier zur Debatte stehenden Problemen erörtern. Es werden lediglich einige zentrale Thesen im Hinblick auf die Verwertbarkeit für die vorliegende Studie skizziert; ebenso werden solche Ansätze, die eher eine Abgrenzung erforderlich machen, nur angedeutet. In diesem Sinne ist insbesondere auf jene kunst- und kulturhistorischen Untersuchungen zu verweisen, die eingegrenzte Phasen, wie beispielsweise die Weimarer Republik, die Zeit des antifaschistischen Exils oder die Nachkriegsjahre, dokumentieren und analysieren, und demzufolge Horst Strempel oft nur eine marginale Bewertung zuteil werden lassen.

Die vielen Widersprüche und Unklarheiten, die bei einer intensiveren Beschäftigung mit dem Werk Horst Strempels zutage treten und auf die im Rahmen dieser Studie noch eingegangen werden soll, liegen zu einem großen Teil in seiner unruhig verlaufenen Biografie begründet. Sein Standort zwischen den beiden politischen Machtblöcken ist vermutlich ein wesentlicher Grund dafür, daß er bisher in der deutschen Kunstgeschichte — weder der der BRD noch der der ehemaligen DDR — den Platz gefunden hat, der ihm eigentlich zusteht. Erst jetzt, durch die aktuellen politischen Entwicklungen begünstigt, könnte sich die Chance bieten, ihn, der nicht zuletzt ein Opfer des Kalten Krieges und der deutschen Teilung war, mit seinem Werk in einen gesamtdeutschen Zusammenhang zu stellen und entsprechend zu würdigen. Aufgrund der Widersprüche und Brüche, die die Biografie Strempels erkennen und sie in vielerlei Hinsicht mehrdeutig erscheinen läßt, eignete sie sich für die Vereinnahmung von unterschiedlichen Seiten. Vor allem seine Flucht aus der DDR und das im Zusammenhang mit diesen Erlebnissen in späteren Jahren entstandene Werk bot sich lange Zeit an, im Sinne des Kalten Krieges verwendet zu werden, was jedoch von Strempel selbst überhaupt nicht beabsichtigt war; dieses ist unter anderem seiner Äußerung zu entnehmen, nach der er die Mauerbilder nicht ausstellen wollte, wenn es sich »um eine Angelegenheit der 'Heimatvertriebenen' handelt«.[27]

Für eine wissenschaftliche Bewertung des künstlerischen Schaffens Horst Strempels scheint es notwendig, zwischen der Rezeption in der DDR und der in der BRD zu differenzieren. Die Kunstwissenschaftler der DDR taten sich lange Zeit im Umgang mit Horst Strempel schwer. Bis um die Mitte der 70er Jahre wurde er kaum beachtet oder vielmehr wegen seiner Republikflucht aus dem Gedächtnis verdrängt, und das, obwohl er die Nachkriegskunst der SBZ/DDR, und da besonders die Berlins, entscheidend mitgeprägt hat, seine Einflüsse noch bis in die 80er Jahre hinein erkennbar waren.[28] Die Tatsache, daß nur ein sehr geringer Teil seiner beachtlichen Kunstproduktion dieser Zeit in die öffentlichen Sammlungen gelangte und dort präsent ist, und private Eigentümer von Kunstwerken u.a. wegen der rigorosen Steuergesetzgebung in der DDR bis zur »Wende« 1989 kaum zu erfassen waren, erschwerte zudem eine Beurteilung seiner Kunst nicht unerheblich.

Die jahrelange Ignorierung galt aber wahrscheinlich weniger der Person und der künstlerischen Leistung Strempels; sie scheint eher ein weiteres Indiz für die auch in anderen Bereichen gepflegte Tabuisierung von offenkundigen politischen Fehlentscheidungen und Fehlentwicklungen zu sein. Erst in den letzten 10 bis 15 Jahren wurde Strempel schrittweise wieder rehabilitiert. Nachdem auch sein Hauptwerk *Nacht über Deutschland* endlich wieder öffentlich gezeigt werden konnte und bis 1990 einen zentralen Platz in der Ostberliner Nationalgalerie einnahm, fand Strempels Kunst nach und nach auch Eingang in die wissenschaftliche Forschung. Dabei kristallisieren sich zwei Schwerpunkte heraus, die sich mit den wesentlichen Interessensgebieten der DDR-bezogenen Kunstwissenschaft decken. Das Hauptgewicht wird naturgemäß auf diejenigen Arbeiten gelegt, die in der Zeit von 1945 bis 1953 entstanden sind; daneben spielt auch die proletarisch-revolutionäre Phase eine Rolle, allerdings ohne spezielle Kenntnis dessen, was er in dieser Zeit schuf.[29] Marksteine der Strempel-Rezeption in der DDR seit den 50er Jahren waren 1978/79 die beiden Ausstellungen »Revolution und Realismus« und »Weggefährten − Zeitgenossen«. Während die erstgenannte Ausstellung, die im Rahmen der Erbeaneignung zu sehen ist, zum erstenmal seit den 30er Jahren versuchte, Strempel als proletarisch-revolutionären Künstler zu würdigen, wurden in der zweiten seine Beiträge zur Entwicklung der Kunst der DDR herausgestellt und neben seinen Wandbildern und dem Triptychon *Nacht über Deutschland* auch sein Stellenwert in der Grafik hervorgehoben.[30]

Vorausgegangen waren allerdings schon langjährige Forschungsarbeiten, die insbesondere die Zeit der Weimarer Republik und des antifaschistischen Exils zum Anliegen hatten. Ullrich Kuhirt faßte 1962 erstmals in einer breit angelegten Dokumentation, die sich explizit auf die Kunstkritik der Jahre 1924 bis 1933 bezog,[31] wesentliche Aussagen zur proletarisch-revolutionären Kunst zusammen und erstellte somit eine Basis für weitere Forschungen, deren Ergebnisse in der Berliner Ausstellung 1979 zusammengefaßt und mit einer Vielzahl von Künstlerbiografien und Kunstwerken illustriert und erweitert werden konnten. Hier begann sich schon eine Tendenz abzuzeichnen, die in einer der letzten Publikationen zu diesem Thema von Harald Olbrich[32] nochmals ausgeführt und um wesentliche Aspekte bereichert wurde. Er führte die proletarisch-revolutionäre Kunst auf ihre Wurzeln bei Daumier und Menzel zurück und zeigte auf, daß die fortschrittlichen Kunstäußerungen keineswegs auf ihre propagandistisch-agitatorische Funktion reduziert werden können, sondern daß immer auch danach gestrebt wurde, das reale Leben in seiner Totalität zu erfassen.

Eine ähnliche Tendenz zeichnet sich bei der Erforschung der Kunst der 30er bis Mitte der 40er Jahre ab. Hier lag die deutliche Präferenz der DDR-Kunstwissenschaft seit jeher bei der Erforschung der antifaschistischen Kunst. Ende der 70er Jahre ging ein Kollektiv von Wissenschaftlern daran, in einer achtbändig konzipierten Reihe, unterteilt nach Emigrationsländern, eine Aufarbeitung des gesamten kulturellen Bereichs unter historischen Prämissen vorzunehmen.[33] Wenngleich man hier den Autoren im allgemeinen den Vorwurf einer allzu eingeschränkten Sichtweise machen muß, vor allem was die einseitige positive Bewertung des kommunistischen Widerstands angeht, so stellt diese Publikation doch den ersten und bisher einzigen Versuch einer systematischen Erfassung dar. − Im Hinblick auf die Erforschung einzelner Fragestellungen macht sich jedoch eine deutlich breiter angelegte Sichtweise bemerkbar, zunächst bei Erhard Frommhold, der versuchte, die Pole von Widerstand und Anpassung innerhalb der »inneren« Emigration auszuloten,[34] dann bei Harald Olbrich, der den Begriff des künstlerischen Widerstandes erheblich erweiterte, indem er der immer noch relevanten agitatorischen Komponente in Werken der bildenden Kunst die »Verteidigung der Kultur« und Volksverbundenheit als wesentliche Funktionen zur Seite stellte, ebenso wie er auf die Bedeutung der Avantgarde in diesem Zusammenhang verwies.[35] Diese Möglichkeiten ästhetischen Widerstands konkretisierte er kürzlich in einer vergleichenden Studie zur Exilgrafik Max Lingners und John Heartfields.[36]

Die Kunst, die Horst Strempel in den Jahren des Exils schuf, geriet mehr noch als die der Weimarer Republik in Vergessenheit. Weder würdigte man ihn als antifaschistischen Künstler noch als Künstler im Widerstand. Besonders schwer wiegt sein Fehlen in Erhard Frommholds Werk über die Widerstandskunst,[37] einem Standardwerk, in dem zahlreiche von der Hitlerdiktatur betroffene Künstler verzeichnet sind; ironischerweise schrieb Ernst Niekisch, mit dem Strempel seit 1945 eng befreundet war, das Vorwort dazu. − In der DDR-Literatur finden sich vereinzelte Hinweise auf seine im Exil entstandenen Pressezeichnungen, jedoch lassen die allgemein gehaltenen, sich wiederholenden Formulierungen mit Recht vermuten, daß den Autoren keine dieser Karikaturen bekannt war.[38]

Die Geschichte der Rezeption des in der Nachkriegszeit in der SBZ/DDR geschaffenen Werks unterscheidet sich zunächst nur wenig von der früherer Phasen. In den größeren Publikationen der 50er und 60er Jahre, die die DDR-Kunst oder einzelne ihrer Themengebiete im Überblick behandeln, erscheint der Name Strempel nur sehr selten, wie er auch in späteren Werken unverständlicherweise oft nicht vertreten ist.[39] Gleiches gilt für die Berücksichtigung bei thematischen oder zeitbezogenen Ausstellungen.[40] Eine Veränderung dieser Sichtweise, die sich schon seit Jahren angebahnt hatte, wurde erstmals durch die schon erwähnte Ausstellung »Weggefährten − Zeitgenossen« einer breiteren Öffentlichkeit vorgeführt. Diese Rehabilitierung, der eine häufigere Präsenz in nachfolgenden Ausstellungen und Neuerwerbungen der Nationalgalerie folgte, war ein vorläufiges Ergebnis intensiver Diskussionen um die Kunstentwicklung und Kunstpolitik in der DDR. Bezüglich der hart geführten, polemisierenden und für viele Künstler im negativen Sinne folgenreichen Formalismus-Realismus-Diskussionen hatten sich

Revisionen schon seit längerem angebahnt, so daß es auch keine Schwierigkeit mehr sein konnte, das künstlerische Wirken Strempels in den Kontext der Kunstentwicklung der DDR zu stellen.

Eine solche Forderung mußte allerdings Trautgott Stephanowitz noch 1984 wiederholen, als er anläßlich des 80. Geburtstags von Horst Strempel den bisher einzigen Versuch machte, eine kurzgefaßte Gesamtbewertung von Leben und Schaffen des Künstlers zu geben, einschließlich der Westberliner Jahre.[41] Karl Max Kober indessen gebührt das Verdienst, schon wesentlich früher auf die Bedeutung Strempels aufmerksam gemacht zu haben. In seinem letzten Werk weist er ihm erstmalig eine zentrale Stellung in der »Kunst der frühen Jahre« zu.[42] Dennoch muß auch er immer noch zu dem Schluß kommen: »Wenn sich auch inzwischen die Bemühungen gemehrt haben, ihm und seiner Leistung gerecht zu werden, so bleibt Horst Strempel immer noch ein unabgeschlossenes Kapitel unserer Kunstgeschichte«.[43]

Die Kunstwissenschaft und Kunstkritik in der BRD und Westberlin haben Horst Strempel ebenfalls lange Jahre nicht wahrgenommen. Wenn auch auf den ersten Blick lediglich qualitative Gründe dafür vorgelegen haben mögen, so ist doch zu einem nicht unwesentlichen Teil die Ursache ebenso in der spannungsreichen politischen Situation besonders der 50er und 60er Jahre zu sehen.

Vermutlich sind Horst Strempel und sein Werk auch heute nur einem begrenzten Kreis von Fachleuten und Sammlern bekannt. Das ist einerseits auf die Ignoranz zurückzuführen, mit der man teilweise immer noch die am Gegenständlichen orientierte Kunst von offizieller Seite betrachtet, sofern sie nicht dem herrschenden »Zeitgeist« entspricht. Andererseits muß jedoch auch zugestanden werden, daß die künstlerische Qualität seines Spätwerks, das der wichtigste Ausgangspunkt für die westliche Rezeption war, nicht mehr den früher erbrachten Leistungen entsprach. Diese (Ab-)Wertung des Spätwerks ist jedoch nicht unumstritten. Ein Teil westlicher Autoren, deren Wertungen, wie es etwa bei Willy Heyer der Fall ist, von einer durch den Kalten Krieg geprägten Herangehensweise bestimmt werden, unterstellen, daß er in der »Freiheit« wieder besser gearbeitet habe; so sei die »gesellschaftskritische Aggressivität von einst...einer von innerer Heiterkeit getragenen Klassizität«[44] gewichen.

In den Jahren nach 1953 war Horst Strempel in vielen Ausstellungen präsent; das Kunstamt Berlin-Tiergarten widmete ihm seit 1959 vier größere Personalausstellungen — zwei davon fanden posthum statt —, in denen versucht wurde, einen Überblick über sein Gesamtœuvre zu geben. Dies darf jedoch nicht darüber hinwegtäuschen, daß er trotzdem weitgehend ein Unbekannter blieb und sein Ruf kaum die Gren-

zen Berlins überschritten haben dürfte, obwohl auch in der BRD sein Werk gezeigt wurde.

Bis zu seiner Flucht aus der DDR war Strempel von der westlichen Kunstkritik stets als Verfechter des kommunistischen Systems angegriffen und häufig mit Polemik bedacht worden, falls man ihn überhaupt wahrnahm; danach rangierte er ganz oben in der Liste der Märtyrer der »bolschewistischen Diktatur«, so bei Balluseck, Lehmann-Haupt und später auch bei Edda Pohl.[45] Diese Einschätzung hinderte aber beispielsweise die Westberliner Administration nicht daran, ihn als willkommenen Spielball zwischen den Fronten des Kalten Krieges zu mißbrauchen. Die Problematik eines Künstlers zwischen zwei politischen Systemen — Strempel ist neben Gustav Seitz, Heinrich Ehmsen und anderen nur ein Beispiel dafür — wird in der Literatur an keiner Stelle aufgegriffen; eher wird phrasenhaft auf monokausale Erklärungsmuster rekurriert.

Im Westen standen die nach 1953 entstandenen Arbeiten sowie politisch »neutrale« Werke früherer Jahre bei diesen Betrachtungen im Mittelpunkt des Interesses. Sein bis 1945 entstandenes Werk blieb hingegen weitgehend unbekannt. Diese Tatsache hängt ebenfalls mit der vorherrschenden Kunstanschauung zusammen, die gegenständliche oder gar politische Kunst von der »wirklich freien« abgrenzte. Von dieser Herangehensweise distanzierten sich zwar eine Reihe von Wissenschaftlern, beispielsweise um die Zeitschrift »tendenzen«, indem sie sich gerade auf die Erforschung der offiziell nicht sanktionierten Kunst konzentrierten. So sind dem schon frühzeitigen Engagement Richard Hiepes eine Vielzahl von Impulsen im Hinblick vor allem auf die Kunst des antifaschistischen Widerstandes zu verdanken.[46] Die Ergebnisse dieser Ansätze schlugen sich in Ausstellungen wie »Widerstand statt Anpassung« nieder.[47]

Erst seit Ende der 70er Jahre, zu einem Zeitpunkt, als die Kunst der DDR auf den westeuropäischen Kunstmärkten erstmals beachtet wurde, begann auch die bürgerliche Kunstwissenschaft Interesse für Strempels Schaffen in der DDR aufzubringen. Im wesentlichen wurde jedoch wiederum nur auf das Wandbild im Bahnhof Friedrichstraße Bezug genommen; in Ausnahmefällen fand außerdem *Nacht über Deutschland* Erwähnung,[48] wobei auch weiterhin, wie beispielsweise in dem von Karin Thomas publizierten Überblick über die Kunst der DDR,[49] eine Ablehnung dem »Sozialistischen Realismus« gegenüber impliziert wurde.

Ein anderes Verständnis liegt der schon eingangs erwähnten Untersuchung Jutta Helds zur Kunst und Kunstpolitik der Nachkriegszeit in Deutschland[50] zugrunde, in der unter Heranziehung zeitgeschichtlicher Dokumente einerseits die vielschichtigen Ansatzmöglichkeiten von Kunst und Kunstpolitik sowie deren Realisierung aufgezeigt wurden, andererseits aber in gleicher Weise das individuelle Engagement zahlreicher Künstler sowie das gesellschaftskritische Potential ihrer Kunst eine Würdigung erfuhr. In diesem Zusammenhang wurde auch erstmals der Wirkungskreis Horst Strempels in dieser für ihn so wichtigen Zeitspanne skizziert.

Die vor kurzem in einem Sammelband zur Berliner Nachkriegskunst publizierten Analysen und Interpretationsversuche einiger Gemälde Strempels aus dem Besitz der Berlinischen Galerie, die noch in der DDR-Zeit entstanden sind, sowie eine Zusammenstellung von Dokumenten zum Wandbild Friedrichstraße können wenigstens, trotz zahlreicher leider vorhandener Mißverständnisse, dazu beitragen, das Werk in der Öffentlichkeit bekannter zu machen.[51] Eine Gesamtbewertung steht damit aber immer noch aus.

Strempel selbst bezog sich in einem Brief auf eine Publikation, in der er, seiner Meinung nach ungerechtfertigt, mit keinem Wort erwähnt wurde. Zu Paul Vogts »Deutsche Kunst im 20. Jahrhundert«[52] bemerkte er: » ... zu den Übergangenen gehöre auch ich. Nachdem Justi 1947 meine Bilder *Nacht über Deutschland* in der Ausstellung »Meisterwerke deutscher Kunst« gezeigt hatte. Auch in vielen Ausstellungen sind die anderen großen Bilder *(Soldaten, Erschießung, Kreuzigt ihn, Sackträger* usw.) bekannt geworden. Von den Mauerbildern ganz zu schweigen. ... Es gibt, soviel ich weiß, keinen Maler, der sich nach 1945 mit sozialpolitischen Themen auseinandergesetzt hat außer mir. Auch Dix nicht, der ins Religiöse getaucht ist. Und mein *Nacht über Deutschland* hätte in das Buch einfach hineingehört«.[53]

Die eingangs formulierte Hoffnung, daß mit dem politischen Umbruch sich auch eine Wende in der Strempel-Rezeption anbahnen könnte, hat sich in den letzten Monaten noch nicht erfüllt. Aktuelle Werke zur Kunst der DDR und in der DDR berücksichtigen weiterhin, im Klima einer Kunstgeschichtsschreibung des Kalten Krieges verharrend, vor allem die Ereignisse um das Wandbild Friedrichstraße — und nicht etwa das Wandbild selbst.[54] Die fast seit Ende des Zweiten Weltkriegs praktizierte Bewertung des Strempelschen Werks, die sich vor allem durch eine meines Erachtens nicht gerechtfertigte »Vermischung« ideologisch-moralischer und ästhetischer Beurteilungskriterien auszeichnet, scheint sich zunächst noch fortzusetzen.[55]

Anmerkungen

1 N.N. Ein Leben in Strafe. In: Der Abend, 6.5.1975.- N.N. Horst Strempel gestorben. In: Der Tagesspiegel, 6.5.1975

2 Diesen Ausdruck prägte Wilhelm Puff in dem einzigen ausführlichen Nachruf, um Strempels Lage in Frankreich zwischen Vichy-Regime und Gestapo zu umschreiben. Wilhelm Puff. Ethos und expressiver Impuls. In: Nürnberger Nachrichten, 12.5.1975

3 N.N. Befreite Pinsel. In: Der Spiegel, 21.10.1975

4 Held 1981

5 Werckmeister 1981

6 Kambas 1983

7 Bei den im Folgenden zitierten schriftlichen Äußerungen Horst Strempels wurde, um eine größtmögliche Authentizität zu erzielen, darauf verzichtet, orthografische Mängel zu korrigieren. Nach eigenen Bekundungen war der Künstler an einer korrekten Rechtschreibung nicht interessiert; die »Fehler« sind somit als individueller Ausdruck zu werten.

8 In diesem Zusammenhang spielt offenbar die persönliche Vergangenheitsbewältigung der Menschen eine große Rolle. Einige der angesprochenen Personen haben mittlerweile bewußt mit ihrer politischen Vergangenheit gebrochen und führen z.T. ein völlig anderes Leben. Vieles von dem, für das sie sich früher einsetzten, scheint heute von ihnen mit einem Tabu belegt zu werden. Das Schweigen der anderen rührt möglicherweise daher, daß sie selbst entscheidende Fehler — politischer oder persönlicher Natur — begangen haben (könnten), die durch zeitliche und räumliche Distanz von Ereignissen und Betroffenen — in diesem Falle von Horst Strempel — in Vergessenheit gerieten oder verdrängt wurden und erst durch die Recherchen einer Außenstehenden wieder zutage gefördert wurden. — Vgl. dazu auch Anm. 12.

9 Über Strempels Beziehung zu Max Raphael siehe S. 67 ff. Cuno Fischer und Strempel kannten sich seit den ersten Nachkriegsjahren durch die Arbeit im Berliner Kulturkollektiv, dessen Gründer und Leiter Cuno Fischer war. Strempel verließ das Kulturkollektiv jedoch bald wieder, Fischer ging 1950 nach Westdeutschland. (Brief von Cuno Fischer an Horst Strempel, 3.7.1957)

10 Karlsruhe 1980, 5

11 Ähnliche Lebenssituationen sind bei einer großen Anzahl von deutschen Künstlern des 20. Jahrhunderts zu finden; an dieser Stelle soll nur auf Gustav Seitz, Heinrich Ehmsen oder Ernst Neuschul verwiesen werden.

12 Die Atelierdurchsuchungen, von Strempel später verschiedentlich erwähnt, sind strittig. Robert Preux, der vor 1933 zusammen mit ihm in der KPD gearbeitet hat, äußert sich folgendermaßen: »Ich kann Ihnen versichern, daß es bis April 1933 keine Durchsuchungen in seinem Atelier gab. Ebenso war er bis zu diesem Datum nicht inhaftiert worden ... In diesen Zeiten waren die Polizeibeamten der Reviere SPD-Leute, die uns warnten, wenn eine Hausdurchsuchung oder Inhaftierung bevorstand. Außerdem war Strempel in der Hierarchie zu weit unten, als das er für den Augenblick interessant gewesen wäre.« (Brief von Robert Preux an G.S., 29.4.1989). Andererseits entschuldigte sich Strempel jedoch wegen eines versäumten Geburtstagsgrußes: » ... vor und während deines Geburtstages war ich verhaftet und konnte nicht schreiben« (Brief an Marie-Luise Neumann, 19.7.1932). — Abgesehen von dem zeitlichen Abstand dieser Ereignisse können möglicherweise frühere Streitigkeiten zwischen Strempel und Preux dazu beigetragen haben, daß Preux die Fakten heute anders darstellt, als sie sich damals wirklich zugetragen haben dürften. So geht aus einem späteren Brief von Horst Strempel an Zsiega Cohn hervor, daß es zwischen Strempel und Preux zu Unstimmigkeiten gekommen war. Grund dafür müssen politische Dokumente gewesen sein, die Strempel an Preux zur Aufbewahrung gegeben und die dieser nicht, wie abgesprochen, deponiert hatte. Ein weiterer Streitpunkt zwischen beiden, der sich ebenso heute nicht mehr klären läßt, bezog sich auf das Verhalten von Preux nach seiner Emigration nach Paris. Strempel warf ihm vor, sich auf unlautere Weise, indem er sich auf Strempel berief, Eingang in Pariser Exilkommunisten-Kreise verschafft zu haben.

13 Siehe Frommhold 1984, 253—278

14 Vgl. dazu den Briefwechsel Strempels mit Cuno Fischer. In Strempels Korrespondenz mit Cuno Fischer nehmen die Berichte über seine Tätigkeit als Tapetendesigner einen breiten Raum ein. Er erwähnt häufig über das Berliner Tapeten-Atelier Frey-Hermann verkaufte Entwürfe, so daß es den Anschein hat, daß er zumindest zeitweise sehr gefragt war. — Der von Cuno Fischer maßgeblich mitverantwortete Katalog der »Internationalen Tapetenausstellung« (München 1960) verzeichnete in seiner Designer-Galerie Horst Strempel als einen der besten Tapetenzeichner.

15 Nach einem undatierten Manuskript für die Beantragung des Flüchtlingsausweises C.- Desgl. auch ein an ein nicht benanntes Westberliner Amt gerichteter Brief (undatiert, um 1966/67). — In einer Kladde befindet sich folgende Notiz, die vermutlich in einen Brief aufgenommen werden sollte: »Trotz dieser Ausstellung gemeint ist die Ausstellung Berlin/W. 1959/2 und sehr positiven Presseberichten ist mir ein wirtschaftlicher Erfolg bis heute nicht widerfahren [sic]«.

16 Zimmermann 1980.- Zimmermann benutzt diesen Begriff zur Charakterisierung von übergreifenden Stilprinzipien im Werk von Künstlern in der Nachfolge des Expressionisten.

17 Strempel notierte in einem Brief an Friedrich Lambart vom 20.2.1955: »Ungefähre Aufstellung der in den Jahren 1933—1953 abhandengekommenen Arbeiten. / 1933 fast alle Arbeiten der Jahre 1923—33. / darunter *Selig sind die geistig armen* / *Fürsorge* / 1939 bei Ausbruch des Krieges in Paris zurückgelassen 1941 von der Gestpo beschlagnahmt. / ca. 50 Öl- und Tempera Bilder / ca. 400 Zeichnungen. / Mappe mit ca. 20 Zeichnungen *la guerre à Paris par là* / sämtlichen in den franz. Zeitungen veröffentlichten Arbeiten. ca. 150. / 1953 in Berlin-Pankow zurückgelassene Arbeiten. / ca. 10 Ölbilder + 30 Zeichnungen aus der Pariser Zeit. / ca. 100 Aquarelle und Temperas aus Griechenland / ca. 30 Temperas aus Südfrankreich / ca. 300 Ölbilder aus den Jahren 1945—1952 / darunter *Diskussion / die Dummheit / Familie / Aufbau und Verfall/ Kreuzigt ihn / Die Zuschauer / Sackträger / Soldaten /Erschießung / Das Stahlwerk* / ca. 150- 200 Pastell und Temperaarbeiten / ca. 10 Putzplatten mit Fresco-experimenten / 50 Zeichnungen ca. 40 x 50 zu *Germinal* / Mappe mit 30 Zeichnungen *das kommt nicht wieder* / Mappe mit 20 Zeichnungen zu Romain Rolland / ungefähr 800—1000 Studienskizzen / ca. 50 Radierplatten und davon alle Drucke / ca. 40 Holzschnitte und davon alle Drucke / Das Bild *Nacht über Deutschland* «.

18 Strempel schrieb am 8.7.1957 an Cuno Fischer, daß er im Frühjahr 1957 nach langen Verhandlungen einen Bruchteil seiner Bilder zurückbekommen habe. — In einigen Fällen tauchten Bilder im westdeutschen Kunsthandel oder im Privatbesitz auf, einige andere Arbeiten wurden von der Staatlichen Enteignungsstelle an DDR-Museen übergeben (vgl. dazu das Werkverzeichnis).

19 Brief von Horst Strempel an Friedrich Lambart vom 20.2.1955

20 Brief von Horst Strempel an Marie-Luise Neumann vom 2.10.1965

21 Es handelt sich hier um Unterlagen aus dem Nachlaß. Strempel stellte offenbar hin und wieder solche Listen auf, um beispielsweise eine Ausstellung zu konzipieren oder um den Überblick über verliehene Arbeiten zu behalten; auch Fracht- und Versandlisten von Speditionen, Empfangsbestätigungen usw. wurden ergänzend hinzugezogen.

22 Vgl. im Ausstellungsverzeichnis Berlin 1931 und Amsterdam 1933

23 Diese Angabe konnte bisher noch nicht verifiziert werden, da die 3. Auflage der Kunstgeschichte nicht greifbar war.

24 Diese Information geht aus einem Brief Strempels an Marie-Luise Neumann vom 16.5.1931 hervor; er schreibt dort weiter, daß das Moskauer Institut für Kulturforschung einen Film mit seinen Bildern gedreht habe und er vom Museum für Westliche Kunst in Moskau zu einer Ausstellung eingeladen worden sei.

25 Pariser Tageblatt, 20.5.1936.- Möglicherweise stellte Strempel, der sich zeitweise illegal in Paris aufhielt, seine Arbeiten auch unter einem Pseudonym aus. Die selektive Sichtung von zeitgenössischen Ausstellungskatalogen und -besprechungen führte jedoch zu keinem Ergebnis, wie sich auch in Strempels Korrespondenzen keinerlei Anhaltspunkte dafür finden ließen.

26 So schrieb Erich Link im Vorwärts, 29.4.1947, in Bezug auf *Nacht über Deutschland*, das in der Galerie Franz gezeigt wurde: »Das 'Altarbild', ein großes Triptychon, ist von ergreifender und erschütternder Gewalt. Hier hat Strempel seine großen Vorbilder übertroffen. Er läßt Hofer hinter sich, bei durchaus eigener Gestaltung. Endlich ein Maler, der sich mit den Problemen der Zeit auseinandersetzt, ohne propagandistisch zu wirken.«

27 Brief von Horst Strempel an Wilhelm Puff, o.D. um 1970?

28 Jörg Makarinus (1989) benennt neben den Einflüssen, die u.a. die Maler der »Brücke« sowie James Ensor, Egon Schiele, Max Beckmann, die Gruppe »Cobra«, Francis Bacon und Willem de Kooning auf die jungen DDR-Maler ausgeübt haben, auch solche von Malern, die in den ersten Nachkriegsjahren in der SBZ/DDR gewirkt haben: »...die Farbdramatik Heinrich Ehmsens wie die metaphysisch gebauten, irrlichternden Visionen Hans Grundigs und die verinnerlichte, tektonisch streng gefaßte Expression eines Karl Hofer oder Horst Strempel« (ebd., 8).

29 Die wenigen Arbeiten, die heute noch aus dieser Zeit existieren, wurden, abgesehen von der frühen Personalausstellung (Berlin 1947/1), meines Wissens niemals in der SBZ/DDR ausgestellt oder aber publiziert. Das gilt ebenso für das vorhandene Bildmaterial verlorengegangener Arbeiten; einzige Ausnahme ist das Triptychon *Fürsorge*, das im Ausstellungskatalog Berlin/DDR 1978/79 abgebildet wurde.

30 Gleisberg 1979, 235—247

31 Kuhirt 1962

32 Olbrich 1986

33 Kunst und Literatur im antifaschistischen Exil 1933—1945. 7 Bde. Leipzig 1978 ff.- Eine ausführliche kritische Würdigung dieser Reihe findet sich bei Albrecht 1988, 52—60

34 Frommhold 1978, 7—17

35 Olbrich 1980, 87—94

36 Olbrich 1989, 152—164

37 Frommhold 1968

38 So u.a. bei Olbrich 1979, 233 und Piltz 1976, 281

39 Nicht genannt wird Strempel u.a. in folgenden Werken: Ullrich Kuhirt/Christine Hoffmeister (Hg.). Kunst in der Deutschen Demokratischen Republik. Plastik, Malerei, Graphik 1949—1959. Dresden 1959. — Allgemeine Geschichte der Kunst. Hrsg. von der Akademie der Künste der UdSSR, Institut für Theorie und Geschichte der bildenden Kunst (in deutscher Sprache hrsg. von Ullrich Kuhirt). Bd. 8: Kunst des 20. Jahrhunderts. Leipzig 1970 (Kunst der DDR, 325—351, verfaßt von Ullrich Kuhirt). — Gerhard Pommeranz-Liedtke. Der graphische Zyklus von Max Klinger bis zur Gegenwart. Ein Beitrag zur Entwicklung der deutschen Graphik von 1880—1955. Berlin/DDR 1956.- Wolfgang Hütt. Wir und die Kunst. 3. Aufl. 1977 (1959); hier wird Strempel lediglich als Mitglied des ›Kollektivs deutscher Künstler‹ erwähnt.

40 Mit unserem neuen Leben verbunden: 10 Jahre bildende Kunst in der DDR. DAK und VBKD. Berlin/DDR 1959. — Aufbruch und Sieg: Die deutsche Arbeiterklasse in der Darstellung der bildenden Kunst 1890—1965. Potsdam 1966. — Sieger der Geschichte: die Arbeiterpersönlichkeit in der bildenden Kunst der DDR. Halle 1968.- 25 Jahre Graphik in der DDR 1949—1974. Berlin/DDR 1974

41 Stephanowitz 1984, 217—219

42 Kober 1989, 36

43 Kober 1989, 235

44 Heyer 1965, 5

45 Siehe Balluseck 1952, 57—58.- Lehmann-Haupt 1954, 207—208.- Pohl 1977, 1

46 Hiepe 1960

47 Weitere Anmerkungen zur westlichen Rezeption des Exils siehe Seite 44 ff.

48 Vgl. u.a. Schultheiß 1980, 15.- Thomas 1980, 28.- Mühlhaupt 1981, 16—17.- Interessanterweise nennt Wieland Schmied Strempel nur im Zusammenhang mit der DDR-Kunst (Schmied 1974, 47 und 49).

49 Vgl. Thomas 1980 und 1985

50 Held 1981

51 Feist, G. 1989.

52 Vogt 1972

53 Brief von Horst Strempel an Wilhelm Puff, 20.6.1972

54 Siehe z. B. Feist 1990, 128

55 Diese Tendenz zeichnet sich erneut bei dem Versuch einer Rückschau über die Kunstgeschichte der DDR aus, die seit 1991 in der Berliner Nationalgalerie gezeigt wird. Zugunsten einer breiten Präsentation des Werks von Künstlern wie Carlfriedrich Claus, Gerhard Altenbourg und Hermann Glöckner, offenbar gedacht als eine — nicht unberechtigte — Wiedergutmachung für deren jahrelange Mißachtung, wird weitgehend auf solche Künstler verzichtet, die mit ihrer häufig auch politisch argumentierenden, aber ästhetisch deshalb nicht minderwertigen Kunst das Gesicht der Kunstgeschichte der DDR maßgeblich mit beeinflußt und bestimmt haben.

Die frühen Jahre

Kindheit und Jugend

Horst Strempel wurde am 16. Mai 1904 in Beuthen (Bytom) in Oberschlesien geboren. Über den Verlauf seiner Kindheit und Jugend ist kaum etwas bekannt. Er wuchs in einem bürgerlichen Elternhaus zusammen mit zwei Geschwistern auf. Der Vater, der eine Drogerie besaß, starb schon früh. Nach dem Besuch einer Realschule bis um 1918/19 begann Strempel eine Ausbildung als Dekorationsmaler, die er 1922 abschloß. Aus dieser Zeit existiert ein erster künstlerischer Versuch, ein mehrseitiges Erbauungsbüchlein mit religiösen Sprüchen und Illustrationen, das er seiner Mutter zueignete.

Was Strempel in seiner Schul- und Lehrzeit von Kriegsvorbereitungen und Krieg, von den Kämpfen der Arbeiter und von der Revolution bewußt mitbekommen hat, ist nicht zu sagen. Jedenfalls wird er die Auswirkungen des Krieges und der Inflationszeit am eigenen Leibe zu spüren bekommen haben. Beim Weißen der Stollen im oberschlesischen Bergbaugebiet kam er zum erstenmal direkt mit der Situation der Arbeiter in Berührung. In dieser Zeit muß er wohl die ersten Impulse für seine jahrelange Beschäftigung mit sozialen Themen erhalten haben. Es dauerte nicht mehr lange, bis der Entschluß in ihm reifte, Zolas Bergarbeiter-Roman *Germinal* zu illustrieren.[1] Aus den frühen Jahren sind heute jedoch keine Bearbeitungen dieser Thematik mehr bekannt. Anklänge daran finden sich lediglich in zwei Aquarellen, die die Heinitzgrube in Beuthen darstellen (WVZ 650 und WVZ 651, Abb. 146, S. 219). Sie haben aber mit den späteren sozialen Sujets im engeren Sinne nichts zu tun. Während die verschollene Arbeit eine typische Industrielandschaft mit Fördertürmen und Fabrikschloten darstellt, zeigt sich in dem Regensburger Blatt eine reine Landschaftsdarstellung in dunkler verhaltener Farbigkeit. Grubengelände und Kohlehalden werden in großzügigen, nicht eindeutig abgegrenzten Flächen zusammengefaßt; Menschen, Architekturen und Maschinen fehlen völlig. Es scheint ein inhaltlicher Bezug zu den Landschaftsaquarellen Emil Noldes, der Strempel nach eigenen Angaben in den frühen Jahren sehr beeindruckte, gegeben zu sein, allerdings mit gravierenden Unterschieden in der Farbgebung. — Erst Mitte der 30er Jahre, als er die Borinage und das Saargebiet besuchte,[2] griff er wieder auf Themen des Bergbaus zurück (WVZ 666, Abb. 150 und WVZ 675, Abb. 152, S. 219).

Sowohl künstlerisch als auch politisch wird er in diesen Jahren kaum gefestigt gewesen sein. Wo der Ansatzpunkt für sein politisches Engagement in den späten 20er Jahren lag, wann sich seine vielleicht schon lange vage vorhandenen Absichten zu konkretisieren begannen, ist nicht mehr festzustellen. Er selbst setzt den »Beginn der politischen Erkenntnis« mit seinem Studium in Breslau an.[3]

Ausbildung an der Kunstakademie Breslau 1922—1927

Über die Ausbildungszeit Strempels an der Breslauer Kunstakademie von 1922 bis 1927 liegen heute keine konkreten Informationen mehr vor. Dieses Manko, das sich in Bezug auf seinen Ausbildungsgang feststellen läßt, gilt in ähnlicher Weise für die letzten Jahre des Bestehens der Akademie im allgemeinen; überall klaffen Lücken.[4] Denn das »Phänomen 'Breslauer Akademie'«[5] ist bisher noch kaum erforscht worden, obwohl sie, neben dem Bauhaus, die fortschrittlichste Kunsthochschule in Deutschland war.[6]

Schon die Direktoren Hans Poelzig und August Endell hatten während ihrer Amtszeit die Akademie nach fortschrittlichen Gesichtspunkten geleitet. Oskar Moll, der seit 1918 dort als Professor tätig war, trat 1925 die Nachfolge an und verblieb in dieser Stellung bis zu ihrer erzwungenen Schließung durch die von Brüning in der 2. Preußischen Notverordnung veranlaßten Sparmaßnahmen im Jahre 1932. Während seiner Amtszeit waren so unterschiedliche Künstlerpersönlichkeiten wie Johannes Molzahn, Georg Muche, Oskar Schlemmer, Alexander Kanoldt, Otto Mueller und Hans Scharoun als Lehrende tätig. Diese Toleranz gegenüber zwar profilierten, aber dennoch äußerst gegensätzlichen Individuen war ein besonderes Merkmal und dokumentiert das Bestreben, den Schülern die Möglichkeit zu geben, mit bedeutenden zeitgenössischen Künstlern zusammenzuarbeiten.

Oskar Moll richtete sich weitgehend nach den pädagogischen Vorstellungen von Henri Matisse. Künstlerisch-didaktisch bedeutete dies einerseits, daß darauf geachtet wurde, den Schülern solide zeichnerische Grundlagen vor der Natur zu vermitteln, andererseits, auf den inhaltlichen Aspekt bezogen, eine stärkere Hinwendung zu dekorativen Formen. Organisatorisch verfolgte Moll eine Umstrukturierung des traditionellen Schulbetriebs durch Auflösung der üblichen, an den künstlerischen Genres orientierten Klassenmodelle. Stattdessen wurden Vorklassen eingerichtet, die den Schülern die Möglichkeit boten, ihre persönliche und künstlerische Eignung zum Studium zu überprüfen; man vermittelte ihnen hier die Grundlagen des Zeichnens und bereitete sie auf das weitere Studium vor. In den sich daran anschließenden Fachklassen wurden die Studenten für je ein Jahr einem bestimmten Lehrer zugeteilt. Die Studierenden setzten sich aus zwei verschiedenen Gruppen zusammen: aus freien Künstlern, die, um in die Akademie aufgenommen zu werden, eine Berufsausbildung vorweisen mußten, und aus Kandidaten für das künstlerische Lehramt, für die das Abitur Bedingung war. Der praktische Unterricht war jedoch für beide Gruppen gleich.

Erklärtes Ziel war es, »daß der Künstler eigene Lebensergebnisse zu formen vermöchte«.[7] Die Akademie sei »nicht im eigentlichen Sinne eine Lehranstalt mit vorgeschriebenen Unterrichtsmethoden, sondern Ausdruck bestimmter kunstausübender Persönlichkeiten, die ihr Können nicht nach einem Schema an ihre Schüler übermitteln, sondern nach ihrer eigenen besonderen Art. ... Die Schüler sollen nicht fertig sein, wenn sie die Akademie verlassen, sie sollen die Fähigkeit haben, ihr Können künstlerisch lebendig weiter auszubauen«.[8] Weitere Aufgaben der Hochschule sah Oskar Moll im »Erfassen der Gegenwerte« und im »sorgfältigem Prüfen des Zeitinstinkts«; neue Formen seien nicht aus Sensation zu entwickeln, sondern aus bedingter Notwendigkeit.[9]

In den Biografien Strempels werden immer wieder Otto Mueller und Oskar Moll als seine Lehrer angeführt, ohne jedoch konkrete Informationen über das Verhältnis zu geben. Strempels eigene überlieferte Äußerungen sind spärlich und leider fehlen entsprechende Dokumente, um diesbezüglich Klarheit zu schaffen. Im Hinblick auf die pädagogischen Konzeptionen der Breslauer Akademie dürfte für die Beantwortung dieser Frage ohnehin zunächst kaum relevant sein. Robert Preux, ein Kommilitone Strempels in Breslau, gibt an, daß Strempel zunächst in die Klasse von Oskar Moll aufgenommen worden sei, dann um 1927 in die Mueller-Klasse kam, wo er selbst auch studierte.[10] Nach Auskunft Gerhard Neumanns hingegen, der ebenfalls mit Strempel zusammen in Breslau studierte, soll dieser niemals Mueller-Schüler gewesen sein, sondern nur dessen für die Allgemeinheit zugängliche Zeichenkurse oder Abendakte besucht haben.[11]

Robert Preux hebt den auffallenden Fleiß Strempels hervor: » ... wenn er nicht zeichnete, malte oder las er, wohl um seine Volksschulbildung aufzubessern. Ich mußte ihm die Anfänge von Latein beibringen, er wollte die Texte auf alten Bildern lesen können. Er hatte einfach das Bedürfnis nach Bildung«.[12] Verschiedene Studienaufenthalte halfen, den an der Akademie angebotenen Lehrstoff zu vertiefen. So verbrachte Strempel mit der Moll-Klasse zwei Monate in Wölfelsgrund.[13] 1924 führte ihn eine Reise nach Haarlem, wo er im Auftrag des Breslauer Museums Werke von Frans Hals kopierte,[14] eine Erfahrung, die möglicherweise sein Interesse an den Techniken alter Malerei weckte.

Mit Ausnahme zweier Gemälde (WVZ 10 und 13) und eines Aquarells (WVZ 650) konnten bisher keine in Breslau entstandenen Arbeiten aufgefunden werden. Das Stilleben wurde in Leimfarbe ausgeführt, einer von Mueller besonders gepflegten Maltechnik; im Motivischen lassen sich jedoch eher Hinweise auf Oskar Moll finden. Das Selbstporträt wird von neusachlichen Zügen bestimmt, die weder auf Moll noch auf Mueller zurückgeführt werden können; auch das expressionistisch beeinflußte Aquarell läßt keine derartigen Rückschlüsse zu. Die nach 1927 entstandenen Werke, in der Hauptsache Porträts, sind zunächst eher dem Spätimpressionismus verpflichtet. Themen, die soziales und moralisches Engagement verbunden mit einer realistischen Malweise erkennen lassen, lösen diese dann erst um 1930 ab. Will man also überhaupt an diesen künstlerischen Relikten der Studienjahre irgendwelche Beeinflussungen erkennen, so kann das vorerst nur auf das allgemeine Einwirken der in der Akademie herrschenden Atmosphäre, den Einfluß ihres Gesamtkonzeptes bezogen werden, das den Schülern die Freiheit ließ, sich auf einer möglichst breiten Basis zu orientieren. Eine detaillierte Einschätzung kann erst erfolgen, wenn weiteres Bildmaterial aus dieser Zeit aufgefunden werden sollte.

Erst in später entstandenen Arbeiten scheinen sich die Einflüsse Molls und Muellers konkreter auszuwirken. In bezug auf Mueller erläuterte Strempel rückschauend aus kritischer Distanz: »Ich habe von Mueller sehr viel gelernt, weniger weil er ein guter Lehrer oder Maler war, sondern weil er ein Mensch und eine künstlerische Persönlichkeit war. Malen konnte er überhaubt nicht. Er hatte keine Ahnung von Raum, Luft, Atmosphäre und Farben, die Pläne und den Raum geben, vom komponieren gar nichts. Über alles konnte er uns nichts sagen, weil er selbst es nicht gewußt hat. Ich habe mir heute mit Erna zusammen wieder die Bilder angesehen, die von ihm im Museum des 20. Jahrhunderts hängen. Trotz aller Hochschätzung, die ich für ihn habe. Die Bilder sind enttäuschend. Alles bleibt auf der Fläche, hintere Pläne kommen nicht vor, die Farbskala ist äußerst beschränkt, (Erdfarben) alles mit schwarz konturiert, ohne das das schwarze Farbe wird, wie bei Rouault. Im Grunde sind es kolorierte Graphiken«.[15]

Die Einschätzung Strempels, so kritisch-distanzierend sie auch gemeint ist, faßt dennoch wesentliche Prinzipien der Kunst Muellers zusammen; er geht aber nicht auf bestehende Übereinstimmungen ein. Gemeinsam ist den beiden Künstlern nämlich, daß sie nie das Sujet der Großstadt im Sinne der Expressionisten und ihrer Nachfolger bearbeiteten — die Großstadtbilder Ernst Ludwig Kirchners und die apokalyptischen Stadtlandschaften Ludwig Meidners können hier als Beispiele angeführt werden − , sondern ihr Interesse auf den Menschen richteten. Verbindungslinien in diesem Sinne lassen die frühen sozialkritischen Arbeiten Strempels beispielsweise zu Muellers Zigeunerbildern erkennen.[16] Aber auch im Spätwerk Strempels tauchen Motive auf, die sich an das Repertoire Otto Muellers anlehnen und auch dessen formales Spektrum variieren. Die für sein Schaffen charakteristische vereinfachte, große, klare Form mit expressiver Umrißlinie und die dadurch erzielte flächenhafte Wirkung, die durch die Grafik beeinflußt wurde, spielt zusammen mit dem dekorativen Element eine große Rolle. Strempel, der gravierende Unterschiede zwischen Mueller und den Expressionisten, die, wie er meinte, die Form bzw. die Zeichnung zerstören wollten, sah, betonte, daß es Muellers Bestreben gewesen sei, »die Form zu erhalten und Körper und Landschaft auf ihre einfachsten Elemente zu reduzieren. Natürlich (bedingt durch die Zeit und seine Freunde) mit expressiven Mitteln.«[17] Für Strempel ist der Vorwurf, sich zu sehr im Dekorativen verloren zu haben, nur die Bestätigung dafür, »dass meine geistige Herkunft von Mueller unverkennbar ist« und er fügt noch hinzu: »ich selbst strebe ja, auch heute noch das dekorative an, weil es für mich keine Trennung zwischen 'freier' Kunst und dekorativer Kunst giebt«.[18] Diese Parallelen sind vor allem bei den Mädchenbildern und Akten beider Künstler festzustellen.

Die Schulung an Oskar Moll, die von Strempel an keiner Stelle ausdrücklich erwähnt wird, scheint dessenungeachtet zunächst intensiver gewesen zu sein. Hier könnte besonders der Auslöser für Strempels Auseinandersetzung mit dem Kubismus liegen. Moll, der langjährige enge Beziehungen zu französischer Kunst und Künstlern hatte, hielt sich seit 1907 wiederholt in Paris, besonders im Kreis um Henri Matisse auf. Möglicherweise unter dem Einfluß Oskar Schlemmers und Johannes Molzahns[19] beherrschten nach 1920 Experimente mit kubistischen Gestaltungsprinzipien seine Bildwelt. Bei Strempel fanden diese Anregungen erst einige Jahre später, vermutlich verstärkt durch das unmittelbare Erleben französischer Kunst, Eingang in sein Werk. Beispiele für solche Bildgestaltungen sind das *Stilleben mit Fisch* (WVZ 1297, Abb. 168, S. 225) und *Sitzendes Mädchen* (WVZ 1312, Abb. 171, S. 227). Daß er jedoch schon früher moderne französische Kunst rezipiert hatte, belegt eine Bemerkung in einem Brief[20]. Weitere Einflüsse Molls, jedoch ohne die Anwendung kubistischer Stilformen, können deutlich in den während der Kriegsjahre entstandenen Landschaftsaquarellen wie *Pyrenäenlandschaft mit Feldweg* (WVZ 687) und *Laubwald mit Haus im Hintergrund* (WVZ 688) ausgemacht werden.

Nach der Beendigung seiner Akademiezeit in Breslau, vielleicht auch schon früher, scheint Strempel den Entschluß gefaßt zu haben, nach Berlin zu gehen. In der Zwischenzeit arbeitete er beim Drei-Städte-Theater Beuthen-Gleiwitz-Hindenburg als Bühnendekorateur und war wenigstens einmal für etwa ein Jahr in Paris. Obwohl in der Literatur immer wieder darauf hingewiesen wird, daß Strempel bei Karl Hofer studiert habe und er selbst sich auch als dessen Schüler bezeichnete, existiert kein Nachweis über sein Studium als ordentlicher Student an der Berliner Kunstakademie.[21] Möglicherweise besuchte er jedoch seine Privatkurse. In Strempels Bildern, die in dieser Zeit bis 1933 entstanden, zeigt sich auch noch kein direktes Einwirken des Hoferschen Kunststils, wohingegen viele Arbeiten der Nachkriegszeit in Themenwahl und Stil eindeutig auf ihn verweisen. Aber schon 1939 hatte Max Raphael das »Hoferische« in seinem Werk beanstandet;[22] dieser Kritik kann vom heutigen Wissensstand aus kaum etwas hinzugefügt werden, weil zuwenig Anschauungsmaterial vorhanden ist.

Anmerkungen

1 Horst Strempel schrieb in einer Erläuterung zu seinem Zyklus *Germinal* (Typoskript, undat., um 1969) dazu: »Die Gruben, die Halden, die Hochöfen, die so spannungsgeladene Atmosphäre des oberschlesischen Industriegebietes faszinierten mich. Immer wenn ich in die Gruben einfuhr, habe ich gezeichnet. Das Bergwerk, die Halden, die Menschen, wenn sie von oder zu der Arbeit gehen, sind in vielen Skizzen und Zeichnungen festgehalten. Leider ist ein großer Teil dieser Arbeiten durch Kriegseinwirkungen vernichtet worden. Als ich dann auf der breslauer Akademie war, wollte ich das große Bild *Oberschlesien* malen. Ich wollte alles zusammen malen: die karge Landschaft, die Halden, die Industrie, die soziale Spannung zwischen Bürgertum und Proletariat, die Spannung zwischen Proletariat und Kirche, die Gegensätze zwischen Katholizismus und protestantischer Minderheit, die Gegensätze zwischen deutschem und polnischem Proletariat, die fortschrittliche Technik und auch die mittelalterlichen Zustände dieser Landschaft. Meine künstlerischen und intellektuellen Fähigkeiten waren jedoch zu gering, um diese gewaltige Arbeit zu bewältigen. Aber immer wieder bin ich in die oberschlesischen Gruben, ins Waldenburger Braunkohlengebiet und in die Mansfelder Schiefergruben in Thüringen eingefahren und habe meine in Oberschlesien angefangenen Studien fortgesetzt. Erst 1925 fiel mir das Werk von Emil Zola *Germinal* durch Zufall in die Hände. Ich war erschüttert deshalb, weil dieses Buch mich das nacherleben ließ, was ich zum Teil selbst erlebt hatte.«
2 »Nach meiner Emigration nach Frankreich 1933 gelang es mir unter großen Schwierigkeiten, in einige Gruben der Borinage in Belgien einzufahren. Später, ich glaube es war 1937, war ich während des Wahlkampfes im Saargebiet und bin auch dort in einige Gruben eingefahren.« (Strempel war wohl 1935 im Vorfeld der Saarabstimmung dort. Ein späterer Aufenthalt, nachdem das Saargebiet an Deutschland gefallen war, dürfte mit großen Schwierigkeiten verbunden gewesen sein.)
3 Horst Strempel, Stichworte für Herbert Roch
4 Die folgenden Ausführungen zur Breslauer Akademie stützen sich auf Scheyer 1961, Wingler 1977 und auf den Ausst.Kat. Berlin/W. 1965
5 Scharoun 1965, 5
6 Johannes Molzahn meinte: »daß die Breslauer Akademie unter O. Moll ein Musterbeispiel einer kunsterzieherischen Institution in der zeitgenössischen Welt gewesen ist...und dadurch noch bei weitem der Bauhausorganisation überlegen, weil

sie...alle Strömungen widerspiegelte — ein getreuer Spiegel der zeitgenössischen Auseinandersetzungen gewesen ist. Das zu einer Zeit, in der es allgemeingültige und letzte Formen nicht geben kann, in der alles im Flusse und im Wachsen ist.« (Johannes Molzahn an Marg Moll. In: Rickert 1977, 219

7 Scharoun 1965, 6
8 Moll 1930, 223
9 Moll 1929, 222
10 Brief von Robert Preux an G.S., 29.4.1989. Die dort genannten Daten sind, wie auch an anderer Stelle der Fall, nicht korrekt. Wie sich anhand von datierten Briefen nachweisen läßt, war Strempel 1927 schon in Berlin.
11 Gerhard Neumann in einem Gespräch mit der Autorin im März 1990.
12 Brief von Robert Preux an G.S, 29.4.1989

13 ebd.
14 Brief von Horst Strempel an Wilhelm Puff, 11.9.1973
15 Brief von Horst Strempel an Wilhelm Puff, 19.2.1963
16 Nach eigenen Angaben war Strempel an der technischen Übertragung der Zigeuner-Mappe von Mueller beteiligt.
17 Brief von Horst Strempel an Wilhelm Puff, 23.10.1955
18 ebd.
19 Vgl. dazu Regensburg 1987, 106
20 Brief von Horst Strempel an Marie-Luise Neumann, 30.3.1930.- Strempel erwähnte hier Juan Gris und Henri Matisse.
21 In den Akten des Archivs der Berliner Kunstakademie finden sich keine Hinweise auf ihn.
22 Brief von Max Raphael an N.N., 30.4.1950

Die Berliner Zeit 1927—1933

Das heute vielfach noch dominierende Bild vom Deutschland der Weimarer Republik entspricht in keiner Weise der damaligen Realität. Man glorifiziert die sogenannten »goldenen« 20er Jahre als eine Hochzeit der Kultur; das Bauhaus, der Zauberberg, die Dreigroschenoper und das Cabinet des Dr. Caligari werden zu Synonymen für diese Zeit.[1] Was der Mythos von Weimar allerdings ausklammert, sind sowohl die schon bald einsetzenden restriktiven Maßnahmen nicht nur gegen bildende Kunst und Literatur, die geradewegs auf die Kunst- und Kulturpolitik unter Hitler hinführen, wie auch die direkten und indirekten Nachwirkungen des Ersten Weltkrieges und der gescheiterten Revolution. Dabei ist nicht nur an die wirtschaftliche Misere zu denken, von der der überwiegende Teil der Bevölkerung, vor allem das Proletariat, betroffen waren. Nach einer relativen Stabilisierung der politischen und ökonomischen Verhältnisse in der Folge der Währungsreform von 1923 begann sich die Situation um 1928 erneut zuzuspitzen. Eine Verschärfung der allgemeinen Krise des Kapitalismus wurde sichtbar, deren Symptome eine fortschreitende Polarisierung der Klassengegensätze, Massenverelendung, zunehmende Faschisierung und schließlich auch die Weltwirtschaftskrise waren.[2]

Die Erfahrungen der Kriegs- und Nachkriegszeit bewirkten überdies eine Veränderung des Bewußtseins, die sich in kritischer Distanz gegenüber den bestehenden politischen und gesellschaftlichen Verhältnissen und einem gewandelten Wirklichkeitsverhältnis äußerte. Dieser neuen Haltung entsprechend versuchten die Künstler, die Dinge so darzustellen, wie sie diese in der Wirklichkeit fanden. Sie reagierten auf diese Situation mit der Suche nach neuen Kunstformen, die den Anforderungen der Zeit gerecht werden konnten. Reflexionen über Möglichkeiten kollektiven künstlerischen Arbeitens und kollektiver Kunstvermittlung sowie die Anwendung neuester technischer Errungenschaften führten zu einer rasanten Weiterentwicklung der Medien Rundfunk und Film und zur Herausbildung der Fotomontage. Ebenso begann sich auch in der Malerei eine Hinwendung zu der neuen Gegenständlichkeit herauszubilden, die sich von der Kunst des Expressionismus wesentlich unterschied; sie wurde, ungeachtet der Vielfalt der vertretenen Richtungen, unter dem Begriff »Neue Sachlichkeit« zusammengefaßt.[3]

Zwar hatten fortschrittliche Künstler schon mindestens seit dem Beginn der Industrialisierung versucht, die Aufmerksamkeit der Rezipienten auf die menschlichen Lebensbedingungen zu lenken, jedoch

geschah dies zunächst mehr aus beobachtender Distanz als aus eigener Betroffenheit. Direktes politisches Engagement durch die Kunst, der Wunsch, die unmittelbare Zeitwirklichkeit zu erfassen, um dadurch der Kunst eine soziale Funktion zuzuweisen, entwickelte sich erst während des Ersten Weltkrieges und danach und bezog sich im wesentlichen auf die Darstellung des Krieges mit seinen materiellen wie psychischen Folgen als Ausdruck einer pazifistischen Gesinnung. Hier ist vor allem auf die expressionistischen Künstler zu verweisen, in deren Werk diese Thematik eine besondere Stellung einnimmt.

Diese von der fortschrittlichen Künstlerschaft vertretene Antikriegshaltung wurde somit zu einem der Leitthemen der Kunst dieser Jahre. Zu gegebenen Anlässen widmeten sie sich diesen Bereichen besonders intensiv, so etwa 1924, als man des Beginns des Ersten Weltkrieges zehn Jahre zuvor gedachte, oder um 1930, als ein Erstarken reaktionärer Kräfte einen Krieg in denkbare Nähe rücken ließ.[4] Dieser Pazifismus fand immer wieder seine individuellen Ausprägungen in der Darstellung der verelendeten, ausgebeuteten Volksmassen, des Klassenkampfes, wie auch in der Anprangerung der Brutalität der politischen Reaktion; übergreifende Themen, die Bedrohungen in unterschiedlichen Bereichen aufzeigen wollten, wurden häufig von den Sujets Großstadt und Technik bestimmt.

Zu Beginn der 20er Jahre ist auch der Zeitpunkt anzusetzen, an dem die fortschrittlichen Künstler einsahen, daß man sich organisieren mußte, um einen adäquaten Beitrag zu den Fragen der Zeit leisten zu können. Viele Zusammenschlüsse von Künstlern nach Kriegsende und nach der Novemberrevolution erwiesen sich jedoch schon bald aus verschiedenen Gründen als nicht genügend tragfähig, wie die »Neue Sezession, Gruppe 1919«, »Das junge Rheinland« oder die Karlsruher Gruppe »Rih«, die, wie auch die »Novembergruppe«, nach und nach ihre ehemals politischen Konzeptionen aufgaben und immer mehr zu reinen Ausstellungsvereinen wurden. 1924 startete die KPD erneut einen Versuch mit der Gründung der »Roten Gruppe«,[5] an der u.a. John Heartfield, George Grosz und Rudolf Schlichter beteiligt waren. Aber auch sie war nicht schlagkräftig genug, als daß sie den aktuellen Erfordernissen hätte entsprechen können.

Die Künstlerselbsthilfe[6] und der im März 1927 gegründete »Reichswirtschaftsverband Bildender Künstler Deutschlands«[7] als offizielle gewerkschaftliche Berufsorganisation der Künstler, in der unter der Leitung von Heinrich Vogeler und Franz Edwin Gehrig-Targis eine relativ starke KPD-Gruppe agierte, waren ebenfalls in erster Linie Vertretungen für wirtschaftliche Belange. Vor allem wegen der unterschiedlichen politischen Standpunkte der einzelnen Mitglieder konnten dort kaum weitreichendere Interessen wahrgenommen werden.

Für die Entwicklung des fortschrittlichen Kunstschaffens in der Weimarer Republik spielte die KPD eine besondere Rolle. In den Jahren bis 1933 versuchte sie, eine Kunst entsprechend den politischen und gesellschaftlichen Bedürfnissen zu etablieren, wobei die kulturpolitischen Aktivitäten immer auch in Abhängigkeit zur Haltung in allgemeinpolitischen Fragen standen.[8] Das vorrangige Thema der KPD-Kunstdiskussionen dieser Zeit war die Frage, wie man die Kunst massenwirksam gestalten und als Instrument des Klassenkampfes verwenden könne. Aus diesem Grunde waren ständige Reflexionen über Ziele, Funktionen, Inhalte und Form von Kunstwerken, aber auch die Möglichkeiten des Zusammenwirkens von Kunst und Politik und das Verhältnis von Kunst und Wirklichkeit an der Tagesordnung.[9]

Die »Assoziation Bildender Künstler Deutschlands«

Die Künstler, die sich 1928 in der »Assoziation Revolutionärer Bildender Künstler Deutschlands« (ARBKD) zusammenschlossen,[10] vertraten dann auch eine Kunstauffassung, die weitestgehend der Linie der KPD entsprach, wie sie sich seit ihren Anfängen entwickelt und modifiziert hatte. In ihren Statuten betonte die ARBKD ihre Nähe zur russischen Bruderorganisation AChR wie auch ihre Rolle im Klassenkampf, den ihre Mitglieder »stilistisch wie inhaltlich den Bedürfnissen der Arbeiterschaft angepaßt«[11] fördern wollten. Weiterhin wird an dieser Stelle die Entwicklung und Bedeutung der bürgerlichen Kunst und die Rolle, die der Künstler unter diesen von kapitalistischen Strukturen bestimmten Bedingungen spielt, aus marxistischer Sicht beschrieben. Der Ausweg aus dieser miserablen Situation führte nur über die Erkenntnis, daß das Elend der Künstler in denselben Ursachen wurzelt wie das des Proletariats.[12] Die ARBKD setzte in ihrer Kultur- und Kunstkonzeption den Kampf um die Eroberung der politischen Macht an die oberste Stelle und definierte infolgedessen die Kunst als Waffe im Klassenkampf.

Die konkrete Beschäftigung der revolutionären Künstler mit Kunst sah zunächst so aus, daß man, wie schon früher in der »Roten Gruppe«, vor allem mit der Herstellung von Gebrauchsgrafik beschäftigt war, also der Ausstattung von Versammlungsräumen und Demonstrationen und der Anfertigung von Agita-

tionsmaterial. Erst nach und nach wurden die hier entwickelten Kunstvorstellungen auch auf die »freie« Kunst übertragen und angewandt. Neben Kunstausstellungen, die häufig in Warenhäusern organisiert wurden, um den Proletariern die beim Betreten von Museen und Galerien übliche Schwellenangst zu nehmen, beteiligte man sich auch an verschiedenen anderen Projekten. Erste Resultate dieses Entwicklungsprozesses wurden 1930 auf der IFA-Schau vorgestellt, weitere dann in einer sechsteiligen Ausstellungsreihe »Künstler im Klassenkampf«, die von der Berliner ARBKD-Gruppe organisiert wurde. Andere wichtige Ausstellungen, die von den proletarisch-revolutionären Künstlern beschickt wurden, waren beispielsweise »Frauen in Not« und die internationale Ausstellung »Sozialistische Kunst heute« in Amsterdam.

Künstlerische Sujets waren zunächst vor allem Themen des Klassenkampfes, wobei das Proletariat immer seltener als Opfer der gesellschaftlichen Verhältnisse, sondern verstärkt als revolutionär handelndes Subjekt dargestellt wurde. Eine besondere Festlegung auf den antifaschistischen Kampf erfolgte in diesen Jahren aber noch nicht. Eine Änderung der Linie zeichnete sich seit Herbst 1931 mit dem 1. (und einzigen) Kongreß der ARBKD ab.[13] Die Losung »Die ARBKD muß aus einer kleinen Vereinigung zur Massenorganisation werden« beinhaltete eine breite Öffnung zum sozialdemokratischen und bürgerlichen Lager.[14] Um die angestrebte breitere Wirksamkeit erreichen zu können, wurden drei Hauptaufgaben benannt. Zum einen sollten die Künstler »dem Inhalt und der Form nach sich mit möglichst hochqualifizierten künstlerischen Arbeiten — Plakaten, Pressezeichnungen, Buchumschlägen, Illustrationen, Fotomontagen usw. — in die revolutionäre Agitation und Propaganda entsprechend den Aufgaben, die von der revolutionären Arbeiterbewegung gestellt wurden«, eingliedern.[15] Weiterhin sollte der Nachwuchs aus der Arbeiter-Zeichner-Bewegung gefördert werden, während als dritte Aufgabe die Einflußnahme auf sozialdemokratische und linksbürgerliche Kräfte vorgesehen war, um diese auf die künstlerische Tätigkeit im Dienste des revolutionären Klassenkampfes zu orientieren.[16]

Obwohl schon auf dem VI. Weltkongreß der Komintern 1928 auf die Gefahren des Faschismus aufmerksam gemacht worden war, blieb dieser Aspekt in der Kunstpraxis für längere Zeit noch weitgehend außer acht. Erst ab 1932 erfolgte eine antifaschistische Orientierung nach dem Aufruf der KPD vom 25. Mai zur Bildung einer antifaschistischen Einheitsfront. Die künstlerischen Themen, die sich bisher hauptsächlich mit den direkten Auswirkungen der wirtschaftlichen Krise beschäftigt hatten, also Hunger, Verelendung, Arbeitslosigkeit, sollten nun durch antifaschistische, antimilitaristische und internationalistische Sujets abgelöst werden.

Horst Strempels Kunstvorstellungen und deren theoretische Grundlagen um 1930

Schon bald nach der Gründung der ARBKD muß Horst Strempel der Schülergruppe der Organisation beigetreten sein.[17] Welche Eindrücke und Erfahrungen ihn zu diesem Schritt veranlaßt haben und wie seine Kunstanschauungen sich konkret entwickelten, ist heute nicht mehr nachzuvollziehen. Vorhandene Korrespondenzen belegen lediglich, daß die Berliner Zeit bis Anfang 1933 für ihn eine Phase des Suchens nach künstlerischen Ausdrucksformen und ihren gesellschaftlichen Wirkungsmöglichkeiten war.

Der Kreis proletarisch-revolutionärer Künstler, dem Strempel von da an nahestand, zog seine kunsttheoretischen Grundlagen[18] vor allem aus Kontakten mit sympathisierenden Kunstkritikern und Kunsthistorikern wie Adolf Behne, Alfred Durus und Fritz Schiff.[19] Einen besonderen Einfluß scheint außerdem auch Upton Sinclair mit seinen Schriften,[20] in erster Linie durch sein Buch »Mammonart«, das 1928 im Malik-Verlag unter dem deutschen Titel »Die goldene Kette oder Die Sage von der Freiheit der Kunst« publiziert wurde, ausgeübt zu haben. Daß viele Künstler dieser Zeit sich ausdrücklich auf ihn bezogen, wurde schon wiederholt festgestellt[21] und kann durch den vorhandenen Briefwechsel Strempels wiederum bestätigt werden.[22]

Mit seinem »Lehrbuch für die fachlich-ideologische Schulung der proletarisch-revolutionären Künstler«[23] legte Sinclair eine Interpretation der bildenden Kunst, der Literatur und der Musik aller Länder und Zeiten vom Standpunkt des Klassenkampfes aus vor. Er beschrieb den Übergang auf revolutionäre Positionen, was für die damaligen Kunstdiskussionen in Deutschland von immenser Wichtigkeit war. Zentrales Anliegen seiner Abhandlung ist die Darstellung der Funktion von Kunst als Propaganda. Er zeigte auf, daß jede Kunst von der herrschenden Klasse abhängig sei und somit auch deren Ideologie vermittle. Ein erfolgreicher Künstler könne aus diesem Grunde nur im Dienste dieser Klasse stehen, da er dazu beitrage, deren Herrschaft künstlerisch zu legitimieren. Im Gegensatz zu linken Theoretikern wie K.A. Wittfogel maß Sinclair auch der künstlerischen Form insofern Bedeutung bei, als er die Künstler aufforderte, neue Formen zu entwickeln, die dem Arbeiter verständlich seien.

Obwohl an diesem Buch vor allem die schematische Auffassung von historischen und kunsthistorischen Entwicklungsprozessen und der verengte Kunstbegriff kritisiert werden müssen, ist die nachhaltige Wirkung auf die proletarisch-revolutionären Künstler unumstritten. Für Strempel gab es in Sinclairs Untersuchung zwei wesentliche Aspekte:

»1. der künstler ist ein sociales product; seine psychologie und die seines werkes wird von den zu seinen zeiten herrschenden wirtschaftlichen kräften bestimmt. 2. der anerkannte künstler jeder periode ist ein mensch, der mit den herrschenden klassen dieser periode sympathisiert und deren interessen und idealen seine stimme leiht«.[24] Nicht unerheblich für die positive Bewertung der Theorien Sinclairs mag gewesen sein, daß er diese Darstellung auf seine eigene Situation beziehen konnte: »Ich spüre, daß upton sinclair mit seiner behauptung unweigerlich recht hat, ich merke es traurigerweise am eigenen leib, man kann sich kaputt-laufen und rennen ohne einen auftrag zu bekommen. die 'herrschende klasse' und das von ihr abhängige publikum will nichts anderes als mist und kitsch«.[25]

Die Verschlechterung der wirtschaftlichen Lage Ende der 20er / Anfang der 30er Jahre nach der relativen Stabilisierung um 1925 traf auch die bildenden Künstler, unter ihnen namentlich diejenigen, die sich von der bürgerlichen l'art pour l'art-Richtung entfernt und mit ihren Themen dem Proletariat zugewandt hatten.[26] Besonders für sie galt es nun, neue Arbeits- und Überlebensstrategien zu entwickeln. So schlug die Künstlerselbsthilfe vor, Kunstwerke zu Tauschobjekten gegen Lebensmittel und Kleidung zu machen, und der Reichswirtschaftsverband regte an, Kunstwerke auf Ratenzahlung zu verkaufen. Auch Strempel verfuhr nach dem Tauschprinzip und konnte so einen Pelz und einen Fotoapparat erstehen.[27]

Dennoch war ihm, wie den meisten anderen Künstlern nicht damit gedient, und sie waren gezwungen, von einer kümmerlichen Sozial- oder Arbeitslosenunterstützung zu leben wie der große Teil des Proletariats auch.[28] Von der allgemeinen Wohnungsnot und den Schwierigkeiten, einen geeigneten Wohn- und Arbeitsraum zu finden, zeugen nicht zuletzt seine ständig wechselnden Adressen. Strempel beschrieb in seinen Briefen, was er alles bewerkstelligen mußte, um wenigstens das Nötigste, Miete und Lebensmittel, bezahlen zu können; für Malmaterial reichte sein Geld sowieso oft nicht aus. Er war häufig gezwungen, miserable Arbeitsbedingungen zu akzeptieren.[29] Um 1929 war er längere Zeit bei der Berliner Malerfirma Birkle & Thomae beschäftigt und arbeitete dort zusammen mit dem Maler Albert Birkle, dem Sohn des Firmeninhabers.[30] Er soll dort vor allem als künstlerischer Berater angestellt gewesen sein, »machte Entwürfe, Schaubilder usw., alles sehr gut und sehr professionell«.[31] Hinzu kamen verschiedene andere Gelegenheitsarbeiten, wie eine Schaufenstergestaltung, für die man ihm fünf Mark bezahlte.[32] Er fertigte Entwürfe für die Dekoration einer Bar an, was ihm viel Spaß bereitete. »Ich habe auch etwas selten gutes herausgebracht, und glaube kaum, daß in berlin noch so ein guter raum existiert. das ist kein eigenlob, nur eine ganz objektive feststellung«.[33] — Anschließend bekam Strempel den Auftrag, eine Kirche in »pompeianisch-chinesischem« Stil auszumalen, was er offenbar nur sehr ungern tat. »Es ist so unglaublich sinnlos und beleidigend, einen entwurf für eine katholische kirche zu machen, die im (das ist kein witz, sondern der mir erteilte auftrag) chinesisch, pompeianischen Stil, aber etwas modern ausgemalt werden soll. Selbst wenn man versucht, eine groteske oder eine parodie zu machen, ist das bewußtsein, eine parodie machen zu müssen, ekelerregend«.[34]

Daneben versuchte Strempel, Plakate und Reklame-Entwürfe an Berliner Firmen zu verkaufen, hatte wohl kurzzeitig einen Vertrag mit der Schokoladenfabrik Trumpf als Reklamefachmann und künstlerischer Berater[35] und konnte zwei Plakate an die Schultheiß-Patzenhofer-Brauerei verkaufen.[36] Auch mit dem Propyläen-Verlag scheint er eine Zeitlang einen Vertrag gehabt zu haben, möglicherweise als Illustrator oder Gebrauchsgrafiker.[37] Aber alle diese Verträge und Arbeitsmöglichkeiten waren nicht von Dauer. Im November 1931 teilte er mit, daß die Verträge mit allen Arbeitgebern gelöst worden seien, weil die Firmen schon pleite seien oder gerade pleite gingen.[38]

Als mit Kunstausübung im weitesten Sinne nicht mehr an Geldverdienen zu denken war, »machte er in Lampenschirmen«[39] und wenn alle Anstrengungen nicht ausreichten, lieh er sich Geld von Freunden und Bekannten, die meistens genauso wenig hatten wie er selbst und nicht anders ihr Dasein fristeten. In der Regel lebte er von der Hand in den Mund. Aus diesem Grunde schien ihm ein Berufswechsel unumgänglich. Schon früher hatte er eine fundierte kunstgewerbliche Ausbildung als »zwingende Notwendigkeit, mir eine Position in einer menschenwürdigen Umgebung zu schaffen«[40] angesehen. Als Berufsziel schwebte ihm ursprünglich Gewerbelehrer vor. Er interessierte sich auch für eine Ausbildung als Modezeichner an der Reimann-Schule, da er plante, ein Mode-Atelier zu eröffnen; zu diesem Zweck meldete er sich in einer Nähschule an.[41] Ob er jedoch in dieser Richtung jemals ernsthaft etwas unternahm, ist zweifelhaft.

Nicht zuletzt durch die wirtschaftliche Not, die Strempel ständig an eigenem Leibe verspürte, und eine damit verbundene wachsende Sensibilisierung der politischen Entwicklung dieser Jahre gegenüber, fühlte er sich zu verstärktem politischen und künstlerischen Engagement gedrängt. Angelpunkt seiner Überlegungen war die Frage nach dem Sinn der Kunstausübung überhaupt. Weiterhin galt es herauszufinden, wie eine Kunst beschaffen sein müßte, die den Anspruch haben will, gesellschaftlich relevant zu sein und eingreifend zu verändern.[42] Wie viele seiner Kollegen kam er zu dem Schluß, daß man vom bürgerlichen l'art pour l'art-Prinzip abgehen müsse. Die Briefe, die Horst Strempel in dieser Zeit schrieb, lassen seine Entwicklung zu einem politisch bewußten

Künstler nachvollziehen. Sie zeugen aber gleichzeitig davon, wie er um jedes Bild ringen mußte, wie sich positive Selbsteinschätzung nach guten Arbeiten und tiefe Resignation nach mißlungenen Versuchen abwechseln.[43]

Ein Blick auf seine damalige Lektüre läßt auf sein geistiges Umfeld schließen. Neben den Werken Upton Sinclairs liest er Tucholsky, Barbusse, Jacobson, Bang, Döblin und Hamsun, außerdem Marx, Engels und Haeckel.[44] Schon Jahre zuvor hatte er eine literarische Orientierungshilfe in den Werken Zolas gefunden, durch den er erstmals auf sozialkritische Themen gelenkt wurde. Wie viele junge Künstler und Intellektuelle stand er dem »Weltbühne«-Kreis nahe;[45] Ende 1930 teilte er dann mit, daß er nun »offen und offiziell Kommunist« sei.[46] Obwohl er sich offenbar sehr bemühte, seinen gewählten Weg durch das wissenschaftliche Studium des Marxismus zu unterstützen, scheint er doch eher durch idealistisch-romantische Vorstellungen von Revolution und Klassenkampf geprägt. Er sei »nicht aus Opposition Revolutionär, sondern aus Bestimmung« ließ er verlauten.[47] – Nach Studien der Nationalökonomie, der Politik und des »Kapital« sowie der Beschäftigung mit aktuellen Problemen, z. B. mit Gewerkschaftsfragen und dem Betriebsrätegesetz, kam er zu dem Schluß, daß in Deutschland die Voraussetzungen zu einer »revolutionären Krise« gegeben seien und folgerte daraus: »...und da heißt es, diese Krise ausnützen zur Befreiung des Proletariats«.[48] Er beteiligte sich an verschiedenen politischen Aktionen, beispielsweise am legendären BVG-Streik, hatte aber offenbar keinerlei Parteifunktionen inne. In seinen stichwortartig gehaltenen Lebenserinnerungen führte er zu seinen politischen Aktivitäten aus: »1933. herstellung der ersten illegalen flugblätter mit Herbert Sandberg und Gü (Günther Wagner) (A.I.Z). Illegale Versammlungen in meinem Atelier. Vernichtung des 'Heckertbriefes' durch Verbrennung im Atelierofen. Ausschlußverfahren in der illegalen K.P.D. wegen der Verbrennung des Heckertbriefes«.[49]

Für die intensive Beschäftigung mit der Kunst blieb Strempel in diesen Jahren im Grunde nicht mehr als die knapp bemessene Freizeit. Nachdem er aber nur noch selten Arbeit finden konnte, »teilte er seine Zeit in Bildermalen und Parteitätigkeit«. Für seine Genossen war Strempel ein »Hochintellektueller«, man »mißtraute ihm und nutzte ihn zu Botengängen, Zettelkleben usw.«[50]

Das künstlerische Werk bis 1933

Sozialkritische und revolutionäre Bilder
Die bis 1933 entstandenen Bilder Horst Strempels sind heute fast alle verschollen.[51] Jedoch sind glücklicherweise eine ganze Reihe von Gemälden noch als

fotografische Reproduktionen bekannt,[52] so daß eine ungefähre Positionbestimmung seines künstlerischen Schaffens der letzten Jahre der Weimarer Republik unter Grundlegung dieses Materials dennoch verantwortet werden kann.

Wie beispielsweise im Werk von Otto Dix, das Strempel sehr bewunderte, existieren auch in seinen Bildern zwei unterschiedliche Welten. Neben den sozialkritischen, den sogenannten »weltanschaulichen« Arbeiten, die den umfangreicheren Teil der bekannten künstlerischen Produktion dieser Zeit ausmachen, stehen solche, die eine heile, ungebrochene Gegenwelt zu vermitteln scheinen; dieses ist vor allem in Landschafts- und Porträtdarstellungen der Fall.

Die Mehrzahl der Arbeiten der Jahre bis 1933 beschäftigt sich mit der Darstellung von Kriegsinvaliden, Blinden und Arbeitslosen. Strempel ging dazu über, ein durch soziale Faktoren bestimmtes Menschenbild zu vermitteln, indem er vor allem die Opfer des imperialistischen bzw. kapitalistischen Systems darstellte. Diese weltanschaulichen Bilder repräsentieren einen abgeschlossenen Komplex im Werk Strempels; sie sind in dieser Ausformung auf die Jahre von 1929 bis 1932/33 beschränkt.[53] In der Regel entsprechen sie, wie in einer Gegenüberstellung nachgewiesen werden kann, eher früheren Positionen der KPD-Kunstauffassung, verpassen also häufig den Schritt zur geforderten revolutionären Kunst insofern, als sie selten zukunftsweisende Perspektiven aufzeigen, sondern eher in der Konstatierung eines miserablen Ist-Zustandes verharren. Nur wenige Arbeiten, wie das Gemälde *Selig sind die geistig Armen* weisen in ihrer direkten Systemanalyse und -kritik darüber hinaus.

In der Malerei — soweit die Arbeiten über die Exilzeit hinaus gerettet werden konnten — erfolgte auch in den Jahren darauf kein revolutionäres Bekenntnis mehr. Ganz im Gegenteil, bis Kriegsende tauchen keinerlei sozial oder politisch motivierte Themen mehr in seinem Werk auf. Einzige Ausnahme sind die im Pariser Exil publizierten Pressezeichnungen. Es muß jedoch an anderer Stelle noch geklärt werden, ob diese von Strempels persönlicher Einstellung oder eher von den Vorstellungen der Auftraggeber geprägt wurden.

Grundsätzlich ist zu vermerken, daß um 1928/29, als die frühesten bekannten zeit- und sozialkritischen Arbeiten Strempels entstanden, die erste Phase der proletarisch-revolutionären Kunst schon abgeschlossen war. Vom ideologischen Standpunkt aus betrachtet kann seinen Bildaussagen keinesfalls eine Vorreiter-Rolle zugeschrieben werden. Eine Gegenüberstellung mit zeitgleichen Werken anderer Künstler macht dies deutlich. Anders als vergleichbare Künstler, beispielsweise George Grosz, der schon zu Anfang der 20er Jahre klassenkämpferische Bildinhalte bearbeitete, stellte Strempel zu dieser Zeit bis zu seiner Emigration noch nicht die Polarisierung der Klassen in den Mittelpunkt seiner Arbeit (das geschah erst in den Pressezeichnungen), sondern konzentrierte sich zunächst mehr auf einzelne Mitglieder vor allem der Arbeiterklasse, um an den Individuen die Auswirkungen der Ausbeutung, Not und Elend materieller Natur, aufzuzeigen. Kriegsblinde (WVZ 35 und 38) und beinamputierte Bettler (WVZ 39), die durch den Verkauf von Knöpfen und Schnürsenkeln ihren Lebensunterhalt finanzieren müssen, zählten ebenso zu seinen Motiven wie die Familie des Arbeitslosen (WVZ 52, Abb. 58, S. 169) oder die Masse der Arbeitssuchenden vor dem Arbeitsamt (WVZ 58, Abb. 61, S. 171), Zeitungsjungen (WVZ 1296) oder musizierende Kriegskrüppel (WVZ 41, Abb. 55, S. 168 WVZ 53, Abb. 59, S. 169 und WVZ 1294, Abb. 167, S. 226); ein Holzschnitt, eine hagere Mutter mit ihrem Kind darstellend, dem die Gesichtszüge Hitlers gegeben wurden (WVZ 2390, Abb. 209, S. 241), warnte schon 1930 vor dem aufkommenden Faschismus. In diesen ausgezehrten Gestalten manifestiert sich die Menschenfeindlichkeit des politischen und wirtschaftlichen Systems, durch dessen Anklage Strempel gleichzeitig eine Bejahung humanistischer Wertvorstellungen ausdrücken konnte. Damit rückte er seine Arbeiten in die Nähe von Künstlern wie Käthe Kollwitz. Allerdings ist ebenso deutlich eine Abgrenzung zum Werk von denjenigen Malern sichtbar, die zwar sozial, aber nicht konsequent politisch im Sinne der kommunistischen Kunstauffassung argumentierten. Im Vergleich zu Hans Baluschek, dem Maler der Sozialdemokratie,[54] treten die Differenzen klar zutage. So zeigt zum Beispiel *Die Bettlerallee*[55] einen Blinden, umrahmt von Menschengruppen, wobei Baluschek auch auf die Darstellung der landschaftlichen Umgebung großen Wert legt. Er läuft somit Gefahr, durch die Überbetonung des Anekdotischen das eigentliche soziale Anliegen zu verdecken. Im Gegensatz dazu läßt Strempel, etwa in seinem Gemälde *Straße II* (WVZ 41, Abb. 55, S. 168), alles milieuschildernd-Dekorative und Narrative beiseite. Er reduziert die Charakterisierung des Ambientes auf ein Minimum, um sich ganz auf den Menschen konzentrieren zu können. Auch hierin zeigen sich Affinitäten zu Käthe Kollwitz.

1932 war das Jahr mit der höchsten Arbeitslosenrate der Weimarer Republik; mehr als ein Drittel der Bevölkerung war davon betroffen.[56] Darum ist es auch nicht verwunderlich, daß sich die proletarisch-revolutionären Künstler verstärkt mit dieser Problematik in unterschiedlicher Weise auseinandersetzten. Auf der einen Seite treffen wir die vereinzelt aufgefaßte Gestalt oder Kleingruppe, oft in lethargischer Haltung, mit depressivem, verhärmtem Gesichtsausdruck. Als Beispiele lassen sich neben Horst Strempels *Familie des Arbeitslosen* (WVV 52, Abb. 59, S. 169) auch Otto Nagels Zeichnung eines arbeitslosen Mannes[57] oder Conrad Felixmüllers *Zeitungsjunge*[58] anführen. Aber auf der anderen Seite stehen Motive, die zum Anlaß genommen werden, die Massenhaftigkeit des Elends zu suggerieren und dadurch sowohl die Fehler des kapitalistischen Systems anzuprangern als auch einen Solidaritätsgedanken zu vermitteln. Diese Auffassung kommt in Strempels Werk dieser Zeit jedoch kaum zum Tragen, abgesehen von den vermutlich als Triptychon konzipierten Tafeln *Wacht auf, Verdammte dieser Erde* (WVZ 58—60, Abb. 61, S. 171), die indessen einen größeren sozialpolitischen Zusammenhang vermitteln wollen. Jedoch sind die formalen Beziehungen der Szene vor dem Arbeitsamt (WVZ 58) zu Otto Nagels *Asylisten*[59] nicht zu leugnen. Diese beiden Pole von Darstellungsmöglichkeiten proletarischen Lebens kennzeichneten den ursprünglichen Ansatzpunkt der proletarisch-revolutionären Künstler. Mit steigendem Bewußtsein versuchten sie aber, vor allem, da sie ihre künstlerische Arbeit immer auch unmittelbar mit ihren politischen Anliegen verknüpfen wollten, darauf hinzuarbeiten, in ihren Bildern eine Perspektive entsprechend den einmal erkannten gesellschaftlichen Gesetzmäßigkeiten aufzuzeigen, so daß damit zu Ende der 20er Jahre weniger die Elendsdarstellungen Einzelner auf dem Programm standen, sondern danach gestrebt wurde, einerseits die Verantwortlichen der Misere zu benennen, andererseits in Demonstrations-, Diskussions- und Kampfbildern den Arbeiter als bestimmendes Subjekt der Geschichte darzustellen und ihn nicht mehr länger als wehrloses Opfer anzusehen.

Das Triptychon *Fürsorge* (WVZ 25, Abb. 51, S. 166) nimmt sich der unglücklichen Situation weiblicher Fürsorgezöglinge an. Die linke Tafel zeigt Frauen bei der Arbeit. Sie werden in einer endlos erscheinenden Hintereinanderreihung, alle individuellen Kennzeichen nivellierend, vor ihren Nähmaschinen gebeugt sitzend gezeigt. Nur das Gesicht der zuvorderst plazierten Frau wird näher beleuchtet, während man von den Näherinnen dahinter nur den immer wiederkehrenden Ausschnitt von Kopf und Kleid erkennen kann. Im Hintergrund links steht eine Nonne, die die Arbeit der Frauen beaufsichtigt.

Die rechte Tafel zeigt die Frauen bei ihrer »Freizeitgestaltung«, bei einem Spaziergang in einem von Mauern begrenzten trostlosen Hof. Auch hier setzt Strempel wiederum den Akzent auf diejenigen, die sich eher zufälligerweise im Vordergrund befinden, die weiter hinten gehenden werden zu einer gesichtslosen Masse zu Gunsten einer nachdrücklichen Charakterisierung der Umgebung. Das hier dargestellte Thema wurde von sozial engagierten Künstlern häufiger aufgegriffen und in ähnlicher Weise wie bei Strempel gelöst. Als mögliche Vorbilder wären hier vor allem Vincent van Gogh und Gustave Doré aus dem 19. Jahrhundert, im 20. Jahrhundert George Grosz

und Carl Meffert anzuführen, die ebenfalls das Thema des Rundgangs im Gefängnishof aufgriffen; eine spätere Bearbeitung von Fritz Schulze zeigt im übrigen eine verwandte Auffassung.[60] Der Bildaufbau bei van Gogh, Doré und Grosz ist ähnlich. Fritz Schulze könnte seinen Holzschnitt an Strempel orientiert haben; auch Mefferts Blatt *Gefängnishof* läuft auf die gleiche Haltung hinaus, wobei der konzeptionelle Hintergrund der gesamten Mappe mit der Aussage Strempels in diesem Triptychon vergleichbar ist: Thema ist jeweils die Darstellung des Loses der Proletarierin. Meffert hatte allerdings, bedingt durch die zyklische Form, größere Gestaltungsmöglichkeiten, etwa um den Ursachen und Wirkungen der Erziehungsmaßnahmen auf den Grund zu gehen. Ein weiterer formaler Unterschied ist, daß Strempel von den Frauen, die sich im Vordergrund bewegen, nur die Köpfe darstellt, während Meffert den ganzen Körper zeigt. Andererseits führt Strempel die Köpfe der Frauen ganz dicht an den Bildrand und damit auch an den Betrachter heran, was in hohem Maße zu einer Identifikation mit dem dargestellten Inhalt beitragen kann. Meffert hingegen erreicht durch den gegebenen Rundblick, daß auch der Betrachter auf Distanz gehen muß, er also in eine Beobachterrolle gedrängt wird. Gleich ist beiden Arbeiten die Begrenzung durch die Gefängnismauer zum Fond. Während sich der Kreis der Frauen bei Strempel in dieser Richtung öffnet, geschieht das bei Meffert nach vorne hin.

Auf den beiden Seitentafeln des Triptychons war die reale Situation der Frauen mehr indirekt, durch die Darstellung von den alltäglichen Zwängen, denen die Proletarierfrau im allgemeinen ausgesetzt war, charakterisiert. Die Mitteltafel als Ort zentraler Aussage erläutert dann unmißverständlich, wo sich ihr Leben abspielt. Die Gefängnisdarstellung wird von dem Brustbild einer Nonne beherrscht, die die Hände zum Gebet gefaltet hat. Hinter ihr, durch Gitter getrennt, befinden sich die Frauen. — Die Monotonie des Gefangenendaseins wird, ebenso wie die de facto bestehende Ausweglosigkeit der Situation, durch die Zusammenfassung ähnlich strukturierter Gruppen verdeutlicht — ein häufig verwendetes Prinzip sozial engagierter oder revolutionärer Kunst.[61]

Neben der ausschnitthaften Beschreibung der Lebenssituation einer gesellschaftlichen Randgruppe ist die Brandmarkung der Behandlung von Frauen durch Vertreter kirchlicher Institutionen grundlegendes Thema dieses Werks. Die antiklerikale Tendenz, die hier vor allem in der Darstellung der verlogenen Moral, symbolisiert durch die Nonnen als Gefängniswärterinnen, zum Vorschein kommt, zeigt sich ähnlich auch in anderen Arbeiten Horst Strempels der 30er Jahre. Neben drei Zeichnungen von 1934/35 (WVZ 1302, WVZ 1304 und WVZ 1305, Abb. 169, S. 226), in denen diese Intention formuliert wird, ist in besonderer Weise an das Gemälde *Selig sind die gei-*

stig Armen zu erinnern, das nicht mehr im Stadium der bloßen Zustandsbeschreibung bleibt. Diese Arbeiten sind im Kontext des proletarisch-revolutionären Kunstschaffens bzw. linker sozialpolitischer Diskussionen der 30er Jahre zu sehen.[62]

Das Triptychon, das kurz nach seiner Fertigstellung in der Ausstellungen »Frauen in Not« und »Künstler im Klassenkampf« präsentiert wurde, beeindruckte die Öffentlichkeit stark. Häufig wurde es von der Kritik lobend hervorgehoben.[63]

Auch das Gemälde *Selig sind die geistig Armen* (WVZ 57, Abb. 60, S. 170) steht in engem Bezug zu der Ablehnung bestimmter gesellschaftlicher Instanzen. Sowohl von der formalen Lösung als auch von der inhaltlichen Aussage geht Strempel jedoch noch einen Schritt weiter. Herrschte bisher die soziale Anklage vor, so kommen hier Entlarvung und Analyse gleichermaßen hinzu. Es wird der Versuch gemacht, komplexere gesellschaftliche Zusammenhänge im Bild aufzudecken und zu vermitteln.

Beide Werke entsprechen sich in ihrem kritischen Tenor, vor allem was die Rolle der Institution Kirche in der Gesellschaft betrifft. Strempel wählte als beherrschendes Motiv den gekreuzigten Christus; in seinen Nimbus fügte er ein Wort aus der Bergpredigt ein: »Selig sind die geistig Armen«. Ein leidender, ausgemergelter ans Kreuz gehefteter Körper, dessen Haltung und Gesichtsausdruck dem Proletariertypus anderer sozialkritischer Arbeiten entsprechen,[64] dominiert im oberen Teil der Komposition; zum unteren Bildrand hin findet er seine Fortsetzung in seinem Stellvertreter auf Erden, einem thronenden Papst, dessen Hand nach oben weist.[65] Der Gegensatz zwischen dem leidenden Christus und dem weltlich geschmückten Papst fällt markant ins Auge. Es drängen sich Analogien zu Cranachs *Passional Christi und Antichristi* auf, in dessen Blättern der Papst ebenfalls durch Darstellungen ähnlicher Art als Antichrist entlarvt wird.[66] — So sieht Strempel Christus in diesem Bild auch ausdrücklich nicht als Erlösergestalt; vielmehr wird Christus in diesem Zusammenhang vom Papst zur Rechtfertigung für Elend und Ungerechtigkeit herangezogen.

Die in der zentralen, symbolisch zu deutenden Antithese Papst — Christus eingeführte Thematik wird in den beigefügten Szenen präzisiert und kommentiert. Der Hintergrund der Komposition teilt sich in der Art religiöser Tafelbilder des 15. Jahrhunderts in 28 gleichgroße quadratische Felder, die partiell durch die beiden Mittelfiguren und durch die angedeuteten Ruinen einer gotischen Kathedrale auf der linken Bildseite überschnitten werden. In diesem szenischen Bilderbogen aktueller Episoden aus kirchlichen und politischen Zusammenhängen stellt Strempel die Aktivitäten des Klerus in den unterschiedlichsten gesellschaftlichen Bereichen dar. Insbesondere nimmt er Bezug auf die Verflechtung von kirchlichen

Institutionen und ihren Stellvertretern mit Militär und Kapital sowie auf die verlogene Moral der Kleriker.[67] — In einem Rundumschlag behandelt Strempel die brennendsten Probleme der Zeit: die Folgen des Ersten Weltkriegs, die Diskussion um den § 218, Zensur, die Situation der politischen Gefangenen.

Der für das Werk Strempels ungewöhnliche formale Aufbau des Gemäldes wurde von unterschiedlichen Reflexionen über wirksame Möglichkeiten zur Unterstreichung der inhaltlichen Aussage bestimmt. Ein wesentlicher Gesichtspunkt ist hier die Transformation althergebrachter, allgemein bekannter Bildformen aus dem Bereich der christlichen Kunst zur besseren Vermittlung politischer und sozialer Anliegen. Der Rückgriff auf vertraute Strukturen hat einerseits den Vorteil, daß den Sehgewohnheiten des potentiellen proletarischen Betrachters, der in der Regel keine Beziehung zu moderner Kunst hatte, Rechnung getragen und ihm der Zugang zu einem völlig anderen Sujet erleichtert wird. Andererseits kann durch die Übernahme einer schon im sakralen Bereich sanktionierten Form der profane proletarische Bildinhalt aufgewertet werden.[68] Ein weiterer Aspekt mag aus den fortschrittlichen Kunstdiskussionen, die gegen Ende der 20er Jahre stattfanden, resultieren. Viele Künstler und Kunsttheoretiker sahen das Tafelbild als von seiner Form her antiquiert an, vor allem, weil es dem kollektiven Gedanken widersprach. Aus diesem Grunde gab es verstärkte Bestrebungen, es durch andere Medien mit einem breiteren Wirkungsradius zu ersetzen. Insbesondere Wandbilder, von der Gesellschaft geordret und im öffentlichen Raum installiert, entsprachen diesen Vorstellungen mehr. Das Dilemma war nur der Mangel an öffentlichen Auftraggebern; das Proletariat oder gar die Künstler selber waren kaum in der Lage, solche Projekte zu finanzieren. Das Altarbild, das eine Mittlerfunktion einnahm zwischen der mittelalterlichen Monumentalmalerei, die ja noch den Ausdruck des kollektiven Erlebens darstellte, und der modernen Tafelmalerei, die nur dem Individuum Kunstgenuß versprach, eignete sich also zunächst als Übergangsform und Experimentierfeld.[69] Neuere Vorbilder in bereits profanisierten Umformungen fanden die fortschrittlichen Künstler hauptsächlich in den Rosta-Fenstern und den Bilderbogen (Luboks) der neuen sowjetischen Kunst und der mexikanischen Wandmalerei; desgleichen wurden Anregungen des Futurismus aufgenommen und für die proletarische Kunst umfunktioniert.[70]

Strempel, der mit seinem Gemälde einen erneuten Versuch unternahm, christliches Ideengut für seine Zwecke zu nutzen — diesmal in Modifikation des Triptychon-Gedankens im Rückgriff auf die vielszenigen Altarbilder — erkannte hier die Möglichkeit, durch die Aufteilung der Bildfläche in mehrere kleine Einzeltafeln seine intendierte Aussage wesentlich umfassender vermitteln zu können als es in einem einfachen Tafelbild der Fall sein konnte. Er faßte mehrere ihm typisch erscheinende Szenen unter formalen und inhaltlichen Gesichtspunkten derart zusammen, daß aus ihrer Gegenüberstellung und Aneinanderreihung eine wirklichkeitsgetreue Darstellung vorhandener gesellschaftlicher Gegensätze in Szene gesetzt werden konnte. Diese neue Bildsprache, die den »Widerspruch als Montageprinzip«[71] benutzt, wurde dann von John Heartfield zwar in vorbildlicher Weise für den Bereich der Fotomontage entwickelt, fand aber schon bald auch in die sozialkritische Malerei und Grafik allgemeinen Eingang, so etwa bei George Grosz und Otto Nagel, in die Komplexbilder Heinrich Vogelers oder die »gleichwertigen« Arbeiten Arthur Segals, die die vielschichtigen Variationsmöglichkeiten unter verschiedenen Prämissen aufzeigen.[72]

Wie in der äußeren Form, so griff Strempel auch in der Ikonografie auf christliche Bildvorstellungen zurück. Im Prinzip sind hier zwei Christustypen in einem Bild vereint. Einmal zeigt er den Gekreuzigten in traditioneller Auffassung, zum anderen benutzt er für die Papstfigur gleichfalls einen Christustypus, wie er in der christlichen Motivik als Weltenherrscher oder Richter geläufig ist, also eine seinen Intentionen durchaus entgegenkommende Deutungsmöglichkeit. Die Kombination beider Formeln lehnt sich an einen Bildtypus an, der um 1100 entstand und die »Trinität mit dem Opfertod zu dem Bild des Gnadenstuhls verknüpfte«.[73] — Die Bildkonzeption, der Strempel hier verpflichtet ist, ist nicht neu; sie findet sich so oder ähnlich auch in früher entstandenen kritischen Werken. In der *Katechismusstunde* von Henri de Braekeleer[74] liegt ein analoger Bildaufbau bei vergleichbarer inhaltlicher Intention vor. Der Christus am Kreuz setzt sich unten in der Figur der Religionslehrerin fort. Durch die direkte Nachbarschaft von Christusbild und profaner Schultafel wird die eigentlich konventionelle Komposition in einen kritischen Kontext gestellt. Bettina Brand kommentiert das Bild: »Damit dringt selbst in diese affirmative Darstellung kirchlicher Erziehungspraxis ein Moment von Wirklichkeit, das 'Nichtidentische' (Adorno), das sich der Systematik dieser hier ins Bild gesetzten Religiosität widersetzt«[75].

Der Funktionswandel ursprünglich christlicher Metaphern war, wie schon angedeutet, in diesen Jahren recht häufig. Seit dem Ersten Weltkrieg hatten sich in erster Linie aktivistische, linksexpressionistische Künstler auf solche Themenkreise bezogen. Insbesondere die Motive Passion und Auferstehung wurden umfunktioniert, um Empfindungen und Weltanschauungen angesichts der Schrecken des Krieges oder die Hoffnungen, die aus der Revolution erwuchsen, ausdrücken zu können. Auf dieses hier entwickelte Repertoire konnten sich die proletarisch-

revolutionären Künstler beziehen und es entsprechend weiterentwickeln.[76] Neben Christusbildern wie dem von Karl Schmidt-Rottluff, die nur durch vereinzelte Hinweise, hier durch ein in die Stirn eingemeißeltes »1918«, als aktuelle Stellungnahme zu identifizieren sind, wurden eine große Anzahl von direkt und offensichtlich auf gegenwärtige Themen bezogene Arbeiten geschaffen.[77] Beispielsweise widmete Franz W. Seiwert sein Bild *Christus im Ruhrgebiet, XX. Jahrhundert* den gefallenen Ruhrkämpfern.[78] George Grosz, der mit Vorliebe christliche Motive für seine Agitationgrafik verwendete, zog den gekreuzigten Christus in seinen antimilitaristischen Blättern *Da donnern sie Sanftmut...* und *Christus mit der Gasmaske* heran, um seine Kritik am verlogenen Klerus anzubringen.[79] Weiterhin soll hier auf ein »antikirchliches« Blatt Lea Grundigs hingewiesen werden.[80] In dieser schon zwei Jahre vor Strempels Papst und Christus entstandenen Grafik liegt eine Variante der beiden Hauptfiguren vor. Der kirchliche Würdenträger, ausgewiesen durch sein Barett mit Kreuz, einen Nimbus mit den Worten »Lerne leiden ohne zu kämpfen« und die von Karikaturisten traditionsgemäß zur Charakterisierung von Priestern zitierte Fettleibigkeit, thront hier in der oberen Bildhälfte; der untere Teil ist einer knienden Proletarierfrau vorbehalten. Während die rechte Hand mit erhobenem Zeigefinger als Symbol für das Dozieren des in den Nimbus eingravierten Lehrsatzes zu deuten ist, drückt er die Frau mit dem Segensgestus seiner linken Hand zu Boden. Durch die Reduktion der Komposition auf nur zwei Personen, ausgestattet mit einer spärlichen Gestik und den Verzicht auf metaphorische Umschreibungen wirkt Lea Grundigs Blatt unmittelbarer als Horst Strempels schwer überschaubare, vielszenige Komposition. Hier deutet sich in der Gegenüberstellung von zwei Arbeiten gleicher Thematik die Bandbreite engagierten Kunstschaffens an: auf der einen Seite die Grafik Grundigs, wahrscheinlich als Pressezeichnung oder Agitationsgrafik gedacht, knapp formuliert, somit auch auf einen Blick zu rezipieren, auf der anderen Seite Strempels Gemälde, das aufgrund seiner Vielschichtigkeit vom Betrachter eine intensivere Auseinandersetzung verlangt.

Nur am Rande soll an dieser Stelle darauf hingewiesen werden, daß mit dem Gemälde *Papst und Christus* ein Bogen zu Strempels seit 1933 entstandenen politischen Zeichnungen gespannt werden kann. Hier werden schon wesentliche Prinzipien entwickelt, die für das spätere zeichnerische Werk konstituierend wurden. Während die im Gemälde vorherrschende antiklerikale Tendenz kaum noch berücksichtigt wird, ergeben sich jedoch Übereinstimmungen in der antithetischen Gegenüberstellung zweier Szenen oder der Konfrontation von Wort und Bild, die in den Pressezeichnungen vielfältig variiert wurden. In den einzelnen Bildfeldern finden sich Szenen, die in abgeänderter Form in den Karikaturen wieder auftreten. Feiste Priester und Nonnen werden schon hier zu Stereotypen, die in den Kapitalisten der späteren Jahre ihre Fortsetzung finden; der im Stacheldraht sterbende Soldat, betende oder trauernde Frauen vor einem Madonnenbild, riesige Gräberfelder und immer wieder die maskenhaft starren Gesichter der »Opfer« sind Motive, die in *Selig sind die geistig Armen* mit Mitgliedern des Klerus, nach 1933 aber mit Vertretern des Kapitalismus konfrontiert werden. Obwohl sich die politische Situation entscheidend geändert hat, behält Strempel seine einmal entwickelten Bildkonzeptionen im wesentlichen bei.

Die Diskussion um Strempels Gemälde verlief kontrovers. Von fortschrittlichen Rezensenten durchweg positiv bewertet, fiel es dennoch behördlichen Zensurmaßnahmen zum Opfer. Horst Strempel, der das Gemälde auf der »Großen Berliner Kunstausstellung 1932« zeigen wollte, wurde, wie eine Reihe anderer Künstler auch, die sich mit sozial- und systemkritischen Arbeiten im ARBKD-Block beteiligt hatten, von der preußischen Bau- und Finanzdirektion (!) gezwungen, sein Bild aus den Ausstellungsräumen zu entfernen.[81] Offiziell machte man Strempel hauptsächlich den Vorwurf, daß er mit seinem Werk die religiösen Empfindungen verletze, was einen Kritiker jedoch zu der Bemerkung veranlaßte: »...empfindsame Leute haben es nicht als die Religion verächtlich machend, sondern als erschütternd bezeichnet«.[82] Das restriktive Vorgehen der Staatsmacht in diesem Fall reiht sich allerdings lückenlos in die bis dahin praktizierte Zensurtätigkeit der Weimarer Behörden gegenüber Kunst und Künstlern ein und deutet schon in groben Zügen an, was nach dem Machtantritt Hitlers zur Regel wurde.[83] Der Gotteslästerungsprozeß, der einige Jahre zuvor gegen George Grosz geführt wurde, ist ein beeindruckendes Beispiel dafür.

Das, was an Strempels Bild und ähnlichen Arbeiten tatsächlich kritisiert werden sollte, könnte sich weniger auf die angeblich blasphemische Darstellung als vielmehr auf die antiklerikale Tendenz beziehen, die hier, verbunden mit massiver Kritik an politischen und sozialen Zuständen, zutage trat. Denn das eigentliche Anliegen war es, die »Vertreter Gottes auf Erden« und ihre heuchlerische Moral zu entlarven und gegen den Mißbrauch christlichen Ideenguts durch staatliche Institutionen und den Klerus zu polemisieren.[84] Der in dieser Zeit auch in der Kunst verstärkt auftretende Antiklerikalismus basierte, wie das Triptychon Horst Strempels illustriert, auf konkreten politischen Ereignissen und Entscheidungen.[85] Daß die von der Weimarer Regierung ursprünglich angestrebte Trennung von Kirche und Staat sich nicht realisieren ließ, wurde beispielsweise beim Kapp-Putsch im März 1920 deutlich: hier wurde klar, daß sowohl monarchistisch gesinnte als auch konservativ-klerikale Kreise selbst vor bewaffnetem Widerstand gegen die »Todfeinde« Demokratie und Weimarer Republik und erst recht gegen Sozialisten und Marxisten nicht zurückschreckten. Weiterhin trug die katholische Soziallehre, insbesondere durch ihre päpstlichen Sozialenzykliken zur Gesellschaftsordnung, zur Arbeiterfrage und über die christliche Ehe wesentlich dazu bei, antidemokratische Autoritätsvorstellungen zur Rechtfertigung der bestehenden Verhältnisse heranzuziehen und unter Berufung auf die »Abendlandidee« eine antisowjetische Haltung ideologisch zu begründen.[86] Und eben genau diesen Aspekt der ideologischen Begründung und Rechtfertigung von Militarismus durch den Klerus, der sich auf die »höhere Instanz« beruft, hat Strempel als Ausgangspunkt für sein Gemälde genommen.

Zusätzlich läßt sich noch ein drittes Werk rekonstruieren, das ebenfalls in diesem Zusammenhang als Ausdruck revolutionären Kunstwollens gewertet werden kann (WVZ 58—60, Abb. 61, S. 171). Sowohl die bildnerische Umsetzung sozialer Probleme der Arbeiterklasse als auch die künstlerische Formung des fortschrittlichen Menschen, der aus der Solidarität der Masse seine Kraft bezieht, zeugen von Horst Strempels Bestreben, eine parteiliche Stellungnahme für das Proletariat abzugeben. Es handelt sich dabei um drei separat konzipierte Szenen, die wahrscheinlich wiederum als Triptychon zusammengefaßt werden sollten: Arbeitslose vor dem Arbeitamt (WVZ 58), ein Demonstrationsbild (WVZ 59) und eine schwangere Frau mit mehreren Kindern (WVZ 60).[87] Es scheint, daß Strempel sich auf dieses Bild bezog, als er schrieb: »Ich habe in diesen tagen ein großes dreiteiliges bild gemacht, es heißt *wacht auf verdammte dieser erden. es ist das beste, was ich bis jetzt gemacht habe«.*[88] Während also in den Seitentafeln soziale Mißstände aufgegriffen werden, beinhaltet die Mitteltafel einen Aufruf zu Aktion und Solidarität. Strempel distanzierte sich hiermit deutlich von der früher vorherrschenden kontemplativen Auffassung seiner sozialen Sujets und begab sich auf die Suche nach revolutionären Themen, was insbesondere in der Darstellung des organisierten Kampfes in der Mitteltafel zum Ausdruck kommt. Dort stellte er eine kleine Gruppe von Menschen dar, Kopf an Kopf dichtgedrängt mit einer (wahrscheinlich roten) Fahne voranstürmend. Das Demonstrationsbild als einer der zentralen Bildtypen fortschrittlichen Kunstschaffens, war schon Mitte des 19. Jahrhunderts durch eine Reihe von Künstlern vorgeprägt worden;[89] nach dem Ende des Ersten Weltkrieges erfuhr es wiederum eine Aufwertung durch die proletarisch-revolutionären Künstler. Unter anderem sind hier Otto Griebels *Internationale*, Käthe Kollwitz' *Demonstration*, die gleichnamigen Gemälde von Paul Berger-Bergner und Curt Querner und Alfred Franks *Aufstand* anzuführen;[90] die Reihe ließe sich beliebig fortsetzen.[91]

Wie schon in Ansätzen im Triptychon *Fürsorge* erscheint auch hier als grundlegendes inhaltliches und formales Problem die Gestaltung der Beziehung des Individuums zur Masse. Bei der Darstellung der Arbeitslosen rückte Strempel zwei deutlich charakterisierte Männer in den Vordergrund. Durch die räumliche Distanz werden sie jedoch von der Gruppe der Arbeitssuchenden vor der Stempelstelle im Hintergrund isoliert, die Betroffenheit eines größeren Personenkreises durch den Hinweis auf ein einzelnes persönliches Schicksal vermittelt. Eine neue, vom ideologischen Standpunkt aus weit fortschrittlichere Antwort auf die Kernfrage nach der Darstellung des Verhältnisses vom Individuum zur Masse fand Strempel im Demonstrationsbild. Die vorderen Personen des Demonstrationszuges werden extrem angeschnitten und derart nahe an den Bildrand gerückt, daß sie den Rahmen zu sprengen scheinen und den Betrachter unmittelbar in das Geschehen miteinbeziehen. Die im Hintergrund verschwindenden, ebenfalls angeschnittenen Köpfe der Demonstranten suggerieren einen endlosen Zug. Die nicht aufzuhaltende Bewegung der Voranstürmenden, ihr entschlossener Gesichtsausdruck vermittelt den Eindruck der Siegesgewißheit. Von den Kompositionsprinzipien her ist an den Vorbildcharakter einiger Bilder James Ensors und vor allem Edvard Munchs zu erinnern.[92]

Neben diesen »revolutionären« Werken, die annähernd den Leitlinien des KPD-Kulturprogramms entsprechen, stellte Strempel in einer Reihe von Bildern die Lage der Arbeiterklasse mehr kritisch abbildend, nicht aber analysierend dar. Dabei herrschte in den Jahren 1931/32 neben der Darstellung von Arbeitslosen und ihren Familien das Sujet der Kriegskrüppel vor. Besonders beeindruckend ist eine Straßenszene, von der zwei Versionen existieren. Das Gemälde *Straße II* (WVZ 41, Abb. 55) scheint als Mitteltafel eines Triptychons fungiert zu haben.[93] Zwei Musikanten — der eine ein Geiger, der durch den Krieg außer einem Bein offenbar auch noch sein Augenlicht eingebüßt hat, der andere ein Trompetenspieler, der sich, da er beide Beine verloren hat, nur noch auf einem Wägelchen fortbewegen kann —, außerdem eine Frau und zwei Kinder, hocken dicht aneinandergedrängt am Straßenrand. Hinter ihnen steht ein mit einem Mantel und Lederstiefeln bekleideter Polizist, der einen Schlagstock trägt; er ist allerdings, da vom oberen Bildrand überschnitten, nur von der Hüfte abwärts zu sehen. Ein auf drei Figuren reduzierter Bildausschnitt — Geiger, Frau und Kind — wird in leicht variierter Form ein Jahr später nochmals aufgenommen (WVZ 53, Abb. 59). Der Polizist im Hintergrund fehlt, das Bild wird durch eine Backsteinmauer abgeschlossen. Der Blick des Betrachters kann sich nun ganz auf das Elend der Familie konzentrieren. Die hier von Strempel vorgenommene Akzentverschiebung könnte taktische Gründe gehabt haben. Die zweite Arbeit war,

einer Beschriftung auf der Reproduktion zufolge, für die Beschickung der Staatspreisausstellung gedacht. Deshalb könnte Strempel es für klüger gehalten haben, der Komposition durch das Weglassen des Symbols für staatliche Gewalt ein wenig von der Schärfe zu nehmen, die sich aus der Konfrontation von schutzlosen Bürgern und bewaffneter Staatsmacht zwangsläufig ergibt. Er nahm jedoch damit in Kauf, daß durch die Absenz dieses Polizisten die inhaltliche Aussage des Bildes aus dem gesellschaftlichen Bereich in die Privatsphäre verlagert wird, obwohl sich die Szene noch im öffentlichen Raum abspielt. Um jedoch Genaueres, etwa über die didaktische Intention, sagen zu können, müßten die übrigen Teile des Triptychons bekannt sein.

Angesichts der großen Anzahl von sozialkritischen Bildern, die in den letzten Jahren der Weimarer Republik von der Hand engagierter Künstler entstanden und die, bei einer stärkeren Betonung des Ambientes, oft auch als Milieuschilderungen verstanden werden können, sollte einmal nachgeprüft werden, inwiefern hier Verbindungslinien zum bürgerlichen Genrebild bestehen oder ob hier der Typus eines proletarischen Genrebildes neu geprägt wurde. Auffällig ist, daß sich die Schilderungen proletarischen Lebens kaum noch in den Wohnbereichen ansiedeln, sondern vornehmlich die Straße als derjenige Ort angesehen wird, an dem sich das eigentliche Leben abspielt. Dies läßt sich nicht nur an Strempels Bildern nachweisen, sondern scheint allgemein für die proletarisch-revolutionäre Kunst, insbesondere der frühen 30er Jahre bis 1933, zuzutreffen.

Zusammenfassend kann festgestellt werden, daß die Bereiche, die Strempel in seinem Werk thematisierte, sich weitgehend mit denjenigen decken, die im allgemeinen von den proletarisch-revolutionären Künstlern bearbeitet wurden. Jedoch nehmen, soweit durch vorhandene Materialien dokumentierbar, sozialkritische Arbeiten einen breiteren Raum ein als die im politischen Sinne fortschrittsorientierten. Eine Heroisierung des Proletariers findet ebensowenig statt wie eine mitleidheischende »Armeleutemalerei«. Allerdings ist kein Werk bekannt, in dem der Stand fortschrittlichen Kunstschaffens im Sinne der KPD-Politik in Gänze zum Ausdruck kommt. Die hier besprochenen Arbeiten stellen zwar einen politischen Fortschritt in Strempels Entwicklung dar. Dennoch gelingt ihm auch in den besten seiner Arbeiten nicht die Herbeiführung einer Synthese der drei wesentlichen Prinzipien, die Darstellung des Proletariats und seiner Probleme, das Mitwirken der Arbeiter bei politischen Massenaktionen zur Verbesserung der Lebensumstände und die Darstellung der politischen Zusammenhänge. Da man jedoch keine gesicherten Aussagen machen kann über Horst Strempels konkrete künstlerische Betätigung im Rahmen der Agitprop-Bewegung oder im Auftrag der Partei, wo andere, noch enger an der offiziellen Linie orientierte Arbeiten entstanden sein könnten, bleibt also zunächst nur dieses festzustellen.

Trotz dieser offensichtlich hoffnungsvollen und durchaus positiven Ansätze war die Zellenleitung der KPD mit dem jungen Künstler nicht zufrieden, wie folgende Episode, von einem ehemaligen Genossen berichtet, deutlich macht: »Um zu untersuchen, was Strempel eigentlich macht, malt und wie er lebt, kommt eine Zellenkommission zu ihm ins Atelier. Nachdem er Bild um Bild gezeigt hat, nahm sich der Vorsitzende ein Bild vor. Es stellte eine Proletarierfrau dar, verhärmt und elend mit einem noch elenderen Kleinkind auf dem Arm. Die Hand des Kindes hält eine fast verwelkte Blume (der einzige Farbfleck auf dem Bild). das Urteil des Zellenleiters: die Blume auf diesem Bild ist 'unmarxistisch', das Bild hat für uns keinen Wert. trotz der sturen Dummheit dieses Mannes war Strempel zutiefst getroffen«.[94] Andererseits betonte der Kritiker der »Roten Fahne«, Alfred Durus, hinsichtlich der revolutionären Bilder, die Strempel zusammen mit Erbach, Kirschenbaum und Wegener ausgestellt hatte,[95] daß »die Existenzberechtigung der Malerei als eines äußerst wichtigen Propagandamittels« unterstrichen werde. »Es gelang hier, Wesentliches zur Entkräftung der Vorstellung beizutragen: die Malerei sei als altehrwürdiges Handwerk überholt und innerhalb der revolutionären Agitation und Propaganda unbrauchbar. Die Ausstellung beweist, daß Bilder durch das besonders eindringliche Gestaltungselement der Farbe eine Steigerung und Vertiefung der propagandistischen Wirkung ermöglichen und daß von den revolutionären Künstlern die Frage nicht so gestellt wird 'Wie räumen wir mit der Malerei auf?', sondern: 'Wie beseitigen wir die letzten Reste des beschränkten zünftlerischen Geistes in der Kunst, die Überbleibsel jener bürgerlichen Auffassung 'l'art pour l'art' oder 'die Malerei ist Selbstzweck'?«[96]

Porträts

Schon bevor sozialkritische Themen Eingang in das Werk Horst Strempels fanden, beschäftigte er sich mit Porträtdarstellungen. Während in den größeren figuralen Kompositionen die gesellschaftliche Bedingtheit der menschlichen Existenz, der Mensch als soziales Wesen dargestellt wird, in dieser frühen Zeit vornehmlich als Opfer politischer uns sozialer Verhältnisse, manifestiert sich in den Porträts von Freunden, Bekannten und Auftraggebern das Bestreben, einen positiven Gegenentwurf zu einer immer bedrückender und bedrohlicher werdenden Außenwelt zu schaffen.

Das früheste bekannte Gemälde Strempels ist ein Selbstporträt (WVZ 10). Es entstand 1924 an der Kunstakademie in Breslau. Dargestellt ist der Kopf eines jungen Mannes, Horst Strempel mit 20 Jahren,

der den Bildrahmen zu sprengen scheint.[97] Sein Gesichtsausdruck wirkt zwar fragend oder möglicherweise auch zweifelnd, zeugt jedoch keineswegs von mangelnder Selbstsicherheit, sondern er blickt klar und ohne Scheu dem Betrachter direkt ins Gesicht. Psychologische Selbstbefragung und Selbsterforschung, häufige Motive für Künstlerselbstporträts, liegen dieser Darstellung zugrunde. Das zweite Selbstbildnis, acht Jahre später entstanden (WVZ 50, Abb. 57, S. 168), zeigt ihn wesentlich entspannter und gelöster. Der Gesichtsausdruck hat sich verändert; die Züge sind nicht mehr so glatt und eben, Augen- und Mundpartie zeigen einen Anflug von spöttischem Grinsen. In der Kleidung wurde der steife weiße Hemdkragen durch ein farbiges offenes Hemd vertauscht. In der rechten Hand hält er eine Zigarette; Malutensilien als geläufige Attribute von Künstlerselbstbildnissen kommen weder hier noch in den späteren Selbstbildnissen vor. Zwischen den beiden Bildern liegen der Abschluß des Studiums, mehrere Reisen und das Finden eines politischen Standpunkts. All das wird zu der Möglichkeit einer bildnerischen Umdeutung der eigenen Person beigetragen haben. Von den formalen Aspekten her sind in einigen Künstlerselbstporträts der 20er Jahre ähnliche Tendenzen zu finden. Von Edvard Munch, Max Beckmann und vor allem von Alexander Kanoldt existieren gleichartige Arbeiten,[98] die sich allerdings in einem Punkt wesentlich von Strempels Auffassung unterscheiden: während Strempel sich durch Kleidung und Milieu als Proletarier ausgibt, stellt insbesondere Beckmann seine Bügerlichkeit zur Schau. Der Bezugspunkt zu Kanoldt, einem exponierten Vertreter der Neuen Sachlichkeit, der wenige Jahre später zu den Nazis überwechselte, kommt nicht von ungefähr: Kanoldt hatte seit 1925 als Professor an der Breslauer Akademie gelehrt, wo Strempel sicher mit seinem Schaffen in Berührung gekommen sein wird. Ein drittes Selbstbildnis dieser Frühphase, zeitlich zwischen den beiden vorgenannten angesiedelt, entstand 1930 (WVZ 16, Abb. 47, S. 165). Im Gegensatz zu fast allen anderen Porträts bezog Strempel hier ein Stück der Umgebung, eine Hauswand, mit in die Komposition ein und siedelt es somit in der Nähe der weltanschaulichen Bilder an. Die Schilderung ist jedoch so knapp, daß er nicht der Gefahr unterliegen kann, ins Genrehafte abzugleiten. Die Präsizisierung des Darstellungsraums als Straße verweist auf den hauptsächlichen Lebenszusammenhang Strempels in zweierlei Hinsicht. Bedingt durch seine miserable wirtschaftliche Lage litt auch er unter der Wohnungsnot. Der Unterhalt einer Wohnung oder gar eines weiträumigen Studios war für ihn wirtschaftlich nicht tragbar. Um der Enge eines möblierten Zimmers zu entrinnen, blieben nur Straßen und Cafés, die so für ihn zu einem wichtigen Lebensraum wurden. Der politisch-symbolische Hintergrund ist jedoch wesentlich relevanter. Er schuf seine Kunst nicht mehr allein im Atelier, sondern er ging auf die Straße, um sich dort inspirieren zu lassen. In der Solidarität mit den sozial Schwachen fand auch er seine Legitimation als Künstler.

Strempels übrige Einzelporträts, vor allem von Frauen, sind unverkennbar Atelierbilder; der sie umgebende Raum spielt zur Charakterisierung der Persönlichkeit in den meisten Fällen keine Rolle.[99] Wie beim traditionellen bürgerlichen Bildnis üblich, wird die Umgebung nicht näher definiert. Typenporträts, die in der Porträtdarstellung der 20er Jahre einen bedeutenden Rang einnehmen, indem sie etwa den Dargestellten innerhalb seines Arbeitsfeldes repräsentieren,[100] fehlen bei Strempel. Die Dargestellten werden vom Künstler so sehr für sich erfaßt, daß ihnen nur selten ergänzende Attribute, beispielsweise zur näheren Erläuterung ihrer beruflichen oder sozialen Stellung, beigefügt werden. Dennoch ist offensichtlich, daß seine Modelle eher das bürgerliche als das proletarische Milieu verkörpern. Nur ansatzweise kann Strempel den Ausdruck ihrer Gedanken, Gefühle, ihres Charakters oder psychischer Zustände in das Bild einbeziehen und herausarbeiten. Mimik und Körperhaltung können noch am ehesten etwas von der Persönlichkeit freigeben, während auch die Gestik nur in Ausnahmefällen eine sprechende ist. Den Bildnissen ist, abgesehen von den expressionistisch beeinflußten, eine eher statische Auffassung zu eigen.

Für die konservative Porträtauffassung Strempels ist das Bildnis der Mutter (WVZ 17, Abb. 48, S. 165), in einem etwas aufgelockerten naturalistischen Malstil abgefaßt, das vielleicht extremste Beispiel. Sie ist als sitzende Halbfigur dem Betrachter in nahezu frontaler Ansicht gegenüber gestellt und derart im Bildraum plaziert, daß sie fast den ganzen zur Verfügung stehenden Raum beansprucht. Der Bildaufbau macht die Orientierung an bürgerlichen Repräsentationsporträts unübersehbar; sowohl von der Sitzhaltung als auch von der Malweise ergeben sich überraschende Parallelen. Aber der Charakter der Dargestellten scheint gerade hier gut erfaßt worden zu sein. Die Mutter wird als gutbürgerliche ältere Frau gezeigt, im geblümten Sonntagskleid mit weißem Spitzenkragen und Perlenkette akkurat angezogen. Ihr sozialer Status als Drogeriebesitzerin wird hinreichend durch diese Attribute sowie durch die selbstbewußte Sitzhaltung dokumentiert. Auffallend ist der Bezug auf das Vorbild van Gogh. Die Übereinstimmung von Duktus und Bildkomposition wie auch der Haltung des Motivs mit den Porträts der Madame Roulin und des Père Tanguy lassen einen direkten Einfluß van Goghs vermuten.[101]

Einer zweiten Gruppe von Porträts, die auch wieder ohne nähere Definition der Umgebung sind, wurden jedoch Attribute beigegeben, die allerdings wenig aussagekräftig im Hinblick auf die Charakterisierung der

Personen erscheinen. Blumen, Schmuck und Spielzeug sind in diesem Zusammenhang eher als Dekor zur Auflockerung des Szenarios gedacht. Eine Ausnahme stellt das *Schreibmaschinenmädchen* (WVZ 33, Abb. 54, S. 167) dar, wobei die Klassifizierung als Porträt hier nicht zwingend sein muß.

In zwei Kinderporträts, die ebenfalls von der akademischen Porträtmalerei geprägt sind, bestehen enge Anlehnungen an gattungsgleiche Arbeiten Otto Dix'. Eine besondere Übereinstimmung zeigt sich mit dem Gemälde von 1925 *Nelly mit Spielzeug*.[102] Das Porträt eines Mädchens mit einem Strauß Maiglöckchen (WVZ 20, Abb. 49, S. 165) ist streng en face gesehen, abstrahierend aufgefaßt, vor einen hellen Hintergrund plaziert, während das *Mädchen mit Spielzeug* (WVZ 65, Abb. 63, S. 172) wie nach einem fotografischen Schnappschuß gemalt scheint. Die Gemeinsamkeiten erschöpfen sich nicht nur in der Übernahme des Motivs des sitzenden Mädchens in Halbfigur und in den nahezu gleich groß gewählten Bildausschnitten. Die Körper werden jeweils durch eine vorgeschobene Tischplatte, die auch links und rechts an den Rahmen stößt, zum unteren Bildrand hin begrenzt; sie nimmt etwa ein Fünftel bis ein Viertel der Bildfläche ein. Eine weitere Übereinstimmung besteht im symmetrischen Aufbau der Bilder, der hellen, aber diffusen Hintergrundbehandlung, einer an der Neuen Sachlichkeit geschulten Schematisierung der menschlichen Figur und deren posenhafter Attitude. Gerade im Hinblick auf die Porträts, die Otto Dix von seinen eigenen Kindern schuf — das hier dargestellte Mädchen ist seine älteste Tochter — wurde verschiedentlich darauf hingewiesen, daß sie als Ausdruck seiner Einstellung zu der eigenen Persönlichkeit eines Kindes zu werten seien. Vermutlich aus diesem Grund wirken sie durch ihre ausgeprägten Physiognomien erwachsenenhaft, jedenfalls älter, als sie in Wirklichkeit sind. Das Spielzeug dient zur Charakterisierung der Lebens- und Vorstellungswelt des Kindes und übernimmt so die Funktion berufs- oder typenbezogener Attribute in den zeitgleichen Porträts Erwachsener.

Es existieren weiterhin einige Porträts, die sich stark am Expressionismus und seinen Darstellungsprinzipien orientieren. Sie sind die einzigen Bildnisse dieser Jahre, in denen die Distanz von Künstler zum Modell aufgehoben ist und so etwas wie persönliche Betroffenheit, ähnlich einigen späteren Bildern von Erna Strempel, zum Ausdruck kommt. Die beiden Bildnisse, die Strempel von seinem Freund Zsiega Cohn schuf (WVZ 47, Abb. 1, S. 145 und WVZ 48, Abb. 56, S. 168), und das Porträt der Grete Wiener (WVZ 27, Abb. 52, S. 166) wurden mit einem breiten Pinsel bzw. einem Spachtel bearbeitet und erhalten durch die unruhige Struktur nebeneinander gesetzter Pinselstriche eine besondere Dynamik, die sich von der fast neusachlichen Darstellungsweise glatter Flächen zeitgleicher Arbeiten abhebt. Das Porträt Cohn von 1932 ist dazu noch von einer ausgesprochen starken Farbigkeit. Die vergröberte Oberfläche wie auch der pathetisch-deklamatorische Ausdruck und die ekstatische Gebärde der zum Betrachter gerichteten Handinnenflächen als Ausdruck von Angst und/oder Abwehr, die hier zum Tragen kommen, aber dadurch gleichzeitig wohl einen Dialog mit dem Betrachter suchend, lassen dieses Gemälde als einen typischen Vertreter des Spätexpressionismus deuten. Vergleiche zum expressiven Ausdruckspathos und zur Bildauffassung u.a. in den Porträts Ludwig Meidners und Conrad Felixmüllers bieten sich an.

In der Reihe der frühen Bildnisse fallen zwei Werke völlig aus dem Rahmen. Bei dem einen handelt es sich um eine Collage, die eine nachdenkliche Frau an einem Caféhaustisch darstellt (WVZ 21, Abb. 50, S. 166). In den Grundzügen wurde das Bild wohl gemalt; die Frau, der Tisch und der Hintergrund wurden dabei stark schematisiert. Insbesondere das Gesicht der Frau gleicht einer Maske, so daß es fraglich ist, ob sie zu identifizieren wäre. Unter ihren linken Arm sind verschiedene deutsch- und französischsprachige Zeitungsausschnitte mit vorrangig politischen Themen geschoben. – Das andere Bild ist ein Porträt des Komponisten Richard Mohaupt, der mit Strempel befreundet war (WVZ 14, Abb. 46, S. 165). Diese Arbeit wurde, betonter noch als das frühe Selbstporträt, in neusachlichem Stil abgefaßt, der Kopf so stilisiert, daß weder mimische Besonderheiten noch irgendwelche Gefühlsregungen abzulesen sind, der Porträtierte aber dennoch erkennbar ist. Der Kopf nimmt etwa zwei Drittel der Bildfläche ein; im rechten Teil des Hintergrundes ist Mohaupt nochmals, in starker Verkleinerung als Ganzfigur im Frack, vermutlich auf einer Bühne, zu sehen. Die Anwendung des Simultaneitätsprinzips kann als Versuch gedeutet werden, mehrere Aspekte der Persönlichkeit des Komponisten in einer einzigen Darstellung unterzubringen.

Die frühen Porträts stehen in krassem Gegensatz zu den fast gleichzeitig entstandenen sozialkritischen Bildern. Alle Dargestellten scheinen dem Bürgertum zu entstammen; jedenfalls gibt es hier keinerlei Hinweise auf ein proletarisches Umfeld. Kleidung, Haltung und das spärliche Ambiente wirken ebenso bürgerlich wie privat. Anders als bei vielen anderen sozial engagierten Künstlern seiner Zeit, wie etwa bei Otto Nagel, Conrad Felixmüller und Hans Grundig,[103] wird der Porträtierte bei Strempel selten in einen sozial- oder klassentypischen Zusammenhang gestellt. Er will den Menschen aus sich selbst heraus sprechen lassen. Die Porträts basieren weitgehend auf der Rezeption offizieller Schemata akademischer Traditionen, indem er insbesondere die herkömmlichen Repräsentationstypen und eine am Spätimpressionismus und Naturalismus orientierte Malweise bevorzugt, die durch neusachliche Bild- und Stilelemente ergänzt werden, welche manchmal zu leicht abstrahierenden Zusammenfassungen führen. Hingegen sucht man veristische Züge in Strempels Porträts dieser Zeit vergeblich. Auch in den übrigen Genres verzichtet er, im Gegensatz zu seinen Vorbildern Grosz und Dix, auf Übertreibungs- und Schockeffekte, wie ihm auch jeglicher Zynismus gegenüber seinen Modellen abgeht. Eine ähnliche Herangehensweise bemerkte Eva Karcher im Porträtschaffen Rudolf Schlichters. Sie stellte fest, daß auch seine Porträts »etwas diffus«[104] bleiben, im Gegensatz zu den eindeutigen Intentionen eines George Grosz, der sich selbst in diesem Bereich in den Dienst politischer Aufklärung stellte, und folgert daraus, daß die formale Vereinheitlichung aus inhaltlicher Indifferenz gegenüber der sozialen Situation seiner Zeit und aus mangelndem politischen Engagement resultiere.[105] Daß jedoch bei Horst Strempel die gleichen Faktoren für seine konventionellen Porträts verantwortlich zu machen sind, erscheint zweifelhaft, vor allem deshalb, weil in seinen Arbeiten ein breiter Bereich kritischer Sujets vorhanden ist.

Strempels Umgang mit dem Porträt unterlag in den folgenden Jahren einer steten Wandlung. Während der Exilzeit in Frankreich war fast ausschließlich seine Frau Erna sein Modell. Gelegentlich stützte er sich in diesen Jahren auf das Bildnis, um formale Experimente, vor allem mit Bildmitteln des Kubismus durchzuführen. In der Zeit nach dem Zweiten Weltkrieg stabilisiert sich seine Porträtauffassung, manchmal entgegen seiner Entwicklung in anderen Genres, und wird in späterer Zeit wieder zunehmend konventioneller. Insbesondere seit den 60er Jahren kommen viele Porträtaufträge hinzu, die in der Regel wohl dem Geschmack der jeweiligen Auftraggeber verpflichtet sind.

Traditionsbeziehungen im Frühwerk Horst Strempels

Es ist außerordentlich schwierig, den künstlerischen Leistungen Horst Strempels in diesen Jahren gerecht zu werden. Nicht nur, daß sein Werk, das er in dieser Zeit schuf, hier nur in Ansätzen dokumentiert und rekonstruiert werden konnte; man muß ebenso der Tatsache Rechnung tragen, daß er, bis er 1933 ins Exil gezwungen wurde, nur wenig Zeit gehabt hatte, im Anschluß an seine Ausbildung seine Themen und seinen Stil zu finden, und daß der Entwicklungsprozeß, wie auch das anschließend in Frankreich entstandene Werk zeigt, zu diesem Zeitpunkt noch keineswegs als abgeschlossen gelten konnte. Dennoch lassen sich schon einige Grundzüge aus seinem Werk herausfiltern, die auch späterhin noch zur Wirkung kamen. Vor allem kristallisierte sich heraus, daß der Mensch, häufig in Beziehung gesetzt zu seiner Umwelt, das bestimmende Sujet seiner Kunst war und blieb. Aus brieflichen Quellen ist zu erschließen, daß Strempel sich um 1930 außerdem intensiv mit der Landschaft auseinandersetzte. Dieses kann jedoch einerseits durch das noch vorhandene Bildmaterial kaum belegt werden, andererseits spielt dieses Sujet auch in der Folgezeit nur eine untergeordnete Rolle, so daß es nicht ergiebig scheint, die Frage an dieser Stelle weiter zu untersuchen.

Zusammenfassend kann bezüglich der ersten Jahre bis 1933 über die vorherrschenden Stilprinzipien in der Kunst Strempels folgendes gesagt werden: Im Rahmen seiner Ausbildung an der Breslauer Akademie wurde er mit einem breiten Angebot an Stilen bekanntgemacht. In den anschließenden Jahren der künstlerischen Selbstfindung, die er vorwiegend in Berlin verbrachte, orientierte er sich dann vornehmlich an expressionistischer Kunst, wenngleich auch Züge der Neuen Sachlichkeit, Rückbezüge auf den Naturalismus und Experimente mit der Collagetechnik vereinzelt ebenfalls ihren Niederschlag in seinem Werk finden. Grundlegende Leitbilder scheint er jedoch ebenso im 19. Jahrhundert, in naturalistischen und realistischen Richtungen gefunden zu haben; in diesem Zusammenhang sind die Einflüsse sozialkritischer Romanliteratur, vor allem von Emile Zola, neben denen von bildenden Künstlern wie Honoré Daumier und Alexandre Steinlen zu nennen. Eine auch thematische Loslösung von der bürgerlichen Vorstellungswelt läßt sich in Strempels Werk erst seit etwa 1930 beobachten. In künstlerischen und schriftlichen Quellen, die sein Interesse für politisch-philosophische Fragestellungen zeigen, kann sein weltanschauliches und schöpferisches Ringen verfolgt werden. Immer häufiger finden sozial bestimmte Themen Eingang in sein Werk. Vieles davon läßt darauf schließen, daß die Auseinandersetzung mit der Problematik der Stellung des Individuums in der Gesellschaft an erster Stelle stand, was u.a. anhand seiner Selbstbildnisse aufzuzeigen ist. Was Horst Strempel zur Auseinandersetzung mit den brennenden Fragen der damaligen Zeit getrieben hat, was ihn veranlaßt hat, sich einer revolutionären Künstlergruppe, und nach längerer ideologischer Auseinandersetzung mit dem Marxismus, der KPD anzuschließen, wird letztendlich in einer von humanistischen Idealen begründeten und ethischem Engagement getragenen Weltanschauung zu suchen sein. Auch seine eigene soziale Lage, die sich natürlich im einzelnen noch stark von der der Arbeiterklasse unterschied, hat dazu beigetragen, daß er sich mit dem Schicksal des Proletariats auseinandersetzen, solidarisieren und identifizieren konnte.

Die konkreten Einflüsse, die in das Frühwerk Strempels Eingang fanden, sind oft nicht präzise zu benennen, obwohl sich an einzelnen Bildern unterschiedliche Rückgriffe nachweisen ließen. Im Hinblick auf einzelne Motive wurden im vorausgegangen

Kapitel schon verschiedene Rezeptionslinien angedeutet. Inwieweit diese Impulse, die seine erste künstlerische Entwicklungsphase entscheidend bestimmten, auch später noch zur Wirkung kamen, läßt sich schwer sagen. Der Reflex expressionistischer Stil- und Formenprinzipien unterschiedlichster Schattierungen in Strempels gesamtem Lebenswerk liegt jedoch klar auf der Hand. Eine hervorragende Rolle wird in diesem Zusammenhang der Dresdener Künstlergruppe »Die Brücke« eingeräumt werden müssen, auf deren Kunst Strempel nicht zuletzt durch Otto Mueller selbst gelenkt worden sein dürfte. Bei Strempel finden sich allerdings keine der typisch expressionistischen Motive, wie beispielsweise exotische Menschen- und Landschaftsdarstellungen, Bilder von Badenden und Tierbilder; vor allem fehlen Schilderungen des modernen Großstadtlebens.

In späteren Jahren gab er an, daß in der Frühzeit Emil Nolde und Lovis Corinth für ihn wichtig gewesen seien.[106] Die Einflüsse Corinths im Werk Strempels bleiben eher im Vagen. Diese Beziehung wird von Strempel an keiner Stelle präzisiert und es erscheint denkbar, daß sie eher indirekt zum Tragen gekommen ist. Man könnte das an zwei Aspekten verdeutlichen. Einerseits lassen sich in den noch akademischen Traditionen verhafteten Porträts, insbesondere dem Bildnis der Mutter, die Traditionslinien zu Corinths Bildnissen des akademischen Naturalismus, besonders zu den Porträts der 1890er Jahre, zurückverfolgen; hier könnte die gemeinsame Vorliebe von Corinth und Strempel für das Werk Frans Hals' ein Bindeglied sein. Andererseits könnte mehr noch sein expressives »malerisch offenes Spätwerk« Anstöße für die malerische Auffassung der sozialkritischen Arbeiten gegeben haben und, was aber wegen des fehlenden farbigen Bildmaterials nicht schlüssig zu belegen ist, auf seine Landschaftsmalerei. Schon Zimmermann wies auf den Einfluß der Kunst Corinths auf die zweite Expressionisten-Generation hin; insbesondere soll die ein Jahr nach seinem Tod gezeigte Gedächtnisausstellung der »Auftakt für die Wirkung seines malerischen Vermächtnisses«[107] gewesen sein.

Die Rezeptionsbeziehungen zu Emil Nolde[108] wie zur ersten Expressionisten-Generation überhaupt, sind sehr viel deutlicher auszumachen. Am ehesten finden sich die Anknüpfungspunkte im homogenen Brücke-Stil der frühen Jahre. Vor allem sind die Einflüsse im Hinblick auf die Formung des Menschenbildes bei Strempel offensichtlich. Bei einem Vergleich von Noldes *Pfingsten*,[109] das Strempel selbst als für sich vorbildhaft benannte, mit seinen Krüppel- und Bettlerbildern werden Parallelen in der flächigen Behandlung der Figur und der häufig zum Maskenhaften tendierenden Gesichter deutlich. Diese Einflüsse sind vor allem über die Vereinfachung der Form auszumachen.

Aus diesem Zusammenhang kann auch der Einfluß

Vincent van Goghs, Paul Gauguins und Edvard Munchs, der entscheidenden Anreger des deutschen Expressionismus, nicht weggedacht werden,[110] zumal sich im Werk Strempels eindeutige Anspielungen auf diese Künstler finden.[111] Sie wirkten mit ihrer realistischen Substanz und trugen wesentlich zur Herausbildung eines expressiven Realismus bei.[112] Es geht dabei nicht nur um stilistische oder motivische Anregungen, sondern vielleicht noch mehr um den Umgang mit der Wirklichkeit, der in diesen Bildern zum Ausdruck kommt. Daß das Leben dieser Künstler als gesellschaftliche Außenseiter Strempel zudem noch beeindruckt haben könnte, weil ihr Beispiel ihm Identifikationshilfe sein konnte, ist zu vermuten.

Eine ähnliche Intention mag auch Strempels Beziehung zu George Grosz charakterisieren. Es scheint, daß Grosz vor allem in ideologischer Hinsicht ein Vorbild für ihn war, jemand, der ihn in seiner Anschauung von der politischen Funktion der Kunst bestärken konnte. Die zynische Art, mit der er Opfer wie Täter behandelte, lag Strempel allerdings nicht. Die Diskrepanz zwischen der Kunstpraxis solcher Maler wie Grosz und dem, was er selbst wollte, hatte er schon früh, ohne sich dabei auf bestimmte Personen zu beziehen, erkannt: »Ich als anfechter des berühmten satzes: 'l'art pour l'art' muß mich mit der dialektischen notwendigkeit, die kunst als waffe im klassenkampf zu gebrauchen, auseinandersetzen. Ich fühle es wohl genau, daß in einer epoche des vollendeten socialismus eine für die allgemeinheit verständliche und erfreuliche form gefunden wird, die unabhängig ist von literatur und reportage … ich sah, empfand, fühlte usw. in der natur wohl das mittel für unser leben in eine gewaltige explosive form zu bringen«.[113] Sein politisches Engagement und die dadurch zumindest halbwegs rational begründete Beurteilung von bourgeoiser Kultur und Kunst erlaubte es Strempel, sich von pseudo-sozialen künstlerischen Themen und Darstellungsformen, die beispielsweise auf einem bürgerlich-distanzierten Mitleidsgefühl fußen, abgrenzen zu können. In dieser Hinsicht steht er in seinen frühen Bildern den weniger propagandistisch, sondern eher emotional ausgerichteten Bildgehalten im Werk der Käthe Kollwitz[114] näher, wenngleich er sich an keiner Stelle direkt auf sie oder ihre Kunst bezieht. Übereinstimmungen ergeben sich aus einem ähnlichen Zugriff auf künstlerische und inhaltliche Fragestellungen. Beide gestalten vorwiegend aktuelle Probleme, die nicht aus einer allgemeinen Sichtweise heraus, sondern aus den Klassenverhältnissen begründet werden, wobei bei beiden auch eine gewisse theoretische Fundierung ihrer Ansichten erkennbar wird. Käthe Kollwitz konzentriert sich in ihrer Kunst ganz auf den leidenden oder kämpfenden Menschen und schildert dabei die Konsequenzen einer verfehlten Politik, indem sie symptomatische Einzelfälle typisiert — im Gegensatz zu Künstlern wie bei-

spielsweise George Grosz, der häufig aus eher abstrakten politischen Erkenntnissen die gegnerischen Positionen von Kapitalisten und Proletariern als Abhängigkeitsverhältnisse darstellt. Horst Strempel hingegen scheint zwischen beiden Positionen einen Kompromiß zu suchen. Dabei entsprechen der wenig narrative Bildkontext und die malerische Ausformung der Figuren eher der Auffassung der Kollwitz, jedoch kann Strempel an das ihre Kunst auszeichnende Kriterium der »Volkstümlichkeit«, die auch breitere Rezeptionsmöglichkeiten einschließt, nicht heranreichen.

Anmerkungen

1 Vgl. zur Kulturgeschichte Gay 1970; Laqueur 1976; Willett 1981; desgl. Vogt 1972, 209 f.

2 Zur deutschen Wirtschafts- und Sozialgeschichte vgl. Kuczynski V, 1966

3 Auf die Problematik des Begriffs »Neue Sachlichkeit« als kunsthistorische Kategorie wurde u.a. von Roland März anläßlich der Ausstellung »Realismus und Sachlichkeit« (Berlin/DDR 1974) hingewiesen und stattdessen vorgeschlagen, die »neue Gegenständlichkeit« in den 20er Jahren im Spannungsfeld von Realismus und Sachlichkeit zu charakterisieren.

4 Eine breitangelegte Kampagne gegen den Bau von Panzerkreuzern und Kriegsschiffen wurde beispielsweise durch die Broschüre »Hurra — Der Panzerkreuzer A ist da!« (Internationaler Arbeiterverlag, September 1928) unterstützt, für die u.a. George Grosz, John Heartfield und Alfred Beier-Red satirische Zeichnungen lieferten.

5 Siehe Kuhirt 1962, Einleitung, XXXX f. und 200. Die »Rote Gruppe« bestand aus Künstlern, die sich um das satirische KPD-Blatt »Der Knüppel« zusammengeschlossen hatten.

6 Siehe Hütt 1986, 385—386. Die Künstlerselbsthilfe stand seit 1929 unter dem Protektorat der SPD; sie wurde durch freiwillige Mitgliedsbeiträge und Überschüsse aus der neugegründeten Zeitschrift »Kunst der Zeit« unterstützt. Erklärtes Ziel war es, die Künstler von den bürgerlichen Auftraggebern unabhängig zu machen. Den Vorstand der Künstlerselbsthilfe bildeten u.a. Max Pechstein, Willi Jaeckel, Rudolf Belling.

7 Siehe Kuhirt 1962, 201—204 zur Funktion des Reichswirtschaftsverbandes

8 Zum gesamten Problemkreis des fortschrittlichen Kunstschaffens in der Weimarer Republik sowie zur ARBKD und ihren Aktivitäten gibt immer noch die Dissertation von Ullrich Kuhirt (1962) die umfangreichste Materialsammlung. Neuere wichtige Forschungsergebnisse finden sich bei Olbrich 1986 sowie in den Ausstellungs-Katalogen Berlin/DDR 1978/79 und Dresden 1980/81.

9 Gefordert wurde einerseits eine möglichst breite Differenzierung von Inhalten, Themen und Formen, um mögliche Bündnispartner aus der Sozialdemokratie und der bürgerlichen Linken miteinbeziehen zu können, was angesichts der fortschreitenden Kulturreaktion (seit etwa 1925) immer dringlicher erschien und zu einem Hauptangelpunkt der Kunstdiskussionen wurde. Der andere Komplex betrifft die Instrumentalisierung der »Kunst als Waffe« im Sinne Friedrich Wolfs und der Forderungen des X. Parteitags der KPD »in der Agitation das ganze Leben zu erfassen«.- 1928 forderte Thälmann auf dem XI. Parteitag der KPD die Bildung einer roten Kulturkampffront. Er konnte dabei auf die steigenden Mitgliederzahlen der KPD zurückgreifen. Es fand hier eine verstärkte Orientierung auf den Kampf gegen die anwachsende Kriegsgefahr statt. Bis zum XII. Parteitag 1929 hatte die Kulturarbeit weitere Fortschritte gemacht, so daß es nun noch notwendiger wurde, die verschiedenen Organisationen und Einzelpersonen zu einem Ziel zusammenzufassen und sie unter der Führung der Partei gesammelt gegen die Kulturreaktion einzusetzen. Beispielsweise wurde die Bildung überpar-

teilicher roter Kulturkartelle angeregt, die auch die sympathisierenden Massen ansprechen sollten.

10 Siehe Kuhirt 1978/79, 44—52.- Gärtner 1980/81, 69—90.- Márkus 1982, I, 7—53

11 Berlin/DDR 1978/79, 21

12 ebd.

13 Über den Verlauf der Tagung lassen sich heute keine genauen Kenntnisse mehr erzielen, da keine Dokumente darüber vorhanden sind; einzige Quelle ist ein Bericht für das »Internationale Büro revolutionärer Künste« in Moskau. Demnach standen ein Fazit der bisher geleisteten Arbeit und neue Beschlußfassungen über das weitere Vorgehen der Organisation auf der Tagesordnung.

14 In diesem Sinne wurde z. B. auch die Beteiligung an bürgerlichen Ausstellungen als eine Form des politischen Kampfes gewertet, wobei dem kollektiven Auftreten besonderes Gewicht beigemessen, aber ebenso — und das war neu — ein Akzent auf künstlerische Eigenständigkeit gesetzt wurde. — Um der Notwendigkeit einer besseren politisch-theoretischen Schulung der Künstler Rechnung zu tragen, sollten Kurse über Marxismus-Leninismus angeboten werden, wobei Schwerpunkte auf Dialektischem Materialismus, Kapitalismus-Imperialismus, sozialistischem Aufbau in der Sowjetunion und Strategie und Taktik der Partei lagen.

15 Kuhirt 1962, 407

16 ebd.

17 Nach einer Mitteilung von Christine Hoffmeister, Berlin, war Strempel Mitglied der ARBKD-Schülergruppe. Diese Information konnte den Mitgliederlisten entnommen werden, die zu Beginn der Nazi-Zeit vergraben und nach dem Krieg in kaum noch lesbarem Zustand wieder aufgefunden wurden.

18 Vgl. Frank 1978/79, 80—96.- Auch in diesem Zusammenhang ist immer noch die Diss. Kuhirt 1962 von grundlegender Bedeutung, da bisher noch keine systematische Erforschung vorliegt (siehe dazu auch: Frank 1978/79, 80, Anm. 3)

19 Adolf Behne (1885—1948) war ein bürgerlich-liberaler Kunsthistoriker und Kunstkritiker. 1918 war er Mitbegründer des »Arbeitsrats für Kunst« und bearbeitete zusammen mit Max Taut und Walter Gropius dessen Programm. 1933 wurde er aus seinem Lehramt an der Berliner Humboldt-Universität entlassen, ab 1945 lehrte er an der Hochschule für Bildende Künste, Berlin. — Alfred Durus alias Alfréd Kemény (1895—1945), kam als ungarischer Kommunist 1920 nach Berlin; 1923 trat er in die KPD ein, seit 1924 war er Kunst- und Literaturkritiker bei der »Roten Fahne« 1933 emigrierte er nach Moskau, wo er als Sekretär des »Internationalen Büros revolutionärer Künstler« arbeitete. — Fritz Schiff (geboren 1891, Todesdatum unbekannt) war als Kunsthistoriker und Kunstkritiker tätig. Nach der Machtergreifung der Nationalsozialisten emigrierte er zunächst nach Frankreich, anschließend nach Palästina. Vgl. dazu: Frank 1978/79, 95—96.- Kuhirt 1962, 350—352

20 Sinclairs bekannteste Werke der damaligen Zeit sind seine Schriften »The Profit of Religion« (1918), »The Brass Check« (1919), »The Goose-Step« (1923), »The Goslings« (1924), »Mammonart« (1926) und »Money-Writers« (1927), in denen er aufzeigt, wie Bildungs- und Kulturinstitutionen von ökonomischer Unterdrückung betroffen sind und wie sie so zu Instrumenten des Kapitalismus werden. — In seiner Autobiografie (1962) schreibt Upton Sinclair bezüglich der Entstehungsgeschichte von »Mammonart«, daß er zunächst sehr viele Werke der Weltliteratur unter dem Gesichtspunkt ihrer Verwendbarkeit als Waffe im Klassenkampf gelesen habe. Dieser Aspekt sei bislang nur punktuell verfolgt worden, so daß seine Untersuchung die erste systematische sei. Er räumt allerdings ein, daß seine Theorien von der Wissenschaft nicht ernstgenommen würden. Die zentrale Aussage seines Werks ist, daß große Literatur immer von der besitzenden Klasse produziert worden sei und mithin auch ihre Theorien verbreite, während eine Literatur, die sich diesem Prinzip widersetzt, als Propaganda abgetan werde. — Ein weiterer wichtiger Gesichtspunkt der positiven Rezeption in fortschrittlichen Künstlerkreisen ist sein Bestreben, die bildende Kunst oder Literatur nicht losgelöst von anderen Disziplinen zu sehen.

21 Frank 1978/79, 83.- Kuhirt 1962, 346—350

22 Noch während seiner Exilzeit beabsichtigte Strempel, ein Mappenwerk zu Sinclairs »Sumpf« zu publizieren, für das er

aber offenbar keinen Herausgeber gefunden hat. (Brief an Zsiega Cohn, 13.4.1933; gemeint ist wahrscheinlich 1934.)

23 Kuhirt 1962, 346

24 Brief von Horst Strempel an Marie-Luise Neumann, 2.1.1932

25 Brief von Horst Strempel an Marie-Luise Neumann, 5.2.1932

26 Siehe zur sozialen Lage der progressiven Künstler auch den satirischen Artikel von George Grosz. Kunst ist vorbei, mein Lieber. In: Berliner Tageblatt/Beilage, 25.12.1931

27 Briefe von Horst Strempel an Marie-Luise Neumann, 22.10.1932 und Weihnachten 1932

28 Brief von Horst Strempel an Marie-Luise Neumann, 16.9.1932

29 So berichtet er in einem Brief vom 22.12.1929 an Marie-Luise Neumann von einer Bleivergiftung, die er sich durch schädliche Werkstoffe zugezogen habe.

30 Brief von Horst Strempel an Marie-Luise Neumann, 30.1.1929

31 Brief von Robert Preux an G.S., 29.4.1989

32 Brief von Horst Strempel an Marie-Luise Neumann, 22.12.1929

33 Brief von Horst Strempel an Marie-Luise Neumann, 29.1.1930

34 Brief von Horst Strempel an Marie-Luise Neumann, 21.3.1930. — Die Kirche, von der Strempel hier spricht, konnte bisher noch nicht identifiziert werden; sie müßte sich aber in Berlin selbst oder im Umland befunden haben.

35 Brief von Horst Strempel an Marie-Luise Neumann, 21.8.1931. Nach Auskunft der Firma Trumpf, Berlin, befinden sich im Firmenarchiv keinerlei Unterlagen, die eine Mitarbeit Strempels bestätigen könnten; allerdings zeigt eine Fotografie einen Plakatentwurf für das Unternehmen (WVZ 2902, Abb. 248, S. 256).

36 Brief von Horst Strempel an Marie-Luise Neumann, 21.8.1931. Im Brauereiarchiv ließen sich zwar keine Anhaltspunkte dafür finden; es existieren jedoch Fotografien von Plakaten für Schultheiß-Patzenhofer (WVZ 2899 und 2900).

37 Brief von Horst Strempel an Marie-Luise Neumann, 16.10.1930: »Ich lebe jetzt nur von dem, was ich durch den Propyläenverlag verdiene und durch einige plakate. aber jedenfalls bin ich ein freier mensch.« Nach Auskunft des Propyläen-Verlages, Berlin, sind sämtliche Archivunterlagen bis 1945 durch Kriegseinwirkungen vernichtet worden. Als Grafiker ist Horst Strempel dort nicht namentlich bekannt. Das schließt allerdings eine Tätigkeit für den Verlag nicht aus, da häufig Pseudonyme benutzt wurden. Andere werbegrafische Arbeiten dieser Zeit, die in Zusammenarbeit mit Zsiega Cohn entstanden, zeigen die Signatur »Ho-Co«.

38 Brief von Horst Strempel an Marie-Luise Neumann, 15.11.1931

39 Brief von Horst Strempel an Marie-Luise Neumann, 14.3.1932

40 Brief von Horst Strempel an Marie-Luise Neumann, 15.2.1930

41 Brief von Horst Strempel an Marie-Luise Neumann, 11.3.1930. Zur Reimann-Schule siehe Wingler 1977, 246—261.- Die Reimann-Schule, 1904 von Albert und Klara Reimann gegründet, seit 1913 unter dem Namen »Kunst- und Kunstgewerbeschule« bekannt, gehörte in Berlin zu den renommierten Instituten. Sie trat u.a. durch die »Internationale Reklameschau« 1929 hervor.

42 Diese Überlegungen kommen auch in einem Brief an Marie-Luise Neumann vom 7.1.1931 zum Ausdruck: »...es ist eine zeit unerhörter kämpfe und ich fühle, daß man nicht berechtigt ist, (seinen) idyllischen neigungen (gefühlen) mehr zu folgen«.

43 Siehe die Briefe Horst Strempels an Marie-Luise Neumann vom 16.5.1931, August 1931, 22.10.1931, 19.7.1932 u.a. »ich bin nach wie vor stimmungen unterworfen, die du verstehen wirst, wenn du die bilder siehst. wenn ich einen hund male, bin ich ein hund und wenn ich eine straße male, bin ich straße« (16.5.1931).
»das, was ich an konkreter arbeit in diesem jahr geleistet habe ist nichts, war nur ein weg ein versuch. ein schritt näher zu mir (zu meinem menschtum) plötzlich fällt einem ein ... von den augen, und man sieht alles anders, alles näher, man wird ganz eins mit der natur die mitwelt und die produkte der vorigen periode werden klein und wesenlos. als ich sah, daß das, was ich ausdrückte meinem jetzigen fühlen nicht mehr ganz nahesteht machte ich schluß...« (August 1931).
»ich arbeite mit einem wahren fanatismus und spüre manchmal, dass ich dem, was ich fühle, nahekomme. ...die minuten der »unerhörten seligkeit« sind nur zu selten, und unruhe,

kampf, unzufriedenheit das primäre in meinem leben.« (22.10.1931).
»ohne »arrogant« zu sein, kann ich sagen, dass es mir auch gut-geht. ich finde meine befriedigung und meinen lebensinhalt in meiner arbeit wenn ich auch mitunter starke rückschläge habe und zeitweise ganz verzweifelt bin« (19.7.1932).

44 Brief von Horst Strempel an Marie-Luise Neumann, 26.5.1932
45 Horst Strempel, Stichworte für Herbert Roch
46 Brief von Horst Strempel an Marie-Luise Neumann, 25.12.1930
47 Brief von Horst Strempel an Marie-Luise Neumann, o.D. (April 1932?)
48 ebd.
49 Horst Strempel, Stichworte für Herbert Roch.- Mark Priceman berichtet über die politischen Aktivitäten Strempels folgendes: »In Berlin waren wir zusammen in der Halensee Straßenzelle der KPD tätig gewesen. Das bedeutete 'Haus und Hof Propaganda', Streik- Unterstützung, Demonstrationen, und eine Menge Sitzungen. Ich weiß nicht, ob HS auch noch irgendeiner Künstlergruppe angehörte, sonst ging seine politische Tätigkeit wohl kaum über den Rahmen der Zelle hinaus.« (Brief an G.S., 28.9.1988)
50 Brief von Robert Preux an G.S., 29.4.1989
51 Siehe die genauen Angaben im Brief von Horst Strempel an Friedrich Lambart, 20.2.1955, zit. S. 19, Anm. 17
52 Die Fotos befinden sich zum großen Teil im Archiv der Nationalgalerie Berlin, weitere auch in Privatbesitz.
53 In einem Brief an Zsiega Cohn vom 27.6.1933 (zit. im Werkverzeichn., S. 266f.) schreibt Strempel, daß das Bild mit dem Titel *Die Trauer*, das er gerade male, der Abschluß einer Epoche sei.
54 Das Werk Hans Baluscheks ist jahrzehntelang, je nach politischem Standpunkt, recht kontorvers rezipiert und interpretiert worden. Erst mit der letzten Retrospektive (Berlin 1991) wurde ein Ansatz zu einer Neubewertung gemacht.
55 Hans Baluschek *Die Bettlerallee* 1925, Tempera, Ölkreide/Pappe (98,5 x 69,0 cm); Berlin, Märkisches Museum. Abb. in: Meißner 1985, Tf. 60.
56 Kuczynski, V, 1966, 196—202
57 Otto Nagel *Arbeitsloser* um 1930, schwarze Kreide (42,5 x 30,2 cm); Berlin, StM, SdZ, Inv.Nr. 13.
58 Conrad Felixmüller *Zeitungsjunge mit der AIZ* 1928, Öl/Lwd.; Altenburg, Staatliches Lindenau-Museum. Abb. in: Schleswig 1990, 119.- In diesem Gemälde wurde, obwohl die Gestalt ebenso vereinzelt aufgefaßt ist, immer wieder auch der fortschrittsbetonte Aspekt, symbolisiert durch die AIZ, von der Kunstwissenschaft angeführt.
59 Otto Nagel *Asylisten (Vor dem Asyl)* um 1928, Öl/Lwd. (140,0 x 100,0 cm): Berlin, StM, NG, Inv.Nr. A III 452. Abb. in: Berlin/DDR 1978/79, 98
60 Gustave Doré *Im Zuchthaus zu Newgate*, Rundgang (23,9 x 19,0 cm). Abb. in: Forberg II, 1975, 787.- Vincent van Gogh *Gefängnisrundgang* Öl/Lwd. (80,0 x 64,0 cm); Moskau, Puschkin Museum. Abb. in: Hulsker 1977, 433 (WVZ 1885).- George Grosz *Licht und Luft dem Proletariat* aus der Mappe *Gott mit uns* 1919 (34,9 x 29,7 cm). Abbildung in: Dückers 1979, 58 (M III, 4).- Carl Meffert *Gefängnishof* aus der Mappe *Deine Schwester* 1928, Linolschnitt (23,4 x 18,2 cm). Abb. in: Berlin/W. 1978, 72.- Fritz Schulze *Gefängnisrundgang* 1935, Linolschnitt (30,2 x 21,5 cm); Dresden, Mus. f. Geschichte. Abb. in: Dresden 1980/81, 324
61 Das gilt nicht nur für Demonstrationsbilder, sondern ebenso für Themen der Arbeit im allgemeinen. Beispiele: Alois Erbach *Arbeiterinnen*. Abb. in: Magazin für Alle 8, August 1932, 41.- Sella Hasse, Zyklus *Rhythmus der Arbeit* 1912—1916, 7 Linolschnitte, Abb. in: Berlin/W. 1977/78, 4 und 7
62 Etwa zum gleichen Zeitpunkt entstanden auch von anderen progressiven Künstlern eine Vielzahl von Bildern ähnlicher Thematik. So ist beispielsweise an Christoph Volls Radierung *Betende Waisenkinder* von 1923 zu denken. Abb. in: Düsseldorf (Remmert und Barth) 1987, 49.
63 Siehe Durus 1932: »Strempel entwickelt in großen Ölgemälden außergewöhnliche malerische Fähigkeiten. Weltanschaulich am positivsten ist der unten abgebildete Zyklus *Fürsorge*.« Fritz Schiff 1931: »...und da sitzen auf einem Bild von Horst Strempel die beklagenswertesten Opfer unserer Gesellschaftsordnung, die weiblichen Fürsorgezöglinge, uniformiert,

geduckt unter der Fuchtel einer ältlichen säuerlichen Betschwester.«
64 Horst Strempel stellte in einem Brief vom 26.5.1932 an Marie-Luise Neumann die »Profifrage: was ist der unterschied zwischen einem gemalten Christus und einem armen elenden menschen, und was ist der unterschied zwischen einem gemalten Christus, z. B. aus dem Louvre und einem Bettlerbild von mir?«
65 Wahrscheinlich handelt es sich um ein Porträt Pius XI. (1857—1939). Seit er 1929 zum Papst gewählt worden war verfolgte er eine Erneuerung der gegen den Sozialismus gerichteten katholischen Soziallehre Leos XIII. 1929 schloß er mit dem faschistischen Italien die Lateranverträge, 1933 mit dem faschistischen Deutschland ein Konkordat.
66 Lucas Cranach *Passional Christi und Antichristi* 26 Holzschnitte (ca. 11,8 x 9,6 cm). Abb. in: Jahn 1972, 556—583.- Parallelen zwischen beiden ergeben sich einmal von der Form her. Während Cranachs *Passional* in der zyklischen Form nebeneinanderstehender Blätter dargeboten wird, wählte Strempel ein vielszeniges Tafelbild, das jedoch die gleiche Funktion erfüllt. Beide Künstler nehmen Bezug auf konkrete politische Ereignisse oder kritisieren politisch motivierte Handlungsweisen von Mitgliedern des Klerus.
67 Siehe Maslowski 1930 und 1932. Der in der »Linkskurve« 1932 publizierte Beitrag Maslowkis wurde durch das Verbot des Verbandes proletarischer Freidenker veranlaßt; der Autor reflektierte hier die tatsächlichen Gründe für die Unterdrükkung der Freidenker. Insbesondere verwies er auf die Verzahnung von Politik und Klerus. »Was hat diese christliche Kultur aufzuweisen, daß sie auch nur das leiseste Gefühl für die Notwendigkeit der Verteidigung in den Massen erzeugen könnte? Sind nicht Krieg, Hunger, Notverordnungen, markante Ausdrücke dieser christlichen Kultur? Unerhörter Luxus neben grenzenloser Armut, unbestrafter Naziterror neben 6000 politischen Gefangenen, wachsende Konkordatsmillionen, Abbau auf allen sozialen Gebieten, Panzerkreuzer, 700 Millionen Militärausgaben und aufgeblähter Polizeietat neben der Abschaffung der Kinderspeisung und einem in der ganzen Welt einzig stehenden Schulabbau — sollen sich die Massen etwa für diese herrlichen Blüten echter christlicher Kultur begeistern?
… Christliche Kultur, das ist für die kleine Schicht der herrschenden Monopolkapitalisten die privilegierte Vormachtstellung und letzten Endes der Geldsack der Ausbeutung, für die werktätigen Massen aber ist sie bereits tot, auch wenn noch tausendmal christliche Traditionen als Bremsklotz nachwirken mögen« (ebd., 5).
Vgl. außerdem zu dieser Thematik: Hans Grundig *Segnung* 1931, Linolschnitt. Abb. in: Berlin/W. 1977/78, 74.- Eva Schulze-Knabe *§ 218* Linolschnitt. Abb. in: Berlin/W. 1977/78, 77.- Fritz Schulze *Der Klerus schützt das Kapital*. Abb. in: Berlin/W. 1977/78, 80.
68 Vgl. Lankheit 1959
69 Vgl. Worringer 1924
70 Zum Einfluß des Futurismus auf die fortschrittliche Kunst siehe Horn 1979 (Zum Verhältnis...), 145—150. Horn betont hier, daß das Simultaneitätsprinzip von den revolutionären Künstlern nicht, wie ursprünglich intendiert, verwendet wurde, um Bewegungsabläufe darstellen zu können, sondern, wie Uwe Schneede in Bezug auf George Grosz erkannte, im dialektischen Sinne, »um zeitlich wie örtlich voneinander Entferntes zu einer Argumentationsfolge auf einer Ebene zu vereinigen« (Schneede 1975, 60), um gesellschaftliche Widersprüche aufzudecken oder Gegensätze aufzuzeigen.- Vgl. auch: Horn 1979 (Zum Einfluß...), 2—9
71 Olbrich 1988, 7
72 Wesentliche Impulse bekam das montageartige Tafelbild in den 20er und 30er Jahren u.a. durch folgende Werke: George Grosz *Deutschland ein Wintermärchen* 1917—1919; verschieden. Abb. in: Schneede 1975, 61. Im Vergleich zu Strempels Lösung wirkt das Werk Grosz' spannungsreicher. In erster Linie wird diese Wirkung zwar durch die kompliziertere Struktur des Bildes hervorgerufen, aber durch den Inhalt, dessen ideologische Aussage durch eindeutige, hart formulierte Metaphern konkretisiert wird, ergänzt.- Heinrich Vogeler *Hamburger Werftarbeiter* 1927, Öl/Lwd. (119,0 x 90,0 cm); Leningrad, Staatl. Eremitage. Abb. in: Stenzig 1989, 166.- Ebenso das Plakat für die

Rote Hilfe 1924, Farblitho (28,0 x 25,5 cm); Berlin, StM, Kpstk., Inv.Nr. 229–1972. Abb. in: Berlin/DDR 1978/79, 107.- Arthur Segal *Das Abtreibungsgesetz* 1929/31, Öl/Jute (72,5 x 91,5 cm); Berlin, Berl. Gal. Abb. in: Köln 1987 (Segal), 228.- Gerd Arntz *Wahldrehscheibe* 1932, Holzschnitt. Abb. in: Berlin/W. (Polit. Konstruktivisten) 1975, Abb. 31.

73 Schiller 1968, Bd. 2, 134

74 Henri de Braekeleer *Die Katechismusstunde* 1872. Abb. in: Berlin/W. 1979, 204

75 Brand 1979, 204

76 Die Verknüpfung ursprünglich religiöser Themen mit profanen Anliegen, vor allem wenn es darum ging, Sozialkritik zu üben, kam häufig in der Kunst des frühen 20. Jahrhunderts vor. Wie Ursula Horn 1978/79, 53–69, nachwies, übte besonders der Aktivismus in dieser Hinsicht einen entscheidenden Einfluß auf die proletarisch-revolutionären Künstler aus. Schon vor dem Ersten Weltkrieg zeigten Künstler, wie etwa Ludwig Meidner, »mit Hilfe christlicher Motive ihre Angst vor apokalyptischen Katastrophen und zugleich auch ihre Hoffnung auf Erlösung« (Horn, ebd., 54). Im Rahmen der Heilsgeschichte zwischen Apokalypse und Auferstehung verbleiben die Werke, die die Passion Christi aktualisieren in der Nähe der überlieferten Bilder, wobei Christus »zur Allegorie auf das menschliche Leiden schlechthin« wird (Horn, ebd., 55). – Vgl. zu dieser Problematik auch Horn 1975 und Müller 1988. In diesem Zusammenhang ist weiterhin aufschlußreich: Schiff 1930, 539. Auch er stellte ein Zunahme religiöser Themen in der Kunst fest, registrierte aber außerdem noch einen konkreten Realitätsbezug: »Charakteristisch aber ist, daß immer wieder Christus als der zu Unrecht leidende Arme und als der Freund der Proletarier erscheint. Auf einem dieser Gemälde wird Christus, neben dem ein höhnisch grinsender Kapitalist steht, sogar von demonstrierenden Massen mit roten Fahnen verhöhnt: sie sehen ihren Heiland nicht. Hier findet die faschistische Konzentration im bürgerlichen Leben ihren künstlerischen Ausdruck. Der Faschismus, in allen Ländern anfangs antichristlich, hat längst seinen Frieden mit den Kirchen geschlossen.«

77 Karl Schmidt-Rottluff *Christus* 1918, Holzschnitt (50,1 x 39,1 cm); Stuttgart, Staatsgalerie. Abb. in: Bremen/München 1989, 256. – Siehe auch: Lovis Corinth *Der rote Christus* 1922; München, Bayrische Staatsgemäldesammlungen. Abb. in: Stuttgart 1986, Tafel 95

78 Franz W. Seiwert *Christus im Ruhrgebiet, XX. Jahrhundert* 1920/21, Öl (Höhe ca. 75,0 cm); 1942 bei einem Bombenangriff verbrannt. Abb. in: Bohnen 1976, 75

79 George Grosz *Da donnern sie Sanftmut und Duldung aus ihren Wolken und bringen dem Gott der Liebe Menschenopfer dar* aus der Mappe *Die Räuber* 1921/22 (57,9 x 39,3 cm). Abbildung in: Dückers 1979, 64 (M V, 7).- George Grosz *Christus mit der Gasmaske (Maulhalten und weiterdienen)* aus der Mappe *Hintergrund* 1927 (15,2 x 18,1 cm). Abb. in: Dückers 1979, 68 (M VI, 10)

80 Lea Grundig *Antikirchliches Blatt*. Abb. in: Berlin/W. 1977/78, 59.

81 Der Skandal um die »Große Berliner Kunstausstellung 1932« ist ein gutes Beispiel für den Einfluß, den die Nazis schon vor 1933 auf das Kunst- und Kulturleben hatten. 1932 rückte die ARBKD anläßlich der »Großen Berliner« ins öffentliche Interesse. Die Mitglieder hatten geschlossen die Ausstellung beschickt und dann, nachdem einige Bilder, darunter auch Strempels *Papst und Christus* auf Betreiben der nationalsozialistischen Vorsitzenden des preußischen Haushaltsausschusses polizeilich beanstandet worden waren und deshalb abgehängt werden mußten, solidarisch und konsequent sämtliche Arbeiten zurückgezogen, noch bevor die Ausstellung offiziell eröffnet worden war. Einige Wochen später wurden diese Arbeiten dann in der Klosterstraße präsentiert. Am Rande anzumerken wäre noch, daß Hans Baluschek als Vorsitzender des Reichskartells und Mitglied der Jury eine zwiespältige Rolle gespielt haben soll. In der »Roten Fahne« vom 4.9.1932 machte man ihm den Vorwurf, daß er sich in keiner Weise für die zurückgewiesenen Künstler öffentlich eingesetzt habe wie es seine Pflicht gewesen sei. – Zur Pressekampagne von rechts siehe: N.N. Kommunistisch-jüdische Ferke-

leien. Ein Skandal! In: Angriff, 1.9.1932; P.H. Die »Revolution« ist tot ... Lebt die Kunst? In: Angriff, 5.9.1932; Paul Hinkler (Leserzuschrift). In: Völkischer Beobachter, 13.9.1932. Gegenstimmen dazu: N.N. Die revolutionäre Kunst von der Kunstausstellung entfernt. In: Rote Fahne, 4.9.1932; Adolph Donath. Revolutionäre Künstler. In: Berliner Tageblatt, 13.10.1932.

82 E.N.P. In: Welt am Abend, 20.10.1932

83 Zur Kunstzensur in Deutschland von 1900–1933 siehe Hütt 1990.

84 Unter diesem Gesichtspunkt ist in dieser Zeit auch eine verstärkte Rezeption literarischer Werke antiklerikaler Tendenz zu beobachten. So erschien beispielsweise 1930 in der Universum-Bücherei eine Übersetzung des Romans »Das Verbrechen des Pater Amaro« des portugiesischen Dichters Eva de Queiroz, der in seinen Hauptpersonen, dem Domherrn Dias und dem Pater Amaro, seiner Gegnerschaft zur katholischen Kirche Ausdruck verlieh.

85 Vgl. Maslowski 1932, 4–8.- Alfred Durus. Es sollte der Priester mit dem Künstler gehen. Zentrum für Kruzifix und Madonna in der Kunst. In: Rote Fahne, 23.5.1932. In diesem Artikel wirft Durus der Zentrumspartei vor, an der Kunstzensur beteiligt zu sein und die Künstler zu animieren, mit ihren Werken den politischen Kampf gegen die Sowjetunion auch künstlerisch zu unterstützen.

86 Die gleiche Haltung – Ablenken der Gläubigen von den Auswirkungen der Weltwirtschaftskrise auf die drohenden Gefahren aus dem kommunistischen Osten – sieht Hans Prolingheuer (1980) in seiner Studie über den Kirchenkampf vor 1933 bei der evangelischen Kirche.

87 Vgl. dazu das Werkverzeichnis

88 Brief von Horst Strempel an Marie-Luise Neumann, 24.11.1931

89 Als unmitelbare Vorläufer können die Werke Honoré Daumiers genannt werden, die in Zusammenhang mit der 48er Revolution entstanden. Vgl. auch Aradi 1972, 453

90 Otto Griebel *Internationale* 1928–30, Öl/Lwd. (125,0 x 185,0 cm); Berlin, Mus. Dt. Geschichte. Abb. in: Berlin/DDR 1978/79, 308.- Käthe Kollwitz *Demonstration II* 1931, Lithografie (36,9 x 26,2 cm); Berlin, Mus. Dt. Geschichte. Abb. in: Berlin 1978/79, 97.- Curt Querner *Demonstration* 1930, Öl/Lwd. (86,0 x 66,0 cm); Berlin, StM, Inv.Nr. A IV 78. Abb. in: Berlin 1978/79, 308.- Paul Berger-Bergner *Demonstration* 1932, Öl/Lwd. (51,0 x 115,5 cm); Dresden, StKS, Gemäldegal. Neue Meister. Abb. in: Dresden 1980/81, 221.

91 Siehe u.a. Horn 1978/79, 53–69.

92 Vgl. zur Rezeption dieser Vorbilder in der proletarisch-revolutionären Kunst Olbrich 1986, 74

93 Siehe dazu die Anmerkung zu WVZ 41

94 Brief von Robert Preux an G.S., 29.4.1989

95 Ausstellung Berlin 1932/1

96 Durus. In: Rote Fahne, 20.5.1932

97 Vgl. im Werkverzeichnis: das Porträt könnte ursprünglich ein größeres Format gehabt haben.

98 Vgl. den Bezug zu Munch im Werkverzeichnis.- Max Beckmann *Selbstbildnis im Smoking* 1927, Öl/Lwd. (141,0 x 96,0 cm): Cambridge/Mass., Bush-Reisinger Museum. Abb. in: Göpel II, 1976, Abb. 274. Beckmanns Selbstbildnis wurde 1928 bei der Berliner Sezessions-Ausstellung erstmals öffentlich gezeigt und erregte breite Aufmerksamkeit (vgl. Göpel I, 1976, 199).-Alexander Kanoldt *Selbstbildnis* 1929, Öl/Lwd. (96,0 x 60,5 cm); Wroclaw, Muzeum Narodowe. Abb. in: Freiburg 1987, 146

99 Oellers 1976, 75, stellt eine ähnliche Tendenz im Porträtschaffen der 20er Jahre fest. Frauenporträts werden weniger häufig gemalt, in der Regel eher realistisch, die Dargestellten werden nicht in einen Arbeitszusammenhang gestellt, sondern man bevorzugt »Darstellungen aus der Sphäre des Vergnügens und der Unterhaltung«.

100 Oellers 1976, 63

101 Vincent van Gogh *La Berceuse* 1889, Öl/Lwd. (91,0 x 71,5 cm); Amsterdam, Stedelijk Mus. Abb. in: Amsterdam 1990, 199.- Vincent van Gogh *Père Tanguy* 1887/88, Öl/Lwd. (65,0 x 51,0 cm); Privatbesitz. Abb. in: Amsterdam 1990, 95

102 Otto Dix *Nelly mit Spielzeug* 1925, Tempera/Holz (54,0 x 39,5 cm); Privatbesitz. Abb. in: Berlin 1991, 179

103 Conrad Felixmüller *Zeitungsmädchen* 1927, Öl/Lwd. (85,0 x 75,0 cm); Privatbesitz. Abb. in: Schleswig 1990, 118. Conrad Felixmüller *Bildnis Maria von Haugk* 1932, Öl/Lwd. (97,0 x 69,0 cm); Berlin, Berl. Gal. Abb. in: Schleswig 1990, 131.

104 Karcher 1984, 52a

105 ebd.

106 Brief von Horst Strempel an Wilhelm Puff, 1.10.1958. »Vor meiner Pariser Zeit haben mich die Maler Corinth und Nolde am stärksten beeindruckt. (Höchstwahrscheinlich wegen ihrer Kraft)«.

107 Zimmermann 1980, 81.- Zum Verhältnis Corinths zur älteren Kunst schreibt er: »In ihm (Corinth) waren impressionistische Erfahrungen, die Beobachtungskunst der deutschen Freilichtmalerei, die Kenntnis Delacroix' und vor allem die Liebe zu Frans Hals und Rembrandt vereint. Da war eine eigenwillige, alle stilistische Einseitigkeit sprengende Verbindung von alten und modernen Tendenzen. Die Malerei Corinths öffnete eine Weite, in der vielfältige Verbindungen zusammenschießen konnten.« (ebd. 74)

108 Zimmermann 1980, 112; er weist darauf hin, daß zum Beispiel für Franz Frank und Werner Scholz die Begegnung mit Bildern Noldes höchst bedeutsam gewesen sei. – Strempel äußert sich in einem Brief vom 22.6.1962 an Wilhelm Puff über sein Verhältnis zu Nolde: »Nolde gibt mir heute und sagt mir heute nicht mehr das, was er für mich 1927–35 war.

Damals war ich hellbegeistert von seinem *Pfingsten* und meine beinahe sonntägliche Prozession war in das 'Kronprinzenpalais'. Jahre, beinahe bis 1936, war er mein Vorbild.«

109 Emil Nolde *Pfingsten* 1909, Öl/Lwd. (87,0 x 107,0 cm); Berlin, StMPK, NG. Abb. in: Urban 1987, 276

110 Zimmermann 1980, 74 bemerkt, daß das Spätwerk Munchs und Corinths den nachdrücklichsten Einfluß auf das Schaffen der jüngeren Maler ausgeübt habe; das gelte für die Arbeiten, die Corinth nach der Jahrhundertwende schuf sowie für die Kunst Munchs ab 1908/09.

111 Dabei ist zum Beispiel an die stilistischen und motivischen Übereinstimmungen von Strempels *Fischerbooten* (WVZ 61, Abb. 62, S. 172) mit Gemälden van Goghs zu denken; gleiches gilt für das Werk *Blühender Baum* (WVZ 72), ebenso diese Einflüsse aufweist. In einem Gemälde, das im französischen Exil entstand (WVZ 100, Abb. 70, S. 176), liegt ein direkter Bezug zu den Südseebildern Gauguins vor. Zu Edvard Munch siehe WVZ 50.- In einem Brief an Marie-Luise Neumann vom 26.5.1932 berichtet Strempel, daß er gerade Meier-Graefes van Gogh-Monografie gelesen habe.

112 Siehe Zimmermann 1980, 71

113 Brief von Horst Strempel an Marie-Luise Neumann, 14.9.1931

114 Das sind Beziehungen, die sich beispielsweise auch in beider Bezug auf Zolas »Germinal« zeigen.

Exil in Frankreich

Anmerkungen zum Umgang mit Exil und Exilierten in Deutschland seit 1945

Die Literatur zum deutschen Exil von 1933 bis 1945 ist in den letzten Jahren stark angewachsen. Es kann hier nicht der Ort sein, den Stand der gegenwärtigen Exilforschung insgesamt zu fixieren. Nur Publikationen, die im Hinblick auf das Gastland Frankreich oder auf das bessere Verständnis der Biografie Strempels relevant sind, sollen an dieser Stelle Erwähnung finden. Die grundlegenden Arbeiten über die deutsche Emigration in Frankreich entstanden vor allem in Frankreich selbst. Insbesondere ist hier auf die Forschungen Gilbert Badias und seiner Mitarbeiter zu verweisen,[1] die sich in erster Linie um die Erschließung des historischen und sozialhistorischen Hintergrundes verdient gemacht haben. Das Spektrum der hier behandelten Themen reicht von der Beschreibung der Haltung der französischen Regierung gegenüber Emigranten und der repressiven Gesetzgebung, die es dann letztendlich ermöglichte, daß fast alle deutschen Emigranten bei Kriegsbeginn in die berüchtigten Lager, die sich zumeist im unbesetzten Süden des Landes befanden, eingewiesen werden konnten, über Interviews mit Zeitzeugen bis hin zu Darstellungen politischer und kultureller Aktivitäten von deutschen Emigranten. Kunsthistorische Fragestellungen wurden jedoch nur am Rande berücksichtigt.[2] Michel Palmier[3] legte 1988 eine umfassende Dokumentation der Emigration deutscher Kunst- und Kulturschaffender vor; in diesem Zusammenhang wurde auch den in Frankreich lebenden bildenden Künstlern ein Abschnitt gewidmet. In Deutschland selbst wurde das Exil seit 1945 in wechselnder Qualität und Quantität thematisiert, wobei sich BRD- und DDR-Forschung lange Zeit grundsätzlich unterschieden. In den Westsektoren und der späteren BRD entbrannte schon gleich nach Kriegsende eine Diskussion über die berechtigten oder unberechtigten Motive derer, die Deutschland nach dem Machtantritt der Nationalsozialisten verlassen hatten; ihre Brandmarkung als »Vaterlandsverräter« wurde gerade auch oft von solchen Menschen betrieben, deren Haltung in den Jahren 1933 bis 1945 zumindest als zweifelhaft zu bezeichnen ist. Diese Ablehnung, die offenbar insbesondere politischen Emigranten galt, war lange Zeit im Westen Deutschlands gang und gäbe und ist vielleicht sogar bis heute noch nicht als vollends überwunden anzusehen. Die Polemik über die Rückkehr Thomas Manns nach Deutschland oder

die Diffamierungs-Kampagne gegen Willy Brandt 1961 sind nur zwei Beispiele dafür.[4] In der DDR hingegen bewies man zunächst weniger Berührungsängste, zumal sich die gesamte Politik nach 1945 bewußt auf die demokratischen Traditionen des deutschen Volkes berief und sie in die neue Ordnung integrieren wollte. Dieses Bestreben brachte es jedoch auch mit sich, daß eine Werteskala aufgestellt wurde, nach der Personen, die in der Sowjetunion gewesen waren, den sogenannten »Westemigranten« — insbesondere während des Kalten Krieges — aus verständlichen Gründen vorgezogen wurden; dies ist ein Faktum, das auch die Biografie Strempels entscheidend beeinflußt hat.

Im Vergleich mit einigen anderen geisteswissenschaftlichen Disziplinen, etwa der Germanistik, hat die Kunstwissenschaft bisher nur wenige Ergebnisse in der Exilforschung vorzuweisen. Dieses Manko hat einerseits vermutlich etwas mit der weitgehend internalisierten Devise des »l'art pour l'art« zu tun, ist aber andererseits zu einem großen Teil darauf zurückzuführen, daß der bildende Künstler, im Gegensatz zum Schriftsteller, weniger die Möglichkeit wahrgenommen hat, sich in unmittelbarer Weise mit seiner Exilsituation auseinanderzusetzen. Werke der bildenden Kunst, die den Berichten und Romanen Lion Feuchtwangers oder Klaus Manns in ihren Aussagen entsprechen und ein adäquates Bild des damaligen Lebens geben,[5] kommen nicht vor.

Wenn Frommhold 1978 konstatierte, daß es für den hier zu bearbeitenden Zeitraum weder eine brauchbare Sozialgeschichte der Künste noch eine Sozialpsychologie der Künstler gebe, dann gilt das bis heute.[6] Die schon erwähnte Reihe »Kunst und Literatur im antifaschistischen Exil von 1933—1945«, verfaßt von DDR-Autoren unter Leitung von Werner Mittenzwei scheint der bisher einzige Vorstoß in dieser Richtung zu sein.[7] Hier wurden einem oder mehreren Gastländern jeweils ein Band gewidmet. Innerhalb eines Bandes wurde eine inhaltliche Dreiteilung vorgenommen, wobei zunächst die herrschenden politischen, wirtschaftlichen und sozialen Bedingungen im Aufnahmeland abgehandelt wurden; danach wurde die Situation für die Emigranten beleuchtet, etwa die Präsenz von Hilfsorganisationen und politischen Gruppierungen und Parteien. Der letzte Teil wurde dann den künstlerischen Leistungen gewidmet, wobei je nach der tatsächlichen Gewichtung Bildende Kunst, Theater, Literatur oder Musik im Vordergrund stehen. Dabei ging es auch hier nicht um die präzise Darstellung von Aktivitäten Einzelner, auch wenn diese oft als Ausgangspunkt genommen wurden, sondern vielmehr darum, prinzipielle Erkenntnisse über die Möglichkeiten künstlerischen Schaffens unter den harten Bedingungen des Exils zu vermitteln.[8]

Auch in der Bundesrepublik begann erst zu Anfang der 70er Jahre eine intensivere Forschung über Kunst und Künstler im Exil parallel zu den allgemeinen Exilforschungen; dieses kann als eine Folge der Studentenbewegung angesehen werden.[9] Vom Münchner Institut für Zeitgeschichte wurde der lobenswerte Versuch unternommen, die gesamte deutsche Emigration lexikalisch zu dokumentieren. Zwar weist dieses beeindruckende dreibändige Werk Lücken auf, trotzdem ist es als Handbuch, auch für den Kunsthistoriker, unentbehrlich, werden dort doch Künstler aufgeführt, die ansonsten niemals erfaßt wurden. Die Prämisse, nur solche Personen zu berücksichtigen, die nach dem 30. Januar 1933 ausgewandert sind, verkürzt die Liste um so bedeutende Künstler wie beispielsweise Max Lingner, die aber unbedingt der Emigration zuzuordnen sind.[10] Daß emigrierten Künstlern in größeren Überblickswerken, die Kunstgeschichte dieses Jahrhunderts betreffend, eine besondere Erwähnung zugedacht wird, ist bis heute die Ausnahme. Zu nennen ist etwa Paul Vogts Publikation »Kunst des 20. Jahrhunderts«,[11] die ihnen ausdrücklich einen ganzen Abschnitt widmet. Die Stuttgarter Ausstellung »Deutsche Kunst im 20. Jahrhundert«[12] vertat die Chance einer wenigstens ansatzweisen Wiedergutmachung, obwohl auch hier eine Reihe emigrierter Künstler gezeigt wurde.

Monografien über die von der Nazi-Kunstdiktatur betroffenen Künstler sparen die Jahre von 1933 bis 1945 zwar in aller Regel nicht aus, jedoch wird diese Zeit unter vorwiegend formalen Gesichtspunkten behandelt, in der weniger die politisch-historische Problematik insgesamt und mit ihren Auswirkungen auf das künstlerische Schaffen Beachtung findet als vielmehr die Tatsache, daß der einzelne Künstler durch die Eingriffe nationalsozialistischer »Kunstpolitik« in der freien Entfaltung seiner künstlerischen Vorstellungen behindert wurde; das gilt vor allem für Leben und Werk gegenstandslos arbeitender Künstler.

In der Ausstellungspraxis der BRD, die ihren Niederschlag in vielen begleitenden Publikationen findet, wurde die Exilkunst lange Zeit kaum gesondert dargestellt. Sie spielte, abgesehen von einigen wenigen Anläufen in den ersten Jahren nach Kriegsende,[13] bis etwa Anfang der 70er Jahre keine nennenswerte Rolle im öffentlichen Ausstellungsbetrieb. Wenn Haftmann behauptet, daß die »entartete« Kunst »voll in die Entwicklung der zeitgenössischen Kunst der Jahre nach dem Krieg integriert«[14] gewesen sei, so spricht er damit zwar die Meinung einer Vielzahl von Wissenschaftlern und Laien aus; er macht aber gleichzeitig die Notwendigkeit einer differenzierteren Betrachtungsweise deutlich. Aus seinen Ausführun-

gen geht hervor, daß er sich vor allem auf die Kunst des Expressionismus und die ungegenständliche Kunst bezieht, also Kunstrichtungen, die tatsächlich im Dritten Reich diffamiert wurden und nach dem Krieg in den Westzonen ziemlich schnell wieder zu Ehren gelangten. Er berücksichtigt aber nicht diejenigen Künstler, die einen politischen, antifaschistischen Anspruch hatten und haben und deren Kunst gegenständlich ausgerichtet ist.[15] Denn diesen blieben Ausstellungswesen und Kunstmarkt weiterhin verschlossen. Abgesehen von den ersten Jahren nach Kriegsende, wo sowohl Ausstellungen stattfanden, in denen Künstler vertreten waren, die Deutschland während des Faschismus verlassen mußten als auch solche, die es sich zur Aufgabe gemacht hatten, die im Dritten Reich verfemte Kunst zu präsentieren, wurde Kunst emigrierter Künstler bis Mitte der 80er Jahre kaum gesondert gezeigt. Auch bei größeren, thematisch verwandten Projekten wie sie etwa anläßlich des 50. Jahrestages der Münchner Ausstellung von 1937 stattfanden, wurde in der Regel nur auf den Gesamtbereich der »entarteten« Kunst Bezug genommen. Die Ausstellung »Exil in Großbritannien«[16] stellte meines Wissens den ersten umfassenden Versuch einer Bestandsaufnahme künstlerischer Aktivitäten im Exil in der Bundesrepublik dar. Die Ausstellung »Widerstand statt Anpassung« von 1980, auch als Antwort auf die Berliner Ausstellung »Zwischen Widerstand und Anpassung. Kunst in Deutschland 1933–1945« konzipiert, war zwar impulsgebend für eine weitere Auseinandersetzung mit der Exilthematik, strebte aber selbst danach, den gesamten Bereich der antifaschistischen Kunst zu erfassen.[17]

Auch der übrigen Literatur, die sich mit der bildenden Kunst der 30er bis Mitte der 40er Jahre beschäftigt, liegen diese unterschiedlichen Bewertungskriterien zugrunde.[18] Undifferenzierte Begriffsvermischungen sind die Regel. Mit Bezeichnungen wie »entartete« Kunst, »antifaschistische« Kunst, »Widerstandskunst« wird in der Literatur, auch der wissenschaftlichen, im allgemeinen je nach Anschauung relativ beliebig operiert. Insbesondere der Begriff der »inneren« Emigration scheint problematisch zu sein, lassen sich hierunter erfahrungsgemäß auch Personen fassen, deren Verhalten während des Faschismus an Eindeutigkeit zu wünschen übrig ließ — oder auch nicht. Dieses führt also häufig dazu, daß heute aus propagandistischen Gründen ein Künstler als verfemt bezeichnet wird, obwohl dies den vorliegenden Fakten widerspricht.[19] Daraus ist zu folgern, daß zum einen der Begriff der verfemten, »entarteten« Kunst genauestens aufzuschlüsseln und zu definieren ist, zum anderen müßte dringend geklärt werden, in welchem Sinne vor allem der Begriff der »inneren« Emigration zu verwenden sei.

Vergleicht man die in der Emigration entstandenen Kunstwerke mit der künstlerischen Produktion von mehr oder weniger angepaßt in Hitler-Deutschland arbeitenden Künstlern, so muß man zu der Ansicht kommen, daß letztere in der Regel weit unter dem Niveau der »entarteten« Kunst geblieben sind. Dennoch ist es offensichtlich, daß insbesondere in der BRD auch eine Reihe von Staatskünstlern des Dritten Reiches Fuß fassen konnte, wenngleich sie zunächst durch das starke Hervortreten der Abstrakten in den Hintergrund gedrängt wurden.[20]

Probleme bei der Recherche von Exil-Themen

Bei der Beschäftigung mit Themenstellungen der »verfemten« Kunst treten viele Schwierigkeiten auf, die eine umfassende Analyse der künstlerischen Produktion, vor allem des Exils, erschweren, wie es auch bei dieser Monografie der Fall war. Die noch vorhandenen Informationsquellen sind begrenzt. Die persönlich Betroffenen sind, sofern sie überhaupt noch leben, über die ganze Welt verteilt und oft nur mit größter Mühe zu erfassen; viele von ihnen sind heute als Künstler nicht mehr namentlich bekannt. Belege für ihre künstlerischen und politischen Aktivitäten zu finden, gleicht einer Detektivarbeit. Ein großer Teil persönlicher Dokumente, darunter Briefe und zeitgenössische Tagebuchaufzeichnungen, sind, wie auch oftmals die gesamte künstlerische Produktion dieser Zeit, durch Krieg und Flucht verlorengegangen. Bücher und Zeitschriften oder Archive, die wichtige Materialien enthalten haben könnten, wurden ebenfalls durch Kriegseinwirkungen zerstört oder, wie in Frankreich, von der Gestapo beschlagnahmt und vernichtet, beziehungsweise an noch heute unbekannte Orte verlagert. Auf der Flucht vor den Nazis zerstörten viele Künstler, so auch Strempel, ihre Arbeiten, die sie als Antifaschisten oder »Entartete« hätten verraten können. Ein weiteres Problem ist, daß heute viele der überlebenden Emigranten ein hohes Alter erreicht haben und häufig aus unterschiedlichen Gründen nicht mehr bereit sind, über die Vergangenheit zu sprechen.

Schwierig bei der Bearbeitung dieses Zeitraums ist die Komplexität des Problems. Denn neben den künstlerischen Aspekten müßten unbedingt auch übergreifende Fragestellungen angerissen und diskutiert werden, wie zum Beispiel die Organisation des antifaschistischen Kampfes im Exil, Ziele und Strukturen der unterschiedlichen Komitees und Vereinigungen, die Auswirkungen der Volksfront auf Lebens- und Arbeitsbedingungen der Emigranten und vieles andere mehr. Das sind also häufig Punkte, die zunächst nichts mit der Kunstwissenschaft zu tun haben, die aber von ihren eigenen Fachgebieten, geschweige denn in Bezug auf die Kunst, oft noch nicht ausführlich berücksichtigt worden sind. An erster Stelle jedoch muß die künstlerische Situation im Gastland in die Überlegungen mit einbezogen werden; die sozialen Bedingungen, unter denen Künstler in Frankreich in den 30er Jahren arbeiteten, die Realismusdebatten, die Kulturpolitik des »Front Populaire«, das Engagement vieler Künstler für politische Belange wie zum Beispiel für den spanischen Bürgerkrieg sind solche Themen.

Die Lage der bildenden Künstler in Deutschland seit 1933

Mit der Machtergreifung durch die Nationalsozialisten wurde praktisch über Nacht der gesamte fortschrittliche, moderne Kulturbereich in Deutschland ausgeschaltet.[21] Jegliche moderne Kunst, sei es Impressionismus, Expressionismus, Dada oder irgendeine andere Richtung, wurden diffamiert, als »entartet«, »jüdisch« oder »bolschewistisch« bezeichnet. Die »neue« Kunstauffassung[22] konnte nur mit Druck durchgesetzt werden. Deshalb wurden fortschrittliche Museumsleute und Lehrkräfte aus ihren Ämtern an den Akademien entlassen,[23] die Künstler mit Mal- und Ausstellungsverbot belegt, ihre Werke in »Schandausstellungen« denunziert. Der Höhepunkt dieser Kampagne wurde 1937 mit der Münchner Ausstellung »Entartete Kunst« erreicht.

Zwar trat die Kunstunterdrückung in der bekannten Rigorosität erst mit dem Machtantritt der Nazis auf; man muß sich jedoch darüber im klaren sein, daß die Basis für diese Vorgehensweise spätestens in der Weimarer Republik gelegt wurde. In Thüringen, wo schon 1929 eine nationalsozialistische Regierung gebildet worden war, waren viele Maßnahmen bereits erprobt worden. Die Nationalsozialisten brauchten also praktisch nur noch etwas auf politischer Ebene durchzusetzen, für das der Boden schon lange Zeit bereitet war. Spätestens seit dem Reichstagsbrand konnte von individuellen Übergriffen keine Rede mehr sein, da die Kunstpolitik systematisch in die Politik von Terror und Zerstörung integriert worden war. Während viele Schriftsteller gleich ins Exil verbannt wurden, versuchte man die bildenden Künstler zunächst durch verschiedene restriktive Maßnahmen einzuschüchtern.

Leben im Exil in Frankreich

Für die deutschen Emigranten gab es unterschiedliche Gründe, sich das Nachbarland Frankreich als Fluchtpunkt zu wählen.[24] Es lag nahe an Deutschland, was gerade für die frühen Emigranten und diejenigen, die glaubten, daß der Herrschaft Hitlers bald ein Ende gesetzt werden würde, eine entscheidende Rolle spielte. Es zeigte sich aber, daß von dieser Gruppe später viele das Land verließen und weiterreisten, um sich in außereuropäischen Staaten niederzulassen, nachdem sich herausgestellt hatte, daß das Hitler-Regime sich etablierte, und dann besonders nach der Kapitulation Frankreichs.[25] Ein weiterer Grund, sich für Frankreich zu entscheiden, war, daß man das Land schon von früheren Reisen her kannte. Außerdem hatte Frankreich als Emigrationsland traditionell einen guten Ruf, zumal die Gesetzgebung für Ausländer in der ersten Zeit der deutschen Emigration weniger restriktiv war als anderer Länder. Auch war die Einreise leichter, da einerseits ein illegaler Grenzübertritt durch den langen Grenzverlauf vereinfacht wurde, andererseits gab es die Möglichkeit, mit einem Tagesvisum einzureisen.

Daten und Fakten
Der Zustrom von Emigranten entwicklelte sich etappenartig in enger Relation zu den Ereignissen in Deutschland. Die erste Welle mit vorwiegend politischen Emigranten kam direkt nach dem Reichstagsbrand.[26] Auch Juden, die schon zu diesem Zeitpunkt emigrierten, hatten vornehmlich politische Motive; diejenigen, die aus »rassischen« Gründen fliehen mußten, verließen Deutschland erst nach den Boykottaufrufen gegen die jüdischen Geschäfte, nach der Verabschiedung der Nürnberger Gesetze und nach dem Judenpogrom. Ein erneuter Zustrom von Emigranten erfolgte nach der Saarabstimmung 1935, nach der Annexion Österreichs 1938, nach Hitlers Überfall auf die Tschechoslowakei 1938/39 und nach der Besetzung Hollands 1940.[27]

Anfang 1933 hielten sich in Frankreich insgesamt etwa 2,7 Millionen Ausländer auf, davon 71.500 Reichsdeutsche; Ende 1936 waren unter etwa 50.000 Deutschen 25.000 Flüchtlinge, davon ca. 3.000 bis 4.000 illegal.[28] Die Vereinten Nationen sprachen von 100.000 Menschen, die zwischen 1933 und 1935 Deutschland verließen. Ein faschistischer Bericht schätzte die Zahl der Flüchtlinge in 1935 auf 25.000.[29] Allein für Paris und das Departement Seine wurden von April bis November 1933 7.195 deutsche Flüchtlinge registriert.[30]

In den ersten Monaten nach der Machtergreifung genossen die Emigranten noch eine gewisse Sympathie seitens der französischen Bevölkerung und eine Duldung durch die relativ großzügige Handhabung der gesetzlichen Vorschriften. Aber schon von 1933 an wurden eine ganze Reihe von Gesetzen und Dekreten erlassen, die den Emigranten die Lage erschwerten. Jedoch bemühte man sich vor allen Dingen in linken antifaschistischen Kreisen darum, den Flüchtlingen zu helfen, vorrangig wohl deshalb, weil man glaubte, dadurch eine Möglichkeit des Kampfes

gegen den Imperialismus und die drohende Kriegsgefahr zu haben. So begrüßte etwa André Gide die deutschen Antifaschisten: »Die deutschen Künstler, die deutschen Autoren, die fliehen mußten, sind in Paris nicht geduldet, nein, – sie sind vielmehr erwünscht. Es gibt keinen Einfuhrzoll für Begabung ... Die Künstler, die aus deutschen Landen verbannt sind, sind gern gesehene Gäste Frankreichs«.[31]

Während die Behörden sich zunächst noch zurückhaltend verhielten, die Beamten besonders darauf hingewiesen wurden, unbürokratisch zu handeln,[32] trug die Propaganda der politischen Rechten bald ihre Früchte. Insbesondere 1934/35 machte sich unter der Bevölkerung eine ausgesprochene Xenophobie breit, die durch die Aktivitäten verschiedener Ligen geschürt und durch politische Skandale, wie die Stavisky-Affäre oder das Attentat auf Barthou und den serbischen König noch verschlimmert wurden – weil die Schuldigen in beiden Fällen Ausländer waren. Die 1933 praktizierte französische Gesetzgebung stützte sich auf das Fremdengesetz von 1849. Solange man aus bevölkerungspolitischen Erwägungen darauf angewiesen war, Fremde ins Land zu ziehen, wie zum Beispiel nach dem Ersten Weltkrieg, wurde es nur lasch angewandt. Mit der Weltwirtschaftskrise Ende der 20er Jahre verschärfte sich jedoch die Praxis. Die aus Deutschland kommenden Emigranten erhielten nur noch in Ausnahmefällen eine »Carte d'identité« (Personalausweis), ansonsten gab es nur, vor allem Ende 1934, die »Récépissés« (Empfangsbescheinigungen). Als behördliche Druckmittel gab es drei unterschiedliche Möglichkeiten: die Aufenthaltsverweigerung (»Réfus de séjour«) und den Aufenthaltsentzug (»Refoulement«), die einen weiteren Verbleib in Frankreich unter Umständen noch möglich machten, und die Anweisung, das französische Territorium binnen 24 Stunden zu verlassen, die »Expulsion«.

Eine im Parlament zum 29. Januar 1935 angesetzte Asylrechtsdebatte brachte keine Erleichterungen für die Emigranten, sondern eher noch weitere Verschärfungen.[33] Erst in der Volksfrontzeit konnten einige, allerdings nur vorübergehende, Verbesserungen im Sinne der Genfer Konvention durchgesetzt werden.[34] Anschließend wurde von der Regierung Blum ein Dekret[35] bekanntgegeben, das die Stellung der Flüchtlinge genau regelte. Es wurde u.a. ein spezieller Ausweis für die aus Deutschland stammenden Flüchtlinge eingeführt. Sie konnten, sofern sie nach dem 5. August 1936 in Frankreich gelebt hatten, diesen Ausweis beantragen; bisher illegale Flüchtlinge hatten dadurch die Möglichkeit, ihren Status zu legalisieren. Mit einem Interimspaß oder dem »Titre d'identité de voyage pour réfugiés provenant d'Allemagne« hatten sie sogar formell die Möglichkeit, sich in allen Ländern, die die Genfer Konvention unterzeichnet hatten, aufzuhalten. Allerdings kursierte parallel dazu ein Rundschreiben an die Präfekten, den weiteren Einlaß von Deutschen zu unterbinden.[36] Außerdem konstituierte sich ein Beratungskomitee, das mit vier Franzosen und vier Emigranten der »Féderation des Emigrées d'Allemagne en France« (FEAF)[37] paritätisch besetzt war. Es bestand bis Kriegsbeginn und versuchte, strittige Fragen, die bei der Vergabe der Aufenthaltserlaubnis auftraten, klären zu helfen. — Ursula Langkau-Alex wies in einem Aufsatz über die Zusammenarbeit von deutschen Exilgruppen und französischen Organisationen zwar nach, daß der Front Populaire »für die Emigranten ein enttäuschender Bündnispartner« gewesen sei, mußte aber doch einräumen, daß er sich dessen ungeachtet »als hilfreicher, wenn nicht solidarischer Gastgeber erwiesen, als Garant einer Asylrechtsreglung in Frankreich, die ihnen, verglichen mit anderen Aufnahmeländern, relativ viel politische Bewegungsfreiheit verschaffte«.[38] Der Zerfall der Volksfront brachte jedoch wiederum eine Verschärfung der Lage der Emigranten mit sich. Ab 1937/38 unter den Regierungen von Chautemps und vor allem von Daladier wurden wieder häufiger Aufenthaltsverweigerungen und Ausweisungen verfügt. Unter Daladier wurde unter dem Vorwand nationaler Sicherheitsinteressen ein Dekret verkündet, das besonders für die politischen Emigranten weitere entscheidende Verschlechterungen zur Folge hatte.[39] Dennoch bestand für viele Emigranten bis September 1939 häufig noch die Chance eines illegalen Aufenthaltes. Ab diesem Zeitpunkt jedoch erfolgte auf der Grundlage des Dekrets von 1938 die Internierung der feindlichen Ausländer bis Mai 1940 und ab Sommer des gleichen Jahres.

Zusammenfassend kann gesagt werden, daß die »juristischen und administrativen Maßnahmen, die die Aufnahme und die Arbeitserlaubnis regelten, eine wirtschaftliche, soziale oder gar kulturelle Verankerung unmöglich« machten.[40]

Die politisch-ökonomische Lage in Frankreich
Die 30er Jahre in Frankreich sind, wie in den meisten anderen europäischen Ländern auch, sowohl politisch als auch ökonomisch äußerst spannungsreiche Jahre. Zwar bekam man hier die Auswirkungen der Weltwirtschaftskrise aufgrund der besonderen ökonomischen Strukturen[41] erst wesentlich später, etwa ab 1931, zu spüren als etwa in Deutschland. Von der dann folgenden Arbeitslosigkeit waren vor allem Jugendliche und ältere Menschen betroffen, aber auch wenig oder gar nicht qualifizierte Arbeiter, außerdem die zahlreichen Immigranten, die zu dieser Zeit nur zu einem kleinen Prozentsatz aus Deutschen bestanden.[42] Schnell aufeinanderfolgende Regierungswechsel — 14 in den Jahren 1933/34 — zeugen von der instabilen politischen Lage. Die labile Situation von Wirtschaft und Gesellschaft wird am ehesten deutlich in den ständigen Streiks und der Offenheit der französischen Bevölkerung für profaschistische

Bewegungen. Bestärkt durch die Erfolge der faschistischen Regierungen in Europa[43] gewann die politische Reaktion stark an Einfluß. Sie bestand aus einer antiparlamentarischen Bewegung rechtsradikaler Ligen, wie der »Croix de Feu«[44] oder der »Action Française«. Am 6. Februar wagten die Rechten einen Putschversuch; äußerer Anlaß war der Stavisky-Skandal,[45] in ihren Augen die Bestätigung für die Korruptheit des gesamten Systems, das es folglich zu beseitigen galt. Dieses Vorgehen provozierte jedoch eine linke Gegenbewegung, die ihren Ausdruck in einem Generalstreik am 9. Februar und in einer Massendemonstration am 12. Februar unter der Losung »Nieder mit dem Faschismus« fand. Schon hier beginnen sich die ersten Anzeichen einer Bildung einer antifaschistischen Einheitsfront abzuzeichnen. — Die sowohl wirtschaftlich als auch politisch fast ausweglos erscheinende Gesamtsituation führte dazu, daß die französische Bevölkerung eine Bereitschaft entwickelte, das Land umzugestalten, sei es nach links oder nach rechts. Während die einen den Ausweg in der Wiederbelebung der Nation sahen und im Hinblick darauf »Qualitäten« wie Autorität und Ordnung favorisierten, hofften die anderen auf eine Zuspitzung der Situation, um freie Bahn für das Entstehen einer neuen Gesellschaft im Sinne des Kommunismus zu schaffen.

Trotz oder gerade wegen dieser Aufbruchstimmung im Gastland war die geistige und materielle Lage der meisten Emigranten miserabel. Da Frankreich eine sehr hohe Arbeitslosenquote hatte, wirkte sich das natürlich zuerst auf die Ausländer aus. So erhielten nur diejenigen, die schon seit mindestens fünf Jahren im Lande lebten, eine Arbeitserlaubnis. Andererseits konnten sich aber Ausländer mit entsprechendem Eigenkapital durchaus selbständig machen. Für die anderen, die den größten Teil der Emigranten stellten, blieb nur Schwarzarbeit, die normalerweise äußerst schlecht bezahlt wurde. Durch diese Regelungen wurde eine eventuell bestehende Integrationsbereitschaft der Emigranten in das Gastland nahezu unmöglich gemacht. Weitere Schwierigkeiten, wie vor allem mangelnde Sprachkenntnisse, kamen hinzu. Viele Exilanten waren außerdem nicht bestrebt, sich in Frankreich auf Dauer einzurichten, weil sie ihren Aufenthalt nur als vorübergehend betrachteten.

Die Lage der deutschen exilierten bildenden Künstler in Frankreich
Viele von den bildenden Künstlern, die nach der Machtergreifung Zuflucht in Frankreich suchten,[46] kannten das Land schon aus früheren Jahren durch Studienaufenthalte. Denn viele Künstler, aber auch Kunstkritiker wie Carl Einstein, sahen insbesondere Paris als das Mekka der Kunst an, nicht zuletzt deshalb, weil hier lange Zeit ein wichtiger Kunstmarkt

existierte; in der Folge der Weltwirtschaftskrise verschob er sich allerdings vor allem nach New York. Einige Künstler, beispielsweise Max Ernst, Otto Freundlich und Max Lingner, hatten hier schon länger gelebt und gearbeitet, wurden dann aber nach dem 30. Januar 1933 aus Opposition zur Nazi-Regierung zu Emigranten. Ein anderer Teil kam dann in den ersten Wochen und Monaten nach der Machtergreifung,[47] unter ihnen war auch Horst Strempel.

Die Lebens- und Arbeitsbedingungen, die sie in Frankreich vorfanden, unterschieden sich zunächst für die meisten nicht sonderlich von denen in Deutschland. Hier wie dort mußten viele am Rande des Existenzminimums leben; nur wenige hatten die Möglichkeit, ihre Bilder öffentlich zu zeigen, geschweige denn, ihren Lebensunterhalt durch den Verkauf von Bildern zu bestreiten.[48] Künstler wie Max Lingner oder John Heartfield, die das Glück hatten, ihre Werke in Einzelausstellungen präsentieren zu können, blieben singuläre Erscheinungen. Hier machte sich das Fehlen eines Berufsverbandes bemerkbar, der den Künstlern bei der Lösung technischer und praktischer Fragen wie der Materialorganisation, Schaffung von Ausstellungsmöglichkeiten usw. behilflich sein konnte. Die Künstler waren in der Regel gezwungen, Gelegenheitsarbeiten anzunehmen. Derjenige, der seinen Lebensunterhalt mit Dekorationsmalerei, Fotoreportagen, Pressezeichnungen oder Werbeplakaten verdienen konnte, war noch in einer relativ guten Lage;[49] andere mußten sich mit fachfremden Gelegenheitsarbeiten durchschlagen.

Horst Strempel im französischen Exil

Auch Strempel, »in Emigrationskreisen unter dem Namen 'der Maler' bekannt«,[50] berichtete in seinen Korrespondenzen[51] von derartigen Erfahrungen. Er kam im Juli 1933 über Amsterdam nach Paris.[52] Offenbar hatte er zunächst beabsichtigt, nach Prag zu gehen.[53] Zwar gab er, zumindest in den ersten Jahren, die Hoffnung nicht auf, von seiner Kunst leben zu können, doch war er realistisch genug, sich nicht unbedingt allein darauf zu verlassen. Es erschien ihm aussichtsreicher, sich selbständig zu machen und ein Geschäft zu eröffnen. Während er zunächst daran dachte, zusammen mit seinem Freund Zsiega Cohn, mit dem er schon in Berlin sporadisch zusammengearbeitet hatte, ein Reklame-Atelier zu gründen, erschien ihm später ein Zeitungsstand oder -laden finanziell lukrativer. Ein Farbengeschäft, das neben Künstlerbedarf auch Dinge des alltäglichen Bedarfs in seinem Sortiment führen sollte, wie es damals in Frankreich üblich war, war eine andere Idee. Jedoch konnte er alle diese Pläne, vermutlich vor allem wegen Mangels an Eigenkapital, nicht realisieren. So

fertigte er Pressezeichnungen und betätigte sich als Reklame-, Theater- und Dekorationsmaler. Es scheint jedoch, daß seine Bemühungen auf künstlerischem Gebiet, abgesehen von den Pressezeichnungen, von wenig Erfolg gekrönt wurden; die Tätigkeit als Dekorationsmaler brachte zwar ein wenig Geld ein, hinderte ihn aber an einer intensiveren Auseinandersetzung mit künstlerischen Problemen. In Briefen an seine Freunde berichtete Strempel immer wieder ausführlich über die Anstrengungen, die er tagtäglich unternehmen mußte, um Arbeitsmöglichkeiten zu finden und damit sich und seine Frau, die hin und wieder als Näherin arbeitete,[54] am Leben zu erhalten. Ein großes Problem war das der Sprache, die zwar ausreichte, um alltägliche Unterhaltungen zu führen, jedoch nicht, um potentiellen Geschäftspartnern in Verhandlungen gewachsen zu sein.

Auf Unterstützung durch eines der zahlreichen Flüchtlingshilfe-Komitees[55] konnte Strempel nicht rechnen. Er machte die bittere Erfahrung, daß die jüdischen Organisationen nur Juden unterstützten und die parteigebundenen nur ihre eigenen Mitglieder. Von beiden Seiten hatte er keine Hilfe zu erhoffen. Um von einem jüdischen Verband Hilfe bekommen zu können, hatte er schon seine Mutter »umgetauft«, was jedoch herauskam.[56] Bei den kommunistischen Organisationen stieß er auf Ablehnung, da er ohne ausdrückliche (schriftliche) Erlaubnis der Partei nach Frankreich emigriert war und aus diesem Grunde von ihnen nicht als politischer Flüchtling akzeptiert wurde.[57] Nicht zuletzt dieser Umstand veranlaßte ihn, scharfe Kritik an seinen Genossen zu üben. Er machte ihnen Vorwürfe wegen ihres egoistischen Verhaltens. In Briefen dieser Zeit kommen erstmals dezidierte Zweifel an der kommunistischen Partei und ihrer Politik zum Ausdruck.[58] Die aus seiner persönlichen Situation zwar nur zu gut verständliche, aber teilweise auch unberechtigt harte Kritik, die Strempel an der gesamten Emigrantenbewegung äußerte, zeigt seine Verbitterung.[59]

Strempel gelang es hin und wieder, ein größeres Bild oder ein Aquarell von seinen in Deutschland verbliebenen Arbeiten an Personen, die er manchmal noch von Berlin her kannte, zu verkaufen. Er hatte den größten Teil seiner Werke dort zurücklassen müssen; sie befanden sich nach seiner Emigration zunächst teilweise in Berliner Möbelgeschäften als Kommissionsware, teilweise hatte er sie in einer Spedition in verschiedenen Kisten gelagert. Sein Plan war es, sie zu gegebener Zeit nach Paris schicken zu lassen, wo er entweder versuchen wollte, sie zu verkaufen oder sie weiter zu Cohn nach Amerika zu senden, damit dieser sie dort eventuell veräußern könne. Was nun letztendlich aus diesem Vorhaben geworden ist, ist nicht mehr genau nachzuvollziehen. Kurz darauf entschied er sich, ihm die Bilder nun doch nicht zu schicken;[60] wenigstens ein Teil seiner Werke kam in

Paris an.[61] Das Bild *Schreibmaschinenmädchen* (WVZ 33, Abb. 54, S. 167), das auf einer von Strempel noch vor seiner Emigration angefertigten Liste[62] verzeichnet war, befindet sich heute in New York; es wurde wahrscheinlich von der Frau seines Freundes, die erst 1934 in die USA ging, mitgenommen. Ein anderes Gemälde, das vermutlich auch aus diesem in Berlin verbliebenen Fundus stammen könnte, aber nicht in der Liste aufgeführt ist, tauchte erst vor wenigen Jahren wieder auf; seine Spuren laufen nach Venezuela (WVZ 61, Abb. 62, S. 172). — Jedenfalls hatte Strempel aus dem Erlös des Berliner Bestandes, der von Freunden und Verwandten verwaltet wurde, und eigenen kleineren Verkäufen, die er in Paris tätigen konnte, ein unregelmäßiges Zubrot.

Das »Kollektiv deutscher Künstler« (KDK)
Von den Künstlern, die schon vor 1933 politisch aktiv gewesen waren, setzten einige ihre Arbeit im Exil fort. Das bedeutete bei den einen direktes Engagement in politischen antifaschistischen Organisationen, bei den anderen beschränkten sich die Aktivitäten auf die Teilnahme an antifaschistischen Ausstellungen oder die Mitarbeit als Illustratoren bei antifaschistischen Publikationen.[63] Auch die Gründung des »Kollektivs deutscher Künstler« (KDK) ist in diesem politischen Zusammenhang anzusiedeln, wenngleich der Zusammenschluß in der Praxis vor allem auch als Interessenvertretung der deutschen emigrierten Künstler in Paris zu sehen ist, dessen Aufgaben wesentlich darin bestanden, den Mitgliedern Möglichkeiten zum künstlerischen Arbeiten zu schaffen, sich für Ausstellungs- und Publikationsmöglichkeiten einzusetzen, sich überhaupt für ihre geistigen und materiellen Belange zu engagieren.

Die Mitteilungen über das Wirken des KDK sind rar.[64] Einzige Quelle zur Rekonstruktion der Aktivitäten ist bisher das »Pariser Tageblatt«, das in Vorankündigungen auf Veranstaltungen hinwies. Eine erste Veranstaltung kann demnach schon für Dezember 1935 nachgewiesen werden. Seine Gründung wurde allerdings bisher immer auf 1936 festgesetzt.[65] Neben Strempel, der als Gründungsmitglied genannt wird, traten hier Max Ernst, Otto Freundlich, Hans Kralik, Robert Liebknecht, Heinz Lohmar, Erwin Oehl und Gert Wollheim in Erscheinung. Eugen Spiro, der spätere Erste Vorsitzende des »Deutschen Künstlerbundes Paris« bzw. des »Freien Künstlerbundes«, den Nachfolgeorganisationen des KDK,[66] sowie der Kunstkritiker Paul Westheim, standen der Vereinigung sehr nahe.[67]

Das Kollektiv entstand als Zusammenschluß kommunistischer, antifaschistischer und parteilich ungebundener Künstler, strukturiert nach dem Vorbild schon existierender Organisationen wie der ARBKD.[68] Begünstigt wurde die Bildung einer solchen Gruppe durch das Klima der Volksfront.[69]

Ursprünglich hatte dieser Zusammenschluß hochgesteckte ideologisch begründete Ziele, die in engem Zusammenhang mit der Kulturpolitik der KPD und dem Wirken anderer fortschrittlicher Organisationen der 20er und frühen 30er Jahre gesehen werden müssen. Neben der Notwendigkeit für die Künstler, in der besonderen Situation des Exils neue Überlebensstrategien und damit fast zwangsläufig auch eine völlig neue künstlerische Identität zu entwickeln, ging es ihnen vor allem darum, hierarchische Strukturen durch gleichberechtigtes kollektives Zusammenarbeiten zu ersetzen. Die Grenzen individueller Kunstproduktion sollten ebenso aufgehoben werden wie der Gegensatz zwischen Kunstproduzenten und -konsumenten, eine auch unter den französischen fortschrittlichen Künstlern favorisierte Idee; denn unter der verschärften Krisensituation hatten besonders die Künstler zu leiden. Der Kunstmarkt hatte infolge der wirtschaftlichen Schwierigkeiten eine Eigendynamik entfaltet, so daß diejenigen, die die finanziellen Mittel und genügend Risikobereitschaft hatten, moderne Kunst zu Schleuderpreisen erwerben konnten; andererseits lösten aber die Galerien ihre Verträge mit Künstlern auf, denen damit jegliche Basis entzogen wurde. Der Kunstmarkt verlagerte sich in die USA.[70] Wie es in Deutschland schon einige Jahre zuvor der Fall gewesen war, wurden auch jetzt die Künstler dazu veranlaßt, ihren Stellenwert in der Gesellschaft zu reflektieren; das Ergebnis führte in dieser Situation zu einer Radikalisierung der Künstler.[71]

Das KDK unternahm verschiedene Aktivitäten, um in der Öffentlichkeit auf sich aufmerksam zu machen. Es war geplant, eine eigene Kunstzeitschrift herauszubringen, die den Mitgliedern die Möglichkeit bieten sollte, ihre Werke zu veröffentlichen.[72] Außerdem wurden Debatten organisiert. Die erste öffentliche Veranstaltung des Kollektivs fand in der Salle Duncan in der Rue de Seine statt. Neben Otto Freundlich[73] sprachen Frans Masereel, Gustav Regler und Paul Westheim.[74] Als weitere Veranstaltung war u.a. ein Vortrag von Roger Ginsburger über »Architektur in der Gesellschaft von gestern, heute und morgen« vorgesehen.[75] — Ab Mai 1936 wurde eine Reihe von öffentlichen Abenden durchgeführt; im wöchentlichen Turnus wechselten sich öffentliche Vorträge und Kunstkontroversen ab. Die Vorträge, die im Café Mephisto am Boulevard St. Germain stattfanden, wurden von Max Lingner (»Die Kunst im Tageskampf«), Max Ernst (»Surrealismus und Revolution«), Max Schröder (»Die politische Satire von Daumier bis heute«) und Roger Ginsburger (»Materialistische und idealistische Architekturbetrachtung«) bestritten. In den Kunstkontroversen, die in der Rue Jacob durchgeführt wurden, sollten einzelne Mitglieder des Kollektivs ihre Arbeiten vorführen; diese wurden anschließend von je zwei Referenten kontradiktorisch besprochen. Für den 20. Mai 1936 waren Strempels Arbeiten vorgesehen. Fritz Wolff, Heinz Lohmar und Hans Kralik (Jean) sollten folgen.[76] Als letzte Aktivität gibt Hélène Roussel das Atelierfest zugunsten spanischer Kinder am 20. Februar 1937 an;[77] jedoch erschien im »Pariser Tageblatt« vom 25.3.1937 eine weitere Ankündigung, nach der sich Erwin Oehl mit seinen Arbeiten vorstellen sollte.

Aus diesen wenigen überlieferten Aktivitäten läßt sich ablesen, daß den künstlerisch-intellektuellen Bestrebungen dieser Gruppierung mehr Bedeutung beigemessen werden muß als es bisher getan wurde. Eine Reduzierung ihrer Absichten auf mehr organisatorische Anliegen scheint schon allein aufgrund des hier vorliegenden beschränkten Materials nicht haltbar zu sein. Weiterhin wird in den angekündigten Beiträgen deutlich, daß die materialistische Ästhetik in ihrem Denken eine erhebliche Rolle spielte. Die Vorträge, die in ihrem Inhalt bisher leider nicht bekannt sind, formulieren in ihren Themenstellungen immer Fragen, die sich mit der Rolle der Kunst in der Gesellschaft auseinandersetzen.

Strempels Mitarbeit beim KDK, nur durch die wenigen hier genannten Hinweise belegbar, ist als Fortsetzung seiner ARBKD-Mitgliedschaft zu sehen. Sie wird aber außerdem durch seine Entscheidung, nicht mehr politisch arbeiten zu wollen, um sich ausschließlich der Kunst widmen zu können, bestimmt worden sein.[78] Es ist gut vorstellbar, daß für ihn hier ein Kompromiß lag zwischen seinen politischen Ansprüchen, die er nicht aufgegeben hatte, und seinem künstlerischen Wollen. Er hatte seit Anfang der 30er Jahre immer wieder betont, daß er das Prinzip des l'art pour l'art ablehne. Daß er dann später im Rahmen des »Freien Künstlerbundes«, dem Interessensverband der bildenden Künstler im Exil in der Fortsetzung des »Deutschen Künstlerbundes«,[79] nicht mehr in Erscheinung tritt,[80] scheint in diesem Sinne nur konsequent von ihm zu sein. Denn die politisch motivierten Ansprüche, die die Gründer des KDK hatten, konnten wegen des breiten Spektrums der hier vertretenen Künstler nicht mehr aufrechterhalten werden.

Das malerische Werk Horst Strempels in Frankreich

Es ist zu fragen, was der doch immerhin fast achtjährige Aufenthalt in Frankreich, vor allem in Paris, für Strempels künstlerische Entwicklung bedeutet hat, welche Einflüsse ihn berührt und zur Herausbildung stilistischer und inhaltlicher Charakteristika geführt haben und wie interkulturelle Aspekte in seinem Werk wirksam wurden. Besondere Aufmerksamkeit sollte in diesem Zusammenhang der Frage gewidmet werden, ob und in welcher Weise Strempel die Mög-

lichkeit zu weitgehend freier, das heißt ohne die Einmischung staatlicher Instanzen, Auseinandersetzung mit aktuellen Kunststilen und unterschiedlichsten ästhetischen Prinzipien nutzte.

Zweifellos hat er viele Kunstausstellungen und Salons besucht, möglicherweise auch selbst hin und wieder daran teilgenommen.[81] Sicher aber hat er die Kunstentwicklung interessiert verfolgt. An vielen seiner Arbeiten, die im Laufe der 30er Jahre entstanden sind, zeigt sich deutlich, daß er sich an modernen künstlerischen Prozessen orientiert hat, ohne sich jedoch zu sehr von momentanen Moden abhängig zu machen. Im Gegenteil, er läßt selbstbewußt verlauten, daß er sich durchaus mit der Pariser Konkurrenz messen könne.[82] Das, was er in Paris an Kunst gesehen haben wird, hat entweder mehr indirekt in seine eigenen Arbeiten Eingang gefunden oder aber er lehnte es ganz ab, weil es seinen Intentionen nicht entsprach. Da, wo er Anregungen, meist formaler Art, aufnahm, werden sie individuell verarbeitet.

Strempel hatte auch in Deutschland bekanntermaßen schon zweigleisig gearbeitet; auf der einen Seite waren seine »weltanschaulichen« Werke, auf der anderen die für den Verkauf bestimmten. Trotzdem kann nach seiner Emigration nach Frankreich in seinem Schaffen eine deutliche Zäsur bemerkt werden, die sich zunächst nur thematisch dahingehend auswirkt, daß sozialkritische, klassenkämpferische Sujets vollkommen aus seiner Malerei verschwinden. Ob diese künstlerische Umorientierung direkt mit der Exilsituation in Zusammenhang steht, ist fraglich, da er das Werk *Das tote Kind*,[83] das noch in Berlin entstanden ist, als Abschluß einer Phase bezeichnet hatte. Das Phänomen der Verlagerung thematischer Präferenzen nach 1933 ist dennoch bei vielen fortschrittlichen Künstlern festzustellen, die durch die faschistische Diktatur, durch Mal- und Ausstellungsverbote, Inhaftierung, Illegalität und Vertreibung in der Ausübung ihres Berufes behindert wurden. Gerade für jüngere Künstler, die ihren künstlerischen Standort wegen mangelnder Erfahrung noch nicht gefunden hatten, wog der Entzug einer kritischen Umgebung von Publikum und Kollegen schwer. Für viele war die künstlerische Auseinandersetzung mit gesellschaftlich wichtigen Themen sinnlos geworden. In den intensiven Realismus-Diskussionen der 30er Jahre wird jedoch auch deutlich, daß eine Neuorientierung engagierten Kunstschaffens auf der Tagesordnung stand, die gerade in Frankreich durch die Abkehr von einem dogmatisch ausgerichteten Sozialistischen Realismus hin zu einer offeneren, auch avantgardistische Strömungen einbeziehenden Kunstpraxis gekennzeichnet ist.[84] Auch das Engagement deutscher exilierter Künstler im KDK und im Umfeld der französischen Volksfront weist auf ein weiterbestehendes politisches Interesse hin.[85] Dessen ungeachtet aber war die Anzahl derjenigen Künstler relativ gering, die auch im Exil noch Werke schufen, die direkte Faschismuskritik oder andere aktuelle politische Themen beinhalteten; auch die Konfrontation mit den Menschen auf der Straße und den damit zusammenhängenden Problemkreisen wurde seltener. Eine der wenigen Ausnahmen ist Max Lingner, der sich durch seine Kunst als in das Leben des Gastlandes integriert ausgibt. Viele andere suchten nach Möglichkeiten, ihre Anliegen in Chiffren zu kleiden. Es erfolgte eine Konzentration auf Themen, die beispielsweise in verschlüsselter Form auf die Lebensbedingungen im Exil und auf die politische Situation Bezug nehmen;[86] andererseits ist eine stärkere Bearbeitung von neutralen Themen, wie Landschaft und Stilleben, feststellbar, die jedoch je nach Standort des Künstlers ebenso politische Inhalte transportieren können. Auch in der Avantgarde, die sich häufig eines ungegenständlichen Formeninstrumentariums bediente, ist diese Auffassung zu finden.[87] Namen wie Hans Hartung, Max Ernst, Otto Freundlich und Wassili Kandinsky müssen hier neben vielen anderen genannt werden.[88]

Die Tendenz, sich entweder überhaupt nicht oder nur in indirekter Weise mit der Ausnahmesituation Exil bildnerisch auseinanderzusetzen, zeichnete sich sehr deutlich bei der Ausstellung des »Freien Künstlerbundes« 1938 ab. Sie war von ihrer ursprünglichen Intention her als Stellungnahme gegen die NS-Kulturpolitik gedacht; aber kaum ein Teilnehmer beschäftigte sich konkret mit der Lage in Deutschland, ebenso wie die Situation im Exil nicht zum Ausdruck gebracht wurde.[89] Diese Entradikalisierung scheint um so erstaunlicher als viele von ihnen nicht nur wegen ihres modernen Stils von den Faschisten verfolgt wurden, sondern häufig gerade wegen ihres politisch-künstlerischen Engagements für den Menschen. Hätte man nicht erwarten können, daß die größere Liberalität, die ihnen in Frankreich entgegengebracht wurde, zu einer intensiveren Beschäftigung mit sozialen Fragestellungen hätte führen können, zumal auch ein Teil der einheimischen Künstler durch das Volksfront-Klima zu größerem Engagement ermuntert wurde?

Eine Bejahung dieser Frage liegt aus der zeitlichen Distanz zunächst zwar nahe, schließt aber wesentliche, vor allem in der persönlichen Lebenssituation einzelner Künstler begründete Aspekte aus. Diese am Beispiel Horst Strempels aufzuzeigen, ist das Anliegen dieses Kapitels. Auch sollte man sich davor hüten, bei der Beschäftigung mit künstlerischen Leistungen des Exils diese allein von ihrer Wirkung in einem propagandistisch-antifaschistischen Sinne zu beurteilen. Aufbereitung von Idylle darf nicht zwangsläufig mit einem Eskapismus fern von aller Realität gleichgesetzt werden.

In dieser Weise kann auch die Umorientierung Strempels gedeutet werden. Die in den letzten Jahren der Weimarer Republik vorherrschenden sozialkritischen Themenstellungen tauchen zunächst nur noch in modifizerter Form in den Karikaturen auf. Bei den wenigen noch vorhandenen bzw. durch Fotografien dokumentierten Originalgemälden dominieren Porträts und Akte, außerdem, vorwiegend aus der Zeit in Südfrankreich und später aus Griechenland Landschaftsaquarelle und -zeichnungen. Sie sind von der Formensprache und Farbgebung expressiv und offenbaren ein eher harmonisches Verhältnis zur Natur, das eine symbolische Verschlüsselung ausschließt. Mehrfigurige Kompositionen, die ein Verlassen des rein privaten Bereichs signalisieren, entstanden ab 1938. Ein wirklicher Konflikt zwischen politisch motivierter, engagierter Kunst auf der einen Seite und »reiner« Kunst auf der anderen, scheint bei Horst Strempel indes nicht aufgetreten zu sein. Weder deutet sich dieses in seinen schriftlichen Äußerungen an, noch lassen sich Spuren davon in seinen Bildern finden. Diese Wandlung erscheint, nach seinen emphatischen Äußerungen der frühen 30er Jahre und den in dieser Zeit geschaffenen »Tendenzkunstwerken«, allerdings nicht ganz nachvollziehbar.

Anscheinend wurde Strempel mit seinem Weggang aus Deutschland, mit dem fehlenden Kontakt zu Künstlerkollegen und Gesinnungsgenossen, aber auch zur Bevölkerung, die ja in den Jahren zuvor zu einem Schwerpunktthema seiner Kunst geworden war, der eigentliche Hintergrund seines Schaffens entzogen. Die Kunst, die er in Paris vorwiegend produzierte, hatte er nur wenig früher, offenbar im abwertenden Sinne, als für den Verkauf bestimmte Kunst bezeichnet, während die sozial motivierten Sujets wohl das ausdrückten, was seiner Mission als revolutionärer Künstler entsprach. Seine plötzliche Umorientierung auf neutralere Gegenstände ist meines Erachtens ein untrügliches Zeichen dafür, daß Strempel den Rückzug in die Innerlichkeit angetreten haben muß, aus welchen Gründen auch immer. Die Menschen der Straße, hier vor allem das Proletariat, leidend an Arbeitslosigkeit und Hunger, hatten seit Jahren den Sinn seines Schaffens bestimmt. In Frankreich nun malte er Porträts, die, da hintergrundlos, auch von der sozialen Realität losgelöst erscheinen. Sein Modell ist häufig seine Frau Erna, der vielleicht einzige vertraute Mensch in seiner Umgebung. Jedoch ist die private Themenwahl insofern als realistisch zu bezeichnen, als daß Strempel hier wiedergibt, was ihn persönlich betrifft: sein Lebenszusammenhang erwächst eher aus der alltäglich-persönlichen Exilsituation als aus politischen Tagesereignissen.

Strempels Gründe für seinen Rückzug in den privaten Bereich hängen sicherlich wesentlich mit seiner Haltung gegenüber der Politik der KPD zusammen — neben den privaten Schwierigkeiten, Krisen und Frustrationen, die er tagtäglich als unerwünschter, zeitweise illegal lebender Ausländer in Paris zu verkraften hatte. In Deutschland hatte er bei der KPD wenigstens noch Rückhalt und eine gewisse Orientierungslinie für seine Kunst gefunden, auch wenn man offenbar mit dem, was er schuf, nicht immer einverstanden war. In Paris ging er dann mehr und mehr auf Distanz zur Partei. Diese Reaktion ist zum einen auf die sich immer deutlicher abzeichnenden Differenzen in allgemeinpolitischen Fragen zurückzuführen, zum anderen sind aber auch persönliche Gründe dafür verantwortlich, vor allem Enttäuschung über die Haltung der KPD-Auslandsleitung, deren Mitglieder Strempel als »ausgesprochene Gangster« bzw. als »Gangster und Idealisten«[90] bezeichnete, und einzelner Parteimitglieder, die, wie er selbst, im Pariser Exil lebten und denen er Arroganz und Konkurrenzneid vorwarf.[91] Besonders beklagte er sich über mangelnde Unterstützung, weniger auf materielle als auf ideelle Hilfsleistungen bezogen, wie er ausdrücklich betonte.[92] Seine prinzipiellen Bedenken und der daraus resultierende Entschluß, sich nicht mehr politisch zu betätigen, leiteten sich einerseits daraus ab, daß die KPD ihre in seinen Augen falsche Taktik der Zeit vor 1933 fortsetzte. Er kritisierte vor allem, daß die KPD an der Sozialfaschismus-These festhalte, statt sich in einem breiteren Bündnis mit der SOPADE zu öffnen.[93] Ein weiterer Punkt war die Haltung der KPD Trotzki bzw. den trotzkistischen Gruppierungen gegenüber; weil er ihnen nahestand, befürchtete er ein Parteiausschlußverfahren.[94] Ungeachtet seines »schlechten Gewissens« hatte sich Strempel aber entschlossen, Parteimitglied zu bleiben, weil er Chancen sah, durch die Vermittlung der Organisation als politischer Zeichner Beschäftigung zu finden.[95] Daß er damit richtig kalkuliert hatte, bestätigte sich bald. Er zeichnete Sammellisten, fertigte Fotomontagen für die »Rote Hilfe«, entwarf Plakate im Parteiauftrag.[96] Von diesen Arbeiten konnte bisher noch nichts nachgewiesen werden, da sie in der Regel nicht namentlich bezeichnet wurden.

Strempel berichtete in einem Lebenslauf, daß er ab 1934 mit der Gruppe der »Versöhnler« sympathisiert habe und daß er sich zur Zeit des spanischen Bürgerkrieges und der Trotzkistenprozesse immer mehr von der KPD entfernt habe. Während seiner Internierung von 1939 bis 1941 habe er keinerlei Kontakte mehr zu KPD-Gruppen gehabt.[97] Ob Strempel nun letztendlich ausgeschlossen wurde oder durch eigenen Entschluß austrat, ist nicht mehr zu sagen. Sein Kommentar: »Endgültige Trennung von der KPD unter dem Einfluß Siggi Neumanns und wegen der Säuberungsprozesse«[98] legt den Schluß nahe, daß er sich lediglich auf persönlicher Ebene distanziert hat, aber nicht offiziell austrat.[99] Anhand des Briefwechsels mit Zsiega Cohn ist festzustellen, daß Strempel zwar mehr und mehr durch die politische Praxis desillusioniert, aber dennoch nicht bereit war, vom Marxismus oder von

seiner materialistischen Kunstkonzeption abzurücken. »Einerseits will und kann ich nicht den überlebten, und als unsinnig erkannten Standpunkt 'l'art pour l'art' zurückkommen. Andererseits sieht man den vollkommenen Bankrott der den Marxismus verkörpernden Organisationen.«[100] Seine Konsequenz, die er aus diesem Dilemma zog, war der Rückzug in die Privatsphäre, in individuelles Lernen und Arbeiten.[101]

Aus Strempels Äußerungen ergibt sich allerdings nicht direkt, daß er bewußt aus den genannten Gründen von seinen früher bevorzugten Sujets Abstand genommen hat. Da in früheren Jahren die Entwicklung seiner Kunst lange Zeit in den Hauptpunkten mit seiner politischen Entwicklung konform ging, erscheint es möglich, daß er dann, als die Differenzen mit der Partei stärker wurden und er sich von ihr entfernte, auch in seinem künstlerischen Schaffen von ihren politischen Vorgaben unabhängiger wurde. Weiterhin könnte die Veränderung im Zusammenhang mit seinen Pressezeichnungen stehen, etwa in dem Sinne, daß er eine verinnerlichte Privatkunst als Kontrapunkt zur fortschrittlichen Gebrauchskunst schuf. Diese Vorgehensweise findet z. B. eine annähernde Entsprechung im Werk von George Grosz. Ernst Kállai stellte in einem Essay fest, daß Grosz, wie auch Otto Dix, neben der damals noch scharfen Satire auch dem ganz entgegengesetzte Bilder schuf: »Dicht am Rande einer Welt voll mörderischer Verzerrung geht das Verständnis auf für das kleine Glück, für einfache Gemütswerte. Man ist nicht nur geistige Kampfmaschine, man ist ja auch Mensch.«[102]

Die wichtigste Erkenntnis, die aus dem überlieferten malerischen Werk dieser Zeit zu ziehen ist, ist die Tatsache, daß Horst Strempel sich zwar aus dem politischen Leben zurückzieht, sich aber andererseits intensiv mit dem in Paris vorhandenen Kunstangebot auseinandersetzt. Von den in Paris entstandenen »freien« Arbeiten nehmen diejenigen, die Themen aus dem privaten Bereich behandeln, den breitesten Raum ein. Sofern überhaupt Raumvorstellungen suggeriert werden, sind die Szenen meistens in einen Innenraum verlagert. Normalerweise wird nur eine Person dargestellt, meistens handelt es sich um seine Frau. Neben dem ökonomischen Aspekt, der Verfügbarkeit des Modells, kommt hier auch sein Wunsch nach Ruhe und Harmonie als Gegenpol zu den immerwährenden Schwierigkeiten des Alltags zum Vorschein.

Auch die erst später entstandenen vielfigurigen Kompositionen lassen dieses Bedürfnis erkennen. Es kommt sowohl im Inhaltlichen als auch in den stilistischen und formalen Lösungsversuchen zum Ausdruck.

Abstraktion und Gegenstand —
Zum Realismus im Exilwerk

Auch anhand der Relikte ist noch festzustellen, daß Strempel zumindest im Formalen nicht unbeeinflußt geblieben ist von der französischen Kunstproduktion der 30er Jahre. Die intensive Beschäftigung mit strukturellen bildimmanenten Problemen könnte als persönlicher Reflex auf Diskussionen wie die »Realismus-Debatte« erklärt werden, gerichtet gegen die Festschreibung einer platten Wirklichkeitsaneignung. In den ersten Jahren seines Exils tauchen wiederholt Arbeiten auf, die sich mit kubistischen Form- und Stilprinzipien auseinandersetzen. Das, was er in dieser Zeit an Erkenntnissen und Erfahrungen gewann, wirkte weit in die Nachkriegszeit hinein. Ein wesentliches Prinzip trennt Strempel, wie einen Großteil seiner mit kubistischen Errungenschaften experimentierenden Zeitgenossen, von den frühen Kubisten. Während diese den Gegenstand auflösen wollten, trachtete Strempel danach, mit Hilfe des kubistischen Instrumentariums eine neue Gegenständlichkeit zu konstruieren; es ging ihm auch nicht darum, von einem Objekt mehrere Ansichten zu geben. Seine Intention findet eher Entsprechungen in den Verfahrensweisen Robert Delaunays, Jean Lurçats, Fernand Légers, Léopold Survages, André Lhotes und anderer maßgeblicher französischer Künstler in den 20er und 30er Jahren. Bei den genannten Künstlern wird, wie auch bei Strempel, das Bestreben deutlich, soweit wie möglich zu abstrahieren, überflüssige Details zu vermeiden, aber trotzdem dicht an der Realität zu bleiben. In diesem Sinne kann die *Caféhaus*-Szene (WVZ 115, Abb. 3, S. 146 / Abb. 73, S. 177 und WVZ 116, Abb. 4, S. 146), die in drei Varianten, denen das gleiche Kompositionsgerüst zugrunde liegt, die aber unterschiedliche Stadien eines analytischen Malprozesses erkennen läßt, als Lehrbeispiel für seine Vorgehensweise angesehen werden. Die Bilder bauen auf der empirischen Sichtbarkeit der gegenständlichen Welt auf. Ausgangspunkt war eine mehrfigurige Szene, die in einer am Naturvorbild orientierten Darstellungsweise gezeigt wurde. Gegenstände und individuelle Physiognomien konnten hier noch ausgemacht werden. In zwei Schritten wurden sie in eine geometrische Konstruktion, die sich aus der ursprünglichen Komposition ergibt, eingepaßt. Die klassische Dreieckskomposition, die in der letzten Fassung am stärksten herauskommt, gipfelt in dem Barkeeper. Die Abstraktion bezieht sich sowohl auf die Form- als auch auf die Farbwerte. Der Farbkontrast wird eingesetzt, um die Form zu definieren; so werden aus den Figuren Farbflächen, deren Formen jedoch vom Vorbild abhängig bleiben. Das Resultat ist, für sich genommen, eine nahezu abstrakte Komposition. In Kenntnis der beiden vorausgegangenen Werke jedoch läßt sich der Bildgegenstand erschließen. Die Übernahme kubistischer Formprinzipien läuft auf eine inhaltliche und formale Strukturierung des Bildes hinaus, ist aber keinesfalls als Destruktion des Gegenstandes an sich zu bezeichnen. Die — nachträglich — auf 1938 datierte Skizze (WVZ 116) könnte darauf hinweisen, daß Strempel den Weg von der Abstraktion zur Konkretion gegangen ist. Berücksichtigt man allerdings den möglichen Einfluß Max Raphaels in Bezug auf die analytische Erfassung des Bildgegenstandes, ebenso wie die verhältnismäßig komplizierte Struktur der frühen Skizze, so scheint der umgekehrte Weg wahrscheinlicher. Die Skizze, in der nur noch figurale Segmente durch geometrische Formen angedeutet sind, reduziert die Farbskala im wesentlichen auf Blautöne. Dagegen wird das den Arbeiten zugrunde liegende Kompositionsgerüst freigelegt, das in der Endfassung kaum noch wahrnehmbar ist. Aus der vielfigurigen »realistischen« Variante werden nur noch einige Personen in ihrer Körperlichkeit angedeutet, die offenbar die Komposition tragen: an der Spitze der Barkeeper, davor zwei Männer, im Vordergrund links und rechts je eine Frau und eine Frau mit Schleier linksaußen. Durch diese Staffelung wird auch in der Abstraktion noch eine vage Raumvorstellung angedeutet.

Die Vorgehensweise Strempels erinnert stark an formale Experimente, die Theo van Doesburg um 1915 unter dem Einfluß Piet Mondrians und van der Lecks vornahm. Naturalistische Formen wurden auch von ihm zu geometrischen Gebilden abstrahiert. Das Beispiel einer Kuh, die er in vier Bildern formelhaft abkürzte,[103] zeigt jedoch ein weit konsequenteres Vorgehen als es bei Strempel der Fall war.

Es wäre denkbar, daß Horst Strempel, abgesehen von dem experimentellen Reiz, den diese Arbeit für ihn sicher hatte, den Versuch machte, durch das Medium Kunstwerk eine gewisse Ordnung in die Außenwelt zu bringen, die ihr durch die ökonomische und politische Situation abhanden gekommen ist. Strempels Bezugnahme auf die französische Variante des Kubismus in den 30er Jahren wird ergänzt durch sein Studium der Kunst Poussins, der neben Cézanne auch als Vorbereiter des Kubismus angesehen wird.

In der Literatur über Strempel wird immer wieder darauf hingewiesen, daß er in Paris mit André Lhote und Frans Masereel zusammengearbeitet habe. Dafür gibt es jedoch keine Beweise. Möglich ist, daß Strempel mit Masereel durch seine Pressezeichnungen für »Monde« zusammengekommen ist, da dieser ebenfalls dort beschäftigt war. Gewisse Übereinstimmungen ihrer Zeichnungen, die allerdings ebenso auf einer ähnlichen Haltung den bearbeiteten Problemen gegenüber und im Rückgriff auf gleiche Traditionen beruhen können, lassen vermuten, daß sie sich gekannt haben.

Was die Beziehung zu André Lhote angeht, so wandte sich Strempel selbst gegen eine engere Verbindung. »Nur auf Ihre Bemerkung betreffs André Lhote möchte ich erwiedern, daß ich nicht glaube, daß meine 'dekorative Ader' durch ihn bestimmt wurde. Ich habe ihn eigentlich nie richtig geschätzt, und war auch nur ganz kurze Zeit mal in seinem Atelier, mehr um billig Akt zeichnen zu können, als einer 'Korrektur' wegen.«[104] Dennoch lassen sich Verbindungslinien ziehen. Übereinstimmungen ergeben sich vor allem im Hinblick auf die konstruierte Bildwelt, die eine künstlerische Bewältigung der Realität mehr intellektuell als emotional anstrebt.- Möglicherweise ist Strempel auch von Lhote für seine Wandgestaltung *Gaz* im Palais de la Découverte bei der Pariser Weltausstellung 1937 als Helfer engagiert worden.[105]

Deutlichere Hinweise finden sich auf Otto Freundlich, und zwar in drei kleinen abstrakten Ölstudien (WVZ 81, WVZ 85 und WVZ 86). Strempel und Freundlich werden sich spätestens im »Kollektiv deutscher Künstler«, dessen Mitglieder sie beide waren, persönlich kennengelernt haben. Auch die politische Einstellung Freundlichs wird ihm entgegengekommen sein. Ob jedoch eine engere Beziehung bestanden hat, ist fraglich. Die angeführten Arbeiten legen auf jeden Fall eine Auseinandersetzung mit seinem Werk nahe. Gemeinsam ist beiden Künstler die Aufteilung der Bildfläche in farbige Rechtecke oder Quadrate. Es wäre denkbar, daß Strempel, selbst wenn er Freundlichs persönliche Bekanntschaft zu diesem Zeitpunkt noch nicht gemacht hatte, sein Gemälde *Mon ciel est rouge* von 1933 gekannt hat und dadurch in seinen abstrahierenden Experimenten zeitweilig beeinflußt worden ist.[106] Dafür spricht, daß Freundlich seit etwa 1930 seine Bilder zunehmend gleichförmiger strukturierte, wobei *Mon ciel est rouge* eine der konsequentesten Anwendungen dieses Prinzips zeigt, und Strempel zum gleichen Zeitpunkt genau diese Konstruktionen aufgriff, wenn sie sich auch in der Farbgebung und durch das wesentlich kleinere Format von den Vorbildern unterscheiden. Die völlige Loslösung vom Gegenstand ist, abgesehen von späteren rein dekorativen Arbeiten, einzigartig im Werk Strempels, und, wenn man vom bekannten Œuvre ausgeht, scheinbar voraussetzungslos. Die Caféhaus-Szenen hingegen können als unmittelbare Konsequenz dieses Exkurses angesehen werden, beispielsweise auch was die Aufteilung der Bildfläche in Licht- und Schattenzonen anbelangt.

Die Anklänge an das Werk von Künstlern, die sich im weitesten Sinne mit der Darstellung von Realität auseinandersetzten, aber auch an das Werk fortschrittlicher, ungegenständlicher Maler, wie von Otto Freundlich, zeigt, daß Strempel das Pariser Kunstleben mit Interesse verfolgt hat. Obgleich bisher keine Anhaltspunkte für eine aktive Beteiligung Strempels an den großen Realismus-Debatten in Paris vorliegen, weisen die in dieser Zeit entstandenen Arbeiten Reflexe derselben auf. Strempels Interesse liegt u.a. darin begründet, daß die Diskurse eine Fortsetzung dessen bedeuteten, was in Deutschland in der ARBKD diskutiert wurde, wobei jedoch die Ausgangslage in Frankreich eine andere war. Einerseits hatte die Avantgarde, bedingt durch die wirtschaftliche Krise, ihre Stellung eingebüßt. Unmittelbar damit zusammenhängend setzte ein Zerfall des Kunstmarktes ein; der Wert von Kunstwerken fiel immens, und selbst renommierte Galerien mußten schließen.[107] Andererseits gewannen traditionalistische und akademische Strömungen so sehr an Bedeutung, daß sie bis Kriegsende den Kunstmarkt beherrschten. Die offizielle Festschreibung dieser vor allem nationalkonservativen Richtung, die sich mit ihrem »Rappel à l'ordre«[108] nur als Antwort auf das instabile politische und wirtschaftliche System etablieren konnte, manifestiert sich auch in großen repräsentativen Überblicksausstellungen der hierfür maßgeblichen Kunstrichtungen[109] — wie übrigens auch an den meisten Wandbildern, die für die Weltausstellung 1937 geschaffen wurden.[110]

Für diejenigen Künstler, die sich diesen traditionell-konservativen Schemata entziehen wollten, ging es vorrangig darum, ihre Stellung zu und in der Gesellschaft zu bestimmen. Die Suche nach formalen Neuerungen wurde zunehmend durch das Nachdenken über Sinn und Zukunft der Kunst ersetzt und fand in vielen Initiativen ihren Ausdruck. Schon 1932 war die »Association des Ecrivains et Artistes Révolutionnaires« (AEAR) gegründet worden, die auch in der Volksfrontzeit eine nicht unbedeutende Rolle spielte. Die Umfragen in den »Cahiers d'Art« legen von diesen Bestrebungen ebenso ein Zeugnis ab, wie die Fragen, die in »Commune« an Schriftsteller und bildende Künstler gestellt wurden.[111]

Trotz konträrer Auffassungen in einzelnen Problemen zeigte sich, daß ein Minimalkonsens hinsichtlich der gesellschaftlichen Funktion von Kunst und einer Fixierung auf einen wie auch immer zu definierenden Realismus vorhanden war. Wie unterschiedlich die Positionen waren, kam in den Diskussionen, die in der Pariser »Maison de la Culture«[112] geführt wurden, sehr deutlich zum Ausdruck. Dabei ging es um Fragen wie das Verhältnis von Kommunismus und Intellektuellen, um den Realismus in der Malerei, um die Freiheit künstlerischen Schaffens, in welchen Zusammenhängen der Maler seine Sujets suchen sollte und wie diese darzustellen seien. Auf die Dokumentation der Vielfalt der Meinungen muß an dieser Stelle verzichtet werden. Es ist jedoch offensichtlich, daß auch das Kunstschaffen Strempels in das Raster einzuordnen ist. Dabei orientierte er sich weniger an den Kriterien Louis Aragons für einen Sozialistischen Realismus sowjetischer Prägung, dessen vorrangige Bestimmung der Kunst in ihrer Verwendbarkeit für politische Zwecke bestand.[113] Dieses Stadium hatte Strempel in Berlin bereits hinter sich gelassen. Aber auch die Vorstellungen von einem »Nouveau Réalisme« bei Delaunay und besonders bei Léger, die inhaltlich wie formal das moderne Leben und die moderne Technik zur Grundlage ihres Schaffens machen, werden nicht seine ungeteilte Zustimmung gefunden haben. Wenngleich etwa ihre Forderung nach dem massenwirksamen Medium Wandbild seinen Auffassungen entgegengekommen sein müßte, so finden sich im in den 30er Jahren geschaffenen Werk dieser Künstler vom Thematischen doch kaum Bezüge. Formale Einflüsse der Kunst Légers, wie die statuarische Figurenauffassung, kommen in Ansätzen im Dresdener Wandbild 1949 zum Tragen. Beziehungen zu Robert Delaunay lassen sich höchstens über seine um 1910 geschaffenen Arbeiten, etwa *La Ville de Paris*,[114] herstellen, die auf Strempels mehrfigurige Kompositionen wie das *Caféhaus* (WVZ 115/116), *Die Gesellschaft* (WVZ 117, Abb. 74) oder *Leben* (WVZ 106, Abb. 72) eingewirkt haben könnten.

In der prinzipiellen Bejahung einer gesellschaftlichen Wirksamkeit von Kunst wie auch dem Bestreben, neue Formen dafür zu finden, stehen die am Sozialistischen Realismus orientierten Positionen von Künstlern wie Marcel Gromaire[115] und Jean Lurçat[116] in der Nähe dessen, was in Strempels Bildern zum Ausdruck kommt. Auch der Standpunkt Eduard Pignons, deren Kernstück die Ablehnung der Doktrin des Sozialistischen Realismus ist, scheint Strempels Auffassung verwandt zu sein. Ein Beispiel dieser Übereinstimmung findet sich in der Adaption von Pignons *Ouvrier mort*[117] von 1936 aus der Nachkriegszeit in seinem Gemälde *Wollt ihr das wieder?* (WVZ 284, Abb. 106, S. 196). Der Realismusbegriff der meisten in die Debatte involvierten Künstler erschöpfte sich nicht in dem Anspruch, die sichtbare Wirklichkeit in Kunst umzusetzen, sondern es war ihnen ebenso wichtig, mit ihren Mitteln in Entwicklungsprozesse einzugreifen und Perspektiven einer künftigen Gesellschaft aufzuzeigen.

Realismus und Antifaschismus —
Zum Beispiel »La Famille Lafusat«
Eine Reihe von Bildern, die Strempel im französischen Exil schuf, verweisen auf die Auseinandersetzung mit zeitgenössischen Positionen. Ein besonders interessantes Beispiel stellt das Gemälde *La Famille Lafusat* (WVZ 138, Abb. 5, S. 147) dar, das Strempel 1945 als Replik auf ein Wandbild schuf. Er malte das Wandbild 1940 in der Küche eines Bauernhauses, als er sich in Gèus, einem Dorf etwa zwei Kilometer entfernt vom Internierungslager Gurs gelegen, aufhielt. Es existierte noch bis Ende der 70er Jahre bis zum Abriß des Hauses. Außer einigen Detailstudien (WVZ 683 und WVZ 1326, WVZ 1327, Abb. 172, S. 227 und WVZ 1328) gibt es keine Abbildungen mehr von dieser Arbeit. Dorfbewohner bestätigten jedoch, daß Wandbild und Gemälde weitgehend identisch seien.

Strempel stellte hier vier Personen in einer Küche dar. Im linken Drittel, stark in den Vordergrund gerückt, sitzt eine alte Frau vor einem offenen Feuer. Auf der rechten Seite, mehr in den Hintergrund verlagert, befinden sich drei Personen, die um einen Eßtisch herumgruppiert sind. Die vordere Bildebene wird durch einen schräg abfallenden Fußboden gebildet, auf dem sich stillebenartig arrangiert ein Krug und eine Fruchtschale befinden. Der grob gezimmerte Holztisch, der mit einem glatten Tischtuch bedeckt ist, trägt lediglich eine Suppenschüssel, drei Teller und eine Weinflasche, also Zutaten zu einer einfachen Mahlzeit.

Die Kopflinien aller Personen befinden sich, ungeachtet ihrer unterschiedlichen Anordnung im Raum, in etwa der gleichen Höhe. Die gesamte Komposition wurde aperspektivisch aufgebaut. Der Eindruck verstärkt sich vor allem durch den gewürfelten Fußboden, der keinen Fluchtpunkt aufweist; eher scheint eine Aufsicht dadurch suggeriert zu werden. Die Wände, die den Bildraum rechts von der alten Frau nach hinten abschließen, haben den Anschein einer unmotivierten Verschachtelung; ganz rechts führen zwei Stufen durch eine geöffnete Tür ins Freie.

Die Farben, die Strempel für seine Darstellung wählte, sind Erdfarben, die das bäuerliche Milieu, in dem diese Szene sich abspielt, näher charakterisieren. Die Oberflächen, wie beispielsweise Kleiderstoffe, wurden entmaterialisiert dargestellt. Strempel verband in diesem Bild kubistische Formenelemente mit einer realistischen Darstellungsweise. Lediglich die Alte im Vordergrund hat eine Andeutung von individuellen Gesichtszügen, die drei anderen Personen sind sehr schemenhaft aufgefaßt

Das Bild der *Familie Lafusat* ist aus drei Gründen interessant: einerseits in seinem Bezug auf ältere Künstler in der Tradition realistischer Malerei, andererseits, weil Strempel hier offenbar die praktische Anwendung der Theorien Max Raphaels demonstrieren wollte. Außerdem bietet es sich an, nicht zuletzt wegen dieser Bezugspunkte, Hypothesen zu Strempels Standpunkt hinsichtlich politisch fortschrittlicher Kunst aufzustellen und diese im Hinblick auf eine Form vom »Widerstandskunst« versuchen, zu verallgemeinern.

Reminiszenzen an van Goghs *Kartoffelesser* und an Cézannes *Kartenspieler* sowie Karl Hofers *Große Tischgesellschaft* sind unübersehbar.[118] Hier wird der Einfluß der großen Ausstellungen, die in den 30er Jahren in Paris zu sehen waren, überaus deutlich. Es geht dabei vor allem um die realistischen Künstler des

17. Jahrhunderts, die aufgrund ihrer Hinwendung zur Gegenständlichkeit ein enormes Interesse auf sich ziehen konnten. Sie galten durch die unprätentiöse und unsentimentale Art ihrer Darstellungen als die Gestalter des wirklichen Lebens. Aus diesem Grunde beriefen sich viele fortschrittliche Künstler auf sie.

Die Ausstellung der Werke Le Nains 1934 in Paris gehörte dazu.[119] Vor allem die Darstellung einer bäuerlichen Mahlzeit von Le Nain[120] ist es, auf die Strempel sich in seinem Familienbild bezieht. Seine Entscheidung für gerade dieses Sujet sollte in engem Zusammenhang mit seinem Verhältnis zu Max Raphael gesehen werden.[121] Der Aufsatz, der wahrscheinlich den Anstoß für das Gemälde gab, ist Teil des Werks »Arbeiter, Kunst und Künstler«, einer Sammlung von Kunstbetrachtungen, die wohl »am konsequentesten seine Methode reflektiert und exemplifiziert hat.«[122] Dieses Charakteristikum machte sich nicht nur bei der Rezeption durch Leser und Zuhörer bemerkbar, sondern ist ebenso in der Lage, dem zeitgenössischen Künstler Anhaltspunkte für seine Arbeit zu geben. Raphael hatte in seinen Kunstbetrachtungen 1938/39 eben dieses Gemälde von Le Nain als »das wohl hervorragendste Beispiel eines materialistischen Kunstwerks«[123] hervorgehoben und es entsprechend analysiert. Das materialistische Kunstwerk, bei Raphael unterschieden vom dialektischen und vom sozialkritischen, sieht »die jeweils beherrschte Klasse von ihrem eigenen geschichtlichen Standpunkt« an und stellt sie mit Ausdrucksmitteln dar, »die dem Wesen der Klasse entsprechen.«[124] Raphael geht bei seiner Bildanalyse zunächst darauf ein, wie die materielle Lage der Bauern zur Zeit der Entstehung dieses Bildes tatsächlich war, um es anschließend diesbezüglich auf seinen Wahrheitsgehalt zu überprüfen. Im Sinne der von ihm entwickelten Kunsttheorie richtet er sich vor allem nach der Anwendung der kompositionellen Mittel und der Rolle der Farbe.

Bei einer genaueren Analyse der Bildstruktur nach den von Raphael aufgestellten Kritierien wird deutlich, daß Strempels Bild in vielen Punkten der Darstellung Le Nains entspricht. Nicht nur, daß die Hauptpersonen beider Gemälde ähnlich im Raum verteilt sind und daß der Bildraum nach den Regeln des Goldenen Schnitts strukturiert ist; auch die Waagerechte der Kopflinien ist gleich aufgefaßt, ebenso wie die Aufsicht, die beim Vorbild allerdings durch andere kompositionelle Mittel erreicht wurde. Der nach außen offene Winkel, der nach Ansicht Max Raphaels bei Le Nain den Eindruck einer (unchaotischen) Zufälligkeit bestärken soll, ist in angedeuteter Form auch bei Strempel vorhanden. Die Farbpalette Le Nains weist die gleiche Tendenz zu Erdfarben auf.

Der kunsthistorische wie auch der soziale Kontext, in dem das Familienbild anzusiedeln ist, weist darauf hin, daß Horst Strempel sich hiermit bewußt in eine fortschrittliche Tradition eingereiht hat, um sich zur Gegenwart zu äußern. Der Bezug zu älteren progressiven Strömungen wurde im Vorhergehenden erläutert. Was dabei nicht berücksichtigt wurde, ist die Tatsache, daß sich auch traditionelle und reaktionäre Künstler auf solche Richtungen beriefen. Gerade an dem Sujet der Bauernmahlzeit läßt sich gut aufzeigen, daß es nicht das Ziel dieser Künstler war, einen wirklichen Zustand künstlerisch zu erfassen und ästhetisch aufzubereiten, sondern daß sie vielmehr im Dienste restaurativer Ideologien standen. Dazu gehört die »Blut-und-Boden-Malerei«, die zwar insbesondere im deutschen Faschismus ihre Blüte erreichte, aber auch in anderen europäischen Ländern in den 30er Jahren zu Ansehen kam. Für Frankreich führte das Bernard Ceysson beispielhaft an der Darstellung einer Bauernmahlzeit von Rolland Marie Gerardin vor.[125]

Zur Gegenüberstellung mit Strempels *Familie Lafusat* kann ein beliebiges Bild der faschistischen Kunstproduktion gleichen Themas herangezogen werden, da diese im Prinzip nach immer gleichen Gesichtspunkten aufgebaut wurden. Das Leben der Bauern, ein von jeher beliebtes Sujet der Heimatkunst, wurde zu einem der bevorzugten Themen der offiziellen Malerei der 30er Jahre.[126] Neben Motiven, die den Bauern bei der Arbeit — mit reichlich antiquierten Methoden — darstellten, traten solche der Rast und des Feierabends. Durchgängiges Merkmal dieser Werke ist die hierarchisch strukturierte Großfamilie, zumeist altertümlich gekleidet und beim Einnehmen der Mahlzeit dargestellt. Die Form der Bilder ist traditionalistisch und galt daher als allgemeinverständlich im Gegensatz zur modernen Malerei. Die Präsentation der Themen entsprach zwar nicht dem erreichten geschichtlichen Stand, wohl aber den Wertvorstellungen, die durch Industrialisierung wie auch durch die faschistische Politik realiter verloren gegangen waren, und die durch diese Bilder präsent gemacht werden sollten. Die pseudo-realistische Malweise diente somit dazu, dem Rezipienten eine nicht (mehr) existente Wirklichkeit vorzugaukeln, um ihn von den Problemen der Gegenwart abzulenken.[127]

Dieser Auffassung widerspricht das im Exil entstandene Werk Strempels eindeutig. Auch andere Sujets, wie die weiblichen Akte und die Darstellungen von Mutter und Kind — ebenfalls typische Motive für die Malerei im Faschismus —, zielen in eine ganz andere Richtung. Entgegen der Funktion dieser Kunst, die dazu beitragen sollte, die Menschenverachtung des Regimes zu kaschieren, strebte Strempel danach, den humanen Gehalt seines Denkens und künstlerischen Schaffens zu vermitteln. Hier zeichnet sich schon ein Merkmal ab, das erst in der Nachkriegszeit richtig zum Tragen kommt. In der einfachen Gestaltung des Menschen und dem Verzicht auf Heroisierung und Pathos zeigt sich der ideelle Einfluß Karl Hofers auf das Werk von Horst Strempel.

Wenn das Familienbild sich auch wesentlich an älteren Kunstströmungen orientiert, so geschieht das hier doch vor allem durch die Auseinandersetzung mit aktuellen fortschrittlichen Kunststilen und Diskussionen. Im Gesamtwerk Strempels ist diese Herangehensweise durch inhaltliche und technisch-formale Bezugnahme auf Vorläufer jedoch eine Ausnahmeerscheinung. Hingegen scheint er sich sehr intensiv mit rein technischen Fragen beschäftigt zu haben. Insbesondere Tizian galt ihm in dieser Hinsicht als Vorbild und Studienobjekt. Statt der bisher gepflegten Primamalerei entwickelte er eine besondere, sehr aufwendige Technik, um sich seinem Vorbild anzunähern.[128] Er beabsichtigte, ein Gemälde von Tizian, das sich im Louvre befand, zu kopieren.

Die Pressezeichnungen

Die Pressezeichnungen, die Horst Strempel zwischen 1933 und 1937 im Pariser Exil schuf, nehmen quantitativ einen relativ breiten Raum in seinem Schaffen ein. Seine grafischen Beiträge zum Kampf gegen Militarismus und Imperialismus wurden fast ausschließlich in französischsprachigen Blättern publiziert, dagegen kaum in deutschsprachigen Exilzeitungen. Es ist anzunehmen, daß Strempel bis zu dieser Zeit nicht als Karikaturist in Erscheinung getreten ist, obwohl er möglicherweise schon in den letzten Jahren der Weimarer Republik Zeichnungen für Flugblätter und anderes Propaganda-Material im Auftrag der KPD geschaffen haben könnte.

Im Rahmen dieser Arbeit kann ebensowenig auf die Entwicklungsgeschichte der Karikatur und Pressezeichnung eingegangen werden wie auf die ihr zugrunde liegenden unterschiedlichen Theorien. Besonders in den letzten Jahren wurden einige Versuche unternommen, diesen bisher von der Kunstwissenschaft übersehenen bzw. unterbewerteten Bereich darzustellen und einer neuen Beurteilung zu unterziehen.[129] Es ist jedoch nicht möglich, einen einheitlichen Standpunkt der Auffassungen über den Begriff der Karikatur zu erzielen. Zwar herrscht weitgehender Konsens über formale Charakteristika, doch bei der Definition inhaltlicher Aspekte gehen die Meinungen weit auseinander. Während Eduard Fuchs sie beschrieb als »bewußtes Hervorheben des Charakterisierenden einer Erscheinung, Abstrahieren von dem Nebensächlichen, dem Allgemeinen«,[130] sah Werner Hofmann in ihr eine bewußte Übersteigerung der Erscheinung des Menschen, eine physiognomische Intensivierung und eine »verletzende, aggressive Abart der Wesensforschung und der Enthüllung.« In seinem Sinne, dem eine idealistische Auffassung von Ästhetik zugrunde liegt, die auch eine Hierarchie der Kunstgattungen beinhaltet, gilt sie nur dann als Kunst, wenn sie von hochrangigen, angesehenen

Künstlern wie beispielsweise Daumier oder Goya stammt, die sich schon auf dem Gebiet der »hohen« Kunst einen Ruf erworben haben. Andernfalls, und das ist die Regel, kann sie höchstens unter die Rubrik »Randkunst« fallen, womit sie dann auch nicht mehr autonom wäre, wie es von einem wirklichen Kunstwerk gefordert wird.[131] In der jüngeren Forschung wird der Begriff ausgeweitet auf einen »Verabredungsbegriff für eine Vielzahl von Erscheinungen, für ein Feld der Bildpublizistik oder für eine Methode.«[132] Ihre Kritik an der Wirklichkeit formuliere die Karikatur durch Übersteigerung, Verzeichnung, durch das Überziehen und Zuspitzen von Charakteren und Situationen. Sie »verfolgt eine Absicht, kritisiert, klärt auf, schafft überraschende Verknüpfungen, weckt Nachdenklichkeit.«[133] Dagegen betont Georg Piltz den vorhandenen Bezug auf die Gesellschaft, der unabhängig sei von den verwendeten künstlerischen Mitteln. »Ihr Hauptmerkmal besteht darin, daß sie etwas bewirken, in Gang setzen wollen.«[134] Von diesem Standpunkt aus kritisiert er auch Hofmann, dessen subjektivistisches, spätbürgerliches Geschichtsbild keinen Bezug zur Gesellschaft zulasse. Speziell auf die proletarisch-revolutionäre Karikatur bezogen fordert er von den Künstlern, »die zeichnerische Pointe so zu formulieren, daß Eindeutigkeit an die Stelle von Vieldeutigkeit« trete »und der von der Karikatur ausgelöste Denkprozeß in agitatorisch verwertbare Erkennnis mündete«.[135] Dieser Auffassung, daß es nicht genüge, Karikatur als bloße Illustration historischer Ereignisse »mit dem alleinigen Ziel der Widerspiegelung« zu begreifen, sondern daß sie verstanden werden soll »als einbezogen in den historischen Prozeß selbst und als Teil des Klassenkampfes« fügt Michel Melot eine weitere Forderung an: »Entgegen der Auffassung der meisten Kunsthistoriker scheint mir die Erklärung für alle Kunstwerke zu gelten, auch für die 'vornehmsten', deren Wirkung nur verschleiert, weniger sichtbar oder diskreter ist.«[136]

Schon vor 1933 hatten viele Künstler auf die drohende Gefahr des Faschismus aufmerksam gemacht, angefangen bei den antimilitaristischen Werken von Käthe Kollwitz, Otto Dix und George Grosz, bis hin zu Arbeiten einer Anzahl von Künstlern aus dem bürgerlichen, humanistisch orientierten Lager. Letztere beschränkten sich meistens noch auf die soziale Anklage, während die kommunistischen Künstler schon früh zu einer bildnerischen Auseinandersetzung mit dem Faschismus kamen, die neben der bloßen Brandmarkung seiner Erscheinungsformen auch die politischen und ökonomischen Zusammenhänge aufdecken konnte. Bei ihnen ist eine oft enge Verflechtung ihrer Zeichnungen mit Strategie und Taktik der KPD zu erkennen, insbesondere natürlich in den zahlreichen Publikationsorganen der Partei.[137] Häufig ist in dieser Zeit eine Verquickung von »freier«

Grafik und Pressegrafik zu konstatieren.[138] Neben einer Reihe ursprünglich nicht satirisch gemeinter Arbeiten, die aber durchaus auch solche Wirkungen haben konnten, etwa von Hans und Lea Grundig, Fritz Schulze, Eva Schulze-Knabe, stehen traditionelle Karikaturen von z. B. Alfred Beier-Red u.a.

Für die Antifaschisten der damaligen Zeit stellte sich schon sehr früh — das heißt, schon lange bevor der Machtantritt Hitlers eine Vielzahl von ihnen zwang, in den Untergrund zu gehen oder das Land zu verlassen — die Frage nach der Wirksamkeit der politischen Zeichnung im Kampf gegen den Feind. Die politische Entwicklung führte dann aber dazu, daß diese Probleme unter den veränderten Bedingungen weiterführend diskutiert werden mußten. Wenn hier von antifaschistischer Karikatur und Pressezeichnung die Rede sein soll, müssen vor allem drei Punkte im Auge behalten werden. Zunächst geht es um die Frage, welche Ziele sich die antifaschistische Karikatur im allgemeinen setzt und ob eine Veränderung ihrer Funktionsbestimmung vor der Machtergreifung und nach der Machtergreifung festzustellen ist. Weiterhin bleibt herauszuarbeiten, welche Themen vorrangig aufgegriffen wurden, und zu berücksichtigen, welche künstlerischen Mittel dem Zeichner traditionell zur Verfügung standen und welche neu gefunden wurden.

Für die antifaschistische Karikatur im Exil sollten die gleichen Aspekte in allerdings modifizierter Form berücksichtigt werden, vor allem aus dem Grunde, weil die allgemeinen Voraussetzungen, unter denen sie entstand, nicht ohne weiteres vergleichbar sind. Es muß außerdem bedacht werden, daß die Wirkungsmöglichkeiten für die politischen Emigranten prinzipiell sehr eingeschränkt waren, daß sie andererseits aber auch je nach dem Aufenthaltsort stark differierten. Aus dieser Perspektive wäre außerdem zu fragen, ob und inwiefern die Exilsituation zur Bereicherung inhaltlicher und formaler Lösungen im Hinblick auf die antifaschistische Karikatur beitragen konnte. Weiterhin darf auch das Problem der Rezeption nicht vergessen werden. Über die tatsächliche Wirkung der Karikaturen im antifaschistischen Kampf gibt es keine konkreten Zahlen. Am Beispiel Frankreichs läßt sich jedoch nachweisen, daß, wenn man die Auflagenhöhe fortschrittlicher Publikationen in Relation setzt zu bürgerlichen und rechten, die linke Presse vermutlich nur einen sehr eingeschränkten Wirkungsradius gehabt haben kann. Ebensowenig können konkrete Daten über das Fortwirken der antifaschistischen Zeichnung in der Gegenwart angeführt werden; die auf ein Bajonett aufgespießte Friedenstaube von John Heartfield, die über Jahrzehnte hinweg bis heute ein Symbol pazifistischer Gesinnung geblieben ist, bildet sicher eine Ausnahme.[139]

Die Frage, inwieweit die Karikatur eine brauchbare Waffe im antifaschistischen Kampf darstellen könne, wurde in diesen Jahren kontrovers behandelt. Die I. Internationale Karikaturenausstellung des Künstlervereins Mánes in Prag 1934, aus der nach Interventionen der deutschen und der österreichischen Regierungen sieben Arbeiten Heartfields wegen der Erregung öffentlichen Ärgernisses entfernt werden mußten, bot einen Anlaß, das Problem der Karikatur als Hilfsmittel im antifaschistischen Kampf zu diskutieren.[140] Die Zensurmaßnahmen sind als Beleg für eine gewisse Wirksamkeit anzuführen. Trotzdem zogen sich andere vormals als Satiriker tätige Künstler nach der Machtergreifung resigniert zurück, wie Th. Th. Heine, Karl Kraus und Kurt Tucholsky.[141] Die Auffassung, daß es richtig und notwendig sei, im antifaschistischen Kampf alle nur denkbaren Mittel, also auch die Karikatur einzusetzen, wurde hingegen von so renommierten Literaten wie Bertolt Brecht, Heinrich Mann und Alfred Kerr unterstützt.[142]

Die progressive politische Zeichnung sollte eine didaktische Funktion erfüllen können. Dabei kam ihr zugute, daß sie mehr als jedes andere künstlerische Medium in den 30er Jahren, den Rundfunk ausgenommen, theoretisch die Möglichkeit hatte, mit relativ geringen finanziellen Mitteln und kleinem Aufwand eine große Anzahl von Menschen zu erreichen und in großer Schnelligkeit auf aktuelle Ereignisse zu reagieren. Die konkrete Benennung dessen, was die antifaschistische Karikatur auszeichnet, ist trotzdem äußerst schwierig. Ihre Formen und Inhalte waren individuell verschieden und den unterschiedlichen Situationen des antifaschistischen Kampfes, in Deutschland oder in einem der Exilländer, angepaßt. Nicht immer trugen sie einen direkten politischen Charakter, oft waren sie symbolisch verschlüsselt oder wurden nur dadurch zu einem Manifest des Widerstands, daß sie trotz Verfolgung und Unterdrückung entstehen konnten und verbreitet wurden.

Trotz ihrer Verschiedenartigkeit wurden die Karikaturen als Waffe im Kampf gegen Faschismus, Militarismus, Imperialismus, Rassismus, Ausbeutung und Unterdrückung aufgefaßt. Sie waren den Künstlern Bekenntnis, Anklage oder Entlarvung. Hauptangriffspunkt wurde das faschistische System, indem einerseits die Machthaber selbst zur Zielscheibe von Haß und Spott, ihre Terrormaßnahmen und ihre Friedenslügen entlarvt wurden; andererseits aber wurde das thematisiert, was die Opfer täglich unter dem Regime zu erdulden hatten. Ministerialrat Hans Fritzsche hingegen glaubte, daß in den »Hetzkarikaturen gegen das neue Deutschland in vielen Elementen die Angst und die Unsicherheit des Höhnenden« ausgedrückt sei.[143]

Die Mittel, die die Künstler zur Gestaltung ihrer Anliegen zur Verfügung hatten, waren vielfältig. Sie reichten von der Gestaltung einfacher Flugblätter, Handzettel und Klebebilder in Deutschland bis zu den Möglichkeiten, im Ausland Broschüren, ganze

Zeitungsseiten oder gar Zeitungen zu gestalten.[144] Die Inhalte mußten auf einfache, für jedermann leicht verständliche Art und Weise dargeboten werden. Aus diesem Grunde mußten sich bestimmte Motive wiederholen. Hier lag eine Herausforderung für die Künstler, denn die Gefahr klischee- und schablonenhafter Gestaltung war groß. Die einfache Kontrastierung von Gut und Böse, von Opfer und Täter existierte neben komplizierteren Bildstrukturen. Machtverhältnisse wurden durch Größenunterschiede verdeutlicht und entlarvt. Neben der kommentarlosen Schilderung von Ereignissen stehen solche Zeichnungen, die den beigefügten Text — oft eine offizielle Verlautbarung des Gegners im Stil einer Zeitungsmeldung — ad absurdum führen.

An dieser Stelle soll es einerseits um eine erste Bestandsaufnahme der Zeichnungen gehen, die Strempel in Paris schuf. Andererseits soll die Einordnung in die Gesamtproduktion fortschrittlicher politischer Zeichnungen, bezogen auf Deutschland selbst, auf das Gastland Frankreich und auf die zeichnerische Produktion deutscher Emigranten im Ausland, vorgenommen werden.

Die politischen Zeichnungen Strempels wurden vor allem in drei Zeitungen publiziert: in »La Patrie humaine«, in »La Défense« und in »Monde«. Weitere Arbeiten, allerdings in wesentlich geringerer Anzahl, finden sich in »La République«, »La jeune République«, »Le Peuple«, »Sports«, »Femmes« und »Front mondial«, dem Organ des »Comité mondial de lutte contre la guerre et le fascisme«, das 1933 bis 1935 unter der Leitung von Henri Barbusse erschien. Im »Gegen-Angriff«, in der »Deutschen Volks-Zeitung«, im »Pariser Tageblatt« und in »Die Aktion« ist lediglich je eine Zeichnung zu finden. Entgegen anderslautenden Mitteilungen in Veröffentlichungen, die Exilpresse betreffend, konnten in Aragons »Ce Soir« jedoch keine Zeichnungen von der Hand Strempels ermittelt werden.[145]

Bei der Bearbeitung der Pressezeichnungen stellten sich etliche Probleme, deren Lösung im Rahmen dieser Arbeit nicht möglich war. Da außer einigen vagen Angaben nichts über Horst Strempels Pressezeichnungen bekannt war, wäre es geboten gewesen, die einschlägigen Publikationen der 30er Jahre systematisch zu erfassen und diese auf die Präsenz seiner Zeichnungen durchzusehen. Schwierigkeiten ergaben sich vor allem daraus, daß die Pressegeschichte, hier sowohl die französische linke, antifaschistische als auch die deutsche Exilpresse,[146] die in diesem Zusammenhang allerdings keine große Rolle spielt, noch voller Ungewißheiten steckt. Die Archive der Verlage oder Redaktionen sind häufig nur schwer oder überhaupt nicht aufzufinden, oft ist deren Benutzung untersagt, viele Materialien gingen während des Krieges verloren.[147] Wohl gibt es einige zeitgenössische Pressestudien, doch sind diese oft verstreut, widersprüchlich oder unvollständig. Durch die Expansion des französischen Pressewesens seit den 20er Jahren ist die Anzahl der Publikationen unüberschaubar geworden. Zwar sind im »Annuaire de la Presse« die periodischen Druckerzeugnisse eines jeden Jahres aufgeführt; er ist jedoch sehr lückenhaft, insbesondere kleinere Publikationen betreffend, und aus diesem Grunde für die hier zu lösende Aufgabe nicht verläßlich. Trotzdem ist die Anzahl der dort registrierten Produkte so hoch, daß schon allein für die Durchsicht aus den in der Regel sehr dürftigen Angaben über die politische Tendenz eine Auswahl getroffen werden mußte.[148] Es konnte festgestellt werden, daß die in diesem Zusammenhang relevanten politisch ausgerichteten Publikationen kaum Eingang in das Verzeichnis gefunden haben, so daß die Spurensuche sich vor allem auf eher zufällige Funde beschränken mußte. Ein großer Teil dieser Presseerzeugnisse ist dem grauen Medienbereich zuzurechnen; das bedeutet unregelmäßige Erscheinungsweise, primitive Drucktechniken, geringe Auflagenhöhe und keine Aufnahme in die Bibliotheksbestände.[149] Eine systematische Bestandsaufnahme der publizierten Pressezeichnungen Strempels war aus diesen Gründen nicht möglich. Obwohl die Anzahl der erfaßten Arbeiten annähernd mit den Angaben Strempels übereinstimmt, ist das vorliegende Ergebnis ein vorläufiges.[150]

Das französische Pressewesen hatte seit den 20er Jahren eine inhaltliche Umstrukturierung erfahren.[151] Neben den Tageszeitungen entstanden mehr und mehr auch Wochen- und Monatsschriften, vor allem als Publikationsorgane der zahlreichen politischen und sozialen Gruppen oder Parteien. Aus diesem Grunde wurde die Tageszeitung auch nicht mehr in dem Maße wie früher als Ideenträger konzipiert, sondern wurde durch die Entpolitisierung der Inhalte zu einem Informationsblatt. Die Pressezeichnung wurde immer stärker durch die Fotografie verdrängt. Bei den Publikationen, die Zeichnungen zur Illustrierung ihrer Texte bevorzugten, richteten sich diese nach der Art ihres Inhalts; das Spektrum reichte von reinen Witzblättern über rechte und linke satirische Blätter bis zu politisch-literarischen Publikationen. Die beiden erstgenannten Genres sind im Hinblick auf das Werk Strempels nicht von Bedeutung; rein satirische Magazine gab es sowieso kaum noch. Für die politischen Zeichner dieser Jahre, auch für Strempel, haben die in »L'Assiette au Beurre« gedruckten Zeichnungen Vorbildcharakter.

Es scheint, als sei Horst Strempel in diesen Jahren auf dem Gebiet der Pressezeichnung recht produktiv gewesen. Er gab an, beim Einmarsch der deutschen Truppen in Paris mehrere hundert Zeichnungen »im Rinnstein« vernichtet zu haben, um möglicherweise belastendes Material loszuwerden. Ob es sich dabei um Originale schon publizierter Zeichnungen — 150 sollen es nach seinen Angaben gewesen sein – handelte, ist nicht bekannt. In seinem Nachlaß befinden sich lediglich vier Zeichnungen aus dieser Zeit, die wahrscheinlich für »La Patrie humaine« gedacht waren, aber offensichtlich nicht gedruckt wurden. Sie sind von antiklerikaler Tendenz und ohne erkennbaren Bezug auf politische Tagesereignisse.

Über seine Arbeit sind kaum konkrete Informationen zu bekommen. Aus seinen Kommentaren ist zu schließen, daß er die Zeichnungen eher der Not gehorchend schuf und er es ansonsten vorzog, sich der Malerei zu widmen. Dennoch avancierte er mit seinen Pressezeichnungen, wenn der Erfolg auch oft nur ein ideeller war und sich finanziell kaum auszahlte.[152] Seinen Berichten nach zu urteilen schuf er tagtäglich eine Reihe von Zeichnungen, nachdem er intensiv die wichtigsten Ereignisse in der Tagespresse studiert hatte.[153] Am folgenden Vormittag versuchte er dann, sie an den Mann zu bringen. Anscheinend ging er mit einer Mappe von einer Zeitungsredaktion zur anderen. Für eine Zeichnung bekam er etwa 25 Franc.[154] In seinen Korrespondenzen berichtete Strempel auch von längerfristigen Verträgen, über die er zumindest verhandelte;[155] es ist jedoch nicht bekannt, ob nun wirklich solche Vereinbarungen zustande gekommen sind. Die große Anzahl der in »La Patrie humaine« und »La Défense« publizierten Karikaturen könnten das vermuten lassen.

Strempel berichtete 1934, daß er am meisten für die Partei zu zeichnen habe, »patenschaftsbüro, französische und italienische rote briefe. da diese stellen aber sehr schlecht zahlen, muß ich eine ungeheuere Menge zusammenzeichnen ehe ich eine summe verdiene, die zum leben reicht.«[156] Die meisten der bisher bekannten Pressezeichnungen wurden allerdings in »La Patrie humaine« veröffentlicht. Es scheint, daß diese Zeitschrift ihm, der zumindest formal noch KPD-Mitglied war, ideologisch am nächsten stand. Sie könnte als tendenziell anarchistisch bezeichnet werden und verfocht in ihren redaktionellen Beiträgen einen sogenannten »integralen Pazifismus«.[157] Ihr Gründer und Direktor Victor Méric[158] war früher ein PCF-Anhänger gewesen. Er versuchte als einer der ersten Franzosen überhaupt, systematisch gegen den Krieg zu kämpfen. In seinen literarischen Arbeiten wies er immer wieder auf die Gefahren hin, die die zivilisierte Menschheit bei einem künftigen Krieg bedrohen könnten. Er machte deutlich, daß es sich dann keineswegs mehr um einen Krieg im traditionellen Sinne handeln würde, den man auf Schlachtfeldern führt, sondern daß die Schauplätze der Kämpfe dann in den Ländern selbst sein würden, so daß die Zivilbevölkerung unmittelbar in Mitleidenschaft gezogen wäre. Drastisch führte er vor Augen, was geschehen könnte, wenn beispielsweise die neuentwickelten Kampfgase zum Einsatz kämen.

Die Grundkonzeption von »La Patrie humaine« beinhaltete fünf Punkte: die Ablehnung der Nationalen Verteidigung, den Kampf gegen den Krieg mit allen Mitteln, Pazifismus über Parteien und Regierungen hinweg, den Kampf für eine Gemeinschaft der Völker und gegen Kriegstreiber und Provokateure. Als Mittel des Kampfes wurden vor allem Generalstreiks propagiert, aber auch andere individuelle oder gemeinschaftliche Widerstandsformen.

»La Défense« als Publikationsorgan der »Internationalen Roten Hilfe« (SRI) verfolgte teilweise ganz andere Ziele, die sich, wie auch die Zeitschrift »Monde«, in den wesentlichen Punkten an der Politik der kommunistischen Partei orientierten. Im Gegensatz zu »La Patrie humaine« berücksichtigte man hier das politische Tagesgeschehen, was sich auch in der Thematik der Zeichnungen niederschlägt. Berührungspunkte ergeben sich zwar im Kampf gegen den Faschismus, in einzelnen Einschätzungen oder Aktionen treten jedoch prinzipielle Unterschiede auf.

In Strempels Zeichnungen widerspiegelt sich jeweils das inhaltliche Konzept der Zeitung, ohne daß sie sich im Einzelnen in ihren Positionen widersprächen. So schuf er für »La Patrie humaine« vorwiegend Arbeiten, die die Beziehung zwischen Kapital und Faschismus auf einer allgemeineren Ebene darlegen, bezieht sich aber in »La Défense« häufiger auf aktuelle Ereignisse. Für Strempel ist die Karikatur nicht humoristische Zeichnung im klassischen Sinn, ist niemals zur bloßen Erheiterung des Betrachters gedacht, hat nur selten eine Spur von Witz. Einfache Illustration eines Geschehens kommt bei ihm nicht vor. Seine Werke bewegen sich auf mehreren Ebenen. Neben teilweise ironisierenden Darstellungen bekannter Politiker beschäftigen sie sich mit politischen Tagesereignissen und der politisch-ökonomischen Lage in den 30er Jahren allgemein, kommentieren und interpretieren sie, oft mit Mitteln der Satire. Außerdem entstanden Agitationsgrafiken für Zeitungen und zu politischen Massenveranstaltungen, deren Anteil gemessen an der gesamten Zeichenproduktion allerdings sehr gering ist.

Das Zielpublikum der Karikaturen ist recht klar umrissen durch die politische Tendenz der Publikationen, in denen Strempels Arbeiten erschienen. Er richtet sich vor allem an den mehr oder minder bewußten Antifaschisten, der sich mit der Problematik schon beschäftigt hat, über aktuelle Ereignisse und Diskussionen informiert ist und der in der Lage ist, sich mit den angeschnittenen Themen auch selbständig auseinanderzusetzen. Die Belehrung Unwissender oder gar eine Meinungsänderung der von ihm Attackierten konnte von ihm mit diesen Zeichnungen nicht geleistet werden. Etwas Gegenteiliges anzunehmen wäre illusorisch angesichts der Situation auf dem französischen Zeitungsmarkt, wo die linke Presse in Relation zur bürgerlichen oder reaktionären nur einen sehr geringen Marktanteil hatte, ganz zu schweigen von den Wirkungsmöglichkeiten illegal eingeschleuster antifaschistischer Presseerzeugnisse innerhalb Nazideutschlands.

Für Strempel ist die Karikatur Mittel zur Kritik an sozialen und politischen Zuständen; sie hilft ihm, Widersprüche in der Realität aufzudecken und für sein Publikum (er-)faßbar zu machen. Durch seine Zeichnungen klagt er das aggressive Wesen von Imperialismus und Kapitalismus und die unterschiedlichen Erscheinungsformen von Reaktion, Faschismus und Militarismus an und entlarvt deren Urheber. Jedoch findet man in seinem Werk keine Arbeiten, die individuelle Charakterzüge bloßlegen oder solche, die sich über die feindlichen Machthaber persönlich belustigen, wie etwa Bert vorzugsweise mit seiner Lieblingsfigur Göring verfuhr. Physiognomisch identifizierbare Personen ohne oder mit nur geringen Überzeichnungen erschienen anstelle einer Fotografie zur Illustration von Zeitungsartikeln, wie beispielsweise die in »La République« veröffentlichten Zeichnungen von Teilnehmern der Genfer Abrüstungskonferenzen (WVZ 2655, WVZ 2672 usw.), dem tschechischen Staatspräsidenten Bénès (WVZ 2669) oder dem österreichischen Bundeskanzler Schuschnigg (WVZ 2759) sowie den Bildnissen Georgi Dimitroffs (WVZ 2677) , Erich Mühsams (WVZ 2726) und Henri Barbusses (WVZ 2774). Eine Ausnahme bildet das satirisch überzeichnete Porträt Goebbels' (WVZ 2683). Diese Arbeiten waren zeitlos, das bedeutet, sie konnten teilweise von den Redaktionen über Jahre hinaus zur Bebilderung der Artikel benutzt werden. In größere Bildzusammenhänge eingebunden werden bekannte Persönlichkeiten weniger als Individuen aufgefaßt, sondern eher als Stellvertreter einer Klasse oder einer Anschauung typisiert dargestellt.

Den größten und umfassendsten Teil der Zeichnungen machen die komplexeren Arbeiten aus, die politische Ereignisse illustrieren und dazu Stellung beziehen. Wenige davon befassen sich mit spezifisch deutschen Themen, etwa den Zuständen in Nazi-Deutschland. Dieses ist nicht verwunderlich, wenn man bedenkt, daß Strempel fast ausschließlich bei französischen Medien beschäftigt war und es zudem überhaupt schwierig gewesen sein muß, ohne detaillierte Informationen über die Lage treffende Zeichnungen anzufertigen. Diejenigen Arbeiten, die deutsche Belange thematisieren, haben häufig auch internationale Bezüge. Selbst wenn Strempel von ursprünglich national bestimmten Situationen ausgeht, wird normalerweise das Augenmerk auch auf globale Fragen gelenkt. So gibt es keine ausgesprochenen Stellungnahmen zum deutschen Faschismus oder zum französischen Rechtsradikalismus, sondern es findet eher eine Unterordnung dieser speziellen Erscheinungen unter Aspekte des internationalen Militarismus und Kapitalismus statt. In diesem Zusammenhang nehmen auch die Betrachtungen zum Reichstagsbrand und den darauf folgenden Prozessen eine wichtige Position ein.

In Bezug auf den Reichstagsbrandprozeß thematisierte Strempel in »La Défense« die Rolle Görings und seiner Komplizen in SA/SS. Göring, Goebbels und Hitler befinden sich, mit Ölkannen und Fackeln ausgestattet, auf der rechten Seite des Bildes, auf der linken stehen uniformierte SA/SS-Leute, ebenfalls mit brennenden Fackeln (WVZ 2652, Abb. 236, S. 251). Für Strempel ist die Schuldfrage eindeutig geklärt. Die gleiche Haltung nimmt eine ebenfalls in »La Défense« veröffentlichte Zeichnung ein (WVZ 2653, Abb. 237, S. 251). Nur wird das, was vorher noch eher symbolisch angedeutet worden war, hier in zweifacher Hinsicht präzisiert. Einerseits wird der Tathergang nahezu detailgetreu dargestellt: die sich heimlich anschleichenden Brandstifter, das »Wachpersonal« und der Initiator Göring, als »Minister für Feuer« betitelt. Andererseits gibt die Bildunterschrift diesen Tatbestand nochmals ausdrücklich wieder.[159] Die hier von Strempel vertretene Meinung geht konform mit der Auffassung aller Antifaschisten, wie sie im Londoner Gegenprozeß bestätigt wurde. Das Thema »Reichstagsbrand« veranlaßte auch andere politische Zeichner innerhalb und außerhalb Deutschlands zu Stellungnahmen, wie beispielsweise Godal, Bert und Heartfield.[160] — Eine Zeichnung zu Ernst Thälmann, der in der Folge des Leipziger Prozesses in Haft genommen worden war, erschien zwei Jahre später aus Anlaß seines 49. Geburtstages (WVZ 2761, Abb. 245). Dieser Tag wurde in antifaschistisch gesinnten Kreisen als Kampftag für seine und die Befreiung aller inhaftierten deutschen Antifaschisten proklamiert. Obwohl Mitglied der kommunistischen Partei, war Thälmann zum Symbol der internationalen antifaschistischen Bewegung über politische Fraktionen hinweg geworden. In einem der Zeichnung zugeordneten Artikel ging der Autor sogar noch einen Schritt weiter; das Engagement für die Befreiung Thälmanns wurde als Kampf gegen den Krieg im allgemeinen gewertet.[161]

Andere Zeichnungen griffen den Austritt Deutschlands aus dem Völkerbund und die Saarfrage auf. Auch anhand dieser Beispiele wird deutlich, daß die spezifisch deutschen Themenstellungen keinesfalls ausschließlich die Situation in Deutschland betrafen, sondern zumindest im Hinblick auf das Nachbarland Frankreich eine besondere Bedeutung hatten. Damit reihen sich diese Grafiken in das internationalistische Konzept ein.

Für die französische antifaschistische Pressezeichnung waren natürlich in erster Linie die Themen von Bedeutung, die auf die innenpolitische Situation abzielten, wie beispielsweise die Affäre Stavisky oder die Volksfrontpolitik; diese wurden aber von Strempel kaum bzw. nur in dem oben gesteckten Rahmen berücksichtigt.[162] Das ist zum einen insofern verständlich, als es genügend kompetente französische Zeichner gab, die sich in den nationalen Angelegenheiten zweifellos besser auskannten als er. Denn es muß berücksichtigt werden, daß es nicht allein damit getan war, eine Karikatur zu einem vorgegebenen Thema zu erfinden, sondern daß zunächst einmal die Tageszeitungen ausgiebig studiert werden mußten, um bildwürdige Anlässe zu erkennen. Allein dieses wird Strempel, dessen Französischkenntnisse wahrscheinlich nicht besonders gut waren, große Mühe bereitet haben. Bei international relevanten Themen konnte er hingegen auch auf deutschsprachige Publikationen zurückgreifen. Ein weiterer Grund für die Distanz zu den Problemen des Gastlandes könnte im französischen Fremdengesetz gesehen werden, das nur sporadisch recht großzügig gehandhabt wurde; im allgemeinen wurde den deutschen Emigranten jegliche Einmischung in innerfranzösische Angelegenheiten untersagt. Dennoch ließ er sich beispielsweise von den schulpolitischen Vorstellungen Pétains zu bildnerischen Äußerungen inspirieren. In der Zeitschrift »Monde« zeigte er, wie er sich in Zukunft Lehrer und Schüler vorstellt, nämlich mit Gasmasken ausgestattet, immer für den Ernstfall gerüstet (WVZ 2659, Abb. 238, S. 252). Im Vergleich zu der etwa ein Jahr später entstandenen Zeichnung (WVZ 2750) eine noch fast als harmlos zu bezeichnende Vision. Hier nämlich schrecken die Eltern angstvoll vor ihrem Kind zurück, weil sie es in seiner Verkleidung als Soldat nicht mehr wiedererkennen.[163] Jedoch interessierten Strempel andere Themen, die internationale Ereignisse berührten, mehr. In Frankreich wurden vor allem die Sitzungen des Völkerbundes breit kommentiert. In der linken Presse wurden sie häufig als Farce oder als »Deckmantel für die, die ein neues Blutbad wollen« — wie es in einem zeitgenössischen Zeitungsartikel formuliert wurde — aufgefaßt. Weitere Bildinhalte waren der Aufschwung der verschiedenen Diktaturen besonders in Italien und Deutschland, der Spanische Bürgerkrieg, der italienische Überfall auf Äthiopien, also Ereignisse, die dazu dienen konnten, auch grundsätzliche Probleme von Krieg und Frieden zu erörtern. Außerdem spielten für die politische Zeichnung die generellen Ängste der Menschen vor einem Giftgas-Krieg, gegen den von administrativer Seite schon 1934, wie der französischen Presse zu entnehmen ist, breitangelegte Vorkehrungen getroffen wurden, eine bedeutende Rolle.

Im Gegensatz zu vielen anderen politischen Zeichnern dieser Zeit bemühte sich Strempel häufig um eine Analyse der politischen Situation. Grundlegend für seine Sichtweise war die Erkenntnis, daß der Faschismus keine singuläre Gegebenheit darstellt, ein Phänomen, das nur einzelne Staaten betrifft, sondern er faßt ihn als extremste Form des Kapitalismus auf und stellt ihn entsprechend dar. Charakteristisch ist auch sein Versuch, dem Betrachter immer die dialektischen Zusammenhänge von Militarismus, Kapitalismus, Imperialismus und Krieg deutlich zu machen, analog einerseits zu der von der Komintern vertretenen Faschismustheorie, andererseits zu den Hauptanliegen von »La Patrie humaine«.

In drei- oder mehrteiligen Bildfolgen stellt Strempel die Parteien und ihre unterschiedlichen Interessen einander gegenüber. Die Rüstungsindustrie wird zu einem zentralen Thema seiner Kritik im sozio-ökonomischen Bereich. In der Zeichnung Les Gaz (WVZ 2710, Abb. 241, S. 253) machte er die Einstellung der Rüstungsindustriellen zum Krieg deutlich: sie nutzen das Kriegsgeschehen als Auftragsgarantie für den Absatz ihrer Produkte, Profit wird lediglich als Ergebnis einer erfolgreichen Geschäftsführung angesehen. Um diese Einstellung dem Rezipienten vermitteln zu können, arbeitete Strempel mit bekannten Symbolen.

Dreigegliedert, wie ein Altarbild, zeigt er hier die unterschiedlichen Interessen auf. Links erkennt man, ausschnitthaft, aber trotzdem deutlich, den Kapitalisten, charakterisiert durch Uhrenkette, Zigarre, dicken Bauch; daneben die Börsenberichte mit aufsteigender Kurve. Die rechte Zeichnung stellt die von ihm produzierte Ware vor, die Gase. In der Mitte werden auf größtem Raum die Auswirkungen und die Leidtragenden seines Handelns dargestellt: eine Mutter mit einem Kind auf ihrem Arm, vor Flugzeugen und Bomben flüchtend. Hier, wie auch in vielen anderen Zeichnungen, wählte Strempel das Motiv von Frau und Kind als eindringlichste Formel für die Opfer des Krieges.

Symbol und Metapher spielen in seinen satirischen Zeichnungen selbstverständlich eine besondere Rolle. Dabei greift Strempel gerne auf traditionelle Bildprägungen zurück, die im Gedächtnis des Betrachters fest verankert sind und ohne größeres Wissen erfaßt werden können. Solche Stereotypen sind beispielsweise der Kapitalist, charakterisiert durch einen dicken Bauch, feistes Gesicht und große Hände; weitere Attribute sind Zylinder, schwarzes Jackett, gestreifte Hose, Zigarre und Uhrenkette. Diesem Symbol, oft als Stellvertreter der Rüstungsindustrie, aber auch für das Negative schlechthin gesetzt, stehen Frauen und Kinder gegenüber als Opfer, die jedoch nicht immer passiv in ihrer Rolle verharren, sondern zum Widerstand aufrufen oder selbst Widerstand leisten.

Differenzierter benutzt Strempel das Mittel der Kontrastierung auf einer anderen Ebene; nämlich da, wo er bestrebt ist, den Lesern das Auseinanderklaffen von Rede und Tun der Herrschenden deutlich zu machen und somit etwa ihre Friedensbeteuerungen als hohle Phrasen entlarvt. Es existieren auch Bilderfolgen von vier bis sechs Zeichnungen von ihm, in denen er versucht, dies zu veranschaulichen.

Die bildnerischen Mittel, die Strempel für seine antifaschistischen Zeichnungen benutzt, unterscheiden sich kaum von denen anderer gleichgesinnter Künstler. Stilistisch zeigen sich vor allem Anklänge an George Grosz, Käthe Kollwitz und Frans Masereel. Typisch für ihn sind der häufig ins Detail gehende Zeichenstil und eine weiche, feinnervige Linie, die plakative Wirkungen nicht zulassen. Obwohl er einen typischen und nahezu unverwechselbaren Stil gefunden hat, bleibt er, sowohl vom technischen als auch vom inhaltlichen Standpunkt aus betrachtet, den vorgeprägten Traditionen verhaftet.

Wenn auch im Einzelnen kaum Nachweise über eine direkte Beeinflussung durch andere Künstler zu führen sind, so zeigt sich doch, daß Strempel sich an bestimmten Traditionen geschult hat. Insbesondere ist hier auf Francisco Goya und Honoré Daumier (vgl. WVZ 2654), vielleicht auch auf Gustave Doré hinzuweisen. Ihre Auffassung, die Karikatur nicht nur als Spiegel der Wirklichkeit zu benutzen, sondern ebenso als Aufruf zur Tat und zur Veränderung, machten sich viele fortschrittliche Künstler des 20. Jahrhunderts zu eigen.

Will man Strempels Zeichnungen auf das Werk von Käthe Kollwitz beziehen, so muß man zunächst einen grundlegenden Unterschied konstatieren: das Werk der Kollwitz weist keinerlei Verbindungen zu Karikatur und Satire auf. Wenn an dieser Stelle trotzdem von solchen Zusammenhängen die Rede sein soll, so ergibt sich das vor allem aus dem Geist, der ihre Arbeit mit Strempels Zeichnungen verbindet; charakteristisch sind sowohl die humanistische Grundhaltung wie auch die gesellschaftspolitische Argumentation, sich vor allem aufs Entschiedenste gegen den Krieg richten. Die Symbole, die beide Künstler benutzen, sind ähnlich. Die mehr allgemein gehaltene Klage über miserable soziale Zustände und ihre Auswirkungen insbesondere auf die arbeitenden Frauen, wie sie Kollwitz führt, haben eine Parallele bei Strempel, etwa im Hinblick auf die Mutter-Kind-Bilder. Ein wesentlicher Unterschied, der sich sowohl auf den Inhalt als auch auf die formale Konzeption und Wahl der grafischen Technik auswirkt, ist die Tatsache, daß Käthe Kollwitz ihre Stellungnahmen nicht für die Presse gedacht hat.

So ist der Bezug zu Frans Masereel sicher enger. Masereel, der wohl heute zu den wichtigsten Vertretern einer engagierten Kunst zu rechnen ist, übte mit seinen vielfach publizierten pazifistischen Zeichnungen einen nicht zu unterschätzenden Einfluß auf die jungen proletarisch-revolutionären Künstler in Deutschland in den zwanziger Jahren aus. Masereels gesamte Kunst ist wesentlich durch das unmittelbare Erlebnis der ersten Materialschlacht des 20. Jahrhunderts geprägt. Strempel hingegen war bei Ausbruch des 1. Weltkrieges erst zehn Jahre alt und konnte somit nur vage Vorstellungen von den Ereignissen haben. Da, wo Masereel sterbende Soldaten und auf den Betrachter gerichtete Kanonenrohre von den »Schrecken des Krieges« erzählen läßt, wählt Strempel häufig den analytischen Weg. Dennoch sind die Pressezeichnungen der beiden Künstler von einer ähnlichen Anschauung getragen, die ihre Mission eher in der Verbreitung humanitärer Vorstellungen als in der Propagierung parteipolitischer Ideen sieht. Das schließt aber nicht aus, daß beide sich weiterführend auch gegen die Verursacher und Nutznießer des Kriegs wenden — eine Übereinstimmung, die wiederum in analogen Symbolfindungen, wie der Konfrontation von Kapitalisten und Proletariern, von Tätern und Opfern, in metaphorischen Darstellungen der Kriegsmaschinerie usw., ihren Niederschlag findet.

Die künstlerische Verbindung zu George Grosz bezieht sich vor allem auf dessen sozialkritische Arbeiten aus den 20er Jahren. Der Unterschied im Technischen liegt darin, daß Grosz einen wesentlich stärkeren, härteren Strich führt, während Strempel vorwiegend sehr sensibel arbeitet. Diese unterschiedliche Herangehensweise ist nicht zuletzt vom Inhaltlichen her begründet. Aus Grosz' Zeichnungen — insbesondere den frühen — spricht förmlich der Haß auf Bourgeoisie, Spießbürger und Kapitalisten; Strempel zeichnet zwar auch als direkt Betroffener, baut aber eine größere emotionale Distanz zum Darstellungsobjekt auf.

Ein wesentlicher Unterschied zu George Grosz zeigt sich auch darin, daß dieser kaum Zeichnungen zu politischen Tagesereignissen schuf. Von dieser Warte aus gesehen entsprechen Strempels in »La Patrie humaine« veröffentlichte Karikaturen mit vorwiegend negativen Stellungnahmen zur aktuellen Gesellschaft und Politik nicht den Arbeiten Grosz'. Im Gegensatz zum Werk George Grosz' in den frühen 20er Jahren, das letztlich zu einer eher destruktiven Sichtweise tendiert, gründet Strempels Interesse in dem Wunsch nach Veränderung. Eine Gegenüberstellung beider Haltungen belegt dies deutlich. Inwiefern Strempel jedoch persönlich hinter den Bildaussagen der von ihm geschaffenen Zeichnungen steht, ist eine andere Frage, die hier nicht beantwortet werden kann. Hierfür gälte es, unterschiedliche Komponenten subjektiver und objektiver Art zu erwägen; persönliche Äußerungen des Künstlers müßten mit dem künstlerischen Ausdruck seiner Vorstellungen in den Bildern verglichen werden. Daß seine schriftlichen Aussagen mit Vorsicht zu genießen sind, steht außer Frage. Seine Intention aber allein aus den augenscheinlichen Aussagen seiner Bilder erfassen zu wollen — vor allem, wenn es sich mehr oder weniger um Auftragsarbeiten handelt-, ist ebenso unbefriedigend.

Viele Arbeiten von Grosz und Strempel sind vergleichbar bezüglich ihrer gesellschaftsanalytischen Intention, die häufig in der antithetischen Gegenüberstellung zweier Szenen ihren Ausdruck findet.

Wenn Strempel etwa die Dialektik von Profitstreben und Krieg in nur einem Bild aufzeigen will, schmückt er oft die Auswirkungen des Krieges auf den Menschen breit im Vordergrund aus. Das Kapital als Drahtzieher bleibt eher im Hintergrund und gesichtslos, wie in der Illustration eines Maupassant-Zitats (WVZ 2706, Abb. 240, S. 253). Häufiger wählt er allerdings als Symbol die Börsenberichte der Tageszeitungen, die einfach als Kulisse hinter die Szenerie geschoben werden, beispielsweise in der Karikatur *Plus que jamais, à bas la guerre!* (WVZ 2662). Grosz hingegen konstruiert, um auf bestehende Widersprüche aufmerksam zu machen, eine Darstellung aus zwei in der Realität möglicherweise zeit- aber nicht ortsgleichen Szenen, so in *Die Kommunisten fallen — und die Devisen steigen*[164], wo vorne prassende Mitglieder der herrschenden Klasse, im Hintergrund Militärs, die mit Waffen gegen Arbeiter vorgehen, gezeigt werden.

In den 30er Jahren beschäftigte sich Strempel auch mit der Technik der Fotomontage. Ob er dieses Verfahren auch für die politischen Zeichnungen im Sinne Heartfields eingesetzt hat, ist fraglich. Es ist eher zu vermuten, daß er es bei Experimenten mit den technischen Möglichkeiten bewenden ließ.

Dennoch bietet es sich an, die Fotomontagen John Heartfields mit entsprechenden politischen Zeichnungen Strempels zu vergleichen. Dabei wird ein grundlegender Unterschied deutlich. Strempels Grafiken sind Ausdruck der Zeit, in der sie entstanden — und nicht mehr, selbst wenn die behandelten Probleme teilweise in der Gegenwart noch aktuell sind. Die künstlerische Umsetzung ist jedoch für den heutigen Betrachter nicht mehr als ein historisches Dokument, während viele von Heartfields Schöpfungen die Zeiten überdauert haben.

Als Vergleichsmaterial bieten sich die verschiedenen künstlerischen Bearbeitungen der Genfer Abrüstungskonferenz an. Sie war in den 30er Jahren ein bevorzugtes Sujet sowohl bei den Karikaturisten als auch in der Presse im allgemeinen. Während Strempels Stellungnahmen in inhaltlicher und formaler Hinsicht dem entsprachen, was den Lesern linker Zeitungen gewöhnlich offeriert wurde, gelang es Heartfield darüber hinaus, eine neue, einprägsame Formel zu finden, die über den unmittelbaren Anlaß hinaus noch Gültigkeit besitzt und auch für den heutigen Betrachter nichts an Aussagekraft verloren hat, wie die anhaltende Rezeption seiner Werke beweist. Sicherlich ist er aber eine Ausnahme. Seine Montage *Der Sinn von Genf*[165] entstand auf Grund eines konkreten Anlasses. Deutschland war am 11.12. 1932, entgegen den in den Versailler Verträgen festgelegten Vereinbarungen, von den Siegermächten des Ersten Weltkrieges die volle militärische Gleichberechtigung zuerkannt worden. Heartfield als Kommunist sah klar, wohin diese Entscheidung unweigerlich führen

mußte. Es gelang ihm, diese Einsicht durch das Motiv der auf dem Bajonett aufgespießten Taube mit der Fassade des Völkerbundpalastes in Genf als Folie bildlich treffend umzusetzen. Grundlage für seine Bildidee waren eine von der Schweiz anläßlich der Abrüstungskonferenz herausgebrachte Briefmarke und deren karikaturistische Umsetzung, die kurz vorher in der »Prawda« publiziert worden war, sowie der Bezug auf das allgemein bekannte Symbol der Taube. Durch die Umsetzung dieser Bildidee schuf er eine »intellektuelle Montage als geistige Konfrontation: Krieg und Frieden. In der Nähe der beiden Motivebenen kollidieren Schein und Wirklichkeit politischer Friedensbemühungen.«[166] John Heartfield fand also — durch die Kombination von politischer Klarsicht und ihrer optimalen technisch-künstlerischen Realisierung — eine einfache Formel für etwas, das andere Zeichner nur in weitschweifigen Szenen oder Bilderfolgen ausdrücken konnten.

Eine ähnliche Verbindung mit anderem Resultat kommt in der politischen Grafik Max Lingners zum Ausdruck. Lingner ist einer der wenigen exilierten Künstler, bei denen die wirtschaftliche wie auch die künstlerische Eingliederung ins Gastland geglückt ist. Begründet liegt dieser Erfolg wohl einerseits in den guten Beziehungen, die er als Kommunist zu »Monde« und zur Parteipresse aufbauen konnte und die ihm weitreichende gestalterische Möglichkeiten eröffneten. Andererseits gelang es ihm, in seinem künstlerischen Werk die Typik des französischen Volkes so zu erfassen, daß er von diesem akzeptiert wurde. Lingners vorherrschende Themen werden von der Politik der kommunistischen Partei bestimmt. Im Unterschied zu Strempel versucht er sich in seinen Pressezeichnungen jedoch nicht in politischen Analysen, sondern zeigt beispielsweise in Demonstrationsbildern die Kraft der Arbeiterklasse oder findet eingängige, fast symbolhaft knappe Darstellungsformen, um den Krieg anzuprangern. Dieser Haltung entspricht die expressive künstlerische Form, die mehr dazu angetan ist, den Betrachter spontan und emotional anzusprechen, während Strempels Grafik inhaltlich wie formal oft detailreicher, narrativer ist. Das zeigt sich deutlich bei der Gegenüberstellung zweier Antikriegsblätter. Um an den 20. Jahrestag des Beginns des Ersten Weltkrieges zu erinnern, wählte Strempel das Motiv einer Mutter mit zwei Kindern (WVZ 2722, Abb. 242, S. 254); hinter ihnen befindet sich ein riesiges Gräberfeld als Hinweis auf die Toten des letzten Krieges, vorne rechts ist nur ein Arm mit einem Gewehr zu sehen als Symbol einer neuen bewaffneten Auseinandersetzung. Die Frau, die sich schützend vor ihre Kinder gestellt hat, weist das Ansinnen energisch zurück. Lingner hingegen schuf zum 11. November, dem Waffenstillstandstag, ein Titelblatt für »Monde«[167], das in formelhafter Verkürzung lediglich den Kopf eines gefallenen Soldaten präsentiert.

Eine Annäherung der unterschiedlichen Sichtweisen zeigt sich hingegen an Arbeiten zur Spanien-Thematik, die beide Künstler beschäftigte. Nachdem Strempel schon 1934 zwei gesellschaftskritische Grafiken geschaffen hatte (WVZ 2743, Abb. 243, S. 255 und WVZ 2744), änderte sich seine Herangehensweise mit dem Beginn des Spanischen Bürgerkrieges. Entsprechend den Intentionen antifaschistischer Politik ging es ihm jetzt nicht mehr vorrangig darum, Fakten zu interpretieren, sondern Solidarität mit dem spanischen Volk auf einer möglichst breiten Ebene zu praktizieren. So reduziert er die Bildinhalte und greift auf eine allgemeinverständliche Ikonografie zurück. Eindringlicher noch als die Familie vor Ruinen (WVZ 2795) ist die an christliche Symbolik angelehnte Beweinungsszene (WVZ 2794) gelungen, eine Bildformel, die er später auch in *Wollt ihr das wieder?* (WVZ 284, Abb. 106, S. 196) benutzte. Max Lingners Zeichnung *O Almeria!*[168] ist dieser Auffassung sehr verwandt.

Die Unterschiede, die Strempel von französischen Zeichnern trennen, lassen sich nur in zweiter Linie auf eine andere Auffassung von Humor, auch von politischem Humor, zurückführen. Extremstes Gegenbeispiel ist Jean Effel, der seine Kritik zwar in poetisch-naive Zeichnungen verpackte, aber dennoch als engagierter Künstler zu bezeichnen ist. In erster Linie spielt wohl die künstlerische Tradition, aus der die einzelnen Karikaturisten kommen, eine Rolle. So unterscheiden sich die Zeichnungen in einer bestimmten Publikation weniger durch ihre inhaltliche Aussage und durch ihre politische Tendenz als durch den Stil. H.-P. Gassier, der u.a. für »La Patrie humaine« und »Le Canard enchaîné« arbeitete, entspricht in seinen Zeichnungen — mehr als Strempel — dem Bild eines traditionellen Karikaturisten. Er charakterisiert seine Personen mit wenigen festen Umrissen und karger Binnenmodellierung, überzeichnet aber gleichzeitig ihre physischen Besonderheiten und zieht sie ins Lächerliche. Mit der Zeichnung *Manœuvres de gaz*[169] griff er in die Diskussion über Giftgase ein. Während Strempel beim gleichen Thema Opfer und Täter gegenüberstellte (WVZ 2748, Abb. 244, S. 255), schuf Gassier einen vierteiligen Bilderbogen, auf dem er die Wirkungen von Lachgas (zwei lachende Männer in einer Bar), Tränengas (ein weinendes Mitglied der »Légion d'Honneur«) und Giftgas (ein Kriegsinvalide, dessen Krankenstuhl die Inschrift trägt »Truppenmobilisierung ist nicht gleich Krieg«) aneinanderreiht und als viertes »Sich verflüchtigendes Gas« in der Person eines fliehenden als Kapitalisten gekennzeichneten Mannes anfügt.

Wie schon oben angedeutet, ist es schwierig, Strempels persönliche politische Einstellung aus den Pressezeichnungen herauszulesen. Es liegt auf der Hand, daß die ideologischen Konzepte, die den Zeitungen der Kommunistischen Internationale nahe-

stehender Vereinigungen zugrunde liegen, sich nicht unbedingt mit dem gedeckt haben werden, was er privat für richtig hielt. Insofern wird er es vermieden haben, in seinen Zeichnungen parteipolitische Stellungnahmen abzugeben; stattdessen wich er auf allgemeingefaßte Aussagen aus, die in höherem Maße konsensfähig sein konnten, ohne daß er selbst weitreichende Zugeständnisse machen mußte. Unter allen bisher bekannten Zeichnungen existiert lediglich eine, die explizit auf die Kommunistische Partei Bezug nimmt (WVZ 2702, Abb. 239, S. 252). Hier zerfällt der Globus in eine von Chaos und Zerstörung gekennzeichnete kapitalistische Hälfte und in eine ruhige, friedliche kommunistische, die mit Hammer und Sichel bezeichnet ist. Ob er damit auf die historisch-konkrete Situation in der Sowjetunion, wie sie in parteioffiziellen Verlautbarungen immer noch suggeriert wurde, anspielen oder eher eine utopische Perspektive aufzeigen wollte, ist nicht deutlich. Wenn man jedoch berücksichtigt, daß er noch 1935 mit dem Gedanken spielte, trotz aller Widersprüche in die Sowjetunion zu gehen, könnte auch die erste Vermutung zutreffen, wobei die Sowjetunion nicht unbedingt mit der Kommunistischen Partei identifiziert werden muß.[170]

Leben im besetzten Frankreich

Was die Umstände von Strempels Rückkehr nach Deutschland betrifft, so wurde bisher allgemein die Auffassung vertreten, daß er vom Vichy-Regime der Gestapo ausgeliefert worden sei. Dieses entsprach auch der Selbstdarstellung Strempels. Nach übereinstimmenden Berichten von Zeitzeugen, gestützt durch zeitgenössische Korrespondenzen, die er mit Freunden und Bekannten führte, kann diese Darstellung nicht mehr aufrechterhalten werden. Dennoch bleiben viele Unklarheiten, zum Beispiel über die verschiedenen Stationen und die Aufenthaltsdauer in den einzelnen Internierungslagern, bestehen.[171]

Seine erste Lagerstation 1939 nach Ausbruch des Krieges war der Stade Colombe in Paris, wo ein großer Teil der in der französischen Hauptstadt lebenden Emigranten untergebracht worden war.[172] Anschließend war er nacheinander in Nevers, Cepoy, Gurs und Septfonds interniert.[173] Im Frühjahr 1941 hielt er sich als Préstataire (Arbeitsdienstleistender) in einem Lager in der Nähe von Montauban auf. Seine Frau Erna wurde in dieser Zeit aus dem Lager Gurs entlassen. Sie war schwanger und demoralisiert und drängte Strempel, nach Deutschland zurückzukehren.[174] Dieses wurde rückkehrwilligen Emigranten von der deutschen Regierung ermöglicht.

In einem der Lager, wahrscheinlich handelt es sich um Gurs, war Strempel zusammen mit Carl Einstein, Westphal und Max Raphael interniert.[175] Strempel berichtete von »Kunstdiskussionen, während die SS den Krieg gewann.«[176] — Es ist wahrscheinlich, daß Strempel nur kurze Zeit im Lager Gurs interniert war, bzw. daß er, obwohl er offiziell hätte dort sein müssen, nicht direkt im Camp lebte, sondern in dem zwei Kilometer entfernten Dorf Gëus. Hier hat er jedenfalls zusammen mit seiner Frau ein Dachzimmer bewohnt. Anhand bezeichneter und datierter Zeichnungen (WVZ 1333, 1337, 1339 und 1340) kann außerdem festgesellt werden, daß er sich mit Sicherheit zwischen Juli und Oktober 1940 in Gurs bzw. Gëus aufgehalten hat. Wahrscheinlich ist aber, daß Gurs nicht seine letzte Lagerstation war. — Nach eigenen Angaben floh er aus einem anderen Lager nach Gurs, weil er Erna wiedersehen wollte, die dort interniert war. Anschließend lebte er mit Bauern, wurde dort verhaftet und nach Montauban gebracht, wo er mit Gerd Wollheim zusammen in einer »Malerkolonie« war.[177]

Es steht also fest, daß er aus eigener Initiative nach Deutschland zurückging. Seine Entscheidung liegt einerseits in der Tatsache begründet, daß der innere Druck für ihn unerträglich geworden war, andererseits spielte seine ökonomische Situation eine Rolle, da er ohne Arbeit im besetzten Frankreich leben mußte. Ein Visum für die USA, das er im Frühjahr 1941 durch die Vermittlung schon in Amerika ansässiger Freunde in Aussicht hatte, und das ihm vermutlich auch erteilt worden ist, schien ihn nicht mehr umstimmen zu können. Er schrieb zu dieser Zeit an eine Freundin: »Und wenn wir dann doch nach so langer Zeit und Kampf zu so einem Entschluß gekommen sind, so eben, weil es für uns eben nicht mehr geht. Es spielen bei allen diesen Sachen furchtbar viel Elemente eine Rolle. Und die Hauptsache ist, Erna und ich haben eingesehen, daß wir nicht ohne Arbeit leben können, und das ist ein ganz wesentlicher Punkt. In USA würden wir bei unserer Mentalität ebenso Schiffbruch erleiden, wie in Frankreich.«[178] Auch Robert Preux berichtet, daß Strempel freiwillig nach Deutschland zurückging, seiner Erinnerung nach aus dem Lager Montauban: »Der Entschluß, zur Gestapo zu gehen, die eine Delegation in Montauban hatte, war eine Kurzschluß-Panik. Beide waren allein, ohne Freunde, ohne Geld, wie und wo sollte das Kind zur Welt kommen. Es war zuviel.«[179] Eine andere Variante dieses Entscheidungsprozesses stammt aus den 70er Jahren: »Beinahe wäre ich nach Mexiko gekommen. Aber Erna und ich haben 1941 unsere genehmigte Einreise, mit Pässen und allem drum und dran dem sehr gefährdeten Genossen Max Glase überlassen, der an unserer Stelle ausreisen konnte (leider hat mich dann bald darauf die Gestapo geschnappt).«[180]

Offenbar ahnte Strempel schon die Konsequenzen, die sein Entschluß nach sich ziehen würde. Die Hoffnung, Verständnis bei seinen Freunden zu finden, erfüllte sich nicht. Die meisten seiner Bekannten brachen mit ihm wegen seiner Entscheidung, freiwillig nach Deutschland zurückzugehen. Unter ihnen war auch Max Raphael, der sich selbst 1950 noch weigerte, Kontakt zu ihm aufzunehmen. Auf Briefe, die Strempel in der Nachkriegszeit an ihn schrieb, reagierte er nicht. Er wertete Strempels Behauptung, daß er von den Nazis zur Rückkehr nach Deutschland gezwungen worden sei, als Lüge. Über sein Verhältnis zu Strempel schrieb er: »Wir sind in Paris öfter zusammengewesen, obwohl ich 2 schwere Bedenken hatte; er war in der Opposition und seine Bilder waren mir viel zu hoferisch. Ich hatte mir eingeredet, daß ich ihn von dem einen wie von dem anderen kurieren könnte, da ich immer die Rolle der Vernunft an anderen Menschen überschätze. Eines Tages (Herbst 1940 oder Anfang 1941) teilte er mir dann mit, daß seine Frau ein Kind erwartet und daß er sich nach Deutschland, d. h. zu den Nazis zurückgemeldet habe, obwohl er annehme, daß man ihn wegen seiner früheren politischen Tätigkeit ins Gefängnis stecken würde...«[181] und »Er [Strempel] hat sich so brav freiwillig zu Hitler zurückgemeldet, so brav eine Leidensgeschichte erfunden und so unentwegt Opposition gemacht. (in der sinnlos dreisten Weise) daß man ihn offenbar respektiert. Na — möge er sich freuen.«[182]

Raphaels rückblickende Einschätzung der Ereignisse zu beurteilen, ist nicht mehr möglich. Abgesehen von der Härte seines Urteils, die nur aus seiner maßlosen Enttäuschung über das Handeln Strempels zu begreifen ist — und die damit auch einen Beleg für die Qualität der Beziehung zwischen beiden liefert — ergeben sich doch weitgehende Übereinstimmungen mit anderen Aussagen. In der zeitgenössischen Korrespondenz zwischen Strempel und Raphael wird demgegenüber der Eindruck erweckt, als habe zwischen beiden ein fast freundschaftliches, auf jeden Fall aber ein Schüler-Lehrer-Verhältnis bestanden. Davon zeugt nicht nur der Titel »Maître«, mit dem Strempel Max Raphael, auch in späteren Jahren noch, belegt. Man besuchte zusammen Kunstausstellungen und Ateliers.[183] Zudem hat Strempel häufig seine Bilder von Raphael beurteilen lassen; ein möglicher direkter Einfluß auf die Konzeption des Werks *La Famille* wurde oben schon angeführt. Selbst aus dem Lager Cepoy wandt sich Strempel noch an Raphael, der zu diesem Zeitpunkt wegen Krankheit nicht interniert war.[184] Trotz aller Widrigkeiten versuchte er, auch hier noch zu malen und holte sich zu diesem Zweck den Rat des »Meisters« ein, erwähnte aber gleichzeitig die Probleme des Lagerlebens, die seine kontinuierliche Auseinandersetzung mit der Kunst behinderten.

Rückkehr nach Deutschland
— Als Soldat in Griechenland
Die nächsten Jahre bis Kriegsende verbrachte Strempel in Deutschland und Griechenland. In einem später abgefaßten Lebenslauf[185] vermerkte Strempel, daß er, nachdem das Lager Septfonds von deutschen

Truppen besetzt worden war, mit den anderen Insassen nach Deutschland überführt wurde. Bis 1941 war er in Saarbrücken interniert. Anschließend kam er im Berliner Polizeipräsidium Prinz-Albrecht-Straße für wahrscheinlich kürzere Zeit in Gestapohaft; nach seiner Entlassung stand er als »Schutzhäftling der Gestapo« unter Polizeiaufsicht.[186] Schon am 10.11.1941 wurde er dem 2. Bau-Ersatzbataillon in Crossen zugeteilt. Ein in dieser Zeit gegen Strempel angestrengter Prozeß wegen Hochverrats fand nicht mehr statt. Ende Mai 1943 war er einem Bataillon in Jugoslawien, seit Juni 1943 beim 2. Fest-Bau Stab 6 in Griechenland. Ob er anschließend dem berühmten Bataillon 999, das u.a. auch in Griechenland operierte, zugeordnet wurde, wie er selber angibt, scheint zweifelhaft. Strempel will dort als »Kurier zwischen Peloponnes und Athen« agiert und »Verbindung zu Partisanen« unterhalten haben.[187] Seine jeweiligen Aufenthaltsorte lassen sich unschwer an zahlreichen Skizzen rekonstruieren, die er während seiner Militärzeit fertigte. Dabei hielt er in Bleistiftzeichnungen einerseits griechische Dörfer und Landschaften fest, andererseits schuf er eine große Anzahl von Skizzen seiner Kameraden und der griechischen Bevölkerung.

Anmerkungen

1 Siehe: Les barbelès de l'exil 1979.- Exilés en France 1982.- Les bannis de Hitler 1984.- Badia arbeitet seit über zehn Jahren an der Pariser Universität St. Denis mit einer Forschungsgruppe über die unterschiedlichen Fragestellungen der Exilproblematik. Hier entstand 1979 das erste Basiswerk über die deutsche Emigration mit historischen Studien über die antifaschistische Emigration, die Entwicklung französischen Politik gegenüber den Emigranten, über die repressive Gesetzgebung und ihre späteren Folgen, den Camps de Concentration. Ein Folgeband enthält Interviews mit deutschen Antifaschisten, die in Frankreich Zuflucht gesucht hatten, während ein dritter Band die Aufnahme der deutschen Emigranten in Frankreich von 1933 bis 1938 anhand verschiedener Einzeluntersuchungen beschreibt. — Weiterhin ist auf Barbara Vormeier hinzuweisen, die 1979 eine Studie über die französische Asylpolitik wie über das Lager Gurs publizierte; sie wurde von einer großen Anzahl von Dokumenten begleitet und mit einem Bericht Hanna Schramms über das Leben in Gurs vervollständigt. Siehe Schramm 1979.- Fabian/Coulmas 1978.
2 Siehe Roussel 1984
3 Palmier 1988
4 Siehe dazu: Brandt 1986, 270—280.- Hohmann 1986, 281—292.- Zum Umgang mit exilierten Künstlern in der Nachkriegszeit vgl. Mülhaupt 1986, 73—82.
5 Lion Feuchtwanger »Der Teufel in Frankreich«.- Klaus Mann »Der Vulkan« u.a.
6 Frommhold 1978, 7
7 Siehe Seite 19, Anm. 33
8 Eine ausführliche kritische Würdigung dieser Reihe findet sich bei Albrecht 1988, 52—60
9 Mommsen 1988, 55
10 Strauß/Röder 1983
11 Paul Vogt 1972, 345—348
12 Stuttgart 1986. Hier wurde lediglich ein Kapitel der »Entarteten Kunst« gewidmet (Georg Bussmann). »Entartete Kunst« — Blick auf einen nützlichen Mythos, 105—113); die monografi-

schen Essays, die zwar eine Reihe emigrierter Künstler, wie Beckmann, Klee, Ernst, behandeln, berühren die Exilthematik, wenn überhaupt, dann nur am Rande.
13 Hier wäre als Ausnahme die Ausstellung »Ausgewanderte Maler« 1955 in Morsbroich anzuführen.
14 Haftmann 1986, 10
15 Haftmann 1986 lehnt jeden politischen Anspruch für seine Publikation ab. Es geht ihm, wie es Bundeskanzler Helmut Kohl in seinem Geleitwort für das Buch formulierte, lediglich darum, »eindringliche Zeugnisse für das Ringen um die Freiheit und Unabhängigkeit der Kunstform« (7) vorzustellen. Er rechtfertigt dieses unhistorische Vorgehen mit dem Hinweis darauf, daß ein ernsthaft arbeitender Künstler schon deshalb unpolitisch sei, weil er keine Zeit habe, sich mit außerhalb seiner Kunst liegenden Dingen zu beschäftigen (17). Wenn Haftmann in diesem Zusammenhang von verfemten Künstlern spricht, meint er in aller Regel »Künstlerpersönlichkeiten«, d. h. solche, die für die Kunstgeschichte eigene neue Leistungen formaler Natur erbracht haben — Künstler wie Klee, Kandinsky, Max Ernst, Schwitters, Beckmann, Kokoschka, Kirchner. Geordnet nach »innerer« und »äußerer« Emigration, nochmals unterteilt nach geografischen Gesichtspunkten, werden sie vorgestellt; ausgeschlossen wurden lediglich »drei politisch wichtige Exilländer«, u.a. auch die Sowjetunion, und zwar aus dem Grund, weil die vorliegende Darstellung auf der Qualität der Ergebnisse beruhe und »die dort befohlene Kunstdoktrin eine freie Ausübung der bildenden Künste nicht erlaubt und auch zu keinen nennenswerten Resultaten gelangt« (365), als einzige Ausnahme läßt er Heinrich Vogeler gelten. Haftmanns Darstellung der Exilbiografie Kokoschkas (69—84) gibt ein anschauliches Beispiel seiner Vorgehensweise.- Vgl. Glozer 1981, 67—68. Die selektive Rezeption der Werke »entarteter« Künstler stellte schon Glozer 1981 fest. Er bezog sich dabei insbesondere auf Kokoschka und Beckmann.
16 Berlin/W. 1986
17 Die Ausstellung »Zwischen Widerstand und Anpassung« (Berlin/W. 1978) beschränkte sich auf die Darstellung der »inneren« Emigration anhand ausgewählter Künstlerbiografien. Die Karlsruher Ausstellung hingegen zeigte einen an geografischen Zentren orientierten Überblick der im Exil entstandenen Kunst ergänzt durch eine Auswahl solcher Künstler, die als Antifaschisten in Deutschland blieben.
18 Vgl. München 1977: Anläßlich dieser Ausstellung zeigte man ein Sammelsurium dessen, was in den 30er Jahren sowohl von rechts wie von links als Kunst angesehen wurde und stellte alles kritiklos nebeneinander.
19 Dies ist auch bei Schriftstellern wie etwa Ernst Jünger oder Reinhold Schneider der Fall.
20 Es ist hier an Arno Breker zu erinnern, der sich durch den Mäzen Ludwig wieder einmal mehr profilieren konnte.
21 Die staatliche Kontrolle über den Kulturbereich wurde durch eine Anzahl von Verordnungen gewährleistet, u.a. Einrichtung der Reichskulturkammer (1.11.1933), Genehmigungspflicht von Kunstausstellungen durch die Reichskulturkammer (1935), Verbot der Kunstkritik (1936); programmatische Reden Hitlers z. B. auf dem Reichsparteitag 1934 unterstrichen dieses. Ab 1937 wurde »entartete« Kunst beschlagnahmt.- Die Kulturkammer für Bildende Kunst umfaßte fünf Sektionen mit mehreren Untergruppen. Sie kontrollierte nicht nur die produzierten Kunstwerke, sondern auch die Produktionsbedingungen, den Verkauf, die Ausstellungen; sie kümmerte sich weiterhin um die Konfiszierung vor allem von Kunstwerken jüdischer Künstler. Die Kulturkammer hatte 1936 mehr als 18000 Mitglieder.
22 Der Begriff der »neuen« nationalsozialistischen Kunstauffassung ist eigentlich falsch. Die von den Faschisten propagierte Kunst stützte sich im wesentlichen auf naturalistische Stile des 19. Jahrhunderts. Außerdem existierte zumindest in den ersten Jahren nach der Machtergreifung noch keine einheitliche Linie in Kunstfragen, was sich beispielsweise an der schwankenden Haltung gegenüber Emil Nolde oder in der Goebbels-Rosenberg-Debatte über den Expressionismus äußerte.- Vgl. hierzu Backes 1988, bes. 90—100.
23 Grundlage war das »Gesetz zur Wiederherstellung des Berufsbeamtentums« vom 7.4.1933
24 Vgl. Köpke 1986, 18—19

25 Am 14.6.1940 marschierten die faschistischen Truppen in Paris ein, fünf Wochen später erfolgte die Kapitulation.

26 Vgl. Palmier, I, 1988, 11. Es handelte sich vorwiegend um Mitglieder politischer antifaschistischer Organisationen und progressive Intellektuelle

27 Siehe Palmier, I, 1988, 26 und 274—276 mit detaillierten Zahlenangaben

28 Fabian 1978, 200

29 Exil in Frankreich 1981, 59

30 ebd.

31 André Gide. In: Pariser Tageblatt, 21.12.1933

32 Die Instruktionen vom 20.4.1933 sahen beispielsweise ein »sauf conduit« vor, wenn kein deutscher Paß vorhanden war.

33 So wurde beispielsweisde durch das Dekret vom 2.2.1935 die Gültigkeit der »Carte d'identité« auf den jeweiligen Wohnbezirk des Inhabers beschränkt.

34 Die Genfer Konvention vom 4.8.1936 wurde im September 1936 auch von Frankreich ratifiziert

35 Dekret vom 17.9.1936

36 Siehe Palmier 1988, I, 279

37 Gegründet im November 1935

38 Langkau-Alex 1981, 192

39 Dekret vom 2.5.1938. Siehe dazu: Exil in Frankreich 1981, 44

40 Fabian 1978, 200. Siehe dort auch den Hinweis auf die sogenannte »Doppelverfolgung«, zuerst in Deutschland, dann in Frankreich

41 Der hauptsächliche Grund für den späten Einbruch der Weltwirtschaftskrise war wohl, daß sich Frankreichs Wirtschaft zum größten Teil auf den agrarischen Sektor stützte; dieser war weit weniger anfällig für Krisen als der Industriebereich.

42 Vgl. zu den Zahlen Bernstein 1986, Fiche 18. Beispielsweise gab es 1935 2 Millionen Arbeitslose, zwischen 1930 und 1935 fiel die Kaufkraft der Löhne um ca. 15%. – Die größte nationale Immigrantengruppe waren die Italiener.

43 In vielen europäischen Ländern waren die Demokratien so schwach, daß sich schon vor 1933 eine Reihe von Diktaturen installieren konnten, beispielsweise in Italien, Polen, Spanien, Portugal, Litauen, Albanien und der Türkei, danach in Deutschland, Österreich, Jugoslawien, Bulgarien, Estland, Lettland, Ungarn, Rumänien und Griechenland.

44 Der »Croix de Feu« war als Veteranen-Verband 1927 von Lieutnant-Colonel François de la Roque gegründet worden. Die Mitgliederzahl stieg ständig im Laufe der 30er Jahre; nach dem 6. Februar 1934 hatte er 150.000 Mitglieder, 1935 waren es schon 200.000 und Anfang 1936 gar 450.000. Vgl. dazu Bernstein 1986, Fiche 16.

45 Alexander Stavisky, wegen einer Bestechungsaffäre im Zusammenhang mit einer öffentlichen Kreditanstalt von Bayonne verurteilt, wurde Anfang Januar erschossen aufgefunden.

46 Palmier 1988, I, 318 gibt die Zahl der deutschen bildenden Künstler mit etwa 200 an.

47 Siehe Palmier 1988, I. 318.- Frowein 1984, 109, beziffert die Zahl der exilierten deutschen Künstler in Paris auf etwa 50.

48 Gleiches galt aber auch für die französischen Künstler. Siehe dazu Ceysson (Peindre...) 1979, 20.- Im Vergleich kann die Situation der nach Großbritannien ausgewanderten Künstler angeführt werden, die vor vollkommen anderen Problemen standen. Vor allem herrschte in England eine recht traditionelle Kunstauffassung, mitteleuropäische moderne Kunst war so gut wie unbekannt. Diese Tatsache erschwerte natürlich die ohnehin schon schwierige Sicherung der Existenz. Durch Einführung eines Kunsthandels, der über die kontinentale Kunst informierte, durch die Übersiedlung des Warburg-Institus und durch das Engagement von Kunstbuch-Verlagen konnte hier nach und nach eine schmale Basis aufgebaut werden. Siehe hierzu: Willett 1983, 183—204.

49 Viele der emigrierten deutschen Künstler konnten durch die Anfertigung von Pressezeichnungen zumindest ihr Existenzminimum sichern: Johannes Wüsten und Johnny Friedländer arbeiteten für »Marianne«, Fritz Wolff für das »Pariser Tageblatt«, Heinz Lohmar für die »Deutsche Volks-Zeitung«.

50 Brief von Horst Strempel an Wilhelm Puff, undatiert

51 Es handelt sich hier fast ausschließlich um Briefe, die er an seinen Freund Zsiega Cohn in New York schrieb.

52 Horst Strempel an Zsiega Cohn, 13.9.1933 (wahrscheinlich 13.8.1933): »aus sicherheitsgründen und, um zu sehen, wo die bilder aus der holländischen ausstellung sind, fuhr ich zunächst nach amsterdam. die aufnahme und die unterstützung, die ich von den dortigen leuten erfuhr war fürchterlich. ein 100mal stärkerer bürokratismus, als bei uns, ich konnte nicht die geringste unterstützung oder hilfe finden und bin ...? eigenmächtig sofort abgereist, nachdem mir die dortigen genossen (mit dem zaunpfahl) zu verstehen gegeben haben, dass falls die polizei von meiner anwesenheit erfährt (wegen meinem bilde.) ich sofort ausgewiesen werde. also eine drohung, wenn ich nicht mache dass ich fortkomme, melden sie mich der polizei.«

53 Verschlüsselte Andeutung in einem Brief Horst Strempels an Zsiega Cohn, 25.5.1933

54 Auskunft von Edouard Weiss, Paris

55 Siehe Palmier 1988, I, 280—289

56 Brief von Horst Strempel an Zsiega Cohn, 20.8.1933

57 Vgl. Horst Strempel, Stichworte für Herbert Roch

58 Es scheint jedoch, daß erste Probleme mit der KPD schon in Berlin auftauchten. Strempel benannte als Konfliktpunkt die Sozialfaschismus-These, die zu dieser Zeit in Kommunistenkreisen heftig umstritten war. Nach Ansicht von Michael Cohn muß das in Zusammenhang mit dem BVG-Streik gewesen sein, der Auslöser für eine Parteispaltung war; es ging dabei um die Frage, ob der Streik weiter unterstützt oder abgebrochen werden sollte.

59 Brief von Horst Strempel an Zsiega Cohn, undat. (um 1934): »für alle übrigen leute ohne geld gilt der satz: hilf dir selber. ich habe noch nie so etwas gemeines, und deprimierendes gesehen wie die gesammte emigrantenbewegung. alle organisationen entpuppen sich als das was sie sind, als bürgerlich also kapitalistische hilfskräfte. einschließlich der liga für menschenrechte. von der emigrantenbewegung ist nichts zu hoffen.«

60 Brief von Horst Strempel an Lucie Cohn, 1.9.1933 bzw. an Zsiega Cohn, 2.9.1933

61 Brief von Erna Strempel an Lucie Cohn, 20.11.1933

62 Strempel hatte die Bilderliste von Paris aus an Zsiega Cohn nach Amerika geschickt, damit Cohn die Möglichkeit hätte, Werke auszusuchen, die er dann dort verkaufen sollte.

63 Zu den kulturpolitischen Aktivitäten deutscher Emigranten siehe Palmier 1988, I, 317—322

64 Vgl. Exil in Frankreich 1981, 316—317; Hiepe 1960, 29; Roussel 1984, 297—298; Schmidt 1987, 486.- Es ist festzustellen, daß Fakten und Daten, etwa was die Pressemitteilungen bezüglich der Aktivitäten des KDK anbelangt, in der einschlägigen Literatur, so u.a. bei Schröder-Kehler 1980 und Roussel 1984, nur unvollständig recherchiert und ohne diese zu hinterfragen, in dieser Art und Weise weiterhin übernommen werden.

65 Roussel 1984, 181

66 1937 nannte sich die Organisation zunächst »Union des Artistes allemands«, dann »Union des Artistes libres allemands«, ab Frühjahr 1938 wurde sie in »Union des Artistes libres« umbenannt, vor allem um auch österreichischen Künstlern den Beitritt zu ermöglichen. Vgl. Palmier 1988, I, 320—322

67 Siehe Palmier 1988, I, 320

68 Die der ARBKD entsprechende französische Vereinigung war die AEAR. Zu ihr bestand aber vermutlich keine Verbindung, obwohl diese in einer Grundsatzerklärung angegeben hatte, Verbindungen zu ähnlich orientierten Organisationen in der ganzen Welt aufnehmen zu wollen. Neben dem amerikanischen »John-Reed-Club« wird dort auch der »Bund Revolutionärer Schriftsteller« erwähnt, »qui groupe aujourd'hui dans l'emigration ou en Allemagne même, reduits à l'illégalité ou en prison«.- J.R.Becher und John Heartfield, als vielleicht prominenteste Vertreter, werden namentlich erwähnt. Siehe: Paul Vaillant-Couturier 1933, 13.

69 Siehe dazu: Ory 1974, 5—21

70 Ceysson 1979 (Peindre...), 18—20

71 ebd. 22

72 Vgl. die Ankündigung hierzu in: Das Wort, 2, 1937, H. 3, 104.- Von der Zeitschrift »Die Mappe« erschien vermutlich nur eine Nummer.

73 Siehe Schiller 1987, 486

74 Siehe die Ankündigung zu dieser Veranstaltung in: Pariser Tageblatt, 11.4.1936

75 Der Vortrag wurde am 11.4.1936 im »Pariser Tageblatt« für den 17.4.1936 angekündigt.

76 Pariser Tageblatt, 20.5.1936.- Ob es sich dabei, wie bei Schröder-Kehler 1980, 129, angegeben, um die Vorträge Lohmars am 17.6.1936, Max Ernsts am 24.6.1936 und Hans Kraliks am 1.7.1936 handelt, ist nicht deutlich.

77 Roussel 1984, 181. Laut Ankündigung in: Pariser Tageblatt, 16.2.1937

78 Dieses kündigte Strempel in einem Brief vom 19.1.1934 an Zsiega Cohn an.

79 Sein Programm setzte sich im wesentlichen aus folgenden Punkten zusammen: Schaffung von Arbeitsmöglichkeiten, Sicherung der Beteiligung seiner Mitglieder auch an internationalen Ausstellungen, Herausgabe eines Informationsdienstes und Wahrung des deutschen Kulturerbes, das auf Freiheit des künstlerischen Schaffens beruht. Siehe: Pariser Tageblatt, 25.4.1938.- Auf die apolitische Haltung des Bundes insgesamt — im Gegensatz zum KDK und zu einzelnen Mitgliedern des FKB geht Schiller 1987, 486 ein. Um möglichst viele Künstler, die aus unterschiedlichen Gründen in Gegnerschaft zum Nazi-Regime standen, zur Mitarbeit bewegen zu können, beschränkte man sich in der offiziellen Zielsetzung auf die Verteidigung des künstlerischen Erbes und der Freiheit der Kunst sowie auf organisatorische Unterstützung der einzelnen Mitglieder. Der politische Aspekt mußte in die individuelle und kollektive künstlerische Praxis Eingang finden.

80 Im Lexikon der Kunst 1987, 186, wird Strempel nicht als Mitglied des KDK, sondern des »Freien Künstlerbundes« aufgeführt. Auch bei Olbrich 1966 wird Strempel als Mitglied des FBK benannt; allerdings sei er erst später eingetreten. Belege für diese Auffassung gibt es meines Wissens momentan nicht.

81 Strempel selbst berichtete in Briefen von seiner Teilnahme an Pariser Ausstellungen und benennt u.a. auch die Ausstellungen der »Unabhängigen«. Umfangreiche Recherchen anhand greifbarer Ausstellungskataloge der Jahre 1933—1939 (insbesondere derjenigen der »Association Artistique 'Les Surindépendants'« und der »Société des Artistes Indépendants«) konnten diese Angaben allerdings nicht bestätigen. Es ist allerdings denkbar, daß er nicht unter seinem Namen auftrat, sondern ein Pseudonym wählte. -
Ausstellungen, die speziell für exilierte Künstler konzipiert waren, gab es in Paris kaum. Selz 1934, o.S. vermerkte, daß der »Salon d'Automne« Exilanten eingeladen habe, was als eine der wenigen Ausnahmen von Integrationsversuchen anzusehen ist. Dieses Unternehmen stand unter dem Protektorat des »Comité français pour la protection des intellectuels juifs« und berücksichtigte bei der Auswahl nur jüdische Künstler. Es handelte sich dabei um etwa 30 Künstler, darunter Jonas, Liebknecht, Hipzer, Sommerfield und J.D. Kirschenbaum. — 1935 fand in Paris die »Internationale Ausstellung gegen den Faschismus« statt, die vom Institut zum Studium des Faschismus zusammengestellt und von Frans Masereel organisiert wurde; nähere Informationen existieren jedoch nicht.

82 Brief von Horst Strempel an Zsiega Cohn, 2.9.1933: »Meine Arbeiten scheinen hier gut zu gefallen und wenn andere mit ihrem Dreck durchkommen, muß es doch bei mir auch etwas werden.« — Brief von Horst Strempel an Zsiega Cohn, 9.11.1933: »wenn man hier so die ganze kunstangelegenheit betrachtet, so muß ich dir sagen, dass ich gar nicht pessimistisch bin. ich bin überzeugt, dass ich auch hier mit erfolg ausstellen könnte. hier ist viel artistik, viel snobismus und — wenig kraft. ich glaube, dass ich kraft zum malen habe, vielleicht jetzt mehr als früher, wir haben doch alle in der letzten zeit viel erfahrungen gemacht.«

83 Siehe im Werkverzeichnis Seite 266

84 Siehe Held 1985 (Polit. Wirkungen), 706

85 Hierin zeigt sich eine Parallele zu anderen Intellektuellen, die sich in dieser Zeit verstärkt im gesellschaftlichen und politischen Bereich betätigten. Das Engagement zeigte sich deutlich im spanischen Bürgerkrieg, vor allem aber rief auch der Krieg in Äthiopien viele von ihnen auf den Plan. Während die politische Rechte sich im Manifest der 64 Intellektuellen auf der Seite Italiens schlug und sich damit »für die Verteidigung des Abendlandes« stark machte, versuchte die Gegenseite, vertreten durch Persönlichkeiten wie Louis Aragon, Jean Cassou, André Gide, André Lhote, Frans Masereel, Romain Rolland u.a., die äthiopische Seite zu unterstützen. Siehe hierzu: Pour la défense de l'occident. In: Commune, 1935, H. 27, 337—339;

Réponse aux intellectuels fascistes. In: Commune, 1935, H. 27, 339—342.- Für den künstlerischen Bereich wäre u.a. auf die dritte Ausstellung der Artist's International Association »Unity of Artists for peace, democracy and cultural development« 1937 in London hinzuweisen, an der die deutschen Exilierten Wassili Kandinsky, Otto Freundlich, Max Ernst, Hans Reichel, Paul Klee und Erwin Graumann teilnahmen.

86 Symbolische Hinweise auf die Exilsituation finden sich beispielsweise bei Max Beckmann in seinen Werken *Abfahrt* (1932—35) und *Hölle der Vögel* (1938).

87 Siehe Held 1985 (Widerstand), 46—57

88 Vgl. etwa zu Max Ernst die Ausführungen von Mülhaupt 1987/88, 16—17.- Bevor die Verdienste der deutschen Künstler im Exil insgesamt einer grundlegenden Würdigung unterzogen werden können, ist es einerseits unumgänglich, Leben und Werk des Einzelnen in diesen Jahren systematisch zu erforschen — ein nicht einfaches Unterfangen, wie auch diese Arbeit zeigt; andererseits müssen übergreifende Kriterien entwickelt werden, damit eine annähernd objektive Bewertung erfolgen kann. Ein solcher Maßstab, an dem die Bedeutung eines bestimmten im Exil entstandenen Kunstwerks beurteilt werden könnte, könnte u.a. in Picassos *Guernica* gefunden werden.

89 Siehe Graeve 1988/89, 338—349.- Ähnliches gilt für die Londoner Ausstellung »Exhibition of 20th century art« 1938. Siehe: Lackner/Adkins 1988/89, 314—337.- Die Ausstellungen geben selbstverständlich nur ein ungenügendes Bild der im Exil entstandenen Kunst. Sie können aus mehreren Gründen nicht als alleiniger Gradmesser verwendet werden: Es muß berücksichtigt werden, daß Kunstwerke, die für Ausstellungen zur Verfügung gestellt werden, einen anderen Charakter haben können, als das übrige Werk eines Künstlers; zuviele Komponenten spielen bei der Auswahl eine Rolle. Weiterhin gilt, was oben schon bezüglich des Forschungsstandes der Kunstgeschichte des Exils angedeutet wurde.

90 Horst Strempel, Stichworte für Herbert Roch. Die zweite Bemerkung bezieht sich vor allem auf die Rolle der KPD in Frankreich und im Spanischen Bürgerkrieg.

91 Brief von Horst Strempel an Zsiega Cohn, 13.4.1933 (wahrscheinlich 1934): »die p. [Partei] und die parteiorgane sind hier zu 100% rückständiger als in deutschland. naturalismus und apotheose ist trumpf. ich persönlich habe mir eine ganze reihe persönlicher feinde geschaffen, die aus konkurrenzgründen auf ziemlich gemeine art intrigieren«. — Horst Strempel an Zsiega Cohn, 20.8.1933: »überhaupt zeigen sich die deutschen p. [Parteigenossen] so schäbig, so dreckig konkurrenzneidisch, das man das grauen kriegen kann.« — Brief von Horst Strempel an Zsiega Cohn, 2.9.1933: »Unterstützung, da hast du recht, findet man bei Niemandem und von keine Seite am allerwenigsten von denen die dauernd von Solidarität sprechen. Innerhalb der P. spielt sich ein Konkurrenzkampf um Posten und Positionen ab, wie man ihn schlimmer sich nicht vorstellen kann. Am gemeinsten zeigen sich diejenigen, die die Strippe ziehen.«

92 Brief von Horst Strempel an Zsiega Cohn, 20.8.1933

93 Diese Auffassung wurde bis zur Brüsseler Konferenz beibehalten.

94 Brief von Horst Strempel an Zsiega Cohn, 27.12.1935: »ich müßte mit einem ausschluß (das wäre nicht das schlimmste) und der »brandmarkung« als spitzel, lump, konterr. [Konterrevolutionär] gestapoagend u.s.w.u.s.f. rechnen, und das wäre gleichbedeutend mit der auslieferung an die polizei … (die franz. gefängnisse sind grauenhaft).« — Für die KPD und ihre Anhänger standen Verbindungen zwischen Trotzkisten und Gestapo außer Frage.

95 Brief von Horst Strempel an Zsiega Cohn, 2.9.1933

96 Brief von Horst Strempel an Zsiega Cohn, 13.3.1934: »ich arbeite etwas für die partei, zeichne sammellisten, plakate usw., und trage mit meiner arbeit dazu bei, die proleten zu verdummen und ihnen das geld aus der tasche zu ziehen. aber das ist hier augenblicklich die einzige möglichkeit hin und wieder mal einige pfennige zu bekommen.«

97 Horst Strempel, Stichworte für Herbert Roch

98 ebd.

99 Robert Preux erinnerte sich (in einem Brief an G.S.), daß er Ende 1936 hörte, daß Strempel von der Partei isoliert wurde. —

Brief von Horst Strempel an Zsiega Cohn, 19.1.1934: »mit der p. [Partei] bin ich so ziemlich auseinander, ja ich erwarte in der nächsten zeit sogar meinen ausschluss.«

100 Brief von Horst Strempel an Zsiega Cohn, 4.10.1933. – Brief von Horst Strempel an Zsiega Cohn, 13.3.1934: »ich glaube, wir haben viel zu lange in der »zukunft« im »socialistischen staat« geschwelgt und uns um unser eigenes leben betrogen. wir täten besser daran, wenn wir mehr an uns und unser persönliches leben denken würden. ich bemühe mich jedenfalls.« – Brief von Horst Strempel an Zsiega Cohn, 8.7.1934: »selbst, wenn du oder ich, für eine gewisse zeit nicht aktiv in der politik tätig sein können, so ist es doch für 'Marxisten' unmöglich, indifferent zu werden. die zeit, die wir nicht mitmachen können müssen wir benutzen um uns zu schulen um selbständig die zustände und geschehnisse dialektisch bestimmen zu können.«

101 Brief von Horst Strempel an Zsiega Cohn, 1.11.1938: » … ich betätige mich nur noch insoweit politisch als ich lerne (lenin, marx u.s.w.) und in persönlichen zusammenkünften meiner auffassung über diese probleme ausdruck gebe. man muß sich endlich mal darüber klar werden daß es keine europäische arbeiterbewegung mehr giebt; und aus dieser feststellung die konsequenzen ziehen. diese konsequenz ist, arbeiten, und nicht seine zeit mit unnötigen illusionen zu verbringen.«

102 Kállai 1927, 95–96

103 Abb. in: Barr 1936, Abb. 144

104 Brief von Horst Strempel an Wilhelm Puff, 22.11.1955

105 Hinsichtlich einer möglichen Beziehung zu Lhote wäre die Traditionslinie des »Französischen Kubismus«, so wie sie vor allem Jean Cassou und Bernard Dorival in ihren Schriften formulierten, zu nennen. Diese nämlich sahen die harmonische Bildkonstruktion als Fortsetzung einer nationalen Traditionsreihe von Poussin bis Cézanne an. Da Strempel sich intensiv mit Poussin auseinandergesetzt hat und auch die Kompositionsprinzipien Cézannes in seinem Werk verarbeitet werden, erscheint Lhote als aktueller Anknüpfungspunkt für Strempel nur logisch.

106 Otto Freundlich *Mon ciel est rouge* 1933, Öl/Lwd. (155,5 x 128,0 cm); Paris, Musée Nat. d'Art Moderne. Abb. in: Kat. Rochechourt, 1988, 35.- Das Werk wurde 1934 im Salon des Indépendants ausgestellt und könnte aus diesem Grunde auch Strempel bekannt gewesen sein.

107 Ceysson 1979 (Peindre...), 18–20.- Der Begriff »Krise« wurde zu einem Schlagwort dieser Jahre. Es bezeichnete nicht nur die wirtschaftliche Krise, sondern wurde in der Verallgemeinerung auf die Situation der gesamten Gesellschaft angewandt. Auch auf dem Gebiet der Kunst machte sie sich bemerkbar. Paul Westheim stellte den Zusammenhang zwischen dem ökonomischen und ästhetischen Bereich her und relativierte in einem »Kunstkrise und Kunstinteresse« betitelten Artikel (in: Pariser Tageblatt, 17.1.1934) die Kritik an der Kunst, die »dem Leben zu fernstehe«. Er bekundete Verständnis für das Desinteresse des Künstlers an der bildnerischen Darstellung von politischen Skandalen, Kriegstreiberei usw., die zu festen Bestandteilen des Lebens der 30er Jahre geworden waren. Die Krisensituation wurde nach Auffassung Westheims weniger durch die Kunst selbst hervorgerufen als vielmehr durch den Kunstmarkt. Wie durch den regen Besuch von Ausstellungen deutlich werde, sei nicht das fehlende Interesse an der Kunst dafür verantwortlich zu machen, wenn nichts gekauft werde.- (Vgl. u.a. Champigneulle 1939, der die Auswirkungen der allgemeinen Krisensituation auf die Kunst beschreibt.

108 »Le Rappel à l'Ordre« war der Titel einer Aufsatzsammlung von Jean Cocteau, 1926 in Paris erschienen. Vgl. dazu Schmied 1977, 4/13–14.

109 Es ist einerseits ein Bezug auf ältere Kunst festzustellen, wie er sich beispielsweise in der Ausstellung »Les Peintres français de la Réalité au XVIIᵉ siècle« und der Le Nain-Ausstellung niederschlägt, andererseits auch in Projekten, die die Gegenwartskunst bemühen, wie die beiden Realismus-Ausstellungen der Galerie Billiet »Le Retour au Sujet« (1934) und »Le Réalisme et la Peinture« (1936). Weiterhin ist auch daran zu erinnern, daß eine Renaissance des Kubismus stattfand, die vor allem in der Pariser Ausstellung »Origines et développement de l'art international contemporaine« (1937) ihren Aus-

druck fand. In der Literatur wird jedoch immer wieder ausdrücklich darauf hingewiesen, daß das Interesse sich vor allem auf eine Adaption der formalen Prinzipien bezog; der Kubismus als Kunstrichtung wurde eher ablehnend betrachtet.

110 Siehe dazu Paris 1987, 84–315.-Vaisse 1987, 328–335.- Vigato 1987, 336–347. – In diesen Wandbildern wurden bevorzugt historische oder mythologische Themen bearbeitet, während Arbeiten, wie die von Robert und Sonia Delaunay, die sich mit einem modernen Formenrepertoire mit der Gegenwart auseinandersetzten, die Ausnahme blieben. Auch die Repräsentationsbauten, die anläßlich dieser Ausstellung errichtet wurden, etwa der Palais Chaillot, zeigen eine traditionalistische, d. h. neoklassizistische Formensprache. Hingegen wurde moderne Künstler, wie etwa Le Corbusier mit seinem Pavillon für den »RUP« (Rassemblement universel pour la paix), zur Seite gedrängt.

111 Où va la Peinture? In: Commune 1935, H. 5, 937–960 und H. 6, 1118–1135. Teilnehmer waren u.a. Ozenfant, Derain, Carlu, Léger, Laurencin, Signac, Max Ernst, Lhote, Maserel, Lurçat, Tanguy, Dufy, Robert Delaunay, Goerg, Gromaire, Giacometti.

112 Frühjahr 1936. Die Diskussionsbeiträge beider Veranstaltungen wurden abgedruckt in: Fauchereau 1987, 45–163

113 Ein weiterer Gesichtspunkt in diesem Zusammenhang war die von Aragon vorgenommene Verknüpfung von Sozialistischem Realismus und nationaler Kunst.

114 Robert Delaunay, *La Ville de Paris* 1910–1912, Öl/Lwd. (267,0 x 406,0 cm); Paris, Musée Nat. d'Art Moderne, Centre Georges Pompidou.- Michel Hoog (La ville de Paris de Robert Delaunay. Sources et Développement. In: La Revue du Louvre et des Musées de France, 15, 1965, Nr. 1, 29–38) wies auf die herausragende Stellung dieses Gemäldes im Schaffen Delaunays wie auch auf seine Bedeutung für die Entwicklung der modernen Malerei überhaupt hin.

115 Siehe Gromaire 1936, 56–69

116 Siehe Lurçat 1936, 45–56

117 Edouard Pignon, *L'ouvrier mort*, 1936, Öl/Lwd. (134,0 x 180,0 cm); Paris, Musée Nat. d'Art Moderne, Centre Georges Pompidou. Abb. in: Düsseldorf 1987, 80.

118 Vincent van Gogh, *Die Kartoffelesser* 1885, Öl/Lwd. (81,5 x 114,5 cm); Amsterdam, Rijksmuseum van Gogh. Abb. in: Amsterdam 1990, 49.- Zu Paul Cézanne vgl. die Abbildungen der Varianten der *Kartenspieler* in: Venturi 1936/1989, Nr. 556–560.- Karl Hofer *Große Tischgesellschaft* 1924, Öl/Lwd. (180,0 x 192,0 cm); Winterthur, Kunstmuseum. Abb. in: Berlin/W. 1978 (Hofer), 64

119 Siehe Ausst.Kat. Le Nain. Peinture, dessins. Petit Palais, Paris 1934.- Auf Charakteristika des Werks der Gebrüder Le Nain, insbesondere ihrer Bauerndarstellungen, die Anziehungskraft auf die fortschrittlichen Künstler wie auch auf die Rezipienten ausgeübt haben, verwies schon 1933 Paul Fierens: »...les paysans de Louis Le Nain, économes de gestes, avares de paroles, ni fanfarons, ni obséquieux, ni timides, mais reservés, conscients de la dignité de leur condition, se groupent non point pour agir mais pour affirmer qu'ils sont hommes, qu'ils ont droit à notre respect. Revendication sociale? Non. Revendication de l'ordre estétique.« (Paul Fierens. Les Le Nain. Paris 1933, 35)

120 Le Nain, *Bauernfamilie*, um 1640; Paris, Louvre. Abb. in: Raphael 1975

121 In einem Brief an Max Raphael schrieb Strempel am 20.5.1939, daß er sich im Louvre Werke Le Nains angesehen habe, sich aber nicht in der Lage sehe, eines der Bilder gut zu kopieren.- Ein direktes Einwirken Raphaels auf das Schaffen Strempels läßt sich auch an einer anderen Episode feststellen, die Strempel in einem Brief an Cuno Fischer (19.12.1959) erzählte: »wer keine sachliche aufrechte kritik verträgt, ist kein künstler. als ich mich in paris einmal bei max raphael darüber beschwerte, dass er neben ein bild von mir, eine reproduction von poussin stellte, und durch den vergleich die kritik an meinem bilde vernichtend war, sagte er: 'entweder sie vertragen das, und lernen daraus, oder sie sind kein künstler und da ist es besser sie hören beizeiten auf und werden schuster'.«

122 Frank 1980, 5

123 Raphael 1938/39. In ders. 1975, 33

124 ebd.

125 Ceysson 1979 (Réalismes...), 38.- Rolland Marie Gerardin, *Repas de paysans*, o.D., Öl/Lwd. (185,0 x 200,0 cm); Saint-Etienne, Musée d'Art et d'Industrie. Abb. in: Saint-Etienne 1979, 38

126 Thomas Baumgartner, *Bauern beim Essen*. Abb. in: Hinz 1977, Nr. 45.- Siehe Westheim 1938, 122: »Besonders bevorzugtes Mode-Genre ist Bauernromantik. Bauern nicht bäuerisch, nicht in ihrem Alltag, nicht bei ihrer harten Arbeit, sondern als Blubo-Kostümfiguren, als Weekendtraum des Großstadtmenschen...Eine Kunst, die ablenken soll. Die − Opium fürs ausgepowerte Volk − eine Großartigkeit vortäuschen soll, welche in wirklichkeit nicht geschaffen werden kann. Eben wie die Hitlerarchitektur (...) darüber hinwegtäuschen soll, daß drei Millionen Wohnungen fehlen, die nicht gebaut werden können.«

127 Zu den Charakteristika der Kunst im deutschen Faschismus siehe die ausführliche Darstellung von Bertold Hinz (1977).

128 Brief von Horst Strempel an Zsiega Cohn, 1.11.1938: »ich habe neulich ein porträt von erna gemalt und habe ganz leicht etwas von dem Schmelz herausbekommen, den die italiener haben. zuerst ist die leinwand zwei mal ganz dünn mit einem leimwasser gestrichen, und mit der spachtel abgezogen. darauf vier anstriche mit reinem Gibsgrund, darauf eine isolierschicht mit leimwasser. dann einen hauchdünnen durchscheinenden anstrich aus geriebener zeichenkohle, bleiweiß und leim. darauf eine isolierschicht mit tempera. darauf eine schicht alaun mit wasser. jetzt habe ich angefangen zu malen in reiner tempera, nur mit grünen und weißen lasurtönen. (und alles so dünn, daß man noch die struktur der leinwand sieht.) das ganze porträt vollkommen in diesen farben durchmodelliert. darauf einen zwischenfirnis aus mastix und dann das ganze bild in farben (harzölfarben, die ich mit selbst gerieben habe) in einer sitzung runtergemalt. ...natürlich habe ich daran ungefähr zwei monate gearbeitet und nicht wie früher zwei stunden.«

129 Schon Anfang des 20. Jahrhunderts publizierte Eduard Fuchs eine Geschichte der europäischen Karikatur unter marxistischen Gesichtspunkten, die jedoch für die bürgerliche Kunstgeschichte lange Zeit ohne größere Folgen blieb. Eine andere Gewichtung maßen ihr die Kunsthistoriker der DDR bei. So zeigte Harald Olbrich in seiner Geschichte der sozialistischen Karikatur die für den hier zu erörternden Zusammenhang relevanten Entwicklungsstränge der proletarisch-revolutionären Bildsatire auf und gab außerdem eine zusammenfassende Darstellung des Schaffens der fortschrittlichen Künstler in der Weimarer Republik und während des Faschismus.- Vgl. Fuchs 1901; Hofmann 1956; Olbrich 1979; Piltz 1976; Herding 1980.

130 Fuchs 1901,I, 4

131 Hofmann 1956

132 Langemeyer 1984/85, 8

133 Langemeyer 1984/85, 8

134 Piltz 1976, 6

135 ebd., 7

136 Melot 1980, 285

137 Dabei ist vor allem an die satirischen Zeitungen und Zeitschriften zu denken wie »Die Pleite«, »Der Knüppel«, »Der Eulenspiegel« oder »Roter Pfeffer«, aber auch an die »Rote Fahne« und die AIZ. Bekannte Zeichner der 20er und 30er Jahre waren u.a. Heartfield, Grosz, Dallos (Griffel), Boris Angeluschew, Bittner, Alfred Beier-Red.-

Das starke Engagement der kommunistischen Partei in Sachen politische Zeichnung erwuchs aus der Frage, wie man die Kunst für die Propaganda-Arbeit der Partei instrumentalisieren könne. Erstmals wurde diese Problematik im Zirkularbrief des Exekutivkomitees der Kommunistischen Internationale im Oktober 1921 (in: Rote Fahne, 27.10.1921) behandelt.

138 Olbrich 1979, 232

139 John Heartfield, *Der Sinn von Genf*. In: AIZ, H. 48, 27.11.1932

140 Vgl. die Dokumentation der Ausstellung mit zeitgenössische Rezeption in: Heartfield 1981, 331−350.- Im Rahmen dieser Ausstellung wurden neben 35 Fotomontagen Heartfieds auch Arbeiten von George Grosz, Th. Th. Heine, Godal, Bidlo, Bert und Hoffmeister gezeigt. Im Katalogvorwort waren die programmatischen Sätze zu lesen: »Der Gesamtkomplex der Ausstellung zeigt klar, daß die Weltkarikatur auf dem einen Ufer ist. Auf dem anderen sind die Karikierten. Das Bild von der Entwicklung der Karikatur, das die Ausstellung bietet, ist

Beweis dafür, daß die Menschen den Menschen einst zum Lachen waren, heute jedoch ist es erforderlich, die anderen zu hassen.« (zit. nach Olbrich 1980, 89). Da viele der dort gezeigten Zeichnungen der deutschen Regierung ein Dorn im Auge waren, forderte man die Tschechoslowakei auf, dafür zu sorgen, daß die Arbeiten entfernt würden, da durch sie führende deutsche Staatsmänner beleidigt würden und zudem die deutschen Staatssymbole und das politische Leben herabgewürdigt würden (Qu.: Piltz 1976, 275−278). Das Vorgehen kam schnell an die Öffentlichkeit, was von den Faschisten nicht beabsichtigt worden war, und brachte eine Welle der Solidarität mit sich, u.a. von der Prager Bevölkerung, aber auch international z. B. durch Grußadressen von Henri Barbusse und Paul Signac.

141 Th. Th. Heine, der, enttäuscht von seinen ehemaligen Mitarbeitern beim »Simplicissimus«, im Prager Exil lebte, bezweifelte die Möglichkeiten von Karikatur und Satire angesichts der faschistischen Realität. Inwieweit er wirklich hinter dieser Auffassung stand, ist nicht ganz deutlich; man wirkte nämlich in der Tschechoslowakei derart auf ihn ein, daß er es vorzog, sich von seiner ehemaligen politisch-zeichnerischen Tätigkeit zu distanzieren. In einem Artikel des »Prager Tageblattes« ließ er verlauten: »Ich glaube nicht mehr, daß die Karikatur dem Gegner schaden kann. Es ist ihr nicht gelungen, Kriege zu verhindern oder schlechte Systeme zu zerstören ... Wer lacht, hört auf zu hassen.« − Karl Kraus, der sich jahrelang in der »Fackel« der satirischen Betrachtungsweise verschrieben hatte, verstummte ebenfalls nach der Machtergreifung. Ein bereits konzipiertes Heft, das im Herbst 1933 erscheinen sollte, wurde von ihm zurückgezogen, »aus geistiger und sittlicher Verantwortung«, wie er angab, da »Gewalt kein Objekt der Polemik, Irrsinn kein Gegenstand der Satire« sei. Das Wort müsse hinter der vorgehaltenen Waffe unzulänglich bleiben.

142 Bertolt Brecht forderte: »die großen politischen Verbrecher müssen durchaus preisgegeben werden und vorzüglich der Lächerlichkeit. Denn sie sind vor allem keine großen politischen Verbrecher, sondern die Verüber großer politischer Verbechen, was etwas ganz anderes ist.« (B.B. Anmerkungen zu Arturo Ui, zit. nach Hofmann 1986, 65.) − Heinrich Mann. Das Gesicht des Dritten Reiches. 1935.- Kerr schrieb im Vorwort der Karikaturensammlung »Juden, Christen, Heiden im Dritten Reich«, daß man »das Verzerrende wiederum in der Verzerrung beschwören« müsse, selbst dann, wenn es möglicherweise nichts nütze; denn »etwas nicht zu tun, bloß weil es vielleicht nichts nützt, ist nichtsnutzig in gewissen Fällen...Jeder Wille zum Feststellen fördert. Jede Wallung zum Widerstand. Jedes Lachen als Anklage. Jede Heiterkeit als Angriff. Alles wird willkommen sein − nur das Nichthandeln nicht. Man muß protestieren ... organisieren ist besser.« (In: Juden 1935, 4). An anderer Stelle schrieb Kerr: »Die Satire braucht nicht zum Stützpfeiler jenes Wort, das der Kämpfer Beaumarchais geschrieben hat: »Ich zwinge mich zum lachen − damit ich nicht weinen muß« Nein ... viel zu sentimental! Die Satire soll, von Empfindlichkeit höchst fern, scharf treffen; belichten; durch Abbildung der Unanständigkeit; durch verschärfte Wiedergabe des Seienden. Durch Überlegenheit über den Dreck.« (Kerr 1978, 245).

143 Fritzsche 1939, o.S. (Vorwort)

144 Dazu zählen die Gestaltungen für »Monde« und »L'Avantgarde« von Max Lingner und für das »Argentinische Tageblatt« von Carl Meffert.

145 Vgl. Roussel 1984, 180. Bei der systematischen Durchsicht aller zwischen 1937 und 1939 erschienen Nummern konnten keine Arbeiten, die mit Strempels Namen oder seinen Pseudonymen »henry« und »Ho« bezeichnet waren, festgestellt werden. Auch stilkritische Untersuchungen führten zu keinem haltbaren Ergebnis.

146 Vgl. Histoire Presse 1972. Siehe auch: Paetel 1959, 241. Paetel merkte diesbezüglich an, daß von den Publikationen des Exils nur selten Exemplare an öffentliche Bibliotheken abgegeben wurden, und daß bei dem Einrücken der deutschen Truppen, vor allem in den an Deutschland angrenzenden Ländern, alle in privater Hand befindlichen Materialen vernichtet worden seien.- Zur deutschen Exilpresse siehe Maas 1976−78.

147 Für die hier zur Diskussion stehenden drei wichtigsten Publikationen standen keine Archivalien zur Verfügung. Für »La Patrie humaine« und »La Défense« konnte nichts nachgewiesen

werden, im Falle von »Monde« blieben wiederholte Anfragen sowohl bei der PCF als auch beim Barbusse-Archiv unbeantwortet. – So kann auch kaum noch etwas über die Arbeitsbedingungen eines Pressezeichners in den 30er Jahren in Erfahrung gebracht werden, zumal in früheren Jahren eine eingehende Befragung von Zeitzeugen versäumt wurde. Die Wirkungsmöglichkeiten, die beispielsweise Max Lingner bei »Monde« oder »L'Avantgarde« hatte, sind mit Sicherheit eine Ausnahmeerscheinung.

148 So verzeichnet der »Annuaire de la Presse« von 1934 u.a. 86 Titel im Bereich Wirtschaft, Politik und Soziales und 73 Magazine alleine für Paris, außerdem 323 Zeitungen (Paris und »Grands Régionaux«).- Insgesamt wurden für die Erstellung des Werkverzeichnisses der Pressezeichnungen nahezu 200 Titel der Jahrgänge 1933 bis 1939/40 ganz oder in Auszügen ausgewertet, wobei vor allem die französische linke, KP-unabhängige Presse und in Frankreich verlegte deutschsprachige Publikationen berücksichtigt wurden.

149 So ist ein hoher Prozentsatz der im BDIC Nanterre und der BN Paris vorhandenen Zeitungen und Zeitschriften, wie beispielsweise »La Patrie humaine«, im »Annuaire« überhaupt nicht berücksichtigt worden.

150 Beispielsweise konnten nur wenige Mehrfachdrucke einer Zeichnung in unterschiedlichen Zeitungen gefunden werden. Nach Angaben Strempels sind u.a. auch Zeichnungen in spanischen Blättern veröffentlicht worden.

151 Das bedeutete eine stärkere Akzentuierung der Rubriken Sport, Theater und Kino, Einführung von Comic-Strips.

152 Brief von Horst Strempel an Zsiega Cohn, undat. (um 1934): »trotzdem mir das 'zeitungszeichnen' und auf die redaktionenlaufen schrecklich unsympathisch ist, habe ich diesen monat allerdings mit viel arbeit ca. 600,- Fr. verdient. ... erfreulich und ermutigend für mich ist das meine karikaturen politische zeichnungen u.s.w. durchaus gut sind, und ich gut konkurrieren kann. (sonst würde ich nämlich keinen fratz loswerden). heut mache ich z. B. eine große spanische zeitschrift auf und finde zwei zeichnungen von mir reproduciert, die ich an ein hiesiges blatt verkauft habe. wenn die zeichnungen nur so mittelmäßig wären, würden andere blätter sie bestimmt nicht übernehmen. übrigens haben verschiedene komm.[unistische] blätter meine sachen einfach wiedergedruckt, ohne das ich einen pfennig bekommen habe. eine andere zeichnung ist im saargebiet in tausenden exemplaren in zellenzeitungen, als plakat und klebezettel erschienen.«

153 Brief von Horst Strempel an Zsiega Cohn, undat. (wahrscheinlich November 1933)

154 Brief von Horst Strempel an Lucie Cohn, 7.10.1933: »ich renn fast den ganzen tag umher und mache durchschnittlich 4–6 besuche. abends mache ich dann neue zeichnungen und gehe morgens wieder auf tour. bisher habe ich ungefähr 60–80 blätter gezeichnet, von denen ich ca. 10–15 abgesetzt habe zu einem durchschnittspreis von 25 Franken.«

155 Brief von Erna Strempel an Lucie Cohn, 20.11.1933

156 Brief von Horst Strempel an Zsiega Cohn, 8.7.1934

157 Organ der »Ligue Internationale des Combattants de la Paix Mondiale«

158 Victor Méric (Pseudonym ›FLAX‹) (1876–1933). Journalist, militanter anarchistischer Sozialist, mehrmals von der sozialistischen Partei in den Congrès National delegiert. Kurzzeitig Mitglied der PCF bis 1923, dann in der »Union socialiste-communiste«. (Qu: Dict. mouv. ouvriere)

159 »Hitler beschuldigt Torgler, Tanef, Dimitroff und Popof des Verbrechens, dessen Göring schuldig ist. Der Reichstagsbrand ist das Werk der Faschisten.«

160 Siehe zum Reichstagsbrand in der Karikatur die ausführliche und materialreiche Dokumentation von Knospe (1986), in der die Zeichnungen Horst Strempels allerdings nicht aufgeführt sind.

161 Zum »Comité Thälmann« siehe u.a. Palmier, 1988,I, 305–307.- Badia 1984, bes. 211–214

162 Vgl. dazu die Karikaturen WVZ 2683, 2698, 2707, 2709.

163 Der Hintergrund für diese Darstellung ist eine im Dezember 1934 verabschiedete Order von Pétain, Schule und Armee mit dem Ziel zu vereinigen, aus der Schule ein »Vorzimmer zur Kaserne« zu machen, um auch die Jüngsten schonentsprechend auf den kommenden Krieg vorbereiten zu können.- Vgl. auch den Kommentar von Jean Brunat. Contre la faccisa-

tion de l'enseignement. In: Commune, 1935, 1, 462–470

164 George Grosz, Die Kommunisten fallen – und die Devisen steigen, aus der Mappe Gott mit uns, 1920 (30,5 x 45,2 cm). Abb. in: Dückers 1979, Abb. 59 (M III, 8).

165 Vgl. oben, Anm. 139

166 Maerz 1981, 8

167 Monde, 7.11.1931

168 Max Lingner, O Almeria!. In: Humanité, 15.6.1937

169 H.-P. Gassier, Les Manœuvres de Gaz. In: La Patrie humaine, 27.7.1934

170 Obwohl viele Linke um die keineswegs paradiesischen Zustände in der Sowjetunion wußten, bestimmte Vorgänge etwa durch die Reiseberichte André Gides bekannt waren, schien ihnen das Land doch zumindest bis zum Bekanntwerden des Hitler-Stalin-Paktes, vielfach auch noch danach, eine Alternative zum Leben in den westlichen Exilländern zu bieten, stellte vor allem aber eine politische Perspektive für das vom Hitlerfaschismus befreite Deutschland dar. Diese Auffassung ist durch die Aussage vieler Antifaschisten belegt.

171 Die hier aufgezeichneten Stationen wurden in Ermangelung gesicherter Quellen (Lagerverzeichnisse, Tagebücher usw.) im wesentlichen aus Briefen zusammengestellt und sind möglicherweise weder vollständig noch in der tatsächlichen Reihenfolge aufgeführt.

172 Am 1.9.1939 griff Hitler Polen an, am 3.9. erklärten Frankreich und Großbritannien Deutschland den Krieg. Am 4.9. begannen daraufhin die erste Internierungswelle in Frankreich, die jedoch bald darauf gestoppt wurde. Die zweite Internierungswelle begann vor dem Waffenstillstandsabkommen am 22.6.1940.

173 Zum Lager Gurs siehe die detailreiche Dokumentation von Claude Laharie (1984).- Außerdem Gilzmer 1989.- Nach einer mündlichen Auskunft von Claude Laharie sind Horst und Erna Strempel nicht in den Lagerinsassenkarteien verzeichnet, die sich in den Archives Departementals in Pau befinden. Die dort vorhandenen Karteien wurden ab 1.9.1940 geführt; die Listen, die solche Internierte aufführten, die vor diesem Zeitpunkt nach Gurs kamen, wurden am 24.6.1940 verbrannt, weil man eine deutsche Lagerinspektion erwartete. So ist es möglich, daß Strempel schon seit Ende 1939/Anfang 1940 dort gewesen ist.

174 Carl Einstein wurde im Mai 1940 verhaftet, dann in Gurs interniert und beging 1941 Selbstmord, Max Raphael war in Gurs und Les Milles interniert.

175 Diese Angaben stammen von Sophie (Salla) Goldstein lt. Mark Priceman in einem Brief an G.S. vom 28.9.1988

176 Horst Strempel, Stichworte für Herbert Roch

177 Wollheim wurde erstmals 1939 interniert, nach seiner Entlassung blieb er bis Frühjahr 1940 in Paris. Anschließend erfolgte eine erneute Internierung im Lager Ruchard, während seine Frau nach Gurs kam. Seine Haftzeit endete mit dem Waffenstillstand, er kam jedoch einige Monate später in ein Arbeitslager bei Montauban.

178 Brief von Horst Strempel an Sophie (Salla) Goldstein, 24.4.1941

179 Brief von Robert Preux an G.S., 29.4.1989.- Die Entscheidung für eine Rückkehr nach Deutschland als »kleineres Übel« zeugt von starker Panik und Existenzangst angesichts einer nicht mehr zu überschauenden Situation. Zu welchen Entscheidungen die ständige Ungewißheit über die Zukunft einen Exilierten zwingen konnte, zeigen deutlich die Selbstmorde von Walter Benjamin, Carl Einstein, Walter Hasenclever, Stefan Zweig und vieler anderer.

180 Brief von Horst Strempel an Wilhelm Puff, 26.1.1971

181 Brief von Max Raphael an E.S., 30.4.1950

182 Brief von Max Raphael an E.S., 5.3.1950

183 So soll Strempel durch Raphael auch die Bekanntschaft Picassos gemacht haben.

184 Brief von Horst Strempel an Max Raphael, 18.1.1940

185 Lebenslauf o.D., aus dem Nachlaß

186 Horst Strempel, Stichworte für Herbert Roch.- Diese Information wird durch eine Vorladung zu einer gerichtsmedizinischen Untersuchung auf Veranlssung der Gestapo für den 9.10.1941 gestützt (Schreiben des Hauptgesundheitsamtes – Gerichtsärztliches Institut, HGA XI,1/1303/1941/1 Sch., vom 29.9.1941).

187 Horst Strempel, Stichworte für Herbert Roch.

Horst Strempel in der SBZ/DDR 1945—1953

Politik und Kunst
in den ersten Nachkriegsjahren

An Horst Strempel und seinem bildnerischen Schaffen in der Nachkriegszeit zeichnen sich Entwicklungstendenzen ab, die als charakteristisch für die Kunstprozesse der SBZ/DDR zu bezeichnen sind. Um Strempels Werdegang in den ersten Jahren nach Kriegsende sachgemäß einordnen zu können, ist es notwendig, die Geschichte dieser Zeit, bis etwa um 1953, dem Zeitpunkt seines Weggangs aus der DDR, knapp zu rekapitulieren.[1] Wesentlich stärker und direkter als im Westen war hier der Einfluß der politischen und ökonomischen Gegebenheiten auf die Grundlagen der Kulturpolitik festzustellen, die aber wiederum einen größeren Einfluß auf die künstlerische Praxis ausübte als es im Westen der Fall war. Auch am Beispiel Strempels wird sich zeigen, wie eng die Kunstentwicklung mit der Entwicklung des sozialistischen Staates — und nur von diesem soll in diesem Zusammenhang die Rede sein — verbunden war.

Mit der Unterzeichnung der bedingungslosen Kapitulation endete am 8. Mai 1945 formell das Kapitel des Zweiten Weltkriegs. Im Juli fand als Fortsetzung der schon während des Krieges begonnenen Konferenz von Jalta eine Zusammenkunft der Siegermächte statt, die mit der Ratifizierung des Potsdamer Abkommens am 2. August beendet wurde. Hieraus ergab sich eine vorläufige Verständigungsbasis über eine gemeinsame Politik der Alliierten Deutschland gegenüber. Entgegen früheren Erwägungen kam man zu der Auffassung, daß Deutschland als wirtschaftliche Einheit bestehen bleiben solle. Die wesentlichen Zielsetzungen des Abkommens waren Entnazifizierung und Entmilitarisierung, d. h. die Zerschlagung des deutschen Faschismus und die Beseitigung der Monopole, vor allem der Kriegsindustrie. Später sollte dann ein Friedensvertrag abgeschlossen werden, der auch endgültige territoriale Vereinbarungen enthalten sollte.

Über das »Potsdamer Abkommen« hinaus waren jedoch weitgehende Interessensdifferenzen der Vertragspartner vorhanden. Während es für die Westmächte vorrangig war, einerseits Deutschland keine Gelegenheit zu geben, einen neuen Krieg anzuzetteln, andererseits — im Hinblick auf die wirtschaftliche Macht — einen potentiellen Konkurrenten auszuschalten, zielte die Politik der UdSSR von Anfang an darauf ab, in ihrer Besatzungszone systematisch den Sozialismus aufzubauen. Entsprechend wurden die im »Potsdamer Abkommen« beschlossenen Maßnah-

men dort viel intensiver betrieben als in den anderen Zonen.

Nachdem die SMAD am 10. Juni 1945[2] die Bildung von Parteien in der SBZ erlaubt hatte, trat die KPD am folgenden Tag mit einem Konzept auf den Plan, das schon während des Faschismus vom »Nationalkomitee Freies Deutschland« im Rahmen der Volksfront-Strategie erarbeitet worden war.[3] Das Aktionsprogramm der KPD auf der »Grundlage der Verständigung aller antifaschistischen und demokratischen Volkskräfte«[4] forderte in Übereinstimmung mit dem »Potsdamer Abkommen« die Liquidierung der Überreste der Hitler-Regierung und der NSDAP, den Kampf gegen Hunger und Elend, gegen Arbeitslosigkeit und Obdachlosigkeit, den verstärkten Aufbau von Wohnungen, die Säuberung des Bildungswesens und der Justiz, den Aufbau demokratischer Verwaltungsorgane und Gewerkschaften, die Enteignung der aktiven Nazis und Kriegsverbrecher, ebenso wie von feudal-junkerlichen Großgrundbesitzern mit anschließender Bodenreform. Außerdem wurde der Wille zum friedlichen Zusammenleben mit allen Völkern und die Pflicht der Deutschen zur Wiedergutmachung besonders betont.

Im Sinne der Volksfrontidee und auf Grund der Lehren, die man aus der bisherigen Geschichte der Partei gezogen hatte, vor allem aber aus der Berücksichtigung der Tatsache resultierend, daß wegen der »Bewußtseinslage und der mangelnden politischen Reife der breiten Masse« ein sofortiger Aufbau des Sozialismus illusorisch war, vertrat man die Meinung, daß zunächst einmal alle demokratischen, antifaschistischen, fortschrittlichen Kräfte zum Aufbau des neuen Deutschland herangezogen werden sollten, also auch Personen bürgerlicher Herkunft, vor allem die Intelligenz. Man war sich im klaren darüber, daß es nicht möglich sein würde, den Sozialismus von heute auf morgen durchzusetzen, sondern daß der Weg Schritt für Schritt zurückgelegt werden müsse. In diesem Sinne maß man der Umerziehung des Volkes eine außerordentlich große Bedeutung bei. Daß man sich zunächst nur auf ein Minimalprogramm von Maßnahmen festlegen konnte, ist verständlich.

Auf der gleichen Grundlage wurden auch die Maßnahmen auf kulturpolitischem Gebiet getroffen.[5] Erstaunlich sind die Aktivitäten der SMAD zur Einleitung eines schnellen Wiederaufbaus. Die Gründung des »Kulturbundes zur demokratischen Erneuerung Deutschlands« war der erste und vielleicht wichtigste Schritt in dieser Hinsicht.[6] Er hatte es sich zur Aufgabe gemacht, die »geistigen Schäden zu beheben, von diesen seelischen Nöten unser Volk zu befreien ein für allemal, die tiefen Gemütswunden, wie die uns in diesen zwölf unseligen Jahren geschlagen wurden, zu heilen und vernarben zu lassen und das Übel, das all dies unsagbare Leiden und Sterben verursacht hatte, auszurotten bis auf die Wurzel, von Grund auf«.[7] Obwohl das Programm des Kulturbundes auf dem Aufruf der KPD basierte, kamen seine Mitglieder aus allen demokratischen Parteien und allen vier Zonen. Deshalb erschien gerade der Kulturbund als wichtigstes Bindeglied für die zu schaffende Einheit Deutschlands — zumindest bis er 1947 in den Westzonen als eines der ersten Vorzeichen des Kalten Krieges verboten wurde. In seinem Gründungsmanifest wandte er sich ausdrücklich an »alle deutschen Männer und Frauen..., die des ehrlichen und unbeugsamen Willens sind, zur geistigen, kulturellen Erneuerung Deutschlands ... beizutragen«.[8] Weiterhin wurden »die restlose Klarstellung der Ursachen der größten Niederlage unserer Geschichte«, die Verurteilung der Kriegsverbrecher und deren Ideologen, eine »grundsätzliche Wandlung auf allen Lebens- und Wissensgebieten« sowie der Aufbau kultureller Beziehungen mit allen Völkern, vor allem aber mit der Sowjetunion, gefordert.[9]

Am 6. Juni 1945 wurde die »Kammer der Kunstschaffenden« eingerichtet, am 15. Juni erfolgte die Zulassung des FDGB mit der Gewerkschaft 17 — »Gewerkschaft für Kunst und Schrifttum« —, in der ab 1946 der »Schutzverband bildender Künstler« seine Arbeit aufnahm.[10] Die »Kammer der Kunstschaffenden« wurde nach einem halben Jahr wieder aufgelöst. Nach einer Umstrukturierung erwuchsen daraus die Kunstämter, die dem Magistrat unterstellt waren; der »Schutzverband« hingegen übernahm die Interessenvertretung der Künstler. Nachdem im Oktober 1948 die Ablösung einiger Sparten, wie Film, Musik und Bühne, vonstatten gegangen war, verselbständigte sich auch der »Schutzverband« weitgehend. 1950 wurde er aus dem FDGB ausgegliedert und dem Kulturbund zugeordnet, seit 1952 existierte er als unabhängiger »Verband bildender Künstler der DDR«.[11]

An konkreten Vorstellungen, wie die Kunst der neuen Gesellschaft auszusehen habe, fehlte es in der ersten Zeit nach dem Kriege. Die von der SMAD schon zeitig eingeleiteten Maßnahmen prägten die Entwicklung der Kunst auf dem späteren Gebiet der DDR entscheidend und projektierten diese als ein wichtiges Element der sozialistischen Gesellschaftsordnung.[12] Auch die Erste Zentrale Kulturtagung der KPD 1946 unter dem Motto »Um die Erneuerung der deutschen Kultur« formulierte als Fernziel eine sozialistisch geprägte Kunst, deren Form realistisch sein müsse, setzte aber die Forderung nach Freiheit wissenschaftlicher Forschung und künstlerischer Gestaltung an die erste Stelle als eine der grundlegenden humanistischen Forderungen.[13] Auch faktisch wurde eine eher liberale Kulturpolitik betrieben, die unter

dem Zeichen der antifaschistisch-demokratischen Erneuerung stand. Dies hatte zur Folge, daß verstärkt auch Künstler aus den Westzonen angezogen wurden, zumal in der SBZ die wirtschaftliche Lage um einiges besser war als dort.

Das ausgesprochen breite Spektrum an möglichen Kunstäußerungen wird durch einen Blick in die zeitgenössischen Ausstellungskataloge deutlich.[14] Die ersten umfassenden größeren Ausstellungen in der SBZ, bei denen auch Künstler aus anderen Zonen vertreten waren, zeigen, daß neben an den Expressionismus anknüpfenden Werken sowohl gegenständliche als auch abstrakte Kunst gleichrangig vertreten war.[15] Die »1. Allgemeine Kunstausstellung« in Dresden präsentierte einen Querschnitt des künstlerischen Schaffens in ganz Deutschland, war aber vor allem den von den Nazis verfolgten Künstlern gewidmet.[16] Inhaltlich konzentrierten sich die meisten Künstler auf »neutrale« Themen wie Stilleben und Landschaften. Nur die politisch Bewußteren beschäftigten sich auch mit dem Faschismus, indem sie beispielsweise seine geistigen und materiellen Grundlagen und seine Folgeerscheinungen darzustellen versuchten.[17] Das Publikum, häufig in Kunstfragen ungeschult und durch die faschistische Kunstdiktatur verbildet, lehnte einen großen Teil der gezeigten Arbeiten ab, vor allem die expressionistischen Werke.[18] Nicht zuletzt aus diesem Grunde wurde bald von administrativer Seite mehr und mehr darauf gedrungen, realistische Darstellungsweisen durchzusetzen. — Der im Anschluß an die Kunstausstellung stattfindende Sächsische Künstlerkongreß sollte die Funktion haben, das vorhandene künstlerische Potential zu sammeln und die Aktivitäten so zu strukturieren, daß sie sich im Sinne des gesellschaftlichen Neuaufbaus verwenden ließen.[19]

Sehr bald schon machte sich das Fehlen einer theoretischen Fundierung des künstlerischen Schaffens, die die Entwicklung hätte lenken und beschleunigen können, bemerkbar. Es wurde über die Frage diskutiert, an welche vorhandenen Traditionen man anknüpfen sollte; neben der expressionistischen Richtung, die zunehmende Ablehnung erfuhr, da man sich gegen die westlich orientierte Kunst abgrenzen wollte, stand auch die proletarisch-revolutionäre Kunst der 20er Jahre zur Debatte, deren sozialkritische Konzeptionen, auf Entlarvung und Anklage gerichtet, den Erfordernissen des künftigen sozialistischen Staates nicht mehr gerecht werden konnten. Dieser verlangte nunmehr nach einer konstruktiven Kunst, die aktiv den Neuaufbau begleiten sollte.

Bemühungen um eine Forcierung der Kunstentwicklung wurden mit dem ersten Kulturtag der SED gestartet und setzten sich später in der Hofer-Nerlinger-Debatte in der »bildenden kunst« fort.[20] Die Phase der Toleranz gegenüber bürgerlichen Kräften währte bis etwa Mitte 1948. Mit dem Übergang zur

Planwirtschaft in der SBZ und der Konstituierung der beiden deutschen Staaten mit unterschiedlichen Gesellschaftsordnungen änderten und präzisierten sich in gleicher Weise die Anforderungen an die bildende Kunst entsprechend. Es fand eine immer stärker werdende Polarisation auch der künstlerisch-ästhetischen Positionen statt. Im September 1948 erklärte Walter Ulbricht, daß auf dem Gebiet der Kunst eine »Wendung« eintreten müsse.[21] Die antifaschistische Orientierung, die noch auf dem 1. Kulturtag der KPD 1946 betont worden war, wich den Erfordernissen des neuen Staates. Inhalt der Kunst sollten von nun an der neue gesellschaftliche Aufbau, »Stolz auf die erreichte Leistung, Einheit Deutschlands, Ergebenheit für die Sache des Friedens und die Verbundenheit mit der Sowjetunion«[22] sein, die mit adäquaten künstlerischen Mitteln gestaltet werden sollten.[23]

Die Formalismus-Debatte
Bis 1948 hatte sich die Kunstkritik eher zurückgehalten. Sie hatte ihre Rolle mehr in der Beschreibung von Kunst und Kunstleben gesehen als in deren Bewertung. Das änderte sich, als Alexander Dymschitz in einem Aufsatz in der »Täglichen Rundschau« das Thema »Formalismus — Realismus« als Fortsetzung der Hofer-Nerlinger-Debatte aufgriff.[24] In diesem Zusammenhang kritisierte er eine Reihe zum Teil renommierter Künstler äußerst scharf und verwies sie mit Nachdruck auf das Beispiel der Sowjetunion.[25] Seine Vorschläge eröffneten eine weitreichende Kunstdebatte in Presse und Öffentlichkeit, die zunächst sehr breit angelegt war und offen geführt werden konnte. Das Hauptanliegen war das Ringen um eine realistische Kunst. Im großen und ganzen ging es um zwei Punkte: auf der einen Seite sollte eine Funktionsbestimmung der bildenden Kunst in der sich neu formierenden sozialistischen Gesellschaft vorgenommen werden, andererseits kreiste die Frage darum, auf welche Traditionslinien sie sich beziehen sollte. Von offizieller Seite wurde das Beispiel der Sowjetunion favorisiert. Im Laufe der Auseinandersetzungen wurde alles, was diesem Prinzip nicht entsprach, beiseite gedrängt und als »formalistisch« und dekadent diffamiert. Nicht nur ungegenständlich arbeitende Künstler wurden angegriffen, sondern auch diejenigen, die sich in ihrem Schaffen auf proletarisch-revolutionäre oder expressionistische Traditionen beriefen.[26]

Am Rande anzumerken wäre noch, daß in den Westzonen eine ähnliche Entwicklung unter umgekehrten Vorzeichen vonstatten ging. Auch hier waren in den ersten Nachkriegsjahren die Kunststile noch breit vertreten. Doch nach 1949 kam es in der BRD »zu rapider Vereinheitlichung auf ideologischem und kulturellem Gebiet«, was in der Kunst zur »Standardisierung der Gegenstandslosigkeit« führte und sich im Zeichen des Kalten Krieges vor allem gegen antifaschistische und linke Tendenzen richtete.[27]

Die Diskussionen um Formalismus, Dekadenz und Realismus wurden zunehmend härter geführt; Polemik ersetzte mehr und mehr die sachliche Auseinandersetzung. Das geschah von Seiten der SED und vor allem durch Kurt Magritz und Herbert Gute, die, statt solidarisch aufbauende Kritik zu üben, sich in unsachliche Äußerungen und Angriffe verstiegen, so daß bald auf Grund ihrer »Autorität« kein Widerspruch von Seiten der Betroffenen mehr möglich war. Wie auch Kober ausdrücklich feststellte, handelte es sich bei der Debatte nicht um die »normale Vielfalt von Divergenzen in den Kunstauffassungen«, sondern um Kritik, die »oft in autoritärer Form und unter Berufung auf angeblich gesicherte Theorien oder gar auf die Volksmeinung vorgetragen wurden«.[28] Der Höhepunkt der Kampagne gegen Formalismus und Kosmopolitismus wurde mit einem Artikel Orlows[29] und der 5. Tagung des ZK der SED im März 1951, auf der eine Entschließung zu Fragen der Kunst und Literatur verabschiedet wurde,[30] erreicht. Mit der Unterstreichung der Volksverbundenheit als einer der wichtigsten Forderungen an bildende Künstler und Schriftsteller eröffnete sich endgültig die Möglichkeit zu einer Unterdrückung aller mißliebigen formalen Neuerungen und Experimente. Der sozialistische Realismus sowjetischer Prägung wurde somit verbindlich institutionalisiert.

Um eine wirksame Kontrolle über die Kulturschaffenden ausüben zu können, wurden Institutionen, wie beispielsweise die »Staatliche Kommission für Kunstangelegenheiten« und das »Amt für Literatur und Verlagswesen« gegründet, deren eigentliche Aufgabe darin bestehen sollte, die Künstler politisch zu schulen und ihre Werke auf einer politisch fundierten Basis zu kritisieren. In der Realität sah es aber so aus, daß unter Berufung auf das klassische nationale Erbe und den Bündnispartner Sowjetunion ebenso auf formalästhetische Fragen rigoros Einfluß genommen wurde.[31] Auch Bertolt Brecht unterzog diese Praxis anläßlich einer Diskussion über Fragen der Kulturpolitik im Juni/Juli 1953 einer scharfen Kritik: »Es war die unglückselige Praxis der Kommissionen, ihre Diktate, arm an Argumenten, ihre unmusischen administrativen Maßnahmen, ihre vulgärmarxistische Sprache, die die Künstler abstießen (auch die marxistischen). ...Gerade die Realisten unter den Künstlern empfanden gewisse Forderungen der Kommission und der Kritik als Zumutungen«.[32]

In diesem Zusammenhang wurde dann 1952/53 daran gearbeitet, die Wesensmerkmale sozialistisch-realistischer Kunst definitiv festzuschreiben.[33] Grundlagen waren somit der Bezug auf das kulturelle Erbe, Volksverbundenheit, Lebenswahrheit und Parteilichkeit, wobei der in der Sowjetunion entwickelte Sozialistische Realismus unbedingtes Vorbild war.[34]

Die Verengung des ursprünglich breit angelegten Realismusbegriffs und die damit verbundenen Auswüchse der Formalismus-Debatte sind auf der politischen Ebene aus dem Klima des Kalten Krieges zu erklären, das eine unbedingte Abgrenzung von allem, was aus der westlichen Welt kam, erforderlich zu machen schien. Auf künstlerischer Ebene ist die dogmatische, unflexible Forderung nach der Anwendung der in der Sowjetunion praktizierten Prinzipien dafür verantwortlich zu machen. Erst Mitte 1953 — inzwischen war Stalin gestorben — bahnte sich nach und nach im Rahmen des »Neuen Kurses« eine Entspannung der Lage an, die jedoch nicht lange vorhielt.[35] Die Öffentlichkeit äußerte zunehmend Unzufriedenheit und Künstler und Intellektuelle kritisierten immer offener die bürokratischen Praktiken, die ihnen gegenüber an den Tag gelegt wurden. Auch die »Staatliche Kunstkommission« unter Helmut Holzhauer wurde gerügt und bald darauf abgeschafft. Wolfgang Harich, der sich mit einer scharfen Kritik, insbesondere an den Vorgehensweisen der Funktionäre Gute, Magritz, Holtzhauer und Hoffmann, in die Kontroverse einschaltete, nahm Partei für Strempel und andere Künstler, die die DDR wegen der Angriffe verlassen hatten.[36]

Die Stellung Horst Strempels
in der Formalismus-Debatte
Für Strempel jedoch kamen diese Änderungen zu spät, da er schon im Januar 1953 nach Westberlin geflüchtet war; Versuche, ihn zu einer Rückkehr in die DDR zu bewegen, schlugen fehl.[37] Obwohl der Umgang mit dieser Phase der Kulturgeschichte sich gelockert hat, zeigt der konkrete Fall, daß eine umfassende Meinungsbildung auch heute kaum möglich ist. Zu wenig Wert wurde/wird auf die Erforschung übergreifender Mechanismen, die diese Maßnahmen ermöglichten, gelegt.[38] Eine Erhellung der Geschehnisse wird weiterhin dadurch erschwert, daß (angeblich) keine Dokumente über den Fall Strempel existieren[39] und persönliche Erinnerungen von Zeitgenossen Strempels oft zu subjektiv erscheinen, als daß sie zur Klärung hätten beitragen können. So ist es leider auch gegenwärtig noch sehr schwierig, sich eine genaue Vorstellung davon zu machen, was damals wirklich passiert ist und welche Überlegungen nun letztendlich zur Kapitulation Strempels beigetragen haben. Das, was an gedruckten Quellen heute noch greifbar ist, also insbesondere Zeitungsartikel, beleuchten nur einen, den öffentlichen — veröffentlichten — Aspekt des Vorgangs. Das, was von Strempel selbst überliefert ist, im wesentlichen bestehend aus Lebensläufen und -beschreibungen, die vor allem als Aussagen für sein Asylverfahren in Westberlin gedacht waren, referiert den persönlichen Standpunkt. Es ist anzunehmen, daß er in den für die westlichen Behörden verfaßten Schriftstücken seine Situa-

tion in der DDR dem Zweck entsprechend beschönigte oder dramatisierte.

Wenn Strempel in seinen verschiedenen Lebensläufen, die er nach 1953 aufzeichnete, seine gesellschaftliche Stellung und sein politisches Engagement in der DDR herunterspielte,[40] so mag das zwar verständlich sein, entspricht aber offenbar nicht ganz den Tatsachen. Zweifellos war er eine bekannte und möglicherweise auch wichtige Persönlichkeit[41] — schon allein die Angriffe, die im Verlauf der Formalismus-Diskussion auf ihn abgegeben wurden, sind ein Indiz dafür.

Schon seit Kriegsende war er, teilweise in leitender Funktion, in verschiedenen Organisationen aktiv.[42] Zusammen mit Fritz Duda und anderen gründete er die Arbeitsgemeinschaft sozialistischer Künstler, die 1947 in die Gewerkschaft 17 beim FDGB übernommen wurde;[43] das von Cuno Fischer ins Leben gerufene Berliner Kulturkollektiv verließ er aus unbekannten Gründen schon nach kurzer Zeit wieder.[44] Desweiteren war er Mitglied der Kommission für bildende Kunst beim Kulturbund und seit 1948 im Vorstand des Schutzverbandes im FDGB.[45] Jutta Held betont die Rolle, die Strempel offensichtlich in dieser Zeit für den Aufbau kollektiver Arbeitsformen spielte.[46] Er regte an, Ateliergemeinschaften zu bilden, um den Künstlern auch organisatorisch die Möglichkeit zu geben, inhaltliche und technische Fragen zu diskutieren und Arbeitsgeräte und, in Anbetracht der Raumnot, Arbeitsräume gemeinsam nutzen zu können.[47]

Obwohl Strempel mehr und mehr in Schwierigkeiten geriet, muß er noch 1950 eine leitende Stellung im Kulturbund, Wirkungsgruppe Pankow, gehabt haben.[48] Einen weiteren Hinweis auf Strempels Bedeutung gibt sein Mitwirken am gesamtdeutschen »Koordinierungsausschuß bildender Künstler Deutschlands«,[49] bei dessen konstituierender Sitzung im April 1951 61 deutsche Künstler anwesend waren, darunter aber nur sechs aus der DDR.[50] Es scheint so, als habe Strempel dort eine Alibifunktion zu erfüllen gehabt, da er ein Statement abgab zu den Angriffen, denen er in der DDR ausgesetzt war. Der Tenor war eine weitgehende Rechtfertigung der Zensur, der er sich im Zusammenhang mit der Beseitigung des Wandbildes im Bahnhof Friedrichstraße zu unterwerfen hatte.[51]

1945 war Strempel der KPD wieder beigetreten, nachdem sich alte Genossen um ihn bemüht, ihm Lebensmittelkarten und eine Wohnung besorgt hatten. Aus diesem Grunde fühlte er sich ihnen gegenüber zum Besuch der Zellensitzungen verpflichtet.[52] Diese Lage stellte er rückblickend folgendermaßen dar: »Trotz meiner Erfahrung mit der K.P.D. in Paris, und weil ich annahm, daß sich die Politik der kommunistischen Internationale durch den gemeinsamen Kampf der Alliierten mit der Sowjetunion gegen Hitler-Deutschland geändert hat (Schrift von Anton

78

Ackermann 'Der besondere deutsche Weg'), und aus einer dummen Sentimentalität den 'alten Genossen' gegenüber, trat ich wieder der KPD bei, lehnte aber jede Parteifunktion oder Stellung ab«.[53] Weiterhin: »Dann kam eine Berufung nach der anderen durch die S.E.D., angenommen, weil ich annahm, das durch die Verschmelzung von K.P.D und S.P.D. (Grotewohl) ein demokratisches System sich durchsetzen würde. Diesen Fehlschluß haben nicht nur ich, sondern auch Friedensburg, Hofer, Pechstein, Schendell, Seegers, Haarich, Ehmsen, Seitz, und alle die, die in dem Klub der Kulturschaffenden verkehrt haben getan.«[54] Auch in einem Brief an Siggi Neumann stellt er seine Funktion als eine mehr oder weniger zufällige dar: »Trotz einer gewissen Opposition, die du ja seit Paris an mir kennst, bin ich dann doch wieder (eigentlich ohne meinen Willen) in die s.e.d. 'hineingeschlittert'. Wenn man einmal dadrinnen ist und noch dazu aus bestimmten gründen ein name gebraucht wird, kommt man nicht mehr heraus. bei der parteiüberprüfung voriges jahr habe ich alles getan, um ausgeschlossen oder gestrichen zu werden, es ist mir nicht gelungen, trotzdem ich eine eindeutige erklärung in der frage des formalismus abgegeben habe und die russische kunst als kleinbürgerlichen kitsch bezeichnet habe...«.[55] — Andererseits schrieb er 1948: »Unsere Zukunft liegt im osten, nicht in amerika. Es wird sich eben die gesellschaft...auf der basis des dialektischen materialismus und nicht in der form des demokratischen kapitalismus entwickeln. mir ist um die zukunft nicht bange. deshalb setze ich mich auch intensiv dafür ein, damit wir nicht wieder einen neuen diesmal amerikanischen faschismus erleben«.[56]

Wie weit seine Loyalität gegenüber dem System der DDR tatsächlich ging, ist also kaum noch herauszufinden. In der westdeutschen Presse wurde nach seiner Flucht immer wieder darauf hingewiesen, daß er wegen seiner angeblich formalistischen Tendenzen angegriffen worden sei, ebenso bezieht man sich häufig auf die Übermalung seines Wandbildes im Bahnhof Friedrichstraße. Es steht außer Zweifel, daß damals zu hart und zu unsachlich diskutiert und von staatlicher Seite den Künstlern kleinlich-bürokratisch ins Handwerk geredet wurde, sei es aus Unwissenheit, Übereifer oder wegen persönlicher Aversionen. Dennoch scheinen die Punkte nicht geeignet zu sein, eine Gegnerschaft Strempels zum politischen System der DDR belegen zu können. — Auch die späteren, im Zuge des Asylverfahrens geleisteten eidesstattlichen Aussagen,[57] die Strempels Präsenz an der Kunsthochschule Weißensee allein aufgrund seiner künstlerischen Qualifikationen belegen sollten, werden möglicherweise, dem Zweck entsprechend, einseitig sein.

1947 war Horst Strempel von Jan Bontjes van Beek als Dozent an die Kunsthochschule Berlin-Weißensee

berufen worden, 1949 wurde er dort Professor und gleichzeitig Abteilungsleiter. Die Rolle, die er hier spielte, liegt noch im Dunkel.[58] Die Kritik an ihm äußerte sich auf verschiedenen Ebenen: man warf ihm vor, »politisch und ideologisch unklar« zu sein, seine Kunst sei ein »Musterbeispiel des dekadenten Formalismus«, seine Lehrmethoden seien an alten akademischen Prinzipien orientiert und gegen die russischen Lehrmethoden.[59] Über seine Zeit in Weißensee berichtete Strempel folgendes: »1949/50 wurde der holländische Architekt Professor Mart Stam auf meine Initiative als Direktor an die Hochschule berufen. Wir änderten den Lehrplan, entfernten einen Teil der unfähigsten Dozenten und Studenten (Mitglieder der S.E.D. z. B. 'Professor' Gute heute Generalsekretär des Verbandes bildender Künstler, Studenten Speer Sekretär der Parteigruppe der SED), besetzten den Lehrkörper gegen den Widerstand des Ministeriums für Volksbildung, mit fortschrittlichen, zum großen Teil aus der westlichen Emigration kommenden Künstlern. (Architekt Selmanagic, Bauhaus Bildhauer Balden Englische Emigration, Bildhauer Worner Englische Emigration, Maler Robbel, abstrakter Maler)«.[60] In ähnlicher Weise äußerte sich Strempel gegenüber Siggi Neumann.[61]

Diese von einzelnen Personen oder Gruppen weitgehend frei bestimmbaren Aktionen scheinen noch bis zur 5. Tagung des ZK der SED im März 1951 mehr oder minder akzeptiert worden zu sein. Strempel und eine Anzahl anderer Künstler und Intellektueller wurden hier öffentlich gerügt. In dem vorausgehenden Orlow-Artikel wurde, neben Werken von Arno Mohr, Karl Crodel und anderen, der linke Flügel von *Nacht über Deutschland* als anschauliches Beispiel seiner formalistischen Kunstauffassung abgebildet und kommentiert: »Jeder normale Mensch wird derartige Werke ohne Schwanken als gesellschaftsfeindlich und antiästhetisch bezeichnen. Objektiv sind sie auf die Zerstörung der Malerei in der DDR, auf ihre Liquidierung gerichtet ... Strempel, der in der Politik demokratische Anschauungen vertritt, hält sich in der Kunst an die falsche Linie. Er betrachtet den Menschen als 'Teil der Komposition', als 'farbigen Fleck'. Er leugnet die Individualität der künstlerischen Gestalt und sucht das als 'revolutionären Geist' in der Kunst hinzustellen.«[62] Strempel selbst stellte zwischen seinen Aktivitäten an der Kunsthochschule und den Angriffen in der Formalismuskampagne einen Zusammenhang her: »das erscheinen der orloffartikel januar 1951 war praktisch nur eine reaktion des Z.K. und seiner kulturabt.[eilung] die von meinen bittersten feinden Magritz, Gute und Girnus beraten wird, auf unsere massnahmen innerhalb der hochschule und unsere haltung gegenüber (noch) vernünftigen künstlern der D.D.R. (unser einfluss, verstärkt durch die von uns neu berufenen dozenten und unsere schüler, die kunst und nicht parteiphrasen studieren wollten und die jüngeren künstler der d.d.r. war stark) (und deshalb gefährlich)«.[63]

Ende Februar 1951 wurde das Wandbild im Bahnhof Friedrichstraße zerstört und Strempel in der Folge aus allen öffentlichen Ämtern entfernt.[64] Zur gleichen Zeit wurde ihm von Paul Wandel nahegelegt, die Beurlaubung wegen schlechter Gesundheit einzureichen. Strempel lehnte das ab und forderte seinerseits ein Entlassungsschreiben, von Wandel unterzeichnet; diesem Ansinnen kam der Kulturminister jedoch nicht nach.[65] Die Bilder, die von staatlichen Stellen angekauft worden waren oder in Museen hingen, wurden entweder an Strempel zurückgegeben, wie das Gemälde *Vor dem Abstich* (WVZ 292), oder verschwanden für lange Jahre in den Depots, wie das Triptychon *Nacht über Deutschland* (WVZ 170).[66]

Eine weitere Zuspitzung der Lage ergab sich, als Mart Stam,[67] der mit Strempel eng befreundet war, im September 1952 von der Hochschule fristlos entlassen wurde und Anfang 1953 nach Holland zurückging. Um gegen die Entlassung Stams zu protestieren, bat auch Strempel um seine Beurlaubung. Im Nachhinein wurde behauptet, daß Stam Spionage betrieben und Strempel ihm entsprechende Akten zugänglich gemacht habe.[68] Bei einer Vernehmung Strempels durch Mitglieder der Staatlichen Kunstkommission[69] am 21.1.1953 wurde ihm u.a. eben diese Beziehung vorgeworfen. Außerdem rügte man ihn, weil er seinen Studenten den Ratschlag gegeben habe, das Studium in Weißensee abzubrechen und stattdessen zur Westberliner Akademie zu wechseln. Dieser Fall soll im September 1952 auf der Dresdener Kulturkonferenz mit namentlicher Nennung der »betroffenen« Studenten öffentlich aufgerollt worden sein.[70]

Es stellt sich die Frage, warum gerade Horst Strempel so ins Kreuzfeuer geriet und welche Faktoren dazu beitrugen, daß gerade an ihm quasi ein Exempel statuiert wurde. Die eigentliche Ursache für den im Prinzip nicht aus künstlerischen Gründen herrührenden Konflikt mit Partei und Institutionen, den Strempel austragen mußte, ist nicht eindeutig zu ermitteln. Ein wesentlicher Grund ist sicherlich in der von beiden Seiten akzeptierten engen Verflechtung von Politik und Gesellschaft einerseits und der Kunst andererseits zu sehen, die gerade zur Hochzeit des Kalten Krieges vom Künstler eine unmißverständliche Stellungnahme für das System forderte. Eine Opposition, selbst wenn sie rein künstlerisch war, konnte von einer Partei bzw. Regierung, für die Disziplin ein wichtiger Bestandteil war, nicht geduldet werden.

Es ist eindeutig, daß die Schwierigkeiten Strempels nicht erst begannen, als die Formalismus-Debatte initiiert wurde. Ebenso scheinen sein »Westemigrantentum« oder die damit verbundenen Entwicklung seiner Kunstanschauungen nicht die alleinige Ursache für die Angriffe gewesen zu sein. Aufgrund einiger Quellen, einschließlich schriftlich übermittelter Äußerungen Strempels, drängt sich der Verdacht auf, daß persönliche Animositäten, die sich jedoch nicht exakt von politischer Gegnerschaft trennen lassen, eine nicht unbedeutende Rolle bei Strempels Scheitern gespielt haben. Eine Auseinandersetzung aus dem Jahr 1947 belegt, daß Strempel schon zu diesem frühen Zeitpunkt kunstpolitischen Konflikten ausgesetzt war.[71] In einer Kontroverse ging es um Oskar Nerlinger, der von Mitgliedern der Gewerkschaft 17, u.a. auch von Strempel, verdächtigt wurde, während des Faschismus mit den Nazis kollaboriert zu haben. Mitglieder des Schutzverbandes hatten bei bei Aufräumungsarbeiten in den Büroräumen in der Schlüterstraße 45 Akten aus den Beständen der Reichskulturkammer sichergestellt. Darunter befand sich auch ein Schreiben Nerlingers an den Leiter der Reichskammer für bildende Künstler, in dem er sich anbot, ein Wandbild zum Thema *Vom Westwall bis Dünkirchen* zu schaffen. Um eine authentische Darstellung zu gewährleisten, regte er eine Malerfahrt an die Kriegsschauplätze von 1914/18 an.[72] Obwohl für diese Annahme eindeutige Beweise in Form von Briefdokumenten vorlagen, weigerte sich Nerlinger, zu den Vorwürfen Stellung zu beziehen. In der Folge bildeten sich zwei Fraktionen, auf der einen Seite Carola Gärtner-Scholle, Paul Schultze-Liebisch, Fritz Duda, Paul Fuhrmann, Horst Strempel u.a., auf der anderen Seite Oskar Nerlinger, Alice Lex-Nerlinger, Herbert Sandberg und Gerhard Strauß. Wie ein Teil der Befragten wies auch Strempel in einer schriftlich fixierten Aussage zur Person Nerlingers insbesondere darauf hin, daß dessen Werk während des Faschismus sowohl ausgestellt als auch publiziert worden sei.[73] Soweit aus heute vorhandenen Unterlagen ersichtlich ist, wurde diese Kontroverse nicht in die Öffentlichkeit getragen, sondern letztendlich von der Partei offenbar zugunsten Nerlingers entschieden. Jedenfalls taucht dieser Streitpunkt in keiner seiner Biografien mehr auf. – Andere vage Andeutungen, die auf persönliche Auseinandersetzungen mit Kollegen schließen lassen, beziehen sich auf Max Lingner und Otto Nagel.

Die politischen und kulturpolitischen Voraussetzungen, die diesem Konflikt zugrunde liegen, sind klar zu benennen: einerseits spielten die kulturpolitischen Vorgaben – zunächst zwar aus der aktuellen politischen Situation wie auch aus der aktuellen fortschrittlichen Kunstproduktion entwickelt – die eine neue Kunst ermöglichen sollten, aber zunehmend doktrinärer angewendet wurden, eine Rolle, andererseits trug der Kalte Krieg zu eben dieser Verhärtung nicht unwesentlich bei. Die persönlichen Voraussetzungen, was Biografisches und Künstlerisches betrifft, können ebenso bestimmt werden. Bestimmte politische und persönliche Erfahrungen, die Horst Strempel in der Weimarer Republik, in Faschismus und Exil machte, prägten seine Lebenseinstellung wesentlich. Seine künstlerischen Erfahrungen leiten sich einerseits aus den proletarisch-revolutionären Traditionen her; andererseits sind aber Einflüsse der westeuropäischen modernen Kunst und des Expressionismus spürbar — im wesentlichen also ästhetische Quellen, die durch die kulturpolitischen Bestimmungen in der SBZ/DDR nicht sanktioniert waren. Die Summe dieser Komponenten scheint den Konflikt unausweichlich zu machen, zumal sich Strempel selbst unmittelbar in den Streit hineinmanövrierte: dadurch, daß er weiterhin Kunstwerke schuf, die schon allein wegen ihres Stils nicht akzeptiert werden konnten, und dadurch, daß er immer wieder versuchte, sie in Ausstellungen publik zu machen; weiterhin dadurch, daß er als Lehrender konsequent seine Meinung vor den Studenten vertrat, und dadurch, daß er sich in öffentliche Debatten einschaltete,[74] Stellung bezog und sich kaum einschüchtern ließ. Selbstkritik, wie sie etwa Hermann Bruse — aus welchen Gründen auch immer — leistete, scheint für ihn kaum denkbar gewesen zu sein (abgesehen von der Rechtfertigung der Vernichtung des Wandbildes, die er in München verlauten ließ), ebenso wie klammheimliche Anpassung, Aufgabe stilistischer Prinzipien um einer besseren Verständlichkeit willen,[75] sondern er verlangte nach Klärung und Unterstützung. So öffnete sich eine Kluft zwischen den rein politisch begründeten Vorgehensweisen von Parteifunktionären und -bürokraten und den Künstlern, die nur zu einem Teil Marxisten, aber dennoch guten Willens waren, ihre Funktion in der neuen Gesellschaft zu erfüllen. Eine Kunstkritik, die korrigierend hätte eingreifen können, war aber selbst noch nicht in dem Maße ausgebildet, daß sie den lernwilligen Künstlern fundierte Kritik und konstruktive Hilfestellung hätte geben können.

Die Kunst Strempels

Bei der systematischen Erfassung der Nachkriegskunst in der DDR/SBZ wird im allgemeinen auf eine Phaseneinteilung zurückgegriffen, die sich an zeitgleichen politischen, ökonomischen und gesellschaftlichen Entwicklungsstufen orientiert. Der Aufbau der Kultur wurde, parallel zum Aufbau auf anderen Gebieten, durch Befehle der SMAD und Verordnungen und Entschließungen in eine politische Gesamtkonzeption eingebunden und von dieser bestimmt.

Aus diesem Grunde scheint es notwendig, sich bei der Beurteilung der künstlerischen Leistung Horst Strempels nicht nur allein von ästhetischen Gesichtspunkten leiten zu lassen, sondern sie sollte, um ihr eine möglichst objektive Bewertung zuteil werden zu lassen, auch in Beziehung gesetzt werden zu den Anforderungen, die von Administration und Gesellschaft gestellt wurden. Es kann dabei jedoch nicht darum gehen, das Maß der Erfüllung der Vorgaben als

absolutes Qualitätskriterium anzusetzen. Objektiv in diesem Zusammenhang meint vielmehr, zu berücksichtigen, daß, unabhängig von der rein künstlerischen Leistung, vom Erfüllen oder Nichterfüllen dieser Anforderungen die Karriere als Künstler abhing, daß Vorgaben solcher Art den Künstler, ganz gleich, ob bewußt oder unbewußt, beeinflußt und ihn auf freiwilliger Basis oder unter Druck in seinem Schaffen bestimmt haben. Nicht zuletzt können auch so Anhaltspunkte gefunden werden, die zur Erhellung der speziellen Situation Strempels beitragen.

Während die Kunstwissenschaft früherer Jahre die Anfänge der DDR-Kunst erst mit der Gründung des sozialistischen Staates einsetzen sah, ist man sich heute weitgehend über die Einbeziehung auch der ersten Nachkriegsjahre einig.[76] Die in diesem Zusammenhang relevante Zeitspanne von 1945 bis 1953 läßt sich in zwei Phasen gliedern. Die Kunst in der antifaschistisch-demokratischen Phase (1945–1949) wollte vorrangig zur Forcierung eines öffentlichen Erkenntnisprozesses beitragen; Vergangenheitsbewältigung und das Finden einer neuen Identität waren somit ihre besonderen Aufgaben. Ein weiterer Schritt erforderte »aktive gesellschaftliche Stellungnahme und fähiges Mitwirken an der neuen Lebensgestaltung«,[77] die in Darstellungen aktueller Probleme und Ereignisse und Bildern des wirtschaftlichen Neuaufbaus thematisiert wurden. Wichtigste künstlerische Konsequenz der Aufbauphase des Sozialismus (ab 1949) war die Gestaltung des neuen Helden, die in Zusammenhang mit der Darstellung der Arbeit und des Arbeiters zu sehen ist. Die vorgegebene Phaseneinteilung kann jedoch nur als grobes Raster dienen, das es ermöglicht, persönliche künstlerische Leistungen in einen annähernd objektiven Zusammenhang zu stellen.

Horst Strempel kehrte schon Ende Juli 1945, nachdem er aus amerikanischer Kriegsgefangenschaft entlassen worden war, nur mit »Kochgeschirr und Zeltplane«[78] nach Berlin zurück. Bis zum 2. Juli war er in einem Kriegsgefangenenlager in Ellwangen gewesen.[79] Er begann gleich wieder zu arbeiten, das durch Exil und Krieg Versäumte nachzuholen. Seine wirtschaftliche Situation scheint in den ersten Jahren wechselhaft gewesen zu sein. Nach seiner Rückkehr bekam er zunächst einmal Unterstützung: »Ich bekam auch eine schöne große Wohnung und in dem gleichen Haus ein Atelier. Vom Kulturamt Farben, Material und von den verschiedensten Stellen Aufträge, so daß ich mich gleich in die Arbeit stürzen konnte«.[80] Jedoch scheint diese Lage nicht lange angehalten zu haben. 1947 berichtete er: »aquarell oder gar temperafarben hier aufzutreiben ist ein ding der unmöglichkeit. bekommen wir bevorzugten künstler nur mikroskopische quantitäten vom kulturamt zugewiesen. ich selbst kaufe einen teil der farben (wenn ich bekomme) für wahnsinnige preise schwarz, in der hauptsache aber bin ich gezwungen meine farben aus ziemlich minderwertigen materialien selbst herzustellen«.[81] Ähnliche Schilderungen sind auch von anderen Künstlern bekannt.[82] Ein Jahr später, als Strempel an der Kunsthochschule Weißensee lehrte, hatte sich die Situation für ihn soweit normalisiert, daß er sein Auskommen hatte.[83]

Für Strempel war es nicht die »Stunde Null«, denn er konnte voller Hoffnung auf das Neue, das sich entwickeln würde, aus seinem Erfahrungsschatz der letzten 20 Jahre schöpfen. Einerseits konnte er an seine Arbeit vor 1933 anknüpfen bzw. darauf aufbauen, besonders, was die weltanschaulichen Grundlagen und die damals bevorzugten sozialen Themen anbelangte. Andererseits brachte er aus der französischen Emigration ein erweitertes Stilrepertoire mit, das geeignet sein konnte, die neuen gesellschaftlichen Inhalte auszudrücken. Auch in seiner ästhetisch-theoretischen Schulung scheint er von den lebhaften Realismus-Diskussionen, von den künstlerischen Anregungen aus der Volksfrontzeit, die Wandmalerei u.a. betreffend, profitiert zu haben. Die Rolle, die Strempel im Zuge der Formalismus-Diskussion spielte, ist unter diesen, zunächst positiven Voraussetzungen zu betrachten.[84]

So ist seine künstlerische Produktion in den Jahren von 1945 bis 1949 den neuen Perspektiven entsprechend außerordentlich vielfältig — das gilt sowohl für die Themen, die er aufgriff, als auch für die Formen, die er dazu fand. Vor allem im Œuvre der ersten Nachkriegsjahre wird Strempels Bemühen deutlich, die Summe aus seinen bisherigen künstlerischen Erfahrungen zu ziehen. Aus diesem Grunde ergibt sich eine breite stilistische und inhaltliche Spanne, was jedoch die Herausbildung einer originären Bildsprache nicht verhinderte. Stilmittel des Expressionismus werden mit den aus den Louvre-Studien alter Meister gewonnenen Erkenntnissen zusammengebracht, Physiognomien aus den politischen Karikaturen der 30er Jahre entnommen und der Zeit entsprechend umgedeutet. Die Themen sind stets zeitgemäß, wenn sie in der Ikonografie auch häufig aus früheren Epochen der Kunstgeschichte schöpfen. Insbesondere die Schulung an Hofer kommt nun endlich zum Tragen — wie überhaupt erst jetzt, in der »Zeit der Reife«, auch die frühen Einflüsse der Breslauer Lehrer zur Wirkung kommen.

Die Ereignisse und Diskussionen der ersten Nachkriegsjahre regten Horst Strempel zu einer breitgefaßten Beschäftigung mit unterschiedlichsten Themenstellungen an.[85] Mehr als in jedem anderen Abschnitt seines Schaffens stellte er sich in den ersten Nachkriegsjahren mit seinem Werk der Öffentlichkeit. Dabei war das Bestreben ausschlaggebend, die Kunst möglichst vielen Menschen zugänglich zu machen; dieser Gedanke kam vor allem in der Wandbildbewegung zum Ausdruck. Die Druckgrafik, eben-falls traditionell ein Medium der »Kunst für die Massen«, wird offenbar jedoch von ihm nicht als solches verstanden, denn die Auflagen scheinen sehr niedrig gewesen zu sein, und oft wurden die Abzüge mit der Hand hergestellt. Der Wunsch nach einer öffentlichen Wirksamkeit seiner Kunst läßt sich dennoch an zwei Faktoren ermessen. Einerseits ist diese Intention aus seiner ständigen Repräsentanz bei Ausstellungen ersichtlich, andererseits zeigt sie sich an seiner oft am alltäglichen Leben und seinen Problemen orientierten Themenwahl. Dabei handelte es sich zunächst um Arbeiten, die sich mit der unmittelbaren Vergangenheit beschäftigten und in deren Mittelpunkt das Triptychon *Nacht über Deutschland* (WVZ 170, Abb. 7, S. 150) zu rücken ist. In engem inneren Zusammenhang damit stehen die Vorarbeiten und Studien, die die Entstehung dieses Bildes begleiteten sowie diesen verwandte Gemälde und Zeichnungen, die sich vor allem mit den materiellen und psychischen Folgen von Faschismus, Krieg, Verfolgung und Haft mahnend oder anklagend auseinandersetzten oder als kompromißlose Abrechnung mit den Verbrechen des Faschismus verstanden werden wollen. Eine weitere Gruppe, die sich vor allem aus Porträts und thematischen Kompositionen konstituiert, sucht ein neues, positiv orientiertes Menschenbild zu formen oder durch »Positionsbestimmungen innerhalb der schwierigen aktuellen Situation neue Ziele zu erkunden oder zu setzen«.[86] Das sind insbesondere Bilder, die gemeinsames Agieren thematisieren, auch in sinnbildhaften Formulierungen, wie z. B. *Die Sucher* (WVZ 252, Abb. 15, S. 153). Demgegenüber betrieb Strempel aber auch die Brandmarkung nicht nur zeittypischer negativer Erscheinungsformen menschlichen Verhaltens: *Gier* (WVZ 228 und WVZ 722, Abb. 154, S. 220), *Egoismus* (WVZ 262) und *Dummheit* (WVZ 192 und WVZ 193, Abb. 89, S. 184). Bei den Porträtdarstellungen wählte Strempel oft anonyme Menschen, die als Ausdruck ihrer Zeit präsentiert werden (WVZ 129, Abb. 77, S. 180, WVZ 130, WVZ 131, WVZ 766 u.a.); ohne ausladende Gesten zeigt er sie entweder sitzend oder als Brustbild.

Die Darstellungen von Trümmerlandschaften, wie sie in der Nachkriegszeit teilweise in der sogenannten »Ruinenromantik« exzessiven Ausdruck fanden,[87] spielten bei Strempel eine nur unbedeutende Rolle, wie die Landschaft überhaupt. Selbst das Thema des Neuaufbaus wurde von ihm nicht vorrangig als materielle Aufgabe dargestellt, wie das mehrfach variierte Gemälde *Aufbau und Verfall* (WVZ 195, Abb. 10, S. 149, WVZ 196—198) zeigt; hier werden Szenen der alten und der neuen Zeit sinnbildhaft verknüpft.

Eine intensivere künstlerische Auseinandersetzung mit der Zeitgeschichte in thematischen Werken setzt schon sehr früh ein. Werke, die sich auf die aktuelle Politik beziehen, Arbeits- und Arbeiterdarstellungen und Historienbilder, auch die jüngere und jüngste Geschichte betreffend, entstehen. Insbesondere bei den Werken mit historischen Sujets scheint die »Verlustrate« sehr hoch zu sein; einige können zwar noch durch Fotografien dokumentiert werden, von anderen blieb aber nur die Nennung des Titels oder eine vage Andeutung. Nach eigenen Angaben vernichtete Strempel selbst in den 50er Jahren eine Reihe von Bildern, weil sie seinen Ansprüchen nicht mehr genügten. Eine ein großformatiges Gemälde vorbereitende Studie *Karl Liebknecht* (WVZ 298, Abb. 110, S. 199) nebst einer Reihe nur noch als Fotos vorhandener Skizzen vermittelt einen Eindruck von diesem Genre. Größer angelegte Zyklen, die die Lage in Westdeutschland um 1950 (WVZ 790) oder den Korea-Krieg (WVZ 780) behandelten, sind, ebenso wie eine vermutlich größere Arbeit mit einigen Studien unter dem Titel *Erschießung (Marstall 1919)* (WVZ 304) nicht mehr auffindbar.

In Anlehnung an K.M. Kober erscheint es auch hier sinnvoll, das in der unmittelbaren Nachkriegszeit entstandene Œuvre mit Strempels »Bewußtseinslage«[88] zu konfrontieren, um herauszufinden, wie sich diese in seinen Arbeiten − direkt oder indirekt − spiegelt. Dabei sollen nicht nur diejenigen Werke berücksichtigt werden, in denen der Zeitbezug unmittelbar zu greifen ist, sondern auch Bearbeitungen neutraler Genres wie Stilleben, Landschaften oder Porträts. Leider sind kaum Äußerungen Strempels, die fragliche Zeitspanne betreffend, überliefert, so daß allein von seiner künstlerischen Produktion ausgegangen werden muß.

In Relation zu vielen anderen Künstlern dieser Zeit fällt allerdings auf, daß Strempel selten »unverbindliche« Sujets bearbeitete oder sich mit der bildlichen Darstellung allgemein-psychologischer Gegebenheiten auseinandersetzte, sondern sich von Anfang an mit der faschistischen Vergangenheit und schon sehr früh mit der konkreten Gegenwart beschäftigte. Neben den bereits oben genannten Arbeiten können auch einige der Stilleben, in die nicht von ungefähr häufig Torsi eingebaut werden, als gegenwartsorientiert interpretiert werden.

Aus der ersten Zeit nach Kriegsende existiert eine Reihe von Bildern, die sich auf einer allgemeinen Ebene, im humanistischen Sinne, mit den Auswirkungen des Faschismus auf die deutsche Bevölkerung und ihrer Zuständlichkeit beschäftigen. Das geschah in einem Teil der Arbeiten auf eine eher sinnbildhafte Art und Weise, wobei vor allem Vanitassymbole eine Rolle spielen. Dabei tauchen immer wieder die Symbole Totenkopf, Tod und Maske auf. In einer Serie von Zeichnungen bzw. Holzschnitten findet man sie vereint (WVZ 2394−2396, WVZ 2402, WVZ 2420, Abb. 215, S. 243). Ein Gemälde aus dem Jahre 1946 (WVZ 202, Abb. 91, S. 187) zeigt im Vordergrund einen Berg von Masken, der auf Trümmern errichtet wurde, darunter wiederum einen Totenkopf. Nur im Hintergrund ist hier, verschwindend klein, ein Paar in Rückenansicht gegeben. Diese Metaphern hatten in der Kunstgeschichte schon lange ihren Platz. Maskendarstellungen aus jüngerer Zeit, die in engem Zusammenhang mit dem Nachkriegswerk Strempels stehen, stammen vor allem von Karl Hofer, aber auch anderen Künstlern wie Hans Grundig. Masken sind in diesen Werken Mittel, »sich mit individuellen moralischen Qualitäten auseinanderzusetzen, die freilich sehr entscheidend gesellschaftlich relevant werden können«;[89] ein gutes Beispiel für diese Ansicht bietet das Gemälde *Kreuzigt den Fortschritt* (WVZ 258, Abb. 17, S. 152).

»Nacht über Deutschland« und
andere Arbeiten über Faschismus und Krieg
Auffallend ist, daß Strempel in vielen Kunstkritiken der ersten Nachkriegsjahre häufig und fast immer außerordentlich positiv erwähnt wurde. Insbesondere sein Triptychon *Nacht über Deutschland* (WVZ 170, Abb. 7, S. 150 und Abb. 83−86, S. 182 f.) wurde stets hervorgehoben und konnte nicht zuletzt deshalb zu einer Inkunabel der geistigen Situation nach 1945 werden. Und tatsächlich trägt es einen für die damalige Zeit programmatischen Charakter.[90] Edwin Redslob bezeichnete es als »Altar der Hitlerzeit..., der unter dem Titel *Nacht über Deutschland* einer verirrten Zeit ihr Denkmal errichtet«.[91] In ihm sah man den Bewußtseinszustand der deutschen Bevölkerung thematisiert. Monumental in der Form − ein Eindruck, der vor allem durch den Triptychon-Charakter hervorgerufen wird −, ist es Klage über die vergangenen zwölf Jahre und der Versuch einer Abrechnung mit dem Faschismus zugleich.[92]

Schon 1941, d. h. noch in der Exilzeit in den französischen Lagern, hatte Strempel mit der Konzeption eines umfangreichen Werks begonnen,[93] als dessen Quintessenz das Triptychon anzusehen ist. Daneben entstand ein Zyklus, *Pogrom* betitelt, in dem auf neun Tafeln einzelne Szenen von *Nacht über Deutschland* in leicht variierter Form separat dargestellt wurden (WVZ 174−183, Abb. 8 u. 9, S. 150 und Abb. 87, S. 184). Anders als das Triptychon wurde der Zyklus allein den Opfern des Faschismus gewidmet. Diese Arbeiten zeugen, zusammen mit den zahlreichen Skizzen (WVZ 1536−1544, WVZ 1546−1552, WVZ 1562−1569) von der Intensität, mit der sich der Künstler mit dieser Thematik auseinandergesetzt hat.

Die Mitteltafel des schon gleich nach Kriegsende begonnenen Werks[94] zeigt eine Lagerszene mit drei Kindern, von denen zwei ihre dünnen Arme, in die die Lagernummern tätowiert wurden, hochstrecken, so daß der Eindruck eines Aufschreis entsteht. Diese Geste scheint eher ein Ausdruck von Hilflosigkeit und Verzweiflung zu sein als ein Symbol des Willens zum Kampf. Auf der linken Seite ist ein Mann dargestellt, der im Stacheldrahtzaun hängengeblieben ist, im rechten Hintergrund eine flüchtende Menschengruppe. Im Gegensatz zu dieser aufgewühlten Gruppe in der mittleren Ebene der Tafel steht die ruhig gehaltene Landschaft. Vor diesem ganzen Szenarium sind zwei Personen abgebildet. Ein Mann ist im Zentrum der Komposition plaziert, die Ober- und Unterkante des Bildes berührend; links von ihm befindet sich eine sitzende männliche Figur, die die Hand im Klage- oder Melancholiegestus vors Gesicht gelegt hat.

Der linke Flügel zeigt eine in einem Bunker kauernde Figur, dahinter, schemenhaft angedeutet, zwei andere Personen. Auf dem rechten Flügel ist eine Familie zu sehen; Vater, Mutter und Kind sind übereinandergeschachtelt, verbunden durch den beschützenden Gestus der Frau, der das Kind einschließt, und die Arme des Mannes, der wiederum Frau und Kind umfaßt. Der Blick des Mannes ist nach oben gerichtet. Die Predella zeigt dicht zusammengedrängte Menschen im Gefängnis, die trotz ihrer räumlichen Beengung und im Gegensatz zu den anderen Personen, die auf diesem Triptychon dargestellt sind, sehr beschäftigt scheinen. Die Übrigen scheinen vorwiegend ängstlich, hilflos, traurig, auf jeden Fall gelähmt. So kommt der Predella in diesem Werk eine grundlegende Bedeutung zu, indem sie nämlich durch die bildliche Vermittlung aktiver Überlebensstrategien ein Widerstandselement integriert, das auf die Zukunft hinweist. Ausgehend davon, daß die Predella normalerweise »die Basis, die Bedingungen der in den Bildern dargestellten Szenen«[95] beschreibt — im traditionellen christlichen Altar ist das häufig die Grablegung —, könnte man im übertragenen Sinne von einem Hoffnungsträger im Bild sprechen: durch die Erfahrung und die Überwindung des Faschismus wird eine neue Gesellschaft ermöglicht. Um dieses zu verdeutlichen, sei auf vorbereitende Studien zur Predella verwiesen. Entgegen den Darstellungen der Skizzen wählte Strempel im Triptychon eine komprimierte Fassung. Die in drei Gefängniszellen (WVZ 1569, Abb. 183, S. 231) aufgeteilte Komposition wurde auf zwei reduziert (WVZ 1568, Abb. 182, S. 231). Im linken Raum befinden sich somit nur noch vier Gefangene, von denen einer nur schattenhaft im Hintergrund angedeutet wurde; zwei werden bei der gemeinsamen Nahrungsaufnahme gezeigt. Die Anlehnung an die christliche Ikonografie, die einerseits hier durch den Eindruck des Brotbrechens beim Abendmahl, andererseits durch die Hinzunahme eines Pietà- oder Grablegungs-Motivs (WVZ 1567, Abb. 181, S. 231) nahegelgt wurde, fällt somit in der Predella weg. Die vierte Person stellt das Verbindungsglied zur Nachbarzelle dar. Sie übermittelt Nachrichten durch Klopfzeichen, die von dem Mann im angrenzenden Raum notiert werden.

Die Intention des Künstlers, auch positiv-aufbauende Momente zu formulieren, wird durch die Form unterstrichen. Vor allem im Gegensatz zu den beiden Seitentafeln, wo die Figuren in geschlossenen, abgerundeten Formen dargestellt werden, aber auch zur Mitteltafel, deren Bewegungsduktus nur in die Senkrechte zielt, läßt die Predella durch senkrechte und diagonale Bewegungsrichtungen Dynamik erkennen.- Im übrigen wird deutlich, daß gerade die Mitteltafel von einem geometrisch bestimmten Kompositionsgerüst getragen wird, was sich insbesondere an der Betonung der beiden Diagonalen sowie mehrerer Senkrechter zeigt.

In dem Gemälde *Nacht über Deutschland* kommt eine vielschichtige Ikonografie zum Tragen. Parallelen zu Grünewalds *Isenheimer Altar* wurden zwar mehrmals bemerkt,[96] liegen aber m.E. nicht offen, sondern können eher in einer allgemeineren Haltung, etwa der Zeitgeschichte gegenüber, gesehen werden.

Die Mitteltafel wurde in der Literatur als »modernes Golgatha« bezeichnet, »allerdings nicht mit einem Gekreuzigten in der Mitte, sondern mit einer Gestalt, von der man nur schwer sagen kann, ob sie mehr Schuldiger oder ob sie Opfer ist.«[97] Der Vergleich mit Passionsdarstellungen ist für eine Annäherung an Strempels *Nacht über Deutschland* gewissermaßen obligatorisch und auch meiner Meinung nach, vor allem durch die äußere Form vermittelt, nicht von der Hand zu weisen. Dennoch scheint mir, daß die bisherigen Deutungsversuche, auch wenn sie, wie etwa bei Kober, schon auf die Ambivalenz hinweisen, die neben anderem im schon zitierten Verhältnis von Opfer und Täter zu sehen ist, oder aber in der Möglichkeit, durch die Darstellung von Leid und Tod gleichzeitg auf eine Auferstehung in der Zukunft zu verweisen,[98] der Polysemantik dieses Werks kaum gerecht werden können. Die Problematik, die im Werk selbst angelegt ist und bei den (heutigen) Deutungsversuchen offenbar nicht in ihrer vollen Breite erfaßt werden kann, liegt in erster Linie in der fehlenden Trennung von Opfern und Tätern, die Dargestellten werden vielmehr zu Symbolen menschlicher Ohnmacht verallgemeinert.

Wenn etwa Schultheiß das Triptychon als beispielhaft für »mechanistisch verkürztes Bewußtsein vom Nationalsozialismus und den Bedingungen seiner Bewältigung«[99] bezeichnet, so ist das wohl vor allem auf ein »mechanistisches« Interpretationsschema zurückzuführen, das versuchen will, in einer Bündelung, die notgedrungen auch verkürzt, der Vielschichtigkeit eines Phänomens — gemeint ist hier ein Teil der Nachkriegskunst — gerecht zu werden.[100] Sie berücksichtigt weder die biografischen Grundlagen des Bildes, wie eigenes Erleben, politische Anschauung usw., die m.E. hier eine große Rolle spielen, noch wird eine umfassende Deutung einzelner Figuren bzw. Figurengruppen in der an sich gebotenen Intensität vorgenommen.[101] Es scheint vielmehr, daß einzelne Aspekte isoliert wurden, um eine vorgefaßte Meinung zu untermauern. So handelt es sich bei den Menschen auf dem rechten Flügel keineswegs um eine »proletarische« Familie,[102] jedenfalls ist sie nicht unbedingt als solche charakterisiert. Die übrigen Arbeiten zu dieser Szene, etwa *Der gelbe Stern* (WVZ 176), zeigen deutlich, daß es Strempel darum ging, eine jüdische Familie darzustellen.

Ausgehend von der christlichen Ikonografie in der traditionellen Deutung der Golgatha-Szene müßte es sich bei der Zentralfigur um einen Unschuldigen handeln oder, wie in ikonografischen Untersuchungen zur Kunst der Nachkriegszeit immer wieder betont wurde, um ein Sinnbild für eigentlich zu Unrecht ertragenes Leid. Man kann jedoch nicht davon ausgehen, daß Strempel, sollte er wirklich nur »die deutsche Selbstbesinnung dokumentiert«[103] haben wollen, den Deutschen ins Zentrum des Kalvarienberges gerückt haben würde. So wäre eine mögliche Deutung, daß hier eine Kritik an der von Selbstmitleid und Klage geprägten Haltung der Bevölkerung formuliert oder ein Ist-Zustand kritisch manifestiert werden sollte. Für diese These spricht auch die indirekte Konfrontation von denen, die wirklich unter dem faschistischen System gelitten haben — KZ-Häftlingen, politischen Gefangenen, Zwangsarbeitern, Juden — mit denjenigen, die, selbstvergessen und losgelöst von den grauenvollen Szenen im Hintergrund, ganz in den Vordergrund gerückt sind. Bezeichnend ist weiterhin, daß die beiden Hauptfiguren den Menschen im Hintergrund den Rücken zukehren, eine Gestaltung, die Strempel nicht von vorneherein intendiert hatte. Interessant in diesem Zusammenhang sind die Skizzen für die Mittelgruppe (WVZ 1548–1550, Abb. 175–179, S. 229 f.). Daran zeigt sich, daß er wohl anfangs nicht daran gedacht hatte, diese derart beherrschend ins Zentrum des Bildes zu rücken, wie es dann im Triptychon der Fall war; auch lassen sich hier keine Analogien zu traditionellen Kreuzigungsszenen erkennen. Auf einem dieser Blätter sind zwei Varianten dieser Szene zu (sehen WVZ 1548, Abb. 175, S. 229). Während die rechte schon in Ansätzen die Konzeption der Endfassung wiedergibt, ist bei der linken Zeichnung die Mittelfigur an den äußeren linken Rand gerückt — mit dem Rücken zum Betrachter gewandt. Sie wird somit gleichrangig in das Bildgeschehen integriert. Daraus ergibt sich ein weiterer Unterschied zur Endfassung: zunächst ist die vordere Bildmitte nach hinten geöffnet und gibt den Blick auf das Lager frei. Auf der rechten Zeichnung jedoch ist die Figurenkonstellation schon annähernd so wie in der endgültigen Fassung mit einer deutlichen Konzentration auf die Bildmitte.

Ein weiteres Argument gegen die einschränkende Golgatha-Deutung ergibt sich in der Gegenüberstellung mit den neun Paraphrasen. Hier werden ausschließlich die Opfer des Faschismus dargestellt und es wäre verwunderlich, wenn Strempel nicht auch die Zentralfigur — sofern er sie ebenfalls als Opfer auffaßte — in eine der Tafeln miteinbezogen hätte.

Daß das in *Nacht über Deutschland* dargestellte Bewußtsein der damaligen Auffassung fortschrittlicher Kräfte entsprach, belegt eine Konfrontation mit einem Text von Johannes R. Becher. »Deutschland klagt an!«[104] wurde im Zusammenhang mit den Nürnberger Prozessen verfaßt und beinhaltet eine ähnliche Ambivalenz wie Strempels Triptychon. Becher trennt zunächst die Nazikriegsverbrecher von dem deutschen Volk, dem er die Rolle des Anklägers zuweist — eine Auffassung, die von unserer heutigen Sicht aus anmaßend erscheinen muß, aber wahrscheinlich die einzige Möglichkeit war, einen Zugang zu den Menschen zu finden; erst am Ende des Textes erfolgt die Aufforderung an den Leser, seinen eigenen Anteil an Krieg und Gewaltherrschaft zu überdenken. Dazwischen gedenkt er der Opfer: der gefallenen Soldaten, ihrer Familien, »unzähliger bester Deutscher«, die von der Gestapo gequält und in Konzentrations- und Vernichtungslagern umgekommen sind, der »systematischen Ausrottung unserer jüdischen Mitbürger« und der Flüchtlinge, die wegen Hitlers Lebensraumpolitik aus ihrer Heimat vertrieben wurden (in genau dieser Reihenfolge). Des weiteren erhebt er Anklage »wegen der schweren Schäden, die unser Volk genommen hat an Seele und Geist«.

Eine Äußerung aus einem anderen Bereich könnte gleichfalls etwas zur Erhellung der Problematik beitragen. Der Regisseur Zlatan Dudow äußerte in einem Interview, zu gegenwärtigen Themen seines Filmschaffens befragt, daß er, bedingt durch seine Emigration, nun in der Lage sei, die Veränderungen, die sich im deutschen Menschen vollzogen hätten, deutlicher wahrnehmen zu können. »Erschütternder als alle Häuserruinen sind die menschlichen Ruinen, denen ich auf Schritt und Tritt begegne. Der deutsche Mensch scheint völlig apathisch, gleichgültig und stumpf zu sein. Aber ich glaube nicht, daß er es in Wirklichkeit ist. Er ist in sich gekehrt, aber im Innern geladen. Scheu — doch voll seelischer Spannungen. Wir müssen den Schlüssel zu seinem Innern finden.«[105]

Dennoch steht die Ikonografie des Triptychons unzweifelbar mit Passionsdarstellungen unbedingt in Zusammenhang, wenn Strempel auch nicht eine Golgatha-Szene im engeren Sinn intendiert hat. Typus-Entsprechungen im Hinblick auf die Zentralfigur könnten ebenso auf eine Ecce Homo-Darstellung verweisen. Dieser Typus, der die »Zurschaustellung des gegeißelten und geschlagenen Christus«[106] meint, »vereint im Zusammenhang mit der biblischen Geschichte beide Möglichkeiten in sich, die der Schuld und die der Unschuld«[107] und wird häufig auch als »Selbstverständnis der Nachkriegs-Intelligenz«[108] gedeutet.[109]

Ein weiteres Deutungsmuster ergibt sich, wenn

man die stehende Mittelfigur in einen mythologischen Kontext rückt. Analogien zum gefesselten Prometheus liegen, vermittelt durch die Haltung der Hände, nahe, zumal dieses in vorbereitenden Figurenstudien (WVZ 1552, Abb. 179, S. 230) suggeriert wird. So läßt sich ein Bogen zu Strempels zweitem Hauptwerk der Nachkriegsjahre spannen, dem Wandbild im Bahnhof Friedrichstraße, bei dem entsprechend die Darstellung der Befreiung des Prometheus zugrunde gelegt worden sein könnte.

Auch die Figur des links sitzenden Mannes ist nicht eindeutig zu erfassen. Er ist auf einem Stein plaziert und hat den Kopf auf seine rechte Hand gestützt. Geht man hier wiederum von der Hypothese aus, daß ein Kalvarienberg, im traditionellen Sinne, dargestellt werden sollte, würde es sich bei diesem Mann um eine trauernde Assistenzfigur, vielleicht Johannes entsprechend, handeln. Dagegen spricht allerdings, daß diese Personen in der Regel stehend abgebildet werden und daß sie dann auch keine außergewöhnliche Funktion im Bildgeschehen haben. Gerade dieses ist aber hier der Fall. Für die Deutung der Figur können zwei Vorschläge gemacht werden. Der Typus des Sitzenden entspricht einem trauernden Christus im Elend.[110] Ebenso wäre jedoch der Bezug auf Hiob nachzuprüfen, der gerade in der profanen Ikonografie der Nachkriegszeit eine bedeutende Rolle spielt.[111] Er versinnbildlicht die »Erfahrung der Abhängigkeit, des Ausgeliefertseins an nicht kontrollierbare Prozesse«.[112] Häufig wird er allerdings in Ruinen dargestellt, so beispielsweise bei Otto Dix. Strempel indessen zeigt ein Lager, was möglicherweise ein Hinweis darauf ist, daß er nicht unbedingt auf die allgemeinen Kriegsfolgen hinweisen, sondern von der materiellen Substanz auf andere, geistige, Ebenen leiten wollte.

Schon vom Inhaltlichen waren Relationen zu älterer Kunst angedeutet worden. Diese kommen aber ebenso bezüglich der künstlerischen Technik zum Ausdruck. Sowohl in *Nacht über Deutschland* als auch in den späteren großen Kompositionen wie *Die Sucher, Lidice, Soldaten, Sackträger* usw. werden ähnliche Prinzipien verwendet. Während ihnen allen vom Stil her ein »expressionistischer Realismus« zugrunde liegt, erinnert die dunkeltonige Farbskala, die nur durch wenige Lichtpunkte aufgelockert wird, daran, daß Strempel in den Jahren zuvor ein intensives Studium der holländischen Hell-Dunkel-Malerei bei Rembrandt und Frans Hals betrieben hatte.[113]

So ist es zwar richtig, wenn im Hinblick auf die Mittelfigur bemerkt wurde, daß die Gestalt zwar anklage, nicht aber den Kampf um die große gesellschaftliche Erneuerung verkörpere, denn: »Sie steht am Ende der Vergangenheit, nicht am Anfang der Zukunft. Darin liegt die Begrenzung, die das Werk vom Sozialistischen Realismus trennt«.[114] Die Schlußfolgerung aus dieser Feststellung geht jedoch an der Intention des Werks vorbei. Es muß berücksichtigt werden, daß

Strempel sein Triptychon zu einer Zeit schuf, als der Aufbaugedanke noch von der Abrechnung mit der Vergangenheit dominiert wurde. So werden die Nürnberger Prozesse, die in diesen Monaten geführt wurden und die eine Unmenge an Dokumenten und Fotomaterialien über die in den KZs verübten Verbrechen an die Öffentlichkeit brachten, auch in diesem Werk ihre Spuren hinterlassen haben. Es konnte Strempel zu diesem Zeitpunkt noch nicht darum gehen, »die große gesellschaftliche Erneuerung« zu thematisieren, solange man sich der Vergangenheit und der unmittelbaren Gegenwart nicht gestellt hatte.[115]

Das Triptychon *Nacht über Deutschland* kennzeichnet, wie kaum eine andere künstlerische Arbeit dieser Zeit, die erste Etappe der deutschen Nachkriegskunst. Während festzustellen ist, daß das Gros der damals entstandenen Arbeiten sich, wenn überhaupt die aktuelle Situation berührt wird, mit dem materiellen Elend auseinandersetzte, ging Strempel weit darüber hinaus, indem er auch das geistige Verhängnis zu fassen versuchte. Seine Reflexion der Zeitverhältnisse und Ereignisse hat nicht den Anspruch einer dokumentarischen Wiedergabe, obwohl sie selbstredend darauf fußt. Vielmehr versuchte er in diesem Werk eine eher verallgemeinernde Darstellung und Deutung der jüngsten Vergangeheit und der unmittelbaren Gegenwart zu geben. Es wurde mit Recht darauf hingewiesen, daß die Darstellung seelischer Zustände wie Angst, Schuldbewußtsein, Klage und Anklage als symptomatisch anzusehen sind für die Haltung, mit der das deutsche Volk den 8. Mai 1945 erfahren hat. Nicht das Gefühl der Befreiung war vorherrschend — zumindest für den größeren Teil der Bevölkerung —, sondern das Gefühl der Niederlage, was sich auch heute noch in dem für dieses Datum gebräuchlichen Begriff der »Kapitulation« ausdrückt.

Vergleichbar, wenn auch nicht identisch in Aussage und Haltung, sind zwei Werke, die gleichfalls zu den beeindruckensten künstlerischen Äußerungen der ersten Nachkriegsjahre gerechnet werden müssen. Auch Hans Grundigs Hommage an die *Opfer des Faschismus*[116] deutet die christliche Ikonografie, insbesondere die Passionsgeschichte, im Sinne der Gegenwart um und vereint, wie bei Strempel, Hoffnungslosigkeit und Hoffnung. Hinter einer Zweiergruppe von Toten, den Opfern, die, den Bildrand rechts und links berührend, auf einen Goldgrund gebettet sind, befindet sich ein Lager. Bedrohlich wirkt der Schwarm schwarzer Vögel vor einem Himmel, an dem, als Zeichen der Hoffnung, das Morgenrot aufzuziehen beginnt.

Wilhelm Lachnits *Tod von Dresden*[117] thematisiert auf dieser symbolischen Ebene das Zentralproblem der Nachkriegszeit. Das Pietà-Motiv der trauernden Mutter mit ihrem Kind — das Kind wiederum als Symbol der Hoffnung — wird begleitet von einem trauernden Tod, der schattenhaft die Kontur der Mutter dupliziert. Der trauernde Tod ist eine ikonografische Neuschöpfung der Nachkriegszeit, nicht mehr wie ursprünglich, Sieger über das Leben, sondern auch ein Opfer; in dieser Doppeldeutung ergibt sich eine Parallele zu Strempels *Nacht über Deutschland.*

Bei aller Unterschiedlichkeit der einzelnen Themenstellungen und ihrer künstlerischen Lösungen zeichnet sich zumindest eine Gemeinsamkeit ab: sie stellen Versuche dar, bildliche Darstellungen der Totalität des geschichtlichen Augenblicks zu schaffen, und zwar mit Rückbezug auf überlieferte Formen. Das, was sie von der Mehrzahl der damals entstandenen Kunstwerke positiv abhebt, ist, daß hier Faschismus und Krieg nicht als unfaßbare Ereignisse oder als Naturkatastrophen dargestellt, sondern aus ihrem historischen Entstehungskontext heraus verstanden wurden. Trotzdem wurden diese und andere Arbeiten mit gleicher Tendenz schon bald scharf attackiert oder einfach ins Abseits gedrängt, da sie nicht mehr den Erfordernissen der Zeit und den im Fortschritt begriffenen Denk- und Erkenntnisprozessen genügen konnten. Diese angeblichen Defizite wurden weniger in der durchaus verbreiteten expressiven Formsprache gesehen, die durch einen an der Sowjetunion orientierten Sozialistischen Realismus abgelöst werden sollte, sondern es wurde zunächst mehr auf inhaltliche Umwertungen gedrängt. Die vermutlich von politischen Weisungen beeinflußte Kunstkritik bemängelte, daß die meisten Darstellungen kaum über die Beschreibung des Ist-Zustandes hinausgingen. Man forderte eine intensivere künstlerische Analyse der gegenwärtigen geistigen und sozialen Probleme und daraus resultierend eine Hinwendung zu neuen Perspektiven.

Bei einer rückblickenden Betrachtung der damals entstandenen Werke ist festzustellen, daß sie den derzeit verbindlichen politischen Richtlinien verpflichtet waren und sie in dieser Ausprägung auch Parallelen in der zeitgenössischen Literatur haben.[118] Erste Forderung war immer gewesen, den Faschismus zu überwinden; das bedeutet, daß die vordringliche Aufgabe war, das Bewußtsein der Massen zu schulen und zu sensibilisieren. Auch kommt man nicht umhin einzugestehen, daß sie, selbst wenn sie häufig etwa »nur« die depressive Stimmungslage der Menschen oder ihre miserable soziale Situation veranschaulichen, für uns zumindest ein wichtiges Zeitdokument geblieben sind. Diese beiden Faktoren sind auch in Strempels erstem Nachkriegsbild vorhanden.

Das Bild *Nacht über Deutschland* ist vermutlich dasjenige Werk Strempels, welches am intensivsten rezipiert und — mit wenigen Ausnahmen, beispielsweise in der Folge der Formalismus-Diskussionen[119] — durchweg positiv bewertet wurde. Es herrscht ein seltener Konsens darüber, daß das Werk zu den »zentralen Bildfindungen der Nachkriegszeit«[120] zu rechnen ist.

Wenn Strempel auch mit der Beendigung des Triptychons *Nacht über Deutschland* einen weitgehenden Abschluß dieses Problemkreises erreicht hat, so tauchen dennoch auch in den folgenden Jahren immer wieder Bilder in seinem Œuvre auf, die an die jüngste Vergangenheit erinnern. Sie erreichen aber weder die Komplexität dieses Werks, die sich durch die zusammenhängende Gestaltung von Historisch-Konkretem und Psychisch-Individuellem auszeichnet, noch können sie als typische Historienbilder bezeichnet werden.

Eine sehr direkte Auseinandersetzung mit der Vergangenheit suchte Strempel in der Mappe *Gestalten der Vergangenheit* (WVZ 1576–1585). In dieser Folge von Tuschzeichnungen brandmarkte er den Faschismus, indem er die gesellschaftlichen Stützen des faschistischen Regimes benannte. Er zeichnete keine konkret-individuellen Porträts, sondern nur unterschiedliche Menschen- oder Standestypen, die das System tragen halfen. Absichtlich entlarvte er nicht nur Institutionen bzw. institutionell gebundene Personen, wie Polizei, Richter und Militärs, sondern er bezog auch den einfachen Bürger als Mitverantwortlichen in seine Abrechnung ein. Der Blickwinkel, aus dem Strempel die jüngste Vergangenheit betrachtet, hat sich gewandelt. Anders als in *Nacht über Deutschland* geht es hier hauptsächlich um die Täter, nicht um die Opfer. Im Blatt *Maiden und Helden* (WVZ 1582) schmiegt sich ein waschechtes deutsch-arisches Mädchen mit Hakenkreuzemblem und dem typischen Zopf ausgestattet, eng an einen grimmig dreinblickenden Soldaten, der mit seiner rechten Hand ihre Hüfte umfaßt. Das Idyll wird allein durch das Stilett, das der Mann trägt, getrübt. In der *Herrenmenschen* betitelten Zeichnung (WVZ 1579, Abb. 187, S. 233) sehen ein als Bürger gekennzeichneter Mann und zwei schemenhaft angedeutete feiste Kapitalisten im Hintergrund scheinbar unbeteiligt zu, wie die Polizei auf einen Juden einknüppelt, dessen Kind gerade erstochen wurde. Im Blatt *Justiz* (WVZ 1584, Abb. 188) wird nicht nur der Richter, der ein unterschriebenes Urteil in der Hand hält, von Strempel herangezogen, sondern auch der vermummte Henker. Die Foltermethoden der Gestapo werden ebenso angeprangert wie der Sinn für Recht und Ordnung der sogenannten Ordungshüter (WVZ 1585, Abb. 189).

Strempel versuchte hiermit im Nachhinein, Wesen und Ideologie der Herrschaft im Dritten Reich auf den Grund zu gehen und darzustellen. Es ist eine direkte Fortsetzung dessen, was er im Pariser Exil mit seinen Pressezeichnungen angestrebt hatte. Entsprechend der historischen Situation verschieben sich jedoch Themen und Akzente. So wird nun nicht mehr der anonyme Kapitalist so sehr ins Zentrum gerückt wie in den etwa zehn Jahre früher entstandenen Arbeiten. Es konnte Strempel jetzt weniger darum gehen, etwa eine übergreifende politische Analyse des Faschismus und seiner Erscheinungsformen im allgemeinen zu geben, sondern er mußte, wenn er gehört und verstanden werden wollte, an das anknüpfen, was für die Deutschen, die die zwölf Jahre der nationalsozialistischen Herrschaft mehr oder minder passiv geduldet hatten, erfahrbar war. Allerdings konnte er dabei teilweise auf sein bewährtes Repertoire anklagender und entlarvender Darstellungsmöglichkeiten zurückgreifen, wie beispielsweise die standestypischen Verallgemeinerungen oder die Art der Gegenüberstellung von Opfer und Täter. Neu kommt die Metapher des »Übermenschen« hinzu, die Darstellung überdimensional großer »Herrscherfiguren« gegenüber den Opfern.

1949 entstand *Wollt ihr das wieder?* (WVZ 284, Abb. 106, S. 196), ein Antikriegs-Werk, in dem das traditionelle Beweinungsmotiv eine Erweiterung erfährt und sich damit in Traditionszusammenhänge fortschrittlichen Kunstschaffens begibt, die früher beispielsweise schon von Ossip Zadkines *Die zerstörte Stadt* und Jacques Lipchitz' *Mutter und Kind* markiert wurden.[121] Auch durch den Titel vermittelt versucht Strempel, sich von der bloßen Trauer um die Opfer, von Resignation und Fatalismus wegzubewegen und den Betrachter zumindest zum Nachdenken, wenn nicht zur Aktion aufzurufen. Anlaß für dieses Bild könnte der sich zuspitzende Ost-West-Konflikt und die beginnende Remilitarisierung der Bundesrepublik gewesen sein. Auch Werke wie *Soldaten* (WVZ 257, Abb. 104, S. 194) oder *Gemordete Demokratie* (WVZ 190) und *Ruhe und Ordnung* (WVZ 261, Abb. 105, S. 195), die auch im Stil an den Pogrom-Zyklus erinnern, stellen unmittelbare Bezüge zur faschistischen Vergangenheit her. Als weiteres Beispiel kann hier das Werk *Lidice* (WVZ 285, Abb. 19, S. 152) angeführt werden, dessen Thematik in einem historischen Ereignis, der Auslöschung eines ganzen Dorfes durch die deutschen Faschisten, begründet liegt, aber vermutlich ebenso einen aktuellen Anlaß gehabt hat.

Werke zum Zeitgeschehen
Im Werk der Nachkriegsjahre sind einige Arbeiten präsent, die aktuelle politische Themen behandeln, wie beispielsweise *Einheit* (WVZ 189, vgl. Abb. 186, S. 232), eine abstrahierende Komposition, die sowohl auf die erwünschte deutsche Einheit gemünzt werden wie auch als eine Anspielung auf die Vereinigung von SPD und KPD zur SED gesehen werden kann.[122] Einen mehr symbolischen Zeitbezug wird man in *Kreuzigt den Fortschritt* (WVZ 259, Abb. 17, S. 152) erkennen dürfen. Ikonografisch zeigt sich hier eine Variante des Ecce-Homo-Motivs. Entgegen der herkömmlichen Auffassung, die Christus als leidende Kreatur sieht,[123] rückt Strempel einen selbstbewuß-

ten und somit provozierenden »Christus« in den Mittelpunkt seiner Darstellung und konfrontiert diesen mit maskentragenden, geifernden Zuschauern. Der profanisierte Bildtitel legt zunächst eine gesellschaftsbezogene Deutung des Werks in zweifacher Hinsicht nahe. Abgesehen von einer allgemeinen Kritik an Doppelzüngigkeit und Verlogenheit, wie sie vor allem durch die Maskensymbolik angedeutet wird, könnte das Motiv hier Bezug nehmen auf die Schwierigkeiten bei der Bewältigung der Vergangenheit wie auch beim Aufbau des Sozialismus. Anders als noch in *Nacht über Deutschland* schwingen hier allerdings das mittlerweile gewachsene Selbstwertgefühl mit und die Überzeugung, daß trotz aller Hindernisse ein Fortschritt möglich sein wird.

Eine Gegenüberstellung mit der Mitteltafel von Max Beckmanns Triptychon *Schauspieler*,[124] dessen Christus-Thematik von ihm selbst benannt wurde,[125] findet sowohl in der bühnenmäßigen Aufteilung in zwei Ebenen mit Darstellern und Zuschauern wie auch im Inhaltlichen, etwa in dem Verweis auf eine symbolische Bedeutung über das unmittelbare Motiv hinaus, seine Entsprechung. Friedrich Wilhelm Fischer vermutete darüberhinaus eine Selbstdarstellungsabsicht des Künstlers im Bild des Hauptdarstellers König-Christus, der sich abmüht, der Gleichgültigkeit seiner Umgebung sein eigenes Engagement gegenüberzustellen.[126] Berücksichtigt man das Datum der Fertigstellung von *Kreuzigt den Fortschritt* (1948), so könnte eine Übertragung der Intention Beckmanns auf die Situation Strempels zu dieser Zeit durchaus angemessen sein. Dabei muß nicht einmal der Bezug auf die Formalismus-Debatte im Vordergrund stehen; auch allgemeinere Anspielungen auf das Unverständnis von Spießbürgern gegenüber dem Künstler können in dieser Thematik zum Ausdruck kommen.

In anderen Werken der ersten Nachkriegsjahre, wie in *Die Blinden* (WVZ 199, Abb. 90, S. 185), *Das Warten* (WVZ 219, Abb. 95, S. 189) oder besonders in dem Gemälde *Die Sucher* (WVZ 252, Abb. 15, S. 153) offenbaren sich zwei Anliegen Strempels gleichzeitig. Das erste ist die Schilderung einer realen Situation, die zum Alltag der Menschen in der Nachkriegszeit gehörte, die Suche nach in den Trümmern Verschütteten. Außerdem ist, auf einer metaphorischen Ebene, intendiert, die Menschen im aktiven Bemühen um die Bewältigung der Vergangenheit und bei der Suche nach einem Weg für die Zukunft zu zeigen. Strempel stellt eine eng zusammengefaßte Gruppe von zwei Männern und zwei Frauen dar, die, ähnlich der Bewegung der Zentralfigur im Wandbild Bahnhof Friedrichstraße, nach vorne drängen. Hinter sich lassen sie ein undefiniertes Dunkel zurück, während die Laterne, die einer von ihnen hält, ein gespenstisches Licht auf ihre Körper wirft. Die Physiognomien und ihre Gesten verraten, obwohl teilweise stark stilisiert,

Ungewißheit, Fragen und Erregung. Eine Gegenüberstellung mit Hermann Bruses *Menschensucher*[127] bietet sich zwingend an. Aus der gleichen Themenstellung erwachsen zwei ganz unterschiedliche Lösungen. Zum einen gestaltete Bruse das Bild sehr viel naturalistischer, sowohl was die ruinenhafte Umgebung betrifft als auch auf die Darstellung der Person bezogen, die identifizierbare Gesichtszüge besitzt. Der andere gravierende Unterschied liegt darin, daß Bruse eine Einzelperson darstellte, die, im Grunde orientierungslos, einsam und resigniert die Trümmer durchschreitet.[128] Strempel hingegen legte, wie schon in früheren Bildern, den Akzent auf das gemeinsame Agieren. Bruse thematisierte eher die Befindlichkeit eines Menschen, sicherlich stellvertretend für viele, ohne jedoch eine auf die Zukunft bezogene Perspektive zu eröffnen, während bei Strempel das Moment der Hoffnung, nicht nur durch die Laterne angedeutet, wie bei Bruse,[129] zu erkennen ist.

Renate Hagedorn verwies im Zusammenhang mit Bruse auf die lange Traditionsreihe, die das Thema hat und stellte fest, daß es insbesondere in Zeiten »verschiedener Mängel«[130] auftrete. Ausgehend von der antiken Menschen- und Menschlichkeitssuche des Diogenes von Sinope, der am hellichten Tag mit einer Laterne in der Hand Athen durchwandert haben soll auf der Suche nach einem Menschen, erinnerte sie an verschiedene Darstellungen des Barock und vor allem an das Dresdener Bild Jacob Jordaens *Diogenes auf dem Markt*, das vermutlich eine direkte Vorlage für Bruses Gemälde gewesen ist.

Interessant ist, was Renate Hagedorn zur Beziehung von Bruse und Strempel bezüglich dieses Bildes vermerkt. Demnach soll Bruse seinen *Menschensucher* als Reaktion auf Strempels Wandbild im Bahnhof Friedrichstraße, das ihm mißfallen habe, geschaffen haben.[131] Ob diese Angabe wirklich zutrifft, ist zu bezweifeln, da die Intention des Wandbildes eine vollkommen andere ist; ein Bezug auf *Die Sucher* scheint schlüssiger zu sein.

Neben den *Suchern* entstanden in diesen Jahren noch eine Reihe anderer sinnbildhafter Werke, die sich, wie das vorgenannte, zwar thematisch auf Gegenwartsfragen beziehen, aber dennoch auch auf Überzeitliches und/oder Individuell-Psychisches verweisen wollen. Hier sind *Die beiden Alten* (WVZ 246) und *Das Warten* (WVZ 219, Abb. 95, S. 189) zu nennen, ebenso wie *Die Sackträger* (WVZ 256, Abb. 103, S. 195) und *Die Blinden* (WVZ 199, Abb. 90, S. 185). *Die Blinden* verweist sowohl auf mögliche Folgeerscheinungen des Krieges, wie auch auf Uneinsichtigkeit politischen und gesellschaftlichen Entwicklungen gegenüber oder auf ein verlorengegangenes solidarisches Handeln, dessen Gegenbild in *Die Gier* (WVZ 228/WVZ 722, Abb. 154, S. 220) zutage tritt, wo sich vier Männer wegen eines Pfennigs am Boden raufen. Den Werken, die eine Kritik äußern wollen, ist

diese Mehrschichtigkeit nicht zu eigen; hier brandmarkt Strempel in direkter Weise, was ihm an Negativem auffällt.

Die Bilder, die sich in moralisierender Absicht mit negativen Zeiterscheinungen auseinandersetzen, zeigen deutlich einerseits ihre Orientierung an Künstlern wie Honoré Daumier und Francisco Goya,[132] andererseits sind auch hier wiederum die Ausläufer der politischen Karikaturen des Pariser Exils zu sehen. *Die Dummheit* (WVZ 192, Abb. 89, S. 184 und WVZ 193) zeigt eine Gruppe von Menschen, von denen nur die Köpfe und die Hände zu sehen sind. Sie ist pyramidenförmig in frontaler Ansicht, wie bei Ensor, angeordnet. Vorne am Bildrand befinden sich zwei Personen, die sich mit ihren Händen das Gesicht verdecken, dahinter eine schreiende Menge, teilweise mit hochgerissenen Armen den Hitlergruß demonstrierend. Die Spitze der Pyramide bildet Hitler selbst.

Das Bild wurde zusammen mit *Egoismus* (WVZ 262) und *Gier* (WVZ 228) im »Ulenspiegel« reproduziert und entsprechenden Texten von Stefan Hermlin, Günter Weisenborn und Bertolt Brecht gegenübergestellt.[133] Diese »gemalten Zeitglossen« fügen sich, obwohl als »freie« Arbeiten entstanden, inhaltlich und stilistisch in das Konzept der Zeitschrift ein. Die einzige wahrscheinlich speziell für den »Ulenspiegel« geschaffene Zeichnung zeigt in neun Szenen, was geschehen würde, *Wenn Christus heute wiederkäme* (WVZ 1636). Strempel griff hier abermals, wie schon in *Papst und Christus*, auf eine christlich motivierte Themenstellung mit dem Mehrtafelbild als religiöser Präsentationsform zurück; dabei ging es jedoch wiederum um äußerst profane und aktuelle Zeiterscheinungen. Somit setzt sich hier auf verschiedenen Ebenen fort, was in den antiklerikalen Werken und den Karikaturen der 30er Jahre begonnen wurde — mit einem Unterschied: der Zeichenstil hat sich gewandelt. Strempel schematisiert nun mehr; die Kritik an mit negativen Charakterzügen versehenen Personen wirkt durch den Verlust der detaillierten Darstellung weniger hart, und die Christusfigur erinnert an die kleinen Engel in den Zeichnungen Jean Effels. Es ist anzunehmen, daß die Zurücknahme der satirischen Schärfe zumindest teilweise mit einem gesellschaftlichen und persönlichen Optimismus zusammenhängt.

Stellt man Strempels Kunstproduktion der ersten Nachkriegszeit in eine Reihe nebeneinander, so wird deutlich, daß in seinem Werk schon verhältnismäßig früh eine Umorientierung auf die neue Zeit stattfindet, wobei jedoch auch immer wieder Erinnerungen an die jüngste Vergangenheit auftauchen. Es scheint allerdings, daß er das Thema mit *Nacht über Deutschland* im wesentlichen als abgeschlossen empfand und dann versuchte, Erfahrungen und Hoffnungen in Themen der Gegenwart künstlerisch umzusetzen. Aus welchen Zusammenhängen die später entstandenen Werke *Lidice* und *Wollt ihr das wieder?* entstanden sind, ist nur zu vermuten. Es scheint jedoch, daß Strempel durch seine Rückgriffe auf historische Themen auf gegenwärtige Probleme aufmerksam machen wollte. So ist *Wollt ihr das wieder?* sicher in unmittelbarer Beziehung zum »Kalten Krieg« und als Antwort auf das Erstarken reaktionärer Kräfte in Westdeutschland zu sehen.

Die Arbeit zur Thematik *Aufbau und Verfall*, von der wahrscheinlich drei Fassungen existiert haben (WVZ 196, Abb. 10, S. 149, WVZ 197—198), wurde schon 1945 begonnen. Es ist offensichtlich, daß hiermit eine künstlerische Antwort auf den Aufruf der KPD vom 11. Juni 1945 gegeben werden sollte. Formal knüpfte Strempel an Versuche der Exilzeit an, von einer zunächst naturalistisch-realistischen Konzeption immer mehr auf eine abstrahierende Darstellung hinzuarbeiten, ohne jedoch die ursprüngliche Anlage aufzugeben. Durch das Verweben verschiedener Szenen auf unterschiedlichen Ebenen im Bildraum gelang es Strempel, die Zeitsituation in ihrer Dialektik voll zu erfassen. In simultaner Darstellung demonstrierte er auf der einen Seite, wie der Aufbau in materieller und geistiger Sicht vorangetrieben wird, während im Hintergrund noch Schutt und Ruinen auf die Kriegszerstörungen hinweisen. Ein moralisch-symbolischer Aspekt wird durch die nackte Frau mit Zigarette angedeutet. Die wankende Litfaß-Säule im Hintergrund repräsentiert möglicherweise die unsichere Basis des Bürgertums.[134] — Dem Arbeiter, der Kelle und Hammer zur Seite gelegt hat, um die Zeitung zu lesen, und zwei Frauen, die damit beschäftigt sind, Trümmer zu beseitigen, sind, getrennt durch die die Mitte des Bildes durchschreitende Frau mit dem Einkaufsnetz, einige Männer gegenübergestellt, die vermutlich ihren Schiebergeschäften nachgehen. Dahinter ist eine weitere Gruppe von drei Männern und einer Frau zu sehen, wobei der Mann mit Rucksack wild gestikulierend dargestellt ist. In den Ruinen des Hintergrundes sieht man die Umrisse des Humboldt-Denkmales als Hinweis auf humanistische Traditionen, auf die man nun aufbauen soll. Auf der rechten Seite stehen neue, unzerstörte Häuser. Rechts unten finden sich auf engem Raum die Symbole der Vergangenheit: Trümmer, dazwischen eine Drahtspirale und eine Hitler-Büste, deren Hinterkopf zerbrochen ist. Darüber jedoch befinden sich eine Flasche Wein und ein Brot.

Etwa gleichzeitig mit Horst Strempels Bild entstanden Arbeiten gleicher Thematik von anderen Künstlern. Hinzuweisen wäre auf Rudolf Berganders Triptychon *Ein neuer Anfang* (1946),[135] das aber in seiner ganzen Ausführung sehr traditionell und steif wirkt. Auch dieses Gemälde wird als »eindeutigste künstlerische Stellungnahme« zum KPD-Aufruf und trotz aller Mängel, »als erste Aktivität zur Erschließung eines neuen Bildinhaltes« gewertet.[136] In Kenntnis der Gemälde Strempels zu diesem Thema muß diese

Bewertung relativiert werden.[137] Weiterhin ist an Erna Linckes *Und neues Leben blüht aus den Ruinen*[138] zu erinnern, die hier schon sehr früh die Trümmerfrauen für die Kunst entdeckte, sowie in Edith Dettmanns Aufbaubild von 1946.[139]

Heinz Lüdecke hob Strempels Arbeit, die in der Ausstellung »Künstler sehen die Großstadt« 1947 gezeigt wurde, besonders hervor. »Dem sozialen Problem der heutigen Trümmergroßstadt kommt Horst Strempel mit seinem Gemälde *Aufbau und Verfall* am nächsten, der — obwohl um einige Nuancen zu plakathaft — in der Verrottung des Materiellen ihre gesellschaftlichen Ursachen visionär zu spiegeln versteht«.[140] — Hingegen kritisierte die Zeitschrift »Sie« die Ausstellung insgesamt, da sie nicht den Erwartungen entsprochen habe, die man an ein solches Thema hätte stellen können. Im Hinblick auf Strempel fährt »Sie« fort: »Unter denen, die versagt haben, befindet sich diesesmal auch Horst Strempel. Sein Bild *Aufbau und Verfall* wirkt jedenfalls sehr gestellt. Wie kommt dieser sonst tüchtige Künstler zu Schilderungen, die an sich enttäuschen? Strempel sollte Maler bleiben und nicht Gebrauchsgraphiker werden wollen. Was er uns zeigt, ist Aufbau-Propaganda, auf Effekte berechnet«.[141]

Gleichzeitig mit solchen Bildern, die sich mit der Vergangenheit, mit der gegenwärtigen Vereinzelung oder mit negativen menschlichen Eigenschaften auseinandersetzen, schuf Strempel auch solche Werke, die dazu beitrugen, neue Perspektiven aufzuzeigen und Zukünftiges anzudeuten. Darstellungen, die kollektives Handeln im weitesten Sinne thematisieren, sind hier besonders hervorzuheben.

In dem schon 1945 geschaffenen Werk *Das Referat* (WVZ 139, Abb. 79, S. 181) eröffnen sich schon erste Ansatzpunkte für den in den folgenden Jahren sehr bedeutsam werdenden Themenkomplex der Gruppen- und Kollektiv- und der späteren Brigadebildnisse. Es zeigt eine Gruppe von Männern und Frauen, die einem fiktiven Redner gespannt zu lauschen scheint. Von der Konzeption her wurde bewußt auf die Darstellung von Zusammenhalt und Solidarität geachtet, was sich insbesondere in der durchgängigen Verschachtelung der Figuren zeigt. Der die Gruppe umschließende Rundbogen hat die gleiche Funktion.[142]

In zeitgenössischen Kritiken wurde gerade dieses Bild immer wieder wegen seiner Gegenwartsbezogenheit als vorbildlich herausgestellt. Edwin Redslob gar sah in ihm eine »Vorstufe zu einem Wandbild für einen Vortragssaal« und forderte, daß eine »kluge Kunstbehörde dieses in Auftrag geben sollte«.[143]

Das Thema »Diskussion« wurde in den folgenden Jahren bis 1949 von Strempel immer wieder aufgegriffen und in verschiedenen Variationen bearbeitet. Zwei Fassungen eines Bildes von 1946/47 (WVZ 188/ WVZ 644, Abb. 26, S. 157, WVZ 225 und WVZ 226,

Abb. 96, S. 191) präsentieren eine dreiköpfige Gruppe, die im Hintergrund noch einmal wieder aufgenommen wird. Die Diskussion auf der Straße beschäftigte ihn dabei längere Zeit. Die erste Fassung von 1946 zeigt schon weitgehend die gleiche Anlage des ein Jahr später entstandenen Gemäldes, wobei die frühere Variante sehr viel weiter auseinandergezogen wirkt; sowohl die Distanz der einzelnen Diskussionsteilnehmer als auch der Abstand zwischen beiden Gruppen ist größer. Außerdem ist die ganze Szene näher an den Betrachter herangezogen: das Ambiente ist weggeschnitten, um eine noch stärkere Konzentration auf die Handlung zu erreichen. Feist[144] hat sicher nicht unrecht, wenn er die Doppelung der Diskussionsgruppe als Darstellung eines ständigen und allgegenwärtigen Diskussionsprozesses verstanden wissen will. Jedoch entbehren seine weiteren Schlußfolgerungen und Interpretationsversuche jeglicher Grundlage. Ein Blick auf den noch vorhandenen Teil des Gemäldes von 1947 hätte ihn belehrt, daß es sich hier um ein Fragment handelt. Durch jahrelange unsachgemäße Lagerung und wegen der schlechten Farben war das Bild nämlich derart beschädigt, daß selbst eine totale Restaurierung nicht mehr in Frage kam. Deshalb entschied sich Strempel, das zu retten, was noch zu retten war und fertigte gleichzeitig eine originalgetreue Kopie an (WVZ 644, Abb. 26, S. 157). Es kann also keine Rede davon sein, daß er die Wiederholung der Diskussionsgruppe im Bild »vom tatsächlichen Bildeindruck her irgendwann als Schwächung empfunden« hat. Dieser Fehlschluß führt dann dazu, daß auch die weitere Argumentation nicht mehr stimmt. So ist die Mittelfigur, in der der Autor gerne ein Selbstbildnis Strempels entdecken möchte, zwar auf dem mehr zufälligen Bildausschnitt die »absolute Mittelsenkrechte«, jedoch ist dies weder in der Originalfassung noch in der Studie der Fall, die ihm ebenfalls hätte bekannt sein dürfen. In der Folge ist natürlich auch die Diagonale nicht so stark betont. — Genauso ist Feists Versuch, das Diskussionsthema in Zusammenhang mit Strempels übriger Produktion der Nachkriegsjahre zu stellen, äußerst spekulativ und geht an den Tatsachen vorbei. Wenn er beispielsweise hier ein Aufatmen feststellte, nachdem sich Strempel *Nacht über Deutschland* von der Seele gemalt habe, so zeugt das von einer profunden Unkenntnis des Œuvres. Denn Strempel hatte schon seit Kriegsende eine Reihe »neutraler« Werke geschaffen, man denke nur an den 1946 in Dresden ausgestellten Akt (WVZ 158) oder an den *Sitzenden Akt* (WVZ 156, Abb. 81, S. 186), ebenfalls 1946 entstanden. Auch daß Feist in der Doppelgleisigkeit des künstlerischen Schaffens eine Abkehr von Strempels ursprünglicher Haltung sehen möchte und dazu ausgerechnet eine polemische Kritik des Westberliner »Telegraf«[145] anführt, kommt den tatsächlichen Intentionen des Künstlers nicht entgegen. Vielmehr ist eine

weitgehende Übereinstimmung von Themenwahl sowohl mit der gesellschaftlichen Realität als auch mit den kulturpolitischen Vorgaben in der SBZ/DDR festzustellen — und die Diskussionsbilder sind unbedingt in diesem Kontext zu sehen.

Eine andere Form dieses Sujets ist die Darstellung der Tischgesellschaft (WVZ 229, Abb. 97, S. 191), das vernichtete Bild mit der Tischgesellschaft (WVZ 227) oder das um 1948 entstandene Bild, das einen Meinungsaustausch von mehreren Arbeitern vor dem Hintergrund ihrer Fabrik zeigt (WVZ 1633). Von hier aus zieht sich eine direkte Linie zur *Plandiskussion* von 1949 (WVZ 286, Abb. 107, S. 197), einer Studie für das Wandbild Henningsdorf, die wahrscheinlich die erste Bearbeitung dieser im Zusammenhang mit einem Arbeitsprozeß stehenden Thematik darstellt. Im Gegensatz zu anderen Darstellungen mit diesem Sujet wird hier ein deutlicher Akzent auf die Betonung des kollektiven Gedankens gelegt. Jörg Makarinus sah in diesem Bild in Inhalt und Form wie auch dadurch, daß es in einem gemeinschaftlichen Schaffensprozeß entstanden ist, einen Ausdruck der »Vorstellungen Strempels, die mit seinen Bestrebungen um die Demokratisierung des gesellschaftlichen Kunstprozesses konform gingen.«[146]

Die Arbeiten zeigen allesamt Menschen, die dabei sind, aktiv ihre Zukunft zu gestalten. Die Herausbildung solcher Themen wird zurückgeführt auf »die Notwendigkeit, demokratische Verhaltensweisen mit allen Mitteln zu fördern, Verständnis für die Forderung nach Mitdenken, Mitverantwortung, Gemeinschaftlichkeit des gesellschaftlichen Tätigseins zu wecken … Die Haltung ‚Demokratie‘ war durch die Jahrzehnte hindurch bildschöpferisch in höchstem Maße«.[147] Während man jedoch feststellen kann, daß »sich das beglückende Gefühl, wieder über alles reden und frei diskutieren zu können, in dynamisch-expressiven, heftig erregten Bildern«[148] im allgemeinen widerspiegelt,[148] so trifft das auf Strempels Bildauffassung kaum zu. Mit seiner ruhigen, statischen Menschendarstellung zeigt er sich eher als Schüler Hofers.[150]

Historienbilder

Während in Werken wie *Lidice* sowohl ein historisches Ereignis wie auch ein Verweis auf die unmittelbare Gegenwart gegeben ist, kann die Kategorisierung als Historienbild bei einigen anderen Bildern, wie etwa den verschollenen Gemälden *1848* (WVZ 300), *Erschießung (Marstall 1919)* (WVZ 304) und *Karl Liebknecht* (WVZ 298, Abb. 110, S. 199 und WVZ 303) hingegen eindeutig vorgenommen werden. Zum Zeitpunkt ihrer Entstehung gegen Ende der 40er Jahre muß sich Strempel verstärkt mit historischen Themen auseinandergesetzt haben. Die teilweise großen Formate legen die Vermutung nahe, daß es sich bei diesen Bearbeitungen um Auftragsarbeiten mit repräsentativem Charakter gehandelt haben könnte. Es sollte allerdings ebenso in Betracht gezogen werden, daß die »Flucht in die Geschichte« in engem Zusammenhang mit den Auseinandersetzungen im Rahmen der Formalismus-Debatte stehen kann. Gerade von diesen Arbeiten ist fast nichts mehr erhalten. Noch vorhandene Reproduktionen belegen indessen, daß mit der thematischen Umorientierung gleichzeitig eine Veränderung im Stil einherging, die auf das Einflüsse des Sozialistischen Realismus sowjetischer Prägung zurückzuführen ist.

Als Beispiel der verstärkten Einwirkung naturalistischer Elemente kann neben den Arbeits- und Arbeiterdarstellungen[151] eine Bearbeitung des Liebknecht-Themas angeführt werden. Die Ölstudie mit dem Titel *Karl Liebknecht* (WVZ 298, Abb. 110, S. 199) gibt in wesentlichen Aspekten die Anlage des später entstandenen, heute ebenfalls als verschollen geltenden Gemäldes wieder. Sie zeigt eine Massenszene, aus der Karl Liebknecht durch seinen exponierten Standort über die Köpfe der Zuhörer herausragt. Ansonsten ist die Komposition perspektivisch aufgebaut, d. h. die Personen, die sich am vorderen Bildrand bis etwa zur Mitte des Bildes aufhalten, wurden detailliert durch Physiognomie und Gestik charakterisiert, weiter hinten sieht man nur noch vereinzelte ausladende Gesten, bis sich die Masse an der hinteren Begrenzung des Platzes verliert. Der Zeitungsjunge am vorderen Bildrand bezieht den Betrachter durch seine Wendung aus dem Bild direkt in die Szene mit ein und hat somit eine appellative Funktion. Die Malweise ist expressiv, und auch die Bewegung innerhalb der Masse zeigt sowohl Erregung wie auch gespanntes Zuhören. Die zahlreichen Detailstudien[152] zum Bild belegen, daß es sich um ein wichtiges Bild gehandelt haben muß.

Etwa gleichzeitig mit Strempel schuf auch Fritz Duda[153] ein Bild gleicher Thematik. Bei der Bildlösung werden zwei unterschiedliche Temperamente oder Auffasungen deutlich. Duda wählte ein Querformat und wies damit der Hauptfigur eine andere Stellung zu. Die Beziehung Liebknechts zur Masse ist eine engere, sowohl durch die räumliche Nähe als auch durch den ausladenden Zeigegestus ausgedrückt, der über die herausragende Fahne eine Beziehung zum Publikum herstellt. Den zurückhaltenden Gebärden entspricht ein beruhigter Malstil, der auch die Personen naturalistischer zeichnet; Spannung bezieht das Bild einzig aus der Komposition, aus den starren Senkrechten der Bäume im Hintergrund, wie der Fahne und der Gebärde Liebknechts im Vordergrund.

Werke mit »neutralen« Themen
Diesem durch gesellschaftliche Fragestellungen und politische Erfordernisse motivierten Themenkreis stehen Arbeiten mit sehr intimen Sujets gegenüber.

Sie sind weit entfernt von jenem Pathos, das für die Öffentlichkeit projizierte Werke, wie beispielsweise das Wandbild im Bahnhof Friedrichstraße, auszeichnet. Sie unterscheiden sich weiterhin durch eine andere Farbgebung von den großen thematischen Kompositionen. Zwar wird auch hier häufig das Prinzip der Hell-Dunkel-Malerei angewandt, jedoch wird die vorherrschende Braun-Grau-Grün-Skala durch warme Erdfarben oder eine mit kräftigen Farbakzenten aufgelockerte Graupalette ersetzt.

Hierunter fallen neben zahlreichen Stilleben auch Bildnisse von Personen aus dem Familien- und Freundeskreis sowie von Liebespaaren.[154] Gerade die Paardarstellungen gelten aber bei Strempel nicht vorrangig als Selbstzweck, sind nicht als ein Sich-Zurückziehen in die Privatsphäre zu verstehen, sondern weisen, wie die Titel besagen, ebenso wie viele der anderen Arbeiten in eine hoffnungsvolle Zukunft. So nannte er das Bild eines jungen Paares, das sich in einem Innenraum vor einer Balkontür befindet, *Jugend* (WVZ 169), die Darstellung eines anderen jungen Liebespaares, das durch die Straßen zu schweben scheint, ist mit *Hoffnung* (WVZ 218, Abb. 14, S. 151) betitelt. Im gleichen Bezugsrahmen können auch Mutter-Kind- oder Familienbilder gesehen werden, wenngleich durch die Gesten des Umarmens und Beschützens auch der Gedanke des Rückzugs aus dem Alltag mit seinen Problemen in eine Atmosphäre der Geborgenheit gegeben ist.

Eines der bevorzugten Genres in der Malerei Horst Strempels seit 1945 ist das Stilleben. In gleicher Weise wie bei seinen Aktbildern prägte sich auch hier ein typischer Stil aus, der, trotz einer auch vorhandenen Kontinuität, das Œuvre dieser Zeit als einen in sich geschlossenen Werkkomplex erscheinen läßt. In der unmittelbaren Nachkriegszeit entstanden eine ganze Reihe von Stilleben von seiner Hand. Es ist jedoch darauf hinzuweisen, daß viele Künstler in diesen Jahren eine ausgesprochene Vorliebe dafür zeigten.[155]

Die Beliebtheit gerade dieses Genres in der hier zu behandelnden Zeitspanne kann unterschiedlichen Gründen zugeschrieben werden. Ein wesentliches Merkmal des Stillebens ist es, daß im Bild eine artifizielle Welt konstruiert werden kann, die sich gegen die Realität abgrenzt. Dieses als Fluchtversuch zu deuten, erscheint in vielen Fällen legitim. Gerade in der Kunst der Nachkriegszeit zeigt sich jedoch, daß eine Reihe von Künstlern bemüht war, auch diese Sujets in ihre Auseinandersetzung mit der Gegenwart einzubeziehen. Denn häufig wird immer noch ein Stück vom wirklichen Leben dokumentiert, selbst wenn die Darstellung konstruiert ist. In vielen Metaphern, die vor allem dem heutigen Betrachter nicht immer sofort zugänglich sein können, widerspiegelt sich zum Beispiel das Gebrochene der Nachkriegszeit. Zahlreiche Bilder, auf denen Torsi zu sehen sind, können hierfür als exemplarisch gelten.

Die Tatsache, daß sich viele Künstler, die in anderen Genres bereits ihre Gegenwartsorientierung unter Beweis gestellt hatten, mit dieser Materie auseinandersetzten, weist ebenfalls auf die progressiven Möglichkeiten des Stillebens hin. Es werden neue Metaphern gefunden, um im Stilleben die Zeit des Faschismus und des Krieges, sowie gegenwärtige Gefühle ausdrücken zu können. Dieses findet in der Auswahl der darzustellenden Objekte und ihrer Präsentation ihren Niederschlag. Auf formalen Gebiet drückt sich in der Klarheit der Konstruktion der Wunsch nach Ruhe, Ordnung und Harmonie aus. Die Darstellungen orientierten sich immer seltener an den Inhalten traditioneller Stilleben, sondern fanden ihre eigenen Symbole vor allem in den alltäglichen Gebrauchsgegenständen. Wie in den übrigen Genres können auch sie einerseits in direkter Weise als Schilderung der Gegenwart verstanden werden; sie gehen aber andererseits darüber hinaus, wenn sie vermittels ihrer Metaphorik Empfindungen wie Hoffnungen und Ängste darzustellen versuchen. Wenn in Nachkriegsbildern einfache Nahrungsmittel, wie z. B. Brot, häufig vorkommen, so kann dies als Spiegel existenzieller Bedürfnisse gedeutet werden. Blumenstilleben hingegen können die Hoffnung auf ein neues Werden ausdrücken. In diesem Sinne sind vor allem auch die zahlreichen Stilleben mit Sonnenblumen zu verstehen, die in diesen Jahren entstanden. Als Symbole der Wärme und Hoffnung nahm auch Strempel sie in sein Werk auf (WVZ 265 und WVZ 266, Abb. 18, S. 152).

Einige der Stilleben Strempels, die aus dieser Zeit datieren, zeigen mit am deutlichsten den Einfluß, den Carl Hofer auf ihn ausübte. Das gilt sowohl für die Motivwahl als auch für den klaren, ökonomischen Bildaufbau (WVZ 144, WVZ 145 und WVZ 205, Abb. 92, S. 187). In einer anderen Werkgruppe hingegen wird deutlich, daß er auch weiterhin Anregungen Picassos und Braques verarbeitete (WVZ 204, Abb. 11, S. 149, WVZ 701 und WVZ 702). Hier knüpfte er an Werke an, die in der Exilzeit entstanden waren und eröffnete sich in diesem Genre ein formales Experimentierfeld. In diesem Zusammenhang ist auf ein Stilleben hinzuweisen (WVZ 204), bei dem Strempel offenbar auf eine Arbeit Oskar Molls von 1933[156] zurückgriff und sie unter verstärkter Anwendung kubistischer Stilelemente variierte. Er ersetzte die bei Moll nicht näher definierte Tischplatte durch einen schräg nach vorne abfallenden Tisch, auf dem, wie beim Vorbild, verschiedene Gegenstände arrangiert wurden, wobei sich in einem vor einem Spiegel plazierten Frauenkopf die deutlichste Parallele zeigt.

Die künstlerische Beschäftigung mit Stilleben wurde von der zeitgenössischen fortschrittlichen Kunstkritik zumeist nicht gebilligt, da in ihnen in erster Linie der Versuch eines Ausweichens vor der Gegenwart und ihren Problemen gesehen wurde.[157]

Was bezüglich der Stilleben festgestellt wurde, gilt auch für einige Aktdarstellungen, wie etwa die Mädchenbilder (WVZ 156, Abb. 81, S. 186 und WVZ 158). Ganz anders jedoch ist die Sachlage bei Sujets, die komplexere, auf die Gesellschaft bezogene Zusammenhänge darstellen wollen. Hier bezieht sich Strempel, wenn überhaupt, nur auf stilistische Prinzipien Hofers, nicht aber auf Inhaltliches. Der die Kunst Hofers in vielen Nachkriegsbildern (und nicht nur da) charakterisierende Pessimismus (Totentanz, Atomserenade) findet bei Strempel keine Entsprechung. Selbst »gleiche« Motive, wie beispielsweise *Die Blinden*, erfahren bei Strempel eine ganz andere Ausdeutung. Während das Motiv bei Strempel eine eher positiv-progressive Ausdeutung erfährt, wird bei Karl Hofer der Darstellung der Ausweglosigkeit eine größere Bedeutung beigemessen, beispielsweise vermittelt durch die Symbolik der morschen Bäume.[158]

Die Wandbilder

Das starke Interesse an Wandbildgestaltungen Ende der 40er Jahre erwuchs mehr oder weniger zwangsläufig aus der Diskussion über Sinn und Funktion der bildenden Kunst in der sich langsam etablierenden sozialistischen Gesellschaft. Fresken hatten gegenüber der traditionellen Tafelmalerei den Vorteil, daß sie sich naturgemäß durch ihre Größe und damit auch durch den davon abhängigen Präsentationsrahmen an ein breiteres Publikum wenden konnten. Für die Künstler bot sich hier eine Möglichkeit, ihrer Arbeit eine für die Öffentlichkeit nützliche und wichtige Funktion zu geben, wie die Kunst sie seit langem nicht mehr gehabt hatte. Indem sie nicht mehr vorrangig für private Auftraggeber produzierten, konnten sie so im Dienst für die Gemeinschaft ihren Lebensunterhalt sichern.

Bei der Entwicklung von Vorstellungen, wie die Wandbilder beschaffen sein müßten, konnte man an vielschichtige Traditionslinien der bürgerlichen und sozialistischen europäischen und außereuropäischen Kunst anknüpfen. Schon im 19. Jahrhundert hatten beispielsweise die Nazarener versucht, durch Wandbildgestaltungen für die Gemeinschaft nützlich zu sein; Erfolg bei ihren Bemühungen war ihnen allerdings nicht beschieden. In den 20er und Anfang der 30er Jahre waren es die ARBKD und ihr nahestehende Gruppen, die aus politischen Intentionen — die Kunst als Mittel zur politischen Erziehung — Wandbilder realisieren wollten. Gestützt u.a. auf die Untersuchungen Wilhelm Worringers ging man davon aus, daß das Tafelbild als Bestandteil der bürgerlichen Kultur in der Gegenwart weder Berechtigung noch Nutzen habe. Für die KPD und die anderen fortschrittlichen Gruppen, die eine neue sozialistische Gesellschaftsordnung anstrebten, eignete sich die Tafelmalerei folglich überhaupt nicht.

Die Erfordernisse, denen die Kunst unter veränderten bzw. den sich verändernden gesellschaftlichen Verhältnissen gerecht werden mußte, hatten sich prinzipiell seit den 20er Jahren nicht geändert. Es galt einerseits, die Kunst in ihren didaktisch-agitatorischen Möglichkeiten für die Ziele des Klassenkampfes auszunutzen, andererseits sollte die Kunst der Arbeiterklasse zur Verfügung stehen und nicht mehr, wie bisher, dem Bürgertum. Allerdings hat sich aber im Nachhinein herausgestellt, daß die Ideen von der Inbesitznahme auch der Kunst durch das Proletariat Utopien waren, die durch die Errungenschaften der Oktoberrevolution in der Sowjetunion genährt, in einer Fehleinschätzung der realen politischen Lage im Deutschland der Weimarer Republik zunächst übertragbar erschienen. Unter den veränderten Voraussetzungen nach dem Zweiten Weltkrieg konnten diese Konzepte dazu beitragen, den Kulturaufbau in der SBZ voranzutreiben. Eine der Hauptforderungen lautete, die »Atelierwände, die die Kunst vom Leben trennen«, fallen zu lassen. Vor allem die »Arbeitsgemeinschaft sozialistischer Künstler« baute ihre Kunstvorstellungen auf solchen Ideen auf.[159]

Neben diesen Konzepten konnten die Künstler auch auf internationale Erfahrungen zurückgreifen. Außer dem Vorbild Sowjetunion erwies sich das Beispiel der mexikanischen Muralisten als sehr bedeutungsvoll. In Mexiko war die Wandmalerei nach der Revolution zu einer wirklichen Volkskunst geworden, mit sozialen und politischen Funktionen. Sie diente dazu, dem einfachen Volk die Ziele und Ideen der Revolution vor Augen zu führen und die mexikanische Geschichte darzustellen. Die bevorzugten Themen waren der Kampf um den Boden, gegen den Kolonialismus und für den Sozialismus. In Mexiko gelang es den Künstlern, eine spezifische Bildsprache zu entwickeln, die die Menschen unmittelbar ansprach. Die Verständlichkeit war sowohl durch das Anknüpfen an die traditionelle profane Bildsprache als auch durch die Umwandlung der christlichen Ikonografie gewährleistet.[160] Weitere Beispiele von Wandgestaltungen im demokratischen Sinne fanden sich in Skandinavien. Es kann davon ausgegangen werden, daß die aus der Emigration zurückgekehrten Künstler, die die Wirkung öffentlicher künstlerischer Gestaltungen in den Exilländern kennengelernt hatten, diese Anregungen in Deutschland weitergegeben haben. So wird auch hier nach Einflüssen der französischen Monumentalkunst der Volksfrontzeit zu suchen sein.[161]

Strempel hatte schon vor seiner Emigration Wandbilder bzw. wandbildähnliche Gestaltungen geschaffen. In Paris soll er zusammen mit Dufy an Wandbildern für die Expo 1937 sowie für das Gewerkschaftshaus der CGT gearbeitet haben. Über Themen und Stil der Werke sowie über den Arbeitsprozeß sind keine Informationen bekannt.[162]

Der entscheidende Impuls für die Wandbildbewegung in der SBZ/DDR ging von der Ausstellungsleitung der »Zweiten Deutschen Kunstausstellung« in Dresden aus. Als Ausdruck eines schon längere Zeit zur Diskussion stehenden Gedankens schuf die Deutsche Wirtschaftskommission im März 1949 die politischen und ökonomischen Grundlagen für dieses Vorhaben,[163] das in diesem Ausmaß vorerst ein Einzelfall bleiben sollte bis eine reelle Basis in künstlerischer und politischer Hinsicht geschaffen werden konnte. So ist die Phase, die hier durch die drei Beispiele, an denen Strempel maßgeblich beteiligt war, dokumentiert werden soll, lediglich ein Anfangs- und Versuchsstadium. Sie entstanden mit unterschiedlichen Vorgaben, sowohl den inhaltlichen Aspekt als auch die äußeren Bedingungen (Räumlichkeiten) betreffend; dadurch wiederum wurden die technischen Mittel bestimmt. Aus diesem Grunde sind sie auch untereinander kaum vergleichbar.

Thematisch erstreckt sich die Spannweite von der Darstellung einer politischen und gesellschaftlichen Utopie im Wandbild Friedrichstraße über Studien aktueller Themen aus dem Produktionsprozeß im Dresdener Wandbild bis hin zu der Schilderung historischer Ereignisse im Wandbild der Parteischule Ballenstedt. Trotz der Unterschiedlichkeit war keiner der Arbeiten eine längere Wirkungsgeschichte vergönnt; sie alle wurden beseitigt oder erst gar nicht in größerem Rahmen aufgestellt.

»Trümmer weg — baut auf!«
Eines der ersten Wandbilder in öffentlichem Auftrag der Nachkriegszeit in der SBZ und damit, in Anbetracht der Lage auf dem Kunst- und Kultursektor, wahrscheinlich in ganz Deutschland, war Horst Strempels Fresko im Bahnhof Friedrichstraße in Berlin (WVZ 6, Abb. 42, S. 163).[164] Es war betitelt *Trümmer weg — baut auf!* und entstand in Zusammenarbeit mit Studenten der Hochschule für angewandte Kunst in Berlin-Weißensee. Die Ausführung des Bildes dauerte etwa einen Monat. Ende Oktober 1948 wurde es fertiggestellt,[165] im Februar 1951 als Reaktion auf den Orlow-Artikel übertüncht, ebenso wie später das Wandbild in der SED-Parteischule Ballenstedt.

Das Wandbild wurde im Rahmen der Erneuerung des Bahnhofs Friedrichstraße, des Hauptverkehrsknotenpunktes von Berlin, von der Reichsbahndirektion unter Reichsbahnpräsident Kreikemeyer in Auftrag gegeben. — Die Reichsbahndirektion hatte solche Aufträge für alle Bahnhöfe des Ostsektors vergeben. Thematische Vorgabe für die künstlerischen Arbeiten waren die Aufgaben des Zweijahrplans.[166] Die »Arbeitsgemeinschaft sozialistischer Künstler«,[167] der auch Horst Strempel angehörte, forderte daraufhin ihre Mitglieder zu einem Wettbewerb auf — zunächst nur für zwei Objekte, den Bahnhof Friedrichstraße und den Schlesischen Bahnhof — und ließ aus den Einsendungen eine Jury, bestehend aus elf Künstlern, Kunstkritikern und Politikern, dem sogenannten »Kleinen Kollektiv«, eine Auswahl von je drei Entwürfen treffen. Diese wurden der Reichsbahndirektion vorgelegt, die dann eine endgültige Entscheidung fällte.[168] Horst Strempels Entwurf für den Bahnhof Friedrichstraße und René Graetz' Vorschlag für den Schlesischen Bahnhof wurden akzeptiert. Die Arbeit von Graetz gelangte jedoch aus unbekannten Gründen nicht zur Ausführung.[169]

Strempels Wandbild befand sich an der Ostseite der Mittelhalle unter dem Ostwestbahnsteig, direkt über den Eingängen zu den Toiletten. Das Bild, das heute nicht mehr zu sehen ist, war triptychonartig konzipiert. Der Mittelteil überragte die beiden Seitenflügel, entgegen einer noch vorhandenen Skizze (WVZ 1639, Abb. 191, S. 234), die alle Teile in gleicher Höhe vorsah und die auch die Proportionen ansonsten etwas anders gewichtete. Ebenso waren auf den Mitteltafeln andere Arbeitsbereiche dargestellt.

Das überhöhte Mittelstück zeigte einen in starker Bewegung befindlichen, aus dem Bilde heraustürmenden Mann im Vordergrund, dahinter eine weibliche und eine männliche Figur, die aufgrund ihres statischen Habitus die Dynamik des Ersteren durch den Gegensatz noch stärker betonen. Die Personen dieses Bildes waren in ihren Gesichtszügen stilisiert, so daß Strempels Intention deutlich wird, nicht einen bestimmten Arbeiter, wie den Aktivisten Hennecke[170] zu porträtieren, sondern den Typus des Arbeiters schlechthin darzustellen bzw. ein Symbol zu schaffen. Die deutliche Betonung der Komposition lag auf der Mittelachse, auf der ganzfigurigen, monumentalen Dreiergruppe, die fast die gesamte Bildhöhe einnahm. Mit dieser monumentalen Figurengruppe hat Strempel auf ein Motiv der christlichen Ikonografie zurückgegriffen. Kompositorische Analogien zur Darstellung der Auferstehung Christi liegen auf der Hand.[171] Strempel setzte in der Übertragung von ursprünglich religiösen Bildmotiven auf profane progressive Darstellungen die Tradition revolutionärer Kunst fort, wie sie insbesondere nach dem Ersten Weltkrieg eine Rolle gespielt hatte. Hier wäre u.a. an Karl Völkers Wandbild für das Gebäude des »Klassenkampf« in Halle (1929) zu erinnern.

Im Auferstehungsmotiv wurden ursprünglich die Überwindung des Todes und die Erlösung der Menschheit symbolisiert,[172] in diesem Zusammenhang aber gänzlich säkularisiert auf die Arbeiterklasse angewendet. In die gleiche Richtung weist auch die Lichtsymbolik, ein Symbol des Fortschritts, das wie ein Nimbus die Dreiergruppe umfaßt.[173] In der Verwendung christlicher Themen und Motive zeigen sich Parallelen zum mexikanischen Muralismo. Von hier stammt möglicherweise auch die Idee der Gleichsetzung des auferstandene Christus mit Prometheus,[174]

wobei beide als Revolutionäre gedeutet werden können.

Aus den Trümmern und Ruinen in der vorderen Bildebene sieht man im Hintergrund das Neue entstehen. Das Alte, Destruktive, nimmt im Verhältnis zum Hintergrund, der mit positiv besetzten Gegenständen ausgefüllt ist, weniger Raum ein und betont damit umso mehr den Grundgedanken des Aufbaus, wohingegen die Trümmer dessen historische Voraussetzung, den Zusammenbruch des alten Systems signalisieren. Als Vanitassymbol der Moderne kann der Totenkopf mit Stahlhelm gedeutet werden.[175] Die Arbeitsszenen auf der Baustelle, auf dem Land und unter Tage betonen allesamt den Kollektivgedanken, der insbesondere in dem Bauarbeiterfries mit den ameisenhaft arbeitenden Menschen symbolhaft Verwendung findet. Diese Art künstlerischer Darstellung verweist auf das Prinzip des Parallelismus bei Ferdinand Hodler, der »jede Art von Wiederholung als Methode der Darstellung des einheitlichen Empfindens einer Gruppe von Menschen«[176] erkennen läßt. Unmittelbares Vorbild könnte aber Alexander Deinekas *Verteidigung von Petrograd* gewesen sein.[177] — Als zeitgenössischer Vergleich bietet sich von Eugen Hoffmann *Über Ruinen hinweg!* an[178]. — Das grundlegende Gestaltungsprinzip, das für das Mittelbild angewandt wurde, ist in der konzentrierten Zusammenfassung von Bewegungsvorgängen zu sehen, die vor allem durch verschiedenartige Parallelsysteme, einerseits durch einfache Aneinanderreihung wie im Hintergrund, andererseits durch Wiederholung von Bewegungen in einem geschlossenen Formblock wie bei der Mittelgruppe, erreicht wird.

Die linke Seite des Triptychons ist den arbeitenden Frauen, besonders den Trümmerfrauen gewidmet. Auch hier sind die beiden Hauptfiguren in Bewegung dargestellt. Sie sind dabei, Trümmer und Schutt zu beseitigen und schieben gerade einen Wagen aus dem Bild heraus. Die Frauen im Hintergrund betätigen sich als Bauhelferinnen, indem sie einem Maurer Baumaterial anreichen. Die rechte Seite, unter die Losung »Schafft Werte« gestellt, berücksichtigt in der unteren Hälfte die Industriearbeiter, hier als Grubenarbeiter charakterisiert, und im oberen Teil die Bauern.

Strempel sprach mit diesem Bild den Betrachter auf zwei Ebenen an. Die beiden Seitenteile bilden die konstituierenden Gruppen der Gesellschaft ab, wie sie konkrete Aufgaben zum ökonomischen Aufbau bewältigen. Die Mitteltafel hingegen bezieht sich auf den ideologischen Hintergrund, dessen Ausdeutung allerdings eines erheblichen Pathos nicht entbehrt. Zweifellos aber hat Strempel mit seinem Wandbild die Grundstimmung eines breiten Teils der Bevölkerung der SBZ wiedergegeben. Für dieses, wie auch für eine ganze Reihe anderer künstlerischer Versuche der Auseinandersetzung mit dem Aufbauthema gilt, und im übertragenen Sinne trifft das auch auf die Literatur zu,[179] daß der »Arbeitsenthusiasmus der Enttrümmerungs- und Neuaufbaubilder ... zum geschichtsdeutenden Ausdruck eines neuen Arbeits- und Lebensethos geführt hat«.[180] Kennzeichend für solcherart Darstellungen seien »extrem dynamische Köperhaltung« und »ausgreifende Arm- und Beinstellungen«[181]. Als frühes Beispiel kann die Plastik gelten, die Vera Muchina zur Weltausstellung in Paris 1937 schuf.

Die offensichtliche Konzentration der Komposition auf das Zentrum des Bildes wird nicht allein durch die Subordination der Seitenteile erreicht, sondern vor allem durch den von hier aus sich entwickelnden Bewegungsmechanismus als konstituierendem formalen Moment. Sie versinnbildlicht den für diese Zeit typischen Optimismus, ist ein Symbol für das Leben an sich, das unaufhaltsam aus den Trümmern erwächst. Darüber hinaus scheint es nicht übertrieben, hier die »Verkörperung des politischen und historischen Selbstbewußtseins der Arbeiterklasse«[182] und den Ausdruck ihres »Strebens nach einer sozialistischen Gesellschaft«[183] zu sehen. – Die extreme Bewegung der Zentralfigur auf den Betrachter zu hatte das Ziel, diesen durch die Wendung nach außen direkt anzusprechen.

Sieht man das Wandbild in Zusammenhang mit dem zweieinhalb Jahre früher geschaffenen Triptychon *Nacht über Deutschland*, so bietet sich hier eine Perspektive an. Die jeweilige Zentralfigur könnte als Prometheus gedeutet werden, wie ihn Aischylos darstellt: dort der gefesselte, der über sein Schicksal lamentiert, hier der befreite, der sich über das Alte erhebt. Vom Konzeptionellen zeigen sich hier wiederum Parallelen zum mexikanischen Muralismo, insbesondere zu Orozcos *Prometheus* im Pomona College.[184] Auch für Strempels voranstürmenden Arbeiter gilt, was Münzberg/Nungesser als charakteristisch für Heroen- oder Übermenschendarstellungen in diesem Bereich herausstellten: Es sei typisch, »das Zentrum des Bildes im Verhältnis zu den Seiten sowohl in den Vordergrund zu rücken, als auch durch überdimensionale Figuren diesem besonderes Gewicht zu verleihen«. Im weiteren wird Prometheus, und da deckt sich die Auffassung m.E. wiederum mit der Intention des Aufbau-Bildes, als Allegorie aufgefaßt und »als die Forderung an den Betrachter, sich mit seiner Arbeit zum Zivilisationsträger zu erheben. – Prometheus wird als eine nackte athletische Figur, die das ganze Zentrum des Bildes füllt, im Verhältnis zu den Menschengruppen, die sich zu ihm hin- oder abwenden, überdimensioniert dargestellt, um die Kraft zu demonstrieren, die nötig ist, um Zivilisationsleistungen als einzelner hervorzubringen.«[185]

Die Intention dieses Bildes war, trotz des unbestreitbar vorhandenen Pathos, das durch die Anlehnung an die Auferstehung noch stärker hervorgeho-

ben wurde, weder eine Hommage an Staat, Regierung oder Partei noch die Verherrlichung eines politischen Fortschritts, sondern es wollte wohl eher den gegenwärtigen Stand zeigen und zur Mitarbeit aufrufen. Der Tenor des Strempelschen Wandbildes ist, wie vom Auftraggeber gewünscht, der Erfüllung des Zweijahrplans gewidmet.[186] Der »Plan zur Wiederherstellung der Grundlagen der Friedenswirtschaft und des Wiederaufbaus aus eigenen Kräften des Volkes« hatte ökonomisch vor allem eine Verstärkung der Industrieproduktion zum Ziel. Ideologisch-moralisch hingegen war es von größter Wichtigkeit, eine Änderung des Verhältnisses des Menschen zu seiner Arbeit herbeizuführen. So wurde betont, daß der Plan nicht von der Partei ausgehe, sondern als Angelegenheit des ganzen Volkes anzusehen sei – vor allem auch als Kontrapunkt zum gleichzeitigen Marshall-Plan in den Westsektoren. Seinen besonderen Ausdruck fand der Zweijahrplan in der Neuerer- und Aktivistenbewegung nach dem Vorbild der Stachanow-Arbeiter in der Sowjetunion. Der Bergarbeiter Adolf Hennecke wurde durch seine besondere Arbeitsleistung zu einem nationalen Symbol.

Wie Walter Ulbricht betonte, sei der Zweijahrplan auch ein Plan des kulturellen Fortschritts.[187] Nur in Zusammenhang mit dem Aufbau und der Entwicklung einer nationalen Kultur könnten die Aufgaben auf wirtschaftlichem Gebiet erfüllt werden. Somit wurden die Künstler aller Sparten dazu aufgerufen, den Plan aktiv zu unterstützen, indem sie ihr Werk an den arbeitenden Menschen orientierten. Es ist anzunehmen, daß auch Horst Strempel mit seinem Wandbild eine derartige Wirkung beabsichtigt hatte. »Inmitten des Lärms und des Trubels der Bahnhofshalle konnte sich dieses Wandbild durch seine aggressive Sprache wohl behaupten, wobei es vom Auftraggeber und Künstler ein kühnes Unterfangen war, hier an einem Konzentrationspunkt des Verkehrs, am Schnittpunkt zwischen Ost und West, damals auch einem Zentrum des Schiebertums und Schwarzmarkthandels, eine solche Symboldarstellung des Aufbaus als Kampfansage und als Appell anzubringen«.[188] Die Schlagkraft dieses Bildes machen aber nicht allein die offensichtlichen, wirklichkeitsbezogenen Aussagen dieses Wandbildes aus, sondern ebenso der hier zugrunde liegende Symbolgehalt. So wird an dieser Stelle nicht nur dazu aufgefordert, die materiellen Verwüstungen, die durch Kriegseinwirkungen entstanden sind, zu beseitigen. Gerade durch die Mitteltafel wird an den Betrachter appelliert, sich daran zu machen, auch das geistige Chaos zu überwinden, so wie sich die Personen des Bildes über die Reste der alten Zeit erheben. Somit ist die Orientierung auf Zukünftiges präsent: als dialektisches Verhältnis zwischen »Realitätsreflex und Zukunftsentwurf«.[189]

Ganz anders, nämlich als Systemkritik, interpretierte jedoch Ernst Niekisch die Intention des Künstlers. Das Pathos, das das Fresko bestimmt, hielt er für eine gelungene, wenn auch nicht unbedingt beabsichtigte Entlarvung der Wirklichkeit. »In der Tat hatte Strempel wohl unbewußt den wahren Gehalt der damaligen Zeit, die Krampfhaftigkeit des angeberischen Umtriebs, allzu sinnfällig enthüllt. Laut wurde das Lob der Aktivisten gesungen; die Muskelprotzen ernteten reichen Ruhm. Die Krampfhaftigkeit des gesellschaftlichen Zustandes sprang in die Augen, wenn man das Bild betrachtete. Man fühlte, dieser Held der Arbeit zeugte nicht von wahrer Kraft, er war nicht echt, er bot nur Schauspiel.«[190] So interessant und, in Anbetracht der Zeitgenossenschaft und Freundschaft, glaubwürdig diese These auch scheinen mag, scheint sie nicht zuzutreffen — auch wenn sie durch alle späteren Verlautbarungen Strempels über sein Verhältnis zum System der SBZ/DDR durchaus unterstützt wird. Die Unterstellung einer ungewollten Systemkritik durch Strempel ist kaum vorstellbar, da davon ausgegangen werden muß, daß er in diesen frühen Jahren den Sozialismus noch uneingeschränkt vertreten hat.

Formal gesehen wird dieses Anliegen durch die Verwendung des Triptychons als »Pathosformel«[191] unterstrichen. Die Verknüpfung von traditionell-christlicher Form und Ikonografie mit revolutionär-politischen Inhalten ist schon aus früherer Zeit bekannt. Erinnert sei an dieser Stelle nur an das Beispiel der mexikanischen Muralisten, die speziell für die Entwicklung des Wandbildes in der SBZ/DDR eine Vorbildfunktion hatten.[192] Vor allem ist in diesem Zusammenhang jedoch auf die Bedeutsamkeit der Entlehnung des christlichen Themas der Auferstehung und dessen profaner Umdeutung hinzuweisen.[193] Die Tendenz des Wandbildes ist in mehreren Punkten mit dem Text der Nationalhymne der DDR vergleichbar, die in der gleichen Zeit entstand. Das betrifft einerseits die religiöse Metaphorik, andererseits die Aufgliederung in drei unterschiedliche Themenkreise.

Aus der zeitlichen Distanz heraus muß man heute zu dem Ergebnis kommen, daß Strempel in diesem Wandbild den Zeitgeist getroffen hat. Dennoch war die Reaktion derer, für die das Wandbild geschaffen wurde, von Beginn an gespalten. Neben anfangs positiven Stellungnahmen aus dem Ostsektor Berlins trifft man vor allem auf Reaktionen des Unverständnisses. Es zeigte sich, daß die Passanten, die den Bahnhof frequentierten, das Wandbild weniger wegen seines Inhalts ablehnten als wegen des »expressionistischen« Stils.[194] Das allerdings ist angesichts der zwölfjährigen Herrschaftszeit staatsverordneter Nazikunst nicht verwunderlich, zumal bei dem Gros der Bevölkerung sowieso ein Mangel an Kunstverständnis, besonders den modernen Strömungen gegenüber, vorhanden war.

Aber auch die professionellen Kunstkritiker oder sonstige Kunstsachverständige reagierten kaum anders, wie sich anhand von Besprechungen in den Tageszeitungen leicht nachvollziehen läßt. Die im Ostsektor Berlins erscheinenden Zeitungen nahmen die Aktion, zumindest während der Entstehung des Freskos und kurz danach, vorwiegend positiv auf, hielten aber auch mit detaillierter Kritik nicht zurück. Die Westpresse reagierte, wenn überhaupt, ausschließlich mit Polemik. Es wurde u.a. bemängelt, daß die dargestellten Personen keine Berliner seien, sondern sich durch ihre Physiognomie als Einheitsmenschen östlicher Prägung zu erkennen gäben. Die Zentralfigur des vorwärtsstürmenden Arbeiters wurde ironisch als »Hennecke« betitelt.[195] Dieses Argument wurde später im Osten aufgegriffen, als es darum ging, das Wandbild zu entfernen. Zunächst aber nahm man in den Blättern der SBZ das Wandbild als das auf, was es in der gegenwärtigen Situation nur sein konnte: ein Versuch, sich künstlerisch mit der neuen Lage auseinanderzusetzen. So beschäftigte sich Heinz Lüdecke intensiv mit den zutage tretenden Problemen.[196] Er räumte zwar ein, daß es eine Reihe von Kritikpunkten, insbesondere unter kunstwissenschaftlichen Aspekten, geben könnte, daß das Bild aber zunächst unter dem Gesichtspunkt gesellschaftlicher Wirksamkeit betrachtet werden müsse. Er forderte von einem Wandbild: »Es soll mit seinen spezifischen Mitteln dazu beitragen, das Bewußtsein der Arbeitenden zu klären, und es soll deutliche, allgemein-verständliche Symbole vor ihnen aufrichten, die sie zum Nachdenken anregen und ihnen immer wieder den Sinn ihres Tuns vor Augen führen, der sonst in Alltagskleinigkeiten allzu leicht vergessen würde«.[197] Unter diesen Voraussetzungen schien ihm Strempels Wandbild »zweckentsprechend« zu sein. Der »dynamische, geradezu offensiv zu nennende Schwung, mit dem die große Arbeitergestalt des Mittelteils förmlich den Raum zu sprengen scheint«[198], provoziere den Betrachter immer wieder zur Stellungnahme. Das behandelte Thema eigne sich nicht für einen »üblichen Goldrahmen«, sondern müsse aus dem Rahmen fallen.

So positiv wurde das Wandbild von den wenigsten gesehen. Nur einige Monate später unterzog Kurt Magritz es in der »Täglichen Rundschau« einer sehr viel härteren Kritik.[199] Während sich die negativen Stimmen bisher nur auf die Gestaltung der einzelnen Personen bezogen hatten, nicht aber der Inhalt als solcher in Frage gestellt wurde, schlug Magritz einen Bogen und meinte, von der »entstellten« Form auch auf die Mangelhaftigkeit des ideologisch-theoretischen Hintergrundes schließen zu müssen. Seiner Auffassung nach entsprach die von Strempel verzerrt dargestellte Gestalt des Arbeiters der Situation der Werktätigen in der kapitalistischen Gesellschaft, die sie zu ihren Sklaven macht. Dieses sei aber in der sozialistischen Gesellschaft nicht mehr der Fall. Deshalb folgerte Magritz daraus, daß Strempel in seinem Wandbild diese gegenwärtige Gesellschaft nicht dargestellt haben könne, wie es eigentlich seine Aufgabe gewesen sei.

Ganz in diesem Sinne argumentierte auch Hans Lauter in seinem Referat anläßlich der 5. Tagung des ZK der SED: »Ein Beispiel vom Formalismus in der Malerei war das Wandbild von Horst Strempel im Bahnhof Friedrichstraße, in Berlin. Bei den dort dargestellten Figuren fehlten nicht nur die charakteristischen Merkmale unserer besten Menschen, die sich mit aller Kraft für die Erfüllung der Aufgaben, die wir uns vorgenommen haben, einsetzen. Die dort dargestellten Menschen waren unförmig proportioniert und wirkten sogar abstoßend. Solche Menschen existieren in Wirklichkeit nicht, sondern nur in der Vorstellung des Künstlers. So sieht abstrakte Kunst aus. Weil es solche Menschen in Wirklichkeit gar nicht gibt und weil solche Figuren auf dem Wandbild erst recht nicht als typische Verkörperung des Fortschritts und des Aufbaus dienen können, darum kann eine solche Kunst auch nicht den Fortschritt und den Aufbau zum Ausdruck bringen.«[200]

Die frühe Fehleinschätzung dieses Wandbildes wie auch anderer, die in den ersten Nachkriegsjahren entstanden, setzte sich lange Zeit in der kunstwissenschaftlichen und kunstkritischen Literatur der DDR fort. So wurde noch 1968 auf einem Kolloquium über »Große thematische Kompositionen« unter diesem Gesichtspunkt ein Abriß über die Entwicklung des Wandbildes in der DDR vorgestellt,[201] bei dem die ersten Versuche überhaupt nicht erwähnt wurden. Neben Horst Strempel fehlte auch der Name des Greifswalder Künstlers Herbert Wegehaupt, obwohl beiden eine Vorreiter-Rolle in dieser Hinsicht einzuräumen ist. Die erste Etappe — bezogen auf 1949 — wird hier unter dem Stichwort »illustrative Bildform« abgehandelt, aus der dann die zweite Etappe mit u.a. aus dem »lebendigen Alltag entwickelten Konzeptionen« hervorgehe. In diesem Schema findet das Wandbild Friedrichstraße keinen Platz.

Was nun die Beseitigung des Wandbildes, der »damals bedeutendsten Leistung«[202] auf dem Gebiet der Wandmalerei, anbelangt, so besteht auch heute noch Unklarheit darüber, wer diese letztendlich vollzog und ob das Kunstwerk endgültig vernichtet, also abgekratzt, oder lediglich übertüncht wurde. Den wenigen Informationen nach zu urteilen sieht es so aus, als sei die Beseitigung schon länger von höherer Stelle geplant und vorbereitet worden. Es ist sicherlich kein Zufall, daß Otto Nagel eine Woche vorher Strempel öffentlich dazu aufforderte, sein Bild selbst zu vernichten.[203]

Ernst Niekisch behauptete in seinen Lebenserinnerungen, daß Strempel, um die Diskussionen über das Bild zu beenden, sich angeboten habe, »es mit eigener Hand zu überstreichen. Sein Angebot wurde angenommen, und eines Tages war das Gemälde wieder verschwunden«.[204] Strempel reagierte auf diese Darstellung folgendermaßen: »Es ist doch selbstverständlich, daß ich mein Werk nicht eigenhändig vernichtet habe. Das wäre ja auch technisch gar nicht möglich gewesen. Laut meinem Protokoll habe ich es abgelehnt Entwürfe für ein neues Wandbild zu den Jugendfestspielen zu machen, die vom Z.K. der Kulturabteilung begutachtet werden sollten (Jury: Girnus, Magritz, Gute) darauf Grotewohl: 'dann müssen wir etwas anderes unternehmen'. Ich: 'Gen. Ministerpräsident machen Sie, was Sie für notwendig halten.' Am nächsten Tage war durch eine Anstreicherkolonne das Bild weggestrichen«[205]. — Im Nachhinein und öffentlich rechtfertigte Strempel das Vorgehen der Zensur und behauptete nun, daß das Bild auf seinen eigenen Wunsch entfernt worden sei, da es »unter anderen Verhältnissen entstanden ist und heute 1951 nicht mehr der Ausdruck unseres Kunstwollens ist.«[206]

Mit der Übermalung des Wandbildes im Bahnhof Friedrichstraße in der Nacht vom 24. auf den 25. Februar 1951[207] fand das Kapitel der frühen Wandbildbewegung in der DDR seinen Abschluß. Diskussionen über weitere Projekte fanden in den folgenden Jahren nicht mehr statt. Erst als im März 1956 Diego Rivera Berlin besuchte, verabschiedeten Mitglieder des VBKD, unter ihnen Arno Mohr, René Graetz, Fritz Duda und Herbert Sandberg, eine Resolution zur Initiierung einer neuen Wandbildbewegung, damit »die vielen freien Wände dieser Stadt mit den Themen unserer Zeit im Geiste des 20. Jahrhunderts«[208] ausgestaltet werden könnten.

»Metallurgie Henningsdorf«

Dieser frühe Versuch öffentlicher Wandgestaltung blieb in den ersten Nachkriegsjahren keine Episode bei der Suche nach neuen Bestimmungsformen der Kunst. Mit der Dresdener Wandbildaktion von 1949 wird die veränderte Auffassung von der Funktion der Kunst im Dienste der Gesellschaft am deutlichsten, obwohl schon früher auch auf anderen Gebieten, vor allem der Grafik, Bemühungen in dieser Richtung erkennbar wurden.

Der Bericht von Gerd Caden über die Anfänge des Dresdener Projekts[209] zeichnet einige interessante Aspekte auf. Seiner Darstellung nach wurde schon von der Planungsphase an, in der Leitungsgruppe der Zweiten Deutschen Kunstausstellung, der Kollektivgedanke praktiziert, der so typisch für das Gesamtprojekt war. Die Idee einer staatlichen Auftragsvergabe an Maler zur künstlerischen Darstellung von Gegenwartsthemen im Sinne des Zweijahrplans soll von dem Dresdener Bildhauer Eugen Hoffmann stammen. In Diskussionen, u.a. mit dem Architekten Mart Stam, der kommissarischer Leiter und Rektor der ·Dresdener Kunsthochschule war, und Gert

Caden, der während des Faschismus im Exil in Kuba gewesen war und von dort Kenntnisse über die lateinamerikanischen Muralisten-Syndikate mitbrachte, wurden die Vorstellungen konkretisiert. Daß das Projekt dann schließlich im Rahmen der Zweiten Deutschen Kunstausstellung verwirklicht werden konnte, ergab sich letztendlich wahrscheinlich erst durch eine Verordnung, die infolge der Diskussionen über die Beziehung von Kunst und Volk Maßnahmen einleitete, um die Kunst einem größeren Publikumskreis zugänglich zu machen.[210] Caden hob besonders die materielle Hilfe hervor, die vom Wirtschaftsminister der Landesregierung Sachsen, Gerhard Ziller, ausging.

Von der Ausstellungsleitung wurden 12 Wandbildentwürfe in Auftrag gegeben, von denen zehn, vorwiegend in Kollektiven, zur Ausführung kamen.[211] Der Auftrag wurde thematisch mit der Behandlung der Aufgaben des Zweijahrplans abgesteckt; in diesem Rahmen konnten sich die Künstler ihre Sujets frei wählen. Die meisten Kollektive entschieden sich für Themen aus den Industriebetrieben, wobei vor allem die Darstellung von Produktionsvorgängen großen Zuspruch fand. Die Künstler bekamen Malmaterialien und die Ateliers der Kunstakademie Dresden zur Verfügung gestellt. Die Vorarbeiten für die transportablen Wandbilder[212] wurden direkt in den Betrieben geschaffen. Die vor Ort angefertigten Studien wurden anschließend mit der Ausstellungsleitung und den Kollektiven diskutiert und dann als Panneaus ausgeführt.[213]

Horst Strempel arbeitete zusammen mit René Graetz, Arno Mohr und Hermann Bruse. Bruse konnte aber seine Arbeit aus gesundheitlichen Gründen nicht vollenden, so daß schließlich Arno Mohr seinen Part übernahm.[214] Das Thema des Wandbildes *Metallurgie Henningsdorf* (WVZ 7, Abb. 43, S. 163) war die Darstellung der »Einheit von Arbeit und Planung, die Verbindung mit den Massenorganisationen, der Jugend, den Frauen« unter besonderer Berücksichtigung der »Rolle des Menschen«.[215]

Der Entwurf, der zwar als die wohl »eindrucksvollste Leistung« der in Dresden geschaffenen Wandbilder bezeichnet wurde, der aber auch derjenige war, der am meisten kritisiert wurde, gliederte sich in vier untereinander zusammenhängende Tafeln von insgesamt 4 x 18 Metern. Zwei von ihnen zeigten Produktionsvorgänge am Hochofen, ein drittes die kollektive Planung der Arbeit und das vierte eine Demonstration Jugendlicher außerhalb des Betriebes. Hinzugefügt wurden die Selbstporträts der vier Maler. Jeder der Künstler fertigte ein eigenes Panneau an, wobei die Zuschreibungen nicht eindeutig zu klären sind. Hermann Müller, der eine Beschreibung der Arbeit vorlegte, ordnete Arno Mohr die linke Tafel zu, Strempel schuf die mittlere Planungsgruppe, so daß für Graetz der wesentlich größere rechte Teil geblie-

ben sein muß. In Anbetracht der Tatsache, daß Mohr Bruses Aufgabe übernommen hat, scheint diese Aufteilung nicht realistisch.[217] Die Vierteilung im Wandbild ist deutlich ablesbar; dennoch handelt es sich hierbei wohl um den einzigen Versuch wirklich kollektiven Gestaltens von vier unterschiedlichen Künstlerpersönlichkeiten. Arno Mohr wies auf diese Besonderheit hin: »Man hatte sich vorher auf die Annäherung der Handschriften abgestimmt. Darin unterschied sich das Berliner Kollektiv wesentlich von den anderen, ebenfalls in Dresden arbeitenden Gruppen, die eher in einem Meister-Gesellen-Verhältnis arbeiteten«.[218]

So ist neben einem weitgehend angeglichenen Stil innerhalb des Wandbildes auch ein einheitliches Kompositionsgerüst vorhanden, das die Tafeln zumindest locker miteinander verbindet. Neubert sah in der Realisierung u.a. die Anwendung von Kompositionsprinzipien der Renaissance und des Barock, indem an den Bildkanten jeweils Assistenz-Figuren angebracht wurden, um verschiedene Handlungsebenen miteinander zu verbinden.[219]

Mehr noch als im Wandbild Friedrichstraße scheinen sich in diesem Wandbild abstrahierende und realistische Darstellung gegenüberzustehen. Die Gestalten wurden in ihren Bewegungen schematisch aufgefaßt, ohne ausladende Gesten; ähnliches gilt für die Kleidung, die keine natürliche Oberflächenbeschaffenheit und kaum Faltenwurf aufweist. Die Handlung spielt sich auf der vorderen Bildebene ab, auf die Herausarbeitung einer Tiefendimension wurde weitgehend verzichtet. Trotz einer kompositionell bedingten Staffelung der Figuren wirken diese durch die klare Begrenzung der Form voneinander isoliert. Die Vereinfachung der Malerei, die Entscheidung, statt einer simplen Widerspiegelung der Realität ihre Darstellung durch Zeichen zu wählen, hat eine bessere Lesbarkeit zur Folge — ein nicht zu unterschätzendes Kriterium bei einem Wandbild von den Ausmaßen des Hennigsdorfer Werks.

Die Studien zu dieser Arbeit wurden zum größten Teil vernichtet.[220] Von Strempel existiert neben einer Reihe von Grafiken zu diesem Themenkomplex noch eine Ölstudie, die den Planungsvorgang in einer veränderten Bildkonzeption aufgreift (WVZ 284, Abb. 107, S. 197). Im Gegensatz zu den recht dynamischen Darstellungen seiner Kollegen, herrschte in Strempels Bild Statuarik vor, was von der Kritik negativ vermerkt wurde. Es gelang ihm jedoch durch die kompositorische Geschlossenheit der Gruppe und durch die sparsame Gestik ihrer Mitglieder auf die für den reibungslosen Ablauf des Produktionsprozesses notwendige intellektuelle Tätigkeit hinzuweisen, zumal die Komposition ja durch zwei aktive Darstellungen flankiert wurde. Offensichtlich strebte Strempel an, auch hier das kollektive Moment zu betonen. Das geschieht wesentlich dadurch, daß er durch die unterschiedliche Charakterisierung der Dargestellten versucht, auch die Vielschichtigkeit eines Arbeitsvorganges und die Bedeutung des Einzelnen deutlich zu machen. Links im Bild ist eine Frau zu sehen, ein Ingenieur weist erklärend auf das vor ihm liegende Papier, die anderen Personen sind durch Attribute wie Feuerhaken und Schutzbrillen als Arbeiter ausgewiesen.

Auch bei diesem Bild waren die Meinungen der Kritiker wieder geteilt. Hermann Müller bemühte sich, die geleistete Arbeit in Beziehung zu den realen Möglichkeiten zu sehen. Er weigerte sich, »diesen Arbeiten gegenüber eine absolute Haltung einzunehmen, die vollgültige Ergebnisse zu sehen wünscht. Diese Haltung kann im Augenblick überhaupt nicht eingenommen werden. Die Krise, in der sich die Malerei bei uns befindet, erlaubt dies nicht. Es muß, im Gegenteil, eine oft sicherlich beschwerliche kritische Kleinarbeit geleistet werden, die mit dem Künstler zusammen etwas Neues erarbeitet«.[221] Er betonte weiterhin, daß in der historisch neuen Situation nicht nur andere Bildinhalte zu entwickeln seien, sondern auch ein entsprechender neuer Stil gefunden werden müsse, wobei der Gedanke des kollektiven Arbeitens eine besondere Rolle spiele. Denn »die Auseinandersetzung mit ideologischen und künstlerischen Fragen, ihre Umsetzung in die Praxis ist derart umfassend und für den deutschen Künstler derart schwierig, daß man erst nach dem kollektiven Zusammenschluß einige Erfolge sieht...Und gerade das für viele sicher so erschreckend Nüchterne und Bewußte dieses Arbeitsvorganges wurde als ein Positivum herausgestellt: jeden Vorschlag, jede Änderung begründen zu müssen. Die eigene Klarheit und Verantwortung wurde so gestärkt, und alles Zufällige, ein charakteristisches, ja wild verteidigtes Merkmal der bürgerlichen Kunst wurde überwunden«.[222] Müller jedenfalls sah die geleisteten Fortschritte, die sich im Wandbild *Metallurgie Henningsdorf* zeigten. Formale Fehler, wie etwa das Auseinanderfallen der vier Teile, das vor allem im Planungsbild Strempels vorhandene Zuviel an Statik usw. werden als verständlich angesichts des neuen Weges angesehen. Insgesamt wertete er die Wandbildaktion als einen gelungenen Versuch. »Trotz der genannten Mängel sind die Künstler vorwärts gekommen, hat zum Beispiel das Berliner Kollektiv Beachtliches geleistet. Und die Wirkung dieses Auftrags wird sich in ihrer Weiterarbeit bald klar zeigen. Man sollte sorgfältig darauf achten, daß die Erfahrungen und Erfolge der ersten großen Kollektivarbeiten in Deutschland nicht verloren gehen. Die hier zuständigen Stellen und Organisationen haben dabei eine große Verantwortung«.[223] Ein Hinweis, der leider von den Verantwortlichen nicht rechtzeitig beachtet worden ist.

Ein ähnlicher Tenor sprach auch aus anderen Rezensionen. Susanne Kerckhoff schloß ihren insgesamt recht kritischen Ausstellungsbericht mit einem Hinweis auf die Wandbilder, in denen sich »das Zukunftweisende der Ausstellung« zeige. Ihre Einschätzung unterschied sich allerdings von der Müllers. Sie nämlich stellte die Arbeit *Berufsschulung* von Erich Gerlach und Kurt Schütze als vorbildhaft hin, während anderen, besonders der *Metallurgie Henningsdorf* »große Mängel an geistiger Einfühlung« bescheinigt wurden. Das Berliner Kollektiv habe, »aus Angst, naturalistisch zu werden, ihr Thema mit Formalismen verballhornt, mit Farben um der Farbe willen, mit Klumpbeinen und einer Zange, die falsch ins Eisen zwickt«.[224] – Fritz Löffler, der die gesamte Wandbild-Aktion in Grund und Boden verdammte, fand ebenfalls lediglich für das Kollektiv Gerlach – Schütze ein lobendes Wort. An dem Gemälde des Berliner Kollektivs kritisierte er neben der spürbaren Teilung in vier künstlerische Handschriften auch die Figuren als »aufgeblasene Puppen«.[225]

In einem äußerst polemisch abgefaßten Artikel, der in der »Welt am Sonntag« erschien, wurde das Wandbild von Strempel, Mohr und Graetz als beispielhaft im negativen Sinne hingestellt. »Bei Führungen wird immer wieder darauf hingewiesen, in welch kurzer Zeitspanne das kolossale Gemälde von Strempel, Mohr und Graetz entstanden ist: in drei Wochen nämlich, ein Werk von einem kaum vorstellbaren Ausmaß, das den Henneckes der Kunst alle Ehre macht. Wenn man nach Zeit wertet, haben sie ihr Soll mindestens 300prozentig erfüllt. Über das Arbeitsethos, das dargestellt werden soll, schreibt man bestimmt nicht mehr wie in der Kampfzeit ›Akkord ist Mord‹, sondern man begnügt sich mit der lakonischen Phrase, die von vielen Trümmerwänden grinst: ›Mehr arbeiten, besser leben‹.«[226]

Ebensowenig sachgerecht, aber wesentlich härter war die Kritik, die aus den eigenen Reihen kam. Herbert Gute, beunruhigt durch die vielen positiven Stimmen, sah sich genötigt, einen Diskussionsbeitrag zu leisten, von dessen »temperamentvoller« Form sich das »Neue Deutschland« zwar distanzierte, aber dennoch darin wichtige Anstöße sah.[227] Gute ging in seiner Kritik von vollkommen anderen Voraussetzungen aus als der Auftraggeber oder die Künstler. Das Bemühen um das Finden einer neuen Form künstlerischer Gestaltung reduzierte sich bei ihm auf die Formel: »man nehme einige Künstler, rühre sie zu einem Kollektiv zusammen, gebe ihnen ein Thema und lasse alles auf einer beliebigen Wand in schnellem Tempo sich vollziehen«.[228] Er verkannte, daß es sich hier um den bloßen Versuch gehandelt hat, einerseits Formen kollektiven Arbeitens zu erproben, andererseits zukunftsorientierte Möglichkeiten von Wandbildgestaltungen in Ansätzen zu entwickeln. Insbesondere die Kollektivarbeit, die ihre Wurzeln in den ASSO-Vorstellungen der Weimarer Republik hatte (mit allerdings ganz anderen Voraussetzungen), war Gute ein Dorn im Auge. »Kollektives Schaffen ist schließlich kein Zusammensetzspiel, sondern das gemeinsame Arbeiten an der Lösung einer Aufgabe«.[229] Seiner Auffassung nach sollte zunächst das Thema gemeinsam diskutiert werden und danach individuelle Entwürfe entstehen, die dann wiederum einer gemeinsamen Kritik unterzogen werden sollten. Anschließend müsse gegenseitige Korrektur und Anregung bis zur Ausführungsreife erfolgen. »Aber dann malt einer allein«.[230]

Er konkretisierte seine prinzipielle Kritik am Wandbild des Berliner Kollektivs, das bei ihm ein »kaltes Grausen« auslöse. »Aufgrund dieser Arbeitsmethode ist jede Menschlichkeit, jede innere Beziehung restlos zum Teufel gegangen. Da sind keine arbeitenden Menschen dargestellt, für die die Arbeit zum bewußten Schöpfungsvorgang geworden ist und die gleichzeitig die Schöpfung einer neuen Gesellschaftsordnung sind. Und wo soll dieses Bild Verwendung finden? Im Festsaal von Henningsdorf, wo es jedem Redner das Wort verschlagen würde, oder gar im Speisesaal, damit den Arbeitern der Bissen im Halse steckenbleibt.«[231]

Hermann Müller, der den gesamten Entstehungsprozeß der Wandbilder verfolgt hatte, schaltete sich nochmals in die Diskussion ein, um Gutes abwertender Stellungnahme entgegenzutreten.[232] Dabei stellte er heraus, daß Gute unter Vorgabe einer nicht vorhandenen theoretischen Grundlage persönliche Anschauungen vertreten, nicht aber versucht habe, die Arbeiten, insbesondere das von ihm attackierte Bild des Berliner Kollektivs, »einer grundsätzlichen und begründeten Kritik«[233] zu unterziehen. Müller betonte nochmals den Experimentalcharakter der Dresdener Aufträge und hob die Fortschritte hervor, die die ausführenden Künstler in diesem Zusammenhang gemacht hatten. Ebenso konnte er eine positive Weiterentwicklung der Formalismus-Debatte feststellen.

Die Antwort des Berliner Kollektivs bezog sich bewußt nicht auf die Dresdener Wandbilder, sondern behandelte eher grundsätzlich das Problem kollektiven Arbeitens in der im Aufbau befindlichen sozialistischen Gesellschaft, auf deren Basis erst das künstlerische Kollektiv seine Wirkung entfalten könne. Insbesondere wandten sie sich in diesem Zusammenhang gegen Gutes Vorschlag der Organisation dieser Arbeitsform. »Doch eines trifft für alle modernen Kollektive zu, nämlich die Tatsache, daß sie nicht nur ihre Skizzen zusammen ausführen und beraten, sondern daß sie ihre geplanten Arbeiten von Anfang bis Ende zusammen ausführen. Jeder Beteiligte ist künstlerisch gleichberechtigt und gleich verantwortlich. Hierin liegen nämlich der Kern, der Bereicherungsprozeß und die Dynamik dieser Arbeitsmethode«.[234] Was sie selber aus dieser Methode gelernt hatten, beschrieben sie folgendermaßen:

»Durch die gegenseitige Kritik und die Selbstkritik

entsteht unvermeidlicherweise ein Wettkampf zwischen allen Beteiligten des Kollektivs, der eine Verbesserung sowohl der Technik als auch der künstlerischen Leistung mit sich bringt. Sie ist ein Mittel zur Entfaltung der wahren Persönlichkeit. Sie bedeutet keine Verflachung oder Gleichmachung, sondern im Gegenteil, eine Differenzierung, eine Bereicherung der Ausdrucksformen durch die sich ergänzende Qualität der Talente und Auffassungen. Und die offene und kameradschaftliche Art der Kritik beim Ringen um eine realistische Auffassung gibt dieser Arbeitsform eine ganz besondere Bedeutung«.[235] Gutes Polemik wurde zum Anlaß genommen, auf das Fehlen einer qualifizierten Kunstkritik hinzuweisen. »Die Kritik, die wir erwarten, muß den gesamten Aufbau im Auge haben, sie muß der Kunst und der kulturellen Erneuerung dienen. Wenn eine negative Kritik ausgesprochen wird, muß sie vor allen Dingen gleichzeitig die positive Alternative zeigen. In Gutes Kritik wird keine positive Alternative gezeigt. Es gibt nicht einmal einen konkreten Hinweis, was ihm denn eigentlich an Form und Inhalt des fertigen Wandbildes mißfällt. Das einzig Konkrete seiner Kritik ist sein Vorschlag für eine Kollektivarbeitsform, die aber keinerlei Beziehung zur praktischen Arbeit hat und von keinerlei Sachkenntnis getrübt ist. – Eigentlich ist das Zusammenwirken von künstlerisch Schaffenden, Publikum, und Kritiker ebenfalls eine Kollektivarbeit«.[236]

Zuvor hatte das Berliner Kollektiv noch einen persönlichen Brief an Gute gerichtet, in dem er als dilettantisch, oberflächlich und gewissenlos bezeichnet wurde. Einerseits wandte man sich dagegen, daß Gute es für nötig gehalten hatte, seine subjektive Meinung über das Bild als verbindliche Bewertung im Parteiorgan »Neues Deutschland« zu publizieren. Andererseits wurde die Art und Weise kritisiert, wie seine Beurteilung des Wandbildes zustande gekommen war, daß er sich nämlich nicht mit Problemstellung und Arbeitsprozeß auseinandergesetzt habe, indem er Skizzen und Protokolle des Projekts einsah oder mit den Ausführenden diskutierte. Außerdem wurde die unterschiedliche Auffassung der Kollektivarbeit angesprochen; Strempel, Mohr und Graetz hatten sich auch vom Organisatorischen mit den mexikanischen Muralisten auseinandergesetzt und deren Arbeitsmethoden weitgehend übernommen.[237]

In einer abschließenden Entgegnung ging Gute nochmals explizit auf das Wandbild *Metallurgie Henningsdorf* unter dem Aspekt der Relation von Thema und Inhalt ein. Thema sei, wie bei allen für Dresden geschaffenen Wandbildern, der demokratische Aufbau. »Inhaltlich mußte hier gefordert werden: der vorbildliche Kampf der Arbeiter im Bündnis mit der technischen Intelligenz um die Verbesserung und die Erhöhung der Produktion. Es mußte zum Ausdruck kommen die Veränderung im Bewußtsein der Aktivisten, welche aus der Erkenntnis, daß ihr Betrieb nicht mehr den Konzernherren zum Profitmachen dient, sondern dem ganzen Volk gehört, eine neue selbstbewußte Einstellung zur Arbeit gefunden haben. Sehen wir uns von diesem Standpunkt aus einmal die Gruppe in der Mitte an, welche scheinbar das Planungskollektiv sein soll. Sind das Menschen, mit denen der werktätige Betrachter bereit ist, sich zu identifizieren? Ist diese Frau in ihrer verzerrten Gestalt und dem unmöglichen Kleid das Vorbild einer Aktivistin, oder löst sie nicht vielmehr bei Frauen wie Männern Ablehnung aus, weil alles lebensvolle und menschlich Ansprechende, was solchen Frauen eigen ist (Realität!) weggelassen wurde? — Und die Gesichter der anderen, sind das Menschen, denen die Arbeit Freude macht, sind das Menschen, die den ersten Schritt getan haben zur Überwindung der 'Entäußerung der Arbeit'? Und wie steht es mit dem Inhalt in bezug auf die Jugendlichen in der rechten Ecke des Bildes? Machen unsere Jugendlichen im allgemeinen wirklich einen so zaghaften und ratlosen Eindruck? Natürlich nicht, denn sie sind gerade in hohem Maße die Träger einer neuen Arbeitsmoral, und wenn man dann zwischen die blauen Fahnen und das rote Transparent aus Gründen der Farbharmonie eine gelbe Fahne praktiziert, die überall als Symbol der Unternehmergewerkschaften gilt, dann ist das nicht nur ein formalistischer Unsinn, sondern ein ernsthafter Fehler im Inhalt. — Der Hauptfehler im Inhalt aber dürfte darin bestehen, daß keine strategische Grundkonzeption vorhanden ist, und dieser Mangel hat dazu geführt, daß lediglich formale Gruppierungen von Arbeitsvorgängen durchgeführt wurden, ohne daß ein einheitlicher Grundgedanke in Erscheinung tritt, der durch die Einzelhandlungen erläutert bzw. betont wird. — Die Genossen haben die Absicht gehabt, ein realistisches Bild zu schaffen. Dazu gehört aber als erste Voraussetzung die ideologische Klarheit in bezug auf den Bildinhalt, und hier ist der Punkt, wo ich mir eine Kollektivarbeit fruchtbar denken kann. Hier hätte man gemeinsam studieren, kritisieren und konzipieren müssen. Und erst, nachdem man sich weitgehend ideologische Klarheit erworben hatte, durfte man nach Hennigsdorf gehen und dort an Ort und Stelle das Problem in seiner Realität studieren. — Zumindest erscheint mir das ein gangbarer Weg, aber es ist auch denkbar, daß man sich in Hennigsdorf das ideologische Rüstzeug gleichzeitig mit der künstlerischen Studienarbeit geholt hätte. Mir scheint es hingegen, und es haben auch die verschiedenen Diskussionen bisher ergeben, daß man von der Vorstellung ausging, einen 'neuen' Realismus zu schaffen. Aber hier liegt eine Gefahr, denn es handelt sich nicht darum, daß der Realismus neu sei, sondern daß auf Grund einer realistischen Betrachtung ein der Wirklichkeit entsprechendes Werk entsteht«.[238]

Die extreme Reaktion auf das Dresdener Wandbild muß in einem globalen Rahmen gesehen werden. Schon seit einiger Zeit war Kritik laut geworden, daß die bildende Kunst hinter den Leistungen auf anderen Gebieten, insbesondere im ökonomischen Bereich, zurückgeblieben sei. Rudolf Engel formulierte dies auch in seiner Eröffnungsrede zur 2. Deutschen Kunstausstellung.[239]

»Mansfelder Kupferschieferbergbau«
Die wahrscheinlich letzte Möglichkeit zur Gestaltung eines Wandbildes in der DDR bot sich Horst Strempel 1950/51 (WVZ 8, Abb. 44, S. 164).[240] Die VVB Mansfeld gab den Auftrag, zwei Räume der Landesparteischule Ballenstedt mit Themen des Mansfelder Kupferschieferbergbaus auszuschmücken. Es war vorgesehen, dort »in einer Lehrschau Entwicklung und Produktion des Kupferschieferbergbaus im Mansfelder Gebiet«[241] zu zeigen, wobei die Wandbilder die Aufgabe haben sollten, »das in den Schaukästen und auf Tafeln geordnete zu erweitern, den gewonnenen Eindruck gefühlsmäßig zu festigen«.[242]

Der erste der beiden Räume wurde von Horst Strempel, René Graetz, Rudolf Bergander und Franz Nolde gestaltet. Eine Dokumentation über dieses Projekt ist leider nicht vorhanden, so daß die einzige Quelle der o.g. Zeitungsbericht ist.[243] Die technische Herangehensweise war ähnlich der in Henningsdorf. Zunächst wurde der Produktionsprozeß vor Ort studiert und Skizzen angefertigt, danach erfolgte eine Diskussion mit Lehrern und Schülern der Schule wobei der »thematische Gedanke« festgelegt wurde.

»Der Kumpel Borowski, der in der Nazizeit nicht das Versteck der Fahne von Kriwoi-Rog verriet, jener Fahne, die die Arbeiter von Kriwoi-Rog den Arbeitern im Mansfeldischen als Zeichen der Solidarität übergaben, reicht die Fahne an die Aktivisten des Fünfjahrplans weiter. Damit soll ausgedrückt werden, daß die Hilfe der Sowjetunion und die Opfer der deutschen Antifaschisten den Friedensplan ermöglichten und eine seiner Triebkräfte sind. Der nächste Teil zeigt eine Produktionsbesprechung vor Streb, um das neue Verhältnis zur Arbeit zu zeigen, der Bewegung zur besseren Organisation der Arbeit im Dienste des Volkes. Daneben ist die Arbeit der Kumpel vor Streb dargestellt. Auf der anderen Wand folgt die Lehrlingsausbildung. Die Erziehung des Nachwuchses ist auch im Kupferbergbau eine der wichtigsten Fragen. Dann kommen Abschnitte aus dem Produktionsprozeß. Im Vordergrund steht eine Gruppe von Werktätigen, die das Eislebener Lenin-Denkmal umringen. Es ist bekanntlich das einzige Lenin-Denkmal in Deutschland. Die deutschen Faschisten raubten es aus der Sowjetunion, und in Deutschland bewahrten es Antifaschisten vor dem Einschmelzen. Hier soll ausgedrückt werden, daß Lenins geniales Werk gegen alle Widerstände lebt, daß seine Theorie zum Handeln bereitmacht. Auf der vierten Wand sind die letzten

Produktionsvorgänge, das Herausziehen der Schlak-ke und das Gießen der Platten festgehalten«.[244]

Ähnlich wie beim Dresdener Wandbild praktizier-te man auch in Ballenstedt Kollektivarbeit. Wie jedoch konkret verfahren wurde, läßt sich nicht mehr klären. Eine Möglichkeit hätte sein können, die Sze-nen so aufzuteilen, daß jeder Künstler seine eigene Wand zu gestalten gehabt hätte. Eine thematische Aufteilung liegt somit nahe, wobei wiederum nicht festgestellt werden kann, welche Abschnitte die ein-zelnen Künstler ausgeführt haben. Es erscheint jedoch denkbar, daß Strempel die Bergbau-Szene, möglicherweise aber auch eine andere Darstellung aus den Produktionsvorgängen zu bearbeiten hat-te.[245] Dieses zeigt sich einerseits an den zahlreichen Studien, die in direktem Bezug zu den Darstellungen stehen. Andererseits entspricht sowohl der Stil der Szene mit der Übergabe der Fahne wie auch der der Produktionsbesprechung weniger der Herangehens-weise Strempels. Eine Ölstudie (WVZ 272), ebenfalls als Arbeit für Ballenstedt gekennzeichnet, findet zwar in den Reproduktionen des vollendeten Wandbildes keine Entsprechung, taucht jedoch in der Skizze zu *Karl Liebknecht spricht* (WVZ 298) auf.

Wie schon beim Wandbild Friedrichstraße liegt dem Stoff auch hier eine Verknüpfung von Realität und Mythos zugrunde. Die Annäherung an die The-matik erfolgt in gleicher Art und Weise wie sie Haufe für das mexikanische Wandbild charakterisierte. Er stellte in diesem Zusammenhang fest, daß sich die »Analyse der Geschichte« an exemplarischen Ereig-nissen und Personen orientiere, deren Glorifizierung einerseits neue Energien im Kampf für das Goldene Zeitalter freisetzen solle, andererseits eine histori-sche Kontinuität gewährleiste.[246]

In diesem Zusammenhang ist auf eine deutliche Parallele in der Musik hinzuweisen. Etwa gleichzeitig entstand, ebenfalls im Auftrag der VVB Mansfeld, das »Mansfelder Oratorium« anläßlich des 750-jährigen Bestehens des Mansfelder Kupferschieferbergbaus. Der Text, der die gleiche Thematik wie das Wandbild aufgreift, stammt von Stefan Hermlin, die Komposi-tion von Ernst H. Meyer.[247] Das Oratorium wurde, im Gegensatz zum Wandbild, sehr positiv aufgenom-men, weil, wie verlautbart wurde, das Kämpferische mit dem Schönen hier vereinigt sei. Gelobt wurden vor allem die Volkstümlichkeit und die Einbeziehung des kulturellen Erbes sowie der lebendigen Gegen-wart.[248]

Hermann Müller, der die Ergebnisse der Dresdener Wandbildaktion noch sehr wohlwollend beurteilt hatte, schlug in seiner Kritik zu diesem Wandbild wesentlich härtere Töne an. Dieses Verhalten ist kennzeichnend für die Situation, die sich zunehmend verschärfte. Er benutzte die Besprechung des Wand-bildes, um die Situation der bildenden Kunst in der DDR einer grundsätzlichen Kritik zu unterziehen.

Am Wandbild kritisierte er vor allem, daß »politische Fehler im Bildaufbau gemacht worden und künstleri-sche Fehler in der Gestaltung unterlaufen«[249] seien. Insbesondere die Rolle der Intelligenz und der Bau-ernschaft seien ungenügend behandelt. »Es werden Transparente mitgetragen, aber auf ihnen steht nichts. Die Fahnen sind rot oder blau. Gibt es bei unseren Demonstrationen keine schwarzrotgolde-nen Fahnen? Doch, aber hier sind die Künstler offen-sichtlich über irgendwelche formalistischen 'Farb-theorien' gestolpert, die sie in den Gegensatz zur Wirklichkeit brachten«.[250]

Müller schloß aus diesen »Fehlern«, daß die Künst-ler noch nicht das »richtige Verhältnis zum Menschen gefunden« hätten und daß die »entscheidenden ideo-logischen Fragen noch nicht klar genug« seien. Immerhin sah er hier auch ein Versagen der Kunstkri-tik und schlug vor, unter der Leitung der Akademie der Künste eine Zeitschrift zu gründen, die die Künst-ler in theoretischen und ästhetischen Problemen unterstützen solle.

Die Konsequenz dieser Kampagne war, daß das Wandbild schon 1951 wieder beseitigt wurde.[251]

Arbeiter- und Arbeitsdarstellungen

Die Darstellung des Arbeiters und der Arbeit war das vielleicht wichtigste Thema der bildenden Kunst der DDR seit ihren Anfängen und wurde entsprechend intensiv und kontinuierlich bearbeitet.[252] Die Ent-wicklung der bildenden Kunst in der DDR zeigt, daß gerade im Bereich der Arbeitswelt, wie bei keinem anderen künstlerischen Sujet, der sozialistische Staat versuchte, sein Selbstverständnis auch ästhetisch for-mulieren zu lassen. Hiermit erfolgte erstmals eine (fast) ausschließliche Auseinandersetzung mit The-men der Gegenwart. Das galt insbesondere in den ersten Jahren nach der Staatsgründung wie auch zur Zeit des Kalten Krieges. Wenn auch die Künstler nicht immer den Forderungen des Staates entsprachen, so läßt sich aus vielen Kunstwerken dennoch eine Reak-tion auf die politische und ökonomische Realität able-sen.

Die stärkere Konzentration auf das Arbeiterbild Ende der 40er Jahre war durch die politische Forde-rung nach dem »Neuen Menschen« erfolgt, der seine Arbeit als »ehrenvolle, freiwillige gesellschaftliche Verpflichtung«[253] verstehen müsse. Entsprechend den Aufgaben auf dem ökonomischen Sektor sollte die Kunst nun die Aufgabe übernehmen, einerseits die »befreite Arbeit« darzustellen, andererseits reprä-sentative Helden bzw. Vorbilder zu schaffen.[254]

Zwar waren erste Ansätze von Arbeitsdarstellun-gen schon früher, etwa in den Aufbaubildern und den Darstellungen von Trümmerfrauen usw. gemacht worden, wobei die äußeren Impulse für die Heranzie-hung dieser Themen beispielsweise der Aufbau, die Bodenreform und die Aktivistenbewegung waren.[255] Hinzu kam dann aber ab 1949 nach der Bildung der beiden deutschen Staaten, daß Produktionssteige-rungen im Interesse des Klassenkampfes vonnöten waren. So wurden mehr und mehr auch ethisch fun-dierte Begründungen dazu herangezogen, die Bevöl-kerung zu verstärktem Engagement im wirtschaftli-chen Aufbau zu animieren. Diese Intention macht sich beispielsweise deutlich bei den Kulturprogram-men zum Fünfjahrplan bemerkbar;[256] hier war unübersehbar, daß eine der Hauptaufgaben der Kunst darin gesehen wurde, den Menschen nach politisch-ökonomischen Vorgaben zu erziehen, d. h. ihn zur Arbeit anzutreiben.

Diesem Ziel entsprechend war man kaum daran interessiert, den Arbeitsalltag, so wie er sich für den Werktätigen darbot, von den Künstlern gestalten zu lassen, wenn auch im allgemeinen das Gegenteil pro-pagiert wurde. Das, was tatsächlich verfolgt wurde, war die Idealisierung der Wirklichkeit, die ihren extremsten Ausdruck in der Figur des »Neuen Hel-den« fand.[257]

Programmatisch für den Start dieser Initiative wur-de die Ausstellung »Mensch und Arbeit«, die den Charakter einer Impulsausstellung trug[258] und dann in der Zweiten Deutschen Kunstausstellung 1949 mit der Wandbildaktion ihre Fortsetzung erfuhr.[259] Mit einem Wettbewerb dieser Art sollten die Künstler angeregt werden, sich mit Fragen und Themen der Gegenwart, insbesondere des sozialistischen Aufbaus zu beschäftigen und endlich auch auf künstlerischem Gebiet die wirtschaftliche Entwicklung nachzuvoll-ziehen.[260] Die Ausstellung, die die Resultate des Wett-bewerbs »Unsere neue Wirklichkeit« präsentierte, wollte vor allem das veränderte Wesen der Arbeit und ihre Wirkung auf den Menschen vorstellen. Arbeit sollte demnach so dargestellt werden, als ob sie nicht mehr als Zwang empfunden würde, sondern als Mög-lichkeit zur Selbstverwirklichung.

Damit wurden vor allem Themen ausgeschlossen, in denen körperliche Arbeit eher als Belastung inter-pretiert wurde. Werke, in denen sich die Künstler auf naturalistische und realistische Richtungen des 19. Jahrhunderts, auf die Kunst Courbets, Millets, Meu-niers und Daumiers beriefen, wurden ebenso wie der Bezug auf die proletarisch-revolutionäre Kunst als unzeitgemäße Romantisierungen kritisiert. Auch war man der Auffassung, daß Stilmittel des Impressionis-mus und des Expressionismus sowie die abstrakte Kunst nicht dazu geeignet seien, die neuen gesell-schaftlichen Verhältnisse zu gestalten.[261]

Im Großen und Ganzen aber fand der Appell, den Werktätigen eine neue künstlerische Gestaltung zu geben, bei der Künstlerschaft nicht die von den Initia-toren des Wettbewerbs erhoffte Resonanz. Selbst die-

jenigen Künstler, die den offiziellen Vorgaben Folge zu leisten suchten, konnten ihre Aufgabe, »das neue Arbeitsethos« zu gestalten, nicht zufriedenstellend lösen; Hermann Bruses Porträt *Stahlwerker* von 1947, ist ein frühes Beispiel dafür.[262] Jedoch muß man vom heutigen Standpunkt aus sagen, daß sich in die-sen Jahren ein breites Spektrum unterschiedlicher Möglichkeiten herauszubilden begann, die lediglich aufgrund der einengenden Vorstellungen eines »Sozialistischen Realismus« nicht zum Zuge kamen und gewürdigt wurden.[263]

Strempels Werk *Kinder mit Fahne* (WVZ 287), das auf dieser Ausstellung gezeigt wurde, hatte zwar mit der vorgegebenen Thematik im engeren Sinn nichts zu tun. Da es aber in seinem fast naturalistischen Stil den offiziellen Vorstellungen von »Sozialistischem Realismus« offenbar entgegenkam, sah die Kritik es als positiv an, zumal man feststellen konnte, daß Strempel persönlich Fortschritte gemacht hatte.

Das Sujet der Arbeit war für Strempel nicht neu, hatte er doch schon in den 20er Jahren während sei-nes Studiums die Bergwerke in Oberschlesien aufge-sucht, um vor Ort Leben und Arbeit der Werktätigen studieren zu können; den gleichen Zweck hatten die späteren Aufenthalte in der Borinage und im Saar-land. Mit der *Bauarbeiterin in der Friedrichstraße* (WVZ 243, Abb. 100, S. 192) und den *Trümmerfrauen* (WVZ 164) knüpfte er unter Berücksichtigung typi-scher zeitgenössischer Motive an frühe Werke aus dem Arbeitsalltag an.- Ein Gemälde wie *Sackträger* (WVZ 256, Abb. 103, S. 195), das gleichfalls einen all-täglichen Vorgang wiedergibt, thematisiert allerdings nicht das, was spätestens seit 1949 unter dem Begriff »Arbeiter- oder Arbeitsdarstellung« im neuen Sinn propagiert werden sollte — auch wenn man das Bild symbolisch deutet, daß die Männer nämlich, trotz ihrer schweren Lasten, nach vorne eilen und somit eine progressive Orientierung vermitteln können.[264]

Dann hatte Strempel von 1946 bis 1948 die Illustra-tionen zu Emil Zolas *Germinal* (WVZ 1653—1693, Abb. 192 und 193, S. 235) zum Abschluß gebracht. Die Zeichnungen wurden 1949 publiziert, aber schon bald darauf, trotz eindeutig positiver Resonanz, ein-gestampft. Der Grund dafür ist darin zu suchen, daß mittlerweile eine Umorientierung im o.g. Sinne statt-gefunden hatte und Werke, die Ausbeutung und Not der Arbeiterklasse thematiserten als unzeitgemäß abgelehnt wurden. Ideelle und inhaltliche Beziehun-gen zum *Weberaufstand* von Käthe Kollwitz und zum Frühwerk van Goghs sind klar zu erkennen. Schon allein diese Traditionsbeziehungen hätten ausge-reicht, um das Werk abzulehnen, da hier das progres-sive Element der neuen Gesellschaftsordnung nicht zum Ausdruck kam. Man kritisierte Strempel weiter-hin, weil er den Kampf und die Siegesgewißheit der Grubenarbeiter in seinem Zyklus nicht genügend unterstrichen haben. Deshalb sind die beiden letzten

Blätter des Zyklus, die als einzige erst 1948 entstanden und eine optimistische Perspektive vermitteln, wahrscheinlich als Zugeständnis an die Kritiker zu werten. Einen wesentlichen Anteil an der Ablehnung des Zyklus und der Zensur des Buches wird der — zumindest für den zeitgenössischen Betrachter — unübersehbare Gegenwartsbezug gehabt haben, der in den damaligen Besprechungen immer wieder betont wurde. In dieser Hinsicht erfolgte etwa eine Gleichstellung mit dem Mappenwerk *Gestalten der Vergangenheit*[265] und dem Triptychon *Nacht über Deutschland*.[266] Man wies außerdem darauf hin, das der Zyklus nicht ausschließlich als bloße antikapitalistische Propaganda zu begreifen sei mit einer »zerstörenden Neigung der bürgerlichen Restwelt gegenüber«;[267] vielmehr zeige sich hier wie auch in anderen aktuellen Werken des Künstlers, daß er danach strebe, neue Themen mit neuen Mitteln zu gestalten.

Die künstlerische Gestaltung von Arbeitern und von Arbeitsprozessen steht bei Strempel in engem Zusammenhang mit dem Wandbild im Bahnhof Friedrichstraße und seinen beiden kollektiv geschaffenen Wandbildern *Metallurgie Henningsdorf* und *Mansfelder Kupferschieferbergbau*. So sind diese Werke in der Regel eher als Studien denn als eigenständige Bilder zu sehen. Eine Ausnahme ist die schon in anderem Zusammenhang besprochene *Plandiskussion*, die allerdings wohl mehr durch die neuere Rezeptionsgeschichte als durch die ursprüngliche Intention des Künstlers unabhängig vom Wandbild gesehen wird. Auch *Vor dem Abstich* (WVZ 292), ein modernes Menzelsches *Eisenwalzwerk*, ist als Produkt dieser Studien anzusehen, kann jedoch als vollkommen selbständiges Kunstwerk gewertet werden. Mit Stil und Farbgebung der Wandbilder hat es wenig gemein. Es ging Strempel hier offensichtlich nicht um die exakte Darstellung eines Arbeitsvorganges, sondern um die Wiedergabe des Eindrucks eines Außenstehenden.

Arbeiterporträts im eigentlichen Sinn hat Strempel nie geschaffen. Alle Arbeiten, die diesen Themenkreis berühren, entstanden wahrscheinlich nur im Hinblick auf die Wandbilder. So zeigen diese Porträts die Darstellungen fast ausschließlich als Kopf- oder Brustbild bzw. als Schulterstück. Dieses hat zur Folge, daß die Personen aus ihrem jeweiligen Wirkungskreis herausgelöst und vereinzelt werden; charakterisiert werden sie höchstens durch Kleidungsstücke, wie die Grubenlampe. Ebenso können die Arbeiterdarstellungen, in denen die Einzelpersonen oder Gruppen in Ganzfigur gezeigt werden, nicht als Porträts verstanden werden. Für eine Einordnung in dieses Genre sind sie zu stark typisiert. Studien von Produktions- und Arbeitsvorgängen sind die eigentlichen Anlässe für diese Werke, die in den größeren Zusammenhängen der jeweiligen Wandgestaltungen auch leicht als solche zu identifizieren sind. Strempel ging es augen-

scheinlich weniger darum, in diesen Werken eine Apotheose des sozialistischen Arbeitsethos zu schaffen. Zwar war der Weg in die Produktion eine Gelegenheit, sich mit für ihn weitgehend fremden Arbeitsprozessen auseinanderzusetzen, jedoch ist die ästhtische Konsequenz, die er daraus zieht, nicht diejenige, die von den Initiatoren gefordert wurde. Strempel zieht einem sozialistischen Realismus sowjetischer Prägung das Formenvokabular vor, das er seit den 30er Jahren vor allem in der Kunst Légers realisiert sah.

Anläßlich der Ausstellung »Künstler schaffen für den Frieden«, die als die Umsetzung der von der 5. ZK-Tagung geforderten neuen Anschauung anzusehen ist, stellte Alexander Abusch in seinem Katalogvorwort ausdrücklich den Zusammenhang zwischen der Erfüllung des Fünfjahrplans und der Friedensarbeit her.[268] Strempel zeigte hier sein Ölbild *Arbeiter aus Henningsdorf* (WVZ 296, Abb. 109, S. 197) — übrigens neun Monate, nachdem man sein Wandbild im Bahnhof Friedrichstraße übertüncht hatte. Ein Henningsdorfer Arbeiter protestierte gegen das Werk, da er sich in dem Dargestellten nicht wiederfinden konnte.[269] Man bescheinigte Strempel, daß er aus diesem Vorgang nichts gelernt habe, obwohl mit ihm »besonders sorgfältig und ausführlich diskutiert« worden sei. Wie in seinen früheren Arbeiten träten auch hier formalistische Tendenzen und »ideologische Schwächen« zutage.[270]

Auffallend am Werk Strempels dieser Phase ist, daß vor allem diejenigen Bilder, die sich mit Themen der Arbeit beschäftigen, einer leichten Stil-Änderung unterworfen wurden. Die Gestaltung der Personen wird wieder konkreter mit einer teilweisen Tendenz zum Naturalismus, d. h. zum sozialistischen Realismus sowjetischer Prägung hin.

Anmerkungen

1 Überblicksdarstellungen über die Geschichte der SBZ und der frühen DDR: Schlenker 1977.- Grundriß, Berlin/DDR 1979.- Geschichte der SED, Berlin/DDR 1978.- Besonders zu Berlin: Kultur, Pajoks 1990.
2 Befehl Nr. 2 der Sowjetischen Militär-Administration in Deutschland (SMAD)
3 Der Aufruf der KPD vom 11.6.1945 stand auf der Linie der sog. »Berner Konferenz« vom 1939.- Vollständig abgedruckt bei Paul Merker. Zwei Jahre demokratische Parteien in der sowjetischen Besatzungszone. In: Neue Welt, 2, 1947, H. 11, 47ff.
4 Pieck 1951, II, 8
5 Zu den kulturpolitischen Daten und Ereignissen siehe u.a. Berlin/DDR 1979, 450—458.- Held 1981.- Streisand 1981.- Dietrich 1983.- Haase 1986.
6 Siehe Schulmeister 1965.
7 J.R. Becher. Rede an München (1946). In: ders. 1979, 7—45 (hier Seite 11)
8 Aus dem Gründungsmanifest des Kulturbundes. In: Schulmeister 1965, 35
9 ebd.

10 Auf die Beschreibung von Funktion und Strukturen der einzelnen Organisationen muß in diesem Rahmen verzichtet werden. Zum Aufbau der Kulturorganisationen in Berlin in der Nachkriegszeit siehe die ausführliche Dokumentation von Jutta Held 1980, 33—48

11 Siehe ebd., 35—36

12 Publikationen zur Kunst dieses Zeitraums u.a. Kuhirt/Hoffmeister 1959.- Lang 1978.- Held 1981.- Kuhirt 1982.- Lang 1983.- Berlin/DDR 1979.

13 Wilhelm Pieck »Um die Erneuerung der deutschen Kultur«. In: ders. 1951, II, 47.- Vgl. auch: Alexander Dymschitz, Eröffnungsrede der I. Deutschen Kunstausstellung Dresden (1946). Dymschitz stellte die Forderungen, daß die Kunst die Seele des befreiten Volkes widerspiegeln solle, dem deutschen Volk die Selbstachtung und die Achtung anderer Völker wiedergeben solle und sie solle im Volke wurzeln und es begeistern (teilweise abgedruckt in: Berlin/DDR 1979, 428).- Eine Umorientierung machte sich jedoch schon sehr bald bemerkbar. So betonte Anton Ackermann in seiner Rede »Unsere kulturpolitische Sendung« (1948): »Wir sehen unsere Aufgabe heute keineswegs darin, Partei ausschließlich für die eine oder die andere Kunstrichtung zu ergreifen. Unser Ideal sehen wir in einer Kunst, die ihrem Inhalt nach sozialistisch, ihrer Form nach realistisch ist.« (teilweise veröffentlicht in: Neues Deutschland, 23.4.1948).

14 Über die damals herrschende Ausstellungs-Euphorie schrieb Edwin Redslob bezüglich der Berliner Situation: »Da jede Ausstellung 150 — 300 Werke enthält, und einige allmonatlich wechseln, werden also an die 30000 Bildwerke im Jahr offiziell gezeigt« (Der Tagesspiegel, 17.5.1946)

15 »Freie Künstler-Ausstellung Nr. 1«, Dresden 1945.- Kunst-Ausstellung im Zeughaus, Berlin, Mai/Juni 1946 u.a.

16 Alfred Frank, Fritz Schulze, Johannes Wüsten, Hans und Lea Grundig, Hermann Bruse, Käthe Kollwitz, Ernst Barlach, Otto Dix, Max Beckmann, Paul Klee, Ernst Ludwig Kirchner, Lyonel Feininger, Max Pechstein, Karl Schmidt-Rottluff, George Grosz, Oskar Kokoschka, Willi Baumeister, Fritz Winter u.a.

17 Siehe Hans Grundig. Dresdener Bilanz. Betrachtungen zur ersten allgemeinen deutschen Kunstausstellung. In: Prisma, 1946, H. 2, 33—34: »Heute können wir wir uns stolz auf diese Ausstellung zeigen als den Ausdruck wirklicher Demokratie, denn alles, was an lebendiger Kunst in Deutschland geschaffen wurde, ist vertreten, gleichviel aus welcher Anschauung heraus entwickelt.« (33)

18 Vgl. Karl Trinks. Die Spannung zwischen Volk und Kunst. Ein pädagogischer Epilog zu den jüngsten Kunstausstellungen. In: Aufbau, 1947, H. 7, 7—13

19 Ein ausführlicher Bericht über den Sächsischen Künstlerkongreß: Carl-Ernst Matthias. Künstlerkongreß in Dresden. In: bildende Kunst, 1, 1947, H. 1, 3—11.

20 Die kunsttheoretische Entwicklung der ersten Jahre kann anhand der Veröffentlichungen in der »bildenden kunst« gut nachvollzogen werden.

21 Walter Ulbricht. Der Künstler im Zweijahrplan. Rede der Arbeitstagung, September 1948. In: ders. 1953, 312 ff.- Anton Ackermann. Referat auf der Arbeitstagung der sozialistischen Künstler und Schriftsteller, Berlin, 2./3.9.1948. »Die Kultur und der Zweijahrplan«. Bericht über das Referat in: Neues Deutschland, 5.9.1948

22 Bodo Uhse, in: Aufbau, 1950, H. 8, 678 ff.

23 »Adäquate künstlerische Mittel« bedeutete hier vor allem, daß, wie der weitere Verlauf der Diskussion zeigte, auf abstrakte Darstellungsweisen verzichtet werden mußte. — Siehe auch zur »Ersten Zentralen Kulturtagung der SED«, Mai 1948, wo »mit Nachdruck auf das sowjetische Kunstvorbild hingewiesen und dessen Kopierung in Stil und Inhalt von den ostdeutschen Künstlern gefordert« wurde. (Thomas 1980, 10).

24 Alexander Dymschitz. Über die formalistische Richtung in der deutschen Malerei. In: Tägliche Rundschau, 19. und 24.11.1948

25 Kritisiert wurden u.a. Pablo Picasso, Frans Masereel und vor allem Carl Hofer.

26 Siehe zu diesem Problemkreis die ausführliche Darstellung von Hella Márkus (1982).-

27 Hermand 1984, 287

28 Kober 1979 (Anfänge...), 29

29 N. Orlow. Wege und Irrwege der modernen Kunst. In: Tägliche Rundschau, 20./21.1.1951

30 Referat von Hans Lauter, Diskussionen und Entschließung. In: Lauter 1951

31 Siehe: Hans Schlösser. Die Aufgaben des VBK. In: Neues Deutschland, 18.3.1952

32 Bertolt Brecht. Kulturpolitik und Akademie der Künste (1953). In: ders. 1982, 161

33 Zur sowjetischen Realismusauffassung wie sie den Künstlern der DDR als vorbildhaft dargestellt wurde siehe die Aufsätze von A.S. Mjasnikow 1953 und W. Skaterstschikow 1953.

34 Die Vorbilder konnten auf Ausstellungen sowjetischer Kunst studiert werden, so 1949 anläßlich der »1. Sowjetischen Ausstellung« und 1953 bei der Ausstellung »Sowjetische und vorrevolutionäre russische Kunst«.

35 Der 17. Juni war Anlaß für Künstler und Intellektuelle, eine Revision der Kulturpolitik und Rückkehr des Stilpluralismus zu fordern. Siehe hierzu: Erklärung der Akademie der Künste der DDR vom 30.6.1953.- Vgl. auch: Thomas 1980, 38—40

36 Wolfgang Harich. Es geht um den Realismus. In: Berliner Zeitung, 14.7.1953

37 Fritz Duda und Arno Mohr berichteten, daß sie sich intensiv darum bemüht hätten.

38 Die heute allseits obligatorische pauschale Abgrenzung von der sozialistischen Vergangenheit trägt auch in diesem Fall in keiner Weise zu ihrer Aufarbeitung bei.

39 So die Antwort auf Anfragen bei den unterschiedlichen Partei-Instanzen, beim VBK/DDR, beim FDGB und der Kunsthochschule Weißensee.

40 Das gleiche gilt auch für seine politischen Aktivitäten während des Faschismus. In seinen Skizzen für Roch notierte er: »das Gespenstische der Zellensitzungen 33—45 vollkommen vergessen«, während er sich ansonsten den Anschein politischer Abstinenz gibt.

41 Diese Meinung vertraten z. B. auch bei einer Befragung Heinz Worner (März 1990) und Fritz Duda (Juli 1990)

42 Dieser Bereich, der zweifellos ein zentrales Moment im Schaffen Strempels berührt, kann an dieser Stelle nicht weiter ausgeführt werden, da kaum Quellenmaterial zugänglich war.- Ein der Autorin erst kürzlich bekanntgewordener Fundus an Dokumenten aus diesen Jahren in Privatbesitz, der wahrscheinlich eine Reihe offener Fragen klären wird, konnte bisher noch nicht ausgewertet werden. Es ist beabsichtigt, dieses zu einem späteren Zeitpunkt nachzuholen.

43 In seinen autobiografischen Notizen für Herbert Roch formulierte Strempel seine Interessen: »Kampf gegen / 1. Die Eingliederung in den F.D.G.B. / 2. Die Spaltung des Verbandes«

44 Brief von Cuno Fischer an Horst Strempel, 3.7.1957

45 Held 1980, 36

46 Held 1980, 41

47 In den Mitteilungen des Schutzverbandes bildender Künstler, 2, 1948, H. 7 wurde das Protokoll einer Versammlung der Spartengruppe Maler, Bildhauer, Graphiker im SbK veröffentlicht. Strempel referierte demnach über die Aufgaben, wobei er die Rolle gemeinschaftlichen Handelns betonte.

48 Dieses geht aus einem Einladungsschreiben vom 20.6.1950 hervor.

49 Gegründet 1951 in München

50 Horst Strempel. Deutsche Maler berieten in München. In: Tägliche Rundschau, 12.5.1951. Eines der Resultate dieses Treffens war die Absprache, daß eine Ausstellung zum Kulturkongreß in Leipzig mit der Beteiligung westdeutscher Künstler durchgeführt werden sollte. Im Gegenzug war die Teilnahme von DDR-Künstlern an der Ausstellung des Schutzverbandes im Juli 1951 in München geplant. Weitere Informationen über die Aktivitäten des Ausschusses fehlen. Ausführlicher Bericht über die ersten Sitzungen in: Der Bildende Künstler, 1951, H. 4/5, 6—7.- Siehe auch: Bericht über die Situation der bildenden Kunst in der Ostzone in: Berlin/W. 1978 (Hofer), 614—615

51 Horst Strempel. Deutsche Maler berieten in München. In: Tägliche Rundschau, 12.5.1951. Vgl. zu diesem Thema auch die Ausführungen zum Wandbild Friedrichstraße, S. 94 ff.

52 Horst Strempel, Stichworte für Herbert Roch

53 Lebenslauf, undat.

54 Horst Strempel, Stichworte für Herbert Roch

55 Brief von Horst Strempel an Siggi Neumann, 5.2.1953

56 Brief von Horst Strempel an Emil Adrian, 11.6.1948

57 Aussagen wurden u.a. von ehemaligen Mitgliedern der Kunsthochschule Weißensee gemacht, wie z. B. Bontjes van Beek oder der Sekretärin Frau Thinemann.

58 Zwar gibt es noch Lehrpläne und Vorlesungsmanuskripte, jedoch keine besonderen Tätigkeitsberichte. Diesbezügliche Anfragen an die Kunsthochschule Weißensee verliefen ebenso ergebnislos. Außer einer einseitigen Vorlesungsskizze sollen keinerlei Unterlagen dort vorhanden sein.

59 Lebenslauf, undat.

60 Lebenslauf, undat.

61 Brief von Horst Strempel an Siggi Neumann, 5.2.1953

62 N. Orlow. Wege und Irrwege der modernen Kunst. In: Tägliche Rundschau, 20./21.1.1951

63 Brief von Horst Strempel an Siggi Neumann, 5.2.1953.- Am 26.1.1951 soll in der Kunsthochschule eine Debatte über den Orlow-Artikel stattgefunden haben, an der neben ausgewählten Hochschulangehörigen auch Vertreter des Ministeriums und der Landesleitung der SED teilgenommen haben. Nach einem Protokoll soll die Diskussion sehr lebhaft verlaufen sein, wobei sich insbesondere Kilger, Mohr, Strempel und Stam »kritisch« zu dem Artikel geäußert hätten. (Qu.: Archiv der Kunsthochschule Weißensee)

64 Herbert Schiller an die Beschwerdestelle des Leiters des Bundesnotaufnahmeverfahrens in Berlin vom 20.2.1953: »Um die Gefährdung Strempels zu begreifen, müssen drei Zeitperioden betrachtet werden: Die erste war die stadtbekannte Entfernung seines Bildes auf dem Bahnhofe Friedrichstraße, die in der Ostpresse zunächst lebhafte Diskussionen ausgelöst hat mit allem übliche Drum und Dran, Einsendungen von Leserbriefen und schließlich den bekannten Orlow-Artikel in der Täglichen Rundschau im Januar 1951. Die Belegexemplare können vorgelegt werden. Dies der Anfang der Ausschaltung des Strempel aus dem östlichen Kunstleben und zugleich bedeutet dies das Aufhören seiner Tätigkeit in jenen Organisationen, die der Beschluß im Anfang seiner Begründung ausführte. Es erfolgte keine offizielle Kündigung, sondern Strempel wurde einfach zu den Präsidialsitzungen usw. nicht mehr eingeladen.«

65 Aus einer Stellungnahme Horst Strempels (undat.) zum Beschluß des Beschwerdeausschusses des Bundesnotaufnahmeverfahrens vom 31.3.1953.- Außerdem: Brief von Horst Strempel an Siggi Neumann, 5.2.1953 und Lebenslauf, undat.

66 Lebenslauf, undat.

67 Der Architekt Mart Stam, der schon in den zwanziger Jahren an zahlreichen Bauprojekten, wie beispielsweise der Siedlung Weißenhof in Stuttgart (1927) und der Siedlung Hellerhof in Frankfurt (1928), mitgewirkt hatte, kam 1948 nach Dresden, wo er Hans Grundig als Rektor der Kunstakademie ablöste. Seine Reformversuche des Unterrichts stießen jedoch auf Widerstand, so daß er 1950 nach Berlin übersiedelte und das Rektorat der Kunsthochschule Weißensee übernahm. Als er dort infolge der Formalismus-Debatte »beurlaubt« wurde, ging er Ende 1952 nach Holland zurück.

68 Nach Angaben Strempels in seinem Antrag auf Einleitung des Notaufnahmeverfahrens und Anerkennung als politischer Flüchtling an den Leiter des Bundesnotaufnahmeverfahrens vom 30.1.1953

69 ebd.- Als Teilnehmer benannte Strempel dort folgende Personen: den Abteilungsleiter für Hochschulwesen Rudi Böhm, der Referent für Hochschulwesen Schröder und das Mitglied des ZK der SED und Verbindungsmann der SSD Staatssicherheitsdienst in der Staatlichen Kunstkommission Ernst Hofmann sowie zwei weitere, ihm unbekannte Männer.

70 ebd.

71 So gab Jan Bontjes van Beek in einer eidesstattlichen Erklärung vom 20.6.1953 über Strempels Berufung zum Dozenten für dekorative Malerei an: »Diese Berufung wurde von der damaligen Zentral-Verwaltung für Volksbildung nur mit größtem Vorbehalt bestätigt, da Herrn Strempels Bildstil nicht den künstlerischen Vorstellungen der Behörden entsprach.«

72 Brief von Oskar Nerlinger an den Leiter der Reichskammer für bildende Künste, 28.4.1940.- Diese Angelegenheit ist meines Wissens nirgendwo in der Literatur zur Kunst der DDR bzw. zu Oskar Nerlinger erwähnt worden.- Ungeachtet dessen muß aus heutiger Sicht für eine solche Handlungsweise in Anbetracht der damaligen Situation Verständnis aufgebracht werden, was aber nicht eine spätere Verschleierung rechtfertigen darf.

73 Horst Strempel in einem Brief an das Zentralsekretariat der SED/ Schiedsgericht-Kommission in Sachen Oskar Nerlinger vom 13.7.1947

74 Horst Strempel. Gestaltung der Gesetzmäßigkeit. In: Tägliche Rundschau, 4.2.1949

75 Einige wenige noch vorhandene Arbeiten, in denen er offenbar versuchte, sich den neuen Forderungen zu beugen, zeigen sein Scheitern ganz deutlich. Möglicherweise hat er später viele in dieser Zeit entstandene Arbeiten selbst vernichtet.

76 In diesem Zusammenhang ist insbesondere auf die Beiträge von Ullrich Kuhirt und Karl Max Kober auf dem Leipziger Kolloquium 1976 hinzuweisen. Siehe: Kuhirt 1976, 37—44.- Kober 1976, 3—36

77 Alexander Dymschitz. In: Tägliche Rundschau, 13.8.1946

78 Horst Strempel, Stichworte für Herbert Roch

79 Strempel notierte in seinem für Roch geschriebenen Lebenslauf, daß in diesem Lager Antifaschisten und SS-Leute gemeinsam interniert gewesen seien.

80 Brief von Horst Strempel an Emil Adrian, 18.11.1945

81 Brief von Horst Strempel an NN, 2.4.1947

82 Zur allgemeinen materiellen Lage der Künstler nach dem Krieg siehe: Edith Lüdecke. Wie leben die Berliner Künstler? In: bildende kunst 1948, H. 5, 18—22

83 Brief von Horst Strempel an Emil Adrian, 11.6.1948: »was die Lebensmittel anbelangt, so leben wir zwar nicht üppig, aber auch nicht schlecht. ich habe die Karte eins und als abteilungsleiter der hochschule noch eine extra lebensmittelkarte, die ebenso hoch, wie die karte 1 ist. nebenbei bekomme ich durch privatverbindungen und verkäufe von graphiken ziemlich regelmäßig care-pakete aus amerika.«

84 Unberücksichtigt bleibt hier zunächst die Problematik der »Westemigration«, die vor allem während des Kalten Krieges an Bedeutung gewann.

85 Kober 1979, 35, hob in seinem Resümé der Nachkriegskunst in der SBZ/DDR folgende ikonografische Bezugspunkte hervor: »Den Kern bilden...dabei die sinnbildhaften Veranschaulichungen von Bewußtseinszuständen der Zeit, wobei ebenso an antike Mythologie wie an christliche Symbolik angeknüpft wurde. Auch an profanen Metaphern fehlte es nicht. Ferner haben wir zu tun mit einem neuen Kapitel der Ikonografie der Ruine, der Todesdarstellung, der Inkarnation von Klage, Not und Unterwegs- und Alleinsein, aber auch der Caritas und der Hofnung. Eine größere Werkgruppe ist der gestaltung elementarer Lebensnotwendigleiten gewidmet, der Suche nach Nahrung, nach Wärme, nach Schlaf usw.«. Außerdem benannte er die Suche nach einem neuen Bild vom Menschen.

86 Kober 1979, 34

87 E.L. Ruinenromantik-Ruinendämonie. In: bildende kunst, 1948, H. 7, 16—19

88 Kober 1987, 524—525

89 Möbius 1979, 370

90 Siehe beispielsweise bei Kuhirt 1982, 48

91 Edwin Redslob. Berliner Ausstellungen. In: Der Tagesspiegel, 12.4.1947

92 Vgl. die Würdigung bei Müller 1947, 30—32

93 Strempel schrieb dieses in einem Brief an Wilhelm Puff vom 15.2.1972. Er legte die Fotografie eines Aquarells bei, das er als »allererste Skizze 1941 zu Nacht über Deutschland« bezeichnete. Möglicherweise ist damit das Lagerbild aus Septfond gemeint (WVZ 690).

94 siehe auch Hauer 1985, bes. 19—35. Hauer stellte das Triptychon Nacht über Deutschland in den Mittelpunkt seiner strukturanalytischen Untersuchung von Kunstwerken der Nachkriegszeit.

95 Schultheiß 1980, 14

96 Kober 1989, 36.- Im übrigen übte der Isenheimer Altar spätestens seit dem 1. Weltkrieg eine Faszination auf bildende Künstler und Literaten aus, die den Krieg und seine Auswirkungen thematisieren wollten. Zu nennen wären hier u.a. Ernst Toller (Eine Jugend in Deutschland. Amsterdam 1933.- Leipzig 1970, 71), Hans Grundig (Zwischen Karneval und Aschermitwoch, Berlin 1958, 124) ebenso wie Otto Dix, bei dessen Werk Der Krieg (1929/32) eine starke Wirkung Grüne-

walds bekannt ist. Vielleicht liegt bei *Nacht über Deutschland* ein ähnliches Verhältnis vor, wie Picasso es für seine Beschäftigung mit dem *Isenheimer Altar* charakterisierte. Gegenüber Brassaï äußerte er, daß er das Werk schätze und versucht habe, es künstlerisch zu interpretieren, jedoch sei etwas vollkommen anderes dabei herausbekommen. Siehe Holman 1988, 57

97 Kober 1977, 216.

98 Kober 1989, 36

99 Schultheiß 1980, 15

100 Es erscheint jedoch allein schon problematisch, daß, wie hier geschehen, Werke wie *Nacht über Deutschland* oder Hans Grundigs *Den Opfern des Faschismus* der Thematik »Vom Mythos und seinen Bildern« subsumtiv zugeordnet werden.

101 Auf die Vielschichtigkeit des Inhalts hatte schon Edwin Redslob in einer Kritik der Ausstellung in der Galerie Franz 1947 (Berlin 1947/1) hingewiesen: »Notwendig als Darstellung dessen, was durch Entfesselung der niedrigen Leidenschaften geschah, notwendig als Trennungsstrich gegenüber einer Vergangenheit, die durchaus noch nicht in allen Hirnen überwunden ist, notwendig als Abreaktion eines einzelnen, der durch Gefängnis und Martyrium ging und nun das Entsetzliche darstellt, um es durch Gestaltung loszuwerden: dieses dreifach 'Notwendig' gebührt der Kunst des Malers und Zeichners Horst Strempel, die in der Galerie Franz (Kaiserallee) ausgestellt ist.« (Edwin Redslob. Berliner Ausstellungen. In: Der Tagesspiegel, 12.4.1947)

102 Schultheiß 1980, 15.- Andererseits charakterisiert Schultheiß die Zentralfigur des Mittelbildes als »jüdischen KZ-Häftling«; auch hierfür gibt es keinerlei Anhaltspunkte.

103 Wolfgang Hennig. Ein Künstler aus Schlesien. In: Frankfurter Allgemeine Zeitung, 27.10.1954

104 Johannes R. Becher. Deutschland klagt an. In: Aufbau, 1, 1946, H. 1, 3—18

105 E.B. Filmfragen der Gegenwart. Gespräch mit Zlatan Dudow. In: Sonntag, 18.8.1946, 7

106 Christ. Ikonogr. 1980, 105

107 Schultheiß 1980, 16

108 ebd.

109 Vgl. auch zu *Kreuzigt den Fortschritt* Seite 88 f.

110 Vgl. Schiller, II, 1968, 95—96.- Die Charakterisierung des Christus im Elend erschließt interessante Deutungsmuster für beide Hauptfiguren. Nach Schillers Beschreibungen sitze er meist völlig entkleidet und erschöpft auf einem Stein oder einer kleinen Mauer. Neben dem trauernden Christus mit aufgestütztem Arm und an die Wange gelegter Hand existiere außerdem ein gefesselter Typus. Sie verweist weiterhin auf Zusammenhänge mit der Figur des Hiob, der ebenfalls in den beiden unterschiedlichen Formen abgebildet werde.

111 Vgl. auch Georg Kolbe *Der Befreite*, bei Kober 1989, 55 als Hiob gedeutet.- Vgl. auch Strempels *Hiob* (WVZ 134, Abb. 78, S. 180), der jedoch eine völlig andere Auffassung erkennen läßt.

112 Schultheiß 1980, 16

113 Diese Angaben zu Technik und Farbigkeit beziehen sich nicht auf den Zyklus *Pogrom*, der, soweit erkennbar, Studiencharakter trägt und nicht zuletzt aus diesem Grunde spontaner ausgeführt wurde.

114 Zit. aus dem Gedächtnis, ohne Referenz.- Andererseits bezeichnet Kober 1976, 77 *Nacht über Deutschland* zusammen mit einigen anderen in der Nachkriegszeit entstandenen Werken als »erste großartige Marksteine des Realistischen Sozialismus«

115 Vgl. auch den Tenor der Rede von Friedrich Wolf beim Kulturbund, 25.11.1945

116 Hans Grundig *Den Opfern des Faschismus* 1946—48, Öl/Hartfaser (110,0 x 200,0 cm); Leipzig, Mus. d. Bildenden Künste. Abb. in: Feist 1979, Tf. 168 (2. Fassung: Dresden, StKs, Gal. Neue Meister. Abb. in: Kober 1989, 68—69)

117 Wilhelm Lachnit, *Der Tod von Dresden* 1945, Öl/Lwd. (200,0 x 113,5 cm); Dresden, StKs, Gal. Neue Meister. Abb. in: Kuhirt 1982, Tf. 1

118 Hier sind vor allem Schriften bzw. Reden J.R. Bechers anzuführen, wie »Deutschland klagt an!« und »Deutsches Bekenntnis«. Im übrigen ist festzustellen, daß bei Becher eine ähnliche thematische Entwicklung wie bei Strempel vonstatten geht, von der Klage zum Aufbau.

119 Strempel behauptete in einer undatierten Entgegnung auf einen negativen Asylbescheid, daß eine Nummer der »bildenden kunst«, in der *Nacht über Deutschland* reproduziert worden sei, eingestampft wurde.

120 Kober 1989, 36

121 Ossip Zadkine, *Die zerstörte Stadt* 1947, Bronze (125,0 x 56,0 x 58,0 cm); Paris, Mus. Zadkine. Abb. in: Düsseldorf 1987, 163.- Jacques Lipchitz, *Mutter und Kind*, Bronze. Siehe das gleichnamige Pastell. Abb. in: Düsseldorf 1987, 176

122 In der »Täglichen Rundschau« vom 24.4.1946 wurde dieses Bild wegen seiner aktuellen Thematik hervorgehoben, aber »der sehr starke Einfluß des Kubismus« kritisiert, durch den eine Verständlichkeit des Anliegens nicht mehr gewährleistet werde.

123 Hier wäre beispielsweise Hieronymus Bosch' *Ecce homo* (Öl, Frankfurt/M.) anzuführen, das zwar eine ähnliche Konzeption aufweist, aber die Christusfigur gebeugt und gefesselt darstellt. In diesem Zusammenhang muß außerdem auf ein in etwa zeitgleiches Gemälde von Otto Dix verwiesen werden, das aber ebenfalls die Christusgestalt als Leidenden auffaßt. Otto Dix *Ecce homo* 1949, Öl/Preßholz (81,0 x 60,0 cm); Gaienhofen, Martha Dix. Abb. in: Berlin/W. 1983, 324.

124 Max Beckmann, *Schauspieler* (Mittelbild) 1941/42, Öl/Lwd. (200,0 x 150,0 cm); Cambridge, Fogg Art Museum, Harvard University. Abb. in: Leipzig 1990, 197

125 Siehe Eikemeier 1984, 127

126 Fischer 1972, 162

127 Hermann Bruse, *Menschensucher* 1950, Öl; Berlin, StM, NG. Abb. in: Berlin/DDR 1979, 34

128 Hagedorn 1986, 83 bewertet die 2. Fassung des Werks als die resignativere.

129 Hagedorn 1986, 90 deutet Bruses Bild folgendermaßen: »Der Ausdruck von Klage und Mahnung ist dem Ausdruck tätiger Suche nach dem Menschen und menschlicher Haltung gewichen, die Laterne deren sinnvolles Attribut ... mit der düsteren Farbigkeit verwehenden Rauches, in dem letzte Feuerreste glimmen, ist wieder und wieder als eines der gültigsten Zeugnisse des damaligen Lebens zwischen Ratlosigkeit und Hoffnung aufgerufen worden ... realistisch die historische Situation erfaßt und gleichermaßen sinnbildhaft das Schrecknis gefährdeten Lebens und verlorener Werte zeitlos bewahrt bleibt.«

130 ebd., 91

131 ebd., 92: »Eine weitere Mitteilung besagt, daß Bruse das Wandbild Strempels im Bahnhof Friedrichstraße nicht gefallen habe, er sich aufgerufen fühlte, »ein Gegenbild« zu malen.«

132 Gerade Werke dieser Künstler wurden in den damaligen Kunstzeitschriften häufig reproduziert.

133 Ulenspiegel, 3, 1948, Nr. 8, 4. Stefan Hermlin »Nächstenliebe«, Günter Weisenborn »Kontakt«, Bertolt Brecht »Weisheit« (4 Geschichten von Herrn Keuner)

134 Siehe Held 1981, 58

135 Rudolf Bergander, *Ein neuer Anfang (Das Jahr 1945)* 1946, Tempera/Hartfaser (150,0 x 90,0 cm); Meißen, Stadt- und Kreismuseum. Abb. in: Kober 1989, 183

136 Neubert 1979, 14

137 Ausgehend von der Annahme, daß die Unkenntnis des Strempelschen Werks der Nachkriegszeit keine Ausnahme ist, sondern es noch eine ganze Reihe von Künstlern geben wird, deren Werk dieser Jahre in Depots und auf Dachböden versteckt ist — nicht zuletzt infolge der Formalismus-Debatte —, wäre es angebracht, von diesen absoluten Wertungen zumindest solange Abstand zu nehmen, bis eine ungefähre Aufarbeitung des künstlerischen Bestandes gewährleistet ist.

138 Erna Lincke, *Und neues Leben blüht aus den Ruinen* o.D., Farbholzschnitt (57,0 x 42,0 cm). Abb. in: Kober 1989, 169

139 Edith Dettmann, *Aufbau* 1946, Öl/Holz (64,0 x 75,0 cm); Halle, Staatl. Gal. Moritzburg. Abb. in: Kober 1989, 431

140 Heinz Lüdecke. Schadet Aktualität der Kunst? In: Berliner Zeitung, 23.10.1947

141 In: Sie, 26.10.1947

142 Möbius 1979, 366, stellte in der Ikonografie des Diskussionsbildes eine Entwicklungstendenz fest, die durchaus den politischen Bestrebungen jener Jahre entsprach: nach den hoffnunsvollen Anfängen, in denen freie Diskussionen gepflegt

wurden, fand das Autoritätsprinzip wieder Eingang in die Kontroversen.

143 Edwin Redslob. Auf befreiten Schwingen. In: Der Tagesspiegel, 23.4.1946

144 Feist 1989, 86–88

145 F.D. Aber Herr Strempel. In: Der Telegraf, 11.11.1949

146 Makarinus 1985, 41

147 Möbius 1979, 364

148 ebd., 366

149 Vgl. Herbert Sandberg, *Verschiedener Meinung* 1948, Holzschnitt (30,0 x 24,0 cm). Abb. in: Feist, G. 1989, 87.- Herbert Sandberg, *Eiferer* 1948 Holzschnitt (36,0 x 22,0 cm). Abb. in: Berlin/DDR 1979, 291.

150 Vgl. Karl Hofer, *Diskussion* 1944, Öl/Lwd. (115,0 x 101,0 cm); Köln, Nachlaß Hofer bei Baukunst. Abb. in Berlin/W. (Hofer), 175

151 Siehe dazu Seite 103 ff.

152 Zahlreiche Abbildungen der heute nicht mehr vorhandenen Studien befinden sich im Archiv der Nationalgalerie Berlin.

153 Fritz Duda, *Karl Liebknecht spricht im Tiergarten* Öl/Lwd. (143,0 x 176,0 cm). Abb. In: Bildende Kunst, 1957, H. 3, 168

154 Vgl. Held 1981, 63–64

155 Siehe zur Stillebenmalerei der Nachkriegszeit: Ostermaier 1987 (auf Dresden beschränkt).

156 Oskar Moll, *Komposition im Atelier* 1933. Abb. in: Der Tagesspiegel, 25.9.1955

157 Kober 1989, 14 vertrat sogar die Ansicht, daß in Stilleben oft eine mehr der Realität entsprechende Darstellung der Gegenwart gegeben worden sei als in manchem Trümmer- oder Elendsbild.

158 Mülhaupt 1983, 220

159 Vgl. Mülhaupt 1981, 15

160 Siehe Haufe 1978

161 Die Entwicklung der Monumentalmalerei in Deutschland in den ersten Jahren nach dem Krieg muß unbedingt, anders als es bisher geschehen ist, im internationalen Kontext gesehen werden. Vor allem muß in viel stärkerem Maße der Einfluß westlicher Projekte der 30er Jahre berücksichtigt werden. Durch die sog. »Westemigranten« fanden diese Ideen auch Eingang in die deutsche Kunst. Neben den schon benannten mexikanischen Fresken sind vermutlich die französischen Wandbilder, die während der Volksfrontzeit entstanden sind, als Impulsgeber von großer Bedeutung. Das betrifft sowohl den ideellen und organisatorischen Bereich als auch mögliche stilistische und ikonografische Bezüge.- Zur Wandmalerei in Frankreich in den 30er Jahren siehe Robert Rey. L'Art Mural. In: L'Art et les Artistes, 1938, Nr. 185, 193 ff. (mit zahlreichen Beispielen und Abbildungen).

162 Der Hinweis auf die französischen Wandbilder findet sich in einem Artikel des »Vorwärts« (o.D., Nr. 247, 1948). Jedoch ließ sich über die Zusammenarbeit mit Dufy kein Nachweis erbringen. Auch Recherchen im Archiv der CGT, Paris brachten keine Bestätigung der Angaben. Nach Angaben von Henri Sinno, CGT Paris, war das Fresko für die »Maison de travail« das einzige von der Gewerkschaft in Auftrag gegebene Wandbild in den 30er Jahren; auch hierzu befinden sich im Archiv keinerlei Unterlagen.

163 Verordnung der Deutschen Wirtschaftskommission über Erhaltung und Entwicklung der deutschen Wissenschaft und Kultur, die weitere Verbesserung der Lage der Intelligenz und der Steigerung ihrer Rolle in der Produktion und im öffentlichen Leben (31.3.1949); abdedruckt in: Schubbe, I, 107–109.- Siehe Flierl 1979, 351: »Die Regierung der DDR schuf bereits im ersten Jahr ihrer Tätigkeit mit der sogenannten ›Kulturverordnung‹ die elementaren Voraussetzungen für eine planmäßige Einbeziehung der bildenden Kunst in die Umwelt, indem sie bei »Verwaltungsbauten« 1–2 Prozent der Bausumme 'für die künstlerische Ausgestaltung der Räume mit Werken volksnaher, realistischer Kunst vorsah«.

164 Siehe Kuhirt 1982, 107.- Vgl. Hagedorn 1986, 69–70: 1945 soll Hermann Bruse schon in Zusammenarbeit mit Herbert Stockmann und Maximilian Virkus im Auftrag des Hochbauamtes Magdeburg für das von der Roten Armee genutzte Kasino an der Hippelkaserne zwei Wandbilder ausgeführt haben, außerdem fünf Porträts führender russischer Generäle. Außer einer Rechnung Bruses findet sich davon jedoch heute keine Spur mehr. Gleiches gilt für ein Wandbild in der Kantine der »Rhenus« Magdeburg, das 1947 entstanden sein soll.- Lichtnau 1979, 185–187 fand für den Bezirk Rostock drei frühe Wandbilder: 1947/48 entstand eines mit Märchenmotiven von Herbert Wegehaupt für den Speisesaal des damaligen Kinderheims der Fürsorge in Ückeritz/Usedom. Es ist nicht mehr vorhanden, auch gibt es keine Fotos davon. 1948/49 entstand, ebenfalls von Wegehaupt, ein Wandbild für die Strand- und Lesehalle Zinnowitz/Usedom. Thematisiert wurden Grundfragen der Nachkriegsjahre; es existiert aber ebenso wenig mehr. Gleiches gilt für eine Arbeit von Tom Beyer für Schloß Putbus auf Rügen; er schuf ein Wandbild aus 40 Tafeln zum Thema *Frau und Gesellschaft*.

165 Nach Heinz Lüdecke (in: Barsch 1982, 25) wurde das Wandbild am 1. November 1948 enthüllt.

166 -cke. Trümmer weg, baut auf! In: Berliner Zeitung, 6.10.1948

167 Siehe zur »Arbeitsgemeinschaft sozialistischer Künstler«: Kuhirt 1982, 32–33. Demnach wurde sie im Spätherbst 1945 auf Initiative Fritz Dudas gegründet. Sie orientierte sich an den Prinzipien der ehemaligen ASSO. Sie soll eine einflußreiche Position im Schutzverband Bildender Künstler gehabt haben. Um die materielle Lage der Künstler zu verbessern, wurden Aufträge der Partei entgegengenommen zur Ausgestaltung von Demonstrationen und Kundgebungen. – Eine erste interne Ausstellung fand im Gebäude der Landesleitung der KPD am August-Bebel-Platz statt. Die wichtigste Leistung war die Gründung eines Ausstellunsgzentrums Unter den Linden, später unter dem Namen »Bild der Zeit« bekannt. Kuhirt manifestierte »fühlbare sektiererische Tendenzen gegenüber Kollegen, die sich in der Nazizeit neutral verhalten hatten, aber ihre Mitglieder knüpften dann, der kulturpolitischen Bündniskonzeption der Partei folgend, enge Beziehungen zu namhaften bürgerlichen demokratischen Künstlern Berlins an, so vor allem zu Max Pechstein und Karl Hofer.« 1949 löste sich die Arbeitsgemeinschaft auf und ging dann 1950 in den neugegründeten VDBKD ein. – Lt. Berlin/W. 1988/89, 9: »Sie widerspricht jedoch der Blockpolitik der KPD, bleibt weitgehend ungefördert und integriert sich 1947 in den ‹Schutzverband Bildender Künstler› des FDGB.«

168 -cke. Trümmer weg, baut auf! In: Berliner Zeitung, 6.10.1948

169 Siehe Barsch, 1982, 43. Dort findet sich auch die Beschreibung von Lüdecke.- Eine nähere Erläuterung des geplanten Projekts findet sich bei Vogt. Wandmalerei im Schlesischen Bahnhof. In: Neues Deutschland, 30.11.1948. Dort ist angegeben, daß der Entwurf von Graetz von der Arbeitsgemeinschaft sozialistischer Künstler ausgewählt und der Reichsbahndirektion vorgelegt worden sei. Diese habe ihn genehmigt und es würde »in den nächsten Tagen mit der Ausführung...für den Fahrkartenraum des Schlesischen Bahnhofs begonnen werden.«

170 Etwa zeitgleich mit der Entstehung des Wandbildes gab die Hennecke-Schicht am 13.10.1948 das Signal zum Beginn der Aktivisten-Bewegung. Siehe: Dittrich 1987, besonders 62–108

171 Vgl. Mülhaupt 1981, 16

172 Auch Johannes R. Becher formulierte beispielsweise in seinem Werk »Erziehung zur Freiheit« den Auferstehungsgedanken in diesem Sinne.

173 Licht-Dunkel-Symbolik in der zeitgleichen Literatur, etwa bei Stefan Hermlin und bei Johannes R. Becher, dessen Nationalhymnentext in mehreren Punkten dem Aufbau-Bild Strempels entspricht.

174 Vgl. dazu die Ausführungen von Haufe 1978, 146–147: »Der utopische Impetus der Revolution ist darauf gerichtet, einen neuen Menschen zu konzipieren, der sich in einem prometheischen Ringen selbst verwirklicht. Die Fesseln der Vergangenheit abstreifend, wird dieser fähig, sein Leben aktiv zu gestalten. Kollektiv handelnd, gewinnt er, die historische Zeit überschreitend, eine glückliche Zukunft, wobei vor allem Rivera den erlösenden Wert der Arbeit verherrlicht, einer schöpferischen Tätigkeit zum Wohle der Menschheit. ... Der neue Mensch verwirklicht sich, indem er sich in einer gigantischen Anstrengung von den Fesseln der Geschichte, der Ideologien und modernen Heilslehre befreit. Befreiung ist Erlösung von allen Übeln...durch die Sonne, das Licht, das Feuer der Revolution symbolisiert«

175 Vgl. die ähnliche Bildlösung von Otto Dix, *Auferstehung Christi* 1949, Öl/Lwd. (200,0 x 150,0 cm). Abb. In: Löffler 1983, Nr. 187.

176 Ferdinand Hodler. Über die Kunst (1897). In: Berlin/W. (Hodler) 1983, 13 ff.- Die Kunst Hodlers übte in den 20er Jahren eine starke Wirkung auf die sowjetische Malerei, besonders die der Gruppe »OST« aus. Eines ihrer Mitglieder war Alexander Deineka, der dieses Prinzip in einem seiner bekanntesten Bilder anwandte aber eine Akzentverschiebung vornahm, die aus der politischen Erfahrung erklärbar sein soll, Siehe dazu: Hermann Exner. Volkserhebung und Revolution. Zu zwei Bildern von Hodler und Deineka. In: Bildende Kunst, 1956, H. 3, 121—122.-

177 Alexander Deineka, *Die Verteidigung von Petrograd* 1927/28, Öl/Lwd. (210,0 x 238,0 cm); Moskau, Zentr. Mus. der bewaffneten Streitkräfte.

178 Eugen Hoffmann, *Über Ruinen hinweg* 1947. Abb. in: Dresden, Wegbereiter, 155

179 Für die Literatur vgl. die Werke von Hans Marchwitza und Eduard Claudius.- Ihre Aufgabe ist die »Propagierung der sozialistischen Weltanschauung durch Antizipation einer verklärten Zukunft, die sich im Vorbild des positiven Helden auf beängstigend vollkommene Weise personalisiert«.- Vgl. auch Brecht. Aufbaulied (1948) und J.R. Becher, Text zur Nationalhymne der DDR.

180 Möbius 1979, 363; dort auch zu anderen Künstlern bzw. übertragbar auf andere Arbeiten.

181 ebd.

182 Mülhaupt 1981, 16

183 ebd., 17

184 José Clemente Orozco, *Prometheus* 1930, Fresco (81 m²); Claremont/ Kalifornien, Pomona College. Abb. in: Berlin/W. 1981, 166

185 Münzberg/Nungesser 1981, 168

186 Vgl. Walter Ulbricht. Die Bedeutung des deutschen Planes — Der Zweijahrplan für den Aufbau Deutschlands. In: Einheit, 3, 1948, H. 8, 673 ff.

187 In: Neues Deutschland, 5.9.1948

188 Kuhirt 1982, 108

189 Kober 1976, 17

190 Niekisch 1974, 298

191 Lankheit 1959

192 Kießling 1989, 438—458

193 Wie schon mehrfach angedeutet, finden sich auch hier wieder u.a. Parallelen zur Nachkriegsliteratur bei Johannes R. Becher.

194 Siehe H.G. »Det is ja Expressionismus!«. In: Berliner Zeitung, 16.11. 1948.- Der Begriff »expressionistisch« ist hier offenbar nicht im kunstwissenschaftlichen Sinn zu verstehen, sondern als Sammelbegriff für eine vom Stil her nicht vertraute Kunst. In einer Leserzuschrift wurde kritisiert, daß die Gestalten im Hintergrund »wie Marsbewohner wirken, die das erstemal auf die Erde gekommen sind« (BZ am Abend, 2.12.1949).- Am 24.1.1951 schrieb die »Neue Zeit« zum Bild: »...über das die Berliner Bevölkerung mit Recht entrüstet ist. Die Gestalten der Arbeiter sind verzerrt und erinnern an Roboter, von Proportionen kann keine Rede sein. Die reaktionären Elemente in der Bevölkerung pflegen zu witzeln: 'das sind sicherlich Aktivisten'.«

195 So beispielsweise in einer Besprechung des Wandbildes im Kurier, 25.11.1948

196 So in einer Rundfunksendung vom 29.11.1948

197 Heinz Lüdecke, zit. nach Barsch 1986, Anlage, 25

198 ebd., 26

199 Kurt Magritz. Trümmer weg! Baut auf! Kritik eines Wandbildes. In: Tägliche Rundschau, 6.4.1949

200 Referat von Hans Lauter auf der 5. Tagung des ZK der SED vom 15.-17.3.1951. In: ders. 1951, 27

201 Bilang 1968, 381—385

202 Kuhirt 1982, 107

203 Otto Nagel. Die Kunst — eine Waffe des Volkes. Ein Beitrag zur freien Diskussion über bildende Kunst. In: Tägliche Rundschau, 15.2.1951. »Bei aller Zurückhaltung, die ich dem heutigen Schaffen Horst Strempels gegenüber aufbringe, muß ich doch erkennen, daß sich in seinen letzten Arbeiten eine Entwicklung zum modernen Realismus bemerkbar macht. Und es wäre an der Zeit, daß er nun endlich mal sein Friedrichstraßenbild abwäscht und den Beweis antritt, daß er jetzt zu anderen Leistungen fähig ist«.- Vgl. auch Pohl 1977, 71: »Man schickte Bauarbeiter vor, die in der DDR-Presse Leserbriefe schrieben, in denen sie das Wandbild kritisierten und die von ihm dargestellten Arbeiter als verunstaltet empfanden. Das Wandbild wurde daraufhin mit Brettern vernagelt und später abgehackt.« Diese ohne weitere Quellenangaben aufgestellte Behauptung scheint nicht unbedingt glaubwürdig zu sein, zumal in dem gesamten Strempel betreffenden Abschnitt einige andere Ungereimtheiten vorhanden sind.

204 Niekisch 1974, 298

205 Brief von Horst Strempel an Wilhelm Puff, 24.7.1974.- In einem Brief an Siggi Neumann vom 5.2.1953 schreibt Horst Strempel: » ... so daß mir 1951, als ich zu Grotewohl bestellt wurde, praktisch nichts anderes übrig blieb, als die einwilligung zum übertünchen des bildes zu geben«.

206 Horst Strempel. Deutsche Maler berieten in München. In: Tägliche Rundschau, 12.5.1951

207 Lt. Montag-Morgen, 26.2.1951

208 Resolution vom 19.3.1956. In: Bildende Kunst, 1956, 5, 285

209 Caden 1949, 269—270

210 Verordnung der Deutschen Wirtschaftskommission über die Erhaltung und die Entwicklung der deutschen Wissenschaft und Kultur, die weitere Verbesserung der Lage der Intelligenz und die Steigerung ihrer Rolle in der Produktion und im öffentlichen Leben.- Siehe auch Lex-Nerlinger 1949

211 Die übrigen Teilnehmer der Wandbild-Aktion waren: Rudolf Bergander, Walter Meinig, Franz Nolde mit *Meißen-Keramik*; Erich Gerlach, Kurt Schütze mit *Berufsschulung*; Erich Nicola, Erich Seidel mit *Feinmechanik Zeiss-Ikon*; Hans Christoph, Martin Hänisch, Werner Hofmann mit *Kohle, Paul-Berndt-Schacht*; Alfred Hesse, Heinz Hamisch, Rolf Krause mit *Stahlwerk Riesa*; Fritz Tröger, Willy Illmer, Siegfried Donndorf mit *Großkraftwerk Hirschfelde*; Max Möbius, Fritz Skade mit *Maschinen-Ausleih-Station*; Willy Wolff, Karl Erich Schaefer, Paul Sinkwitz mit *Reichsbahn-Ausbesserungswerk*; Wilhelm Lachnit mit *Begegnung*.

212 Siehe auch Lex-Nerlinger, Wandbilder, 1949, 93. Sie wies in ihrem Artikel darauf hin, daß angesichts des Provisoriums, d. h. weil der Künstler sich noch in der Entwicklung befinde, nicht jedes Wandbild unbedingt al fresco gemalt werden müsse und schlug deshalb vor, dem Rechnung zu tragen und Leimfarben zu verwenden.

213 Im Gegensatz zum allgemeinen Verständnis von Wandbildern wurden die Dresdener Wandbilder architekturunabhängig geschaffen. Bei ihrem Entstehen herrschte noch keine Vorstellung darüber, in welchem Gebäude sie ihren Platz finden sollten. Für diese Entscheidung der Ausstellungsleitung sind einerseits vermutlich Kostengründe anzuführen. Andererseits trug man der größtenteils noch provisorischen Belegung öffentlicher Einrichtungen, wie Schulen, Kulturhäusern usw. Rechnung. Ein weiterer möglicher Aspekt für die Bevorzugung transportabler Wandbilder, die dann allerdings kleinere Maße haben müßten als das Henningsdorfer, könnte ihr Einsatz als Agitationsmedien zu politischen Veranstaltungen usw. gewesen sein.

214 Siehe Hagedorn 1986, Anlage 9, 24—25. Arno Mohr über eine gemeinsame künstlerische Arbeit mit Hermann Bruse (Wandbildaktion 1949) Tonband-Abschrift, Auszüge (1978/1979). »Es wurden 10 Kollektive aus der gesamten DDR zusammengestellt. Wir haben erst einmal zugesagt und uns dann sofort zu viert an die Arbeit gemacht, um uns über das Was zu unterhalten. Wichtig un davor allem sehr positiv und konstruktiv war der Stil, die Arbeitsweise, die Behandlung von Problemen ... Wir waren gleichwertige Kollegen — nicht, daß jemand dort die führende Rolle spielte — aber mit ganz unterschiedlichen Erfahrungen.
Wir haben uns entschlossen, ein Wandbild mit dem Thema des Neubeginns, des Aufbaus zu malen. — Wir haben dort (gemeint ist offenbar Henningsdorf/R.H.) gewohnt. Da konnte man mit den Arbeitern sprechen. Uns ist eine kleine Bude angeboten worden, ein kleiner Raum, und da haben wir gearbeitet, weil uns das einfach interessierte, wir wollten sehen, wie so ein Werk funktioniert ... Wir waren sehr begeistert und

haben sofort angefangen zu zeichnen, Studien zu machen und haben uns mit dem Werkleiter unterhalten und wir hatten einen phantastischen Kontakt zu den Arbeitern im Betrieb. Es gab nichts Störendes bei dieser Arbeit für die II. Deutsche Kunstausstellung, sondern es war ein ganz normaler Arbeitsrhythmus entstanden und davon zehre ich heute noch. Hermann Bruse hatte uns durch seine theoretischen Überlegungen sehr interessante Beiträge geliefert ... Den Entwurf des Wandbildes haben wir in vier Teile gegliedert, so daß jeder seinen Teil hatte ... Es gab eine geistige, handwerkliche und auch technische Übereinstimmung.

Für die Ausführungsarbeit haben wir uns auf der Brühlschen Terrasse sehr gut einrichten können ... Dort hat uns Otto Dix über Wochen fast täglich besucht«.

215 Müller 1949, 332

216 ebd.

217 Leider geben auch weder die Diss. Renate Hagedorns über Hermann Bruse, noch die von Barbara Barsch über René Graetz Aufschluß über die Verteilung.

218 Protokoll eines Gesprächs von Jörg Makarinus mit Arno Mohr, 29.10.1984; Berlin, NG, Archiv

219 Neubert 1979, 54—55

220 Nach einer Auskunft von Arno Mohr

221 Müller 1949, 330

222 ebd., 331

223 ebd., 334

224 Susanne Kerckhoff. Den Ausweg gilt es zu suchen. Was zeigt die Zweite Deutsche Kunstausstellung in Dresden?. In: Berliner Zeitung, 10.9.1949.- Im übrigen zeigt sich an diesem Beispiel die Willkür bei der Anwendung des Begriffs »Formalismus«. Denn Hermann Müller hatte dem Berliner Kollektiv kurz vorher (Vorwärts, 6.9.1949) bescheinigt: »Dieses Wandbild ist nicht nur deswegen interessant, weil sich die Künstler von ihren formalistischen Tendenzen abgewandt haben und gemeinsam eine neue Form erarbeiten...«.

225 Löffler 1949, 278—179

226 Harald Jansen. Henneckes der Kunst. »Gesamtdeutsche Kunstausstellung« in der Ostzone. In: Welt am Sonntag, Ausg. Berlin, 25.9.1949.- Übrigens irrte der Autor: die Fertigstellung des Wandbildes nahm nicht drei Wochen, sondern vier Monate in Anspruch.

227 Herbert Gute. Wandbilder sind keine Gelegenheitsarbeiten. Ein Beitrag über die Zweite Deutsche Kunstausstellung. In: Neues Deutschland, 11.10.1949

228 ebd.

229 ebd.

230 ebd.

231 ebd.

232 Hermann Müller. Noch ein Diskussionsbeitrag über die Dresdener Wandbilder. In: Neues Deutschland, 19.10.1949

233 ebd.

234 René Graetz, Arno Mohr, Horst Strempel. Ein Mittel zur Entfaltung der wahren Persönlichkeit. Das »Berliner Kollektiv« über künstlerische Kollektivarbeit. — Ein Beitrag zur Wandbilderdiskussion. In: Neues Deutschland, 11.11.1949

235 ebd.

236 ebd.

237 Brief des Berliner Kollektivs an Herbert Gute, 23.10.1949. Zit. in: Barsch 1982, Anlage, 34—37

238 Herbert Gute. Die Wirklichkeit und das Wandbild. In: Neues Deutschland, 23.11.1949

239 Rudolf Engel. Eröffnungsrede zur 2. Deutschen Kunstausstellung. In: bildende kunst, 1949, H. 10, 311—312

240 Im Frühjahr 1951 wurde Strempel nochmals zusammen mit einer Reihe anderer Künstler von der Akademie der Künste beauftragt, Wandbilder zu entwerfen. Es ist jedoch fraglich, ob diese Projekte nach einer neuartigen Konzeption realisiert wurden. »Die Wandbilder werden zunächst auf Karton in einem Format ausgeführt, das ein Mehrfaches von DIN A 1, der durchschnittlichen Plakatgröße, bildet. Die druckfertigen Vorlagen werden dann in einzelnen Teilen — in Größe DIN A 1 aufgeteilt — gedruckt und können so in vielfacher Ausfertigung an die Betriebe, deren Kulturräume ausgestattet werden sollen, zur Diskussion darüber abgegeben und dort zusammengesetzt und an den Wandflächen befestigt werden. (Wandbilder in Betrieben. In: Der bildende Künstler, 1951, H. 4/5, 15)

241 Herman Müller. Das Wandbild in der Parteischule »Wilhelm Liebknecht« in Ballenstedt. In: Neues Deutschland, 1.2.1951

242 ebd.

243 Es scheint, als seien die Reproduktionen hier nicht vollständig.

244 ebd.

245 Neubert 1976, 299 (Abb. 3) schreibt den Teil René Graetz zu.

246 Haufe 1978, 145

247 Die Uraufführung fand am 2.9.1950 in Mansfeld statt. Das Oratorium wurde mit dem Nationalpreis ausgezeichnet.- Siehe: Johanna Rudolph. Das »Mansfelder Oratorium«. Stephan Hermlins und Ernst H. Meyers Werk in Eisleben uraufgeführt. In: Neues Deutschland, 7.9.1948.- Außerdem: Berliner Zeitung, 5.9.1950; 10.10.1950.- Kurzinterpretation in: Schlenstedt 1985

248 Der Begriff des kulturellen Erbes bezog sich hier beispielsweise auf die Form des Oratoriums und der Kantate, die — im Sinne der geforderten Volkstümlichkeit — Einfachheit der Sprache und Direktheit im Ausdruck verlangen.

249 Herman Müller. Das Wandbild in der Parteischule »Wilhelm Liebknecht« in Ballenstedt. In: Neues Deutschland, 1.2.1951

250 ebd.

251 Barsch 1982, 54

252 Siehe die grundsätzlichen Anmerkungen zur Thematik bei Raum 1976.- Aufschlußreich in diesem Zusammenhang ist auch eine literaturwissenschaftliche Publikation: Greiner 1974

253 So u.a. von Ackermann auf dem Kulturtag im September 1948 formuliert; siehe Neues Deutschland, 5.9.1948.

254 So etwa bei Dymschitz in: Tägliche Rundschau, 13.8.1946

255 Siehe beispielsweise Oskar Nerlinger, *Inbesitznahme der Fabriken (Die Fabriken gehören uns allen)* o.D., Feder und Pinsel in Tusche (48,5 x 31,5 cm); Berlin, Akademie der Künste. Abb. in: Berlin/DDR 1979, 38

256 Walter Ulbricht. Die Hauptaufgaben auf dem Gebiet der Kultur. In: Aufbau, 6, 1950, H. 9, 817—826.- Klaus Gysi. Kulturverordnung 1950. In: Aufbau, 6, 1950, H. 5, 389—397.- In der Rede Otto Grotewohls zur Einsetzung der Kunstkommission wurde dieser Aspekt ebenfalls aufgegriffen. (Otto Grotewohl. Die Eroberung der Kultur beginnt. In: Neue Welt, 6, 1951, H. 19, 68—80

257 Möbius 1979, 359—364.

258 Ausgeschrieben vom FDGB Bundesvorstand und der »bildenden kunst«: »Unsere neue Wirklichkeit«.

259 Interessanterweise zeigten sich ähnliche Bestrebungen auch wenig später in der Bundesrepublik. In der von der »Fördergemeinschaft der westdeutschen Eisen- und Stahlindustrie« initiierten Ausstellung »Eisen und Stahl« (Düsseldorf 1952) wurden Ergebnisse einer künstlerischen Beschäftigung mit dieser Thematik präsentiert. Wie im Katalogtext zu lesen war, war das Bestreben, »die Eisen- und Stahlindustrie neu mit der Kunst und den Künstlern in Verbindung zu bringen. Die Künstler sollen angeregt werden, sich mit dem Motiven Eisen und Stahl, mit der das Eisen schaffenden oder die Eisen verarbeitenden Industrie und den dort tätigen Menschen zu beschäftigen. Die Industrie hofft auf eine bedeutende Darstellung ihres Lebenskreises durch die Kunst und auf eine nahe Verbindung zu den Künstlern.«

260 Vgl.: Unsere neue Wirklichkeit. In: bildende kunst, 1949, H. 1, 1—2. Siehe dazu: Kober 1989, 448—449 (Anm. 7).- Es gab häufig Kritik an den bildenden Künstlern; man warf ihnen vor allem vor, dem wirtschaftlichen Aufbau nachzuhinken. Die Reden Walter Ulbrichts und Anton Ackermanns auf der Arbeitstagung der sozialistischen Künstler und Schriftsteller in Berlin, 2./3. Sept. 1948, zeigen dieses exemplarisch.- Siehe auch die Rede von Johannes R. Becher auf dem 3. Parteitag der SED 1950. In: Schubbe 1979, 152

261 Pommeranz-Liedtke. Mensch und Arbeit. Zu einem Grundthema der Kunst unserer Zeit. In: bildende kunst, 1949, H. 6, 182—187 (hier 183)

262 Charakteristisch und auch auf die Kunst übertragbar erscheint in dieser Hinsicht eine Kritik, die Kurt Maetzig dem fortschrittlichen deutschen Film angedeihen ließ: »Man findet hier of eine traditionelle Behandlung. Wie oft werden Figuren der Arbeiter als die gebeugten, vom Leben zerfurchten, als die schwere Last des Lebens tragenden Menschen dar-

gestellt. Man findet ihre Gesichter müde, resigniert, trostlos. Man findet sie nicht als die Erbauer einer neuen Welt. Die Aktivisten, die Gestalter eines neuen un dbesseren Lebens, sind nicht die Muskelstrotzenden auf der einen Seite, und sind nicht die Gebeugten, Leidtragenden, Unterdrückten auf der anderen Seite, sondern sie sind diejenigen, die die Schwere der körperlichen Arbeit durch die Beweglichkeit ihres Geistes überwinden, die der Arbeit einen neuen Schwung, eine neue Anmut, eine neue Leichtigkeit geben, die klug, beweglich, optimistisch und entschlossen am Aufbau unserer neuen Wirklichkeit arbeiten...« (Maetzig 1949, 33).

263 Vgl. auch Möbius 1979, 362
264 Siehe dazu auch Pommeranz-Liedtke 1949 (Mensch u. Arbeit), 181—185, der hier die wesentlichen Forderungen zusammenfaßte.
265 Dr. E.V. 1947, 18
266 Dr. Ehrig 1947, 14
267 ebd., 15
268 Abusch in: Berlin/DDR 1951/52, 6
269 Albert Hildebrandt. So sieht kein Henningsdorfer Kumpel aus! In: Tribüne, 15.1.1952. Er schrieb u.a.: »Ich bin selbst Angehöriger der Belegschaft des Stahl- und Walzwerkes ‘Wilhelm Florian’ und kann nur sagen, daß unsere Kumpels nicht so aussehen! Dieses Bild, auf dem der Arbeiter gleichgültig zur Seite sieht, ist kein Kunstwerk, das uns irgendwie hilft, sei es im Firedenskampf oder im Kampf um die Steigerung der Arbeitsproduktivität. Das ist nicht das Abbild eines typischen Vertreters der Arbeiterklasse, das uns zur Erfüllung unserer Pläne begeistert. Der auf diesem Bild dargestellte Kollege könnte könnte im früheren Flick-Konzern unter der Ausbeutung durch das kapitalistische System am Siemens-Martin-Ofen gestanden haben. Kein noch so geringes Kennzeichen dafür ist vorhanden, daß dieser Arbeiter bewußt an der Produktion von Friedensstahl schafft und sich durch die Einführung neuer Arbeitsmethoden bemüht, die Leistung seines Ofens zu steigern und damit seinen Teil zur Verbesserung unseres Lebensstandards beizutragen. Wir empfinden diese Art der Darstellung als Verhöhnung des schaffenden Menschen in unserer Deutschen Demokratischen Republik.«
270 Kurt Magritz. Auf dem Wege zum Realismus. In: Tägliche Rundschau, 16.2.1951.

Die Jahre in Westberlin seit 1953

Über die letzte Schaffensphase Horst Strempels soll an dieser Stelle nur ein kursorischer Überblick gegeben werden, der versuchen will, einige wesentliche Komponenten seines Werks zu benennen und in den Kontext seiner Biografie wie auch den der politisch-gesellschaftlichen Situation in Westberlin bzw. der Bundesrepublik zu setzen. Eine ausführlichere Darstellung muß einer späteren Untersuchung vorbehalten bleiben. Trotz einer gewissen Kontinuität in seinem Werk machen sich Veränderungen qualitativer und inhaltlicher Art bemerkbar, die als Reaktion auf den Zwang, sich in jeder Hinsicht neu orientieren zu müssen, zurückzuführen sind. Diese Wandlung scheint vor allem auf seiner Desillusionierung zu beruhen: mit seiner Flucht aus der DDR ließ er gleichzeitig auch die Ideale, für die er zeitlebens gekämpft hatte, zurück. Als weitere Ursache kommt noch hinzu, daß die vollkommen andere Lage der Kunst im Westen eine Neuorientierung seines Schaffens — auch nach ökonomischen Gesichtspunkten — erforderlich machte.

Als Horst Strempel am 26. Januar 1953 mit seiner Familie nach Westberlin flüchtete, hatte er seine Habe im Ostteil der Stadt zurücklassen müssen. Darunter befand sich auch sein ganzes ihm noch verbliebenes Lebenswerk.[1] Ein Teil der Arbeiten, nämlich diejenigen, die sich zum damaligen Zeitpunkt in seinem Atelier in der Pankower Mühlenstraße befunden haben, sollen ihm im Frühjahr 1957 auf die Initiative von Arnold Zweig, dem Präsidenten der Akademie der Künste der DDR, und Gustav Seitz zurückgegeben worden sein.[2] René Graetz hatte den Rücktransport durch die Akademie der Künste geleitet.[3] Das Mobiliar, das sich in seiner Wohnung befand, wurde einschließlich aller Kunstwerke durch die Volkspolizei konfisziert und der »Staatlichen Enteignungsstelle« zugeführt, die die Kunstwerke zumindest teilweise entweder an die Museen des Landes oder den Staatlichen Kunsthandel übergab.[4] Es läßt sich nicht mehr feststellen, in welchem Umfang die Rückführung des Eigentums Strempels stattgefunden hat. Jedoch gibt es Hinweise darauf, daß einiges von den DDR-Behörden beschlagnahmt wurde. So befindet sich eine umfangreiche Sammlung von Reproduktionen seiner frühen Werke heute ebenso im öffentlichen Besitz wie mehrere Gemälde und eine größere Anzahl von Zeichnungen. Außerdem sind mindestens zwei Bilder bekannt, die vermutlich über den Staatlichen Kunsthandel der DDR an Privatsammler gelangten.[5]

Will man die Lage Strempels nach seiner Flucht begreifen, so muß berücksichtigt werden, daß er zu einem Zeitpunkt nach Westberlin kam, als der Kalte Krieg in vollem Gange war. Dieses wirkte sich nicht nur auf sein Asylgesuch aus, sondern ebenso wurde seine Stellung als Künstler dadurch berührt. Wenn er geglaubt hatte, daß er hier nun endlich zur Ruhe kommen würde, um sich ganz der künstlerischen Arbeit widmen zu können, so wurde er bald eines Besseren belehrt. Denn im »freien« Teil Berlins erfuhr die seit 20 Jahren andauernde Odyssee ihre Fortsetzung.[6] Das Beispiel Strempels macht deutlich, welche Auswirkungen der Kalte Krieg auf den Einzelnen haben konnte, wenngleich es sich hier sicherlich um einen Extremfall gehandelt hat.

Wohl um ein Exempel zu statuieren, legten die Westberliner Behörden Strempel einen Stein nach dem anderen in den Weg. Wenige Tage nach seiner Ankunft in Westberlin stellte er am 30. Januar einen Antrag auf die Einleitung des Notaufnahmeverfahrens und die Anerkennung als politischer Flüchtling. In einem ausführlichen Begründungsschreiben an den Leiter des Bundesnotaufnahmeverfahrens in Berlin legte er die Gründe dar, die ihn zu seiner Flucht veranlaßt hatten. Neben der Beseitigung seines Wandbildes im Bahnhof Friedrichstraße führte er seine zunehmenden Schwierigkeiten nach der Entlassung Mart Stams aus der Kunsthochschule Weißensee im September 1952 an und die Angriffe, denen er seit der Entschließung auf der 5. Tagung des ZK 1951 immer wieder in der Presse ausgesetzt gewesen sei. Außerdem habe er enge Beziehungen zum Ostbüro der SPD unterhalten, wovon einige führende Mitglieder der SED Kenntnis gehabt hätten. Seit 1950 habe er mit einer Westberliner Zeitung in Verbindung gestanden und dieser kulturpolitisches Informationsmaterial überlassen; zudem sei er wegen seiner Emigration ins westliche Ausland in der DDR schlecht angesehen gewesen.

Sein Antrag wurde am 15. Februar u.a. mit der Begründung abgelehnt, daß »der Antragsteller bedenkenlos das System der Gewalt mit hat aufbauen helfen und bis zuletzt gestützt hat. Wenn sich nunmehr dieses System gegen den Antragsteller selbst gewandt hat, so ist das in den dortigen Gepflogenheiten begründet«. Eine Beschwerde gegen diese Entscheidung vom 20. Februar wurde am 31. März zurückgewiesen. Man kam zu dem Schluß, daß Strempel keinerlei Grund gehabt habe, aus der DDR fortzugehen. Vielmehr habe er bis etwa 1950 als »hervorragender und absolut linientreuer Vertreter des sowjetzonalen Systems« gegolten. Selbst die Tatsache, daß sich bekannte Persönlichkeiten,[7] deren Systemtreue außer Frage stand, für ihn verbürgten, änderte nichts an der Haltung der Behörden; genausowenig konnte eine Pressekampagne ausrichten. Einer der Gründe für die rigorose Vorgehensweise könnte darin liegen, daß sich Strempel geweigert hatte, bei den westlichen Geheimdiensten gegen die DDR auszusagen.[8]

Am 14. April reichte Strempels Anwalt eine Klage wegen der Versagung der Aufenthaltserlaubnis ein, die am 18. Juli wiederum abgewiesen wurde. Der Notaufnahmeantrag wurde in allen Instanzen, zuletzt durch ein Urteil des Verwaltungsgerichts vom 6. Oktober 1953, abgelehnt.

Noch zwei Jahre nach seiner Flucht verweigerte das Bezirksamt Charlottenburg Strempel und seiner Familie mit Bezug auf frühere Urteile des Verwaltungsgerichtes und des Beschwerdeausschusses des Bundesnotaufnahmeverfahrens die Zuzugsgenehmigung, obwohl er dort seit langem seinen Wohnsitz hatte. Es komme »nicht so sehr auf die persönliche Qualifikation als Künstler an...sondern darauf, ob der Zuzug einer solchen Person tatsächlich im Interesse der kulturellen Entwicklung Berlins notwendig ist (§ 4, Nr.1 des Zuzugsgesetzes). Diese Bestimmung kann gerechterweise, so wie es die politischen Verhältnisse gerade unserer Stadt verlangen, nur dann angewandt werden, wenn die demokratische Grundauffassung außer Zweifel steht und der Antragsteller auch in früheren Zeiten ein Mindestmaß von staatsbürgerlicher Einsicht, wie sie die Masse der Westberliner Bevölkerung gerade nach der Währungsreform gezeigt hat, unter Beweis gestellt hat«.[9] Den Antrag, den er am 27. August 1954 gestellt hatte, hatte der Senator für Volksbildung, Tiburtius, durch ein Gutachten für Horst Strempel unterstützt. Mit der Entscheidung vom Januar 1955 galt Strempel lediglich als »nicht-anerkannter Flüchtling« und hatte demnach das Asylrecht. – Jedoch erhielt er am 17. Februar 1955 den unbefristeten Zuzug für Westberlin durch das Bezirksamt Tiergarten und somit die Notaufnahme als politischer Flüchtling. Dieser späte Erfolg war auf die Bemühungen vieler Persönlichkeiten zurückzuführen; wesentlich daran beteiligt war aber wohl das Kunstamt Berlin-Tiergarten mit seinem damaligen Leiter Friedrich Lambart, der Strempel seit 1953 unermüdlich unterstützt hatte.

Strempels Antrag auf den Erhalt eines C-Ausweises für Flüchtlinge, durch den er den Westberliner Bürgern gleichgestellt worden wäre, wurde 1957 abgelehnt. Erst Anfang der 70er Jahre bekam er dieses Dokument und eine geringe Entschädigung ausgezahlt.

Anmerkungen zur Situation von Kunst und Künstlern im Westen seit den 50er Jahren

Zum besseren Verständnis der Kunst, die Strempel seit 1953 schuf, ist es notwendig, einen Blick auf Rahmenbedingungen seines Schaffens zu werfen.[10] Nicht nur in den jeweiligen politischen Ressorts machten sich die welt- und deutschlandpolitischen Spannungen bemerkbar, sondern sie spielten ebenso in den kulturellen Bereich, machten sich diesen sogar zu ihrem Instrumentarium im Kampf um die Vormachtstellung.[11] Für die SBZ/DDR wurde am Beispiel der Formalismus-Debatte oder der künstlerischen Darstellung von Arbeitern im vorausgegangen Kapitel schon auf die auch politischen Begründungen von offiziellen Direktiven hingewiesen. Im Westen verfuhr man ähnlich.[12]

Wie in der Ostzone, so versuchten auch in den Westzonen die Alliierten, ihre politischen Vorstellungen möglichst schnell und reibungslos umzusetzen. Schon sehr bald nach Kriegsende hatten die Besatzungsmächte zur Forcierung ihrer »Re-Education-Programme« auch die Kunst und Kultur ihrer Länder in den einzelnen Zonen vorgestellt. Vor allem die Franzosen engagierten sich hierbei und präsentierten neben historischen Themen auch moderne westeuropäische Kunst, während Engländer und Amerikaner in dieser Hinsicht weniger Interesse zeigten,[13] u.a. mit dem Ziel, den Deutschen den Prozeß der Westintegration zu erleichtern.

In den ersten Nachkriegsjahren bemühte man sich noch, Verbindungen zu Künstlern zu knüpfen, die während des Faschismus vertrieben worden oder als Verfemte im Land geblieben waren. Die anfängliche Bereitschaft, das gesamte Spektrum der als »entartet« diffamierten Kunst im Rahmen eines antifaschistischen Konzeptes zu akzeptieren, schlug mit dem Beginn des Kalten Krieges um. Ursprünglich antifaschistische Ansätze wurden schnell zur Seite gedrängt, die an sich notwendige Auseinandersetzung mit der jüngsten Vergangenheit durch gezielte Entpolitisierung und Entideologisierung ersetzt, was schließlich mit dem Kalten Krieg zu einem ausgeprägten Antikommunismus führte,[14] der selbst vor Kunst und Kultur nicht Halt machte. Auch für den ästhetischen Bereich war von nun an eine Abgrenzung gegenüber den östlichen Systemen gefordert. Die abstrakte Kunst, die zunächst kaum von Bedeutung gewesen war, rückte nun – trotz Sedlmayr – für Jahre mehr und mehr in den Mittelpunkt. Man propagierte die Faschismus und Kommunismus gleichsetzende Totalitarismus-These; eine Identität von westlicher Freiheit und abstrakter Kunst wurde konstruiert, im Gegenzug wurden die gegenständlich orientierten Richtungen mit dem Totalitarismus in Verbindung gebracht — vom Kunst-Kitsch des Dritten Reiches spannte sich der Bogen bis hin zum Sozialistischen Realismus der SBZ/DDR und der Sowjetunion. Man machte sich Haftmanns Rechtfertigung zu eigen, wonach die Abstraktion eine »notwendige Antwort auf die ungemeine Bedrohung der geistigen Freiheit durch den politischen Totalitarismus«[15] sei. Die enggesteckten Grenzen der westlichen Freiheit für die am Gegenstand orientierten Künstler sind durch vielfache Zeugnisse belegt. Daß jedoch abstrakte Kunst nicht nur Freiheit meinte, sondern vielleicht auch als Flucht aus einer Wirklichkeit gesehen werden konnte, der der Künstler nichts mehr entgegensetzen konnte als die Autonomie der Kunst, wurde kaum artikuliert. Bei dieser Entwicklung wurde aber noch etwas anderes deutlich: diese Flucht, die Haftmann als das »Hermetische« bezeichnet, war für viele Künstler gleichbedeutend mit dem Rückzug aus gesellschaftlicher Verantwortung.

Erst durch die Studentenbewegung Ende der 60er Jahre, deren Wurzeln in der Reaktion auf den Umgang mit Geschichte liegen wie er sich unter anderem auch in der Vereinnahmung der ungegenständlichen Kunst — »Verdrängung statt Verarbeitung« — zeigt, wie auch durch die Entspannungspolitik konnte die gegenständliche Kunst wieder an Bedeutung gewinnen.

Eine großangelegte Bilderschau über 40 Jahre Kunst in der Bundesrepublik Deutschland[16] demonstrierte 1985 hinlänglich, wie die bürgerliche Kunstwissenschaft heute diese Jahre bewertet wissen will, nämlich im Sinne der von Werner Haftmann schon in den 50er Jahre formulierten Präferenzen,[17] und es verwundert nicht, daß ein Künstler wie Horst Strempel mit seinem Werk kaum noch Resonanz erzielen konnte.

Das künstlerische Spätwerk Horst Strempels

Auffällig ist, daß Qualität und Quantität des in Westberlin entstandenen Werks weit auseinanderklaffen. Strempel selbst berichtete, daß er in den letzten Jahren in der DDR wenig gemalt habe, einmal weil er an der Kunsthochschule zu sehr engagiert war, zum anderen wegen der staatlichen Einmischung in sein Schaffen, und daß er deshalb einen »unglaublichen Malhunger« gehabt habe.[18] »Freunde, denen es wirtschaftlich auch nicht sehr gut ging, ermöglichten es mir, daß ich weiterarbeiten konnte. Da ich nichts anderes machen konnte, habe ich einfach gemalt. Dadurch die Quantität der Arbeiten...von 1953—58 sind ungefähr 500 Arbeiten entstanden. «[19] Im Frühjahr 1959 scheint er eine größere Anzahl von Arbeiten vernichtet zu haben.[20] Er betonte außerdem, daß er

mitunter sehr lange brauche, um ein Bild fertigzustellen, da er die Arbeit manchmal abbreche, um sie erst nach einer Zeit wieder aufzunehmen.[21] Diese Vorgehensweise kann Datierungsdifferenzen einzelner Bilder, wie etwa von *Die Verschwörer* (WVZ 402—404) erklären.

Horst Strempel als Tapetendesigner

Bei all den veränderten Bedingungen, die Strempel im Westen vorfand, kommt seiner Tätigkeit im Design-Bereich eine besondere Rolle zu. Die neuen Aufgaben erforderten eine andere Herangehensweise und führten zu neuen Resultaten, die sich auch in seiner Kunst niederschlugen. Unter dem Druck, sich und seiner Familie eine ökonomische Basis schaffen zu müssen, nahm die Entwurfsarbeit für einige Jahre einen Großteil seiner Zeit so sehr in Anspruch, daß er sich nur noch selten intensiv der freien Kunst widmen konnte. Das Œuvre, das er außerhalb seiner Lohnarbeit schuf, wurde somit im Formalen stark von den Entwürfen beeinflußt.

Strempel muß schon im Pariser Exil Tapeten entworfen haben.[22] Ob er damit Erfolg hatte, ist allerdings nicht mehr festzustellen. Seit 1955 war er als Tapeten- und Stoffdesigner für das Berliner Tapetenatelier Frei-Hermann als freier Mitarbeiter tätig. Er war von Ludwig Peter Kowalski dort empfohlen worden, »ohne eine Ahnung von Stoffen und Tapeten zu haben«. Zunächst bekam er nur das Material bezahlt;[23] später wurde vereinbart, daß er pro Monat zehn Dekors abliefern mußte und dafür 300 DM erhielt.[24] Da er jedoch in diesen Jahren immer noch nicht im Besitz einer Zuzugsgenehmigung war, hatte er offiziell auch kein Verdienstrecht. Er arbeitete ohne festen Vertrag. Cuno Fischer, den Strempel seit der Nachkriegszeit aus dem »Berliner Kulturkollektiv« kannte, hatte sich im Design bereits einen Namen gemacht und versuchte, Strempel zu unterstützen und ihn an seine eigenen Geschäftspartner zu empfehlen. So hatte Strempel ihm beispielsweise einen Entwurf geschickt, den Fischer so korrigierte, daß er anschließend in die Produktion gehen konnte.[25]

Ende 1957 scheint sich Strempel im Design-Bereich eine gute Position erarbeitet zu haben. Er war nun in der Lage, mit seinem Arbeitgeber bessere Bedingungen aushandeln zu können; Frei-Hermann hingegen sicherte sich das Recht auf Exklusivität.[26]

Da Tapeten- und Stoffentwürfe nur in Ausnahmefällen mit dem Namen des Künstlers versehen wurden, ist es heute nicht mehr möglich, herauszufinden, wieviel und welche Dekorationen von Horst Strempel in die Produktion gegangen sind.[27] Jedoch läßt sich wenigstens durch die noch vorhandenen Entwürfe die Tendenz seiner Arbeiten feststellen (WVZ 2800 ff., Abb. 246, S. 257). Es wird deutlich, daß Strempel eine strikte Trennung von freier und angewandter Kunst vorgenommen hat, obwohl seine

Design-Tätigkeit die stilistische Ausformung des übrigen Werks stark beeinflußt hat. Der Stil der Tapetenentwürfe ist besonders von der ungegenständlichen Kunst der 50er und frühen 60er Jahre geprägt, vieles von Action Painting, Tachismus und Informel beeinflußt. Andererseits schuf er auch gegenständliche Designs mit Mädchen-, Landschafts- und Pflanzenmotiven im typischen Stil der 50er Jahre.

Freie Arbeiten

Das Œuvre Strempels, das in Westberlin entstand, zeichnet sich, zumindest oberflächlich gesehen, durch einen Bruch mit seinem bisherigen Schaffen aus. Wenn er auch von seiner Haltung im humanistischen und antifaschistischen Sinne nicht abrückte, so änderten sich doch Stil und Themen seiner Bilder; eine Distanzierung von der jahrelang vertretenen sozialen und politischen Mission der Kunst wird spürbar, wenngleich eine permanente Gleichgültigkeit diesen Fragestellungen gegenüber nicht festgestellt werden kann. Vieles wird unverbindlicher, Stillleben, Akte und Stadtlandschaften rücken in den Vordergrund. Während er sich mit Akten seit den 20er und mit Stilleben seit Mitte der 40er Jahren kontinuierlich auseinandergesetzt hatte, spielten Architekturdarstellungen bis dato, von wenigen Ausnahmen abgesehen (WVZ 107, 120, 121, 140 und 141), niemals eine Rolle in seinem Schaffen. Motive sind nun seit Mitte der 50er Jahre einerseits charakteristische Berliner Bauwerke wie die Gedächtniskirche (WVZ 481 und WVZ 2579, Abb. 231, S. 249), das Schloß Charlottenburg (WVZ 995 und WVZ 996), die Halenseebrücke (WVZ 342) und der Funkturm (WVZ 2636), andererseits identifizierbare Architekturensembles aus einer Mischung von verwitterten Altbauten und den Fassaden moderner Neubauten. Grün ist kaum vorhanden, die wenigen, fast zeichenhaft gesetzten Bäume gleichen abgestorbenen Ruinen. Die Abstraktion, die in den figuralen Kompositionen dieser Zeit oft den — negativen — Beigeschmack des Dekorativen hat, trägt bei den Stadtlandschaften zur Intensivierung des Eindrucks bei. Ähnlich wie in den Berlin-Bildern Werner Heldts, vermittelt die zeichenhafte Reduktion die unmittelbare Betroffenheit des Künstlers und dessen emotionales Engagement, hält aber die Distanz zum Sujet groß genug, um nicht nur subjektiv zu wirken. Der Mensch, der jeglicher Individualität beraubt ist, bekommt in diesen »Architekturstilleben« oft die Rolle des Statisten zugewiesen. Personen oder Personengruppen werden in architektonischen Kulissen arrangiert. In ihrer betont zeitgenössischen Kleidung finden sie Entsprechungen im modernen Städtebau der 50er und 60er Jahre. Die ständige Präsenz solcherart Darstellungen in Strempels Werk läßt vermuten, daß er hier weniger als Chronist des Neuaufbaus tätig sein, sondern auf symbolischer Ebene durch die nüchterne Erfassung der

menschlichen Außenwelt die Qualität menschlicher Beziehungen in der westlichen Welt definieren wollte.

Trotz dieser pessimistischen Haltung blieb die menschliche Figur weiterhin sein herausragendes Thema. Es zeigt sich jedoch, daß Strempel den Menschen nicht mehr vorrangig als gemeinschaftlich agierendes Wesen auffaßte, sondern ihn immer häufiger als Vereinzelten charakterisierte. Selbst in Paardarstellungen und mehrfigurigen Kompositionen wird das Individuum oft isoliert. Dabei kann ein solcher Eindruck durch formale Mittel erweckt werden, indem die einzelnen Personen durch starke Farbkontraste oder klare Konturen deutlich voneinander abgegrenzt werden. Hinzukommt, daß in einer beträchtlichen Anzahl von Arbeiten dieser Jahre emotionale Zustände wie Trauer und Melancholie in direkter Weise thematisiert oder auch indirekt zum Ausdruck gebracht werden.

Ein Novum, das nun in Erscheinung tritt, ist die relativ häufige Behandlung literarischer Themen, die bis dahin in seinem Werk nur am Rande vorkamen. Daß die Einbeziehung vor allem mythologischer und christlicher Themenkreise in seine Kunst sowohl als eine Konstruktion von Gegenwelten als auch als Reflex zeitgeschichtlicher Wirklichkeit zu deuten ist, steht ebenso außer Frage wie die Einarbeitung individueller Probleme in diesen Zusammenhang. So schlagen sich in den Odysseus- (WVZ 820—822) und Don Quichote-Themen (WVZ 816, Abb. 159, S. 222) unzweifelbar seine persönlichen Erfahrungen als ein in jeder Beziehung heimatloser Künstler nieder. Auch die *Versuchung des Hl. Antonius* (WVZ 541, Abb. 138, S. 214), die neben dem ursprünglich christlichen Aspekt hier eine ebenso deutliche erotische Komponente zum Ausdruck bringt, könnte als Reflexion des Künstlerdaseins gewertet werden. Ein solches Deutungsmuster lehnt sich an das an direkten und indirekten Anspielungen viel reichere *Antonius*-Tryptychon Max Beckmanns[28] an, das u.a. den in vielerlei Hinsicht »gefesselten« Künstler thematisiert und im Hinblick auf die Lage Strempels durchaus in diesem Sinne zu verstehen sein könnte.[29]

Auffallend und sicher einer näheren Betrachtung wert ist die Tatsache, daß Strempel sich aus dem religiös-mythologischen Themenkreis vor allem auf die Bearbeitung von Verführungsmotiven konzentrierte, wie die schon genannte *Versuchung des Hl. Antonius* (WVZ 541), *Susanna im Bade* (WVZ 518—520), *Joseph und Potiphar* (WVZ 338, Abb. 120, S. 204), *Odysseus und Kalipse* (WVZ 820 und WVZ 821) und *David und Abisag* (WVZ 818, Abb. 160, S. 222). Die Vermutung liegt nahe, daß er durch die Wahl dieser Themen eine allzu vordergründige Erotik kaschieren wollt, die im Spätwerk dessenungeachtet in den vielen Mädchenakten ihren Niederschlag findet. Einige Themen, wie beispielsweise das Antonius-Motiv, können jedoch ebenso als Ausdruck existenzieller

Ängste oder als Reflexion einer bedrohlichen Zeitsituation gedeutet werden. Daß diese literarischen Themen gerade in diesen Jahren und in so großer Anzahl aufgegriffen werden, wird damit zusammenhängen, daß Strempel in diesen Sujets eine Möglichkeit sah, sein gesellschaftliches Engagement unter den veränderten Vorzeichen einer humanistisch-unpolitischen Kunst fortzusetzen. Sollte dieses zutreffen, muß eine solche Entscheidung selbstredend wiederum in einem politischen Kontext gesehen werden. Nach dem Erfolg der neoliberalen Wirtschaftspolitik Ludwig Erhards war künstlerische Gesellschafts- und Sozialkritik nicht mehr gefragt, realistische Tendenzen erschienen wegen ihrer vermeintlichen Nähe zu totalitären Systemen suspekt. Akzeptabel waren hingegen Sujets aus dem christlichen und mythologischen Themenkreis, da sie als ideologiefrei und überzeitlich gelten konnten. Wegen dieser Deutungsmöglichkeit waren sie insbesondere in den Nachkriegsjahren häufig herangezogen worden. Weiterhin galt es für Künstler, die wie Strempel immer noch dem Gegenstand verpflichtet waren, den Abstrakten, deren Kunst von der Gegenseite als indifferent angesehen wurde, etwas Aussagekräftiges entgegenzusetzen.

Auch direkt zeitbezogene Darstellungen spielten weiterhin eine Rolle, in allerdings veränderter Form. Vor allem sind hier die vom Realismus Bernard Buffets beeinflußten Mauerbilder zu nennen, in denen die Teilung Berlins thematisiert wird. Dabei ist jedoch nicht die Gestaltung der politisch-gesellschaftlichen Dimensionen des Mauerbaus für Strempel von Bedeutung; sein Bestreben ist es, einen allgemeineren humanistischer Aspekt zu vermitteln. Der Bearbeitung historischer Sujets und den Stellungnahmen zum Zeitgeschehen in der DDR-Zeit werden nun subjektive Impressionen und individuelle Erfahrungen entgegengesetzt.

Die Themen, die Strempel nach 1953 bearbeitete, sind trotz aller Stilisierungen dennoch häufig als Spiegel der Zeitsituation zu verstehen. In dem, was er aufgriff, wird oft mehr indirekt das reflektiert, was die Menschen dieser Jahre beschäftigte. Als direkte Vorläufer der Mauerbilder sind hier das Werk *Die Straße/Rote Ampel* (WVZ 340, Abb. 121, S. 205) oder auch eine Berliner Stadtlandschaft wie *Sektorengrenze* (WVZ 445, Abb. 133, S. 211) zu nennen, die die deutsche Teilung und ihre Auswirkungen in unterschiedlicher Weise dokumentieren und interpretieren. Während bei diesen Werken die Intention auf der Hand liegt, tritt in dem Gemälde *Abendland — Morgenland* das Strempel u.a. auch als *Arkadien* betitelte, (WVZ 371, Abb. 123, S. 206), ein deutlicher Widerspruch zutage, der sich nicht zuletzt im Titel manifestiert. Oberflächlich gesehen handelt es sich um eine konventionelle arkadische Szenerie im modernistischen Stil. Im Vordergrund befindet sich eine Figurengrup-

pe, die an Darstellungen der »Drei Grazien« erinnert; eine sitzende weibliche Rückenfigur ergänzt diese. Im Hintergrund ist wiederum eine Dreiergruppe zu sehen, die um einen Felsbrocken angeordnet ist, der in Form und Funktion mit der weiblichen Rückenfigur im Vordergrund korrespondiert. Ansonsten stehen beide Gruppen beziehungslos nebeneinander.

Das Problematische seiner Vorgehensweise, mit modernem formalen Vokabular relevante Themen vermitteln zu wollen, kommt in den zeitgenössischen Kunstkritiken deutlich zum Vorschein. So wurde nicht nur die *Rote Ampel*[30] als zu ideologiebefrachtet abgelehnt, sondern auch ein Werk wie *Die Tauben* (WVZ 317, Abb. 112, S. 201), das einen Zug von musizierenden Menschen im Stile Hofers darstellte, galt als auffällige »Abstraktion des weltanschaulichen Milieus«.[31]

Ein letztes großes Werk, das Strempel im Februar 1975 in Angriff genommen hatte, konnte er nicht mehr vollenden. Nur eine Tempera-Studie (WVZ 649, Abb. 27, S. 158) gibt in etwa darüber Aufschluß, wie er sich die Konzeption vorgestellt hatte. Strempel war aufgefordert worden, sich an der Ausstellung »1.Mai 1945 bis 1.Mai 1975 — 30 Jahre Frieden« zu beteiligen. Einerseits war er von der Idee gefesselt und nahm sich vor, etwas zu diesem Thema zu schaffen; er hatte auch bald schon genaue Bildvorstellungen. Andererseits fürchtete er, dieser Aufgabe nicht mehr gewachsen zu sein. Das ursprünglich geplante Format von 250 x 200 cm mußte er wegen zu kleiner Türöffnungen auf 200 x 180 cm reduzieren. Dennoch stand für ihn fest: »es müßte so werden, wie *Nacht über Deutschland* (ziemlich gewaltig und brutal. 30 Jahre Frieden)«.[32] — »Mir schwebt vor. Einen Himmel, grau-blau mit grünen Fetzen, ein Schwefelblau dazwischen, dunkles Pariser blau. Eine Pyramide von einem Leichenhaufen. Gerippe, verweste Leichen, Kinderarme, Mütter im Vordergrund, einen Totenschädel, (ganz weiß) und zerschlagene Waffen. (Alles gut gezeichnet). Zwischen den Leichen Farbfetzen, rot weiß, Amerikanische Flagge usw.«[33]

Wilhelm Puff, mit dem er seine Bildidee diskutierte, stimmte mit ihm darin überein, daß die Bilanz von 30 Jahren Frieden »Hochgipfelung des sozialen Elends, Mord, Totschlag, Waffengreuel« seien, riet ihm aber, es nicht bei der Aufzählung zu belassen, sondern Strempel solle das »aufzeigen, was zu den Friedensgreueln führt, und das ist die dämonisch sich überstürzende Technik ... Wer ist es, der im letzten Grunde den »Friedensleichenhaufen der Pyramide« erzeugt? Wer ist der bestialische Kinderarmabbeißer, der teuflische Mütterentbrüster, der grausame Skelettierer von Natur und Mensch? Es ist die als 'Fortschritt' gepriesene Technik!«[34]

Die Bildkonzeption, wie sie durch die Tempera-Studie überliefert ist, lehnt sich relativ eng an schon bekannte Lösungen für ähnliche Anliegen an. Vor allem ist dabei an Wassilij Wereschtschagins *Apotheose des Krieges* zu denken.[35] Trotz der dargestellten Grausamkeiten ist dieses Bild ein Dokument pazifistischer Haltung. Die Bildidee der aufgeschichteten Schädel stammt von den Eroberungsfeldzügen Timurs im 14. Jahrhundert, als aus den Köpfen der niedergeworfenen Feinde Pyramiden gebaut wurden, die in der Wüste als tragische Meilensteine des zerstörenden Wütens von Kriegen zurückblieben. In der abendländischen Ikonografie wird sie als memento mori gedeutet, deren Ursprung in der christlichen Golgatha-Ikonografie zu suchen ist.

Es ist anzunehmen, daß Strempel dieses Werk kannte, wenn er sich auch in seiner Korrespondenz nicht darauf bezog. Seine Vorstellungen, die mit zur Entstehung der Bildidee beitrugen, wurden aber vermutlich ebenso durch den Vietnamkrieg wie auch durch Ideen der Studentenbewegung in dieser Hinsicht geprägt. Es ist die logische Fortsetzung und Vollendung seines Werks der Westberliner Jahre. Wo er zeitgeschichtliche Probleme behandelte, formulierte er sie immer aus seiner subjektiven Sicht; die ehemals fortschrittsorientierte Reflexion wich einer oft melancholischen Resignation, die über das Manifestieren eines Zustandes nicht mehr hinauskam.

Obwohl ihn die Thematik zunächst sehr beschäftigt hatte, entschloß er sich dazu, sich nicht an der Ausstellung zu beteiligen, weil er nicht die Absicht habe, »so etwas durch meinen Beitrag aufzuwerten«.[36] Diesem Entschluß waren Überlegungen über die politischen Wirkungsmöglichkeiten von Kunst vorausgegangen, die er im Laufe der Jahre, vor allem bedingt durch seine persönlichen Erfahrungen, immer geringer einschätzte. Angesichts dieser neuen Aufgabe mußte er sich fragen, ob sich der Aufwand an Kraft und Arbeitsleistung überhaupt lohne, »weil doch bisher noch kein Künstler, von Goya — Dix den Irrsinn der Mörder hat aufhalten können.«[37] Diese Resignation bezüglich der politischen Wirksamkeit von Kunst war schon Jahre früher sichtbar geworden. In diesem Sinne äußerte sich Strempel nach der Lektüre des Ratgeb-Buches von Fraenger[38] oder auch schon früher, auf seine Folge *Das Gesicht des Faschismus* angesprochen: »Nun, heute will ich nicht mehr »bekehren«, weil ich längst eingesehen habe, das auch mir nicht gelingen wird, was Dix und Grosz nicht einmal gelungen ist, von Kollwitz und Barlach ganz zu schweigen.«[39]

Schon die Bilder des *Mauer*-Zyklus (WVZ 522 ff., Abb. 23, S. 155, WVZ 1071 ff., WVZ 2602—2611, Abb. 232 und Abb. 233, S. 249) hatten die Veränderungen, die mit Strempel vorgegangen waren, außerordentlich klar zutage treten lassen. Sie sind als Ausdruck seines gewandelten Selbstverständnisses zu werten. Gerade in der Bearbeitung dieses eminent brisanten politischen Themas wird das Abrücken von seiner Auffassung als politischer Künstler deutlich. Zwar

zeigt sich gerade hier, daß seine Distanzierung niemals so rigoros war wie etwa die Karl Hofers, der schon 1948/49 unmißverständlich darauf hingewiesen hatte, daß Politik mit Kunst nichts zu tun haben dürfe. Ganz im Gegenteil, Strempel betonte noch 1962 in einem Interview, in dem er zu seinen Mauerbildern befragt wurde: »Der Künstler kann nicht außerhalb der Gesellschaft, sozusagen über den Dingen stehen. Er ist ein Produkt der Gesellschaft und muß sich mit den Problemen auseinandersetzen, die den Menschen bewegen.«[40]

In dieser letzten Schaffensphase macht sich eine Tendenz bemerkbar, die Strempels expressiven Realismus in eine mehr dekorative Richtung lenkte. Das ist insbesondere bis etwa Mitte der 60er Jahre der Fall, also während der Zeit, als er sich mit dem Entwerfen von Tapeten und Stoffen beschäftigte. Die Modernität, die für die Vermarktung seiner Designs unabdingbar war, beeinflußte ihn auch in seinen freien Arbeiten. Viele seiner Bildthemen scheinen durch diese Vorgehensweise in unverbindliche Aussagen gerückt zu werden. Häufig ist nicht mehr der Mensch das eigentliche Thema seiner Werke. Zwar rückte er auch dann nicht vom Gegenständlichen ab, aber die Gestalten von Personen und Gegenständen werden zunehmend vereinfacht bis hin zu einer Deformierung der Körper, vor allem in den zahlreichen Mädchenbildern.

Diese Vereinfachung überträgt sich auch auf die Bildkomposition. Das Gefüge dieser Arbeiten ist häufig zeichnerisch-grafisch bestimmt, die Bildgegenstände werden von starken Konturen umrahmt. Seine Tendenz zum Dekorativen ist immer wieder Gegenstand seiner Reflexionen. Einerseits bekannte er sich uneingeschränkt dazu, andererseits erkannte er aber sehr wohl die Problematik, die dadurch in seinem Werk lag. Er selbst sah seine Hinwendung zum Dekorativen u.a. auch als Zugeständnis an die abstrakte Malerei: »natürlich ist es so, das 'die gegenständlichen' von der diktatur der informellen erdrückt werden, aber zum grossen teil ist dieser zustand auch unsere schuld. warum lassen wir uns unterdrücken? warum begegnen wir diesem informellen und kinetischen quatsch nicht mit wichtigen fundierten werken, anstatt uns in die dekoration zurückzuziehen? — auch wir haben einen teil von 'schuld'. was mich betrifft, so habe ich mit allem dekorativen konsequent schluss gemacht. ich will versuchen, wieder zu malen, so wie mir ums herz ist. mit hermann bin ich vollkommen auseinander«.[41]

Daß in den letzten Lebensjahren nochmals expressive Tendenzen zum Vorschein kommen, hängt u.a. auch mit dem Einfluß, den die neue figurative Malerei seit Anfang der 60er Jahre im Rückgriff auf die Kunst vor 1933 wieder gewann, zusammen. In Berlin waren daran neben Eugen Schönbeck und Georg Baselitz maßgeblich die Künstler, die sich in der Galerie Großgörschen 35 zusammengefunden hatten, beteiligt; das Werk von Anselm Kiefer und Jörg Immendorf nähert sich thematisch an das an, was auch Strempels Anliegen war. Zwar könnte Strempel dadurch nochmals einige Impulse empfangen haben; sie äußerten sich aber kaum in einer Weiterentwicklung.

Obwohl er gerade mit seinen auf die menschliche Psyche ausgerichteten Sujets Bereiche ansprach, die eine Vielzahl von Menschen, zumal die Berliner, berührten, gelang es ihm nicht, sich in der Öffentlichkeit durchzusetzen. Von seiner Kunst konnte er auch in dieser Zeit kaum existieren. Aus diesem Grunde arbeitete er lange Jahre als Pädagoge an den Volkshochschulen Berlins. Hin und wieder fiel ein öffentlicher Auftrag für ihn ab. Ein regelmäßiges Einkommen erzielte er eine zeitlang nur durch das Entwerfen von Tapeten- und Stoffmustern für das Berliner Tapetenatelier.[42]

Unübersehbar ist der qualitative Abfall seines Spätwerks gegenüber früheren Phasen, vor allem der Nachkriegsjahre. Es liegt nahe, daß hier u.a. den unterschiedlichen Schaffensbedingungen ein hohes Maß an Bedeutung zukommt. Dieser Auffassung sind jedoch nicht alle Kritiker. Einige stellten fest, daß sich die Farbpalette Strempels aufgehellt habe und führten das auf die neue Freiheit im Westen zurück.[43] Allein die unterschiedlichen Schaffensbedingungen für eine positive oder negative Veränderung verantwortlich zu machen, trifft nicht den Kern des Problems. Strempel selbst war sehr unzufrieden mit seiner Situation und seiner Leistungsfähigkeit. Er trug sich ständig mit dem Gedanken, größere Kompositionen schaffen zu wollen. Jedoch scheint neben Zeit- und Kostengründen ein wesentliches Hindernis für ihn in der mangelnden Öffentlichkeit bestanden zu haben. Projekte, die er im Kopf hatte, die aber wohl kaum das Stadium der Skizzierung überschritten haben werden, waren u.a. *Hiob, Einsame Frauen, Das Weib des Urias, Der Funktionär, Der Flüchtling, Tänzerin und Tod* und *Der Soldat*.[44] Einzig *Susanna und die Alten*, das er in diesem Zusammenhang noch benennt, ist wohl davon realisiert worden.

In Strempels Briefen an Wilhelm Puff kommt immer wieder zum Ausdruck, daß er unter seiner Umgebung litt und diese auch häufig für seine Lage mitverantwortlich machte. Theoretischen Rückhalt fand er bei Curt Schweicher[45] und bei einem so fragwürdigen Kunstwissenschaftler wie Richard Eichler.[46] Gerade Eichlers entschiedene Stellungnahme gegen die abstrakte Kunst imponierte ihm, obwohl dessen reaktionäre Anschauungen eigentlich nicht in Strempels Sinn gewesen sein konnten. Hermann Raum wies am Beispiel eines Textes zu einer Ausstellung nach, daß eine Angleichung von reaktionärem und fortschrittlichen Vokabular erfolgte, so daß es für die Künstler oft nicht möglich gewesen sei, »zu unterschieden, von welcher gesellschaftlichen Konzeption

aus die Verdrängung des Menschen aus seiner zentralen Stellung in der Kunst, der Verlust einer umfassenden Sicht menschlichen Lebens kritisiert wurde.«[47]

Auf die Gründe für das Scheitern Strempels im Westen kann hier nicht im Detail eingegangen werden. Es soll genügen, Stichpunkte zu nennen, die allerdings zumindest teilweise in kausalem Zusammenhang stehen. Die Situation des Kalten Krieges, die schon Strempels Lage in der DDR beeinflußt hatte, ist auch hier unter umgekehrten Vorzeichen zu benennen. In diesem Zusammenhang ist auf den Vorrang der ungegenständlichen Kunst in den 50er bis Mitte der 60er Jahre hinzuweisen. Im Gegensatz zur DDR, nahm in Westberlin kaum jemand seine Kunst zur Kenntnis, weder positiv noch negativ. Das fehlende öffentliche Interesse ist für ihn gleichbedeutend mit fehlender öffentlicher und politischer Kritik.

Strempel war nicht modernistisch genug, um dem im Westen herrschenden Konzept einer ästhetizistischen und erklärtermaßen ideologiefreien Kunst entsprechen zu können, andererseits war er aber auch nicht »realistisch« genug, um den Massengeschmack zu bedienen. Strempel blieb ein Außenseiter wegen seines Skeptizismus, der in vielen seiner Bilder, wenn auch verschlüsselt, zum Ausdruck kam, und der weit davon entfernt war, das deutsche Wirtschaftswunder und alles was damit politisch und ökonomisch verbunden werden kann, zu verherrlichen. In diesem Sinne ergibt sich eine Kontinuität zu dem früher entstandenen Werk. Von seiner künstlerischen Kritik an der Weimarer Reaktion zieht sich ein Faden über die Verarbeitung der Zeit des Faschismus und des Zweiten Weltkrieges bis hin zu seinen Versuchen, die Bedrohungen der modernen Gesellschaft — Technologie, Atombombe, Kriegstreiberei — sichtbar zu machen; der Unterschied zu früheren Perioden liegt allerdings in einer tiefen Resignation des Alters begründet.

Anmerkungen

1 Vgl. dazu Anm. 17, S. 19: Brief von Horst Strempel an Friedrich Lambart, 20.2.1955

2 Dies ergibt sich lediglich aus Notizen Strempels (Brief von Horst Strempel an Wilhelm Puff, 24.3.1972). Im Archiv der Deutschen Akademie der Künste Berlin sowie im Arnold-Zweig-Archiv konnten keine Unterlagen darüber gefunden werden.- Am 8.7.1956 schrieb Strempel an Cuno Fischer: »Im Frühjahr dieses Jahres habe ich nach beinahe vierJahren Verhandlungen einen Bruchteil meiner Bilder aus meinem (Ost) Berliner Atelier zurückbekommen. Alles andere, Möbel, Bücher usw. ist verloren.«

3 Brief von Horst Strempel an Wilhelm Puff, 24.3.1972.- Bereits 1957 hatte Strempel an Emil Adrian berichtet: »Nach langen Interpellationen, die Kunst- und Presse-Leute machten, bekam ich einen Teil meiner Bilder aus dem Osten zurück. Darunter ist auch eine Mappe mit Arbeiten aus Griechenland.«

4 In einer Aktennotiz von W. Ruthenberg vom 4.10.1967 (Berlin, StM, NG/Archiv), das Auftauchen einer Kiste mit grafischen Arbeiten Horst Strempels betreffend, ist zu lesen: Nach meiner Erinnerung wurde der künstlerische Nachlass des Malers Horst Strempel auf Veranlssung des Ministeriums für Kultur oder der zuvor amtierenden Staatlichen Kommission für Kunstangelegenheiten nach dem Fortgang von Horst Strempel nach Westberlin in die Staatlichen Museen zu Berlin verbracht und in Räumlichkeiten des Bode-Museums, die der Verwaltung des Münzkabinetts mit unterstanden, untergestellt. Unterlagen über diese Aktion müssen sich bei der Generalverwaltung befinden.«

5 Siehe *Akt Erna* (WVZ 245) und *Aufbau und Verfall* (WVZ 195).- Außerdem die Notiz von Ruthenberg, 4.10.1967 (Berlin, StM, NG/Archiv) und Ebert, 11.10.1967 (ebd.).- Lt. einer Mitteilung von Ruge, 6.10.1967 (NG, Archiv) gingen an die Sammlung der Zeichnungen der Ostberliner Nationalgalerie eine nicht benannte Anzahl von Zeichnungen und Skizzen, deren Herkunft mit Akademie der Künste angegeben wurde.
Durch einen Zeitungsartikel (Kunst des 20. Jahrhunderts. In: Die Union, Dresden, 2.6.1960) erfuhr Strempel, daß drei seiner Bilder im Pillnitzer Museum seien. Dazu vermerkte er in einer Randnotiz: »Diese Bilder sind nach meiner Flucht aus dem Osten 1953 aus meinem Atelier gestohlen und von dem S.S.D. dann später dem Museum 'geschenkt' worden. In dem katalog des Pillnitzer Museums werde ich als der 'führende Nachkriegsexpressionist' benannt, wurde aber von 1950−53 als 'formalist' so verfolgt, daß ich fliehen mußte. H.St.«.

6 Ein Beispiel für die gegensätzliche Auffasung: Willy Heier 1965, sieht Strempel im Gegensatz zu der oben vertretenen Ansicht, »am Ziel seiner Odyssee. Endlich konnte er sich nach jahrzehntelangem Hin- und Hergeworfensein seiner Kunst widmen … Das wohlverdiente Zur-Ruhe-Kommen hat sich auch auf seine Kunst inhaltlich und formal ausgewirkt. Das soziale Element und die gesellschaftskritische Aggressivität von einst sind aus seinen Arbeiten verschwunden … und haben einer von innerer Heiterkeit getragenen Klassizität Platz gemacht.«

7 Gutachten lagen vor von Carl Hofer (11.2.1953), Willi Palm (12.2.1953), »Kongreß für Freiheit der Kultur«, Günther Birkenfeld (18.6.1953), Elisabeth Thiemann (13.2.1953), Edith Frey (14.2.1953), Siggi Neumann (19.3.1953), Weinert, Redakteur bei der »Welt« (9.3.1953), Untersuchungsausssschuß freiheitlicher Juristen, J. Bontjes van Beek (20.6.1953), Dr. Werner Schendell (24.6.1953), Walter Schüler (27.6.1953), außerdem von einer mit »S.« bezeichneten Person, die damals noch in Ostberlin lebte (hier könnte es sich möglicherweise um Gustav Seitz handeln).

8 Niekisch 1974, 298−299

9 Bezirksamt Charlottenburg, 15.1.1955

10 Eine umfassende Darstellung von Kunst und Schaffensbedingungen des hier zur Debatte stehenden Zeitraums der 50er bis 70er Jahre publizierte Hermann Raum 1977.

11 Siehe zu dieser Thematik Hermand 1989, bes. 221 ff.

12 Zur Kunst des hier angesprochenen Zeitraum siehe neben den schon an anderer Stelle erwähnten Publikationen u.a. Ausst.Kat. Als der Krieg zu Ende war (Berlin/W. 1975) und Ausst.Kat. Grauzonen − Farbwelten (Berlin/W. 1983)

13 Vgl. dazu: Ahlheit 1980, 43−44

14 Siehe Hermand 1989, 235 zu den Auswirkungen des Antikommunismus

15 Werner Haftmann, zit. nach Pachnicke 1986, 15

16 Ausst.Kat. Berlin/W. 1985

17 Vgl. Haftmann 1954

18 Brief von Horst Strempel an Cuno Fischer, 18.8.1957

19 Brief von Horst Strempel an Cuno Fischer, 26.6.1958

20 Brief von Horst Strempel an Cuno Fischer, 8.4.1959

21 In einem Brief an Cuno Fischer vom 18.8.1957 schrieb Strempel: »das heißt, ich lasse die 'fertigen Bilder' an der Wand hängen und arbeite in einer guten Stunde immer weiter daran. Mitunter kommt etwas ganz anderes heraus, als beabsichtigt war.«

22 Siehe Gr. In: Tapetenzeitung, 1958, Nr. 20, 8. Hier findet sich unter Berufung auf Angaben Strempels der Hinweis, daß in Paris Ausstellungen von Tapetenentwürfen stattfanden, an denen sich jedermann beteiligen konnte. Die Industrie habe dort Muster eingekauft.

23 Brief von Horst Strempel an Cuno Fischer, 7.11.1957

24 Brief von Horst Strempel an Cuno Fischer, 8.7.1957

25 Brief von Cuno Fischer an Horst Strempel, 24.10.1957.- Das Dekor wurde unter der Bezeichnung »Kronstadt« vertrieben.

26 Brief von Horst Strempel an Cuno Fischer, 5.4.1958

27 Die Recherchen im Tapeten-Atelier Frei-Hermann in dieser Richtung verliefen ergebnislos.- Siehe dazu Thümmler 1988, 59: »...was ihrem Berufsstand dem der Tapetendesigner schadet, ist ihre Namenlosigkeit. So lag es natürlich im Interesse des Unternehmers, wenn eine Kollektion guten Absatz fand, die Konkurrenz nichts über die Herkunft der betreffenden Entwürfe wissen zu lassen.«

28 Max Beckmann *Versuchung (Versuchung des Heiligen Antonius)* 1936/37, Öl/Lwd. (Mittelbild: 215,0 x 100,0 cm); München, Bayr. Staatsgemäldesammlungen, Staatsgal. moderner Kunst. Abb. in: München 1984, 258−259

29 Vgl. die Bildanalyse in Ausst.Kat. München 1984, 258−259

30 Siehe unter WVZ 340 den Kommentar von H. Rauschning

31 Siehe Rauschning. In: Der Abend, 24.5.1955

32 Brief von Horst Strempel an Wilhelm Puff, 21.2.1975

33 ebd.

34 Brief von Wilhelm Puff an Horst Strempel, 23.2.1975

35 Wassilij Wereschtschagin, *Apotheose des Krieges* 1871/72, Öl/Lwd. (127,0 x 197,0 cm); Moskau, Staatl. Tretjakow-Galerie. Abb. in: Hamburg 1987, Tf. VI.-

36 Horst Strempel in einem Brief an Wilhelm Puff, 11.3.1975

37 Horst Strempel in einem Brief an Wilhelm Puff, 21.2.1975

38 Horst Strempel in einem Brief an Wilhelm Puff, 9.5.1973: »Mit dem politischen Kampf in der Kunst ist es aber leider so eine besondere Sache. Von Veronese angefangen (Hochzeit zu Kanan), wenn Du willst, bis zu mir, haben alle 'Schiffbruch' erlitten.Im besten Falle Goya ein Jahrhundert später etwas Verständnis gefunden. Ganz zu schweigen von Dix, George Grosz, Kollwitz. Gross hat überhaupt keinen Zugang zur Revolution oder zu den Arbeitern gefunden. Das 'Gesicht der herrschenden Klasse' hing in den Salons der Parvenus und die geilten sich daran auf. Die Antikriegsbilder von Dix haben keinen oder wenige davon abgehalten wieder in einen neuen Krieg mit Begeisterung zu ziehen. Die wenigen, die gegen Kriege waren, waren es auch ohne Goya und Dix. Mein *Nacht über Deutschland* hat keinen davon abgehalten, wieder politische Gefangene einzusperren oder zu foltern. … Manchmal bedauere ich die Zeit, die ich für die politische Aktivität aufgebracht habe, anstatt zu malen.«

39 Brief von Horst Strempel an Wilhelm Puff, 14.10.1967

40 Horst Strempel. In: Der Gewerkschafter 10, 1962, H. 10, 1

41 Brief von Horst Strempel an Cuno Fischer, 16.12.1963

42 Siehe die Briefe Horst Strempels an Wilhelm Puff, 19.1.1961 und 20.12.1961

43 Siehe hierzu: Wolfgang Hennig. Ein Europäer aus Schlesien. In: Frankfurter Alemeine Zeitung, 27.10.1954: »das Weichen des östlichen Druckes läßt die hellen Töne seiner Palette stärker hervortreten. Er sucht sich seine Vorwürfe wieder selbst«.

44 Brief von Horst Strempel an Cuno Fischer, 13.12.1960

45 Schweicher 1960.- Diese Publikation fand sich im Nachlaß Strempels mit einer Reihe von zustimmenden Randbemerkungen versehen.

46 Eichler 1959.- Lt. einer Mitteilung in einem undatierten Brief an Wilhelm Puff.

47 Raum 1977, 109.

6. Schlußbemerkung

Diese Arbeit unternahm den Versuch, sich einem Künstler des 20. Jahrhunderts anzunähern, sein Leben und sein vielfältiges Werk zu rekonstruieren. Da der Hauptbestandteil der Arbeit darin bestand, überhaupt erst die Grundlagen zu einem Verständnis zu schaffen, mußtes vieles dabei unberücksichtigt bleiben oder konnte nur in den Grundzügen gestreift werden. So soll abschließend noch auf einige der Fragen hingewiesen werden, die sich im Laufe der Auseinandersetzung mit dem Oeuvre Horst Strempels ergaben, die aber in diesem Rahmen nicht weiter verfolgt werden konnten.

In Strempels Werk lassen sich in jeder Schaffensphase durchgängig zwei Herangehensweisen feststellen: auf der einen Seite steht sein gesellschaftsbezogenes Werk, auf der anderen die eher kontemplativen oder auch dekorativen Kompositionen ohne direkt wahrnehmbare gesellschaftliche Bezüge. Diese beiden Pole sind ständig vorhanden, wenn sie sich auch in jeder Phase anders darbieten. Das Ausweichen vor sozialen und politischen Fragestellungen unbedingt als Zeichen einer tiefen Resignation oder gar als Subversion zu erklären, beispielsweise das zweigleisige Schaffen Strempels um 1950 betreffend, hieße, die Problematik nur von einer Seite zu erfassen. Mir scheint, daß, neben der Auseinandersetzung mit der persönlichen und politischen Realität Charakter und Persönlichkeit des Künstler ein große Rolle spielen. Nun ist es allerdings schwierig, wenn nicht unmöglich, diese aus zeitlicher Distanz gerecht zu beurteilen. Sicher ist jedoch, daß, wenn ein Œuvre mit derartiger Kontinuität zwei Herangehensweisen vereinigt, auch andere Faktoren als ausschließlich eine konkrete politische Situation dafür verantwortlich gemacht werden müssen.

Der Leitgedanke dieser monografischen Aufarbeitung war die Vorstellung, daß das persönliche und künstlerische »Schicksal« Strempels kein Einzelfall war, sondern in einem bestimmten Sinne als zeittypisch angesehen werden kann — auch wenn einzelne Fakten selbstverständlich individuell bestimmt sind. Auf der anderen Seite jedoch steht das Werk Strempels, unabhängig von den jeweiligen Schaffensphasen, in einem Diskurs mit der Realität, der sich in einigen Phasen direkter äußert, wie während der Weimarer Republik und der DDR-Zeit, in anderen eher indirekt zum Ausdruck kommt, wie während des Exils und in den Westberliner Jahren. Auch wenn wir feststellen mußten, daß gerade in den beiden letztgenannten Phasen ein Rückzug in die Individualsphäre erfolgte, so sollte die Beschreibung der konkreten

Lebensumstände mit dazu beitragen, das »Dennoch/ Trotzdem« zu erkennen und entsprechend zu würdigen. Es sollte hiermit allerdings nicht der Versuch gemacht werden, Strempel unbedingt in das Schema des Widerstandskünstlers par excellence hineinzupressen, geschweige, seine individuelle Haltung höher anzusetzten als die irgendeines anderen Künstlers oder Nichtkünstlers.

Hiermit ist vor allem auch Strempels Stellung als antifaschistischer, humanistischer Künstler angesprochen. Es gilt, eine ästhetische Haltung einzuordnen und einer Bewertung zu unterziehen, die sich nicht auf die zwölf Jahre des Nationalsozialismus beschränken kann. Horst Strempel erweist sich als ein Künstler, der eine wie auch immer geartete Versöhnung mit der Gesellschaft durch seine Kunst ausschlägt. Im Rahmen seiner jeweiligen Möglichkeiten versuchte er zumindest stets, das zu kritisieren, was er für kritikwürdig hielt — ungeachtet seines jeweiligen Wirkungskreises. Die Veränderung von Stil und Inhalten mit Opportunismus gleichzusetzen, scheint aus der Kenntnis von Leben und Werk zunächst nicht gerechtfertigt, obwohl Zäsuren sich immer dann besonders bemerkbar machen, wenn Strempel sein Umfeld wechselte. Aus diesem Grunde ist dafür zu plädieren, das Differente oder die Widerstandsmomente, so geringfügig diese auch scheinen mögen, in ihren situationsbedingten Varianten zu registrieren, wobei keineswegs das Ziel verfolgt werden soll, Strempel als Widerstandskünstler einzuführen, sondern eher um sich durch eine differenzierende Analysemöglichkeit einen adäquaten Zugriff zu sichern.

Das Spätwerk Horst Strempels wurde zwar so weit wie möglich im Werkverzeichnis erfaßt, auf eine genauere Analyse mußte jedoch verzichtet werden. Sie wurde in im Rahmen dieser Arbeit zunächst unterlassen, weil das Œuvre der Jahre seit 1953 von einem Qualitätsabfall gegenüber den früheren Jahren, insbesondere gegenüber den Werken der DDR-Zeit, geprägt zu sein schien. Erst nachdem das Werkverzeichnis in der nunmehr vorliegenden Form zusammengestellt worden war, wurde deutlich, daß diese voreilig getroffene Beurteilung wesentliche Aspekte, die in den früheren Phasen wie selbstverständlich mit in die Bewertung einbezogen worden waren, hier außer acht gelassen wurden. So muß diese Entscheidung in mancherlei Hinsicht modifiziert, teilweise sicherlich auch revidiert werden. Dieses gilt es zu einem späteren Zeitpunkt nachzuholen. Dabei sollten vor allem die neuen Schaffensbedingungen in Westberlin, die im vorausgehenden Kapitel angeris-

121

sen wurden, weiter erforscht und in Beziehung zum Werk gesetzt werden. Von besonderem Interesse könnten dabei die literarischen und sozialen Themen sein, deren Erschließung jedoch weitreichendere Recherchen erfordert, als die, die hier noch möglich waren. Dieses hängt damit zusammen, daß trotz aller Kontinuität, die das Werk Strempels kennzeichnet, mit dem Jahr 1953 eine Zäsur eintritt, die einerseits persönlich begründet ist, aber trotzdem durch äußere Verhältnisse hervorgerufen wurde. Von seinen Anfängen bis zu seinem Weggang aus der DDR hatte Strempel sein Schaffen vorrangig an einer sozialistischen Weltanschauung orientiert und es in ihren Dienst gestellt. Dieser Inhalt fiel nun weg, da er sich ganz bewußt, wenn auch durch die äußeren Umstände gezwungen, ins gegnerische Lager schlug — eine weitreichende Entscheidung zur Zeit des Kalten Krieges.

Es bleibt weiterhin die Frage zu erörtern, inwiefern sich Parallelen im Schaffen der Pariser und der Westberliner Jahre aufzeigen lassen, wobei es nicht darum gehen kann, etwa nach stilistischen Übereinstimmungen in diesen Werkphasen zu suchen, sondern es sollte eine Orientierung an allgemeineren Kriterien gesucht werden. Ungeachtet der vollkommen unterschiedlichen politisch-historischen Ausgangspositionen, sind beide Aufenthaltsorte für Strempel persönlich wohl ein Exil gewesen. Der Wechsel des Lebens- und Arbeitszusammenhangs macht sich in beiden Fällen in einem ähnlichen Umgang mit seiner Kunst bemerkbar, einerseits in einer weitgehenden Abkehr von unmittelbar sozial bestimmten Sujets, andererseits in einer Veränderung des Stils dahingehend, daß Anregungen von der neuen Umgebung in das Werk aufgenommen und verarbeitet werden.

Weiterhin sollte eine genauere Analyse der Abhängigkeit von älteren oder zeitgenössischen Künstlern vorgenommen werden. Dabei wäre zum einen, insbesondere für die Exilzeit, an die französischen Realisten des 17. Jahrhunderts zu denken; außerdem an Künstler, die Strempel selbst als seine Vorbilder benennt, wie Poussin, Tizian, Velázquez, wobei auch detailliert auf Strempels Maltechiken eingegangen werden müßte.

Ein anderer Punkt, der hier schon häufig am Rande erwähnt wurde, muß der Verbindung zu solchen Künstlern gewidmet sein, die in ihrem Werk politische und soziale Stellungnahmen abgaben und die teilweise ebenfalls von Strempel als vorbildhaft für sein Schaffen benannt wurden. Hier wäre auf Goya und Daumier hinzuweisen, weiterhin vor allem aber auf Picasso, der insbesondere für Strempels Spätwerk eine besondere Rolle zu spielen scheint. Daß sein Werk aber auch schon in den ersten Nachkriegsjahren auf Strempel anregend gewirkt hat, zeigte sich an diversen Stilleben; inwiefern allerdings auch politische Bezugspunkte bestanden, konnte nicht herausgefunden werden. Thematisch-inhaltliche, nicht aber stilische Parallelen sind beispielsweise in *Nacht über Deutschland* im Hinblick auf Picassos *Beinhaus* oder seine *Kreuzigung* festzustellen. Denkbar scheint auch ein Bezug auf Picasso hinsichtlich der verschollenen Werke, die den Korea-Krieg thematisieren. Schließlich könnte eine Untersuchung, die den Einfluß Picassos und Max Beckmanns auf das Spätwerk Horst Strempels berücksichtigt, interessante Anknüpfungspunkte in der Gegenüberstellung literarischer Sujets bieten.

Anhang

Ausstellungsverzeichnis

In dieses Verzeichnis wurden Ausstellungen aufgenommen, bei denen die Teilnahme Strempels durch einen Katalog oder ein Faltblatt belegt werden konnte. Diese Angaben werden hinter der Sigle durch [*] gekennzeichnet; die entsprechende Publikation erscheint nicht mehr in der Literaturliste, die diejenigen Publikationen verzeichnet, in denen Leben und Werk Strempels erwähnt wurde. Nicht gekennzeichnete Eintragungen stammen aus Ausstellungsbesprechungen. Daten, die mit einem Fragezeichen versehen wurden, sind dem schriftlichen Nachlaß Strempels entnommen und konnten nicht weiter verifiziert werden. Einzelausstellungen werden durch Fettdruck gekennzeichnet. Reihenfolge der Angaben: Ausstellungsort und -jahr, ausstellende Institution, Titel der Ausstellung, Datum.

Amsterdam 1933 * Stedelijk Museum. De onafhankelijken — Vereeniging van Beeldende Kunstenaars 18.2. — 12.3.1933

Amsterdam 1936 * De olympiade onder dictatuur (d.o.o.d.). tentonnstelling: sport, kunst, wetenschap, documenten August 1936

Augsburg 1964 * Rathaus; Kunstverein Augsburg / Künstlergilde Esslingen. Zeitgenössische Maler. 22.8. — 4.10.1964

Baden-Baden 1947 * Kurhaus. L'art allemand moderne — Deutsche Kunst der Gegenwart. Oktober-November 1947

Bamberg 1956 * Residenz. Zeitgenössische Kunst des deutschen Ostens. Gemälde, Graphik, Plastik. 30.6. — 2.9.1956

Bamberg 1968 * Neue Residenz Die Künstlergilde. 5.4. — 19.5.1968

Bautzen 1932 (?) Januar oder Februar 1932 (?)

Berlin 1930 (?) Galerie Nierendorf. Expressionismus von 1920 — 1930

Berlin 1931 * Haus der Juryfreien; Internationaler Kongreß der Arbeiterhilfe / »Der Weg der Frau«. Frauen in Not. Anfang Oktober

Berlin 1932/1 Graphischer Block; ARBKD 5. Ausstellung »Künstler im Klassenkampf«: Revolutionäre Malerei Mai 1932

Berlin 1932/2(?)

Berlin 1932/3 Klosterstraße 25; ARBKD Kollektivausstellung proletarisch-revolutionärer Künstler

Berlin 1932/4 Leihbibliothek Preuß, Berlin-Wedding

Berlin 1946/1 * Kamillenstraße; Abt. für Volksbildung, Amt für Bildende Kunst. Frühjahrsausstellung. 16.3. — 31.5.1946

Berlin 1946/2 Volkshaus, Kaiserallee 187; Volkshochschule/Kulturbund.

Auf befreiten Schwingen. April-Mai 1946

Berlin 1946/3 * Haus am Waldsee; Kulturamt Zehlendorf. Illustrative Graphik. Ausstellung von Illustrationen, Zeichnungen und Aquarellen. 22.4. — 31.5.1946

Berlin 1946/4 * Rathaus Schöneberg; Volksbildungsamt Schöneberg. Kunstausstellung des Westens. Ca. 15.5. —?

Berlin 1946/5 * Zeughaus, Unter den Linden; Deutsche Zentralverwaltung in der Sowjetischen Besatzungszone. Erste Deutsche Kunstausstellung. 19.5. — 30.6.1946

Berlin 1946/6 Seebad Mariendorf; Volksbildungsamt Tempelhof / Berliner Kulturkollektiv. Landschaft im Sommer. Mitte August

Berlin 1946/7 * Kleine Galerie Walter Schüler. Horst Strempel — Bruno Merbitz. 17.9. — Oktober 1946

Berlin 1946/8 Kunsthandlung Meyer-Heydenreich. Berliner Kulturkollektiv. 16.11. — 23.12.1946

Berlin 1946/9 Dezember-Ausstellung Berliner Künstler. Dezember 1946

Berlin 1946/10 Einrichtungshaus »Die Heimgestalter«, Stresemannstraße 120; Kulturkollektiv. Masken, Träume, Visionen

Berlin 1947/1 * Galerie Franz. Horst Strempel. April 1947

Berlin 1947/2 * Stadtbücherei Neukölln; Kunstamt Neukölln. Horst Strempel. Zeichnungen zu »Germinal«. 19.5. — 7.6.1947

Berlin 1947/3 Kunstamt Wilmersdorf. Der Mensch unserer Tage. Juni 1947

Berlin 1947/4 Gericht Reinickendorf. Künstlergruppe »Neue Brücke«. Juli 1947

Berlin 1947/5 Kleine Galerie Walter Schüler. Der Ausschnitt. Ein Jahr Galerie Schüler. Juli 1947

Berlin 1947/6 Bücherei Martin Sahnwald. Künstlervereinigung »Neue Brücke«. September 1947

Berlin 1947/7 * Amt für Kunst, Prenzlauer Berg; FDGB. Künstler sehen die Großstadt. 4.10. — 30.10.1947

Berlin 1947/8 * Berliner Stadtkontor, Kurstraße. Schutzverband Bildender Künstler in der Gewerkschaftsgruppe Kunst und Schrift. 150 Jahre soziale Strömungen in der bildenden Kunst. 25.10. — 23.11.1947

Berlin 1947/9 * Zeughaus. Deutsche Kunst aus acht Jahrhunderten. Oktober 1947

Berlin 1947/10 * Galerie Walter Schüler. Weihnachtsverkaufsausstellung. Dezember 1947

Berlin 1947/11 * Kunsthaus Albrecht-Achilles-Straße, Ausstellungsräume des Westens. Magistrat von Groß-Berlin, Abt. für Volksbildung, Hauptamt für Kunst. Dezember-Ausstellung Berliner Künstler 1947. Dezember 1947

Berlin 1948/1 Galerie Franz. Malerei der Gegenwart. Januar 1948

Berlin 1948/2 * Galerie Herbert Rund. Moderne religiöse Graphik. Mai 1948

Berlin 1948/3 Rathaus Tiergarten; Amt für Kunst. Das Leben heutzutage. 22.7. — 8.8.1948

Berlin 1948/4 * VVN-Gebäude, Friedr.-Ebert-Str. Das andere Deutschland. September 1948

Berlin 1948/4 Galerie Walter Schüler. Kollektiv-Ausstellung. November 1948

Berlin 1949/1 Behrenstraße; Arbeitsgemeinschaft Bildender Künstler Berlin. Mai 1949

Berlin 1949/2 * Stadtkontor, Kurstraße. Kulturfonds beim Kulturbund/FDGB. Verkaufsausstellung Mensch und Arbeit. 31.5. — 30.6.1949

Berlin 1949/3 * Galerie Walter Schüler. Horst Strempel. 1.11.1949 —?

Berlin 1949/4 Galerie Schüler. Kollektiv-Ausstellung. Februar 1949

Berlin/DDR 1950/1 Kunstamt Weißensee. Kollektivausstellung: Druckgraphik. August 1950

Berlin/DDR 1950/2 Krankenhaus; Kunstamt Prenzlauer Berg. Kollektivausstellung. August 1950

Berlin/DDR 1950/3 Jugendgefängnis Köpenick. Schutzverband Bildender Künstler. Juli 1950

Berlin/DDR 1950/4 Kunstkabinett, Käthe-Kollwitz-Straße 93. Kunstamt Prenzlauer Berg. Kollektivausstellung. Oktober 1950

Berlin/DDR 1950/5 Galerie Bild der Zeit. Schutzverband Bildender Künstler. Verkaufsausstellung. Dezember 1950

Berlin/DDR 1951 Galerie Lowinsky. Künstlerbildnisse. April 1951

Berlin/DDR 1951/52 * Staatliche Museen. Verband Bildender Künstler im Kulturbund. Deutsche Kunstausstellung. Künstler schaffen für den Frieden. 1.12.1951 — 31.1.1952

Berlin/W. 1954 * Ausstellungshallen am Funkturm; Senator für Volksbildung. Juryfreie Kunstausstellung Berlin 1954. 15.7. — 30.7.1954

Berlin/W. 1955/1 * Galerie Gerd Rosen. Horst Strempel. Mai 1955

Berlin/W. 1955/2 * Haus am Lützowplatz; Bezirksamt Tiergarten. Berliner Festwochen. Maler der Breslauer Akademie: Oskar Moll, Otto Mueller, Alexander Camaro, Ludwig Peter Kowalski, Horst Strempel.

Berlin/W. 1956/1 * Ausstellungshallen am Funkturm. Große Berliner Kunstausstellung 1956. 25.5 — 1.7.1956

Berlin/W. 1956/2 * Bezirksamt Tiergarten. Ein Bild muß dabei sein. 1.12. — 23.12.1956

Berlin/W. 1956/3 * Kunstamt Tiergarten. Weihnachtsausstellung mit Strempel-Kabinett. Dezember 1956

Berlin/W. 1957/1* Ausstellungshallen am Funkturm. Große Berliner Kunstausstellung 1957. 20.4. − 19.5.1957
Berlin/W. 1957/2 Galerie Walter Schüler. Sommerabonnements-Ausstellung
Berlin/W. 1959/1* Ausstellungshallen am Funkturm. Große Berliner Kunstausstellung 1959. 24.4. − 24.5.1959
Berlin/W. 1959/2* Haus am Lützowplatz; Kunstamt Tiergarten. Horst Strempel. Arbeiten aus den Jahren 1926−1959. 8.7. − 30.7.1959
Berlin/W. 1959/3* Haus am Lützowplatz; Kunstamt Tiergarten. Berliner Aspekte
Berlin/W. 1960/1* Ausstellungshallen am Funkturm. Große Berliner Kunstausstellung 1960.
Berlin/W. 1960/2* Kongreßhalle. Internationale Ausstellung von Werken vertriebener und geflüchteter Künstler. November 1960
Berlin/W. 1961/1* Ausstellungshallen am Funkturm. Große Berliner Kunstausstellung 1961.
Berlin/W. 1961/2 Galerie Walter Schüler. Abonnementsausstellung
Berlin/W. 1961/3* Rathaus Tempelhof; Kunstamt Tempelhof. Horst Strempel. 14.10. − 12.11.1961
Berlin/W. 1962* Centre Français. Großstadt Berlin. Gustav Wunderwald − Horst Strempel. 30.5. − 22.6.1962
Berlin/W. 1963* Rathaus Charlottenburg; Berliner Festwochen / Kunstamt Charlottenburg. Horst Strempel. Ölbilder, Tempera, Pastelle, Zeichnungen. 18.9. − 19.10.1963
Berlin/W. 1964/1 Ausstellungshallen am Funkturm. Große Berliner Kunstausstellung 1964.
Berlin/W. 1964/2 Galerie Schüler. Juni 1964
Berlin/W. 1964/3* Kunstamt Schöneberg. Schlesische Maler vom 14. Jahrhundert bis zur Gegenwart. 13.10. − 15.11.1964
Berlin/W. 1964/4 Krankenhaus Westend. Horst Strempel. Dezember 1964
Berlin/W. 1964/5 Rathaus Charlottenburg. Charlottenburger Künstler.
Berlin/W. 1965* Akademie der Künste. Poelzig − Endell − Moll und die Breslauer Kunstakademie 1911−1932.
Berlin/W. 1966/67 Galerie am Spreebogen. Horst Strempel. Dezember 1966 − Januar 1967 (?)
Berlin/W. 1967 (?) Kunstamt Charlottenburg. Der Akt in der bildenden Kunst
Berlin/W. 1968/1* Galerie Pels-Leusden. Selbstbildnisse des 20. Jahrhunderts. Gemälde, Graphik, Aquarelle, Zeichnungen. 23.9. − 23.11.1968
Berlin/W. 1968/2 Kunstamt Schöneberg
Berlin/W. 1969* Haus am Lützowplatz Ausstellung Berliner Künstler 69. Ölbilder, Graphiken, Plastiken. 7.3. − 28.3.1969
Berlin/W. 1970/1* Haus am Lützowplatz; Kunstamt Tiergarten. Horst Strempel. Gemälde 1931 − 1966. 6.3. − 30.3.1970
Berlin/W. 1970/2 Galerie am Spreebogen. Horst Strempel. März (?) 1970
Berlin/W. 1970/3* Ausstellungshallen am Funkturm. Juryfreie '70. 27.5. − 28.6.1970

Berlin/W. 1970/4 Diagnostik-Zentrum. Horst Strempel. Oktober 1970
Berlin/W. 1971* Galerie Nierendorf. Die zwanziger Jahre (II). 28.6. − 8.9.1971
Berlin/W. 1975/1* Akademie der Künste; Deutsches Literatur-Archiv im Schiller-Nationalmuseum Marbach / Berliner Festwochen. Als der Krieg zu Ende war − Kunst in Deutschland 1945 − 1950. 7.9. − 2.11.1975
Berlin/W. 1975/2* Haus am Checkpoint Charlie. Geteilte Interpretationen − Maler sehen die Mauer. Dauerausstellung
Berlin/W. 1977* Haus am Lützowplatz; Kunstamt Tiergarten. Horst Strempel 1904 − 1975. Ölbilder. 13.8. − 11.9.1977
Berlin/W. 1978* Haus am Lützowplatz; Kunstamt Tiergarten. Horst Strempel 1904 -1975. Das graphische Werk. 8.7. − 6.8.1978
Berlin/DDR 1978/79* Altes Museum; StMB, Nationalgalerie, Kupferstichkabinett und Sammlung der Zeichnungen Revolution und Realismus. Revolutionäre Kunst in Deutschland 1917 bis 1933. 8.11.1978 − 25.2.1979
Berlin/DDR 1979* Altes Museum; Ministerium für Kultur / VBK der DDR / Bundesvorstand des FDGB. Weggefährten − Zeitgenossen. Bildende Kunst aus drei Jahrzehnten. 3.10. − 31.12.1979
Berlin/W. 1980/1 Haus am Lützowplatz; Kunstamt Tiergarten 1950 − 1980. Jubiläumsausstellung. Eine Retrospektive. 29.3. − 27.4.1980
Berlin/W. 1980/2* Staatliche Kunsthalle Berlin / Berufsverband Bildender Künstler Berlins. 30 Jahre BBK. 14.5. − 15.6.1980
Berlin/DDR 1980* Marstall; Akademie der Künste der DDR. Dreißig Jahre Kunstsammlung der Akademie der Künste der DDR − Ausgewählte Werke. 18.4. − 8.6.1980 / 18.6. − 7.9.1980
Berlin/DDR 1980/81* Ausstellungszentrum am Fernsehturm; Magistrat von Berlin / VBK der DDR / Sektion Kunstwissenschaftler im VBK der DDR Berliner Kunst − Retrospektive. Malerei, Grafik, Plastik. 27.11.1980 − 9.1.1981
Berlin/W. 1982* Haus am Lützowplatz; Kunstamt Tiergarten. Aufbau und Verfall. Berliner Kunst. 7.6. − 25.7.1982
Berlin/W. 1982/83 SEW/Wanderausstellung. Horst Strempel − Germinal − Zyklus von Federzeichnungen. 12.11.1982 − 2.6.1983
Berlin/DDR 1984* Altes Museum; Ministerium für Kultur / StMB / VBK der DDR Alltag und Epoche. Werke bildender Kunst der DDR aus 35 Jahren. 2.10. − 30.12.1984
Berlin/DDR 1987* Altes Museum; StMB. Kunst in Berlin 1848−1987. 10.6. − 25.10.1987
Berlin/W. 1987* Berlin-Museum. Stadtbilder. Berlin in der Malerei vom 17. Jahrhundert bis zur Gegenwart. 19.9. − 1.11.1987
Berlin/DDR 1990* Altes Museum. Die Kunst der frühen Jahre. März
Bielefeld 1959/1* Städt. Kunsthaus. Horst Strempel. 1.2. − 1.3.1959
Bielefeld 1959/2* Städt. Kunsthaus.

Neuerwerbungen 1950−1959
Bonn 1964* Einheit in Freiheit. Flucht und Grenze. Gemälde, Graphiken, Plastiken vertriebener und emigrierter Künstler. 21.2. − 4.4.1964
Brandenburg 1950 Ausstellung zur Jahresarbeitskonferenz der MAS. Februar 1950
Braunschweig 1960 Galerie Fahrig. Horst Strempel. April 1960
Braunschweig 1964 März (?) 1964
Bremen 1954 Kunsthalle. Strempel / Ehlermann Februar − März 1954
Budapest 1969* Käthe Kollwitz. George Grosz. Horst Strempel. 10.11. − 29.11.1969
Darmstadt 1956* Mathildenhöhe. Künstlergilde Esslingen. Ostdeutsche Künstler der Gegenwart. 30.3. − 1.5.1956
Dresden 1946* Stadthalle am Nordplatz; Landesverwaltung Sachsen / Kulturbund / Stadt Dresden. Erste Allgemeine Deutsche Kunstausstellung. 25.8. − 31.10.1946
Dresden 1948* Stadthalle am Nordplatz; FDGB-Kreisvorstand Dresden / Gewerkschaft 17, Kunst und Schrifttum (Schutzverband Bildender Künstler) Dresden / Kulturbund / Stadt Dresden / Land Sachsen. 150 Jahre soziale Strömungen in der bildenden Kunst. Malerei, Grafik, Plastik − Kunstausstellung anläßlich des Revolutionsjahres 1948. April − Mai 1948
Dresden 1949/1* Stadthalle am Nordplatz. Zweite Gesamtdeutsche Kunstausstellung Dresden. 10.9. − 31.10.1949
Dresden 1949/2* Wanderausstellung aus der Zweiten Deutschen Kunstausstellung Dresden 1949
Dresden 1950 Staatliche Kunstsammlungen. Kollektivausstellung. April 1950
Dresden 1990* Albertinum. Ausgebürgert. Künstler aus der DDR und aus dem sowjetischen Sektor Berlins 1949−1989. 7.10. − 12.12.1990
Düsseldorf 1947* Kunsthalle; Kulturbund. Künstlerbekenntnisse unserer Zeit. 28.6. − 27.7.1947
Düsseldorf 1948* Ehrenhof; Kunstsammlungen der Stadt Düsseldorf. Berliner Künstler der Gegenwart. Juni − Juli 1948
Düsseldorf 1965 Oberschlesische Maler. September 1965
Erlangen 1964 Siemens-Verwaltungsgebäude. Horst Strempel. August 1964
Erlangen o.J.* Kunstverein. Sammlung Dr. Joseph Drexel. Malerei, Graphik, Plastik
Friedrichshafen 1958* Bodensee-Museum. Zeitgenössische Kunst des deutschen Ostens. 6.9. − 12.10.1958
Fulda 1957* Vonderau-Museum. Zeitgenössische Kunst des deutschen Ostens. 14.7. − 11.8.1957
Halle/S. 1979/80* Staatliche Galerie Moritzburg. Neuerwerbungen
Hannover 1946 Kunstverein. Dezember (?) 1946
Hildesheim 1963 Oktober (?) 1963
Hildesheim 1964* Roemer-Pelizaeus-Museum; Künstlergilde Esslingen. Horst Strempel. 2.7. − 2.8.1964
Kassel 1963 Berlin-Ausstellung. Juni 1963
Lindau/Bodensee 1966 Rathaus, Rungesaal; bis 12.6.1965

Moskau 1932 (?)

Mülheim 1974 September — Oktober 1974

*München 1951** Alter Botanischer Garten am Stachus. 2. Ausstellung Künstlergruppe Pavillon.
27.6. — 15.7.1951

*München 1960** Haus der Kunst. Internationale Tapetenausstellung ITA 60
25.4. — 16.5.1960

*München 1965** Kunstverein München; Künstlergilde Esslingen / Adalbert- Stifter-Verein. 20.10. — 14.11.1965

München 1972 Künstlergilde Esslingen. Europäische Hauptstädte

Nürnberg 1955 Fränkische Galerie. Zeitgenössische Kunst des deutschen Ostens

Nürnberg 1958* Fränkische Galerie. Horst Strempel

*Nürnberg 1960** Fränkische Galerie. Kunst aus Nürnberger Privatbesitz 1850 — 1950. April — Mai 1960

*Nürnberg 1963** Fränkische Galerie.

Ausgewählte Werke des 20. Jahrhunderts 17.5. — 16.6.1963

Paris 1934—1938 Ausstellungen der Juryfreien (?)

Paris 1939 Salon (?)

*Potsdam 1946** Kulturbund, Landesleitung Brandenburg. Ausstellung Berliner Künstler in Potsdam.
27.10. — 24.11.1946

Prag 1971 (?)

*Regensburg 1973** Ostdeutsche Galerie. Akzente und Kontraste. Eine Ausstellung zum 25jährigen Bestehen der Künstlergilde. 18.5. — 22.7.1973

Remscheid 1961 Stadttheater. Verein Berliner Künstler. Dezember 1961

Reutlingen 1967 Künstlergilde Esslingen. September 1967 (?)

Rostock 1950 Universität, Hörsaal 1. Horst Strempel — Graphik. Mitte Februar 1950

*Santiago/Chile 1958** Museo de Bellas Artes. Künstlergilde Esslingen. Juni 1958

Schkopau 1969 (?) Deutsche Wider

standskunst

*Stuttgart 1956** Kunstgebäude, Schloßplatz; Württembergischer Kunstverein. Ostdeutsche Künstler der Gegenwart. 10.5. — 3.6.1956

Warschau 1980 (?)

*Wien 1973** Dom-Galerie Konrad Verfemt und ausgesperrt! Heinz Kiwitz und die Kunst um 1930. Bis 31.8.1973

Wiesbaden 1946 (?)

Wiesbaden 1958 Amerikanischer Club. März 1958

*Wiesbaden 1959/60** Städtisches Museum; Nassauischer Kunstverein / Künstlergilde Esslingen. Deutsche Künstler aus dem Osten. 7.11.1959 — 3.1.1960

*Wiesbaden 1968** Städtisches Museum. Künstler aus Schlesien. 20.1. — 17.3.1968

Wittenberg 1947 Kunsthandlung Ercha, Erich Rettig. Kunstausstellung mit Werken zeitgenössischer Künstler. 3.8. — 3.10.1947

*o.O. /Australien 1956** Deutscher Kunstrat. Recent German Graphic Art.

Zeitungsartikel

1931

Schiff, Fritz. Frauen in Not. In: Der Weg der Frau, 6, 1931, November, 16—17

Donath, Adolph. Frauen in Not. In: BTbl., 13.10.1932

1932

Durus, Alfred. Ist die Malerei tot oder muß sie politisiert werden? Zu den Bildern im Graphischen Block, Enckestr. 4. In: RF, 20.5.1932 (2. Beilage)

Donath, Adolph. Revolutionäre Künstler. In: BTbl., 13.10.1932

E.N.P. Ausstellung proletarisch-revolutionärer Künstler. In: WaA., 21.10.1932

1946

Redslob, Edwin. Auf befreiten Schwingen. In: TS, 23.4.1946

Seng. Auf befreiten Schwingen. In: TR, 24.4.1946

N.N. Auf befreiten Schwingen. In: Freie Gewerkschaft, 30.4.1946

Redslob, Edwin. Zwei neue Frühjahrsausstellungen. In: TS, 4.5.1946

N.N. In: Der Rundfunk. 5.5—11.5.1946

Vogt, Erich. Auf befreiten Schwingen. In: Vorwärts, 9.5.1946

N.N. Kunstausstellungen im Mai. In: BZ, 16.5.1946

Redslob, Edwin. Durchschnitt oder Leistung? Zur Kunstausstellung im Rathaus Schöneberg. In: TS, 17.5.1946

Melis. Moderne Berliner Malerei. Zwei neue Berliner Kunstausstellungen. In: ND, 18.5.1946

Sa. Frühjahrsschau in Lichterfelde. In: Morgen, 24.5.1946

Link, Erich. Vom Waffenlager zum Musentempel. Die erste große Kunstschau im Berliner Zeughaus. In: Vorwärts, 24.5.1946

Fiedler, Werner. Von der Kunstwelt geprägt. Zur Ausstellung im Zeughaus. In: NZ, 29.5.1946

Redslob, Edwin. Erste Deutsche Kunstausstellung. In: TS, 7.6.1946

Dargel, F.A. Wo weilt das Auge? — Bunte Inventur. In: TG, 13.6.1946

Redslob, Edwin. Landschaft im Sommer. Ausstellung in Tempelhof. In: TS, 16.8.1946

Schw.,F. »Landschaft im Sommer« — Kunstausstellung des Berliner Kulturkollektivs. In: BZ, 20.8.1946

N.N. In: Freie Gewerkschaft, 29.8.1946

Link, Erich. Farbenglut der Landschaft im Sommer. Ausstellung des Berliner Kulturkollektivs. In: Vorwärts, 30.8.1946

F.D. Landschaft im Sommer. In: TG, 31.8.1946

vo. Eine kleine Ausstellung. In: Vorwärts, 25.9.1946

gt. Die kleine Galerie. In: ND, 26.9.1946

Oschilewski, Walther G. In: Sie, 29.9.1946

N.N. In: BZ, 29.9.1946

F.D. In: TG, 3.10.1946

N.N. Ein wacher Kopf. In: Kurier, 26.10.1946

Köster, Kurt. Über 80 Künstler stellen aus. Berliner zu Gast im Potsdamer Kultur-

bundhaus. In: Vorwärts, 2.11.1946

Link, Erich. Berliner Maler in Potsdam. Ausstellung im Haus des Kulturbundes. In: Vorwärts, 2.11.1946

H.K. Zwei Zehlendorfer Kunstausstellungen. In: TS, 8.11.1946

N.N. In: ND, 9.11.1946

N.N. Maler des Berliner Kulturkollektivs 1946. In: Morgen, 9.11.1946

E.F. Die Jury stellt sich dem Publikum. In: Tagespost, 12.11.1946

N.N. Maler des Berliner Kulturkollektivs 1946. In: BZ, 12.11.1946

N.N. Ein Gang durch die Kunstausstellungen im Westen. In: Freie Gewerkschaft, 28.11.1946

gt. Maler des Kulturkollektivs. In: ND, 28.11.1946

Valde, Gustav. Kommende Kunst. In: Tagespost, 1.12.1946

E.S. Berlin — Arena der Kunst. In: NE, 2.12.1946

N.N. In: Kurier, 3.12.1946

Redslob, Edwin. Betrachtung und Anspruch. Dezember-Ausstellung Berliner Künstler. In: TS, 3.12.1946

Dovifat, Dorothee. Gang durch drei Galerien. In: NZ, 6.12.1946

Heß-Wyneken. Advents-Ausstellung. In: Tagespost, 7.12.1946

Dargel, F.A. Berlin — Arena der Kunst. In: TG, 8.12.1946

Li. Herbstschau Berliner Künstler. Meister der bildenden Kunst. Fülle von starken Eindrücken. In: BZ, 13.12.1946

Brinko. Das Magische im Bildnis. Zwei Ausstellungen in Hannover. In: Hann. Volksstimme, 13.12.1946

gt. Weihnachten in der »Kleinen Galerie«. In: ND, 20.12.1946

Müller, Hermann. Die Großen und die Kleinen. In: Vorwärts, 27.12.1946

1947

gt. Kulturnotizen. Ausstellung des Magistrats. In: ND, 8.1.1947

Oschilewski, Walther G. In: Sie, 23.2.1947

N.N. In: Für Dich, 2.2.1947

Müller, Hermann. Horst Strempel. Ein Maler unserer Zeit. In: Vorwärts, 25.3.1947

Schacht, Roland. Horst Strempel. Sonderschau Galerie Franz. In: Abend, 8.4.1947

Redslob, Edwin. Berliner Ausstellungen. In: TS, 12.4.1947

Schmidt, E. Nacht war über Deutschland. In: NE, 15.4.1947

gt. »Nacht über Deutschland«. Der Maler Horst Strempel. In: ND, 17.4.1947

thewes. Horst Strempel. In: BaM, 17.4.1947

N.N. Kulturnotizen. In: Vorwärts, 18.4.1947

F.D. Kunst — nicht nur für die Kunst. In: TG, 23.4.1947

Link, Erich. Strempel stellt wieder aus. In: Vorwärts, 29.4.1947

Schumann, Werner. In: Aussaat, 1947, April

N.N. »Sie« betrachtet. In: Sie, 1.5.1947

S-r. Kunstausstellungen der Galerien Franz, Rosen und Cares. In: Tribüne, 6.5.1947

N.N. Pyramide der Dummheit. In: Vorwärts, 7.5.1947

N.N. Kulturnotizen. »Museum der Gegenwart« in Berlin. In: Vorwärts, 15.4.1947

gt. Horst Strempels »Germinal-Zyklus«. In: ND, 3.6.1947

N.N. Eine vierte Kunstausstellung. In: Vorwärts, 18.6.1947

F.D. »Mensch unserer Tage«. In: TG, 25./26.6.1947

Mü. »Der Mensch unserer Tage«. In: Vorwärts, 27.6.1947

Lüd. In: BZ, 28.6.1947

K. Künstlerbekenntnisse unserer Zeit. In: Kleines Echo, 9. und 12.7.1947

Zivier, Georg. In: NZ, 22.7.1947

Vogt, E. Ein Jahr »Kleine Galerie«. In: ND, 26.7.1947

Lüdecke, Heinz. Wie steht die Jugend zur Kunst? In: BZ, 1.8.1947

Theunissen, Gert H. »Der Ausschnitt«. Eine Kollektivschau der Galerie Walter Schüler, Berlin. In: TR, 7.8.1947

F.D. Bunte Rechenschaft. In: TG, 8.8.1947

gt. Die Kunst des Berliner Nordens. In: ND, 23.8.1947

Mü. »Die neue Brücke«. In: Vorwärts, 25.8.1947

N.N. »Reichslehrstand«. In: Vorwärts, 19.9.1947

N.N. In: Sie, 2.10.1947

N.N. Was tut sich im Zeughaus? Kunst statt Kriegsgerät. Besuch beim Geheimrat Justi. In: TG, 4.10.1947

-o. Künstlerische Großstadtbilder. In: Morgen, 11.10.1947

C.D.N. Berlins Miniatur-Museum. In: Die Welt (Hamburg), 14.10.1947

gt. Ausstellungen im Herbst. Die Jüngsten als Maler und Graphiker. In: ND, 16.10.1947

Lüd. Mars, den Musen gewichen. Das Zeughaus als Museum. In: BZ, 16.10.1947

H.H. Zeughaus heißt jetzt Schlüterbau. In: NE, 18.10.1947

-d. Neues Leben im Zeughaus. In: TR, 19.10.1947

N.N. Berlins erstes Nachkriegsmuseum. In: SpVbl., 20.10.1947

Redslob, Edwin. Berlin hat wieder ein Museum. In: TS, 21.10.1947

-ert. Berlin hat wieder ein Museum. In: NZ, 21.10.1947

Schacht, Roland. Der Berliner kann wieder ins Museum gehen. In: Abend, 21.10.1947

C.L. Berliner Museen — ein kleiner Extrakt. In: Kurier, 21.10.1947

Dargel, F.A. Meisterwerke im Schlüterbau. In: TG, 22.10.1947

gt. Meister des Mittelalters und der Neuzeit. In: ND, 22.10.1947

Lüd. Dezentralisierte Kunst? Ausstellungen der Berliner Bezirksämter. In: BZ, 23.10.1947

Heß-Wyneken, Susanne. Der Schlüterbau ruft. In: Tagespost, 23.10.1947

N.N. In: Sie, 26.10.1947

-o. Die soziale Mission der Kunst. In: Morgen, 26.10.1947

Mü. Kunst als Aufruf. In: Vorwärts, 27.10.1947

Lüdecke, Heinz. Schadet Aktualität der Kunst? Die Ausstellung des FDGB gibt Auskunft. In: BZ, 28.10.1947

Behne, Adolf. Museum Deutscher Kunst im »Zeughaus«. In: Bam, 28.10.1947

N.N. Museales Neubeginnen. Das neue Kunstmuseum in Berlin. In: Neue Ztg., 29.10.1947

gt. Soziale Strömungen in der bildenden Kunst. In: ND, 29.10.1947

Redslob, Edwin. Berliner Kunstausstellungen. In: TS, 30.10.1947

D.L. Neue Kunst aus allen Zonen. Die große Ausstellung in Baden-Baden. In: BZ, 2.11.1947

Dr. E.K. Beginn und Verheißung. Berlins erstes Nachkriegsmuseum eröffnet. In: Norddt. Ztg., 6.11.1947

Behne, Adolf. Soziale Kunst. In: Sonntag, 9.11.1947

N.N. Zehlendorfer November-Ausstellungen. In: Tribüne, 11.11.1947

N.N. Kunst in Stichworten. In: Tagespost, 12.11.1947

D.D. Klage, Anklage und die Antwort. Zu einer Berliner Ausstellung. In: NZ, 28.11.1947

Zivier, Georg. In: Neue Ztg., 29.11.1947

gt. Soziale Kunst in Zehlendorf. In: ND, 3.12.1947

M. Vom Zeughaus zum Schlüterbau. In: Rhein. Post, 6.12.1947

Theunissen, Gert H. In: TR, 6.12.1947

Dr. C.A. Museum im Schlüterbau. In: Sonntag, 7.12.1947

Vogt, Erich. Kunstausstellung von Bedeutung. Berliner Künstler 1947. In: ND, 10.12.1947

Redslob, Edwin. Weihnachtsausstellungen. In: TS, 14.12.1947

N.N. Weihnachtsmarkt der Kunst. In: BZ, 14.12.1947

Corvey, A. In: Neue Ztg., 16.12.1947

Lüd. Am Schluß des Kunstjahres. Eine Magistratsausstellung Berliner Maler und Plastiker. In: BZ, 19.12.1947

Schacht, Roland. Eine Muster-Ausstellung. In: Abend, 19.12.1947

Corvey, A. Gewagt und gestempelt. In: Neue Ztg., 20.12.1947

Link, Erich. »Sie« betrachtet. In: Sie, 21.12.1947

Lüd. Modernismus im Kreise. Jahresrückblick bei Rosen und Franz. In: BZ, 23.12.1947

Heß-Wyneken, Susanne. Vielseitige Kunstausstellung. In: Tagespost, 30.12.1947

1948

Lüdecke, Heinz. Realismus und Formalismus. Eine Kunstdiskussion, die ins praktische Leben eingreift. In: BZ, 4.2.1948

gt. Unsicherheit und Nachahmung. In: ND, 19.2.1948

Neubauer, Conny. Licht und Finsternis. In: Sonntag, 22.2.1948

P-I. Galerie des 20. Jahrhunderts. In: SpVbl., 2.3.1948

L.L. In: Sozialdemokrat, 1.6.1948

-cke. Galerie des 20.Jahrhunderts. Das »Hauptamt für Kunst« zeigt Neuerwerbungen. In: BZ, 2.6.1948

-e. Berlins moderne Kunstsammlung. In: Tag, 3.6.1948

Cli. Amtlicher Ankauf für Kunst. In: Kurier, 3.6.1948

Vo. Galerie des XX. Jahrhunderts. In: Vorwärts, 4.6.1948

F.D. Berlins neue Galerie. In: TG, 5.6.1948

N.N. Das Leben heutzutage. In: Abend, 20.7.1948

N.N. Das Leben — heutzutage. In: NE, 23.7.1948

N.N. Das Leben heutzutage. In: Sozialdemokrat, 24.7.1948

J.B.W. In: Montags-Echo, 26.7.1948

F.D. »Das Leben heutzutage«. In: TG, 27.7.1948

Vogt. »Das Leben heutzutage« im Bild. In: ND, 31.7.1948

Sch-r. Das Leben heutzutage. In: Tribüne, 2.8.1948

V.O. Das Leben heutzutage. In: Vorwärts, 3.8.1948

Werner, Alfred. In: Sie, 8.8.1948

No. Trümmerfrauen-Holzschnitt von Horst Strempel. In: BI, 3.10.1948

-ecke. »Trümmer weg, baut auf!« Zeitgemäße Wandgemälde auf Berliner Bahnhöfen. In: BZ, 6.10.1948

N.N. Enttrümmerung in Öl. In: TS, 7.10.1948

Vogt, Erich. Das große Wandbild. Künstlerischer Schmuck für Berliner Bahnhöfe. In: ND, 9.10.1948

ADN. Ein Monumentalgemälde entsteht. Horst Strempels Wandbilder im Berliner Bahnhof Friedrichstraße. 14.10.1948

N.N. Ein Monumentalgemälde entsteht. Horst Strempels Wandbilder im Berliner Bahnhof Friedrichstraße. In: NE, 15.10.1948

N.N. In: Nat.Ztg., 16.10.1948

-I. Kreikemeyers Gemälde. In: TG, 18.10.1948

N.N. »Trümmer weg — baut auf«. In: Vorwärts, 22.10.1948

N.N. Im Osten nichts Neues. In: TG, 24.10.1948

-d. Professor Strempel malt im Bahnhof Friedrichstraße. In: TR, 28.10.1948

gf. Signal für den Neubau der Innenstadt. Rascher Fortgang der Bauarbeiten zur Instandsetzung des Bahnhofs Friedrichstraße. In: BZ, 30.10.1948

N.N. Ein Monumentalgemälde entsteht. In: ND, 4.11.1948

N.N. Neue Kunstausstellungen. In: Morgen, 6.11.1948

Sch.-r. Soziale Kunst. In: Tribüne, 10.11.1948

L.K. Alle bleiben stehen — Für Dich hörte zu, was über die Gemälde im Bahnhof Friedrichstraße gesprochen wurde. In: Für Dich, 14.11.1948

N.N. Kunst am Prenzlauer Berg. In: ND, 16.11.1948

Grohmann, Will. Kunstpflege, Politik und öffentliche Meinung. In: Neue Ztg., 16.11.1948

N.N. Hier hing Menzels »Tafelrunde«. Gang durch die Nationalgalerie mit Geheimrat Justi. In: NZ, 16.11.1948

H.G. »Det is ja Expressionismus!« Berlin diskutiert über Strempels Bahnhofs-Wandgemälde. In: BZ, 16.11.1948

F.D. Menschen und Marionetten. In: TG, 17.11.1948

Fabian, Franz. Diskussion um ein Wandbild — Stimmen zu H. Strempels »Trümmer weg — baut auf«. In: Vorwärts, 18.11.1948

Dymschitz, Alexander. Über die formalistische Richtung in der deutschen Malerei. In: TR, 19. und 24.11.1948

N.N. Kunst im Alltag. In: Sonntag, 21.11.1948

N.N. Das Wandgemälde. In: Kurier, 25.11.1948

Link, Erich. Arbeit und Aufbau. In: Berl. Palette, 26.11.1948

Jaehner, Hubert. Programm der Programmlosigkeit. Ein Blick auf Berliner Kunstaustellungen. In: Nat.Ztg., 28.11.1948

Vogt. Wandmalerei im Schlesischen Bahnhof. In: ND, 30.11.1948

N.N. Zeitkunst sucht den Weg ins Volk. In: NBI, 1948, H.50

ADN. 6.12.1948

Grabowski, Max. Abkehr vom Inhalt — Wurzel des Formalismus. In: TR, 6.12.1948

N.N. In: Welt, 7.12.1948

N.N. In: Neue Ztg., 7.12.1948

Buesche, Albert. In: TS, 10.12.1948

C.D. Spielraum lassen. In: Kurier, 13.12.1948

Vogt. Weihnachtsmarkt bei Schüler. In: ND, 15.12.1948

L.L. Kunst — stark gefragt. In: Sozialdemokrat, 18.12.1948

Oschilewski, Walther G. »Sie« betrachtet. In: Sie, 19.12.1948

-ner. In: Berliner Montag, 20.12.1948

H.J. Das Problem der Generationen. In: Montags-Echo, 20.12.1948

Lüd. Zwei Galerien zu Weihnachten. In: BZ, 22.12.1948

Söneland. Weihnachtsausstellung. In: Nat.Ztg., 22.12.1948

1949

N.N. Formalismus oder Realismus? — Öffentliches Streitgespräch an der Berliner Humboldt-Universität. In: ND, 18.2.1949

B.K. Warum nicht die Heidelandschaft. In: Kurier, 18.2.1949

N.N. Formalismus in der Sackgasse. In: ND, 20.2.1949

Sandberg, Herbert. Opportunismus, Formalismus, Realismus? In: ND, 13.3.1949

ME. Wie sich die Bilder gleichen. In: Berl. Mittags-Echo, 13.3.1949

Magritz, Kurt. Trümmer weg! Baut auf! Kritik eines Bildes. In: TR, 6.4.1949

Pasdedag, Fritz. Maler sprachen in der Charité. In: NE, 20.4.1949

Müller, Hermann. Der Abstand des Künstlers. Wahrheit und Wirksamkeit in der Malerei. In: Vorwärts, 5.5.1949

Müller, Hermann. Anfang und Grundlage. In: Vorwärts, 2.6.1949

mic. Horst Strempel kommt uns näher. In: Tribüne, 4.6.1949

Lüdecke, Heinz. Es geht um den neuen Realismus. Ein kritischer Rundgang durch die Ausstellung »Mensch und Arbeit«. In: ND, 16.6.1949

Riege, Erwin. Zur »Kritik eines Bildes«. In: TR, 7.7.1949

Caden, Gert. 2. Deutsche Kunstausstellung. In: Vorwärts, 12.7.1949

M.K. Deutsche Kunst im Jugendexpreß. Eine Ausstellung im Sonderzug nach Budapest. In: TR, 18.8.1949

N.N. In: Vorwärts, 29.8.1949

Müller, Hermann. Wandbildkollektive. Ein großer Versuch. In: Vorwärts, 6.9.1949

Kerckhoff, Susanne. Den Ausweg gilt es zu suchen. Was zeigt die Zweite Deutsche Kunstausstellung in Dresden? In: BZ, 10.9.1949

Müller, Hermann. Auf der Suche. Die zweite gesamtdeutsche Kunstausstellung in Dresden. In: Vorwärts, 13.9.1949

Dietrich. Hat die Kunst Kontakt mit dem Volk? Bemerkungen zur Zweiten Deutschen Kunstausstellung Dresden 1949. In: TR, 14.9.1949

Ball, Karl Otto. Kollektiv-Schinken. In: Sie, 18.9.1949

Jansen, Harald. Henneckes der Kunst. »Gesamtdeutsche Kunstausstellung« in der Ostzone. In: WaS, 25.9.1949

N.N. In: NZ, 11.10.1949

Gute, Herbert. Wandbilder sind keine Gelegenheitsarbeiten. Ein Beitrag zur Diskussion über die 2. Deutsche Kunstausstellung. In: ND, 11.10.1949

Müller, Hermann. Noch ein Diskussionsbeitrag über die Dresdener Wandbilder. In: ND, 19.10.1949

ADN. Horst Strempels neue Bilder. 2.11.1949

N.N. In: ND, 6.11.1949

Buesche, Albert. Der kleine und der große Kreis. Ausstellungen W. Gilles und H. Strempel. In: TS, 11.11.1949

Weißenberg, Else. Warum so unnatürlich? In: BZaA, 11.11.1949

Dargel, F.A. Aber Herr Strempel! In: TG, 11.11.1949

Graetz, René, Arno Mohr, Horst Strempel. Ein Mittel zur Entfaltung der wahren Persönlichkeit. Das »Berliner Kollektiv« über künstlerische Kollektivarbeit. Ein Beitrag zur Wandbilderdiskussion. In: ND, 11.11.1949

Jansen, Harald. Die diskrete Zweigleisigkeit. Zur Strempel-Ausstellung in der Galerie Schüler. In: Sozialdemokrat, 16.11.1949

N.N. In: Berl. Palette, 18.11.1949

N.N. In: BZ, 18.11.1949

N.N. In: ND, 18.11.1949

Grohmann, Will. Zwischen den Positionen und Parolen. In: NZ, 20.11.1949

N.N. In: TR, 23.11.1949

Gute, Herbert. Die Wirklichkeit und das Wandbild. In: ND, 23.11.1949

Müller, Hermann. Zu größerer Klarheit. Zur Ausstellung Horst Strempel. In: Vorwärts, 28.11.1949

H.L. In: ND, 30.11.1949

Sch.-r. Der Realist Horst Strempel. In: Tribüne, 1.12.1949

N.N. Lyra gegen Donner − Stil: Herzlichkeit. In: Spiegel, 1.12.1949

Söneland. Corinth und Strempel. In: NZ, 2.12.1949

Rattay, Arno. Weder − noch. In: BZ und Abend, 2.12.1949

-er-. Genauer auf die Finger gesehen. Berliner Maler zwischen Spekulation und Inspiration. In: Abend, 6.12.1949

Rei. Tradition und Zukunft unter einem Dach. Neuordnung der Berliner Nationalgalerie. In: TR, 7.12.1949

N.N. In: Berl. Palette, 16.12.1949

N.N. FDGB-Preisausschreiben. Festplakate zum 1. Mai. In: BZ, 21.12.1949

N.N. Wettbewerb für ein Mai-Plakat. In: Tribüne, 23.12.1949

G.P.-L. Kleiner Weihnachtsmarkt der Kunst. In: ND, 24.12.1949

Numquam. 1950 − frei von Kitsch. In: NZ, 27.12.1949

N.N. Wettbewerb für ein Maiplakat. In:

Thüringer Volk, Weimar, 28.12.1949

N.N. Plakat-Wettbewerb zum 1. Mai 1950. In: Thüringer Tageblatt, Weimar, 29.12.1949

N.N. In: Freie Presse, Plauen, o.D.

Löffler, Fritz. Zeitnahe Wandmalerei. Dresdens große Kunstausstellung. o.D.

1950

N.N. Wanderausstellung brandenburgischer Künstler. In: Märk. Volksstimme, Potsdam, 18.1.1950

ndz. Horst-Strempel-Ausstellung in Rostock. In: Norddt. Ztg., 7.2.1950

dn. Der Graphiker Horst Strempel. In: Demokrat, 10.2.1950

Heymann, Stefan. Arbeitergesichter im Schatten. Horst Strempels Zeichnungen zu »Germinal«. In: ND, 4.3.1950

N.N. In: BZ, 17.3.1950

Knispel, Margot. Mit der Kamera gesehen − vom Künstler erlebt. Drei Gesichter − drei Porträts. In: Für Dich, 19.3.1950

pht. Um die Nationalpreise 1950. Vorschläge des Kulturbunds Mecklenburg. In: Demokrat, 23.3.1950

N.N. Die Staatlichen Kunstsammlungen. In: Sächs. Ztg., 30.3.1950

F.L. Neue Malerei und Plastik. Staatliche Kunstsammlungen. In: Sächs. Ztg., 1.4.1950

Redaktion, Die. Bahnbrecher der besseren Zeit. In: Vorwärts, 3.4.1950

h.g. Horst Strempel: Zeichnungen zu Zolas »Germinal«. In: Landes-Ztg., 4.4.1950

E. Als ich Friedrichstraße ausstieg. In: ND, 6.4.1950

dt. Aprilausstellung der Staatlichen Sammlungen. In: Sächs. Tbl., 9.4.1950

Pyttel, Alfons. Leserzuschrift. In: BZaA, 14.4.1950

E.S. »Die Opfer«. In: Thüring. Landesztg., Weimar, 15.4.1950

-ard. Kennen Sie unseren schönsten Bahnhof? In: TR, 18.4.1950

F.L. Zeichnungen zu Zolas »Germinal«. In: Sächs. Ztg., 18.4.1950

Bl. Horst Strempel: Zeichnungen zu Germinal. In: Der freie Bauer, 7.5.1950

N.N. Aufruf an bildende Künstler und Laienschaffende. In: Märk. Volksstimme, Potsdam, 8.6.1950

N.N. Ein Wettbewerb für Künstler und Laienkräfte. Ausgestaltung von Ausstellungen der IG Nahrung, Genuß, Gaststätten. In: Volksstimme, 24.6.1950

G.A. Kunst von heute führt ins Leben zurück. Kunstausstellung im Jugendgefängnis Köpenick. In: NE, 7.7.1950

A. Prämierung der Entwürfe für ein Thälmann-Denkmal. In: TR, 9.7.1950

N.N. Die Preise im Thälmann-Wettbewerb. In: ND, 12.7.1950

N.N. Die Thälmann-Entwürfe. In: Tagespost, 13.7.1950

N.N. Die Front des Friedens ist unüberwindlich. Stimmen führender Politiker, Wissenschaftler, Künstler und Geistlicher. In: Sonntag, 23.7.1950

P.K. Brücke zum Kunstverständnis. In: NZ, 5.8.1950

s-z. Lehrschau der Drucktechnik. In: NZ, 16.8.1950

N.N. Druckgraphik-Lehrschau. In: Der Morgen, 17.8.1950

H.K. Vom Holzschnitt zum Offsetdruck. In: BZaA, 24.8.1950

G.St. Sprache des Bildes. In: NZ, 2.9.1950

-rudü-. Eine Kleinstadt mitten in Berlin. Kennen Sie unseren schönsten Bahnhof. Für jeden Komfort ist hier gesorgt. In: BZaA, 11.9.1950

N.N. Strempel: Zeichnungen zu Germinal. In: Freie Presse Plauen, 26.9.1950

E.S. Hinter den Kulissen der Kunst. In: NE, 4.10.1950

N.N. Graphische Lehrschau. In: BZ, 28.10.1950

Hermann, Erich. Schaufenster ins Bild der Zeit. In: BZ, 6.12.1950

Dt. Das »neue Bild der Zeit«. In: NZ, 7.12.1950

Rei. In: TR, 14.12.1950

1951

Orlow, N. Wege und Irrwege der modernen Kunst. In: TR, 20. und 21.1.1951

N.N. Die Kunst wird rot übermalt. Sowjet-kommunistische Kulturdiktatur in neuem Stadium. Säuberung in der Malerei. In: Tag, 23.1.1951

N.N. In: NZ, 24.1.1951

Karsch, Walter. Die gefährlichen Künstler. In: TS, 28.1.1951

Müller, Hermann. Das Wandbild in der Parteischule »Wilhelm Liebknecht« in Ballenstedt. Zur Situation der bildenden Kunst in der Republik und der Arbeit eines Künstlerkollektivs. In: ND, 1.2.1951

rü. In: BZ, 22.2.1951

N.N. Aktivisten übertüncht. Wandbild im Bahnhof Friedrichstraße »dekadent«. In: TG, 26.2.1951

G.V. »Vom Eise befreit...« In: Depesche, 26.2.1951

S.Z. In: Abend, 26.2.1951

Uw. Verkalkung. In: Kurier, 27.2.1951

N.N. Spät fällt er ... In: TG, 1.3.1951

Lauter, Hans. Der Kampf gegen den Formalismus in Kunst und Literatur, für eine fortschrittliche deutsche Kultur. In: ND, 23.3.1951

N.N. Kultura, Kultura! In: Quick, 7.4.1951

N.N. Der Kampf gegen den Formalismus in der Kunst und Literatur, für eine fortschrittliche deutsche Kultur. Entschließung des Zentralkomitees der Sozialistischen Einheitspartei Deutschlands auf der Tagung am 15., 16. und 17. März. In: ND, 18.4.1951

E.H. Geburtstag der Galerie Lowinsky. In: BZ, 18.4.1951

Nagel, Otto. Deutsche Künstler an einem Tisch. Maler, Bildhauer und Grafiker aus ganz Deutschland in München. In: ND, 11.5.1951

Rühle, Jürgen. Deutsche Kunst auf dem Wege. In: BZ, 30.12.1951

1952

Hildebrandt, Albert. So sieht kein Hennigsdorfer Kumpel aus. In: Tribüne, 15.1.1952

Eick, Feli. In: BZ, 11.3.1952

1953

Kotschenreuther, Hellmuth. 2500 Flüchtlinge am Montag. In: Kurier, 3.2.1953

N.N. SED-Kunstmaler Strempel geflüchtet. In: SpVbl., 3.2.1953
Thaak, Petra (Leserbrief). In: BZ, 17.3.1953
Harich, Wolfgang. Es geht um den Realismus. In: BZ, 14.7.1953
DA. Der Groschen fiel langsam. Sowjetzonale Kunst-«Erfolgsstatistik«. Jetzt eingestanden. In: Abend, 15.7.1953
N.N. Kunst-Kommission. Befreite Pinsel. In: Spiegel, 21.10.1953
Kreuther, Hellmut. Berliner Ausstellungen. In: Kurier, 2.12.1953

1954

N.N. Beispiele zeitgenössischer Kunst. In: Bremer Nachr., 23.1.1954
Hennig, Wolfgang. Ein Europäer aus Schlesien. In: FAZ, 27.10.1954

1955

Kotschenreuther, Hellmuth. Der Fall Horst Strempel. In: Kurier, 15.1.1955
N.N. Was Berlinern widerfahren kann. Durch den Fleischwolf. Von der Bürokratie zermahlen. In: NN, 15.1.1955
N.N. Echo auf den Fall Horst Strempel (Leserbriefe). In: Kurier, 18.1.1955
N.N. Ein Maler ging nach Westen. In: Tag, 20.1.1955
N.N. Kein Zuzug für Strempel. In: Morgenpost, 20.1.1955
O. Über das Ziel hinausgeschossen. In: TG, 21.1.1955
K. Zum Fall Horst Strempel. In: Neue Ztg., 22.1.1955
Sticht, Otto. Was wird aus Horst Strempel? In: TS, 23.1.1955
Sticht, Otto. Falsch belichtet. In: Neue Ztg., 23.1.1955
N.Z. Zum Fall Strempel. In: Neue Ztg., 23.1.1955
H.K. Horst Strempel endlich zuhause. In: Kurier, 21.2.1955
N.N. In: Tag, 22.2.1955
N.N. In: TS, 22.2.1955
N.N. In: TG, 23.2.1955
N.N. In: Abend, 24.2.1955
Müller, Ingvelde. Die fressende Krankheit der Zeit. Was ein Maler erlebte, der nach Westen floh. In: Pinneberger Tbl., 10.3.1955
Rauschning, Hans. Zug von Bahnhof Friedrichstraße. Der Maler Horst Strempel stellt am Kurfürstendamm aus. In: Abend, 24.5.1955
N.N. In: Kurier, 24.5.1955
Hoff, Claudia. Ein neuer Horst Strempel. In: TS, 25.5.1955
Bue. Frauen, Früchte, Blumen von Strempel. In: Kurier, 25.5.1955
Dargel, F.A. Der Mensch — frei im Raum. Die erste Ausstellung von Horst Strempel in der Galerie Rosen. In: TG, 25.5.1955
K.G. Berliner Galerienbummel. In: Tag, 25.5.1955
F.D. Einer hat sich freigestrampelt. In: Nacht-Depesche, 25.5.1955
N.N. In: Donau-Kurier, 25.5.1955
N.N. In: Hannoversche Presse, 26.5.1955
N.N. Horst Strempel stellt in Berlin aus. In: Taunus-Anz., Oberursel, 26.5.1955
-der. Von der Melancholie unserer Zeit. Galerie Gerd Rosen zeigt das Werk von Horst Strempel. In: Welt, 27.5.1955

Zehder, Hugo. Künstler auf der Suche. Streifzug durch Berliner Ausstellungen. In: Morgenpost, 27.5.1955
Grothe, Heinz. Aussage, Erfüllung und tiefere Bedeutung. Richard Scheibe und Horst Strempel zeigen ihre gesamten Arbeiten. In: Saarl. Volksztg., Saarbrücken, 2.6.1955
K.B. Seit 20 Jahren auf der Flucht. Horst Strempel — ein Maler zwischen zwei Fronten. In: Abendzeitung (o.O.), 11.6.1955
I.U. Festwochen im großen Stil. In: Kurier, 13.7.1955
r. Am Pult: Dimitri Mitropoulos. Das Programm für die Berliner Festwochen. In: Welt, 14.7.1955
dk. Im Mittelpunkt der Berliner Festwochen 1955. Gastspiele aus aller Welt. In: WaS, 11.9.1955
N.N. In: Kurier, 21.9.1955
N.N. Margarete Moll in Berlin. In: Morgenpost, 21.9.1955
Buesche, Albert. Ostdeutsche Kunst. Ausstellung im Charlottenburger Schloß. In: Kurier, 22.9.1955
Kotschenreuther, Hellmuth. Gemeinsame Herkunft: Breslauer Akademie. In: Kurier, 23.9.1955
F.D. Zigeuner am Lützowplatz. In: Nacht-Depesche, 24.9.1955
Hoff, Claudia. Begegnung und Wiederbegegnung. »Ostdeutsche Kunst der Gegenwart« und »Maler der Breslauer Akademie«. In: TS, 25.9.1955
Vogel, Manfred. Im Zeichen des Ostens. Kunstausstellungen der Berliner Festwochen. In: Neue Rheinztg., Köln, 29.9.1955
N.N. In: Berliner Morgenpost, 29.9.1955
-no. »Die schlesische Schule« in Berlin. Zwei Kunstausstellungen während der Berliner Festwochen. In: Der Schlesier, Recklinghausen, 1955, H.10
ng. Akademie. In: Abend, 1.10.1955
Jö. Am Anfang war die »Brücke«. Drei Ausstellungen moderner Kunst. In: Morgenpost, 2.10.1955
Heilbut, Iven George. Berliner Festwochen 1955. III. Ausstellungen ostdeutscher Künstler. In: Allgemeine, Düsseldorf (Wochenztg. der Juden in Deutschland), 4.10.1955
L.B. Kunst der Zeit aus deutschem Osten. In: NN, 8.10.1955
Gg. Deutscher Osten im Westen. Noch einige Bemerkungen zur Ausstellung in der Fränkischen Galerie. In: Allgem. Rundschau, Nürnberg, 13.10.1955
L.B. Zeit-Kunst aus dem deutschen Osten. Reiche Wechselwirkungen in der modernen Malerei. / Zur Nürnberger Ausstellung. In: NN, 15.10.1955
L.B. Kunst-Impulse aus dem Osten. In: NN, 29.10.1955
Kotschenreuther, Hellmuth. Berliner Kunstbrief. Gemaltes und Notiertes. In: SZ, 31.10.1955
H.K. Strempel-Schüler bei Bremer. In: Kurier, 3.11.1955
Richling, Hans. Statt Kulturpolitik. — Politisierung der Kultur. Zu zwei Berliner Ausstellungen. In: Dt. Woche, München, 9.11.1955
K.G. Auch Bilder sind gute Geschenke. Zwei weihnachtsähnliche Verkaufsausstellungen. In: Tag, 22.11.1955
F.D. Hier darf man ruhig stöbern. In: TG,

27.11.1955
N.N. In: Berliner Stimme, 31.12.1955

1956

N.N. In: Ihre Freundin, Karlsruhe, 1956, H.3
N.N. Kunst und Technik. In: Nordwestdt. Rundschau, 13.1.1956
-d. In: Wilhelmshavener Ztg., 13.1.1956
Holst, N.v. Ostdeutsche Kunst in Darmstadt. In: Deister- und Weserztg., 28.3.1956
Holst, N.v. Erinnerungen und neue Umwelt. Repräsentative Ausstellung ostdeutscher Kunst in Darmstadt. In: Freie Presse, Gütersloh, 29.3.1956
Holst, N.v. Ostdeutsche Kunst des 20. Jahrhunderts. Die Frühjahrsschau auf der Darmstädter Mathildenhöhe. In: Lahrer Anz., 3.4.1956
Holst, N.v. Ostdeutsche Kunst des 20. Jahrhunderts. Die Frühjahrsschau auf der Darmstädter Mathildenhöhe. In: Trierischer Volksfreund, 3.4.1956
Holst, N.v. Ostdeutsche Kunst des 20. Jahrhunderts. In: Rheinpfalz, 4.4.1956
Holst, N.v. Ostdeutsche Kunst des 20. Jahrhunderts. Eindrucksvolle Frühjahrsausstellung auf der Darmstädter Mathildenhöhe. In: Düsseldf. Nachrichten, 7.4.1956
Holst, N.v. Ostdeutsche Kunst des 20. Jahrhunderts. Eindrucksvolle Frühjahrsausstellung auf der Darmstädter Mathildenhöhe. In: Westdt. Ztg., Krefeld, 7.4.1956
Holst, N.v. Ostdeutsche Kunst des 20. Jahrhunderts. Die Frühjahrsschau auf der Darmstädter Mathildenhöhe. In: Dt. Lagerpost, Würzburg, 9.4.1956
I.R. Auf Darmstadts »Mathildenhöhe«. Kunst aus der östlichen Heimat. In: Abendpost, Frankfurt, 11.4.1956
Holst, N.v. Ostdeutsche Kunst des 20. Jahrhunderts. Eindrucksvolle Frühjahrsausstellung auf der Darmstädter Mathildenhöhe. In: Generalanz. f. Bonn, 11.4.1956
v.L. Ostdeutsche Kunst wandert im Westen. In: Kurier, 12.4.1956
Holst, N.v. Schlesische und ostpreußische Künstler. Ostdeutsche Malerei und Plastik des 20. Jahrhunderts auf der Darmstädter Mathildenhöhe ausgestellt. In: Weser-Kurier, Bremen, 19.4.1956
Holst, N.v. Ostdeutsche Kunst. Die Frühjahrsschau auf der Darmstädter Mathildenhöhe. In: Eifeler Volkszeitung, 21.4.1956
Holst, N.v. Ostdeutsche Kunst. Die Frühjahrsschau auf der Darmständter Mathildenhöhe. In: Aachener Volksztg., 21.4.1956
oh. Stadt kauft Bilder ostdeutscher Künstler. In: Darmstädter Echo, 24.4.1956
Holst, Dr. N. von. Im Westen gewachsene Ostdeutsche Kunst. In: Westfalenpost, Lüdenscheid, 24.5.1956
Dargel, F.A. Das alte Zauberwort: »Große Berliner!« Vom Genie bis zum Sonntagsmaler — Über 1200 Bilder und Figuren in den Hallen am Funkturm. In: TG, 25.5.1956
Link, Erich. Maler und Bildhauer am Funkturm. Große Berliner Kunstausstellung eröffnet. In: Morgenpost, 26.5.1956
Schimming, Wolfgang. Bilder, soweit die Blicke reichen. Zur Eröffnung der Großen

Berliner Kunstausstellung. In: Spandauer Volksblatt, 27.5.1956

Sellenthin, H.G. Muß Kunst häßlich sein? Enttäuschende »Große Berliner Kunstausstellung«. In: Rhein-Neckar-Ztg., Heidelberg, 29.5.1956

H.K. Propheten der neuen Gegenständlichkeit. In: Abendztg., München, 29.5.1956

Kotschenreuther, Hellmuth. Auf Überraschungen gefaßt machen ... Streifzug durch die »Große Berliner Kunstausstellung« am Funkturm. In: Kurier, 30.5.1956

N.N. In: TS, 3.6.1956

Landsberger, G. Die »Große Berliner« lebt wieder auf! Alte Ausstellungstradition lebt in neuer Form auf. In: Mittag, Düsseldorf, 10.6.1956

H.K. Preiswerte und unbezahlbare Signaturen. Nicht für jeden Geschmack. In: Kurier, 13.6.1956

N.N. Schlesiens Maler im Reutlinger Spendhaus. In: Reutlinger Gen.-Anz., 25.6.1956

Maaß, Max Peter. Die Ausstellungen auf Mathildenhöhe (4): Die Bildankäufe der letzten zehn Jahre. In: Darmstädter Tagebl., 6.7.1956

I.R. Sommerausstellung mit interessanten neuen Kunstwerken. In: Abendpost, Frankfurt, 9.7.1956

N.N. In: Abend, 29.11.1956

.ng. Alltag — nicht alltäglich. Ein Blick auf die Festwochenplakate 1956. In: Abend, 17.9.1956

Dahl, Carla. Künstler-Konflikt. In: Film-Blätter, 30.11.1956

Kasper, Klaus. Bilder und Stürme. Lilli Palmer in einem neuen Film. In: TG, 2.12.1956

N.N. In: Der neue Film, 6.12.1956

Kotschenreuther, Hellmuth. Kunst auf dem Weihnachtstisch. In: Kurier, 7.12.1956

Irene. Im Feuer der Leidenschaft. In: SpVbl., 7.12.1956

G.H. Eine Frau findet zurück. In: Film-Echo, Wiesbaden, 12.12.1956

AMS. Lilli Palmers heimliche Liebe. In: Tag, 16.12.1956

1957

Kotschenreuther, Hellmuth. Palastrevolution in der »Neuen Gruppe«. In: Kurier, 11.3.1957

Kotschenreuther, Hellmuth. Berliner »Neue Gruppe« gesprengt. Palastrevolution in der Künstlerschaft. In: Mannheimer Morgen, 15.3.1957

Landsberger, Günther. Hekatomben von Bildern mit Mittelniveau. In: Mittag, 24.4.1957

Kotschenreuther, Hellmuth. Inventar der Berliner Künstler. In: Mannheimer Morgen, 25.4.1957

Kotschenreuther, Hellmuth. Die Sonntagsmaler sind bedroht. In: Abendztg., 29.4.1957

Gaster, Ludolf. Die Allzu-Große Berliner Kunstausstellung 1957. In: Dt. Woche, 5.6.1957

Schifner, Kurt. Schräge Palette am Funkturm. In: Sonntag, 9.6.1957

Zehder, Hugo. Für jeden erschwinglich. Schüler Bilder Abonnement und weitere Ausstellungen. In: Welt, 19.6.1957

H.K. Spuren, Grenzen, Holzwege. Schü-

lers malende Schützlinge. In: Kurier, 2.7.1957

F.D. McBride aus Michigan. Neues bei Schüler und Wasmuth. In: TG, 5.7.1957

Bue. Tachisten auf dem Weihnachtsmarkt. In: Kurier, 26.11.1957

-der. Gang durch Berliner Galerien. In: Welt, 28.11.1957

H.K. Überraschung: Horst Strempel. In: Morgenpost, 8.12.1957

1958

N.N. In: Spandauer Volksblatt, 30.5.1958

Gg. Der Maler Horst Strempel. Ausstellung in der Fränkischen Galerie. In: Nürnberger Ztg., 31.5.1958

Ock. In moderner Sicht. Drei Kunstausstellungen in Nürnberg. In: Fränk. Tagespost, 31.5.1958

L.B. Horst Strempel, ein Berliner Maler. Wesenhafte Form des Menschenbildes, farbliche Kraft und Spannung, geistige Aussage. In: NN, 31.5./1.6.1958

N.N. Zuwachs für die Kunstsammlungen. Neue Ausstellung in der Fränkischen Galerie. In: NN, 2.6.1958

F.O.N. Begegnung mit einem Aufrechten. Horst Strempel stellt in Nürnberg aus. In: 8-Uhr-Blatt, Nürnberg, 4.6.1958

N.N. In: Tölzer Kurier, 6.6.1958

N.N. In: Pensberger Anzeiger, 6.6.1958

N.N. In: Münchener Merkur, 6.6.1958

H.K. Kunst auf Raten. In der Galerie Schüler. In: Morgenpost, 23.7.1958

Bau. Strempel à la Buffet. In: Kurier, 7.8.1958

F.D. Tusche und Taschisten. Zu Ausstellungen bei Rosen und Schüler. In: TG, 8.8.1958

N.N. Lebensinbrunst, Versonnenheit und leichte Schwermut. Zu der Ausstellung ostdeutscher Künstler im Bodenseemuseum Friedrichshafen. In: Schwarzwälder Bote, 10.9.1958

Gr. »...er hat einen so guten Geschmack«. Horst Strempel und das Atelier Frei-Hermann. In: Tapetenzeitung, 1958, Nr. 20, 8—9

N.N. Ein Bild muß dabeisein. In: TG, 29.11.1958

H.K. In: Morgenpost, 3.12.1958

F.D. Tropischer Garten. In: TG, 13.12.1958

1959

Hg. Ausstellung Horst Strempel. In: Westfalen-Blatt, Bielefeld, 2.2.1959

N.N. Ausstellung Horst Strempel eröffnet. In: Westfäl. Ztg., 2.2.1959

N.N. Ein Schüler von Karl Hofer. Im Städt. Kunsthaus werden Arbeiten von Horst Strempel gezeigt. In: Freie Presse, Bielefeld, 2.2.1959

gr. Beseeltes menschliches Figurenkabinett. Zu den Bildern von Horst Strempel im Städtischen Kunsthaus. In: Freie Presse, Bielefeld, 3.2.1959

Hg. Maler zwischen zwei Welten. Das Helle und das Dunkle in Strempels Werk. In: Westfalenblatt, 6.2.1959

-e-. Welt in malerischer Beseeltheit. Zu der Ausstellung von Werken von Horst Strempel im Kunsthaus. In: Westfäl. Ztg., 9.2.1959

Zehder, Hugo. Die Stadt Berlin und ihre

Maler. Reizvolle Schau im Haus am Lützowplatz. In: Welt, 30.4.1959

dpa. Berlin im Bild. In: Spandauer Volksblatt, 30.4.1959

-der. Berliner malen ihr Berlin. Versuch einer Selbstdarstellung — ohne Sentimentalität, ohne Eitelkeit. In: Welt, 5.5.1959

Kotschenreuther, Hellmuth. Zwischen Idylle und Melancholie. Zwei neue Ausstellungen in Berlin. In: Morgenpost, 5.5.1959

F.D. Häuser, Häuser, Havel. Berliner Ansichten am Lützowplatz. In: TG, 7.5.1959

Landsberger, Günther. Außerhalb der Gruppen nicht mehr »juryfrei«. Zur »Großen Berliner Kunstausstellung 1959«. In: Mittag, Düsseldorf, 8.5.1959

Kotschenreuther, Hellmuth. Idyll, Kafka-Szenerie und Hoffnungslosigkeit. In: Mannheimer Morgen, 9.5.1959

Bauer, Arnold. Blick zurück ohne Zorn. Visionäres und dokumentiertes Berlin. In: Kurier, 9.5.1959

Fabian, Hans. Berlin im Malerauge. In: Berliner Stimme, 9.5.1959

Gerner, Klaus. Elf Maler sehen ihre Stadt. »Berliner Aspekte« im Haus am Lützowplatz. In: Tag, 9.5.1959

W-g. Wahrheit ist mehr als schöner Schein. In: SpVbl., 21.5.1959

N.N. In: FAZ, 22.5.1959

Bauer, Arnold. Vom Plakat zur Monumentalkunst. In: Kurier, 9.7.1959

P.A.O. Harte und weiche Bilder. P.A.O. sah Kontraste in Berliner Kunstausstellungen. In: Bild-Zeitung, (10.?) 9.7.1959

N.N. In: Tag, 9.7.1959

dpa. Zweimal verfemt — Horst Strempel. In: SpVbl., 9.7.1959

N.N. Nachrichten aus Kultur und Wissenschaft. In: Hellweger Anzeiger, Unna, 10.7.1959

N.N. In: Grenzland-Kurier, Viersen, 10.7.1959

N.N. In: Neuß-Grevenbroicher Ztg., Neuß, 10.7.1959

Kotschenreuther, Hellmuth. Hellmuth Kotschenreuther sprach mit Horst Strempel. In: Morgenpost, 12.7.1959

Zehder, Hugo. Halb Expressionist, halb Romantiker. Rhythmus, Kontrast und Eigenkraft der Farbe kennzeichnen Horst Strempel. In: Welt, 14.7.1959

Burga, Inge. Herunter von den Barrikaden. In: Tag, 14.7.1959

Hennig, W. Strempel am Lützowplatz. In: FAZ, 16.7.1959

H.K. Ein Außenseiter unter Malern. Horst Strempels Weltanschauung und Kunstverstand. In: NN, 16.7.1959

Dargel, F.A. Man gebe ihm eine Wand. Horst Strempel im Haus am Lützowplatz. In: TG, 17.7.1959

F. Ein Maler der Zeit. Horst Strempel im Haus am Lützowplatz. In: Berliner Stimme, 18.7.1959

Hoff, Claudia. Gegenständlich oder nicht — das ist nicht die Frage. Horst Strempel im Haus am Lützowplatz. In: TS, 22.7.1959

Landsberger, Günther. Einzelgänger haben es schwer in Ost und West. Zu Horst Strempels Berliner Ausstellung. In: Der Mittag, Düsseldorf, 23.7.1959

Sellenthin, H.G. Ein Triptychon verstaubt im Keller. Ausstellung in Berlin für

den Schlesier Horst Strempel / Apokalyp-
se, Polemik und Formenfreude. In: Vor-
wärts, Bad Godesberg, 24.7.1959
N.N. In: Abend, 24.7.1959
Kotschenreuther, Hellmuth. Lebens-
länglicher Außenseiter. Zur Horst-Strem-
pel-Ausstellung in Tiergarten. In: Morgen-
post, 25.7.1959
N.N. In: FAZ, 6.8.1959
Sellenthin, H.G. Apokalypse, Polemik
und Formenfreude. Horst-Strempel-Aus-
stellung am Lützowplatz. In: Allgemeine,
Düsseldorf (Wochenztg. für Juden in
Dt.land), 7.8.1959
Haemmerling, Ruth. Ausstellung Horst
Strempel. In: Berliner Blätter, 1959, H.8
F.D. Künstler und Künstlerinnen.
Warum immer noch getrennt? In: TG,
18.9.1959
H.K. Herbstfreude. In: Morgenpost,
1.10.1959
Kotschenreuther, Hellmuth. Kunstweih-
nacht in den Rathäusern. Verkaufsausstel-
lungen in den Bezirken. In: Morgenpost,
1.12.1959
G.Z. In: Berlin Programm, 1.12.1959
H.K. Schön, praktisch und nützlich zu-
gleich. Repräsentatives Kunsthandwerk
aus Belgien und Deutschland. In: Morgen-
post, 4.12.1959
Dannecker, Hermann. Deutsche Künstler aus dem Osten. Ausstellung im Wiesbadener Museum. In: Rhein. Post, Düsseldorf
(Ausg. Kempen), 16.12.1959
D. Künstler aus dem Osten. Eine große
Ausstellung im Städtischen Museum Wiesbaden. In: Stuttgarter Ztg., 18.12.1959
Dannecker, Hermann. Deutsche Künstler aus dem Osten. Eine große Ausstellung
im Wiesbadener Museum. In: Pforzheimer
Kurier, 19.12.1959
Dannecker, Hermann. Deutsche Künstler aus dem Osten. Die Künstlergilde stellt
in Wiesbaden aus. In: Göppinger Kreis-
nachrichten, 22.12.1959
Dannecker, Hermann. Deutsche Künstler aus dem Osten. Ausstellung im Wiesbadener Museum. In: Schweinfurter Tageblatt, 22.12.1959
Dannecker, Hermann. »Deutsche
Künstler aus dem Osten.« Zu der großen
Ausstellung im Städtischen Museum Wiesbaden. In: Fränk. Nachr., Tauberbischofs-
heim, 22.12.1959
Dannecker, Hermann. Deutsche Künstler aus dem Osten. Eine große Ausstellung
im Wiesbadener Museum. In: Schwäb.
Ztg., Leutkirch, 23.12.1959

1960

N.N. In: Braunschweiger Ztg., 8.4.1960
-wie-. Die Figuren bleiben anonym. Fah-
rig stellt graphische Arbeiten von Horst
Strempel aus. In: Braunschw. Presse,
20.4.1960
En. Nürnbergs Sammler zeigen ihre
Schätze. In: Nürnberger Ztg., 30.4.1960
Kotschenreuther, Hellmuth. Wer vor der
strengen Jury Gnade fand ... In: Morgen-
post, 8.5.1960
Kotschenreuther, Hellmuth. »Große
Berliner Kunstausstellung« mit 700 Wer-
ken am Funkturm. Abstrakte und neue
Realisten. In: Treuchtlinger Kurier,
10.5.1960
H.K. Adademische Abstrakte und junge

Realisten. »Große Berliner Kunstausstel-
lung« mit 700 Werken am Funkturm. In:
Abendztg., München, 13.5.1960
H.G.S. Die Künstler wollen Freie sein.
In: Vorwärts Die Südpost, München,
13.5.1960
Buttig, Martin G. So brav ist man unter
dem Funkturm. Große Berliner Kunstaus-
stellung (II) – Zu einigen Ansichten und
Künstlern. In: Tag, 22.5.1960
Beckelmann, Jürgen. Die »Große Berli-
ner« – streng juriert. Bemerkungen zur
Großen Berliner Kunstausstellung 1960.
In: Dt. Woche, München, 1.6.1960
Huwe, Gisela. Bilder auf Raten. Abonne-
mentsschau bei Schüler. In: TS, 15.6.1960
Beckelmann, Jürgen. Die »Große Berli-
ner« – streng juriert. Bemerkungen zur
Kunstausstellung an der Spree. In: Allgem.
Anzeiger, Halver, 15.6.1960
Bergander, Götz. Vorherrschender Ein-
druck: ruhig und friedlich. Ein Gang durch
die Große Berliner Kunstausstellung 1960.
In: Hann. Presse, 16.6.1960
Bergander, Götz. Vorherrschender Ein-
druck: ruhig und friedlich. Ein Gang durch
die Große Berliner Kunstausstellung 1960.
In: Badische Allg. Ztg., 29.6.1960
Beckelmann, Jürgen. Dichter an der
Realität. Bemerkungen zur »Großen Berli-
ner«. In: Buersche Ztg., Gelsenkirchen-Bu-
er, 2.7.1960
N.N. Glückwünsche für die Walober-
schule. In: Welt, 2.7.1960
F.D. Kunst der Geflüchteten. Ausstel-
lung in der Kongreßhalle. In: TG,
13.11.1960
Gerner, Klaus. Heimat im neuen Land?
Malerei und Plastik vertriebener und ge-
flüchteter Künstler. In: Der Tag, 15.11.1960
G.H. Bilder gegen das Heimweh. Vertrie-
bene und geflüchtete Künstler stellen in der
Kongreßhalle aus. In: Morgenpost,
18.11.1960
N.N. Neue Bilder im Abonnement. In:
Kurier, 7.12.1960
N.N. Kunstausstellung »Im neuen
Land«. Werke ostdeutscher Maler in der
Westberliner Kongreßhalle. In: Norddt.
Rundschau, Itzehoe, 12.12.1960
L.S. Weihnachtliches, Galerie Schüler.
Kunst in vielerlei Gestalt. In: Welt,
20.12.1960

1961

N.N. In: Welt, 24.4.1961
N.N. In: Kurier, 26.7.1961
G.W. Das Abstrakte tritt in den Hinter-
grund. In: Berliner Montags-Echo, (18.?)
8.5.1961
N.N. Berliner Kunstausstellung. 975
Werke von 350 bildenden Künstlern. In:
Recklinghauser Ztg., 10.5.1961
N.N. Im Meer künstlerischen Durch-
schnitts. Große Berliner Kunstausstellung
zeigt keine Überraschungen. In: FR,
11.5.1961
N.N. Berliner Kunstausstellung. 975
Werke von 350 bildenden Künstlern. In:
Hellweger Anz., 12.5.1961
H.K. »Laßt uns seriös werden!« Große
Berliner Kunstausstellung mit 700 Werken.
In: Neue Ruhr-Ztg., Essen (Ausg. Moers),
14.5.1961
Urbach, Ilse. Inszenierung der Phanta-
sie. Große Berliner Kunstausstellung 1961.

In: Dt. Ztg. und Wirtschafts-Ztg., Stuttgart,
17.5.1961
Döker, Guntram. Der Gegenstand ist ge-
genstandslos. Repräsentative Bilderschau
der Berliner Künstler. In: Vorwärts,
17.5.1961
N.N. Berliner Kunstausstellung. 575
Werke von 350 Künstlern sind ausgestellt
worden. In: 5-Uhr-Blatt, Ludwigshafen,
20.5.1961
Heier, Willy. Ein Künstlerschicksal zwi-
schen Ost und West. Der Maler Horst
Strempel. In: Schlesische Rundschau,
4.6.1961
Schauer, Lucie. Schau informeller
Kunst. Ausstellungen bei Schüler und
Springer. In: Welt, 8.7.1961
Kaufmann, Marianne. Mut in Farbe und
Form. Kritischer Besuch in zwei Berliner
Galerien. In: Morgenpost, 11.7.1961
N.N. In: Tag, 13.10.1961
N.N. In: Kurier, 13.10.1961
A.B. Strempels jüngste Ernte. In: Kurier,
16.10.1961
-ger. Der Natur auf der Spur. Wahlberli-
ner aus Schlesien zeigen Graphiken und
Gemälde. In: Abend, 17.10.1961
Schauer, Lucie. Sein zentrales Thema ist
die Frau. Arbeiten von Horst Strempel im
Rathaus Tempelhof ausgestellt. In: Welt,
18.10.1961
J.B. Eine Bestandsaufnahme. Horst
Strempel im Rathaus Tempelhof. in: Tag,
19.10.1961
H.K. Huldigung an die Schönheit. Das
Tempelhofer Rathaus zeigt Bilder von Horst
Strempel. In: Morgenpost, 20.10.1961
N.N. In: Tag, 24.10.1961
Buesche, Albert. Klarheit und verhaltene
Kraft. Ausstellung Horst Strempel im Rat-
haus Tempelhof. In: TS, 24.10.1961
N.N. In: Tag, 29.10.1961
N.N. In: TG, 10.11.1961
Dr. W.K. Lebhaftes Mosaik talentierter
Malerei. Im Stadttheater Remscheid: 31
Maler des »Vereins Berliner Künstler« zei-
gen ihre Arbeiten. In: General-Anzeiger,
6.12.1961

1962

N.N. Glasmosaik für Turnhalle. In: TS,
2.3.1962
N.N. Horst Strempel: Die Mauer. In: TS,
30.5.1962
K.G. Berlin aus gegensätzlicher Sicht.
Wunderwald und Strempel im Centre Fran-
çais de Wedding. In: Tag, 2.6.1962
K.G. In: Tag, 2.6.1962
H.K. Liebeserklärungen an Berlin. In:
Morgenpost, 5.6.1962
N.N. In: Kurier, 13.6.1962
N.N. Eine Mauer trennt eine Stadt, ein
Volk. In: NN, 13.9.1962

1963

L.S. Hier erzeugte Kunst Aktionen.
»Hundert Jahre SPD und Bildende Kunst«
– Eine Schau. In: Welt, 9.5.1963
L.B. Ausstellung des Kunstbesitzes der
Stadt Nürnberg zeigt erneut die Notwendigkeit: Eine Heimstatt für die Kunstsammlungen! In: NN, 18.5.1963
L.S. Nicht immer überzeugend. Ausstellung Horst Strempel. In: Welt, 30.9.1963
-ger. Ein Maler an der Mauer. In: Abend,
3.10.1963

S.M. Horst Strempels zwei Gesichter. Ausstellung im Charlottenburger Rathaus. In: TS, 4.10.1963

Bue. Horst Strempels zwei Gesichter. Ausstellung im Charlottenburger Rathaus. In: TS, 4.10.1963

W.R. Der Maler Horst Strempel im Rathaus Charlottenburg. Kraft des Einfachen. In: Kurier, 5.10.1963

N.N. In: SpVbl., 5.10.1963

N.N. Die Empörung wird nicht zur Kunst. In: Morgenpost, 10.10.1963

F.D. Mensch an der Mauer. Neue Bilder von Horst Strempel. In: TG, 12.10.1963

1964

Ho. Flucht mit den Augen vertriebener Künstler gesehen. In: General-Anzeiger, Bonn, 22./23.2.1964

Frans Rodens. Flucht und Grenze. Zu einer Ausstellung in Bonn. In: Diplomatischer Kurier, 13, 1964, H.7, 255−60

F.D. Zum 60. Geburtstag von Horst Strempel. In: TG, 16.6.1964

Tsp. Horst Strempel 60. In: TS, 16.6.1964

kf. Ein Kämpfer der Malerei ist zur Ruhe gekommen. In: Hildesheimer Allg. Ztg., 2.7.1964

N.N. Immer ein eigenes Gesicht. In: Hildesheimer Rundschau und Hildesheimer Presse, 2.7.1964

N.N. In: Braunschweiger Ztg., 7.7.1964

Buesche, Albert. Kein grollender Altherrenklub. Ausstellung des Vereins Berliner Künstler. In: TS, 10.7.1964

N.N. Siemens zeigt Temperabilder und Zeichnungen H. Strempels. Die Leuchtkraft der Dinge. In: Erlanger Volksbl., 11.9.1964

N.N. Ein Berliner Maler zeigt Temperagemälde, Aquaralle und Zeichnungen. Sachlichkeit und Konzentration. In: Erlanger Tagebl., 12.9.1964

L.S. Vielseitig zusammengestellt. Für jeden etwas in der Abonnementsausstellung der Galerie Schüler. In: Welt (27.?) 26.11.1964

1965

Heyer, Willy. Der Maler Horst Strempel. Ein oberschlesisches Künstlerschicksal zwischen Ost und West. In: Der Schlesier, 22.4.1965, 5

f. Qualität vor Quantität. Herbstausstellung des Vereins Berliner Künstler. In:?, 4.12.1965

1967

N.N. Berliner Winkel − zart stilisiert. In: Morgenpost, 8.3.1967

Bue. Vielfalt der Richtungen. Zweiter Teil der Herbstausstellung im Verein Berliner Künstler. In: TS, 6.10.1967

1968

U.B. Berlins einzige Jugendkunstschule. Früh übt sich … In: TG, 4.1.1968

1969

H.K. Odyssee mit gutem Ende. In: Morgenpost, 15.6.1969

1970

W.L. Ein Maler und eine Retrospektive. Horst Strempel im Haus am Lützowplatz − Querschnitt durch 20 Jahre Ausstellungen. In: TG, 8.3.1970

J.B. Stolze Bilanz mit Bildern. Seit zwanzig Jahren: Kunst am Lützowplatz. In: Abend, 9.3.1970

Ka-. Jubiläum in eigener Sache. 20 Jahre Kunstamt Tiergarten. Das Werk Horst Strempels. In: Welt, 10.3.1970

1974

N.N. In: BZ/W., 8.6.1974

N.N. In: TS, 15.6.1974

N.N. Horst Strempel wird heute 70. In: Morgenpost, 16.6.1974

1975

N.N. Ein Leben in Strafe. In: Abend, 6.5.1975

dpa. Horst Strempel gestorben. In: TS, 6.5.1975

Puff, Wilhelm. Ethos und expressiver Impuls. Zum Tode des Malers Horst Strempel. In: NN, 12.5.1975

1977

W.L. In: TS, 16.8.1977

A.B. Tiergarten würdigt einen kompromißlosen Künstler. In: Morgenpost, 2.9.1977

Arndt, Andreas Christian. Haus am Lützowplatz: Bilder des Malers Horst Strempel. Der Mensch wird zur Masse. In: Welt, 7.9.1977

1978

W.L. Zeichnungen für Zola. Horst Strempel im Haus am Lützowplatz. In: TS, 14.7.1978

Beckelmann, Jürgen. Ausstellung im Haus am Lützowplatz zeigt erstmals das graphische Werk Horst Strempels. Späte Anerkennung für einen Außenseiter. In: SpVbl., 15.7.1978

Ernst, Michael. Horst Strempels graphisches Werk. Mit der Emphase des »Nie wieder«. In: Welt, 31.7.1978

1980

Dr. Krull. Retrospektive Berliner Bilder. In: NZ, 10.12.1980

1982

Nillius, Manfred. Ausstellung der SEW: »Horst Strempel 'Germinal'.« Illustrationen geschaffen zu einem Arbeiterroman Zolas. In: Wahrheit, 12.11.1982

1983

N.N. Horst Strempels Nachlaß wird versteigert. In: TS, 23.8.1983

Literatur über Horst Strempel

Bücher und Aufsätze

Balluseck 1952: Lothar von Balluseck. Kultura. Kunst und Literatur in der sowjetischen Besatzungszone. Rote Weissbücher 7. Köln

Balluseck 1953: Lothar von Balluseck. Zur Lage der bildenden Kunst in der SBZ. Bonner Berichte aus Mittel- und Ostdeutschland. Hg.: Bundesministerium für Gesamtdeutsche Fragen. Bonn

Barsch 1982: Barbara Barsch. René Graetz. Leben und Werk. Diss. Humboldt-Univ. Berlin/DDR

Beckelmann 1987: Jürgen Beckelmann. Kunst der DDR neu geordnet. Wiederholter Rundgang in der Nationalgalerie/ Ost-Berlin. In: Berl. Kunstbl., 16, 1987, H. 53, 11 ff.

Berl. Gal. 1986: Sammlung Berlinische Galerie. 1870 bis heute. Berlin/W.

Caden 1949: Gert Caden. Zehn Wandbilder entstehen. Dresden

Caden 1949: Gert Caden. Zwölf Wandbilder entstehen. In: bk, 3, 1949, H. 9, 269 f.

cke 1947: cke. Berliner Graphiker. In: bk, 1947, H. 8, 23

Dt. Bühnen-Jb. 1926: Deutsches Bühnen-Jahrbuch. Theatergeschichtliches Jahr- und Adressenbuch. Hg.: Genossenschaft Deutscher Bühnen-Angehöriger. Berlin

Dt. Bühnen-Jb. 1927: Deutsches Bühnen-Jahrbuch. Theatergeschichtliches Jahr- und Adressenbuch. Hg.: Genossenschaft Deutscher Bühnen-Angehöriger. Berlin

Durchblick 1984: Ausst. Kat. Durchblick. Ludwig-Insitut für Kunst der DDR. Oberhausen

Ehrig 1948: Viktoria Ehrig. Dämonie. Versuche über einige Maler von Goya bis heute. Stuttgart

Exil in Frankreich 1981: Kunst und Literatur im antifaschistischen Exil 1933—1945. Bd. 7: Exil in Frankreich. Leipzig

Feist, G. 1979: Günter Feist. Versuch einer Überschau. Zur Ausstellung »Weggefährten — Zeitgenossen«. In: BK, 1979, H. 9, 425 f.

Feist, G. 1979: Günter Feist. Konturen einer Entwicklung. Zur Konzeption der Ausstellung »Weggefährten — Zeitgenossen«. In: Berlin/DDR 1979, 13 ff.

Feist, G. 1989: Günter Feist. Horst Strempel und Karl Hofer — Diskussion. Ein Bildvergleich. In: Eckhart Gillen/ Diether Schmidt (Hg.). Zone 5. Kunst in der Viersektorenstadt 1945—1951. Berlin/W. 1989, 86 ff.

Feist, G. 1989: Günter Feist. Das Wandbild im Bahnhof Friedrichstraße. Eine Horst-Strempel-Dokumentation 1945 — 1955. In: Eckhart Gillen/Diether Schmidt (Hg.). Zone 5. Kunst in der Viersektorenstadt 1945—1951. Berlin/W. 1989, 92 ff.

Feist/Gillen 1988: Günter Feist/Eckhart Gillen. Stationen eines Weges. Daten und Zitate zur Kunst und Kunstpolitik der DDR 1945—1988. Hg. Museumspädagogischer Dienst aus Anlaß der Ausstellung »Zeitvergleich '88 — 13 Maler aus der DDR«. Berlin/ W.

Feist, U. 1979: Ursula Feist. Zur Malerei in der DDR. In: Ausst.Kat. Weggefährten — Zeigenossen. Berlin/ DDR 1979, 81 ff.

Feist 1989: Ursula Feist. Horst Strempel. Die Blinden. In: Eckhart Gillen/Diether Schmidt (Hg.). Zone 5. Kunst in der Viersektorenstadt 1945—1951. Berlin/W. 1989, 90 ff.

Flierl 1979: Bruno Flierl. Bildende Kunst in der gestalteten Umwelt. In: Ausst.Kat. Weggefährten — Zeitgenossen. Berlin/ DDR 1979, 339 ff.

Frommhold 1974: Erhard Frommhold. Otto Nagel. Berlin/DDR

Gillen/Schmidt 1989: Eckhart Gillen/ Diether Schmidt (Hg.). Zone 5. Kunst in der Viersektorenstadt 1945—1951. Berlin/ W. 1989

Gleisberg 1979: Dieter Gleisberg. Zur Rolle und Entwicklung der Grafik in der DDR. In: Ausst.Kat. Weggefährten — Zeitgenossen. Berlin/DDR 1979, 235 ff.

Goern 1949: Hermann Goern. Das Moritzburgmuseum in Halle. In: ZsfK, 3, 1949, H. 3, 193 ff.

Gransow 1974: Volker Gransow. Zur kulturpolitischen Entwicklung in der Deutschen Demokratischen Republik bis 1973. Berlin

Grape 1986: Wolfgang Grape. Eine Kunst, die beteiligt. Zur »Sammlung Kunst der DDR« im Berliner Alten Museum. In: tendenzen, 27, 1986, Nr. 155, 71 ff.

H.L. 1947: H.L. Rückblick auf den Berliner Ausstellungssommer. In: bk, 1947, H. 4/5, 41 f.

H.L. 1947: H.L. Die ersten Berliner Herbstausstellungen. In: bk, 1947, H. 7, 27

Hauer 1985: Armin Hauer. Studie zur deutschen Kunst des Zeitraumes 1945—1949 unter dem Gesichtspunkt der Betrachtung von sozialen Deutungsmustern und Bildstrukturen anhand ausgewählter Werke der Malerei und Grafik. Dipl.Arb. Humboldt-Univ. Berlin/DDR

Held 1980: Jutta Held. Die Kammer der Kulturschaffenden und der Schutzverband Bildender Künstler in der Berliner Kunstpolitik von 1945 bis 49. In: Ausst.Kat. 30 Jahre BBK. Ausstellung des Berufsverbandes des Bildender Künstler Berlins. Berlin/W. 1980, 33 ff.

Held 1981: Jutta Held. Kunst und Kunstpolitik in Deutschland 1945—49. Berlin/W.

Hiepe 1960: Richard Hiepe. Gewissen und Gestaltung. Deutsche Kunst im Widerstand. Frankfurt/M.

Horn 1975: Ursula Horn. Beiträge der deutschen Malerei und Grafik zwischen 1917 und 1933 zum proletarischen Bildnis. Diss. Humbold-Univ. Berlin/DDR

Hütt 1969: Wolfgang Hütt. Deutsche Malerei und Graphik im 20. Jahrhundert. Berlin/DDR

Hütt 1974: Wolfgang Hütt. Wir — unsere Zeit. Künstler der Deutschen Demokratischen Republik in ihren Selbstbildnissen. Berlin/DDR

Hütt 1976: Wolfgang Hütt. Zur Frühgeschichte der Graphik in der DDR. In: 30 Jahre Kunst und Kunstpolitik der DDR (Rostock). Berlin/DDR 1976, 100 ff.

Hütt 1977: Wolfgang Hütt. Wir und die Kunst. Eine Einführung in Kunstbetrachtung und Kunstgeschichte. Berlin/DDR

Hütt 1979: Wolfgang Hütt. Grafik in der DDR. Dresden

Hütt 1979: Wolfgang Hütt. Aufbruch und Selbstbesinnung. Die Kunst der DDR während der 50er Jahre. In: Ausst.Kat. Weggefährten — Zeitgenossen. Berlin/ DDR 1979, 37 ff.

Hütt 1986: Deutsche Malerei und Graphik 1750—1945. Berlin/DDR

K.P. 1947: K.P. Deutsche Kunst der Gegenwart in Baden-Baden. In: bk, 1947, H. 8, 19

Kober 1976: Karl Max Kober. Anfänge sozialistisch-realistischer Kunst in der DDR. In: 30 Jahre Kunst und Kunstpolitik in der DDR (Rostock). Berlin/DDR 1976, 67 ff.

Kober 1977: Karl Max Kober. Die ersten Jahre. In: BK, 25, 1977, H. 5, 214 ff. / H. 6, 271 ff.

Kober 1977: Karl Max Kober. »Fruchtbarer Augenblick« oder Ausweichen ins Deskriptive. Probleme des mehrteiligen Bildes. In: BK, 1977, H. 9, 423 ff.

Kober 1979: Karl Max Kober. Die Anfänge der Kunst der Deutschen Demokratischen Republik. In: Ausst. Kat. Weggefährten — Zeitgenossen. Berlin/ DDR 1979, 25 ff.

Kober 1980: Karl Max Kober. Zur bildenden Kunst zwischen 1945 und 1949 auf dem Territorium der heutigen DDR. In: Ausst.Kat. Zwischen Krieg und Frieden. Gegenständliche und realistische Tendenzen in der Kunst nach 45. Kunstverein, Frankfurt/M. 1980, 25 ff.

Kober 1989: Karl Max Kober. Die Kunst der frühen Jahre 1945—1949. Malerei, Zeichnungen, Grafiken aus der sowjetischen Besatzungszone. Leipzig

Krempel 1984: Ulrich Krempel. Kunst und Gewissen. Die Wahrheit der Bilder. In: Gerhard Schoenberner (Hg.). Künstler gegen Hitler. Verfolgung, Exil, Widerstand. Bonn 1984, 59 ff.

Kuhirt 1982: Ullrich Kuhirt (Hg.). Kunst der DDR 1945—1959. Leipzig

Kultur, Pajoks 1990: Winfried Ranke / Carola Jüllig / Jürgen Reiche / Dieter Vorsteher. Kultur, Pajoks und Care-Pakete. Eine Berliner Chronik 1945—1949. Berlin/W.

Lang 1986: Lothar Lang. Malerei und Graphik in der DDR (1945—1983). Leipzig

Lehmann-Haupt 1954: Hellmut Lehmann-Haupt. Art under a dictatorship. New York

Löffler 1949: Fritz Löffler. Die 2. Deutsche Kunstausstellung in Dresden und die westdeutsche Malerei. In: ZsfK, 3, 1949, H. 3, 277 ff.

Lossow 1962: Hubertus Lossow. Schöpferisches Schlesien. Zu vier Selbstbildnissen schlesischer Maler. In: Schlesien, VII, 1962, H. 1, 48 ff.

Lüdecke 1947: Heinz Lüdecke. Kunst in allen Sektoren und Zonen. In: bk, 1947, H. 6, 24—28

Lüdecke 1948: Heinz Lüdecke. Rückblick und Fazit zum Jahresschluß. In: bk, 1948, H. 1, 22 ff.

Lüdecke 1948: Heinz Lüdecke. Der denkende Künstler. In: bk, 1948, H. 8, 3 ff.

Maerz/Jacobi 1984: Roland Maerz/Fritz Jacobi. Alltag und Epoche. Werke bildender Kunst der DDR aus 35 Jahren. Ein Führer durch die Ausstellung. Berlin/DDR

Makarinus 1985: Jörg Makarinus. Horst Strempel: Plandiskussion. In: BK, 1985, H. 1, 41

Mülhaupt 1981: Freya Mülhaupt. »Unglückselige Verwicklungen«. Aufbruch und Erstarrung: Zur Kunstpolitik in der SBZ/DDR 1945 bis 1951. In: Aufbruch, Ankunft, Losbruch. 30 Jahre Kunst und Literatur. Hg.: Siegfried Radlach (= Schriftenreihe DDR-Kultur 1). Paul-Löbe-Institut Berlin/W. 1981, 10—21

Müller 1947: Hermann Müller. Horst Strempel. In: bk, 1947, H. 4/5, 30 ff.

Müller 1949: Hermann Müller. Über 10 Wandbilder. In: bk, 1949, H. 10, 329 ff.

Müller 1950: Hermann Müller. Zum Thema: Das Wandbild. In: Ulenspiegel, 5, 1950, H. 10, o.S.

Müller 1957: Hermann Müller. Ist das Wandbild vergessen? In: BK, 1957, H. 5, 293 ff.

NG 1976: National-Galerie. Katalog der Gemälde des 20. Jahrhunderts. Bearbeitet von Friedegund Weidemann und Roland Maerz. Berlin/DDR

NG 1986: National-Galerie. Sammlung Kunst der DDR. Bearbeitet von Hans Jürgen Papies und Fritz Jacobi. Berlin/DDR

Neubert 1976: Eberhard Neubert. Zur Darstellung des Bergarbeiters und des Bergbaus in der bildenden Kunst der Deutschen Demokratischen Republik. In: Neue Bergbautechnik, 6, 1976, H. 4, 297 ff.

Neubert 1980: Eberhard Neubert. Darstellung der Arbeit und des Arbeiters in der bildenden Kunst der DDR (1945—1975). Bemerkungen zur Wechselwirkung zwischen Entwicklung der Produktivkräfte und Entwicklung der bildenden Kunst. Diss. Bergakademie Freiberg

Niekisch 1974: Ernst Niekisch. Erinnerungen eines deutschen Revolutionärs. Bd. 2: Gegen den Strom 1945—1967. Köln

Olbrich 1966: Harald Olbrich. Zur künstlerischen und kulturpolitischen Leistung deutscher bildender Künstler im Exil 1933 bis 1945 mit besonderer Berücksichtigung der Emigration in der Tschechoslowakei. Diss. Univ. Leipzig 1966

Olbrich 1979: Harald Olbrich. Sozialistische Karikatur von den Anfängen bis zur Gegenwart. Berlin/DDR

Olbrich 1979: Harald Olbrich. Die sozialistisch-realistische Kunst der DDR in internationalen Zusammenhängen und ästhetischen Kämpfen. In: Ausst.Kat. Weggefährten — Zeitgenossen. Berlin/DDR 1979, 371 ff.

Olbrich 1980: Harald Olbrich. Kunst und antifaschistischer Widerstand — Gegensätze, Verschiedenheiten und Einheit. In: Ausst.Kat. Widerstand statt Anpassung. Deutsche Kunst im Widerstand gegen den Faschismus 1933—1945. Karlsruhe 1980, 87 ff.

Papies 1986: Hans Jürgen Papies. Kunst der DDR. Zur Neugestaltung der ständigen Ausstellung in der Nationalgalerie Berlin. In: BK, 1986, H. 8, 228 ff.

Piltz 1976: Georg Piltz. Geschichte der europäischen Karikatur. Berlin/DDR

P.L. 1949: P.L. Inhalt und Form. Zu Horst Strempels Bild »Mädchen am Spiegel«. In: bk, 1949, H. 5, o.S.

Pohl 1977: Edda Pohl. Die ungehorsamen Maler. Berlin/W.

Politkunst 1953: Politkunst in der sowjetischen Besatzungszone. Bonn

Pommeranz-Liedtke 1948: Gerhard Pommeranz-Liedtke. Schönheit der Einfachheit. Das Stilleben in der Malerei der Gegenwart. In: bk, 1948, H. 9, 22 ff.

Pommeranz-Liedtke 1949: Gerhard Pommeranz-Liedtke. Ein gesamtdeutscher Überblick Dresden 1949. In: bk, 1949, H. 9, o.S.

Puff 1965: Wilhelm Puff. Von Ucello zu Marini — Gespräch im Louvre. In: ders. Maske und Metapher. Nürnberg 1965, 49 ff.

Roussel 1984: Hélène Roussel. Les peintres allemands émigrés en France et l'union des artistes libres. In: Les bannis de Hitler. Acceuil et luttes des éxilés allemands en France (1933—1939). Paris 1984

Roussel 1984: Hélène Roussel. Die emigrierten deutschen Künstler in Frankreich und der Freie Künstlerbund. In: Exilforschung 1984, 173 ff.

Scheyer 1961: Ernst Scheyer. Die Kunstakademie Breslau und Oskar Moll. Würzburg

Schmidt 1964: Diether Schmidt (Hg.). In letzter Stunde 1933—1945. Schriften deutscher Künstler des 20. Jahrhunderts. Bd. 2. Dresden

Schmidt 1968: Diether Schmidt. Ich war, ich bin, ich werde sein! Selbstbildnisse deutscher Künstler des 20. Jahrhunderts. Berlin/DDR

Schmied 1974: Wieland Schmied. Malerei nach 1945 in Deutschland, Österreich und der Schweiz. Frankfurt/M.

Schröder-Kehler 1980: Heidrun Schröder-Kehler. Deutsche Künstler im französischen Exil. In: In: Ausst.Kat. Widerstand statt Anpassung. Deutsche Kunst im Widerstand gegen den Faschismus 1933—1945. Karlsruhe 1980, 127 ff.

Schultheiß 1980: Gabriele Schultheiß. Vom Mythos und seinen Bildern. Krisenbewältigung in der nachkriegsdeutschen Kunst. In: Ausst.Kat. Zwischen Krieg und Frieden. Frankfurt/M. 1980, 10 ff.

Stelzer 1969: Gerhard Stelzer. Kunst am Bau. Leipzig

Stelzer 1985: Gerhard und Ursula Stelzer (Hg.). Bildhandbuch der Kunstsammlungen in der DDR. Leipzig und Gütersloh

Stephanowitz 1984: Traugott Stephanowitz. Horst Strempel (1904—1975). In: BK, 1984, H. 5, 217 ff.

Strauss 1979: Gerhard Strauss. Über unsere Anfänge. Erinnerungen eines Zeitgenossen. In: BK, 1979, H. 10, 480 ff. und H. 22, 524 ff.

Strauss/Röder 1983: Herbert A. Strauss/Werner Röder (Hg.). Biographisches Handbuch der deutschsprachigen Emigration nach 1933/ International Biographical Dictionary of Central European Emigres 1933—1945. Bd. 2: Sciences, Art and Literature. Institut für Zeitgeschichte. München

Thomas 1980: Karin Thomas. Die Malerei in der DDR 1949—1979. Köln

Thomas 1985: Karin Thomas. Zweimal deutsche Kunst nach 1945. 40 Jahre Nähe und Ferne. Köln

Ulrich 1946: Victoria Ulrich. Bildende Kunst im Aufschwung. In: Aussaat, 1, 1946, H. 1, 29

Weber 1985: Hermann Weber. Geschichte der DDR. München

Wegbereiter 1976: Wegbereiter: 25 Künstler der DDR. Dresden

Zahn 1948: Leopold Zahn. Deutsche Kunst der Gegenwart. In: Das Kunstwerk, 2, 1948, H. 1/2, 55 ff.

Zechendorff 1964: Beate Zechendorff. Der Beitrag der bildenden Künstler zum Kampf der KPD gegen Faschismus und Krieg in der Zeit von 1933—1945. In: Ws Zs Univ. Leipzig, 13, 1964, Ges. u. sprachwiss. Reihe, H. 5, 933 ff.

Quellenangaben

Briefe

Horst Strempel — Emil Adrian; Privatbesitz
Horst Strempel — Zsiega Cohn; Privatbesitz
Horst Strempel — Cuno Fischer; Nürnberg, Germanisches Nationalmuseum, Archiv für Bildende Kunst
Horst Strempel — Sophie Goldstein; Privatbesitz
Horst Strempel — Friedrich Lambart; Privatbesitz und aus dem Nachlaß
Horst Strempel — Mieke Monjau; Privatbesitz
Horst Strempel — Marie-Luise Neumann; Privatbesitz
Horst Strempel — Siggi Neumann; Bonn, Friedrich-Ebert-Stiftung, Archiv der sozialen Demokratie
Horst Strempel — Wilhelm Puff; Privatbesitz und aus dem Nachlaß
Horst Strempel — Max Raphael; Nürnberg, Germanisches Nationalmuseum, Archiv für Bildende Kunst
Max Raphael — E.S.; Berlin, Akademie der Künste

Andere schriftliche Dokumente aus dem Nachlaß von Horst Strempel

Horst Strempel, Stichworte für Herbert Roch. Eine Kladde mit unterschiedlichen Notizen, vor allem aber stichwortartigen Angaben zum Lebenslauf, die als Gerüst für eine von Roch zu verfassende Biografie über Horst Strempel gedacht waren.

Diverse Lebensläufe, von Horst Strempel zu unterschiedlichen Zwecken abgefaßt
Schriftwechsel im Zusammenhang mit dem Asylverfahren
Korrespondenzen mit Behörden
Private Korrespondenzen und Notizen

Literaturnachweise: Zitierte und benutzte Literatur

Abelein 1971: Manfred Abelein (Hg.). Deutsche Kulturpolitik. Dokumente. Düsseldorf
Abusch 1951: Im Kampf um den Realismus. In: Ausst. Kat. Künstler schaffen für den Frieden. Berlin/DDR 1951, 6 ff.
Abusch 1967: Alexander Abusch. Kulturelle Probleme des sozialistischen Humanismus. Beiträge zur Kulturpolitik 1945—1961.Berlin/DDR und Weimar
Ackermann 1946: Anton Ackermann. Unsere kulturpolitische Sendung. In: Unsere kulturpolitische Sendung. Berlin 1946, 27 ff.
Ahlheit 1980: Horst Ahlheit. Von der »befreiten Kunst« bis zur »freien« Kunst. Skizze zur Kunstpolitik in Deutschland. Ausstellungen 1945—1949. In: Ausst.Kat. Zwischen Krieg und Frieden. Gegenständliche und realistische Tendenzen in der Kunst nach 45. Frankfurt/M. 1980, 36 ff.
Albrecht 1988: Richard Albrecht. Exil-Forschung. Studien zur deutschsprachigen Emigration nach 1933. Frankfurt/M. 1988
Annuaire de la Presse 1934: Annuaire de la Presse. Paris
Aradi 1972: Nora Aradi. Problèmes iconologiques de la représentation de la masse aux 19 et 20 siècles. In: Akten des XXII. Internationalen Kongresses für Kunstgeschichte Budapest 1969, Bd. 2. Budapest 1972, 453 ff.
L'art face à la crise 1980: L'art face à la crise — l'art en occident 1929—1939. Saint-Etienne
Art et Idéologies 1976: Art et Idéologies — L'art en Occident 1945—1949. Saint-Etienne
Auf neuen Wegen 1951: Auf neuen Wegen. 5 Jahre fortschrittlicher deutscher Film. Berlin/DDR
Backes 1988: Klaus Backes. Hitler und die bildenden Künste. Kunstverständnis und Kunstpolitik im Dritten Reich. Köln
Badia 1984: Gilbert Badia. Le Comité Thaelmann. In: Les Bannis de Hitler 1984, 199 ff.
Balluseck 1952: Lothar von Balluseck. Kultura. Kunst und Literatur in der sowjetischen Besatzungszone. Rote Weissbücher 7. Köln
Les Bannis de Hitler 1984: Les Bannis de Hitler. Accueil et lutte des exilés allemands en France 1933—1939. Gilbert Badia u.a. Paris
Les barbelès de l'exil 1979: Les barbelès de l'exil. Etudes sur l'émigration allemande et autrichienne (1938—1940). Gilbert Badia u.a. Grenoble
Barr 1936: Alfred Barr. Cubism and abstract art. New York 1974 (1936)
Barsch 1982: Barbara Barsch. René Graetz. Leben und Werk. Diss. Humboldt-Univ. Berlin/DDR
Becher 1979: Johannes R. Becher. Gesammelte Werke. Bd. 17: Publizistik III, 1946—1951. Hg. Johannes-R.-Becher-Archiv der Akademie der Künste der DDR. Berlin/DDR und Weimar
Beiträge 1953: Beiträge zum Sozialistischen Realismus. Grundsätzliches über Kunst und Literatur. Berlin/DDR
Bernstein 1986: Serge Bernstein. La France entre deux guerres (1919—39). Paris
Berthoud 1937: Dorette Berthoud. La peinture française d'aujourd'hui. Paris
Bertrand 1980: Jean-Paul Bertrand u.a. Histoire de la France contemporaine 1789—1980. Bd. 5: 1918—1940. Paris
Betz 1986: Albrecht Betz. Exil und Engagement. Deutsche Schriftsteller im Frankreich der Dreißiger Jahre. München
Bilang 1968: Karla Bilang. Die Entwicklung des Wandbildes in der DDR unter dem Aspekt der thematischen Komposition. In: Ws Zs Univ. Greifswald, XVII, 1968, Ges. u. sprachwiss. Reihe, H. 4, 381 ff.
Bloch 1972: Ernst Bloch. Vom Hasard zur Katastrophe. Politische Aufsätze 1934—1939. Frankfurt/M.
Bohnen 1976: H.U. Bohnen. Das Gesetz der Welt ist die Änderung der Welt. Die rheinische Gruppe progressiver Künstler (1918—1933). Berlin/W.
Brand 1979: Bettina Brand. Belgische Kunst der zweiten Hälfte des 19. Jahrhunderts in der Auseinandersetzung mit Religion und Kirche. In: Ausst. Kat. Arbeit und Alltag. Soziale Wirklichkeit in der belgischen Kunst 1830—1914. NGBK, Berlin/W. 1979, 201 ff.
Brandt 1986: Willy Brandt. Aus dem Bewußtsein verdrängt. Vom deutschen Umgang mit Widerstandskämpfern und Emigranten. In: Widerstand und Exil 1933—1945. Frankfurt/M. 1986, 270—280
Brecht 1953: Bertolt Brecht. Kulturpolitik und Akademie der Künste (1953). In: ders., Über Realismus. Hg.: Werner Hecht. Frankfurt/M. 1982, 160 ff.
Brenner 1963: Hildegard Brenner. Die Kunstpolitik im Nationalsozialismus. Hamburg
Bussmann 1986: Georg Bussmann. »Entartete Kunst« — Blick auf einen nützlichen Mythos. In: Ausst.Kat. Deutsche Kunst im 20. Jahrhundert. Malerei und Plastik 1905—1985. Stuttgart 1986, 105—113
Caden 1949: Gert Caden. Zwölf Wandbilder entstehen. In: bk, 3, 1949, H. 9, 269 ff.
Ceysson 1979: Bernard Ceysson. Peindre, sculpter, dans les années 30 en France. In: Ausst.Kat. L'art dans les années 30 en France. Musée d'Art et d'Industrie, Saint-Etienne 1979, 13—31
Ceysson 1979: Bernard Ceysson. Réalismes/figurations. In: Ausst.Kat. L'art dans les années 30 en France. Musée d'Art et d'Industrie, Saint-Etienne 1979, 37—44
Champigneulle 1939: Bernard Champigneulle. L'inqiétude dans l'Art d'aujourd'hui. Paris
Christl. Ikonogr. 1980: Hannelore Sachs / Ernst Badstübner / Helga Neumann. Christliche Ikonographie in Stichworten. Leipzig
Combes 1986: André Combes/Michel Vanoosthuyse/Isabelle Vodoz (Hg.). Nazisme et anti-nazisme dans la littérature et l'art allemand (1920—1945). Lille
Damus 1981: Martin Damus. Sozialistischer Realismus und Kunst im Nationalsozialismus. Frankfurt/M.
Delaunay 1957: Robert Delaunay. Du cubisme à l'art abstrait. Paris
Dic. mouv. ouvrière: Dictionnaire du mouvement ouvrière. Paris 1970 ff.
Dietrich 1983: G. Dietrich (Hg.). Um die Erneuerung der deutschen Kultur 1933—1949. Berlin/DDR
Dittrich 1987: Gottfried Dittrich. Die Anfänge der Aktivistenbewegung. Berlin/DDR
Dreißig Jahre 1976: 30 Jahre Kunst und Kunstpolitik der DDR: 1. Jahrestagung der Sektion Kunstwissenschaft des VBK-DDR, Rostock 1976. Berlin/DDR 1976
Droz 1977: Jacques Droz (Hg.). Histoire générale du socialisme. Bd. 3: 1919—1945. Paris
Droz 1985: Jacques Droz. Histoire de l'antifascisme en europe 1923—1939. Paris
Dückers 1979: Alexander Dückers. George Grosz. Das druckgraphische Werk. Berlin/W.
Durus 1932: Durus. Revolutionäre Malerei — Bilder von Erbach, Kirschenbaum, Strempel und Wegener. In: Magazin für Alle, 7, 1932, H. 8, 41 ff.
E.V. 1947: Dr. E.V. Horst Strempel. In: Der Neubau, 1, 1947, H. 1, 18

Ehrig 1947: Dr. Ehrig. Atelierbesuch bei Horst Strempel. In: Neubau, 1, 1947, H. 5/6, 14 ff.

Eichler 1959: Richard W. Eichler. Könner, Künstler, Scharlatane. München

Eikemeier 1984: Peter Eikemeier. Beckmann und Rembrandt. In: Ausst. Kat. Max Beckmann — Retrospektive. Haus der Kunst, München 1984, 123 ff.

Engel 1949: Rudolf Engel. Eröffnungsrede zur 2. Deutschen Kunstausstellung. In: bk, 1949, H. 10, 311 ff.

Estier 1962: Claude Estier. La Gauche hebdomadaire (1914—1962). Paris

Exil in Frankreich 1981: Kunst und Literatur im antifaschistischen Exil 1933—1945. Bd. 7: Exil in Frankreich. Leipzig 1981

Exilés en France 1982: Exilés en France. Souvenirs d'antifascistes allemands émigrés (1933—1945). Gilbert Badia u.a. Paris

Fabian 1981: Ruth Fabian. Zur Integration der deutschen Emigranten in Frankreich 1933—1945. In: Wolfgang Frühwald/ Wolfgang Schieder (Hg.). Leben im Exil. Probleme der Integration deutscher Flüchtlinge im Ausland 1933—45. Hamburg 1981, 200ff.

Fabian/Coulmas 1978: Ruth Fabian/Corinne Coulmas. Die deutsche Emigration in Frankreich nach 1933. München, New York, London und Paris

Fauchereau 1987: Serge Fauchereau (Hg.). La querelle du réalisme. Paris

Feist, G. 1979: Günther Feist. Hans Grundig. Dresden

Feist, G. 1989: Günther Feist. Horst Strempel und Karl Hofer — Diskussion. Ein Bildvergleich. In: Eckhart Gillen/ Diether Schmidt (Hg.). Zone 5. Kunst in der Viersektorenstadt 1945—1951. Berlin/W. 1989, 86 ff.

Feist, G. 1989: Günther Feist. Das Wandbild im Bahnhof Friedrichstraße. Eine Horst-Strempel-Dokumentation 1945 – 1955. In: Eckart Gillen/Diether Schmidt (Hg.). Zone 5. Kunst in der Viersektorenstadt 1945—1951. Berlin/W. 1989, 92 ff.

Feist, U. 1989: Ursula Feist. Horst Strempel — Die Blinden. In: Eckhart Gillen/Diether Schmidt (Hg.). Zone 5. Kunst in der Viersektorenstadt 1945—1951. Berlin/W. 1989, 90 f.

Feist 1990: Günther Feist. Platz gemacht für Monumentalpropaganda. Ein Kapitel Stadtbildpflege in der »Hauptstadt der DDR«. In: Gillen/Haarmann 1990, 126 ff.

Fischer 1972: Friedhelm W. Fischer. Max Beckmann: Symbol und Weltbild. Grundriß zu einer Deutung des Gesamtwerks. München

Flierl 1979: Bruno Flierl. Bildende Kunst in der gestalteten Umwelt. In: Ausst.Kat. Weggefährten — Zeitgenossen. Berlin/ DDR 1979, 339 ff.

Forberg 1975: Gabriele Forberg. Gustave Doré. Das graphische Werk. 2 Bde. München

Fosca 1956: François Fosca. Bilan du cubisme. Paris

Frank 1978/79: Tanja Frank. Anfänge marxistischer Kunsttheorie und Kunstkritik in Deutschland von 1920 bis 1933. In: Ausst. Kat. Revolution und Realismus. Berlin/ DDR 1978/79, 80 ff.

Frank 1980: Tanja Frank. Max Raphaels

Konzeption einer marxistischen Kunstwissenschaft. Diss. Humboldt-Univ., Berlin/ DDR

Fritzsche 1939: Hans Fritzsche (Vorwort). In: Ernst-Herbert Lehmann. Mit Stift und Gift. Zeitgeschehen in der Karikatur. Berlin 1939, o.S.

Frommhold 1968: Erhard Frommhold. Kunst im Widerstand. Malerei, Graphik, Plastik 1922 bis 1945. Dresden

Frommhold 1978: Erhard Frommhold. Zwischen Widerstand und Anpassung. Kunst in Deutschland 1933—1945. In: Ausst.Kat. Zwischen Widerstand und Anpassung. Kunst in Deutschland 1933—1945. Berlin/W. 1978, 7 ff.

Frommhold 1984: Erhard Frommhold. Zwischen Widerstand und Anpassung. Kunst in Deutschland 1933—1945. In: Friedrich Möbius (Hg.). Stil und Gesellschaft. Ein Problemaufriß. Dresden 1984, 253 ff.

Frowein 1984: Cordula Frowein. Mit Pinsel und Zeichenstift ins Exil. Schicksale emigrierter bildender Künstler 1933—1945. In: Tribüne zum Verständnis des Judentums, 23, 1984, H. 91, 107 ff.

Fuchs 1901: Eduard Fuchs. Die Karikatur der europäischen Völker. Bd. 2: Vom Jahr 1848 bis zur Gegenwart. Berlin

Gärtner 1980/81: Hannelore Gärtner. Die Assoziation Revolutionärer Bildender Künstler Deutschlands in Dresden. In: Ausst.Kat. Kunst im Aufbruch. Albertinum, Dresden 1980/81, 69 ff.

Gay 1970: Peter Gay. Die Republik der Außenseiter. Geist und Kultur in der Weimarer Zeit: 1918—1933. Frankfurt/M.

Gedächtniskundgebung 1948: Internationale Gedächtniskundgebung für die Opfer des faschistischen Terrors 10.-12.9.1948. VVN (Hg.). Berlin und Potsdam

Geschichte der SED 1978: Geschichte der Sozialistischen Einheitspartei Deutschlands — Abriß. Berlin/DDR

Gillen/Haarmann: Eckhart Gillen/Rainer Haarmann (Hg.). Kunst in der DDR. o.O. 1990

Gilzmer 1989: Mechtild Gilzmer. Begegnungen in Südfrankreich. Zeugnisse einer unrühmlichen Vergangeheit. Dokumente. In: Zs f dt.-franz. Dialog, 45, 1989, Heft 4, 296 ff.

Gleisberg 1979: Dieter Gleisberg. Zur Rolle und Entwicklung der Grafik in der DDR. In: Ausst.Kat. Weggefährten — Zeitgenossen. Berlin/DDR 1979, 235 ff.

Glozer 1981: Laszlo Glozer. Westkunst. Zeitgenössische Kunst seit 1939. Köln

Göpel 1976: Erhard und Barbara Göpel. Max Beckmann. Katalog der Gemälde. 2 Bde. Bern

Graeve 1988/89: Inka Graeve. Freie Deutsche Kunst. In: Ausst. Kat. Stationen der Moderne. Berlinische Galerie, Berlin/ W. 1988/89, 338ff.

Green 1987: Christopher Green. Cubism and its enemies. Modern mouvements and reaction in french art 1916—1928. New Haven, London

Greiner 1974: Bernhard Greiner. Die Literatur der Arbeitswelt in der DDR. Heidelberg

Gromaire 1936: Marcel Gromaire. Redebeitrag in der »Querelle du réalisme« 1936. In: Fauchereau 1987, 56ff.

Grosser 1985: Alfred Grosser. Geschichte Deutschlands seit 1945. Eine Bilanz. München

Guttsmann 1982: W.L. Guttsmann. Bildende Kunst und Arbeiterbewegung in der Weimarer Zeit: Erbe oder Tendenz. In: Archiv für Sozialgeschichte. Bonn 1982, 331ff.

Haase 1986: Horst Haase und Autorenkollektiv. Die SED und das kulturelle Erbe. Orientierungen, Errungenschaften, Probleme. Berlin/DDR

Haftmann 1954: Werner Haftmann. Malerei im 20. Jahrhundert. Eine Entwicklungsgeschichte. München

Haftmann 1986: Werner Haftmann. Verfemte Kunst. Malerei der Inneren und äußeren Emigration in der Zeit des Nationalsozialismus. Köln

Hagedorn 1986: Renate Hagedorn. Hermann Bruse (1904—1953). Zu Leben und Werk des proletarisch-revolutionären Malers und Graphikers. Diss. Univ. Halle

Haufe 1978: Hans Haufe. Funktion und Wandel christlicher Themen in der mexikanischen Malerei des 20. Jahrhunderts. Berlin/W.

Heartfield 1981: John Heartfield. Der Schnitt entlang der Zeit. Selbstzeugnisse, Erinnerungen, Interpretationen. Eine Dokumentation. Hg.: Roland März. Dresden

Held 1980: Die Kammer der Kulturschaffenden und der Schutzverband Bildender Künstler in der Berliner Kunstpolitik von 1945 bis 49. In: Ausst. Kat. Ausstellung des Berufsverbandes Bildender Künstler Berlins. Berlin/W. 1980/2, 33ff.

Held 1981: Jutta Held. Kunst und Kunstpolitik in Deutschland 1945—49. Berlin/W.

Held 1985: Jutta Held. Widerstand bildender Künstler gegen den Faschismus. In: Exil. Forschung, Erkenntnisse, Ergebnisse, 5, 1985, H. 2, 46 ff.

Held 1985: Jutta Held. Wie kommen politische Wirkungen von Bildern zustande? Das Beispiel von Picassos »Guernica«. In: Das Argument, 1985, Nr. 153, 701 ff.

Held 1989: Jutta Held (Hg.). Der Spanische Bürgerkrieg und die bildenden Künste. Hamburg

Herding 1980: Klaus Herding/Gunter Otto (Hg.). »Nervöse Auffangorgane des inneren und äußeren Lebens« — Karikaturen. Gießen

Hermand 1984: Jost Hermand. Die restaurierte »Moderne«. Zum Problem des Stilwandels in der Bildenden Kunst der Bundesrepublik Deutschland um 1950. In: Friedrich Möbius (Hg.). Stil und Gesellschaft. Ein Problemaufriß. Dresden 1984, 279 ff.

Hermand 1989: Jost Hermand. Kultur im Wiederaufbau. Die Bundesrepublik Deutschland 1945—1965. Frankfurt/M.

Heyer 1965: Willy Heyer. Der Maler Horst Strempel. Ein oberschlesisches Künstlerschicksal zwischen Ost und West. In: Der Schlesier, 17, 1965, Nr. 16, 5

Hiepe 1960: Richard Hiepe. Gewissen und Gestaltung. Deutsche Kunst im Widerstand. Frankfurt/M.

Hiepe 1973: Richard Hiepe. Die Kunst der neuen Klasse. München

Hinz 1977: Bertold Hinz. Die Malerei im deutschen Faschismus. Kunst und Konterrevolution. Frankfurt/M.

Histoire Presse 1972: Histoire Générale de la Presse Française. Bd. III: 1871–1940. Paris

Hodler 1897: Ferdinand Hodler. Über die Kunst (1897). In: Ausst.Kat. Ferdinand Hodler. Berlin/W. 1983, 13 ff.

Hofmann 1986: Karl-Ludwig Hofmann. Zur Geschichte der deutschen antifaschistischen Pressesatire. In: Kunst im Exil in Großbritannien 1933–1945. NGBK, Berlin/W. 1986, 65 ff.

Hofmann 1956: Werner Hofmann. Die Karikatur von Leonardo bis Picasso. Wien

Hohmann 1986: Joachim S. Hohmann. Unerwünschte Heimkehrer. Mißtrauen und Vorurteile gegenüber Exilanten und Widerstandskämpfern. In: Widerstand und Exil 1933–1945. Frankfurt/M. 1986, 281 ff.

Holman 1988: Valerie Holman. L'artiste dans son élément. »Minotaure« et les arts visuels. In: Ausst.Kat. Regards sur Minotaure. La revue à tête de bête. Paris, 43 ff.

Horn 1975: Ursula Horn. Beiträge der deutschen Malerei und Grafik zwischen 1917 und 1933 zum proletarischen Bildnis. Diss. Humboldt-Univ., Berlin/DDR

Horn 1978/79: Ursula Horn. Zur Ikonographie der deutschen proletarisch-revolutionären Kunst zwischen 1917 und 1933. In: Ausst.Kat. Revolution und Realismus. Berlin/DDR 1978/79, 53 ff.

Horn 1979: Ursula Horn. Zum Verhältnis von deutscher revolutionärer Kunst und Futurismus. In: Kunst im Klassenkampf. Arbeitstagung zur proletarisch-revolutionären Kunst. Protokollband. Berlin/DDR 1979, 145–150

Horn 1979: Ursula Horn. Zum Einfluß des Futurismus auf die deutsche Kunst. In: BK, 1979, H. 5, Beilage, (kunstwissenschaftliche Beiträge) 2 ff.

Hütt 1986: Wolfgang Hütt. Deutsche Malerei und Graphik 1750–1945. Berlin/DDR

Hütt 1990: Wolfgang Hütt. Hintergrund. Mit den Unzüchtigkeits- und Gotteslästerungsparagraphen des Strafgesetzbuches gegen Kunst und Künstler 1900–1922. Berlin

Hulsker 1977: Jan Hulsker. The complete van Gogh: Paintings, drawings, sketches. New York

Jahn 1972: Lucas Cranach d. Ä. Das gesamte graphische Werk. Einleitung: Johannes Jahn. München

Juden 1935: Juden, Christen, Heiden im Dritten Reich.

Kállai 1927: Ernst Kállai. Dämonie der Satire (1927). In: ders. Vision und Formgesetz. Aufsätze über Kunst und Künstler 1921–1933. Hg.: Tanja Frank. Leipzig, Weimar 1986, 92 ff.

Kambas 1983: Chryssoula Kambas. Walter Benjamin im Exil. Zum Verhältnis von Literaturpolitik und Ästhetik. Tübingen

Karcher 1984: Eva Karcher. Das realistische Porträt im Werk von Rudolf Schlichter. In: Ausst.Kat. Rudolf Schlichter. 1890–1955. Kunsthalle, Berlin/W. 1984, 47a ff.

Kaulbach 1987: Hans-Martin Kaulbach. Bombe und Kanone in der Karikatur. Eine kunsthistorische Untersuchung zur Metaphorik der Vernichtungsdrohung. Marburg

Kerr 1935: Alfred Kerr. Vorwort. In: Juden, Christen, Heiden im Dritten Reich.

Kerr 1978: Alfred Kerr. Sätze meines Lebens. Über Reisen, Kunst und Politik. Berlin/DDR

Kießling 1989: Wolfgang Kießling. Brücken nach Mexiko. Traditionen einer Freundschaft. Berlin/DDR

Knospe 1986: Hannelore Knospe. Die Auseinandersetzung antifaschistischer Künstler mit Reichstagsbrand und Reichstagsbrandprozeß, vornehmlich in der politischen Grafik der Jahre 1933/34. Diss. Humboldt-Univ., Berlin/DDR

Kober 1976: Karl Max Kober. 30 Jahre Kunst und Kunstpolitik der DDR. In: Mitteilungen des Verbandes Bildender Künstler, 7, 1976, H. 2, 11

Kober 1976: Karl Max Kober. Die gesellschaftlichen Grundlagen, Hauptzüge und wichtigsten Ergebnisse der Entwicklung der bildenden Kunst in der den Jahren 1945 bis 1950 in der Sowjetischen Besatzungszone und der Deutschen Demokratischen Republik. In: Zur bildenden Kunst. Leipzig 1978, 3 ff.

Kober 1977: Karl Max Kober. Die ersten Jahre (1). Bildende Kunst von 1945 bis 1949. In: BK, 1977, H. 5, 214 ff.

Kober 1979: Karl Max Kober. Die Anfänge der Kunst der Deutschen Demokratischen Republik. In: Weggefährten – Zeitgenossen. Berlin/DDR 1979, 25 ff.

Kober 1979: Karl Max Kober. Gesehenes und Erlebtes (I). Vom schweren Anfang. Erinnerungen und Betrachtungen zur Entwicklung der bildenden Kunst der DDR 1945 bis 1949. In: Kunsterziehung, 26, 1979, H. 4, 6 ff.

Kober 1987: Karl Max Kober. Die Stunde Null? Zu Bewußtseinslage der Künstler nach 1945. In: BK, 1987, 524–525

Kober 1989: Karl Max Kober. Die Kunst der frühen Jahre 1945–1949. Leipzig

Köpke 1986: Wulf Köpke. »Innere Exilgeographie«? Die Frage nach der Affinität zu den Asylländern. In: Kulturelle Wechselbeziehungen im Exil – Exile across cultures. Hg.: Helmut F. Pfanner. Bonn 1986, 18 ff.

Kuczynski 1966: Jürgen Kuczynski. Die Geschichte der Lage der Arbeiterklasse und der Kapitalismus. Bd. 5: Darstellung der Lage der Arbeiter in Deutschland von 1917/18 bis 1932/33. Berlin/DDR

Kuhirt 1962: Ullrich Kuhirt. Entwicklungswege der fortschrittlichen deutschen Kunst in der Periode von 1924 bis 1933 und die Hilfe der Kunstkritik im Zentralorgan der KPD bei der Herausbildung einer proletarisch-revolutionären realistischen Kunst. Diss. Berlin/DDR

Kuhirt 1976: Ullrich Kuhirt. Einige Thesen zur ersten Phase der Geschichte der Kunst der DDR 1945–1949/50. In: Zur bildenden Kunst 1978, 37 ff.

Kuhirt 1976: Ullrich Kuhirt. Zum Problem der Periodisierung und des kunstgeschichtlichen Inhaltes der Perioden der DDR-Kunst. In: 30 Jahre Kunst und Kunstpolitik. Rostock 1976, 27 ff.

Kuhirt 1978/79: Ullrich Kuhirt. Künstler und Klassenkampf. Zur Geschichte der Assoziation Revolutionärer Bildender Künstler Deutschlands. In: Ausst.Kat. Revolution und Realismus. Berlin/DDR 1978/79, 44 ff.

Kuhirt 1982: Ullrich Kuhirt (Hg.). Kunst der DDR 1945–1959. Leipzig

Kuhirt/Hoffmeister 1959: Ullrich Kuhirt/Christine Hoffmeister. Kunst in der Deutschen Demokratischen Republik. Dresden

Kultur, Pajoks 1990: Winfried Ranke / Carola Jüllig / Jürgen Reiche / Dieter Vorsteher. Kultur, Pajoks und Care-Pakete. Eine Berliner Chronik 1945–1949. Berlin/W.

Kunst im Klassenkampf 1979: Kunst im Klassenkampf. Arbeitstagung zur proletarisch-revolutionären Kunst. Berlin/DDR

Kunst und Literatur: Kunst und Literatur im antifaschistischen Exil 1933–1945. 7 Bde. Leipzig 1978 ff.

Lackner/Adkins 1988/89: Stephan Lackner/Helen Adkins. Exhibition of 20 Century German Art. In: Ausst. Kat. Stationen der Moderne. Berlin/W. 1988/89, 314 ff.

Laharie 1985: Claude Laharie. Le camp de Gurs 1939–1945. Un aspect méconnu de l'histoire de Béarn. Biarritz 1985

Lang 1978/1983: Lothar Lang. Malerei und Graphik in der DDR. Leipzig

Langemeyer 1984/85: Gerhard Langemeyer. Einleitung. In: Ausst.Kat. Bild als Waffe. Mittel und Motive der Karikatur in fünf Jahrhunderten. Hannover 1984/85, 7 ff.

Langkau-Alex 1981: Ursula Langkau-Alex. Zu den Beziehungen zwischen Organisationen der politischen deutschen Emigranten in Frankreich und französischen Organisationen 1933–1940. In: Wolfgang Frühwald/Wolfgang Schieder (Hg.). Leben im Exil. Probleme der Integration deutscher Flüchtlinge im Ausland 1933–45. Hamburg 1981, 188 ff.

Lankheit 1959: Klaus Lankheit. Das Triptychon als Pathosformel. Heidelberg

Laqueur 1976: Walter Laqueur. Weimar. Die Kultur der Republik. Berlin/W.

Lauter 1951: Hans Lauter. Der Kampf gegen den Formalismus in Kunst und Literatur, für eine fortschrittliche deutsche Kultur. Berlin/DDR

Lehmann-Haupt: 1954 Hellmut Lehmann-Haupt. Art under a dictatorship. New York

Lethève 1961: Jacques Lethève. La caricature et la presse sous la III République. Paris

Lex-Nerlinger 1949: Alice Lex-Nerlinger. Das Wandbild als Forderung unserer Zeit. In: bk, 3, 1949, H. 3, 92 f.

Lichtnau 1979: Bernfried Lichtnau. Untersuchungen zur Entwicklung der Wandmalerei im Bezirk Rostock 1945–1969/70. In: Greifswald-Stralsunder Jahrbuch, Bd. 12, 1979, 183 ff.

Löffler 1983: Fritz Löffler. Otto Dix. Leben und Werk. Dresden

Lüdecke 1948: Edith Lüdecke. Wie leben die Berliner Künstler? In: bk, 1948, H. 5, 18 ff.

Lüdecke 1954: Heinz Lüdecke. Auf dem Weg. Zwanzig Aufsätze über bildende Kunst, Literatur und Kulturpolitik. Berlin/DDR

Lurçat 1936: Jean Lurçat. Redebeitrag in der »Querelle du réalisme« 1936. In: Fauchereau 1987, 45 ff.

Maas 1976–1981: Lieselotte Maas. Handbuch der deutschen Emigrationspresse 1933–45. München 1976–1981

Maerz 1974: Roland Maerz. Realismus und Sachlichkeit — Aspekte deutscher Kunst 1919—1933. In: Ausst.Kat. Realismus und Sachlichkeit — Aspekte deutscher Kunst 1919- 1933. Berlin/DDR 1974, 10 ff.

Maerz 1981: Roland Maerz. John Heartfield. Der Sinn von Genf: Wo das Kapital lebt, kann der Friede nicht leben, 1932. Fotomontage. Berlin/DDR

Maetzig 1949: Kurt Maetzig. Probleme realistischen Filmschaffens. In: Auf neuen Wegen. Fünf Jahre fortschrittlicher deutscher Film. Berlin 1949, 30 ff.

Makarinus 1985: Jörg Makarinus. Horst Strempel: Plandiskussion. In: BK, 1985, H. 1, 41

Makarinus 1989: Jörg Makarinus. Über die Zeit und die Bilder. In: Ausst.Kat. Konturen. Werke seit 1949 geborener Künstler der DDR. Nationalgalerie, Berlin/DDR 1989, 7—17

Mann 1935: Heinrich Mann. Das Gesicht des Dritten Reiches. In: Das Dritte Reich in der Karikatur. Prag (1935), 3 ff.

Márkus 1982: Hella Márkus. Zur Kontinuität in der bildenden Kunst der Arbeiterklasse. Malerei und Graphik 1928 bis 1949. Die Leistungen der proletarisch-revolutionären Kunst und die Dialektik von Bewahrung, Fortsetzung und Veränderung dieser Tradition nach 1945 auf dem Territorium der DDR. Diss. Univ. Leipzig

Maslowski 1930: Peter Maslowski. Gotteslästerung. Berlin

Maslowski 1932: Peter Maslowski. Wir Gotteslästerer. In: Die Linkskurve, 4, 1932, H. 6, 4 ff.

Meißner 1964: Günther Meißner. Zum Traditionsproblem in der bildenden Kunst der Deutschen Demokratischen Republik. In: Ws Zs Univ. Leipzig, 13, 1964, Ges.- u. sprachwiss. Reihe, H. 5, 907 ff.

Meißner 1985: Günther Meißner. Hans Baluschek. Dresden

Melot 1980: Michel Melot. Der Zeichner und die Massen. Zur politischen Pressesatire der dreißiger Jahre: Dubout. In: Klaus Herding/Gunter Otto (Hg.). »Nervöse Auffangorgane des inneren und äußeren Lebens« — Karikaturen. Gießen 1980, 285 ff.

Mjasnikow 1953: A.S. Mjasnikow. Über die wichtigsten Grundzüge des des sozialistischen Realismus. In: Beiträge 1953, 191 ff.

Möbius 1979: Helga Möbius. Überlegungen zur Ikonografie der DDR-Kunst. In: Ausst.Kat. Weggefährten — Zeitgenossen. Berlin/DDR 1979, 357 ff.

Moll 1929: Oskar Moll. [Geleitwort zu einer Kunstausstellung der Breslauer Kunstakademie (1929)]. In: Hans M. Wingler (Hg.). Kunstschulreform 1900—1933. Berlin/ W. 1977, 222

Moll 1930: Oskar Moll. [Aus einem Aufsatz über die Ziele einer Kunstakademie (1930)]. In: Hans M. Wingler (Hg.). Kunstschulreform 1900—1933. Berlin/W. 1977, 222 f.

Mommsen 1988: Hans Mommsen. Das Dritte Reich in der Erinnerung der Deutsche. In: Klaus Staeck (Hg.). Nazi-Kunst ins Museum? Göttingen 1988, 49 ff.

Mülhaupt 1981: Freya Mülhaupt. »Unglückselige Verwicklungen«. Aufbruch und Erstarrung: Zur Kunstpolitik in der SBZ/DDR 1945 bis 1951. In: Aufbruch, Ankunft,

Ausbruch. Berlin/W. 1981, 10 ff.

Mülhaupt 1983: Freya Mülhaupt. »...und was lebt, flieht die Norm«. Aspekte der Nachkriegskunst. In: Ausst. Kat. Grauzonen — Farbwelten 1945—1955. NGBK, Berlin/W. 1983, 183 ff.

Mülhaupt 1986: Freya Mülhaupt. Der Lauf der Dinge. Exil und Rückkehr kommunistischer Künstler. In: Ausst. Kat. Kunst im Exil in Großbritannien 1933—1945. NGBK, Berlin/W. 1986, 73 ff.

Mülhaupt 1987/88: Freya Mülhaupt. »Ein Paradies der Gewalt, der Fratzen, des Wahns«. Zum Verhältnis von Kunst und Politik in den 30er Jahren. In: Düsseldorf 1987/88, 11 ff.

Müller 1988: Thomas Müller. Ikonographische Untersuchungen zur linksexpressionistischen, proletarisch-revolutionären und antifaschistischen Kunst und Literatur. Diss. Univ. Halle 1988

Münzberg/Nungesser 1981: Olaf Münzberg/Michael Nungesser. Orozcos Wandbilder in den USA. Mythos, Utopie, Gesellschaft. In: Ausst. Kat. José Clemente Orozco 1883—1949. Berlin/W. 1981, 167 ff.

Nagel 1951: Otto Nagel. Die Kunst eine Waffe des Volkes. Ein Beitrag zur freien Diskussion über bildende Kunst. In: TR, 15.2.1951

Neubert 1976: Eberhard Neubert. Zur Darstellung des Bergarbeiters und des Bergbaus in der bildenden Kunst der Deutschen Demokratischen Republik. In: Neue Bergbautechnik, 6, 1976, H. 4, 297 ff.

Neubert 1980: Eberhard Neubert. Darstellung der Arbeit und des Arbeiters in der bildenden Kunst der DDR (1945—1975). Bemerkungen zur Wechselwirkung zwischen Entwicklung der Produktivkräfte und Entwicklung der bildenden Kunst. Diss. Bergakademie Freiberg

Neuer Kurs 1953: Neuer Kurs und die bildenden Künste. Beiträge aus den Protokollen der außerordentlichen Vorstandssitzungen am 7./8. August 1953 und 14. November 1953. VBKD, Dresden

Niekisch 1974: Ernst Niekisch. Erinnerungen eines deutschen Revolutionärs. Bd. 2: Gegen den Strom 1945—1967. Köln

Oellers 1976: Adam Oellers. Bemerkungen zur Ikonographie des Porträts der zwanziger Jahre. In: Ausst.Kat. Die zwanziger Jahre im Porträt — Porträts in Deutschland 1918—1933. Malerei, Graphik, Fotografie, Plastik. Bonn 1976, 83 ff.

Olbrich 1979: Harald Olbrich. Sozialistische Karikatur von den Anfängen bis zur Gegenwart. Berlin/DDR

Olbrich 1980: Harald Olbrich. Kunst und antifaschistischer Widerstand — Gegensätze, Verschiedenheiten und Einheit. In: Ausst.Kat. Widerstand statt Anpassung. Deutsche Kunst im Widerstand gegen den Faschismus 1933—1945. Karlsruhe 1980, 87—94

Olbrich 1986: Harald Olbrich. Proletarische Kunst im Werden. Berlin/DDR

Olbrich 1988: Harald Olbrich. Für einen neuen Standpunkt. In: Ausst.Kat. Künstler im Klassenkampf. Museum für Deutsche Geschichte, Berlin/DDR 1988, 6 ff.

Olbrich 1989: Harald Olbrich. Heartfield und Lingner: Zwei Modelle antifaschisti-

scher Kunst. In: Jutta Held (Hg.). Der Spanische Bürgerkrieg und die bildenden Künste. Hamburg 1989, 152 ff.

Ory 1974: Pascal Ory. Front populaire et création artistique. In: Bulletin de la société d'Histoire moderne, 73, 1974, H. 8, 5 ff.

Ostermeier 1987: Ulrike Ostermeier. Das Stilleben in der Dresdener Malerei. Eine Untersuchung zu metaphorischen Aspekten des Genres, ein Beitrag zur territorialen Kunstgeschichte von 1945—1980. Diss. PH Dresden

Pachnike 1986: Peter Pachnike. Vorwärts in die 50er Jahre. Tendenzen der spätbürgerlichen bildenden Kunst am Beispiel der Ausstellung »Kunst in der Bundesrepublik Deutschland 1945—1985« in der Westberliner Nationalgalerie. In: tendenzen, 1986, Nr. 155, 11ff.

Paetel 1959: Karl O. Paetel. Die Presse des deutschen Exils 1933—1945. In: Publizistik, 4, 1959, H. 4, 241 ff.

Palmier 1988: Jean-Michel Palmier. Weimar en Exil. Le Destin de l'Emigration intellectuelle allemande antinazie en Europe et aux Etats Unis. Bd. 1: Exil en Europe 1933—1940: de l'Incendie du Reichstag à la Guerre d'Espagne. Paris 1988

Philippe 1981: Robert Philippe. Affiches et caricatures dans l'histoire. Paris

Pieck 1948: Wilhelm Pieck. Um die Erneuerung der deutschen Kultur. In: ders. 1951, 47 ff.

Pieck 1951: Wilhelm Pieck. Reden und Aufsätze. Auswahl aus den Jahren 1908—1950. Bd. 2: Juni 1945-November 1950. Berlin/DDR 1951

Pieck/Ackermann 1946: Wilhelm Pieck/Anton Ackermann. Unsere kulturpolitische Sendung. Reden auf der Ersten Zentralen Kulturtagung der Kommunistischen Partei Deutschlands vom 3.-5. Februar 1946. Berlin

Piltz 1976: Georg Piltz. Geschichte der europäischen Karikatur. Berlin/DDR

Pohl 1977: Edda Pohl. Die ungehorsamen Maler. Berlin/W.

Pommeranz-Liedtke 1949: Pommeranz-Liedtke. Mensch und Arbeit. Zu einem Grundthema der Kunst unserer Zeit. In: bk, 1949, H. 6, 182ff.

Pommeranz-Liedtke 1956: Gerhard Pommeranz-Liedtke. Der graphische Zyklus von Max Klinger bis zur Gegenwart. Ein Beitrag zur Entwicklung der deutschen Graphik von 1880—1955. Berlin/DDR

Prolingheuer 1980: Hans Prolingheuer. Kirchenkampf vor 1933 — ein Kampf gegen die Weimarer Republik. In: Neue Stimme, Sonderheft 5. Köln 1980

Raphael 1938/39: Max Raphael. Wie soll sich der Arbeiter mit Kunst beschäftigen? In: ders. Arbeiter, Kunst und Künstler. Frankfurt/M. 1975

Raum 1976: Hermann Raum. Die Gestaltung des Arbeiters in der bildenden Kunst der DDR — Idealbildung und Wirklichkeitsabsicht. In: 30 Jahre Kunst und Kunstpolitik. Rostock 1976, 15 ff.

Raum 1977: Hermann Raum. Die bildende Kunst der BRD und Westberlins. Leipzig

Rey 1938: Robert Rey. L' Art Mural. In: L' Art et les Artistes, 1938, Nr. 185, 193 ff.

Rickert 1977: Johannes Rickert. Das pädagogische Prinzip der Breslauer Kunstakademie 1900–1932. In: Hans M. Wingler (Hg.). Kunstschulreform 1900–1933. Berlin/W. 1977, 204 ff.

Roussel 1984: Hélène Roussel. Die emigrierten deutschen Künstler in Frankreich und der Freie Künstlerbund. In: Exilforschung. Bd. 2: Erinnerungen ans Exil – kritische Lektüre der Autobiographien nach 1933 und andere Themen. München 1984, 173 ff.

Rüger 1990: Maria Rüger (Hg.). Kunst und Kunstkritik der dreißiger Jahre. 29 Standpunkte zu künstlerischen und ästhetischen Prozessen und Kontroversen. Dresden

Scharoun 1965: Hans Scharoun. Vorwort. In: Ausst.Kat. Poelzig, Endell, Moll und die Breslauer Kunstakademie 1911–1932. Berlin/W. 1965, 5 f.

Scheyer 1961: Ernst Scheyer. Die Kunstakademie Breslau und Oskar Moll. Würzburg

Schiff 1931: Fritz Schiff. Frauen in Not. In: Der Weg der Frau, 6, 1931, November, 16 f.

Schiller 1968: Gertrud Schiller. Ikonographie der christlichen Kunst. Bd. 2: Passion Christi. Gütersloh 1968

Schiller 1987: Dieter Schiller. Der »Freie Künstlerbund 1938«. Eine antifaschistische Kulturorganisation im Pariser Exil. In: BK, 1987, H. 11, 485–487

Schlenker 1977: Wolfram Schlenker. Das »kulturelle Erbe« in der DDR. Gesellschaftliche Entwicklung und Kulturpolitik 1945–1965. Stuttgart

Schlenstedt 1985: Silvia Schlenstedt. Stephan Hermlin. Leben und Werk. Berlin/W.

Schmied 1974: Wieland Schmied (Hg.). Malerei nach 1945. In Deutschland, Österreich und der Schweiz. Frankfurt/M.

Schmied 1977: Wieland Schmied. Die Neue Wirklichkeit – Surrealismus und Sachlichkeit. Gemeinsamkeit und Gegensatz. In: Ausst.Kat. Tendenzen der 20er Jahre. Berlin/W 1977, 4/1–4/36

Schneede 1975: Uwe Schneede. George Grosz. Der Künstler in der Gesellschaft. Köln

Schramm 1977: Hanna Schramm. Menschen in Gurs. Erinnerungen an ein französisches Internierungslager 1940–41. Mit einem dokumentarischen Beitrag zur französischen Emigrantenpolitik (1933–1944) von Barbara Vormeier. Worms

Schröder-Kehler 1980: Heidrun Schröder-Kehler. Deutsche Künstler im französischen Exil. In: Ausst. Kat. Widerstand statt Anpassung. Deutsche Kunst im Widerstand gegen den Faschismus 1933–1945. Karlsruhe 1980, 127 ff.

Schubbe 1979: Elimar Schubbe (Hg.). Dokumente zur Kunst-, Literatur- und Kulturpolitik der SED. Stuttgart

Schulmeister 1965: Karl-Heinz Schulmeister. Zur Entstehung und Gründung des Kulturbundes zur Demokratischen Erneuerung Deutschlands. Berlin/DDR

Schultheiß 1980: Gabriele Schultheiß. Vom Mythos und seinen Bildern. Krisenbewältigung in der nachkriegsdeutschen Kunst. In: Frankfurt/M. 1980, 10 ff.

Schweicher 1960: Curt Schweicher. Die Kunst ist tot – es lebt die Kunst. Krefeld

Selz 1934: Germaine Selz. Les artistes allemands réfugiés au Salon d'Automne. In: Les Cahiers du Sud, 1934, Nr. 158, o.S.

Sinclair 1928: Upton Sinclair. Die goldene Kette oder Die Sage von der Freiheit der Kunst. Berlin

Sinclair 1962: Upton Sinclair. The Autobiography of Upton Sinclair. New York

Skaterstschikow 1953: W. Skaterstschikow. Lenins Widerspiegelungstheorie und der Sozialistische Realismus. In: Beiträge 1953, 139 ff.

Stationen 1988: Stationen eines Weges. Daten und Zitate zur Kunst und Kunstpolitik der DDR 1945–1988. Zusammengestellt von Günther Feist und Eckhart Gillen. Hg.: Museumspädagogischer Dienst Berlin. Berlin/W.

Steininger 1983: Rolf Steininger. Deutsche Geschichte 1945–1961. Darstellung und Dokumente in zwei Bänden. Frankfurt/M.

Stenzig 1989: Bernd Stenzig. Worpswede – Moskau. Das Werk von Heinrich Vogeler. Worpswede

Stephanowitz 1984: Traugott Stephanowitz. Horst Strempel (1904–1975). Zum 80. Geburtstag des Malers. In: BK, 1984, 5, 216 ff.

Sternberg/Deuil 1974: Jacques Sternberg/Henri Deuil. Un siècle de dessins contestaires. Paris

Strauss/Röder 1983: Herbert A. Strauss/Werner Röder (Hg.). Biographisches Handbuch der deutschsprachigen Emigration nach 1933/ International Biographical Dictionary of Central European Emigres 1933–1945. Bd. 2: Sciences, Art and Literature. München

Streisand 1981: Jochen Streisand. Kultur in der DDR. Berlin/DDR

Thalmann 1980: Rita Thalmann. L'immigration allemande et l'opinion publique en France de 1933 à 1936. In: La France et l'Allemagne 1932–1936. Communications présentées au colloque franco-allemand tenu à Paris 1977. Paris

Thalmann 1982: Rita Thalmann. L'immigration allemande et l'opinion publique en France de 1936 à 1939. In: Beihefte der Francia, Bd. 10: Deutschland und Frankreich. München

Thomas 1980: Karin Thomas. Die Malerei in der DDR 1949–1979. Köln

Thümmler 1985: Sabine Thümmler. Musterzeichner für Tapeten. Diss. Univ. Bonn

Ulbricht 1948: Walter Ulbricht. Der Künstler und der Zweijahrplan. Rede der Arbeitstagung, September 1948. In: ders. 1953, 312 ff.

Ulbricht 1953: Walter Ulbricht. Zur Geschichte der deutschen Arbeiterbewegung. Aus Reden und Aufsätzen. Bd. 3: 1946–1950. Berlin/DDR 1953

Urban 1987: Urban. Emil Nolde. Werkverzeichnis der Gemälde. Bd. 1: 1895–1914. München

Vaillant-Couturier: Paul Vaillant-Couturier. Vers les réalisations de l'Art Révolutionnaire. L'A.E.A.R. In: Monde, Nr.274, 2.9.1933, 13

Vaisse 1987: Pierre Vaisse. L'Architecture en France avant-guerre. In: Paris 1987, 328 ff.

Venturi 1936: Lionello Venturi. Cézanne. Son art, son Œuvre. 2 Bde. Paris 1936. Reprint San Francisco 1989

Vigato 1987: Jean-Claude Vigato. Exposition et Positions architectoniques. In: Paris 1987, 336 ff.

Vogt 1972: Paul Vogt. Geschichte der deutschen Malerei im 20. Jahrhundert. Köln

Vormeier 1977: Barbara Vormeier. Dokumentation zur französischen Emigrantenpolitik 1933–1944. In: Schramm 1977, 222 ff.

Wegbereiter 1976: Wegbereiter. 25 Künstler aus der DDR. Dresden

Werckmeister 1981: Otto Karl Werckmeister. Versuche über Paul Klee. Frankfurt/M.

Westheim 1934: Paul Westheim. Kunstkrise und Kunstinterresse. In: Pariser Tageblatt, 17.1.1934

Willett 1981: John Willett. Explosion der Mitte. Kunst und Politik 1917–1933. München 1981

Willett 1983: John Willett. Die Künste in der Emigration. In: Hirschfeld 1983, 183 ff.

Wingler 1977: Hans M. Wingler (Hg.). Kunstschulreform 1900–1933. Berlin/W.

Worringer 1924: Wilhelm Worringer. Die Anfänge der Tafelmalerei. Leipzig

Zimmermann 1980: Rainer Zimmermann. Die verschollene Generation. Deutsche Malerei des expressiven Realismus von 1925 bis 1975. Düsseldorf und Wien

Zur bildenden Kunst 1978: Zur bildenden Kunst zwischen 1945 und 1950 auf dem Territorium der Deutschen Demokratischen Republik. Wissenschaftliches Kolloquium 1976 in Leipzig. Leipzig

Ausstellungskataloge

Berlin/DDR 1964: Anklage und Aufruf. Deutsche Kunst zwischen den Kriegen. Berlin/DDR

Berlin/DDR 1974: Realismus und Sachlichkeit. Aspekte deutscher Kunst 1919–1933. Berlin/DDR

Berlin/W. 1975: »Als der Krieg zu Ende war«. Kunst in Deutschland 1945–1950. Akademie der Künste, Berlin/W.

Berlin/W. 1975: Politische Konstruktivisten. Die »Progressiven« 1919–1933. NGBK, Berlin/W.

Berlin/W. 1977: Wem gehört die Welt. Kunst und Gesellschaft in der Weimarer Republik. NGBK, Berlin/W.

Berlin/W. 1977: Tendenzen der 20er Jahre. Berlin/W.

Berlin/W. 1977/78: Die Kunst den Massen. Ladengalerie, Berlin/W.

Berlin/W. 1978: Karl Hofer 1887–1955. Staatliche Kunsthalle, Berlin/W.

Berlin/W. 1978: Clément Moreau – Carl Meffert. Grafik für den Mitmenschen. NGBK, Berlin/W.

Berlin/W. 1978: Zwischen Widerstand und Anpassung. Kunst in Deutschland 1933–1945. Akademie der Künste, Berlin/W.

Berlin/DDR 1978/79: Revolution und Realismus. Berlin/DDR

Berlin/DDR 1979: Weggefährten – Zeitgenossen. Bildende Kunst aus drei Jahrzehnten. Altes Museum, Berlin/DDR

Berlin/W. 1981: Realismus zwischen Revolution und Reaktion 1919–1939. Kunsthalle, Berlin/W.

Berlin/W. 1981: José Clemente Orozco 1883—1949. Leibniz-Gesellschaft für kulturellen Austausch, Berlin/W.

Berlin/W. 1983: Grauzonen — Farbwelten. Kunst und Zeitbilder 1945—1955. NGBK, Berlin/W.

Berlin/W. 1983: Ferdinand Hodler. Nationalgalerie, Berlin/W.

Berlin/W. 1984: Rudolf Schlichter 1890—1955. Kunsthalle, Berlin/W. Berlin/DDR 1984

Berlin/W. 1985: Kunst in der Bundesrepublik Deutschland 1945—1985. Nationalgalerie, Berlin/W.

Berlin/W. 1986: Kunst im Exil in Großbritannien 1933—1945. NGBK, Berlin/W.

Berlin/DDR 1988: Künstler im Klassenkampf. Museum für deutsche Geschichte, Berlin/DDR

Berlin/W. 1988/89: Stationen der Moderne. Berlinische Galerie, Berlin/W.

Berlin 1991: Hans Baluschek 1870—1935. Staatliche Kunsthalle, Berlin

Bremen 1989: Karl Schmidt-Rottluff. Retrospektive. Kunsthalle, Bremen

Dresden 1980/81: Kunst im Aufbruch. Dresden 1918—1933. Albertinum, Dresden

Düsseldorf 1987: Die Dresdener Künstlerszene 1913—1933. Remmert und Barth, Düsseldorf

Düsseldorf 1987: »Die Axt hat geblüht...«. Europäische Konflikte der 30er Jahre in Erinnerung an die frühe Avantgarde. Städtische Kunsthalle, Düsseldorf

Düsseldorf 1987/88: »...und nicht die leiseste Spur einer Vorschrift« — Positionen unabhängiger Kunst in Europa um 1937. Kunstsammlung Nordrhein-Westfalen, Düsseldorf

Essen 1987: Edward Munch. Museum Folkwang Essen, Essen

Frankfurt 1980: Zwischen Krieg und Frieden. Gegenständliche und realistische Tendenzen in der Kunst nach 45. Kunstverein, Frankfurt/M.

Freiburg 1987: Alexander Kanoldt. 1881—1939. Gemälde, Zeichnungen, Lithographien. Museum für Neue Kunst, Freiburg

Hamburg 1987: Schrecken und Hoffnung. Künstler sehen Frieden und Krieg. Kunsthalle, Hamburg

Karlsruhe 1980: Widerstand statt Anpassung. Deutsche Kunst im Widerstand gegen den Faschismus 1933—1945. Badischer Kunstverein, Karlsruhe

Köln 1987: Arthur Segal 1875—1944. Kölnischer Kunstverein, Köln

Leipzig 1990: Max Beckmann. Gemälde 1905—1950. Museum der bildenden Künste, Leipzig

München 1975: Lovis Corinth 1858—1925. Gemälde und Druckgraphik. Städtische Galerie im Lenbachhaus, München

München 1977: Die dreißiger Jahre. Schauplatz Deutschland. Haus der Kunst, München

Münster 1978: Honoré Daumier 1808—1879. Bildwitz und Zeitkritik. Westfälisches Landesmuseum, Münster

Paris 1934: Retour au sujet. Gal. Billiet/Pierre Vorms. Paris

Paris 1937: Origines et developpement de l'art international contemporain. Mus. du Jeu de Paume. Paris

Paris 1976: 1936—1976. Luttes — Création artistique — Créativité populaire. Féderation de Paris du parti socialiste. Paris

Paris 1980: Forces Nouvelles 1935—1939. Mus. d'art moderne de la Ville de Paris. Paris

Paris 1980: Exposition Résistance — Déportation. Création dans le bruit des armes. Mus. de l'Ordre de la Libération. Paris

Paris 1983: Deutsche Emigranten in Frankreich — Französische Emigranten in Deutschland 1685—1945. Paris

Paris 1987: Paris 1937. Cinquantenaire de l'exposition internationale des arts et des techniques dans la vie moderne. Institut Français d'Architecture, Paris

Regensburg 1987: Otto Mueller und Zeitgenossen. Expressionistische Kunst in Privatbesitz. Kunsthalle, Regensburg

Rochechourt 1988: Otto Freundlich. Musée Departemental, Rochechourt

Saint-Etienne 1979: L'art dans les années 30 en France. Musée d'Art et d'Industrie, Saint-Etienne

Saint-Etienne 1987: L'art en Europe. Les années décisives 1945—1953. Musée d'art et d'industrie. Saint-Etienne

Schleswig 1990: Conrad Felixmüller. Gemälde, Aquarelle, Zeichnungen, Druckgraphik, Skulpturen. Schleswig-Holsteinisches Landesmuseum, Schleswig

Stuttgart 1986: Deutsche Kunst im 20. Jahrhundert. Malerei und Plastik 1905—1985. Staatsgalerie, Stuttgart

Varia

Interviews

Fritz Duda, Berlin †
Erich Gerlach, Dresden
Claude Laharie, Pau
Friedrich Lambart, Berlin
Arno Mohr, Berlin
Gerhard Neumann, Bad Godesberg
Hermann Raum, Berlin
Wolfram Schubert, Neubrandenburg
Elisabeth Shaw, Berlin
Henri Sinno, Paris
Traugott Stephanowitz, Berlin
Heinz Worner, Berlin
Eduard Weis, Paris

Schriftliche Mitteilungen

Ursula Bergander, Dresden
Michael Cohn. New York
Peter Cohn, New York
Max Gebhard, Berlin †
Gerd Gruber, Wittenberg
Christine Hoffmeister, Berlin
Karl Max Kober †
Robert Liebknecht, Paris
Hilde Lohmar, Dresden
Marie-Louise Neumann, Marbella
Robert Preux, Mexiko City
Mark Priceman, New York

Archive und Institutionen

Amsterdam, Internationaal Instituut voor Sociale Geschiedenis
Berlin, ADN
Berlin, Akademie der Künste (ehem. DDR)
Berlin, Hochschule der Künste
Berlin, Archiv Martin Strempel
Berlin, Institut für Geschichte der Arbeiterbewegung (ehem. Institut für Marxismus-Leninismus)
Berlin, Kunsthochschule Weißensee
Berlin, Landesarchiv
Berlin, Sender Freies Berlin
Berlin, Staatl. Museen zu Berlin, Nationalgalerie, Archiv
Bonn, Friedrich-Ebert-Stiftung, Archiv der sozialen Demokratie
Dresden, Sächsische Landesbibliothek
Esslingen, Künstlergilde e.V.
Nürnberg, Germanisches Nationalmuseum, Archiv für bildende Kunst
Paris, BDIC
Paris, Archiv der CGT
Potsdam, Zentrales Staatsarchiv

Abbildungen

1. **Porträt Zsiega Cohn** *(1932)*
Öl/Lwd./Sperrholzplatte 44 x 33 cm (WVZ 47)

7. **Nacht über Deutschland** *(1945/46) Öl/Sackleinen 150 x 168 cm (Mitteltafel)/*
150 x 78 cm (Flügel)/79 x 166 cm (Predella) (WVZ 170)

8. **Gefangene** *(1946)*
Öl/Lwd. 68,5 x 52,5 (WVZ 177)

9. **Verschleppte** *(1946)*
Öl/Pappe 60 x 48 cm (WVZ 181)

146

14. **Hoffnung** *(1946/47)*
Öl/Lwd. 111 x 75 cm (WVZ 218)

12. **Akt rot-grün** *(1947)*
Öl/Pappe/Sperrholz 107 x 80 cm (WVZ 213)

13. **Liebespaar** *(1947)*
Öl/Lwd. 89 x 68,5 cm (WVZ 217)

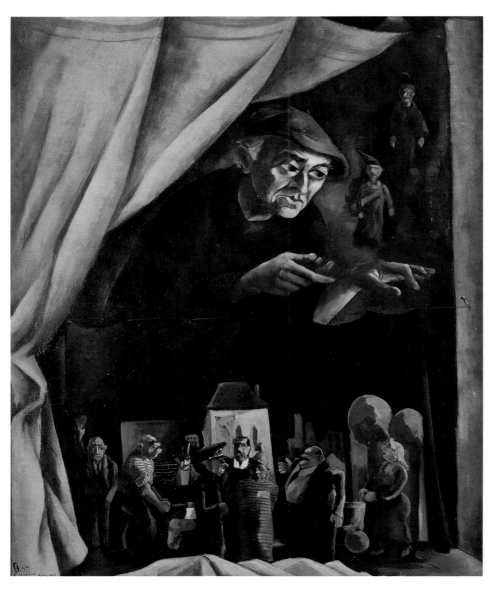

6. **Der Puppenspieler Herr Wolf** *(1945)*
Öl/Lwd. 115 x 94 cm (WVZ 133)

10. **Aufbau und Verfall** *(1945/46)*
Öl/Papier/Spanplatte 68 x 48 cm (WVZ 195)

11. **Stilleben** *(1946)*
Öl/Pappe 25,5 x 22 cm (WVZ 204)

3. **Le Zinc** *(Der Tresen; 1938/39)*
Öl/Spanplatte 95,5 x 101 cm
(WVZ 115)

4. **Le Zinc** *(Der Tresen; 1938/39)*
Öl/Spanplatte 37 x 36 cm (WVZ 116)

2. **Mädchenakt** *(1937)*
Öl/Lwd. 55 x 47 cm (WVZ 98)

5. **La Famille Lafusat** *(1945)*
Tempera/Preßspan 67 x 99 cm (WVZ 138)

18. **Sonnenblumen** *(1948)*
Öl/Lwd. 184 x 140 cm (WVZ 266)

16. **Arbeit** *(1948)*
Öl (Temp./Papier?) 67 x 87 cm (WVZ 260)

19. **Lidice** *(1949)*
Öl/Lwd. 115 x 95 cm (WVZ 285)

17. **Kreuzigt den Fortschritt** *(1948)*
Öl/Holz 150 x 100 cm (WVZ 258)

15. **Die Sucher** *(1947)*
Öl/Lwd. 178 x 118 cm (WVZ 252)

21. **Selbstbildnis** *(1955)*
Öl/Lwd. 52 x 39 cm (WVZ 352)

20. **Selbstporträt** *(1951/52)*
Öl/Holz 65 x 59 cm (WVZ 301)

154

22. **Joseph und seine Brüder** *(um 1958)*
Öl/Hartfaserplatte 60 x 40 cm (WVZ 477)

23. **Die Mauer V** *(1962)*
Öl/Lwd. 100 x 70 cm (WVZ 525)

24. **Stehender weiblicher Akt** *(1967)*
Öl/Hartfaserplatte 64 x 38 cm (WVZ 609)

25. **Loth** *(1972 - 74)*
Öl/Lwd. 202 x 100 cm (WVZ 645)

156

26. **Die Diskussion** *(1947 / 1974)*
Öl / Lwd. 140 x 98 cm (WVZ 644)

27. **Vierzig Jahre Frieden** *(1975)*
Tempera / Spanplatte 64 x 79,5 cm
(WVZ 649)

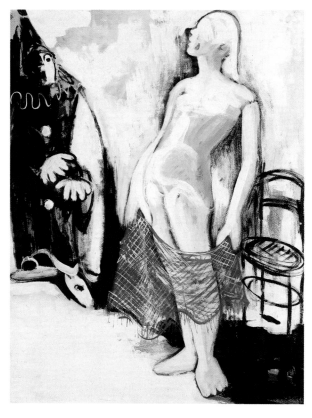

28. **Mutter mit Kind I** *(1933)*
Tempera / Papier 46 x 33,5 cm (WVZ 660)

29. **Circus** *(1936)*
Tempera / Tapete 60 x 43,5 cm (WVZ 667)

158

30. **Für Spanien** *(1936)*
Gouache / Papier 17 x 10,7 cm (WVZ 669)

31. **Trauerzug** *(1947)*
Aquarell 40 x 57 cm (WVZ 721)

32. **Selbstporträt** *(1949)*
Pastellkreide/Packpapier 67 x 48 cm (WVZ 740)

160

33. *Horst Strempel (rechts) mit Eltern und Geschwistern (um 1914)*

unten: 35. *Horst Strempel bei einem Ausflug in Wölfelsgrund (um 1927)*

34. *Horst Strempel, Mitte der 20er Jahre*

36. *Horst Strempel (oben links) mit Kommilitonen an der Kunsthochschule Breslau (um 1925)*

37. *Horst Strempel in seinem Berliner Atelier in der Nestorstraße 54 (1932)*

39. *Horst Strempel bei der Arbeit am Wandbild Friedrichstraße (1948)*

41. *Horst Strempel in seinem Atelier (um 1970)*

Mitte links: 38. *Horst und Erna Strempel in Paris (nach 1933)*

Mitte: 40. *Horst Strempel, wahrscheinlich Anfang der 50er Jahre*

42. **Trümmer weg — baut auf!** *(1948)*
Fresko; Mitteltafel ca. 500 x 350 cm, Seitentafeln 350 x 170 cm.
Berlin, Bahnhof Friedrichstraße, Schalterhalle (WVZ 6)

43. **Metallurgie Henningsdorf** *(1949)*
Beteiligte Künstler: René Graetz, Arno Mohr, Horst Strempel.
Holz 400 x 1800 cm (WVZ 7)

163

44. Mansfelder Kupferschieferbergbau *(1950)*
Wandbildzyklus für die Landesparteischule Ballenstedt ›Wilhelm Liebknecht‹. Beteiligte Künstler: Rudolf Bergander, René Graetz, Franz Nolde, Horst Strempel (WVZ 8)

45. Sportler *(1961)*
Mosaik 300,5 x 316 cm (WVZ 9)

164

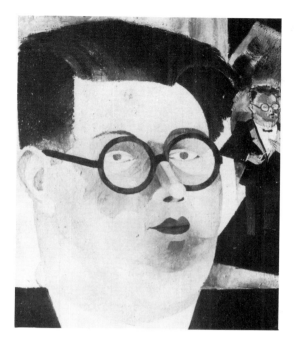

46. **Porträt Richard Mohaupt** *(1929)*
Gemälde (WVZ 14)

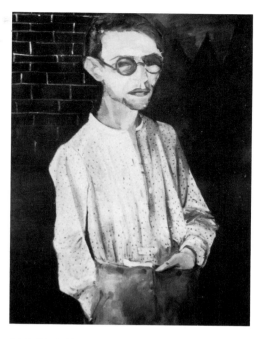

47. **Selbstbildnis** *(um 1930)*
Gemälde (?) (WVZ 16)

49. **Lieselotte** *(1930/32)*
Gemälde (?) (WVZ 20)

48. **Porträt der Mutter** *(1930)*
Gemälde 87 x 70 cm (WVZ 17)

51. **Fürsorge** *(1930)*
Öl/Pappe 96 x 228 cm (Gesamthöhe mit Rahmen)/96 x 64 cm (Flügel) (WVZ 25)

52. **Porträt Grete Wiener** *(1931)*
Öl/Holz 40,7 x 32,4 cm (WVZ 27)

rechts: 53. **Porträt S.** *(1931)*
Gemälde 105 x 75 cm (WVZ 28)

oben rechts: 50. **Frau am Caféhaustisch** *(1930)*
Gemälde und Collage 95 x 70 cm (WVZ 21)

54. **Schreibmaschinenmädchen** *(1931)*
Öl/Lwd. 110 x 100 cm (WVZ 33)

55. **Straße** *(1931)*
Gemälde 120 x 180 cm (WVZ 41)

56. **Porträt Zsiega** *(1932)*
Öl/Holz 32 x 27 cm (WVZ 48)

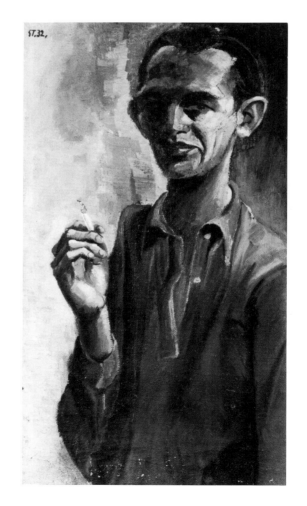

57. **Selbstbildnis** *(1932)*
Leimfarbe/Jute 84 x 50 cm (WVZ 50)

168

58. **Familie eines Arbeitslosen** *(1932)*
Gemälde (?) (WVZ 52)

59. **Musizierender Kriegskrüppel mit Frau und Kind** *(1932)*
Gemälde (WVZ 53)

60. **Selig sind die geistig Armen (Papst und Christus)** *(1932)*
Gemälde (WVZ 57)

61. **Wacht auf Verdammte dieser Erde** *(1931/32) (WVZ 58 — 60)*

I. *Arbeitslose vor dem Arbeitsamt, Gemälde*

II. *Demonstration. Gemälde 100 x 80 cm*

III. *Schwangere mit Kindern. Gemälde*

62. **Fischerboote** *(1932)*
Öl/Pappe 56,5 x 47 cm (WVZ 61)

63. **Mädchen mit Spielzeug** *(1933)*
Gemälde (WVZ 65)

64. **Stilleben mit Spielkarte** *(um 1934)*
Öl/Lwd. 48 x 39 cm (WVZ 83)

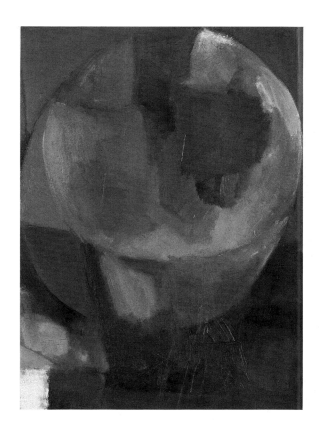

65. **Komposition** *(1934)*
Öl/Lwd. 63 x 51 cm (WVZ 84)

66. **Porträt Emmi Raphael** *(1935)*
Öl/Spanplatte 33 x 25,5 cm (WVZ 89)

67. **Akt Erna** *(1935)*
Öl/Holz 100 x 72 cm (WVZ 90)

68. **Sitzender Rückenakt** *(1936)*
Öl / Sperrholz 87 x 65 cm (WVZ 94)

70. **Zwei Frauen** *(1937)*
Öl/Holz 79 x 55,2 cm (WVZ 100)

71. **Frau mit Kind** *(1938)*
Öl/Spanplatte 47 x 43 cm (WVZ 103)

73. **Le Zinc (Der Tresen)** *(1939)*
Öl/Spanplatte 95,5 x 101 cm (WVZ 115)

74. **Die Gesellschaft** *(1938)*
Öl/Lwd./Spanplatte 40,5 x 51 cm (WVZ 117)

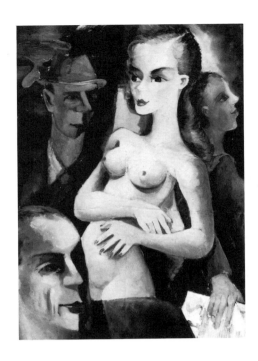

72. **Leben (Jardin publique)** *(1938)*
Öl/Lwd./Spanplatte 58,5 x 40 cm (WVZ 106)

75. **Jardin Publique** *(um 1939)*
Gemälde (WVZ 118)

178

76. **Porträt Erna und Martin** *(1942)*
Öl/Spanplatte 70 x 50 cm (WVZ 126)

69. **Porträt Gusti Billig** *(1937)*
Öl 55 x 43 cm (WVZ 97)

77. **Porträt der Anna Litwin** *(1945)*
Öl/Sperrholz 101 x 76 cm (WVZ 129)

78. **Hiob** *(1945)*
Öl/Pappe 125 x 75,5 cm (WVZ 134)

79. **Das Referat** *(1945)*
Öltempera (WVZ 139)

83. - 86. **Nacht über Deutschland** *(1945/46)*
Öl/Sackleinen (WVZ 170)

oben: 83. *Mitteltafel 150 x 168 cm*
gegenüberl. Seite, oben links: 84. *linker Flügel 150 x 78 cm*
oben rechts: 85. *rechter Flügel 150 x 78 cm*
unten: 86. *Predella 79 x 166 cm*

89. **Die Dummheit** *(1946)*
Öl/Lwd. 68 x 59 cm (WVZ 193)

88. **Pogrom** *(um 1945/46)*
Öl/Pappe 59,5 x 48,5 cm (WVZ 187)

Oben: 87. **Im Draht** *(1946)*
Öl/Lwd. 69,5 x 55,5 cm (WVZ 179)

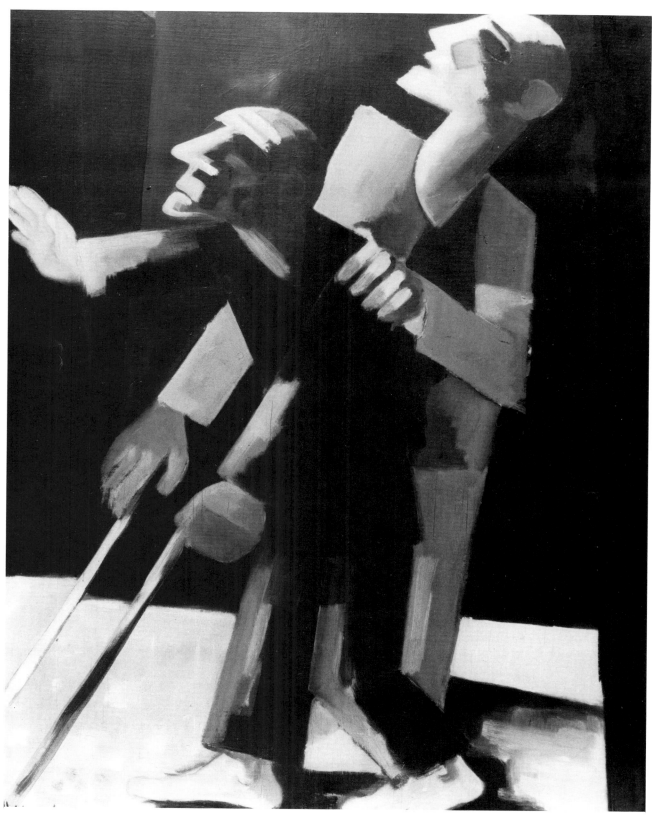

90. **Die Blinden** *(1946)*
Öl/Holz 83 x 62 cm (WVZ 199)

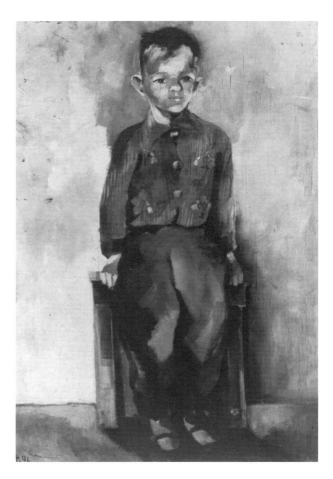

80. **Kinderbildnis (Martin Strempel)** *(1946)*
Öl/Spanplatte 97 x 68 cm (WVZ 152)

oben links: 82. **Zwei Mädchen** *(1946)*
Öl/Lwd. 90 x 58,5 cm (WVZ 165)

81. **Sitzender Akt** *(1946)*
Öl/Lwd. 102 x 83 cm (WVZ 156)

186

91. **Masken** *(1946)*
Öltempera / Nessel 72,5 x 95 cm (WVZ 202)

92. **Großes Stilleben** *(1946)*
Öl 64 x 88 cm (WVZ 205)

187

98. **Stilleben mit Torsi** *(um 1947)*
Öl / Lwd. 70 x 72 cm (WVZ 233)

94. **Liegender Akt mit Torso** *(1947)*
Öl / Spanplatte 42,5 x 67 cm (WVZ 216)

188

95. **Das Warten** *(1947)*
Öl/Sperrholz 113 x 86 cm (WVZ 219)

93. **Porträt Ernst Niekisch** *(1947)*
Öl/Lwd. 78 x 69 cm (WVZ 209)

190

97. **Tischgesellschaft** *(um 1947?)*
Gemälde (?) (WVZ 229)

96. **Diskussion** *(1947)*
Öl / Spanplatte 63 x 24 cm (WVZ 226)

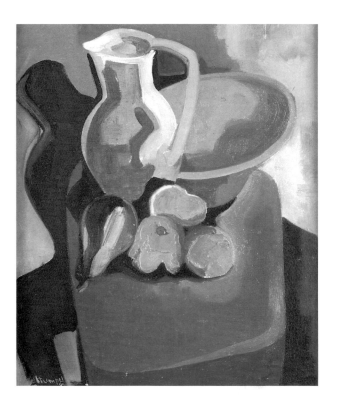

100. **Bauarbeiterin in der Friedrichstraße** *(1948)*
Öl/Lwd. 88 x 58 cm (WVZ 243)

oben rechts: 99. **Stilleben mit Tomaten** *(1947)*
Öl/Lwd. 55 x 45,5 cm (WVZ 241)

101. **Mädchen in Rot mit Brief** *(1948)*
Öl/Pappe 77 x 63 cm (WVZ 244)

192

102. **Im Atelier** *(1948)*
Öl/Lwd. 97 x 82 cm (WVZ 255)

104. **Soldaten** *(1948)*
Öl/Lwd. 112 x 94 cm (WVZ 257)

194

105. **Ruhe und Ordnung** *(1948)*
Öl/Lwd. 55 x 85 cm (WVZ 261)

103. **Die Sackträger** *(1948)*
Öl/Lwd. 110 x 95 cm (WVZ 256)

106. **Wollt ihr das wieder?** *(1949)*
Öl / Lwd. 120 x 81 cm (WVZ 284)

107. **Plandiskussion** *(1949)*
Öl/Lwd. 85 x 98 cm (WVZ 286)

109. **Arbeiter aus Henningsdorf** *(1951)*
Öl/Pappe 69 x 51,5 cm (WVZ 296)

108. **Schwarz-weiß-roter Torso** *(1949)*
Öl/Spanplatte 67,5 x 52,2 cm (WVZ 291)

198

110. **Karl Liebknecht** *(1951)*
Öl/Lwd./Spanplatte 90 x 58,5 cm (WVZ 298)

113. **Figürliche Komposition I (Spiegelzimmer)** *(1953)*
Öl 100 x 80 cm (WVZ 319)

111. **Frauenkopf** *(1953)*
Tempera/Sperrholz 50 x 39 cm (WVZ 307)

200

112. **Die Tauben** *(Die Musiker) (1953)*
Öl/Hartfaserplatte 45 x 89 cm (WVZ 317)

114. **Wannsee II** *(Am Strand) (1953)*
Öl/Lwd. 98 x 79 cm (WVZ 322)

115. **Interieur** *(Frau am Fenster) (1953)*
Öl/Lwd. 120 x 70 cm (WVZ 323)

116. **Mädchen am Spiegel** *(um 1954)*
Öl (Schabtechnik)/Hartfaserplatte 57,5 x 71,5 cm (sichtb.)
(WVZ 330)

117. **Wahrsagerin** *(1954)*
Öl/Hartfaserplatte 95 x 81 cm (WVZ 332)

119. **Die Straße** *(Straße mit zwei Figuren)*
(1954) Öl (WVZ 337)

118. **Frauen im Raum** *(Figürliche
Komposition II) (um 1953/54)
Öl/Hartfaserplatte 95 x 80 cm (WVZ 334)*

120. **Potiphar** *(1954)
Öl/Lwd. 95 x 92 cm (WVZ 338)*

204

122. **Alte Frau mit Gießkanne** *(1955)*
Öl/Lwd. 102 x 77 cm (WVZ 356)

121. **Die Straße** *(Rote Ampel) (1954)*
Öl/Lwd. 80 x 100 cm (WVZ 340)

124. **Der Gasometer** *(1955)*
Öl / Spanplatte 90 x 74 cm (WVZ 372)

123. **Abendland — Morgenland** *(Arkadien /*
Dekorative Komposition) (um 1955?)
Öl 160 x 200 cm (WVZ 371)

127. **Adam und Eva** *(1956)*
Öl/Lwd. 110 x 90 cm (WVZ 397)

oben links: 125. **Häuser mit Wäsche** *(1955)*
Öl (WVZ 373)

126. **Zwei Figuren im Raum** *(um 1956)*
Öl/Lwd. 110 x 90 cm (WVZ 394)

129. **Drei Frauen** *(um 1956?)*
Öl/Spanplatte 95 x 80 cm (WVZ 405)

128. **Die Verschwörer** *(1. Fassung, um 1954 — 56)*
Öl/Spanplatte 95 x 80 cm (WVZ 402)

130. **Straße am Abend** *(1956)*
Öl (WVZ 409)

131. **Lesende** *(1957)*
Öl/Hartfaserplatte 100 x 80 cm (WVZ 420)

132. **Cloe und Ariane** *(1957)*
Öl 70 x 65 cm (WVZ 432)

133. **Berlin — Sektorengrenze** *(1957)*
Öl/Sperrholzplatte 80 x 55,5 cm (WVZ 445)

139. **Rückenakt** *(Mädchen mit rotem Haar) (1965)*
Öl/Lwd. 58,5 x 45,5 cm (WVZ 579)

134. **Mädchen am Fenster** *(1958)*
Öl 130 x 85 cm (WVZ 464)

212

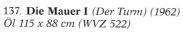
137. **Die Mauer I** *(Der Turm) (1962)*
Öl 115 x 88 cm (WVZ 522)

oben rechts: 136. **Die Trauer** *(1961)*
Öl/Lwd. 180 x 130 cm (WVZ 516)

135. **Zwei Mädchen mit Pflanze** *(1959)*
Öl/Lwd. 110 x 100 cm (WVZ 493)

140. **Frauenkopf** *(Erna) (1966)*
Öl / Lwd. 66,5 x 53 cm (WVZ 593)

138. **Versuchung des Hl. Antonius** *(1963)*
Öl / Lwd. 120 x 153 cm (WVZ 541)

214

142. **Selbstbild** *(1971)*
Öl/Sperrholz 51,5 x 46 cm (WVZ 624)

141. **Grenze bei Lübars** *(1966)*
Öl/Lwd. 56 x 109 cm (WVZ 597)

144. **Mädchenakt** *(um 1974)*
Öl / Spanplatte 92 x 56 cm (sichtb.) (WVZ 642)

145. **Daphne** *(1975)*
Öl/Lwd. 131 x 70 cm (WVZ 648)

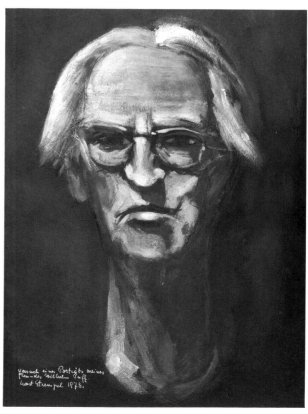

143. **Porträt Wilhelm Puff** *(1973)*
Acrylfarbe/Hartfaserplatte 50 x 37,7 cm (WVZ 638)

147. **Sonnenblumen** *(1927)*
Aquarell, Feder und Tusche / Papier 58 x 41,5 cm (WVZ 652)

149. **Die Braut** *(1933)*
Tempera / Papier 50 x 43 cm (WVZ 661)

oben: 148. **Im Tiergarten** *(1932)*
Aquarell / Papier 26 x 22 cm (WVZ 658)

146. **Industrielandschaft mit Förderturm** *(um 1923) Aquarell (WVZ 651)*

150. **Bergarbeiter** *(1935)*
schwarze Gouache / Karton 65 x 50 cm (WVZ 666)

152. **Studie zu »Germinal«** *(1937)*
Gouache / Papier 58 x 41,5 cm (WVZ 675)

151. **Liebespaar** *(1936)*
Aquarell/Papier 30 x 17 cm (WVZ 668)

153. **Zwei stehende Mädchenakte** *(1946)*
Gouache/Papier 39,5 x 31,5 cm (WVZ 709)

154. **Die Gier** *(1947)*
Tempera/Papier/Spanplatte 47,5 x 62 cm (WVZ 722)

155. **Theater** *(1948) (WVZ 733)*

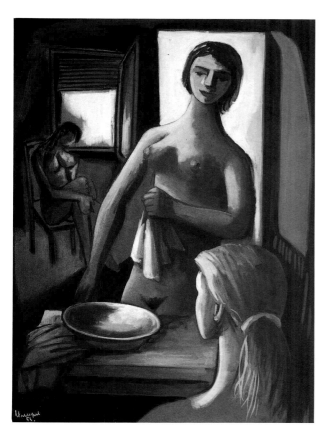

156. **Selbstbildnis** *(1949)*
Kohle, Pastellkreide / Packpapier 54 x 44 cm (WVZ 739)

158. **Morgentoilette** *(1953)*
Tempera / Karton 71 x 51 cm (WVZ 814)

157. **Mädchenkopf** *(1953)*
Pastellkreide 80 x 60 cm (WVZ 805)

159. **Don Quichote** *(1953)*
Pastellkreide, Tempera / Gips / Papier 63 x 45 cm (WVZ 816)

160. **David und Abisag I** *(1953)*
Tempera / Karton 43 x 61 cm (WVZ 818)

162. **Gerüst** *(1953)*
Pastellkreide / Papier 63 x 49 cm (WVZ 834)

163. **Fensterputzerin** *(1955)*
Tempera / Papier / Karton 79,5 x 60 cm (WVZ 877)

161. **Kassandra und Helena** *(1953)*
Tempera / Gips / Papier 66 x 50 cm (WVZ 824)

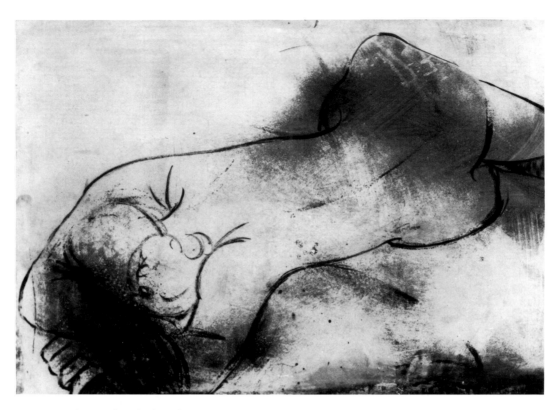

164. **Liegender Rückenakt** *(1955)*
Pastellkreide 49 x 66 cm (WVZ 880)

166. **Drei Mädchen** *(1970)*
Tempera / Papier / Hartfaserplatte 68 x 92,5 cm (WVZ 1274)

165. **Am Schloßgarten** *(1964)*
Aquarell 59 x 42,5 cm (WVZ 1121)

168. **Stilleben mit Fisch** *(1930)*
Feder, Pinsel und Tusche, leicht farbig aquarelliert
29 x 23 cm (WVZ 1297)

167. **Geiger** *(1930)*
Feder und Tusche 45,5 x 35,5 cm (WVZ 1294)

unser lieben brüder im Herrn

169. **Unsere lieben Brüder im Herrn** *(1935)*
Feder und Tusche, Bleistift 24 x 16 cm (WVZ 1305)

170. **Weiblicher Halbakt** *(1938)*
Feder und Tusche 25,2 x 19,2 cm (WVZ 1311)

171. **Sitzendes Mädchen** *(1938)*
Feder und Tusche, teilw. aquarelliert 28,5 x 22,5 cm
(WVZ 1312)

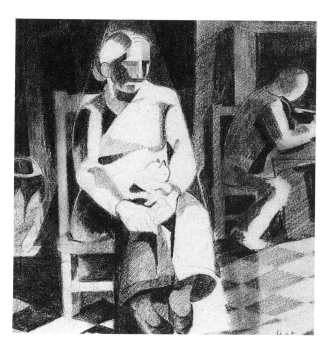

172. **Alte Frau auf einem Stuhl sitzend** *(1940)*
Fettkreide, Bleistift 22 x 20 cm (WVZ 1327)

173. **Partisan** *(1944)*
Bleistift 14,7 x 9,9 cm (WVZ 1428)

174. **Lesender Soldat** *(1945)*
Bleistift 13,5 x 9,9 cm (WVZ 1486)

175. — 179. Skizzen zu »**Nacht über Deutschland**« *(1945)*

175. *Feder und Tusche, Bleistift ca. 13 x 26 cm (WVZ 1548)*

177. *Feder und Tusche, Bleistift ca. 12,5 x 12 cm (WVZ 1550)*

176. *Feder und Tusche, Bleistift ca. 16,5 x 16 cm (WVZ 1549)*

179. *Feder und blaue Tinte 10,5 x 17 cm (WVZ 1552)*

178. *Bleistift, Fettkreide ca. 26,5 x 27 cm (WVZ 1551)*

180. **Der Gefangene** *(1945/46)*
Bleistift 12 x 8 cm (WVZ 1565)

230

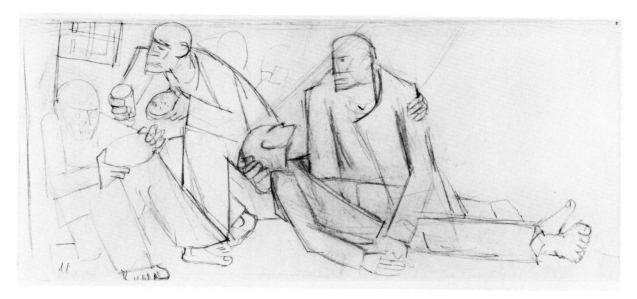

181. **Gefangene** *(1945/46)*
Bleistift 13,5 x 31 cm (WVZ 1567)

182. **Gefangene** *(1945/46)*
blauer Farbstift/Papier 14,5 x 39,5 cm (WVZ 1568)

183. **Gefangene** *(1946)*
Feder und Tusche, blauer Farbstift/Papier 16,5 x 37,5 cm (WVZ 1569)

185. **Trauernde mit geigendem Tod** *(1945)*
Feder, Pinsel und Tusche (?) (WVZ 1553)

oben links: 184. **Mann mit Maske** *(1945)*
Feder, Pinsel und Tusche (?) (WVZ 1556)

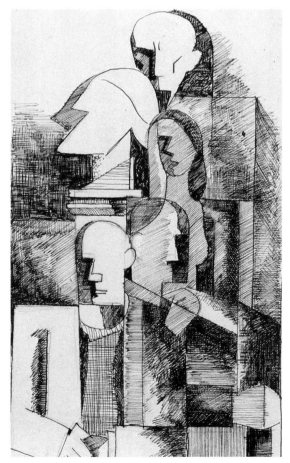

186. **Einheit** *(1946)*
Feder und Tusche/Papier 23,5 x 13 cm (WVZ 1571)

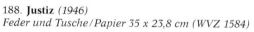

188. **Justiz** *(1946)*
Feder und Tusche / Papier 35 x 23,8 cm (WVZ 1584)

oben rechts: 187. **Herrenmenschen** *(Untermenschen) (1946)*
Feder und Tusche, Bleistift 34,7 x 23,4 cm (WVZ 1579)

189. **Ordnungshüter** *(1946)*
Feder und Tusche / Papier 35 x 23,8 cm (WVZ 1585)

191. **Skizze zum Wandbild Friedrichstraße** *(um 1947/48)*
Zeichnung (WVZ 1639)

190. **Blinde III** *(1948)*
Pinsel und Tusche/Papier 21 x 28 cm (WVZ 1630)

234

194. und 195. Zwei Skizzen zu **Wollt ihr das wieder?**
(um 1948) (WVZ 1694, 3 und 4)

192. Illustration zu Emil Zola »Germinal«:
Das tote Kind *(1946/47)*
Federzeichnung 39,5 x 27,5 cm (WVZ 1667)

193. Illustration zu Emil Zola »Germinal«: **Die Besiegten** *(1946/47)*
Federzeichnung 39,5 x 27,5 cm (WVZ 1690)

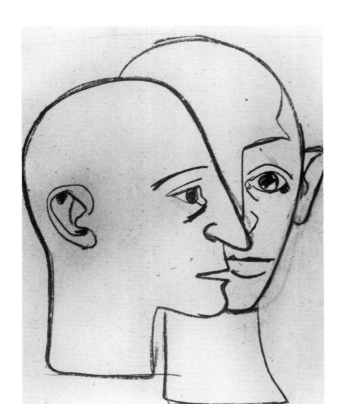

196. **Zwei Köpfe** *(1949)*
Kohle/Packpapier 56 x 46 cm (WVZ 1700)

197. **Horrorzeichnung** *(1949)*
Bleistift 29 x 45 cm (WVZ 1721)

236

198. **Au nom des peuples** *(1953)*
Tusche/Gips (WVZ 2064)

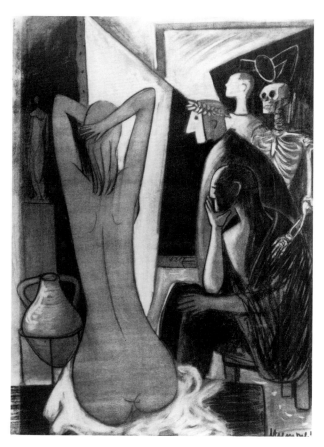

199. **Im Atelier** *(1953)*
Kohle/Karton 88 x 62 cm (WVZ 2065)

200. **Der kleine Flötenspieler II** *(1954)*
Pinsel und Tusche, Bleistift 47 x 32 cm (WVZ 2099)

201. **Bahnübergang** *(Saldernstraße) (1954)*
Kohle, teilweise aquarelliert 49 x 66 cm (WVZ 2110)

202. **Knobelsdorffstraße** *(1954)*
Schabblatt koloriert 65 x 47 cm (WVZ 2116)

203. **Wernerwerke Siemensstadt** *(1954)*
Schabblatt 46,5 x 65 cm (WVZ 2122)

205. **Neubauten Lützowplatz-Keithstraße** *(1958)*
Kohle, Gouache/Karton 50 x 70 cm (WVZ 2243)

206. **Neubauten** *(1960)*
Kohle, Gouache / Karton 68 x 48 cm (WVZ 2283)

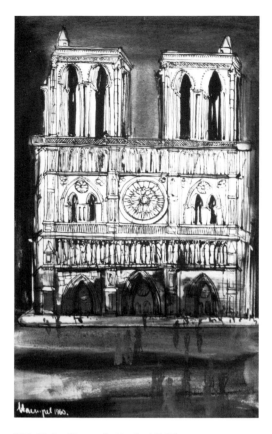

207. **Notre Dame de Paris** *(1960)*
getönte Zeichnung 50 x 30 cm (WVZ 2289)

208. **Im Atelier** *(um 1966)*
Kreide 21,8 x 17,4 cm (WVZ 2358)

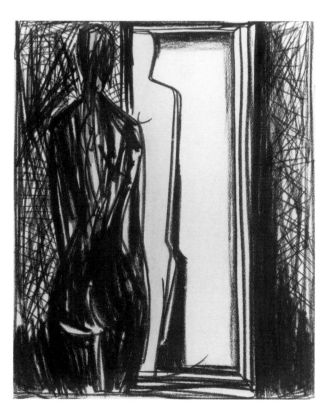

204. **Mädchen vor dem Spiegel** *(1957)*
Wachskreide, Gouache 60 x 43 cm (WVZ 2191)

240

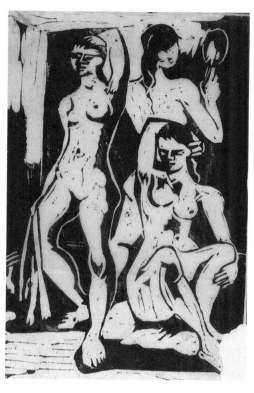

210. **Drei Mädchen** *(1939)*
Linolschnitt 29 x 17 cm (WVZ 2393)

209. **Mutter und Kind** *(1930)*
Holzschnitt, koloriert 56 x 43 cm (WVZ 2390)

212. Illustration zu Emil Zola »Germinal«:
Das Warten II *(um 1946/47)*
Linolschnitt 25 x 16,5 cm (WVZ 2401)

211. Illustration zu Emil Zola »Germinal«:
Das Erwachen *(1946)*
Linolschnitt 32 x 22,5 cm (WVZ 2399)

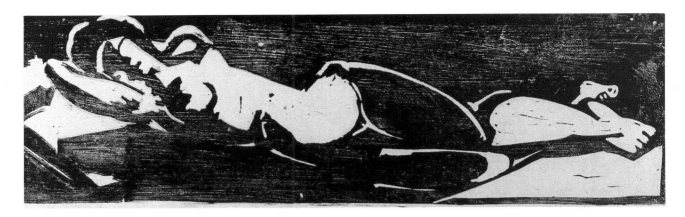

213. **Akt** *(1947)*
Holzschnitt 10,5 x 34,5 cm (WVZ 2404)

214. **Tischgesellschaft** *(Diskutierende Gruppe) (1947)*
Radierung, Aquatinta 12,8 x 16,5 cm (WVZ 2413)

242

218. **Alte Frau** *(1949)*
Holzschnitt 31 x 23,3 cm (WVZ 2442)

215. **Mädchen mit Masken** *(1948)*
Linolschnitt 19,5 x 14,5 cm (WVZ 2420)

216. **Trauerzug** *(1948)*
Aquatinta 9,5 x 14,5 cm (WVZ 2438)

217. **Paar** *(1948)*
Lithografie 48 x 38 cm (WVZ 2441)

219. **Modell** *(1949)*
Holzschnitt 31,5 x 9,5 cm (WVZ 2452)

220. **China-Sieg** *(1949)*
Linolschnitt 45 x 29,5 cm (WVZ 2453)

221. **Preßluftbohrer** *(um 1949)*
Holzschnitt 37,5 x 14 cm (WVZ 2454)

222. **Arbeiterköpfe I** *(Zwei Köpfe) (1949)*
Radierung, Aquatinta 32,3 x 24,6 cm (WVZ 2462)

225. **Zwei Stahlarbeiter** *(um 1949)*
Monotypie 44 x 33 cm (WVZ 2491)

224. **Kreuzigt ihn!** *(1949)*
Lithografie 50,5 x 40 cm (WVZ 2481)

246

223. **Terrasse** *(1949)*
Radierung 32,3 x 24,6 cm (WVZ 2473)

227. **Mädchenkopf** *(1955)*
Aquatinta 18 x 12,8 cm (WVZ 2505)

226. **Mutter mit Kind** *(1954)*
Radierung, Aquatinta 54 x 40 cm (WVZ 2501)

247

229. **Mädchen am Fenster** *(1958)*
Radierung, Aquatinta (2-Platten-Druck)
24,3 x 26 cm (WVZ 2548)

228. **David** *(1957)*
Radierung, Aquatinta 28 x 24,7 cm (WVZ 2536)

230. **Loth und seine Töchter** *(1959)*
Radierung, Aquatinta 32 x 25,4 cm (WVZ 2564)

231. **Gedächtniskirche** *(1959)*
Siebdruck ca. 66,5 x 39,5 cm (WVZ 2579)

oben rechts: 233. **Die Frau an der Mauer IV -
Getrennt I** *(1962)*
Radierung, Aquatinta 14,3 x 9,8 cm (WVZ 2605)

232. **Die Frau an der Mauer III -
Der Schmerz** *(1962)*
Radierung, Aquatinta 20 x 12,6 cm (WVZ 2604)

235. **Siemensplatz** *(1966)*
Siebdruck (WVZ 2627)

234. **Tänzer** *(1963)*
Holzschnitt 62 x 47 cm (WVZ 2618)

236. **Zum Reichstagsbrand** *(1933)*
La Défense Nr. 213, 1.9.1933 (WVZ 2652)

Deux militants du S. R. I.
menacés de mort

237. **Hitler accuse Torgler ...** *(1933)*
La Défense Nr. 214, 8.9.1933 (WVZ 2653)

Hitler accuse Torgler, Tanef, Dimitrof et Popof du crime dont avec Goerin;
il est coupable. L'incendie du Reichstag est l'œuvre des fascistes.

239. **1. Mai** *(1934)*
La Défense Nr. 247, 4.5.1934 (WVZ 2702)

238. **Rentrée des classes** *(1933)*
Monde Nr. 282, 28.10.1933 (WVZ 2659)

241. **Les gaz! ...** *(1934)*
La Patrie Humaine Nr. 119, 15.6.1934 (WVZ 2710)

240. **Profit** *(1934)*
La Patrie Humaine Nr. 115, 18.5.1934 (WVZ 2706)

242. **Zum 20. Jahrestag des Beginns des 1. Weltkrieges** *(1934)*
Front mondial, 1934, Nr. 22, 2. Augusthälfte (WVZ 2722)

243. **L'ordre règne aux Asturies!** *(1934)*
La Défense Nr. 275, 16.11.1934 (WVZ 2743)

245. **Liberté pour Thaelmann** *(1935)*
La Défense Nr. 295, 12.4.1935 (WVZ 2761)

244. **Les gaz! — A quelle heure viendront-ils?** *(1934)*
La Patrie Humaine Nr. 141, 7.12.1934 (WVZ 2748)

247. **Werbung für Trumpf-Schokolade** *(1931)*
Werbeplakat (WVZ 2901)

248. **Drei schöne Mädchen** *(um 1931?)*
Werbeplakat (WVZ 2902)

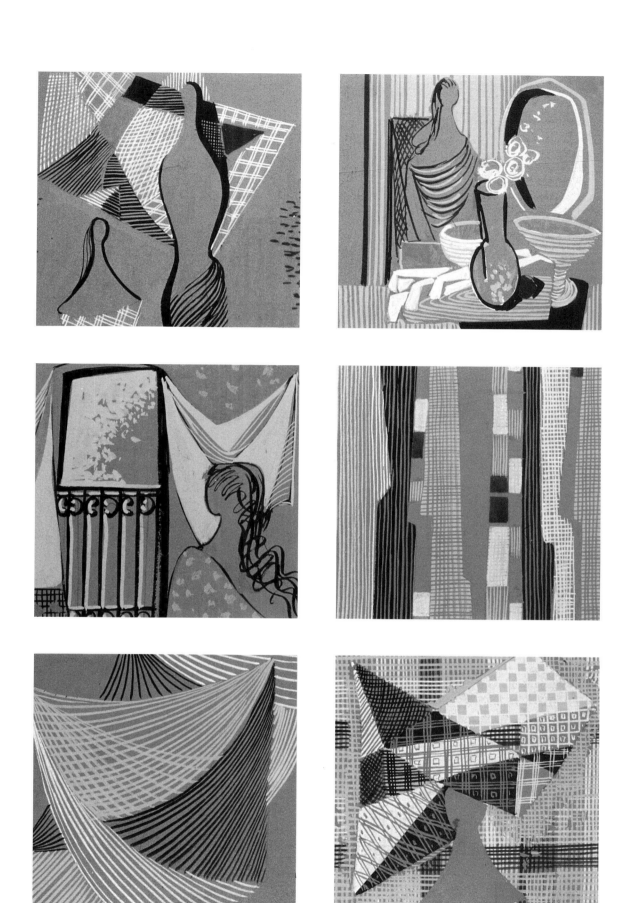

246. **Tapetenentwürfe**
Gouache/Karton 46 x 27,6 cm/pro Dekor 12,6 x 12 cm (WVZ 2800)

Werkverzeichnis

Vorbemerkungen zur Systematik

Das Werkverzeichnis berücksichtigt generell alle auffindbaren Arbeiten Horst Strempels, die noch im Original vorhanden sind. Weiterhin wurde es ergänzt durch solche, die durch die Literatur, vor allem Ausstellungskataloge, als gesichert gelten können.

Eine weitere wichtige Quelle, trotz gravierender Mängel, waren die von Strempel selbst um 1970 angelegten Werkkataloge, die die Daten der Bilder (Titel, Technik, Maße, Entstehungsjahr, Besitzer) verzeichneten und diesen teilweise die entsprechenden Werkfotografien zuordneten. Es handelt sich dabei um drei Mappen, betitelt als »Vorhandene Bilder«, »Privatbesitz« und »Akte, Druckgraphik, Ölbilder«. In die Mappe »Vorhandene Bilder« wurden vor allem diejenigen Arbeiten aufgenommen, die sich zum Entstehungszeitpunkt des Katalogs noch im Besitz Strempels befanden. Sie gliedert sich in die Gruppen »Ölbilder«, »Tempera, Pastell, Aquarell« und »Zeichnungen« und ordnet den einzelnen Bildern in der Regel Werkverzeichnis-Nummern zu, wobei jede Kategorie für sich numeriert wurde. Eine strikte Trennung der einzelnen Techniken erfolgte jedoch nicht, so daß beispielsweise Aquarelle unter Gemälden aufgeführt und entsprechend numeriert wurden. In manchen Fällen sind die Werkverzeichnis-Nummern des Katalogs mit den auf dem Werk selbst angegebenen nicht identisch, wie auch häufig die den Bildern zugeordneten Fotos den Originalen nicht entsprechen oder angegebene Daten nicht zutreffen. Trotzdem wurde, wenn keine anderen Quellen hinzugezogen werden konnten, auf diese Informationen zurückgegriffen, dieses aber an der entsprechenden Stelle mit einem Stern (*) vermerkt. Ist dieses Zeichen nur im Titel benutzt, stammen alle folgenden Daten ebenfalls aus den nachgelassenen Verzeichnissen. Wenn nichts Gegenteiliges angegeben ist, sind Werkfotos vorhanden.

Das Werkverzeichnis ist nach folgenden Prinzipien geordnet:

A) Grundsätzlich erfolgte eine Einteilung nach den Gattungen »Wandbild«, »Gemälde«, »Farbige Arbeiten auf Papier«, »Handzeichnungen«, »Druckgrafik«, »Pressezeichnungen« und »Angewandte Kunst«.

— In die Gruppe »Wandbilder« wurden alle diejenigen Werke aufgenommen, die für eine bestimmte Wandfläche gedacht waren, auch wenn die Wand nicht der unmittelbare Bildträger ist bzw. war.

— Die Gruppe »Gemälde« verzeichnet zunächst alle Ölbilder auf Holz oder Leinwand, weiterhin aber auch Tempera-Arbeiten, die auf Leinwand oder Holz gemalt wurden und Gemäldecharakter haben.

— Als »Farbige Arbeiten auf Papier« werden Temperas, Gouachen, Aquarelle und Pastelle auf Papier oder Karton bezeicnet.

— »Handzeichnungen« sind Arbeiten auf Papier, ausgeführt in Kohle, Kreide, Fettstift, Bleistift, ebenso getönte Zeichnungen, d. h. im wesentlichen mit den o.g. Materialien angefertigt, aber leicht farbig aquarelliert, lasiert oder mit Gouache, farbiger Kreide usw. koloriert. Hingegen werden Werke, die überwiegend farbig gestaltet sind, unter »Farbige Arbeiten auf Papier« erfaßt.

— Die »Druckgrafik« verzeichnet Radierungen, Holz- und Linolschnitte, Lithografien, Monotypien, Gipsschnitte und Siebdrucke. Bei Werken, bei denen eine geringe Auflagenhöhe vorausgesetzt werden kann, wurden alle greifbaren Abzüge erfaßt. Hingegen wurde bei denjenigen Arbeiten, die vermutlich eine hohe Auflage gehabt haben (dabei handelt es sich vorwiegend um Siebdrucke, die etwa seit Mitte der 50er Jahre entstanden), auf die Auflistung der einzelnen Abzüge verzichtet; Zustandsdrucke und Abzüge, denen ein Experimentalcharakter zukommt oder die durch andere Techniken ergänzt wurden (z. B. Kolorierung), wurden jedoch gesondert aufgeführt.

— Den publizierten, aber nicht mehr im Original vorhandenen »Pressezeichnungen«, durchweg in der Exilzeit entstanden, wird eine eigene Abteilung eingeräumt.

— Unter »Angewandte Kunst« werden Stoff- und Tapetenentwürfe, Bucheinbände und andere zum Gebrauch bestimmte Arbeiten, unabhängig von der künstlerischen Technik, in der sie ausgeführt wurden, genannt.

Innerhalb dieser Kategorien wurde eine chronologische Reihenfolge nach Jahren angestrebt; nur in wenigen Fällen ließ sich ein noch genaueres Datum feststellen. Eine Ausnahme von dieser Vorgehensweise bilden Zyklen und Folgen, in denen Arbeiten unterschiedlichen Entstehungsdatums zusammengefaßt werden. In diesem Fall wird das gesamte Werk unter dem spätesten Datum aufgeführt. Gleiches gilt auch bei vorbereitenden Studien und Skizzen für ein größeres Werk, wenn diese unmittelbar im Zusammenhang damit entstanden sind.

Bei Druckgrafik kommt es häufig vor, daß die einzelnen Abzüge eines Druckstocks unterschiedlich datiert sind. Daher wird der früheste Zeitpunkt (Fertigstellung der Druckplatte) als Entstehungsdatum angenommen.

Der besseren Übersicht wegen wird die Reihenfolge innerhalb eines Jahres nach den Motivgruppen »Figürliche Kompositionen«, »Landschaften« und »Stilleben« eingeführt. Eine Ausnahme bilden Skizzenbücher und sonstige zusammenhängende Werke, die in der vorgegebenen Reihenfolge verzeichnet wurden.

B) Die Daten eines Kunstwerks werden in der folgenden Reihenfolge erfaßt:

1. Titel: Ein vom Künstler selbst gegebener Titel, sei er direkt auf dem Bild vermerkt oder im Werkkatalog angeführt, oder ein Titel, der durch Ausstellungskataloge und Literatur bekannt ist, wird in Kursivschrift ohne Anführungszeichen wiedergegeben. Für unbetitelte Werke wird ein deskriptiver Titel zur Präzisierung der Bildinhalte vorgeschlagen und in Anführungszeichen gesetzt. Bei Arbeiten, die in den von Strempel geführten Werkkatalogen mit einer Nummer versehen wurden, wird diese, zusammen mit einer Sigle (Ö=Ölbilder, T=Tempera, Pastell, Aquarell, Z=Zeichnung, A=Akt) in der ersten Zeile in Klammern angehängt. Die Kennzeichnung mit einem Stern (*) im Titel bedeutet, daß sämtliche folgenden Informationen aus diesen Werkkatalogen stammen. Titel, die im Fettdruck erscheinen, verweisen auf eine entsprechende Abbildung im Innenteil des vorliegenden Buches.

2. Technik: Bei allen Werken wurden, soweit bekannt, sowohl Malmaterial als auch der Bildträger aufgeführt. Zweifelhafte Bestimmungen, etwa in Fällen, in denen nur eine Fotografie vorlag, wurden mit einem Fragezeichen kenntlich gemacht.

3. Auflage: Diese Rubrik gilt nur für Druckgrafik. Die Auflagenhöhe konnte in keinem Fall sicher bestimmt werden. Selbst die von Strempel eigenhändig auf dem Blatt vorgenommenen Zählungen stellen keine zuverlässigen Nachweise dar. Entweder differierte die angegebene Auflagenhöhe von Abzug zu Abzug oder ein numeriertes Exemplar trägt eine höhere Nummer als die Gesamtauflage den Angaben zufolge sein müßte. Widersprüchliche Angaben könnten damit zusammenhängen, daß Strempel normalerweise, abgesehen von den Siebdrucken, zunächst nur sehr kleine Auflagen anfertigte und dann bei Bedarf eventuell noch eine Nachauflage bereitstellte, ohne diese jedoch entsprechend zu kennzeichnen. Aus diesem Grunde wird nur auf die Anzahl der bekannten Drucke verwiesen.

4. Maße: Die Maße verstehen sich Höhe vor Breite; bei Druckgrafik werden sie in mm, bei allen anderen Medien in cm angegeben. Bei Druckgrafik gelten immer die Maße des Druckstockes, bei den anderen Techniken werden immer die Maße des Bildträgers angegeben, sofern sie nicht wesentlich von der Motivgröße abweichen. Bei einer Differenz von mehr als 2 cm werden außerdem die Maße des Blattes in Klammern genannt. Konnten genaue Maße, z. B. aufgrund einer Rahmung, nicht ermittelt werden, so ist hinter den Maßen der Begriff »sichtb.« (sichtbar) angeführt. Wenn möglich, wurden die Maße am Original überprüft. Eine Reihe von Ausstellungskatalogen sowie auch die Strempelschen Werkkataloge sind sehr ungenau in den Maßangaben. Häufig, aber offenbar regellos, wurden die Abmessungen Breite vor Höhe verzeichnet. In den Fällen, in denen anhand vorliegender Werkfotografien mit Sicherheit von einer Vertauschung der Zahlen ausgegangen werden kann, wurden die Maße stillschweigend berichtigt, wo eine fehlerhafte Angabe nur vermutet wurde, wurden die als richtig angesehenen Maße in Klammern gesetzt und mit einem Fragezeichen versehen.

5. Bezeichnung: Unter den Bezeichnungen werden alle Signaturen, Daten, Titel und andere Zusätze im Wortlaut angeführt; lediglich namentliche Widmungen wurden aus Gründen der Diskretion mit dem Sammelbegriff »Widmung« angegeben. Sofern nichts anderes vermerkt, wird die eigenhändige Bezeichnung vorausgesetzt. Bezeichnungen, die sich im Original über mehrere Zeilen erstrecken, wurden durch einen Schrägstrich (/) im fortlaufenden Text voneinander abgegrenzt. Auf die Aufführung der Bezeichnungen wurde lediglich bei den Tapetenentwürfen verzichtet, sofern es sich nicht um die Signatur des Künstlers oder Datierungen handelte. Diese Einschränkung scheint insofern gerechtfertigt, als in der Regel mit diesen Bezeichnungen nur technische Angaben für den Druck der Muster übermittelt werden sollten.

6. Datierung: Die Datierung einer Arbeit ergibt sich entweder aus:

— einer Bezeichnung mit Jahreszahl auf dem Werk. Im allgemeinen wurde dieses Datum als verbindlich übernommen. In manchen Fällen ist allerdings die Zuverlässigkeit anzuzweifeln, da Strempel seine Bilder oft erst beim Verkauf, manchmal mehrere Jahre später, signierte, so daß Irrtümer nicht ausgeschlossen werden können;

— den Werkkatalogen, die Strempel zusammengestellt hat. Obwohl dieses Verzeichnis unzulänglich ist, wird auch hier beim Fehlen anderer Quellen auf die dort angegebenen Daten zurückgegriffen, die Übernahme ebenfalls durch einen Stern (*) markiert;

— Tagebüchern, Briefen und anderen Dokumenten, die unter Punkt 12 genauer bestimmt werden;

— aus Ausstellungskatalogen und -berichten sowie der wissenschaftlichen Literatur. Die Herkunft dieser Daten wird unter Punkt 10 und/oder 12 genau benannt.

Sind auf diese Weise keine Datierungen zu bekommen, wird eine thematische oder stilistische Orientierung gesucht; auch diese wird unter Punkt 12 näher begründet. Eine Ausnahme hiervon bilden Skizzenbücher sowie der umfangreiche Fundus der Skizzen. Insbesondere bei den Zeichnungen, die zwischen

1943 und 1945 entstanden, wurden die zeitlichen Zuordnungen aufgrund eines Papiervergleichs von datierten und undatierten Blättern getroffen, aber wegen der Quantität des Materials nicht im einzelnen begründet. Im Zweifelsfall werden nicht eindeutige Datierungen mit »um« bezeichnet oder mit einem Fragezeichen versehen. Sich einander widersprechende Daten wurden unter Punkt 6 oder 10 in Klammern aufgeführt bzw. unter Punkt 12 vermerkt und ggf. näher erläutert.

7. Provenienz: Wenn unter dieser Rubrik keine Angaben gemacht werden, so erwarb der gegenwärtige Besitzer das Werk vermutlich direkt vom Künstler. Wenn bekannt, wird in Klammern das Datum des Erwerbs angegeben.

8. Besitzer: Als Besitzer wird der letzte nachweisbare Eigentümer angegeben. Dabei erfolgt zuerst die Nennung des Standortes, danach bei Werken in öffentlichen Sammlungen der Name der jeweiligen Institution und, wenn bekannt, die Inventarnummer. Auch hier wird, falls bekannt, das Erwerbungsdatum in Klammern genannt. Werke, die sich als Leihgabe in öffentlichen Sammlungen befinden, wurden unter der Institution aufgeführt, aber als Leihgabe gekennzeichnet. Werke in privatem Besitz werden ohne Angabe des Standortes nur durch den Vermerk »Privatbesitz« gekennzeichnet.

Werke, die sich im Nachlaß Horst Strempels befinden, tragen im Werkverzeichnis keine Besitzangabe. Unbezeichnete Druckgrafiken dieses Standortes werden nicht nicht mehr gesondert aufgeführt, wurden aber bei der Angabe der vorhandenen Exemplare mit berücksichtigt.

Der Besitzvermerk »unbekannt« steht, wenn der heutige Standort nicht herausgefunden werden konnte. Das gilt insbesondere für Werke, die ausschließlich durch Abbildungen in Ausstellungskatalogen oder Zeitungen oder aber durch Fotografien aus dem Nachlaß dokumentiert sind.

Bilder, die im Werkkatalog von Strempel mit einem Besitzervermerk versehen wurden, der aber nicht zugeordnet werden konnte, werden ebenfalls mit »unbekannt« bezeichnet.

Wenn allerdings die Spur eines Werkes durch ein Datum belegbar ist, das Werk also verlorenging, wurde der Begriff »verschollen« benutzt. Ebenso wurden nachweislich vernichtete Werke entsprechend gekennzeichnet.

Daten von Bildern, die im Werkverzeichnis einen Besitzervermerk tragen, wurden bis auf wenige Ausnahmen von der Autorin selbst überprüft.

9. Ausstellungen: Unter dieser Rubrik wurden weitmöglichst alle Ausstellungen angeführt, bei denen das Werk gezeigt wurde. Sofern ein Katalog mit numeriertem Ausstellungsverzeichnis vorhanden ist, wird die entsprechende Katalognummer angeschlossen.- Sofern die zum Bild gehörigen Daten nicht an anderer Stelle nachgewiesen werden, ist als Quelle der jeweilige Ausstellungskatalog anzunehmen. Die Abkürzungen für die Ausstellungen werden im Ausstellungsverzeichnis im Anhang aufgeschlüsselt.

10. Literatur: Bei den Literaturangaben werden grundsätzlich alle bekannten Quellen aufgeführt, also auch diejenigen, in denen das Werk nur kurz erwähnt wird. Diese Vorgehensweise scheint durch den dokumentarischen Wert gerechtfertigt. Innerhalb dieser Rubrik werden zunächst Nennungen in der Tagespresse angeführt, danach Erwähnungen in Büchern und Fachzeitschriften, anschließend in Ausstellungskatalogen, in jeweils chronologischer Reihenfolge mit Hinweisen auf dort publizierte Reproduktionen. Die Abbildungen werden aber außerdem unter Punkt 11 nochmals detailliert aufgeführt. Ggf. erfolgen hier Korrekturen zu den unter Punkt 1 bis 4 aufgeführten Bilddaten. Zur Aufschlüsselung der benutzten Abkürzungen wird auf die Literaturverzeichnisse im Anhang verwiesen.

11. Abbildungen: Hier werden alle greifbaren Abbildungen aufgeführt, auch wenn sie schon unter vorhergehenden Punkten genannt wurden. Sofern bekannt, wird nach Schwarzweiß-Abbildungen »Abb.« und Farbabbildungen »Farbabb.« unterschieden.

Die in Frankreich entstandenen Pressezeichnungen werden hier nicht berücksichtigt.

12. Bemerkungen: Die Bemerkungen können sich auf folgende Angaben beziehen:

— auf Erläuterungen zu den Punkten 6 (Datierung) und 8 (Besitzer);

— auf den Bildgegenstand. So wird bei Bildnissen versucht, die dargestellte Person zu identifizieren — was leider häufig nicht möglich war — und ggf. ihr Verhältnis zu Horst Strempel zu klären. Bei Landschaften werden topografische Hinweise gegeben, bei historischen, mythologischen oder religiösen Bildinhalten können ggf. Quellen aufgeschlüsselt und Deutungshinweise gegeben werden;

— auf die Genese des Werks. Skizzen und Vorstudien werden nachgewiesen und Hinweise auf Bearbeitungen des Themas in anderen Zusammenhängen oder Techniken gegeben;

— auf Bilder, deren Verbleib unbekannt ist. Hier werden möglichst Hinweise auf die Geschichte des Werks nach seiner Fertigstellung gegeben;

— auf vergleichbare Bearbeitungen des Themas von anderen Künstlern.

Wandbilder

(1) »*Drei Wandbilder für ein Kinderzimmer*«:
1. Spielende Kinder auf einer Wiese
2. Landschaft mit Bahnschranke
3. Dschungel
je 300,0 x 500,0 cm
Datierung: 1930
Besitzer: unbekannt
Die Wandbilder sind nur durch Fotografien (Berlin, StM, NG/ Archiv) bekannt, die handschriftlich bezeichnet sind »1930 wandbild 3•5 mtr.«

(2) »*Zwei Landschaften*«:
1. Havelseen
2. Müggelseen
je 500,0 x 400,0 cm
Datierung: 1930
Besitzer: ehem. Grünau, Dannatbank(?)
Über die beiden Bilder gibt es nur eine briefliche Mitteilung Strempels an Marie-Luise Neumann vom 30.3.1930: »Ich habe für das bootshaus der dannatbank (ein massives gebäude in Grünau mit gesellschafts- und klubräumen) 2 wandbilder 5 x 4 mtr. zu malen. wandbild ist etwas zuviel gesagt, sondern eher landkarten, landschaften aus der vogelschau. auf die eine wand kommen die ganzen havelseen auf die andere die müggelseen. um mir ein bild von dem gebäude machen zu können habe ich heut einen flug über die havelseen gemacht.«

(3) *Bauernfamilie (Die Familie Lafusat)*
Datierung: 1940/41
Gëus/Frankreich (zerstört)
Das Wandbild befand sich in der Küche über einer offenen Feuerstelle. Beim Abriß des Hauses zu Anfang der 70er Jahre wurde auch diese Arbeit zerstört. Nach Angaben von Dorfbewohnern stimmt das Gemälde (WVZ 138) im wesentlichen mit dem Wandbild überein. Die Familie Lafusat bestand nur aus drei Personen, so daß am Tisch wahrscheinlich noch der Knecht dargestellt ist.
Vgl. auch die Studien WVZ 683, WVZ 1326, WVZ 1327 und WVZ 1328.

(4) *Wandbild für das Foyer der Volksbühne Berlin* *
Juni 1948
Wahrscheinlich nicht ausgeführt.

Von diesem Wandbildprojekt fehlen jegliche weitere Informationen. Es existieren lediglich zwei Reproduktionen mit unterschiedlichen Motiven aus dem Theaterbereich (WVZ 733 und WVZ 734).

(5) *Widerstand*
Wandzeichnung
Datierung: 1948
ehem. Berlin, VVN-Gebäude (Reichspräsidentenpalais), Friedrich-Ebert-Str., Ehrenraum der Ausstellung »Das andere Deutschland«
Abbildungen: Vorwärts, 4.9.1948; Sonntag, 12.9.1948.- Gedächtniskundgebung, 1948, 54.- Berlin 1948/4, o.S.
Die Wandzeichnung ist nur durch die o.g. Reproduktionen dokumentiert. Die Dokumentarschau, für die sie geschaffen wurde, war den deutschen antifaschistischen Widerstandskämpfern gewidmet und hatte das Ziel, »so vielen Deutschen wie nur möglich die historische Wahrheit nahe zu bringen« (Qu.: Vorwärts, 4.9.1948). Sie fand im Zusammenhang mit der Internationalen Gedächtniskundgebung für die Opfer des faschistischen Terrors in Berlin vom 10. bis 12. September 1948 statt. Angeschlossen war eine kleine Kunstausstellung mit Werken verfemter Künstler des Dritten Reiches, die Carola Gärtner-Scholle organisiert hatte.

(6) *Trümmer weg – baut auf (Aufbau)*
Fresco
Mitteltafel: ca. 500,0 x 350,0 cm; Seitentafeln: 350,0 x 170,0 cm Datierung: 1948
Berlin, Bahnhof Friedrichstraße, Schalterhalle
Literatur: BZ, 6.10.1948 (Abb.); TS, 7.10.1948; ND, 9.10.1948; ADN, 14.10.1948; NE, 15.10.1948; NZ, 16.10.1948 (Abb.); TG, 18.10.1948; TG, 24.10.1948; TR, 28.10.1948; BZ, 30.10.1948; ND, 4.11.1948 (Abb.); Tribüne, 10.11.1948; Für Dich, 14.11.1948; BZ, 16.11.1948; Vorwärts, 18.11.1948 (Abb.); Kurier, 25.11.1948; ND, 30.11.1948;TG, 1.12.1948; TR, 6./8.12.1948; Welt, 7.12.1948; Palette, 1948, H. 43 (Abb.); Nat.Ztg., 22.12.1948; TR, 6.4.1949; TR, 7.7.1949; BZ, 11.11.1949; TR, 18.4.1950; BZaA, 11.9.1950; TR, 20.1.1951; ND, 18.4.1951; BZ, 20.4.1951; Spiegel, 21.10.1953; Berl. Illustr., o.D. (1948?).- Nagel 1951, 384; Balluseck 1952, 57−58; Niekisch 1974, 297−298; Pohl 1977, 71; Flierl 1979, 341; Hütt 1979, 39; Mülhaupt 1981, 16−17 (Abb); Kuhirt 1982, 107; Stephanowitz 1984, 219; Feist, G. 1989, 92−137 (Abb.); Kober 1989, 224 und 244.
Abbildungen: BZ, 6.10.1948; NZ, 16.10.1948; ND, 4.11.1948; Vorwärts, 18.11.1948; Sonntag, 21.11.1948, 1; Palette, 1948, H. 43.- Flierl 1979, 340; Mülhaupt 1981, 16; Feist, G. 1989, 102−103
Vgl. die Skizzen und Studien WVZ 260, WVZ 1637, WVZ 1638 und WVZ 1639.

(7) *Metallurgie Henningsdorf*
Beteiligte Künstler: René Graetz, Arno Mohr, Horst Strempel
Holz
400,0 x 1800,0 cm
Datierung: 1949
Ausstellung: Dresden 1949
Literatur: Vorwärts, 22.9.1949 (Abb.); Vorwärts, 3.10.1949 (Abb.); Märk. Volksst., 9.4.1950 (Abb.).- Caden 1949, 9, 269; Löffler 1949, 278−279; Müller 1949, 332−333 (Abb.); Pommeranz-Liedtke 1949, 268 (Abb.); Müller 1950, o.S.; Wulffen 1962, 10; Kober 1977, 275 (Abb.); Flierl 1979, 341; Olbrich 1979, 372; Kuhirt 1982, 106−107 und 120 (Abb.); Stephanowitz 1984, 219; Kober 1989, 235, 244, 301, 441.- Berlin/ DDR 1979, 296; Oberhausen 1984, 36 (Abb.)
Abbildungen: Vorwärts, 22.9.1949; Vorwärts, 3.10.1949; Märk. Volksst., 9.4.1950; Ulenspiegel, 1950, H. 10, o.S. (Beilage).- Müller 1949, 329 (Det.) und 332−333; Kober 1977, 275; Flierl 1979, 340−341; Held 1981, Abb. 24 (Det.); Mülhaupt 1981, 17 (Det.); Kuhirt 1982, Abb. 108/109; Feist/ Gillen 1988, 17.
Vgl. die Studie WVZ 286.

(8) *Mansfelder Kupferschieferbergbau*
Wandbildzyklus für die Landesparteischule Ballenstedt »Wilhelm Liebknecht«
4 Wandbilder zur Geschichte des Mansfelder Kupferschieferbergbaus
Auftraggeber: VVEB Mansfeld
Beteiligte Künstler: Rudolf Bergander, René Graetz, Franz Nolde, Horst Strempel
Datierung: Juli − 21.12.1950
Literatur: ND, 1.2.1951 (Abb.); Stephanowitz 1984, 219
Abbildung: ND, 1.2.1951

(9) *Sportler*
Mosaik
300,0 x 316,0 cm
Datierung: 1961
Berlin-Tiergarten, Breitscheid-Oberschule
Literatur: Stephanowitz 1984, 219 (Abb.)
Abbildung: Stephanowitz 1984, 219
Vgl. die Studien WVZ 1049 und 2282.

Gemälde

(10) »*Selbstporträt*«
Öl
28,0 x 21,0 cm (sichtb.)
Bezeichnung: auf der Rückseite des Trägerkartons, von fremder Hand »Horst 20 Jahre alt. / Gemalt in der Kunstakademie Breslau. (auf zusammengenähter Leinwand, da man in der Zeit kein Material hatte)«
Datierung: 1924
Besitzer: Privatbesitz

(11) *Stilleben mit Tonpfeife*
Öl
66,0 x 56,0 cm
Datierung: 1926
Besitzer: unbekannt
Ausstellung: Berlin/W. 1959/2, Nr.1
Keine Abbildung bekannt.

(12) *Stilleben mit Schale und Tüchern* *
Öl
80,0 x 60,0 cm
Datierung: 1926
Besitzer: unbekannt
Keine Abbildung bekannt.

(13) *Stilleben mit rotem Krug**(Ö 164)
Leimfarbe
65,0 x 59,0 cm
Datierung: 1927
Besitzer: unbekannt

(14) *Porträt Richard Mohaupt*
Gemälde
Datierung: 1929
Besitzer: unbekannt
Datum und Titel richten sich nach einer Fotografie des Gemäldes (Berlin StM, NG/ Archiv), die handschriftlich bezeichnet und datiert ist. − Richard Mohaupt (1904−1957), ein jüdischer Komponist und Pianist, war mit Strempel spätestens seit Ende der 20er Jahre befreundet. Nachdem er von den Faschisten immer stärker in seiner Arbeit behindert wurde, emigrierte er 1939 in die USA. Er lebte dort bis 1955 und

verdiente seinen Lebensunterhalt als recht erfolgreicher Komponist und Arrangeur leichter Musik für Film, Fernsehen und Rundfunk. Er starb in Reichenau/Niederösterreich.

(15) *Apfelblüten* *
Öl
26,0 x 42,0 cm
Datierung: 1929
Besitzer: unbekannt
Keine Abbildung bekannt.

(16) *»Selbstbildnis«*
Gemälde (?)
Datierung: um 1930
Besitzer: unbekannt
Eine unbezeichnete Fotografie befindet sich im Archiv der Nationalgalerie Berlin.

(17) *»Porträt der Mutter des Künstlers«*
Gemälde
87,0 x 70,0 cm
Bezeichnung: o.r. »St. 30«
Datierung: 1930
Besitzer: unbekannt
Eine Fotografie des Gemäldes (Berlin, StM, NG/Archiv) verzeichnet handschriftlich die Maße und den Namen der früheren Besitzerin des Bildes, der Schwester des Künstlers.

(18) *Porträt Ly (Belle Femme)*
Gemälde
87,0 x 70,0 cm
Datierung: 1930
Besitzer: unbekannt
Von diesem Gemälde existieren zwei handschriftlich bezeichnete und datierte Fotografien (Berlin, StM, NG/Archiv und Privatbesitz) mit den o.g. unterschiedlichen Titeln. – Die Dargestellte ist die Freundin Strempels Marie-Luise Neumann, die er 1927 in Berlin kennengelernt hatte und mit der er Ende der 20er Jahre etwa ein Jahr lang zusammen in Paris war. Sie spielten eine Zeitlang mit den Gedanken, in die Modebranche einzusteigen und in Paris ein Atelier zu eröffnen.

(19) *»Violinistin«*
Gemälde
100,0 x 80,0 cm
Datierung: um 1930
Besitzer: unbekannt
Auf einer Fotografie (Berlin, StM, NG/Archiv) sind der Titel, der allerdings nicht zu entziffern ist und die Maße des Bildes handschriftlich notiert.

(20) *Lieselotte*
Gemälde (?)
Bezeichnung: u.r. (auf der Fotografie nicht lesbar)
Datierung: 1930 oder 1932
Besitzer: unbekannt
Ein handschriftlich datiertes Foto (Berlin, StM, NG/Archiv) trägt die Jahreszahl 1930, während ein zweites (Privatbesitz) handschriftlich betitelt und mit 1932 datiert ist.

(21) *»Frau am Caféhaustisch«*
Gemälde und Collage
95,0 x 70,0 cm
Datierung: 1930
Besitzer: unbekannt
Auf einem Werkfoto (Berlin, StM, NG/Archiv) sind handschriftlich Entstehungsdatum und Maße vermerkt. Wie aus einem Brief Strempels an Marie-Luise Neumann (28.12.1927) hervorgeht, hatte er sich schon zu dieser Zeit mit Collagen beschäftigt. In diesem Brief kündigte er an, daß in seinem nächsten Bild ein Brief, sowie ein Foto und drei Paßbilder von Marie-Luise Neumann eine große Rolle spielen würden.

(22) *»Liegender weiblicher Akt mit Tuch«*
Gemälde
Bezeichnung: u.l. »Strempel«
Datierung: um 1930
Besitzer: unbekannt
Eine Fotografie des Gemäldes befindet sich im Archiv der Nationalgalerie Berlin.

(23) *»Stillende Mutter mit Sonnenblume«*
Gemälde (?)
Datierung: um 1930
Besitzer: unbekannt
Eine Fotografie des Werk (Berlin, StM, NG/Archiv) trägt einen handschriftlichen Besitzvermerk, der nicht verifiziert werden konnte.

(24) *»Mann mit Hut«*
Gemälde
120,0 x 90,0 cm
Datierung: 1930
Besitzer: unbekannt
Auf der Werkfotografie (Berlin, StM, NG/Archiv) sind neben dem Entstehungsdatum auch die Maße und die damalige Besitzerin, Strempels Freundin Marie-Luise Neumann angegeben. Marie-Luise Neumann lebte damals bis etwa 1934 in Paris. Bei ihrer Rückkehr nach Deutschland überließ sie dem Nachfolgemieter der Pariser Wohnung das gesamte Mobiliar; darunter befand sich auch eine größere Anzahl von Bildern, die Strempel ihr geschenkt hatte. Der *Mann mit Hut* könnte sich darunter befunden haben.

(25) *Fürsorge*
Öl/Pappe
96,0 x 228,0 cm (Gesamtgröße mit Rahmen) / 96,0 x 64,0 cm (Flügel)
Datierung: 1930
Provenienz: (rechter Flügel) Wolfgramm, Berlin/DDR; Christa Piathek
Besitzer: (Mittelteil und linker Flügel) unbekannt; (rechter Flügel) Halle, Staatl. Gal. Moritzburg, Inv.Nr. I/2069
Ausstellungen: Berlin 1931; Berlin 1932, Nr. 337
Literatur: Weg der Frau, 6, November 1931, 17 (Abb. linker Flügel); Vorwärts, 25.3.1947; – Durus 1932, 43 (Abb.); Müller 1947, 30; – Berlin/DDR 1978/79, Nr. 740 (Abb.)
Abbildungen: Weg der Frau, 6, November 1931, 17 (linker Flügel); – Durus 1932, 43; – Berlin/DDR 1978/79, 328
Die Datierung des Gemäldes konnte aufgrund eines handschriftlich bezeichneten Fotos (Berlin, StM, NG/Archiv) vorgenommen werden. – Auf der Rückseite befindet sich ein Mädchenakt von 1946 (WVZ 157).

(26) *Fürsorge*
Öl
Besitzer: unbekannt

Ausstellung: Berlin 1931, Nr. 338
Keine Abbildung bekannt.

(27) *»Porträt Grete Wiener«*
Öl/Holz
40,7 x 32,4 cm
Bezeichnung: u.r. »ST. 31«
Datierung: 1931
Besitzer: Privatbesitz

(28) *Porträt S.*
Gemälde
105,0 x 75,0 cm
Datierung: 1931
Besitzer: unbekannt
Auf einem Werkfoto (Berlin, StM, NG/Archiv) sind Titel und Daten handschriftlich vermerkt. Auf einer zweiten Abbildung (Privatbesitz) differieren die Angaben (1930 / 100,0 x 70,0 cm).

(29) *Porträt Erna*
Gemälde
100,0 x 70,0 cm
Datierung: 1931
Besitzer: unbekannt
Die oben angegebenen Daten stammen von einer Fotografie (Berlin, StM, NG/Archiv). Auf der Rückseite wurde notiert: »rückseite. akt irene«. Dabei könnte es sich um den Akt (WVZ 31) handeln. Eine nahezu identische Studie (WVZ 653) ist entsprechend bezeichnet.

(30) *Porträt Hochfeldt**
Öl
63,0 x 58,0 cm (?)
Datierung: 1931
Besitzer: unbekannt
Keine Abbildung bekannt.

(31) *»Weiblicher Halbakt, stehend«*
Gemälde
Datierung: 1931 (vgl. WVZ 28)
Besitzer: unbekannt
Eine Fotografie dieses Gemäldes befindet sich im Archiv der Nationalgalerie Berlin.

(32) *Die junge Frau*
Gemälde
78,0 x 50,0 cm
Datierung: 1931
Besitzer: unbekannt
Auf zwei Fotografien dieses Gemäldes (Berlin, StM, NG/Archiv und Privatbesitz) sind die o.g. Daten vermerkt.

(33) *Schreibmaschinenmädchen (Fünf vor sechs)*
Öl/Lwd.
110,0 x 100,0 cm
Datierung: 1931
Besitzer: Privatbesitz
Die Datierung folgt einem handschriftlichen Vermerk auf einer Werkfotografie (Privatbesitz).

(34) *Zwei Mädchen* *
Öl
80,0 x 100,0 cm
Datierung: 1931
Besitzer: unbekannt
Keine Abbildung bekannt.

(35) *Streichhölzer – Streichhölzer!*
Öl/Preßspan

53,5 x 40,0 cm
Datierung: 1930/31
Provenienz: Nachlaß; Generaldirektion des Staatl. Kunsthandels der DDR aus Mitteln des Kulturfonds (1985)
Besitzer: Berlin, StM, NG, Inv.Nr. A IV 547
Auf einer handschriftlich bezeichneten und datierten Fotografie (Privatbesitz) wird als Entstehungsdatum 1931, im Werkkatalog Strempels hingegen 1930 angegeben. Es ist wahrscheinlich, daß das jüngere Datum das exakte ist, da die Fotografie möglicherweise schon bald nach Fertigstellung des Gemäldes der Besitzerin übergeben wurde. In dieser Studie thematisierte Strempel die direkten Nachwirkungen des Ersten Weltkrieges. Der Einfluß der Krüppeldarstellungen von George Grosz und Otto Dix ist unverkennbar. Erinnert sei in diesem Zusammenhang nur an Dix' *Streichholzhändler* (1920) oder an seinen *Kriegskrüppel* (1920).

(36) *Wanderer**
Öl
53,0 x 40,0
Datierung: 1931
Besitzer: verschollen

(37) »*Blumenverkäuferin und Kind*«
Gemälde
Bezeichnung: u.l. »ST ...« (wegen Rahmung nicht sichtbar)
Datierung: 1931
Besitzer: unbekannt
Ein handschriftlich datiertes Werkfoto befindet sich im Archiv der Nationalgalerie Berlin.

(38) *Bettler und Kind*
Gemälde
180,0 x 90,0 cm
Bezeichnung: u.r. »ST.31.«
Datierung: 1931
Besitzer: unbekannt
Eine Fotografie des Gemäldes (Privatbesitz) ist handschriftlich mit Titel und Maßen versehen.

(39) *Bettler und Kind* (»*Bettelnder Kriegskrüppel mit Kind*«)
Gemälde
100,0 x 80,0 cm
Datierung: 1931
Besitzer: unbekannt
Die Datierung folgt einem handschriftlich monogrammierten und datierten Werkfoto (Privatbesitz), die Maßangaben stammen aus der Bilderliste von 1933, Nr. 3.
Horst Strempel notierte über die Wirkung eines seiner Bettlerbilder: »ich schrieb dir von meinem letzten bilde, das ganz groß, aus einem wurf ist (bettler auf der straße). ich hatte gelegenheit es einem prominenten künstler (heckendorf) zu zeigen. auf den es so wirkte, daß dieser mensch, der sonst bilder malt, wie kaninchen junge kriegen, seit 14 tagen keinen pinsel anrührt (er sagte es nicht mir, sondern ich erfuhr es von Nierendorf).« (Aus einem Brief Horst Strempels an Marie-Luise Neumann, 14.2.1931).

(40) *Straße I*
Gemälde
120,0 x 86,0 cm

Datierung: 1931
Besitzer: unbekannt
Die oben angeführten Angaben stammen von einer Fotografie (Privatbesitz).

(41) *Straße II*
Gemälde
120,0 x 180,0 cm
Datierung: 1931
Besitzer: unbekannt
Auf einer Fotografie (Privatbesitz) wurden die genannten Daten handschriftlich vermerkt. Die außerdem hinzugefügte Bezeichnung »Mittelbild« legt nahe, daß Strempel ein Triptychon geschaffen hat oder schaffen wollte. Aus dem vorhandenen Bildmaterial konnte jedoch nichts Entsprechendes rekonstruiert werden. – Vgl. eine Variante des Themas von 1932 (WVZ 53).

(42) *Krieg*
Gemälde
180,0 x 155,0 cm
Datierung: 1931
Besitzer: unbekannt
Die angegebenen Daten sind auf einem Werkfoto (Privatbesitz) verzeichnet.

(43) *Landschaft*
Gemälde
50,0 x 60,0 cm
Datierung: 1931
Besitzer: unbekannt
Ausstellung: Berlin/W. 1970/1, Nr. 1
Keine Abbildung bekannt.

(44) *Blühende Obstbäume*
Öl
37,0 x 50,0 cm
Datierung: 1931
Besitzer: unbekannt
Ausstellung: Berlin/W. 1959/2, Nr. 2

(45) *Landschaft Koserow II*
Gemälde
Bezeichnung: u.r. »St. 31.«
Datierung: 1931
Besitzer: unbekannt
Von diesem Gemälde existiert eine handschriftlich betitelte Fotografie (Privatbesitz).

(46) »*Sonnenblumen*«
Gemälde
Bezeichnung: u.l. »St. 31«
Datierung: 1931
Besitzer: unbekannt
Eine entsprechende Fotografie befindet sich im Archiv der Nationalgalerie Berlin.

(47) »*Porträt Zsiega Cohn*«
Öl/Lwd./Sperrholzplatte
44,0 x 33,0 cm
Bezeichnung: verso »1932«
Datierung: 1932
Besitzer: Privatbesitz
Ausstellungen: Berlin/W. 1959/2, Nr. 3; Berlin/W. 1977, Nr. 3 (dat. 1933)
Der porträtierte Zsiega Cohn war seit den 20er Jahren ein enger Freund Horst Strempels. Sie waren beide in der KPD aktiv und hatten zeitweise gemeinsame künstlerische Interessen. Vermutlich betätigten sie sich mit Gemeinschaftsproduktionen in der Werbebranche (WVZ 2899–2902); das in

diesen Arbeiten verwendete Pseudonym »Ho-Co« weist darauf hin. – Schon bald nach dem Machtantritt der Faschisten, im Frühjahr 1933, ging er mit einem Sohn – seine Frau mit dem zweiten Sohn folgte 1934 – nach New York ins Exil. Nach Strempels Emigration nach Frankreich bestand weiterhin ein enger Briefkontakt zwischen beiden. Überlegungen, in Europa oder Amerika ein gemeinsames Geschäft, gedacht war u.a. an eine Werbeagentur, zu eröffnen, wurden nicht realisiert. Auch Cohns Versuch, Horst Strempel und seine Frau zu einer Übersiedlung in die USA zu überreden, scheiterten. Cohn starb 1940 in den USA.

(48) »*Porträt Zsiega*«
Öl/Holz
32,0 x 27,0 cm
Datierung: 1932 (vgl. WVZ 47)
Besitzer: Privatbesitz

(49) »*Kopf einer Frau*«
Gemälde
Datierung: um 1931/32
Besitzer: unbekannt
Die Fotografie dieses, wahrscheinlich kleinformatigen, Bildes befindet sich im Archiv der Nationalgalerie Berlin. – Der expressive Malstil rückt diesen Frauenkopf in die Nähe der Porträts von Grete Wiener (WVZ 27) und Zsiega Cohn (WVZ 47 und 48).

(50) »*Selbstbildnis*«
Leimfarbe/Jute
84,0 x 50,0 cm
Bezeichnung: o.l. »ST.32.«
Datierung: 1932
Besitzer: Berlin, Privatbesitz
Ausstellung: Berlin/W. 1977, Nr. 3
Das Selbstbildnis zeigt deutliche Affinitäten zu einem Selbstbildnis Edvard Munchs von 1895 (*Selbstbildnis mit Zigarette*, Öl/Lwd. (110,5 x 85,5 cm); Oslo, Nationalgalerie. Abb. in: Essen 1987, Kat.Nr. 43. In beiden Bildern zeigen sich die Künstler dem Betrachter direkt zugewendet, der Rumpf ist jedoch eher in einer Dreiviertelansicht gegeben – bei Munch nach rechts, bei Strempel nach links. Beide Künstler halten in der rechten Hand etwa in Brusthöhe eine Zigarette. Unterschiede zeigen sich jedoch in der Malweise. Während Munch die Farbe sehr dünn aufträgt, so daß stellenweise die Struktur der Leinwand durchschimmert, bevorzugt Strempel einen dicken, fast pastosen Farbauftrag. Bei Munch sind lediglich das Gesicht, die Halspartie und die Hand, die die Zigarette hält, sorgsam ausmodelliert, während der Körper sich im Hintergrund aufzulösen scheint. Strempels Selbstporträt hingegen verleugnet nicht, daß es unter dem Einfluß der Neuen Sachlichkeit entstand. In diesem Sinne werden Körper und Raum deutlich voneinander abgegrenzt. Auch die Lichtführung scheint hier ausgeglichener; gleichwohl werden durch die Beleuchtung in beiden Bildern die gleichen Körperteile hervorgehoben.

(51) »*Weiblicher Akt*«
Gemälde
Datierung: 1932
Besitzer: unbekannt

Es existiert eine handschriftlich datierte Fotografie (Berlin, StM, NG, Archiv).

(52) »Familie eines Arbeitslosen«
Gemälde (?)
Datierung: 1932
Besitzer: unbekannt
Eine handschriftlich datierte Fotografie dieses Bildes befindet sich im Archiv der Nationalgalerie Berlin. − Das gleiche Motiv findet sich in einem Holzschnitt aus dem gleichen Jahr (WVZ 2391), der sich auf die Figurengruppe konzentriert, ohne die Umgebung miteinzubeziehen.

(53) »Musizierender Kriegskrüppel mit Frau und Kind«
Gemälde
Datierung: 1932
Besitzer: unbekannt
Die handschriftlich datierte Fotografie des Werk (Berlin, StM, NG/ Archiv) trägt auf der Rückseite den Vermerk »Staatspreiß-ausstellung« (sic). Es ist nicht zu klären, ob Strempel das Gemälde dort wirklich ausgestellt hat. − Es stellt eine Variante zu *Straße II* (WVZ 41) dar, unterscheidet sich aber vor allem durch das Weglassen des flöte-spielenden Krüppels im Vordergrund rechts und eines Kindes im Hintergrund sowie den durch Mantel und Stiefel gekennzeichneten Polizisten. Die formale Reduktion bewirkt somit gleichzeitig eine Entschärfung der inhaltlichen Aussage.

(54) »Frau mit Kind« * (Ö 172)
Öl
32,0 x 26,0 cm
Bezeichnung: o.r. »ST.32«
Datierung: 1932
Besitzer: unbekannt

(55) »Frau mit Kind« *
Gemälde
Datierung: um 1932
Besitzer: unbekannt

(56) *Sonne*
Gemälde
120,0 x 105,0 cm
Datierung: 1932
Besitzer: unbekannt
Von diesem Gemälde ist keine Abbildung bekannt. Die Daten stammen aus einem Brief Strempels an Marie-Luise Neumann vom 22.10.1932. Dort beschrieb er das Bild folgendermaßen: »eine junge mutter mit ihrem kinde. Ganz in gelben und goldigen tönen gehalten und im hintergrunde eine große reife sonnenrose. die frau und das kind ist nackt und weit überlebensgroß. das ganze bild 120 x 105. ... werde ich dieses bild und noch zwei andere zur großen Staatspreisausstellung schicken.« − Im Februar 1933 berichtet er dann an die gleiche Adressatin, daß er das Bild an einen Züricher Kunsthändler verkauft habe.

(57) Selig sind die geistig Armen (Papst und Christus)
Gemälde
Bezeichnung: u.r. »Strempel 32«
Datierung: 1932
Besitzer: verschollen
Ausstellungen: Berlin 1932/1; Berlin 1932/2; Amsterdam 1933, Nr. 14

Literatur: WaA, 21.10.1932; Vorwärts, 25.3.1947; FAZ, 27.10.1954; Film u. Frau, 10, 1958, H. 12, o.S.; BM, 25.7.1959; − Müller 1947, 30; Stephanowitz 1984, 217
Das Gemälde ist nur durch eine Fotografie (Berlin, StM, NG/Archiv) bekannt. Nachdem es von der »Großen Berliner Kunstausstellung 1932« entfernt und anschließend in einer Gegenausstellung der proletarisch-revolutionären Künstler gezeigt worden war, sollte es in London und Amsterdam ausgestellt werden. Nach Angaben von Strempel wurde das Bild auch in Holland zensiert, anschließend verlor sich seine Spur. Strempels Nachforschungen in Amsterdam im Sommer 1933 blieben erfolglos.

(58−60) Wacht auf Verdammte dieser Erden

Von den drei Gemälden existieren handschriftlich datierte Fotografien (Berlin, StM, NG/Archiv). Da sie außerdem noch mit den römischen Ziffern »I«, »II« und »III« bezeichnet wurden, ist zu vermuten, daß die Bilder zu einem Triptychon zusammengefügt werden sollten. Möglicherweise handelte es sich dabei um das Werk, über das Horst Strempel am 24.11.1931 an Marie-Luise Neumann schrieb: »ich habe in diesen tagen ein großes dreiteiliges bild gemacht, es heißt wacht auf verdammte dieser erden. es ist das beste, was ich bis jetzt gemacht habe. es hat mich sehr mitgenommen und ich bin noch heute ganz rammdösig und komme erst langsam zur besinnung.«

(58) I. »Arbeitslose vor dem Arbeitsamt«
Gemälde
Datierung: 1931/32
Besitzer: unbekannt

(59) II. Demonstration
Gemälde
100,0 x 80,0 cm
Datierung: 1931/32
Besitzer: unbekannt
Titel und Maße stammen von einer Fotografie (Marbella/Spanien, Privatbesitz).

(60) III. »Schwangere mit Kindern«
Gemälde
Datierung: 1931/32
Besitzer: unbekannt

(61) »Fischerboote«
Öl/Pappe
56,5 x 47,0 cm
Bezeichnung: u.r. »Strempel / 32.«
Datierung: 1932
Besitzer: Privatbesitz (1988)
Das Gemälde mit den Fischerbooten entstand wahrscheinlich bei einem Aufenthalt an der Ostseeküste. Über seine Geschichte ist kaum etwas bekannt. Bevor es vor einigen Jahren aus einem venezuelischen Nachlaß nach Deutschland kam, galt es als verschollen. Es ist möglich, daß das Bild um 1933 von einem späteren Emigranten in Berlin erworben und bei seinem Weggang mitgeführt wurde. Es könnte jedoch auch zu den Werken gehört haben, die sich Strempel aus Deutschland ins Pariser Exil hatte nachschicken lassen, um sie nach

Amerika zu bringen, wo sie verkauft werden sollten.

(62) »Fischerboote«
Gemälde (?)
Datierung: um 1932 (vgl. WVZ 61)
Besitzer: unbekannt
Eine unbezeichnete Fotografie befindet sich im Archiv der Nationalgalerie Berlin.

(63) Blüten in Werder *
Öl
30,0 x 40,0 cm
Datierung: 1932
Besitzer: unbekannt
Keine Abbildung bekannt.

(64) »Krug mit Sonnenblumen«
Gemälde
Bezeichnung: u.r. »Strempel 32«
Datierung: 1932
Besitzer: unbekannt
Eine Fotografie des Gemäldes befindet sich im Archiv der Nationalgalerie Berlin.

(65) »Mädchen mit Spielzeug«
Gemälde
Bezeichnung: u.r. »Strempel / 33«
Datierung: 1933
Besitzer: unbekannt
Die Fotografie des Porträts (Berlin, StM, NG/Archiv) wurde handschriftlich auf 1930 datiert.

(66) »Porträt eines Clowns«
Gemälde (?)
Datierung: vor Mitte 1933
Besitzer: unbekannt
Auf einer Fotografie (Berlin, StM, NG/Archiv) ist lediglich der Name eines früheren Besitzers angegeben. − Da das Werkfoto zusammen mit anderen (datierten) Reproduktionen von um 1930 entstandenen Arbeiten aufbewahrt wurde, ist davon auszugehen, daß auch das o.g. Porträt in dieser Zeit entstand.

(67) »Porträt eines Mannes mit Brille«
Gemälde
Bezeichnung: links, in Kinnhöhe, auf der Fotografie unkenntlich gemacht
Datierung: vor Mitte 1933
Besitzer: unbekannt
Von dem Porträt existiert nur eine unbezeichnete Fotografie (Berlin, StM, NG/Archiv). Zur Datierung siehe WVZ 66.

(68) *Porträt Erna*
Öl/Lwd./Hartfaserplatte
41,0 x 24,0 cm
Bezeichnung: verso o.l. »1933 Porträt Erna (Paris) 24x41«
Datierung: 1933
Nach einem im Nachlaß aufbewahrten Foto scheint das Porträt ursprünglich größer gewesen zu sein (Querformat). Möglicherweise wurde es verkleinert, um es einfacher transportieren zu können. Jedoch könnte ebenso eine Restaurierung die Verkleinerung erforderlich gemacht haben.

(69) »Weiblicher Akt an einem Tisch sitzend«
Gemälde
Datierung: um 1933
Besitzer: unbekannt

Von diesem Akt existiert nur eine unbezeichnete Fotografie (Privatbesitz). Er weist enge Bezüge zu den nach 1930 entstandenen Aktdarstellungen auf. Die flächenhaft-abstrahierende Körperauffassung könnte jedoch für ein etwas späteres Entstehungsdatum sprechen.

(70) *Arbeit*
Gemälde
Datierung: 1933
Besitzer: unbekannt
Zu dem Werk *Arbeit* gibt es nur einen Hinweis in einem Brief Horst Strempels an Marie-Luise Neumann vom Februar 1933. Er schrieb: »da in der nächsten zeit nicht damit gerechnet werden kann, daß unsere arbeiten ausgestellt werden (denn Hitler will die ‹deutsche Kultur› einführen) … werde ich die nächste zeit in aller ruhe an einem großen bild Arbeit malen.«

(71) »*Landschaft mit Allee*«
Gemälde
Datierung: vor Mitte 1933
Besitzer: unbekannt
Von dem Gemälde existiert nur ein unbezeichnetes Foto (Berlin, StM, NG/Archiv). Zur Datierung siehe WVZ 66.

(72) »*Blühender Baum*«
Gemälde
Datierung: vor Mitte 1933
Besitzer: unbekannt
Eine unbezeichnete Fotografie befindet sich im Archiv der Nationalgalerie Berlin. Zur Datierung siehe WVZ 66.

(73) »*Landschaft mit Bäumen und Brücke*«
Gemälde
Datierung: vor Mitte 1933
Besitzer: unbekannt
Eine unbezeichnete Fotografie befindet sich im Archiv der Nationalgalerie Berlin. Zur Datierung siehe WVZ 66.

(74) »*Landschaft*«
Gemälde
Datierung: vor Mitte 1933
Besitzer: unbekannt
Eine nicht bezeichnete Fotografie des Bildes befindet sich im Archiv der Nationalgalerie Berlin. Zur Datierung siehe WVZ 66. Da sich gewisse Übereinstimmungen mit der Landschaft Koserow (WVZ 45) bezüglich der Maltechnik und des Motivs feststellen lassen, könnte das o.g. Gemälde ebenfalls schon um 1931 entstanden sein.

(75) »*Wiese mit Drahtzaun im Vordergrund*«
Gemälde
Datierung: vor Mitte 1933
Besitzer: unbekannt
Vgl. WVZ 74.

(76) »*Sanssouci*« *
Gemälde
65,0 x 93,0 cm
Datierung: vor Mitte 1933
Besitzer: unbekannt
Von diesem Gemälde befindet sich eine handschriftlich bezeichnete Fotografie im Archiv der Nationalgalerie Berlin. Zur Datierung siehe WVZ 66.

(77) »*Blumen*«
Gemälde
Datierung: vor Mitte 1933
Besitzer: unbekannt
Eine unbezeichnete Fotografie dieses Blumenstücks befindet sich im Archiv der Nationalgalerie Berlin. Zur Datierung siehe WVZ 66.

(78) »*Asternstrauß in einer Vase*«
Gemälde
Datierung: vor Mitte 1933
Besitzer: unbekannt
Eine Reproduktion des Gemäldes befindet sich im Archiv der Nationalgalerie Berlin. Zur Datierung siehe WVZ 66.

(79) *Tulpen in einer Vase*
Gemälde
Datierung: vor Mitte 1933
Besitzer: unbekannt
Von diesem Bild existiert eine unbezeichnete Fotografie (Berlin, StM, NG/Archiv). Zur Datierung siehe WVZ 66.

(80) »*Blumenstrauß*«
Gemälde
Bezeichnung: u.l. »Strempel …« (Datierung unleserlich)
Datierung: vor Mitte 1933
Besitzer: unbekannt
Auf der Fotografie dieses Bildes (Berlin, StM, NG/Archiv) ist lediglich ein früherer Besitzer vermerkt. Zur Datierung vgl. WVZ 66.

(81) *Blaue Fläche*
Öl/Pappe
20,5 x 16,5 cm
Bezeichnung: u.l. »Strempel 1933«
Datierung: 1933
Besitzer: Privatbesitz

Auf einer Bilderliste, die Strempel im August 1933 an Zsiega Cohn nach Amerika schickte, waren weitere 29 bis Mitte 1933 entstandene Werke, getrennt nach sozialkritischen und neutralen Themen, verzeichnet. Erstere befanden sich zu diesem Zeitpunkt wahrscheinlich schon in Paris, während der Rest in Berlin geblieben war. Es ist davon auszugehen, daß einige davon mit schon vorgenannten identisch sind. Aus diesem Grunde werden sie hier ohne Werkverzeichnis-Nummer eingefügt.
1. *Drei Frauen*
Gemälde
180,0 x 120,0 cm
Datierung: vor Mitte 1933
Besitzer: unbekannt
Die Beschreibung von Strempel dazu: »schwarzer Grund, schwangere, junge frau, mädchen«.
2. *Bettler*
Gemälde
180,0 x 120,0 cm
Datierung: vor Mitte 1933
Besitzer: unbekannt
Nach einem Vermerk Strempels auf der Liste ist dieses Bild auf der Staatspreisausstellung gezeigt worden.
3. *Bettler und Kind*
Siehe WVZ 38.
4. *Blinder und Kind auf der Straße*
Gemälde
180,0 x 90,0 cm

Datierung: vor Mitte 1933
Besitzer: unbekannt
5. *Familie*
Gemälde
120,0 x 105,0 cm
Datierung: vor Mitte 1933
Besitzer: unbekannt
Einer Notiz Strempels zufolge ist das Gemälde auf der Staatspreisausstellung gezeigt worden.
6. *Schwangere und Kinder*
Gemälde
120,0 x 105,0 cm
Datierung: vor Mitte 1933
Besitzer: unbekannt
Einer Notiz Strempels zufolge ist das Gemälde auf der Staatspreisausstellung gezeigt worden.
Triptychon:
7. *Bettlerin*
8. *Demonstration*
9. *Erwerbslose*
Gemälde
je 100,0 x 80,0 cm
Datierung: vor Mitte 1933
Besitzer: unbekannt
Möglicherweise ergeben sich hier Überschneidungen mit dem Triptychon WVZ 58–60, wobei jedoch nur zwei Themen übereinstimmen.
10. *Das tote Kind (Trauer)*
Gemälde
90,0 x 138,0 cm
Datierung: Mitte 1933
Besitzer: unbekannt
Strempel beschrieb in einem Brief an Zsiega Cohn vom 27.6.1933 ein Bild, das er zu malen beabsichtigte, womit wohl das o.g. gemeint war: »augenblicklich versuch ich wieder zu malen und habe ein bild vor, dass die trauer heisst. eine frau mit einem toten kinde. ich bin diesmal ganz anders vorgegangen. habe in einer sehr deprimierten stimmung ganz gross und flächig den ausdruck des ganzen hingesetzt und mache jetzt für jeden einzelnen teil studien nach der natur, um dann ganz bewußt und ohne skrupeln alles fortlassen zu können, was den ausdruck behindert oder die kraft vermindert. dieses bild ist die ‹logische folge› der vorhergegangenen, und der abschluss dieser epoche.«
11. *Blumenfrau*
Gemälde
80,0 x 100,0 cm (100,0 x 80,0 cm?)
Datierung: vor Mitte 1933
Besitzer: unbekannt
Siehe auch WVZ 37.
12. *Verwundete*
Gemälde
Datierung: vor Mitte 1933
Besitzer: unbekannt
13. *Schreibmaschinenmädchen*
identisch mit WVZ 33.
14. *Porträt Mischa*
Gemälde
Datierung: vor Mitte 1933
nach 1933 in New York zerstört
15. *Kleines Kinderköpfchen*
Gemälde
25,0 x 35,0 cm
Datierung: vor Mitte 1933
Besitzer: unbekannt
16. *Schneeballen*
Gemälde
ca. 35,0 x 45,0 cm

Datierung: vor Mitte 1933
Besitzer: unbekannt
17. *Halde in Oberschlesien*
Gemälde
ca. 50,0 x 60,0 cm
Datierung: vor Mitte 1933
Besitzer: unbekannt
18. *Tulpen in Gelb*
Gemälde
ca. 50,0 x 60,0 cm
Datierung: vor Mitte 1933
Besitzer: unbekannt
19. *Blühende Kastanien*
Gemälde
ca. 60,0 x 70,0 cm
Datierung: vor Mitte 1933
Besitzer: unbekannt
20. *Grüne Landschaft*
Gemälde
77,0 x 70,0 cm
Datierung: vor Mitte 1933
Besitzer: unbekannt
21. *Kleine Winterlandschaft*
Gemälde
35,0 x 50,0 cm
Datierung: vor Mitte 1933
Besitzer: unbekannt
22. *Rittersporn mit Maske*
Gemälde
80,0 x 100,0 cm
Datierung: vor Mitte 1933
Besitzer: unbekannt
23. *Landschaft Koserow I*
Gemälde
50,0 x 80,0 cm
Datierung: vor Mitte 1933
Besitzer: unbekannt
24. *Landschaft Koserow II*
Gemälde
50,0 x 70,0 cm
Datierung: vor Mitte 1933
Besitzer: unbekannt
Eventuell identisch mit WVZ 45.
25. *Schlafende (Mädchen mit Hemd)*
Gemälde
40,0 x 60,0 cm (?)
Datierung: vor Mitte 1933
Besitzer: unbekannt
26. *Landschaft mit Blüten*
Gemälde
50,0 x 70,0 cm
Datierung: vor Mitte 1933
Besitzer: unbekannt
27. *Blüten am Rain*
Gemälde
50,0 x 60,0 cm (?)
Datierung: vor Mitte 1933
Besitzer: unbekannt
28. *Pfingstrosen*
Gemälde
50,0 x 65,0 cm
Datierung: vor Mitte 1933
Besitzer: unbekannt
29. *Madonna mit Kind*
Gemälde
55,0 x 65,0 cm
Datierung: vor Mitte 1933
Besitzer: unbekannt

(82) *Figürliche Komposition*
Öl
65,0 x 46,0 cm
Datierung: 1934
Besitzer: unbekannt
Ausstellung: Berlin/W. 1977, Nr. 4
Keine Abbildung bekannt.

(83) **»Stilleben mit Spielkarte«**
Öl/Lwd.
48,0 x 39,0 cm
Datierung: um 1934 (vgl. WVZ 663)
Besitzer: Privatbesitz
Die Studie (WVZ 663) ist mit dem Ölbild
nahezu identisch. Durch geringfügiges Verschieben einzelner Gegenstände bzw. Linien konnte Strempel dem an sich eher flächig konstruierten Stilleben im Gemälde eine größere Raumtiefe geben.

(84) **Komposition**
Öl/Lwd.
63,0 x 51,0 cm
Bezeichnung:u.l. »H. Strempel 1934«; ver-
so o.l. »Horst Strempel Paris 1934 63x51
Öl«
Datierung: 1934
Eine Fotografie des Gemäldes trägt die Da-
tierung 1939; die Bezeichnung auf dem
Original könnte jedoch erst in späteren
Jahren vorgenommen worden und deshalb
ungenau sein.

(85) *Quadrate (Weißes Quadrat)*
Öl/Pappe
35,0 x 31,0 cm
Bezeichnung: u.r. »Strempel 1934«
Datierung: 1934
Besitzer: Berlin, BG (Leihgabe), Inv.Nr.
BG-M 3431/83L
Ausstellung: Berlin/W. 1959/2, Nr. 4
(»Farbstudie I«)

(86) *Farbstudie II*
Öl
17,0 x 21,0 cm (21,0 x 17,0 cm)
Datierung: 1934
Besitzer: unbekannt
Ausstellung: Berlin/W. 1959/2, Nr. 5
Keine Abbildung bekannt.

(87) *Porträt Erna* (Ö 3)
Öl/Lwd./Spanplatte
44,0 x 32,0 cm
Bezeichnung: u.r. »St.«; verso »1935 Porträt Erna (Paris) Kat.Nr.3 44x32 Foto.Map-
pe 1.«
Datierung: 1935

(88) *Porträt Erna* (Ö 3a)
Öl/Lwd.
40,0 x 27,0 cm
Bezeichnung: u.l. »Strempel 35. / Nr.3a«;
verso o. »1935 40x27 Porträt Erna Nr.3a«
Datierung: 1935

(89) **»Porträt Emmi Raphael«**
Öl/Spanplatte
33,0 x 25,5 cm
Bezeichnung: u.l. »Strempel«
Datierung: 1935*
Besitzer: Privatbesitz
Emmi Raphael war die Frau Max Raphaels.
Sie hatte ihren Mann durch Erna Strempel
um 1935 bei seinen Führungen im Louvre
kennengelernt.

(90) **»Akt Erna«** (Ö 2)
Öl/Holz
100,0 x 72,0 cm
Datierung: 1935*
Ausstellungen: Berlin/W. 1970/1, Nr. 2
(Abb.); Berlin/W. 1977, Nr. 6 (Abb. / fälsch-
licherweise auf 1933 datiert)

Abbildungen: Berlin/W. 1970/1, o.S.; Ber-
lin/W. 1977, o.S.
Auf der Rückseite befindet sich das Bildnis
einer Frau mit Kind (WVZ 91).

(91) *Frau mit Kind* (Ö 2)
Öl/Holz
100,0 x 72,0 cm
Datierung: 1935*
Ausstellungen: Berlin/W. 1970/1, o.
Kat.Nr. (Abb.); Berlin/W. 1977, Nr. 6
Abbildungen: Berlin/W. 1970/1, o.S.
Das Motiv der Mutter mit einem Kleinkind
auf dem Arm auf einem Balkon stehend, beschäftigte Strempel für längere Zeit. Von
diesem profanisierten Madonnenbild gibt
es zahlreiche Arbeiten in unterschiedlichen
Techniken und Stilen (vgl. u.a. WVZ 672,
WVZ 676, WVZ 1306, WVZ 1309). In dem
von Strempel angelegten Werkkatalog wird
weiterhin auf eine Ölstudie und auf eine
»Copie 1938« hingewiesen. Bei dieser Kopie handelt es sich wahrscheinlich um das
Brustbild einer Frau mit Kind (WVZ 103),
wenngleich der Begriff Kopie nicht zutreffend ist. Es ist jedoch deutlich, daß es sich
um den gleichen Vorwurf handelt, der lediglich mit kubistischen Stilmitteln aufgelöst wurde, während das Original noch sehr
dem Naturvorbild verhaftet bleibt. – Eine
Kopie des Gemäldes fertigte Strempel später dennoch an (WVZ 643), da er einen
Kaufinteressenten gefunden hatte. »Ein
Sammler will aber nun unbedingt dieses
Bild haben und ich bin mit ihm übereinge-
kommen es zu kopieren.« (Briefliche Mitteilung Horst Strempels an Wilhelm Puff,
28.1.1974).

(92) *Porträt Erna*
Öl
45,0 x 55,0 cm
Datierung: 1936
Besitzer: unbekannt (Privatbesitz)
Ausstellung: Berlin/W. 1959/2, Nr. 8
Keine Abbildung bekannt.

(93) *Porträt Erna** (Ö 5)
Öl/Pappe
39,0 x 29,0 cm
sign. dat.
Datierung: 1936
Besitzer: Privatbesitz

(94) **Sitzender Rückenakt** (Ö 4)
Öl/Sperrholz
87,0 x 65,0 cm
Bezeichnung: u.l. »St. 36«
Datierung: 1936
Ausstellungen: Berlin/W. 1970/1, Nr. 3
(Abb. / dat.: 1935, Maße: 103,0 x 71,0 cm);
Berlin/W. 1977, Nr. 7 (Abb.)
Abbildungen: Berlin/W. 1970/1, o.S.; Ber-
lin/W. 1977, o.S.

(95) *Betoging (Demonstration)*
Öl
Datierung: um 1936
Besitzer: unbekannt
Ausstellung: Amsterdam 1936, Nr. 256
Keine Abbildung bekannt. Es ist möglich,
daß es sich hier um das Demonstrationsbild
aus dem Triptychon *Wacht auf Verdammte
dieser Erde* (WVZ 59) handelt.

(96) *Paris (Jardin Luxembourg)**
Öl
50,0 x 30,0 cm
Datierung: 1936 oder1939
Besitzer: unbekannt
Ausstellung: Berlin 1946/7, Nr. 14 (?)
Zwei handschriftlich bezeichnete und datierte Fotografien des Gemäldes befinden sich im Nachlaß. – Das auf 1938 datierte Aquarell *Jardin du Luxembourg* (WVZ 677) zeigt zwar den gleichen Bildaufbau, wirkt aber sowohl durch die Aquarelltechnik als auch durch die engere Anbindung an das Naturvorbild malerischer.

(97) *»Porträt Gusti Billig«*
Öl
55,0 x 43,0 cm
Bezeichnung: »Paris ›37«
Datierung: 1937
Besitzer: Privatbesitz
Gusti Billig war eine Bekannte Strempels aus der Berliner Zeit. Sie emigrierte Mitte der 30er Jahre über Paris in die USA.

(98) *Mädchenakt* (Ö 5a)
Öl/Lwd.
55,0 x 47,0 cm
Bezeichnung: u.l. »H. Strempel 37 Paris«; verso »Horst Strempel ›Mädchenakt‹ Paris 1937 cm 55x47 Kat.Nr.5a«
Datierung: 1937
Besitzer: Privatbesitz

(99) *Mutter und Kind **
Öl
50,0 x 45,0 cm
Datierung: 1937
Besitzer: unbekannt
Keine Abbildung bekannt. – Nach einem Vermerk in einem von Strempel angelegten Werkkatalog sollte das o.g. Gemälde die Skizze zu einem Ölbild sein.

(100) *»Zwei Frauen«*
Öl/Holz
79,0 x 55,2 cm
Bezeichnung: u.r. »ST. 37«
Datierung: 1937
Besitzer: Privatbesitz
Dieses Bild, in enger Anlehnung an den Stil der Südseebilder Paul Gauguins, malte Strempel, nach einer Auskunft des gegenwärtigen Besitzers, als Pendant zu Reginald Marshs *High Yellow* (1934, Tempera). Die Beziehung zwischen beiden Bildern ist weder vom Formalen noch von motivischen Übereinstimmungen her zu verstehen. Denkbar wäre, daß Strempel beabsichtigte, dem zivilisierten Stadtmenschen Marshs einen Eindruck von Ursprünglichkeit und Natürlichkeit gegenüberzustellen. Möglicherweise liegen dieser Übertragung persönliche Gründe, die nicht ohne weiteres erschlossen werden können, zugrunde. – Reginald Marsh (1889–1954) thematisierte in seinem Werk der 30er Jahre vor allem das New Yorker Leben in von Bewegung erfüllten Bildern. Zu Strempel gibt es einige indirekte Bezugspunkte: Marsh arbeitete als Zeichner für die Zeitschrift »New Masses« in New York, wo auch Strempel mit Hilfe seines Freundes Zsiega Cohn versuchte, Karikaturen abzusetzen. Außerdem hielt sich Marsh wiederholt in Berlin und Paris auf, wo auch seine Bilder

ausgestellt wurden, so daß nicht ausgeschlossen werden kann, daß Strempel mit seinem Werk enger vertraut war.

(101) *Halbakt*
Öl/Spanplatte
62,0 x 45,0 cm
Bezeichnung: o.r. »STREMPEL 38.«
Datierung: 1938
Besitzer: Privatbesitz
Auf der Rückseite befindet sich die Ölstudie *Mutter und Kind* (WVZ 102). – Vgl. die Zeichnung WVZ 1311.

(102) *Mutter und Kind* (Ö 2b)
Öl/Spanplatte
62,0 x 45,0 cm
Bezeichnung: u.l. »Strempel 38«
Datierung: 1938
Besitzer: Privatbesitz
Dieses Ölbild ist eine Variante zu *Frau mit Kind* von 1935 (WVZ 91). Der Begriff »Copie«, den Strempel hierfür in seinem Werkkatalog wählte, ist jedoch nicht zutreffend, da einige Abweichungen von der Vorlage vorhanden sind. Abgesehen vom wesentlich kleineren Format der Arbeit von 1938, zeigt sich das vor allem in den starken Abstrahierungstendenzen, die deren Stil bestimmen. – Die Vorderseite dieses Bildes zeigt einen Halbakt (WVZ 101).

(103) *Frau mit Kind* (Ö 2a)
Öl/Spanplatte
47,0 x 43,3 cm
Bezeichnung: u.l. »Strempel 38.«
Datierung: 1938
Besitzer: Privatbesitz
Das Brustbild einer Mutter mit Kind ist eine späte Studie zum gleichnamigen Gemälde (WVZ 91), die sich aus dem Kubismus entliehener Stilelemente zu einer sich am Gegenstand orientierenden Abstrahierung bedient.

(104) *Kopf grün-rot*
Öl
29,0 x 40,0 cm (40,0 x 29,0 cm?)
Datierung: 1938
Besitzer: unbekannt
Ausstellung: Berlin/W. 1959/2, Nr. 10
Keine Abbildung bekannt.- Möglicherweise ist das Bild mit dem *Mädchenkopf* (WVZ 108) identisch.

(105) *Halbakt*
Öl
51,0 x 66,0 cm (66,0 x 51,0 cm?)
Datierung: 1938
Besitzer: unbekannt
Ausstellung: Berlin/W. 1959/2, Nr. 9
Keine Abbildung bekannt.

(106) *Leben (Jardin Publique)*
Öl/Lwd./Spanplatte
58,5 x 40,0 cm
Bezeichnung: u.l. »Strempel 38«
Datierung: 1938
Besitzer: Berlin, BG (Leihgabe), Inv.Nr. BG-M 3434/83L
Ausstellungen: Berlin 1947/1, Nr. 15 (Studie zu *Jardin Publique*) ; Berlin/W. 1977, Nr. 9
Das oben aufgeführte Ölbild ist eine Detailstudie zu einem größeren Werk (WVZ 118).

(107) *Paris Place d'Italie* (Ö 6)
Öl/Sperrholz
41,5 x 51,5 cm
Bezeichnung: u.l. »St.38 Paris«; u.r. »St.38«; verso »Paris Place Italie 1938 Nr.6«
Datierung: 1938
Ausstellung: Berlin 1947/1, Nr. 9 (dat.: 1939)
Literatur: NE, 15.4.1947; ND, 17.4.1947; Tribüne, 6.5.1947

(108) *Mädchenkopf (Erna Strempel)*
Öl/Pappe
39,5 x 30,0 cm
Bezeichnung: u.l. »St.39. / Paris«; verso o. »Nr.8 1939, Mädchenkopf«
Datierung: 1939
Besitzer: Berlin, BG (Leihgabe), Inv.Nr. BG-M 3432/83L
Abbildung: Feist 1989, 95 (fälschlich dat. 1929)

(109) *»Porträt Erna Strempel«*
Gemälde
30,0 x 30,0 cm
Datierung; um/vor 1939
Besitzer: Privatbesitz
Keine Abbildung bekannt.

(110) *Porträtskizze*
Öl
45,0 x 55,0 cm (55,0 x 45,0 cm?)
Datierung: 1939
Besitzer: unbekannt
Ausstellung: Berlin/W. 1959/2, Nr. 12
Keine Abbildung bekannt.

(111) *Liegender Akt* (Ö 8a)
Öl/Lwd./Spanplatte
28,0 x 39,0 cm
Bezeichnung: u.r. »Strempel 39«; verso »7.3.39 Paris 39x28 Liegender Akt Kat.Nr.8a«
Datierung: 1939
Besitzer: Privatbesitz

(112) *Frauenkopf*
Öl
34,0 x 28,0 cm
Datierung: 1939
Besitzer: unbekannt
Ausstellung: Berlin/W. 1977, Nr. 12
Keine Abbildung bekannt.

(113) *Paar **
Öl
100,0 x 80,0 cm
Datierung: 1939
Besitzer: unbekannt
Die handschriftlich bezeichnete und datierte Fotografie befindet sich im Nachlaß. Auf der Rückseite des Gemäldes müßte diesen Angaben zufolge eine Berliner Trümmerlandschaft zu sehen sein (WVZ 140).

(114) *Paar (an einem Tisch sitzend)*
Öl/Lwd.
143,5 x 81,5 cm
Bezeichnung: u.l. »H. Strempel Paris 1939«
Datierung: 1939
Besitzer: Privatbesitz
Auf der Rückseite dieses Gemäldes befindet sich eine Version zum Thema *Aufbau und Verfall* (WVZ 196). – Es ergeben sich

einige Parallelen zum vorgenannten Bild *Paar* (WVZ 113), so daß anzunehmen ist, daß beide Arbeiten in engem Zusammenhang stehen und daß möglicherweise die gleichen Personen als Modelle dienten. Eventuell handelt es sich bei den hier Dargestellten um das Ehepaar Raphael.

(115) Le Zinc (Der Tresen) (Ö 7)
Öl/Spanplatte
95,5 x 101,0 cm
Bezeichnung: recto u.l. »Strempel 39 / Kat.Nr.«
Datierung: 1939 (1938*)
Besitzer: Berlin, BG (Leihgabe), Inv.Nr. BG-M 3448/83L
Ausstellungen: Berlin 1946/7, Nr. 12 (Am Buffet); Berlin/W. 1977, Nr. 10
Literatur: ND, 25.9.1946; Vorwärts, 25.9.1946; Sie, 29.9.1946; TS, 8.11.1946
Die Holzplatte ist beidseitig bemalt. Dargestellt wird die gleiche Szene in zwei unterschiedlichen Varianten. Während die Vorderseite eine Caféhaus-Szene in einem Stil zeigt, der sich noch weitgehend an der naturalistischen Malweise orientiert, wird sie auf der Rückseite schon in Farbfelder aufgeteilt, ist jedoch ohne sich endgültig von der menschlichen Figur und vom Gegenstand zu entfernen. Eine völlige Auflösung in farbige Segmente wird erst in der Ölskizze erreicht. — W.G. Oschilewski nahm dieses Bild zum Anlaß, die kompositionellen Qualitäten Strempels hervorzuheben, ihn aufgrund dessen zum »Meister der tektonischen Gestaltung« zu ernennen. »Das dafür beispielhafte Bild ‹Am Buffet› ..., hat einen sehr realistischen Untergrund; im Laufe der Verwirklichung des Bildgedankens vollzog sich der merkwürdige Prozeß der Entkleidung aller physiognomischen Züge der Figuren, das Persönliche wurde abstrahiert und was übrigbleibt, ist logisch aufgebautes und farblich wohlausgewogenes Schauspiel von menschlichen Typen. Auf diesem Weg sollte Strempel weitergehen.« (W.G. Oschilewski. Sie betrachtet. In: Sie, 29.9.1946).

(116) Le Zinc (Der Tresen) (Ö 7a)
Öl/Spanplatte
37,0 x 36,0 cm
Bezeichnung: u.r. »H. Strempel 1938«; verso »H. Strempel 1939, Skizze zu »Le Zinc« Öl 37x36 Kat.Nr.a25«
Datierung: 1938/39
Besitzer: Privatbesitz
Ausstellung: Berlin 1947/1, Nr. 16 (Studie zur Tischgesellschaft, dat.: 1938)
Literatur: TG, 23.4.1947

(117) Die Gesellschaft (Ö 6a)
Öl/Lwd./Spanplatte
40,5 x 51,0 cm
Bezeichnung: u.l. »St.39«
Datierung: 1939
Besitzer: Berlin, BG (Leihgabe), Inv.Nr. BG-M 3435/83L
Ausstellung: Berlin/W. 1977, Nr. 11 (Kleine Gesellschaft, 40,0 x 56,0 cm)
Vgl. die Umrißzeichnung (WVZ 1313), die die wesentlichen Teile der Komposition mit Ausnahme des weiblichen Aktes links schon enthält.

(118) Jardin Publique
Gemälde

100,0 x 147,0 cm (147,0 x 100,0 cm?)
Datierung: um 1939
Besitzer: unbekannt
Ausstellungen: Paris 1939; Berlin 1947/1, Nr. 2 (Öl); Berlin/W. 1959/2, Nr. 11 (1938/39, Mischtechnik, 100,0 x 147,0 cm)
Literatur: Abend, 8.4.1947; NE, 15.4.1947
Von diesem Gemälde konnte bisher lediglich eine Fotografie im Nachlaß gefunden werden, auf der Titel, Entstehungsdatum und die o.g. Ausstellungen handschriftlich vermerkt sind. — Vgl. die Ölstudie (WVZ 106), die die Personengruppe im linken unteren Viertel des Bildes in etwas veränderter Form aufgreift, und die Zeichnung gleichen Titels (WVZ 1322), die in festen Umrissen eine Gruppe von Menschen zeigt, die sich im Park auf verschiedene Weise erholen. Die Zeichnung steht allerdings motivisch in keinem direkten Zusammenhang mit dem Gemälde.

(119) Kinderspielplatz
Öl
Datierung: 1939
Besitzer: unbekannt
Ausstellung: Berlin 1947/1, Nr. 17
Keine Abbildung bekannt.

(120) »Place d'Italie, Paris«
Gemälde
Datierung: um 1939
Besitzer: unbekannt
Die Fotografie befindet sich im Archiv der Nationalgalerie Berlin. Das Motiv stellt eine Variante des Gemäldes WVZ 121 dar.

(121) »Place d'Italie, Paris«
Gemälde (?)
Bezeichnung: u.l. »St.«
Datierung: um 1939
Besitzer: unbekannt

(122) Plastik im Park Montsourie
Öl
20,0 x 57,0 cm (57,0 x 20,0 cm?)
Datierung: 1939
Besitzer: unbekannt
Ausstellung: Berlin/W. 1959/2, Nr. 13
Keine Abbildung bekannt. — Vgl. die in Motiv und Maßen ähnliche Arbeit *Plastik im Park* (WVZ 325). Möglicherweise handelt es sich dabei um eine Kopie oder Replik.

(123) Porträt Erna (Ö 9)
Öl/Lwd.
54,0 x 44,5 cm
Bezeichnung: u.l. »St. 40«; verso (a. d. Rahmen)»Strempel Nr.9 1940 55x45 Porträt Erna«
Datierung: 1940
Literatur: Für Dich, 19.3.1950, o.S. (Abb.)
Abbildung: Für Dich, 19.3.1950, o.S.

(124) Abstrakter Kopf
Öl
Datierung: 1940
Besitzer: unbekannt
Ausstellung: Berlin 1947/1, Nr. 18
Keine Abbildung bekannt.

(125) Selbstporträt*
Öl
Datierung: 1942
Besitzer: unbekannt

(126) Porträt Erna und Martin (Ö 10)
Öl/Spanplatte
70,0 x 50,0 cm
Bezeichnung: u.l. »St. 42.«; verso »Nr. 42«
Datierung: 1942

(127) Stilleben
Gemälde (?)
Bezeichnung: u.r. »Strempel 42 / Crossen«
Datierung: 1942
Besitzer: unbekannt
Eine Fotografie (Berlin, Privatbesitz) ist handschriftlich bezeichnet.

(128) Liebespaar
Öl
89,0 x 68,0 cm
Datierung: 1943
Besitzer: unbekannt
Ausstellung: Berlin/W. 1977, Nr. 15
Keine Abbildung bekannt.

(129) Porträt der Anna Litwin
Öl/Sperrholz
101,0 x 76,0 cm
Bezeichnung: verso o.l. »Strempel Porträt der Anna Litwin 1945«
Datierung: 1945
Provenienz: Nachlaß; Generaldirektion des Staatl. Kunsthandels der DDR aus Mitteln des Kulturfonds (1985)
Besitzer: Berlin, StM, NG, Inv.Nr. A IV 544 (1986)
Ausstellung: Potsdam 1946, Nr. 173

(130) »Selbstbildnis«
Öl/Jute
55,2 x 42,0 cm
Bezeichnung: u.r. »St.45«
Datierung: 1945
Provenienz: Nachlaß; Generaldirektion des Staatl. Kunsthandels der DDR aus Mitteln des Kulturfonds (1985)
Besitzer: Berlin, StM, NG
Auf der Rückseite befindet sich die Bildnisstudie eines alten bärtigen Mannes (o. WVZ-Nr.).

(131) Mädchenkopf (Angelika) (Ö 14a / 178)
Öl/Lwd. 52,0 x 46,0 cm
Bezeichnung: u.l. »H. Strempel 45.«; verso o. Mitte »Horst Strempel 1945 ›Mädchenkopf‹ (Angelika) cm 52x46 Kat.Nr.14a«
Datierung: 1945
Besitzer: Privatbesitz
Ausstellung: Berlin/W. 1977, Nr. 22

(132) »Alte Frau« (Ö 11)
Öl/Lwd.
83,5 x 61,0 cm
Datierung: 1945*
Provenienz: Nachlaß; Generaldirektion des Staatl. Kunsthandels der DDR aus Mitteln des Kulturfonds (1985)
Besitzer: Berlin, StM, NG, Inv.Nr. A IV 543 (1986)

(133) »Der Puppenspieler Herr Wolf«
Öl/Lwd.
115,0 x 94,0 cm
Bezeichnung: u.l. »St.45 H.Strempel Berlin 1945«
Datierung: 1945
Besitzer: Privatbesitz
Der Puppenspieler Wolf war der Vater ei-

ner Schülerin Strempels aus den frühen 30er Jahren, Sophie Wolf, die in einem KZ umgebracht wurde.- Vgl. zum Motiv: W. Merker. Das Welttheater, Federzeichnung. Abb. in: bildende kunst, 1947, H. 6, 23. Es handelt sich hier um die Zeichnung eines Studenten der Kunsthochschule zum Thema Krieg.
Siehe die Pastell-Studie zum Gemälde WVZ 698.

(134) *Hiob*
Öl/Pappe
125,0 x 75,5 cm
Datierung: 1945 (lt. NG)
Besitzer: Berlin, StM, NG, Inv.Nr. A IV 299 (1974, durch Übereignung des Kulturfonds der DDR)
Literatur: NG 1986, 82
Vgl. den Linolschnitt *Hiob* (WVZ 2403).

(135) *Akt mit Blumen*
Öl
Besitzer: unbekannt
Ausstellung: Berlin 1947/1, Nr. 5
Keine Abbildung bekannt.

(136) *Liegender Akt* (Ö 14)
Öl/Lwd.
ca. 40,0 x 69,0 cm
Bezeichnung: u.l. »Strempel 45 / Strempel«; verso (auf dem Trägerkarton) »Horst Strempel 1945 »Liegender Akt« Kat.Nr.14 (Ausst. Wiesbaden 1946)«
Datierung: 1945
Besitzer: Privatbesitz
Ausstellung: Wiesbaden 1946/47
Zur Datierung: auf einer Fotografie aus dem Nachlaß trägt das Gemälde u.l. die Bezeichnung: »Strempel 49.«; handschriftliche Vermerke auf der Rückseite der Fotografie und deren Trägerkarton geben ebenfalls 1949 als Entstehungsdatum an. Daß es sich bei der Reproduktion um die Abbildung einer Kopie handelt (wie es bei verschiedenen anderen Bildern der DDR-Zeit Strempels wohl der Fall gewesen ist), ist allerdings fraglich.

(137) *Liebespaar*
Öl
120,0 x 100,0 cm*
Datierung: 1945
Besitzer: unbekannt
Eine handschriftlich bezeichnete Farbfotografie des Gemäldes befindet sich im Nachlaß; der dort angegebene Besitzer konnte bisher nicht identifiziert werden.- Vgl. das Aquarell von 1945 (WVZ 701).- Im Werkkatalog befindet sich weiterhin ein Hinweis auf ein Aquarell-Studie von 1936 (WVZ 668).

(138) *La Famille Lafusat* (*Familie*) (Ö 20a)
Tempera/Preßspan
67,0 x 99,0 cm
Bezeichnung: u.l. »St. 40 H.Strempel 40 Souvenir à Géus (Basses-Pyrénées) La famille Lafusat«
Datierung: 1945*
Besitzer: Privatbesitz
Ausstellungen: Berlin 1946/2; Berlin 1946/8; Berlin 1947/1 (o.Nr.); Berlin 1947/4; Berlin/W. 1977, Nr. 13 (80,0 x 110,0 cm?)
Literatur: Der Rundfunk, 5.-11.5.1946, 6 (Abb.); Freie Gewerkschaft, 28.11.1946;

ND, 28.11.1946; Für Dich, 2.2.1947 (Abb.); ND, 17.4.1947
Abbildungen: Der Rundfunk, 5.-11.5.1946, 6; Für Dich, 2.2.1947
Das Gemälde, das eine Bauernfamilie in den Pyrenäen darstellt, ist eine Replik auf ein Wandbild (WVZ 3), das Strempel im Hause dieser Familie malte.- Vgl. die entsprechenden Zeichnungen (WVZ 683, WVZ 1326–1328).

(139) *Das Referat* *
Öltempera
Bezeichnung: u.l. »St.45«
Datierung: 1945
Besitzer: unbekannt
Ausstellung: Berlin 1946/2
Literatur: Morgen, 16.4.1946; TS, 23.4.1946; Freie Gewerkschaft, 30.4.1946; Vorwärts, 9.5.1946; ND, 18.6.1946; Vorwärts, 25.3.1947.- Müller 1947, 32
Abbildung: Morgen, 16.4.1946
Vgl. die Studie 1945 (WVZ 699).

(140) *Trümmer in Berlin* * (Ö 13)
Öl
100,0 x 80,0 cm
Datierung: 1945
Besitzer: unbekannt
Ein handschriftlich bezeichnetes Foto stammt aus dem Nachlaß. Demnach befindet sich auf der Rückseite des Bildes das Paar von 1939 (WVZ 113).

(141) *Trümmer in Berlin* (Studie) (G 13a)
Tempera/Hartfaserplatte
98,0 x 70,0 cm
Datierung: um 1945
Ausstellungen: Berlin 1946/5, Nr. 517; Berlin 1947/1, Nr. 8
Literatur: Tribüne, 6.5.1947; TS, o.D.
Abbildung: BaM, 17.4.1947
Siehe das Ölbild WVZ 140.

(142) *Griechenland*
Öl
Datierung: 1945
Besitzer: unbekannt
Eine bezeichnete Fotografie befindet sich in Berlin, Privatbesitz.

(143) *Paris**
Öl
80,0 x 100,0 cm
Datierung: 1945
Besitzer: unbekannt
Keine Abbildung bekannt.

(144) *Stilleben mit Krug und Spiegel*
Öl/Holz
28,0 x 53,5 cm
Bezeichnung: u.l. »Strempel«
Datierung: um 1945 (lt. Staatl. Gal. Moritzburg)
Besitzer: Halle, Staatl. Gal. Moritzburg, Inv.Nr. I/308 (1948, angekauft aus Mitteln des Ministeriums für Volksbildung)
Eine exakte Datierung des Stillebens kann nicht vorgenommen werden. Die karge Art der Darstellung, die auf alles Dekorative verzichtet, rückt es in die Nähe des *Großen Stillebens* von 1946 (WVZ 205).

(145) *Stilleben mit Krug und Teller* (Ö 12)
Öl/Preßspan
31,3 x 26,5 cm

Bezeichnung: u.l. »H. Strempel / 45«; verso »H. Strempel 1945 ›Stilleben mit Krug und Teller‹ 31x26,5 cm Kat.Nr.12«
Datierung: 1945
Besitzer: Privatbesitz

(146) *Stilleben mit buntem Tuch*
Öl/Lwd.
43,5 x 55,0 cm
Bezeichnung: u.l. »St.45«; verso o. »Stilleben mit buntem / Tuch«; verso o. Mitte »Strempel«
Datierung: 1945
Provenienz: Privatbesitz
Besitzer: Privatbesitz

(147) »*Porträt Peter-Jakob Scherer*«
Mischtechnik/Hartfaser
42,0 x 33,5 cm
Bezeichnung: u.l. »St.46, / Strempel«; verso o.: »Kreidegrund: August 1945 / Bolusgrund: Okt.45 / Temperauntermalung Zwischenfirnis: Mastix 1:3 / Öl: Schlußfirnis, Lukas«; Mitte: »zur freundlichen Erinnerung / an Horst Strempel / Jan.1946«
Datierung: 1946
Provenienz: Peter-Jakob Scherer
Besitzer: Berlin, StM, NG, Inv.Nr. A IV 447 (1982)
Literatur: NG 1986, 82

(148) *Porträt Professor Niekisch*
Öl
90,0 x 100,0 cm (100,0 x 90,0 cm?)
Datierung: 1946
Besitzer: unbekannt
Ausstellung: Berlin/W. 1959/2, Nr. 26
Keine Abbildung bekannt. Siehe WVZ 209.

(149) *Porträt Ernst Niekisch* (1. Skizze)
Öl/Hartfaser
50,5 x 41,0 cm
Bezeichnung: u.l. »Strempel«; verso o. »I.Skizze zu Porträt E. Nieckisch (sic) 1946 Strempel restauriert 1964«
Besitzer: Privatbesitz (1964, Geschenk des Künstlers)
Vgl. die beiden Gemälde von 1947 (WVZ 208 und 209), den Linolschnitt (WVZ 2415) und die Aquatinta von 1948 (WVZ 2431).- Ernst Niekisch war Nationalbolschewist. Durch eine Reihe von Publikationen war er schon vor 1933 in Deutschland bekannt geworden, u.a. durch die Herausgabe der Zeitschrift »Widerstand«, die viele Illustrationen von Paul A. Weber enthielt. Während des Faschismus war er im KZ interniert. Strempel lernte Niekisch nach dem Krieg in Berlin kennen, als dieser eine Professur für Ökonomie an der Humboldt-Universität innehatte und verschiedene öffentliche Ämter bekleidete. Durch Niekisch machte Strempel die Bekanntschaft der beiden Nürnberger Antifaschisten Joseph E. Drexel, einem Verleger, der Strempel lange Zeit finanziell unterstützte, und Wilhelm Puff, der mit der Zeit zu seinem engen Freund wurde.- Nachdem Wilhelm Puff diese Studie von Strempel 1964 zu Weihnachten geschenkt bekommen hatte, schrieb er in einem Brief (27.12.1964):
» ... die Ölskizze zum Niekisch-Porträt wirkt schlechthin überwältigend. Mag das ausgeführte Bildnis vielleicht durch Züge im einzelnen wie ebensosehr durch solche

der Monumentalität im ganzen imponieren: in der Charakterisierung der geistigen Energie Niekischs steht die Skizze dem vollendeten Werk jedenfalls nicht nach, ja der expressiv hingewuchtete Wurf und die Kampfdramatik von Caput mortuum, Graurosa, Blau- und Schiefergrau, Grün- und Weißtönen übt auf der kleineren Fläche womöglich noch spannunggeladenere Wirkung als auf der großen des Opusformats.«

(150) *Porträt Georg Kalis* *
Öl
100,0 x 80,0 cm
Datierung: 1946
Besitzer: unbekannt
Keine Abbildung bekannt.

(151) *Martin* (Ö 21)
Öl/Preßspan
59,0 x 42,5 cm
Bezeichnung: verso o. »Martin Nr.21 1946«
Datierung: 1946

(152) **Kinderbildnis (Martin Strempel)**
Öl/Spanplatte
97,0 x 68,0 cm
Bezeichnung: u.l. »St.46«; verso »1946 Kat.20«
Datierung: 1946
Ausstellung: Berlin 1947/1, Nr. 12 (?)
Literatur: Abend, 8.4.1947; NE, 15.4.1947

(153) *»Porträt Hermann Ruge«*
Öl/Hartfaser
80,0 x 59,0 cm
Bezeichnung: u.l. »St.46«
Datierung: 1946
Besitzer: Privatbesitz
Siehe die Pastelle von 1946 (WVZ 705−707).

(154) *»Porträt eines Mannes nach links blickend«*
Gemälde
Datierung: um 1945/46 (?)
Besitzer: unbekannt
Die Fotografie des Gemäldes befindet sich im Archiv der Nationalgalerie Berlin.

(155) *Brustbild eines Mannes mit Büchern im Hintergrund*
Gemälde
Datierung: um 1945/46 (?)
Besitzer: unbekannt
Die Fotografie des Gemäldes befindet sich im Archiv der Nationalgalerie Berlin.

(156) **Sitzender Akt** (Ö 17)
Öl/Lwd.
102,0 x 83,0 cm
Bezeichnung: u.l. »H. Strempel 46«
Datierung: 1946
Besitzer: Privatbesitz

(157) *Mädchenakt*
Öl/Pappe
96,0 x 64,0 cm
Bezeichnung: o.r. »Strempel 46«; u.l. »St.46«
Datierung: 1946
Provenienz: Wolfgramm; Piathek
Besitzer: Halle, Staatl. Gal. Moritzburg, Inv.Nr. I/2069
Ausstellung: Halle 1979/80

Auf der Vorderseite ist der rechte Flügel des Triptychons Fürsorge (WVZ 25).

(158) *»Mädchenakt«*
Öl
Bezeichnung: u.l. »St. 46«
Datierung: 1946
Besitzer: unbekannt
Ausstellung: Dresden 1946
Abbildungen: Dresden 1946, Abb. 78; Kuhirt 1982, Abb. 94
Fotografien des Gemäldes befinden sich im Archiv der Nationalgalerie Berlin und in der Fotothek der Sächsischen Landesbibliothek Dresden.- Vgl. die Kopie um 1974 (WVZ 642).

(159) *Mädchenakt* *
Öl
70,0 x 80,0 cm (80,0 x 70,0 cm?)
Datierung: 1946
Besitzer: unbekannt
Keine Abbildung bekannt.

(160) *Junges Mädchen* (Studie)
Öl
Datierung: 1946
Besitzer: unbekannt
Ausstellung: Berlin 1947/1, Nr. 13
Keine Abbildung bekannt.

(161) *Kämmende*
Öl
Datierung: 1946
Besitzer: unbekannt
Ausstellung: Berlin 1947/1, Nr. 11
Keine Abbildung bekannt.

(162) *»Weiblicher Halbakt«*
Öl/Lwd.
65,0 x 50,0 cm
Bezeichnung: u.l. »Strempel 46.«
Datierung: 1946
Provenienz: Berlin/DDR, Staatliche Enteignungsstelle
Besitzer: Berlin, Märk. Mus., Inv.Nr. VII 60/147x (6.6.1953)

(163) *Gliederpuppe* (Ö 174)
Öl/Lwd./Spanplatte
86,0 x 58,0 cm
Datierung: um 1946
Ausstellung: Berlin/W. 1977, Nr. 25

(164) Trümmerfrauen (Ö 21a)
Öl/Lwd.
200,0 x 100,0 cm
Datierung: 1946
Provenienz: Nachlaß; Generaldirektion des Staatl. Kunsthandels der DDR aus Mitteln des Kulturfonds (1985)
Besitzer: Berlin, StM, NG, Inv.Nr. A IV 540 (1986)
Literatur: ND, 16.11.1948
Eine Fotografie aus dem Nachlaß trägt den Vermerk »vernichtet«. Möglicherweise ist dieses Gemälde eine spätere Kopie.

(165) **Zwei Mädchen**
Öl/Lwd.
90,0 x 58,5 cm
Bezeichnung: u.l. »H. Strempel 1946«; verso » ‹2.Mädchen› 1946 Öl Kat.Nr.176 Horst Strempel«
Datierung: 1946
Besitzer: Privatbesitz

(166) *Liebespaar*
Öl
Datierung: 1946
Besitzer: unbekannt
Ausstellung: Berlin 1947/1, Nr. 20
Keine Abbildung bekannt.

(167) *»Paar I«*
Gemälde
Bezeichnung: u.l. »St.46«
Datierung: 1946
Besitzer: unbekannt
Eine Fotografie des Gemäldes befindet sich im Archiv der Nationalgalerie Berlin.

(168) *»Paar II«*
Gemälde
Bezeichnung: u.l. »St.46«
Datierung: 1946
Besitzer: unbekannt
Eine Fotografie des Gemäldes befindet sich im Archiv der Nationalgalerie Berlin. Vgl. *Paar I* (WVZ 167).

(169) *Jugend*
Öl
100,0 x 78,0 cm
Datierung: 1946 (1945*)
Besitzer: unbekannt
Ausstellungen: Berlin 1946/5, Nr. 514; Berlin/W. 1959/2, Nr. 31
Literatur: TR, 25.5.1946
Abbildung: Berlin 1946/5, 21

(170) **Nacht über Deutschland**
Öl/Sackleinen
150,0 x 168,0 cm (Mitteltafel) / 150,0 x 78,0 cm (Flügel) / 79,0 x 166,0 cm (Predella)
Bezeichnung: auf der Mitteltafel u.l. »H. Strempel 1945/46«
Datierung: 1945/46
Besitzer: Berlin, StM, NG, Inv.Nr. A III 257
Ausstellungen: Berlin 1947/1, Nr. 1; Berlin/DDR 1979, Nr. 174
Literatur: Vorwärts, 25.3.1947; TS, 12.4.1947; Vorwärts, 15.4.1947; NE, 15.4.1947; ND, 17.4.1947; Sie, 1.5.1947; Tribüne, 6.5.1947; TG, 4.10.1947; BZ, 16.10.1947; NE, 18.10.1947; TR, 19.10.1947; SpVbl., 20.10.1947; TS, 21.10.1947; NZ, 21.10.1947; Abend, 21.10.1947; TG, 22.10.1947; Tagespost, Potsdam, 23.10.1947; BaM, 28.10.1947; Die neue Zeitung, 29.10.1947; Norddt. Ztg. Schwerin, 6.11.1947; Rhein. Post, 6.12.1947; Sonntag, 7.12.1947; BZ, 2.6.1948; Kurier, 3.6.1948; TG, 5.6.1948; FAZ, 27.10.1954; SpVbl., 9.7.1959; TG, 17.7.1959; Welt, o.D. (Juli 1959); TS, 22.7.1959; NN, 12.5.1975; Welt, 7.9.1977; SpVbl., 24.9.1977.- Film und Frau, 10, H. 12, 1958, o.S.- Müller 1947, 32; Feist, U. 1979, 84; Kober 1979, 31; Schultheiß 1980, 15 (Abb.); Kober 1980, 27; Held 1981, 55−56 (Abb.); Kuhirt 1982, 48; (Abb.); Stephanowitz 1984, 218 (Abb.); Lang 1986 (Abb.); NG 1986, 2; Feist, G. 1989, 96−98; Kober 1989, 36−37.- Berlin/DDR 1979, 177−178; Berlin/DDR 1987, 434−436
Abbildungen: Sonntag, 7.12.1947, 3 ; Welt, Juli 1959, 5; Müller 1947, 32; Held 1981, Abb. 76 (Det.); Kuhirt 1982, Abb. 5 (Farbabb.); Stephanowitz 1984, 217; Thomas 1985, 33; Lang 1986, 28; Feist 1989, 95; Kober 1989, 60−61 (Farbabb.).- Berlin 1947/1, o.S.; Berlin/W. 1959, o.S.; Berlin/W. 1977,

o.S.; Berlin/DDR 1979, 177; Frankfurt/M. 1980, 15; Berlin/DDR 1987, 434
Cuno Fischer in einem Brief an Strempel (31.8.1959) über *Nacht über Deutschland:* »dieses werk kann man nicht mit gewöhnlichen nüchternen kritikeraugen betrachten. verstehen tut es nur der, der mit dazu gehörte. wer ist da schon noch da, nachdem die nazis mit anderen vorzeichen wieder heftig marschieren. ich bin − immer noch − stolz darauf, dein altarbild zu verstehen und ein recht zu haben, es zu verstehen«.

(171) *Nacht über Deutschland* (1. Skizze) (Der Wächter)
Öl/Hartfaserplatte
59,0 x 47,0 cm
Bezeichnung: verso o. »Horst Strempel 1945 1. Skizze zu ›Nacht über Deutschland‹ ca. 59x48 cm Kat.Nr. ... «
Datierung: 1945
Provenienz: Nachlaß; Generaldirektion des Staatl. Kunsthandels des DDR aus Mitteln des Kulturfonds (1985)
Besitzer: Berlin, StM, NG, Inv.Nr. A IV 545 (1986)
Ausstellung: Berlin/W. 1977, Nr. 19

(172) *Nacht über Deutschland* (Skizze)
Öl (?)
82,0 x 150,0 cm (Berlin /W. 1959)
Datierung: um 1945/46
Besitzer: unbekannt
Ausstellung: Berlin/W. 1959/2, Nr. 5 (1946); Berlin/W. 1970, Nr. 5 (?)
Literatur: SpVbl., 9.7.1959
Die Fotografie dieser Studie befindet sich im Archiv der Nationalgalerie Berlin. Lt. Berlin/W. 1959/2 handelt es sich um eine Studie zum linken Flügel des Triptychons.

(173) *Nacht über Deutschland* (rechter Flügel, 2. Fassung)*
Öl
Datierung: 1945/46
Provenienz: Berlin, Jüdische Gemeinde
Besitzer: Tel Aviv, Museum
Keine Abbildung bekannt.
Pogrom (9 Paraphrasen zu *Nacht über Deutschland*)
Der Zyklus *Pogrom* bestand ursprünglich aus neun Bildern unterschiedlicher Größe. Die intendierte Reihenfolge der einzelnen Szenen läßt sich durch Beschriftungen Strempels auf den Werkfotos rekonstruieren. Der Zyklus entstand in engem Zusammenhang mit dem Triptychon *Nacht über Deutschland*; vermutlich sind die hier zusammengefaßten Szenen Vorstudien dazu. Wie aus einem Brief Horst Strempels an Mieke Monjau vom 25.6.1947 hervorgeht, sollte der gesamte Zyklus 1947 in Düsseldorf gezeigt werden, das Ausstellungsverzeichnis enthält jedoch nur drei Arbeiten, die auch auf einer Fotografie des Ausstellungsraums zu sehen sind. Der Zyklus, dessen Tafeln seit den 50er Jahren als »verschollen« gegolten haben, sollte nach der Düsseldorfer Ausstellung nach Regensburg geschickt werden. Wie es scheint, sind sie dort auch angekommen; ob sie jedoch jemals ausgestellt wurden, läßt sich nicht feststellen. Aus einem Brief, den Strempel kurz nach seiner Flucht an S. schrieb, geht hervor, daß er diesem eine ganze Reihe von Gemälden, Zeichnungen und Grafiken kostenlos überlassen

oder zur Verfügung gestellt hatte, darunter neben dem Zyklus *Pogrom* auch die *Sonnenblumen* (WVZ 266). Da er keine Auskunft über den Verbleib der Arbeiten bekam, vermutete Strempel, daß sie veräußert worden seien. Heute läßt sich sagen, daß seine Annahme offensichtlich zutreffend war, da ein Teil der Bilder vor einiger Zeit im westdeutschen Kunsthandel auftauchte.

(174) *Die Angst**
Besitzer: verschollen
Ausstellung: Düsseldorf 1947, Nr. 234
Aus dem linken Flügel von *Nacht über Deutschland* (WVZ 170).

(175) *Familie**
Besitzer: verschollen

(176) *Der gelbe Stern* *
Besitzer: verschollen
Aus dem rechten Flügel von *Nacht über Deutschland* (WVZ 170).

(177) **Gefangene**
Öl/Lwd.
68,5 x 52,5 cm
Bezeichnung: u.l. »St.46«; verso »Strempel / Mittelteil Bild links / ‹Gefangene› / 4.«; auf dem Rahmen (mit Bleistift) »Frl. Emminghaus«
Datierung: 1946
Provenienz: Privatbesitz
Besitzer: Privatbesitz
Aus der Predella von *Nacht über Deutschland* (WVZ 170).

(178) *Das Lager* *
Besitzer: verschollen
Ausstellung: Düsseldorf 1947, Nr. 236
Aus dem Mittelteil von *Nacht über Deutschland* (WVZ 170).

(179) **Im Draht**
Öl/Lwd.
69,5 x 55,5 cm
Bezeichnung: u.l. »St.46«; verso »Strempel / »Mittelteil« Bild rechts / »Im Draht« / 6.«
Datierung: 1946
Provenienz: Privatbesitz
Besitzer: Privatbesitz
Abbildung: Revue 1946, H. 3, o.S.
Aus dem Mittelteil von *Nacht über Deutschland* (WVZ 170).

(180) *Zwangsarbeit (Sklaven)**
Besitzer: verschollen
Aus dem Mittelteil von *Nacht über Deutschland* (WVZ 170).

(181) **Verschleppte** *(Ins Lager)**
Öl/Pappe
60,0 x 48,0 cm
Bezeichnung: u.l. »St. 46«; verso »Verschleppte«
Datierung: 1946
Provenienz: Privatbesitz
Besitzer: Privatbesitz
Aus dem Mittelteil von *Nacht über Deutschland* (WVZ 170).

(182) *Kinder**
Besitzer: verschollen
Ausstellung: Düsseldorf 1947, Nr. 235
Aus dem Mittelteil von *Nacht über Deutschland* (WVZ 170).

(183) *Im Draht*
Öl/Pappe
48,0 x 39,0 cm
Bezeichnung: u.l. »St.46«
Datierung: 1946
Besitzer: Berlin, Märk. Mus., Inv.Nr. VII 60/148 x (Übernahme 18.6.1951)
Ausstellungen: Berlin/DDR 1979, Nr. 175a; Warschau 1980; Berlin/DDR 1990
Abbildung: Feist 1989, 99
Siehe auch WVZ 179.

(184) *Das Lager*
Öl/Pappe
59,4 x 46,3 cm
Datierung: um 1945/46
Besitzer: Berlin, Märk. Mus., Inv.Nr. VII 60/149 x (Übernahme 18.6.1951)
Ausstellungen: Berlin/DDR 1979, Nr. 175b; Warschau 1980; Berlin/DDR 1990
Abbildungen: Revue 1946, H. 3, o.S.- Feist 1989, 99.-
Berlin/DDR 1979, 178
Siehe auch WVZ 178.

(185) *Gefangene*
Öl/Pappe
51,5 x 39,5 cm
Bezeichnung: u.l. »St.46«
Datierung: 1946
Besitzer: Berlin, Märk. Mus., Inv.Nr. VII 60/150 x (Übernahme 18.6.1951)
Ausstellungen: Berlin/DDR 1979, Nr. 175c; Warschau 1980; Berlin/DDR 1990
Abbildungen: Revue 1946, H. 3, o.S.- Kuhirt 1982, Abb. 6; Feist 1989, 98
Siehe auch WVZ 177.

(186) *Kinder*
Öl (?)
Datierung: um 1945/46
Besitzer: unbekannt
Abbildung: Revue 1946, H. 3, o.S.
Siehe auch WVZ 182.

(187) **Pogrom** (Skizze)
Öl/Pappe
59,5 x 48,5 cm
Datierung: um 1945/46
Besitzer: Berlin, StM, NG, Inv.Nr. A IV 176 (1967, Übereignung des Ministeriums für Kultur der DDR)

(188) *Diskussion*
Tempera (?)
Bezeichnung: u.l. »St.46«
Datierung: 1946
Besitzer: unbekannt
Ausstellungen: Potsdam 1946; Berlin 1947/ 1, Nr. 3
Literatur: Tagespost Potsdam, 12.11.1946; Tagespost Potsdam, 1.12.1946; Vorwärts, 27.12.1946; Vorwärts, 25.3.1947; ND, 17.4.1947; TG, 23.4.1947.- Müller 1947, 32
Vgl. die Arbeiten zum gleichen Thema (WVZ 226 und 227).- Möglicherweise wurde das Gemälde später restauriert und/ oder beschnitten: vgl. WVZ 225.

(189) *Einheit*
Öl
Datierung: um 1946
Besitzer: unbekannt
Ausstellungen: Berlin 1946/2; Berlin 1948/ 1;
Literatur: TR, 24.4.1946

Die Fotografie des Gemäldes befindet sich im Archiv von ADN, Berlin. Auf der Rückseite findet sich ein Verweis auf die Ausstellung in der Galerie Franz 1948.

(190) *Gemordete Demokratie* (Ö 175)
Öl/Lwd.
70,5 x 53,0 cm
Bezeichnung: u.l. »H. Strempel 46«
Datierung: 1946
Besitzer: Regensburg, Ostdt. Gal., Inv.Nr. 16787

(191) *Die Gier*
Öl
72,0 x 60,0 cm
Datierung: 1946
Besitzer: unbekannt
Ausstellung: Berlin/W. 1977, Nr. 26
Keine Abbildung bekannt. Vgl. *Die Gier* 1947 (WVZ 228).

(192) *Die Dummheit* (Studie) (Ö 19a)
Öl/Preßspan
60,0 x 48,5 cm
Bezeichnung: u.l. »Strempel 45«; verso o.l. »Horst Strempel 1946 Studie zu ‹Die Dummheit› Öl cm 60x48 Kat.Nr.19a«
Datierung: 1945/46 (1946*)
Besitzer: Privatbesitz (1972, Geschenk des Künstlers)
»Und da beglückst du mich nun mit diesem gleichfalls expressionistisch so ungeheuer starken Werk, der Symbolpyramide ‹Dummheit›, die in vier daumiergrotesk gesteigerten Typen zum Hitlerbrüller emporgipfelt. Die primitiv sich austobende Ungeistigkeit hast du mit geistvoller Formbändigung dem Tribunal der Ironie preisgegeben ohne deiner Urbegabung als Maler etwas zu vergeben. Man kann überhaupt hier Form und Malerei nur zusammensehen, so aus einem Guß ist das Werk, so genial ist es aus dir herausgewühlt.« (Wilhelm Puff an Horst Strempel, 28.12.1972)

(193) *Die Dummheit* (Ö 19)
Öl/Lwd.
68,0 x 59,0 cm
Bezeichnung: u.l. »St.46«
Datierung: 1946
Besitzer: Privatbesitz
Ausstellungen: Berlin 1947/1, Nr. 10; Berlin 1948/3; Berlin/W. 1959/2, Nr. 29; Berlin/W. 1970/1, Nr. 6; Berlin/W. 1977, Nr. 23
Literatur: NE, 23.7.1948; Tribüne, 2.8.1948; Tag, 14.7.1959; Morgenpost, 25.7.1959; NN, 12.5.1975; Welt, 7.9.1975.- Stephanowitz 1984, 218
Abbildungen: Ehrig 1948, 64; Ulenspiegel, 3, 1948, H. 8, 4; Berlin/W. 1959/2, o.S.; Berlin/W. 1977, o.S.
Das Gemälde *Die Dummheit* war zusammen mit den Bildern *Gier* und *Egoismus* als dreiteiliger Zyklus vorgesehen.

(194) *Kreuzigt den Fortschritt* (Skizze)*
Öl
Datierung: 1946
Besitzer: unbekannt
Keine Abbildung bekannt. Vgl. Öbild WVZ 258 und die Tempera-Studie von 1946/47 (WVZ 720).

(195) *Aufbau und Verfall* (Skizze)
Öl/Papier/Spanplatte

68,0 x 48,0 cm
Bezeichnung: u.l. »Strempel 45«
Datierung: 1945/46
Besitzer: Privatbesitz
Ausstellungen: Berlin 1947/1, Nr. 19(?); Berlin/W. 1977, Nr. 16 (Abb.); Berlin/W. 1982
Abbildungen: Berlin/W. 1977, o.S.; Berlin/W. 1982 (Titelblatt und o.S.)

(196) *Aufbau und Verfall*
Öl/Lwd.
143,5 x 81,5 cm
Bezeichnung: u.l. »H. Strempel 45/46«
Datierung: 1945/46
Besitzer: Privatbesitz
Ausstellung: Berlin/W. 1977, Nr. 18 (136,0 x 74,0 cm)
Literatur: Müller 1947, 32
Siehe die Rückseite *Paar* (WVZ 114).

(197) *Aufbau und Verfall*
Öl
Datierung: um 1945/46
Besitzer: unbekannt
Ausstellungen: Berlin 1947/7, Nr. 61 (Öl, dat. 1947?); Berlin 1948/3
Literatur: BZ, 23.10.1947; Sie, 26.10.1947: TS, 30.10.1947; Tribüne, 2.8.1948: Sie, 8.8.1948.- Lüdecke (Der denkende K.) 1948, 6 (dat. 1947/ Abb.); Held 1981, 58; Stephanowitz 1984, 218; Kober 1989, 235
Abbildungen: Sonntag, 4.5.1947, 1.- Lüdecke 1948 (Der denkende K.), 6.- Berlin 1947/7, 9
Von dieser Version des Gemäldes existiert eine Farbfotografie (Regensburg, Ostdt. Gal.). Vermutlich handelt es sich hier um das Bild, über das Strempel am 19.12.1972 an Wilhelm Puff schrieb: »Ein Kunst- und Antiquitätenhändler aus Westdeutschland besuchte mich vor einigen Tagen. Er hat bei einem Westberliner Trödler mein Bild Aufbau und Verfall cm 180 x 120, das als Zudecke diente, für DM 250,- gekauft. Das Bild blieb 1953 in meinem Atelier im Osten und galt als verschollen. Nun wird er es hierher bringen und ich werde es restaurieren. Das Bild hat heute einen Wert von ca. DM. 5000,-.«.- Dieser Darstellung widerspricht allerdings der Vermerk »vernichtet« auf einem Foto aus dem Nachlaß.
Heinz Lüdecke (Der denkende Künstler 1948, 6) schrieb zu diesem Bild: »Horst Strempel verarbeitet in seinen Bildern das Erlebnis der jüngsten Vergangenheit und Gegenwart. Seine Bilder sind im besten Sinne zeitnah. Seine gedanklichen Konzeptionen haben eine starke kämpferisch-politische Note. Unerbittlich setzt er sich mit den Zeiterscheinungen auseinander, Ablehnung und Bekenntnis mit gleicher Deutlichkeit offenbarend.«

(198) *Aufbau und Verfall*
Gemälde (?)
Bezeichnung: u.l. »St. 45/46«
Datierung: 1945/46
Besitzer: unbekannt
Eine Fotografie dieser Variante befindet sich in Berlin, Privatbesitz. Da die Unterschiede nur in Details liegen, könnte es sich hier um eine Zustandsfotografie handeln. Eine andere Möglichkeit ist, daß die hier benannte Fotografie die Originalgemälde darstellen, während die vorgenannte den

Zustand nach der 1972/73 von Strempel vorgenommenen Restaurierung zeigt (s.o.).

(199) *Die Blinden*
Öl/Holz
83,0 x 62,0 cm
Bezeichnung: u.l. »Strempel«
Datierung: 1946*
Besitzer: Berlin, Berlin. Gal. (Leihgabe), Inv.Nr. BG-M 3430/83L
Ausstellungen: Berlin 1947/3; Berlin 1947/8, Nr. 90; Dresden 1948, Nr. 359;
Literatur: TG, 25.6.1947; Vorwärts, 26.6.1947; Sonntag, 22.2.1948, 7 (Abb.); Palette, o.J., H. 1.- Feist, U. 1989, 90—91 (Abb.)
Abbildungen: Sonntag, 22.8.1948, 7; Feist, U. 1989, 63 (Farbabb.); Kober 1989, 248
Im Nachlaß befindet sich eine Fotografie des Gemäldes, die handschriftlich auf 1949 datiert und mit einer Maßangabe versehen wurde (90,0 x 60,0 cm). Ob dieses ein Irrtum Strempels war oder ob eine zweite, identische Fassung existiert hat, ist nicht mit Bestimmtheit zu sagen.

(200) *Akropolis**
Öl
100,0 x 80,0 cm
Datierung: 1946
Besitzer: unbekannt

(201) *Akropolis**
Tempera
100,0 x 80,0 cm
Bezeichnung: u.l. »St.46«
Datierung: 1946
Besitzer: unbekannt

(202) *Masken*
Öltempera/Nessel
72,5 x 95,0 cm
Bezeichnung: u.l. »St.46«
Datierung: 1946
Ausstellungen: Baden-Baden 1947; Berlin 1947/1, Nr. 7
Literatur: Abend, 8.4.1947; TG, 23.4.1947

(203) *Negerplastik* (Ö 18)
Öl/Lwd.
49,5 x 35,5 cm
Bezeichnung: u.l. »Strempel 1946«
Datierung: 1946
Vgl. den Holzschnitt *Negerplastik* 1948 (WVZ 2429).

(204) *Stilleben*
Öl/Pappe
25,5 x 22,0 cm
Bezeichnung: u.l. »Strempel 46«
Datierung: 1946
Besitzer: Halle, Staatl. Gal. Moritzburg, Inv.Nr. I/309 (1948, aus Mitteln des Ministeriums für Volksbildung)

(205) *Großes Stilleben* *
Öl
64,0 x 88,0 cm
Bezeichnung: u.l. »St.46«
Datierung: 1946
Besitzer: unbekannt
Abbildung: Pommeranz-Liedtke 1948, 24
Eine Reproduktion (Nachlaß)mit dem gleichen Motiv ist handschriftlich auf 1947 datiert; die Maßangabe ist 100,0 x 120,0 cm. Möglicherweise handelt es sich um zwei

verschiedene Bilder, wobei in einem Fall eine falsche Fotografie zugeordnet worden sein müßte.

(206) *Stilleben* *
Öl
Bezeichnung: u.l. »St. 46«
Datierung: 1946
Besitzer: unbekannt

(207) *Stilleben mit Blattpflanze* * (Ö 17a)
Öl
42,0 x 27,0 cm
Datierung: 1946
Besitzer: unbekannt
Keine Abbildung bekannt.

(208) *Porträt Professor Ernst Niekisch*
Öl/Lwd.
35,0 x 44,0 cm
Bezeichnung: u.r. »Strempel 47«; verso »Studie zum Porträt E. Niekisch Strempel«
Datierung: 1947
Besitzer: Jülich, Privatbesitz
Auf der Rückseite befindet sich das Fragment eines Blumenstillebens: rote Tulpen in blauer Vase mit weißen Tupfen auf einem schwarzen Tisch (o. WVZ-Nr.).

(209) **Porträt Ernst Niekisch**
Öl/Lwd.
78,0 x 69,0 cm (sichtb.)
Bezeichnung: u.l. »Strempel 47«
Datierung: 1947
Besitzer: Privatbesitz
Abbildung: Berlin/W. 1959/2, o.S.
Das hier aufgeführte Porträt Ernst Niekischs wurde im Ausst. Kat. Berlin/W. zwar abgebildet, jedoch werden im Verzeichnis (Kat.Nr. 26) unter diesem Titel andere Maßangaben und ein anderes Entstehungsdatum angegeben. Siehe WVZ 149, 1946.

(210) »Weibliches Porträt«
Gemälde
Bezeichnung: o.l. (in Schulterhöhe) unleserlicher vierzeiliger Text; u.l. »St.47«
Datierung: 1947
Besitzer: unbekannt
Eine Fotografie des Gemäldes befindet sich im Archiv der Nationalgalerie Berlin.

(211) *Der letzte Brief* *
Öl
ca. 100,0 x 80,0 cm
Datierung: 1946/47
Besitzer: vernichtet (?)
Unter dem Foto ist vermerkt: »Im Osten vernichtet«. Es ist nicht eindeutig, ob Strempel das Bild selbst vernichtet hat, oder ob es von fremder Hand vernichtet wurde bzw. Strempel dieses nur annahm.

(212) *Weiblicher Akt mit roten Haaren* *
Öl
57,0 x 43,0 cm
Datierung: 1947
Besitzer: unbekannt
Keine Abbildung bekannt.

(213) **Akt rot-grün**
Öl/Pappe/Sperrholz
107,0 x 80,0 cm
Bezeichnung: u.l. »Strempel.47.«
Datierung: 1947

Provenienz: Meerane/DDR, Fabrikant Curt (Sicherstellung, 4.11.1949)
Besitzer: Dresden, StKS, Gemäldegal. Neue Meister, Inv.Nr. 2802 (1952)
Literatur: Kober 1989, 235
Vgl. dazu das Temperabild *Frau an Balkontür* (WVZ 214).

(214) *Frau an Balkontür (Akt rot-grün)* *
Tempera
60,0 x 50,0 cm
Bezeichnung: u.l. »Strempel / 47.«
Datierung: 1947
Besitzer: unbekannt
Siehe das nahezu identische Gemälde 1947 *Akt rot-grün*. Strempel vermerkte unter der Fotografie der Studie die Maße des »großen Ölbildes« (120,0 x 100,0 cm) und einen Besitzer, der jedoch mit dem oben unter WVZ 213 genannten nicht identisch ist. Zum gleichen Bild existiert im Nachlaß eine zweite Fotografie mit den Maßen 56,0 x 43,0 cm und der Datierung 1945, wobei die Bezeichnung auf dem Werk selbst nicht zu erkennen ist.

(215) *Liegender Akt (Göttin)* (Ö 55)
Öl/Lwd./Holz
70,0 x 131,0 cm
Bezeichnung: verso o. »Liegender Akt (Göttin) 1947 Kat.Nr. 55«
Datierung: 1947

(216) **Liegender Akt mit Torso** (Ö 27)
Öl/Spanplatte
42,5 x 67,0 cm
Bezeichnung: u.l. »Strempel 47«; verso o.l. »Nr.27 Liegender Akt mit Torso 42x67 1947 Öl Horst Strempel«
Datierung: 1947
Ausstellung: Berlin/W. 1970/1, Nr. 7

(217) **Liebespaar** (Ö 26)
Öl/Lwd.
89,0 x 68,5 cm
Bezeichnung: u.l. »Strempel 47«; verso »Nr.102«
Datierung: 1947
Besitzer: Privatbesitz

(218) **Hoffnung**
Öl/Lwd.
111,0 x 75,0 cm
Bezeichnung: u.l. »Strempel / 46/47«
Datierung: 1946/47
Besitzer: Privatbesitz
Ausstellungen: Berlin 1947/3; Berlin/DDR 1980/81
Literatur: NZ, 10.12.1980 (Abb.); Stephanowitz 1984, 218 (Abb.); Kober 1989, 233–234
Abbildungen: Sonntag, 6.7.1947, 15 (Optimisten); NZ, 10.12.1980; Stephanowitz 1984, 216 (Farbabb.; dat. 1946)

(219) **Das Warten**
Öl/Sperrholz
113,0 x 86,0 cm
Bezeichnung: u.l. »Strempel 47«
Datierung: 1947
Provenienz: Meerane/DDR, Fabrikant Curt (4.11.1949, Sicherstellung)
Besitzer: Dresden, StKS, Gemäldegal. Neue Meister, Inv.Nr. 2801 (1952)
Ausstellung: Berlin 1947/11
Literatur: ND, 10.12.1947; Tagespost Pots-

dam, 30.12.1947.- Kober 1989, 235 (Abb.)
Abbildung: Kober 1989, 60
Die Thematik des Gemäldes steht möglicherweise in Zusammenhang mit dem Zyklus *Germinal*.

(220) *Heimkehrer*
Öl/Lwd.
82,0 x 60,0 cm
Datierung: 1947
Provenienz: Privatbesitz
Besitzer: Privatbesitz
Abbildung: Jahresweiser durch alte und neue Kunst. Aufbau-Verlag Berlin 1949

(221) *Heimkehrer*
Öl/Lwd.
82,0 x 60,0 cm
Datierung: 1947
Provenienz: Privatbesitz
Besitzer: Privatbesitz
WVZ 220 und 221 sind vollkommen identisch. Im Werkkatalog Strempels sind ebenfalls zwei Gemälde gleichen Titels aufgeführt, wovon das eine als »2. Fassung« bezeichnet wurde. Die beiden von Strempel angegebenen Besitzer konnten nicht identifiziert werden bzw. befand sich das Bild nicht in ihrem Besitz. Eine Fotografie im Nachlaß Strempels trägt den handschriftlichen Vermerk: »Heimkehr 1. Fassung 1946. Museum Pillnitz? / 2. Fassung 1967. Dr Saake / Godesberg.«

(222) »*Paar unter Bäumen in Rückenansicht*«
Öl/Spanplatte
ca. 24,0 x 18,0 cm (sichtb.)
Bezeichnung: u.l. »Strempel 47«
Datierung: 1947
Besitzer: Privatbesitz

(223) »*Paar auf einer Straße*«
Öl/Spanplatte
ca. 24,0 x 18,0 cm (sichtb.)
Bezeichnung: u.l. »Strempel 47«
Datierung: 1947
Besitzer: Privatbesitz

(224) »*Aufbau*« *
Tempera
100,0 x 70,0 cm
Datierung: 1947
Besitzer: unbekannt
Keine Abbildung bekannt.- Die Tempera-Arbeit war nach Angaben Strempels ein Entwurf zum Wandbild Friedrichstraße (WVZ 6). Nach einer Notiz im Werkkatalog soll der Entwurf beschädigt gewesen sein.

(225) *Diskussion* (Ö 24)
Öl/Spanplatte
68,0 x 70,0 cm
Bezeichnung: o.r. »Diskussion 1947 / Fragment / restauriert 1974«; u.l. »H. Strempel 47«
Datierung: 1947
Besitzer: Berlin, Berlin. Gal. (Leihgabe), Inv.Nr. BG-M 3443/83L
Ausstellung: Berlin 1947/1, Nr. 3
Abbildung: Gillen/Schmidt 1989, 64 (Farbabb.); Gillen/Schmidt 1989, 87 (ursprüngl. Format)
Literatur: Feist, G. 1989, 86–88
Siehe das Ölbild 1946 (WVZ 188), die Studie (WVZ 226) und die Kopie von 1974

(WVZ 644).- In der Personalausstellung 1947 wurde das Bild in Form der Kopie von 1974 gezeigt. Erst bei der Restaurierung des Originals 1974 wurde dieses auf die heutigen Maße reduziert.

(226) **Diskussion** (Studie)
Öl/Spanplatte
63,0 x 24,0 cm
Bezeichnung: u.l. »St.47«
Datierung: 1947
Besitzer: Berlin, Berlin. Gal. (Leihgabe), Inv.Nr. BG-M 3452/83L

(227) *Die Unterhaltung*
Öl
100,0 x 130,0 cm (130,0 x 100,0 cm?)
Datierung: 1947
Besitzer: unbekannt
Ausstellung: Berlin/W. 1959/2, Nr. 32
Keine Abbildung bekannt. — Möglicherweise ist dieses Gemälde mit einem der Diskussionsbilder von 1946/47 identisch.

(228) *Die Gier II (Entzweiung)* (Ö 22)
Öl/Lwd.
62,0 x 82,0 cm
Bezeichnung: u.r. »Strempel«
Datierung: 1946/47*
Besitzer: Privatbesitz
Ausstellungen: Berlin 1947/3; Berlin 1948/3; Berlin/W. 1959/2, Nr. 28
Literatur: TG, 25.6.1047; Vorwärts, 26.6.1947; NE, 23.7.1948; TG, 27.7.1948; ND, 31.7.1948; Tribüne, 2.8.1948; Morgenpost, 25.7.1959
Abbildung: Ulenspiegel, 3, 1948, H. 8, 4
Vgl. *Die Gier* 1946 (WVZ 191).

(229) »**Tischgesellschaft**«
Gemälde (?)
Datierung: um 1947 (?)
Besitzer: unbekannt
Ein Werkfoto befindet sich im Archiv der Nationalgalerie Berlin. Vgl. den Holzschnitt *Tischgesellschaft* 1947 (WVZ 2410) und die Zeichnung *Paar am Tisch* 1947 (WVZ 1594).

(230) »*Paar im Profil*«
Gemälde
Datierung: um 1947
Besitzer: unbekannt
In der abstrahierenden Auffassung der Personen zeigen sich deutliche Beziehungen zur *Tischgesellschaft* (WVZ 229).

(231) *Im Atelier*
Öl
100,0 x 110,0 cm (110,0 x 100,0 cm?)
Datierung: 1947
Besitzer: unbekannt
Ausstellung: Berlin/W. 1959/2, Nr. 33
Keine Abbildung bekannt.

(232) *Atelierecke*
Öl/Lwd.
70,0 x 50,0 cm
Bezeichnung: u.l. »Strempel 47«
Datierung: 1947
Besitzer: Berlin, StM, NG, Inv.Nr. A III 258 (1951, durch Übereignung des Magistrats Berlin)
Ausstellungen: Berlin/DDR 1979, Nr. 176; Berlin/DDR 1980/81; Berlin/DDR 1990
Literatur: NG 1986, 82

Abbildungen: bildende kunst, 1948, H. 5, 19.- Kober 1989, 59 (Farbabb.)
Siehe das entsprechende Aquarell WVZ 711.

(233) »***Stilleben mit Torsi***«
Öl/Lwd.
70,0 x 72,0 cm
Bezeichnung: u.l. »Strempel«
Datierung: um 1947
Provenienz: Meerane/DDR, Fabrikant Curt (4.11.1949, Sicherstellung)
Besitzer: Dresden, StKS, Gemäldegal. Neue Meister, Inv.Nr. 2804 (1952)
Ausstellung: Berlin 1948/1

(234) *Weiß-schwarz-rote Torsen* *
Öl
Bezeichnung: u.r. »H. Strempel 47«(?)
Datierung: 1947*
Besitzer: unbekannt
Vgl. gleiche Thematik mit ähnlicher Bildkonzeption, jedoch seitenverkehrt (WVZ 291).

(235) *Stilleben mit Torso* * (Ö 25a)
Öl
73,0 x 53,0 cm
Bezeichnung: u.l. (?)
Datierung: 1947
Besitzer: unbekannt

(236) *Stilleben mit Flaschen* (Ö 28)
Öl/Lwd.
72,0 x 37,0 cm
Bezeichnung: u.l. »Strempel 47«
Datierung: 1947
Besitzer: Privatbesitz
Ausstellung: Berlin/W. 1977, Nr. 29 (Die Flaschen, 70,0 x 40,0 cm)

(237) *Stilleben mit blauem Krug I*
Öl
Datierung: um 1947
Besitzer: unbekannt
Ausstellung: Berlin 1947/1, Nr. 24
Keine Abbildung bekannt.

(238) *Stilleben mit blauem Krug II*
Öl
Datierung: um 1947
Besitzer: unbekannt
Ausstellung: Berlin 1947/1, Nr. 25
Keine Abbildung bekannt

(239) *Stilleben mit Geranie* (Ö 25)
Öl/Papier/Hartfaserplatte
59,0 x 50,0 cm
Bezeichnung: u.l. »Strempel / 47«; verso »Horst Strempel 1947 Stilleben mit Geranie cm 59x50 Kat.Nr.25«
Datierung: 1947
Im Werkkatalog Strempel ist unter der o.g. Nummer ein anderes, vermutlich später entstandenes Bild aufgeführt.

(240) »*Stilleben mit Birnen*«
Öl/Lwd.
Bezeichnung: u.l. »H. Strempel 47«
Datierung: 1947
Besitzer: Berlin, Galerie Pels-Leusden

(241) ***Stilleben mit Tomaten***
Öl/Lwd.
55,0 x 45,5 cm
Bezeichnung: u.l. »Strempel / 47«; verso »

‹Stilleben mit Tomaten› / 1947«
Datierung: 1947
Provenienz: Privatbesitz
Besitzer: Privatbesitz

(242) *Stilleben mit Kartoffeln*
Öl
Datierung: um 1947
Besitzer: unbekannt
Ausstellung: Berlin 1947/1, Nr. 22
Keine Abbildung bekannt.

(243) ***Bauarbeiterin in der Friedrichstraße***
(Trümmerfrau)
(Ö 36)
Öl/Lwd.
88,0 x 58,0 cm
Bezeichnung: u.r. »H. Strempel 48 St.48«
Datierung: 1948
Besitzer: Privatbesitz
Ausstellung: Brandenburg 1950

(244) ***Mädchen in Rot mit Brief***
Öl/Pappe
77,0 x 63,0 cm
Bezeichnung: u.l. »St.48«
Datierung: 1948
Provenienz: Meerane/DDR, Fabrikant Curt (4.11.1949, Sicherstellung)
Besitzer: Dresden, StKS, Gemäldegal. Neue Meister, Inv.Nr. 2803 (1952)
Ausstellung: Dresden 1990
Literatur: Kober 1989, 235 (Abb.).- Dresden 1990, 187 (Abb.)
Abbildungen: Kober 1989, 249 (Farbabb.).- Berlin/DDR 1990, o.S. (Farbabb.); Dresden 1990, 188

(245) *Akt Erna* *
Öl
110,0 x 80,0 cm
Bezeichnung: u.l. »St.48«
Datierung: 1948
Besitzer: unbekannt
Das lebensgroße Aktbild, ein Kniestück, befand sich im Besitz des Bühnenbildners Pfeiffenberger, der bei Felsenstein in Ostberlin gearbeitet hatte und später nach Westberlin kam. In einem Brief an Wilhelm Puff vom 21.12.1967 äußerte sich Strempel folgendermaßen: »Das Bild hing in meiner Wohnung in Pankow. Die Schurken haben es gestohlen, in die staatliche Kunstkommission gegeben und Pfeiffenberger hat es 1954 dort für DM West 1.500,- gekauft. Pfeiffenberger will es auch nicht gegen 3 andere Bilder hergeben. Ich kann das verstehen, denn das Bild ist aus meiner besten Zeit, 1948. Wirklich, ohne mich zu loben, ein kraftvoll gemalter Akt. Gut in der Komposition, hervorragend in der Farbe. Ich kann das sagen, weil ich zu dieser Arbeit nun einen langen Abstand habe und objektiv sein kann. Die Schurken drüben, haben einen scheuslichen Lack drüber geschmiert, scheinbar damit es sich besser verkauft. Ich habe nun diesen Lack entfernt und das Bild fotografieren lassen.«

(246) *Die beiden Alten** (Ö 34)
Öl/Lwd.
91,0 x 59,0 cm
sign., dat.
Datierung: 1948
Besitzer: Privatbesitz
Das Gemälde wurde 1974 restauriert.

(247) *Die Blinden*
Öl
110,0 x 98,0 cm
Datierung: 1948
Besitzer: unbekannt
Ausstellung: Berlin/W. 1959/2, Nr. 41
Keine Abbildung bekannt. Vgl. *Die Blinden*
1947 (WVZ 199).

(248) *Die Spieler*
Öl/Lwd.
98,0 x 78,5 cm
Datierung: 1948*
Besitzer: Köln, Privatbesitz
Ausstellung: Berlin/W. 1977, Nr. 33

(249) *»Zirkuswagen«* *
Gemälde (?)
um 1948 (?)
Besitzer: unbekannt
Die Fotos aus dem Nachlaß stammen von
Agfacolor Gotha/Thür.; deshalb könnte
das Bild vor 1953 entstanden sein.

(250) *»Musikanten«* *
Gemälde
um 1948 (?)
Besitzer: unbekannt
Wie die Fotografie des Zirkuswagen trägt
auch diese Reproduktion den Stempel von
Agfacolor Gotha, was bedeutet, daß das
Gemälde vor Strempels Flucht nach West-
berlin entstanden sein müßte. Im »Neuen
Deutschland« vom 21.2.1948 wird ein
Werk mit dem Titel *Blinde Musiker* er-
wähnt; es ist denkbar, daß damit das o.g.
Werk gemeint war.- 1953 entstand ein wei-
teres Bild gleicher Thematik (WVZ 317).

(251) *»Trauerzug«* *
Gemälde
Datierung: um 1948 (?)
Besitzer: unbekannt
Zur Datierung siehe den Kommentar zu
WVZ 249.

(252) *Die Sucher* (Ö 23)
Öl/Lwd.
178,0 x 118,0 cm
Bezeichnung: u.l. »St. 48«
Datierung: 1947
Besitzer: Privatbesitz
Ausstellung: Berlin/W. 1959/2, Nr. 38
(Mischtechnik, 120,0 x 180,0 cm); Berlin/
W. 1970/1, Nr. 9; Berlin/W. 1977, Nr. 34
(1948, 150,0 x 95,0 cm)
Abbildung: Spiegel, 1.12.1949
Vgl. die Radierung 1949 (WVZ 2471) und
die Studie (WVZ 1570).

(253) *»Familienbildnis«*
Gemälde
Bezeichnung: u.l. »Strempel 48«
Datierung: 1948
Besitzer: unbekannt
Ausstellung: Berlin 1949/1
Ein Werkfoto befindet sich bei ADN, Ber-
lin.- Möglicherweise ist das Gemälde mit
einem im Werkkatalog verzeichneten Fa-
milienbild (Öl, 180,0 x 100,0 cm, 1948)
identisch.

(254) *Tischgesellschaft**
Öl
Datierung: 1948
Besitzer: vernichtet

(255) *Im Atelier* (Ö 32)
Öl/Lwd.
97,0 x 82,0 cm
Bezeichnung: u.l. »St.48«
Datierung: 1948
Provenienz: Nachlaß; Generaldirektion
des Staatl. Kunsthandels der DDR (1985,
aus Mitteln des Kulturfonds)
Besitzer: Berlin, StM, NG, Inv.Nr. A IV 549
(1986)

(256) *Die Sackträger* (Ö 31)
Öl/Lwd.
110,0 x 95,0 cm
Bezeichnung: u.l. »Strempel 48«
Datierung: 1948
Besitzer: Privatbesitz
Ausstellungen: Berlin/W. 1959/2, Nr. 42;
Berlin/W. 1970/1, Nr. 11; Berlin/W. 1977,
Nr. 32
Literatur: SpVbl., 9.7.1959; Morgenpost,
25.7.1959
Siehe die Radierung WVZ 2433.

(257) *Soldaten* (Ö 30)
Öl/Lwd.
112,0 x 94,0 cm
Bezeichnung: u.l. »St. 48.«
Datierung: 1948
Besitzer: Privatbesitz
Ausstellungen: Berlin/W. 1959/2, Nr. 34
(95,0 x 120,0 cm); Berlin/W. 1970/1, Nr. 10
(1947, 150,0 x 92,0 cm); Berlin/W. 1977,
Nr. 28 (1947, 150,0 x 90,0 cm)
Abbildung: Berlin/W. 1970/1, o.S.
Siehe den Holzschnitt WVZ 2419 und die
Radierung WVZ 2434.

(258) *Kreuzigt den Fortschritt* (Kreuzigt
ihn) (Ö 29)
Öl/Holz
150,0 x 100,0 cm
Bezeichnung: u.l. »St.48«
Datierung: 1948
Provenienz: Privatbesitz (1972)
Besitzer: Berlin, Berlin. Gal. (Leihgabe),
Inv.Nr. BG–M 3451/83L
Ausstellungen: Berlin/W. 1959/2, Nr. 40;
Berlin/W. 1970/1, Nr. 8; Berlin/W., 1977,
Nr. 27 (dat. 1947)
Literatur: SpVbl., 9.7.1959
Abbildungen: Gillen/Schmidt 1989, 106.-
Berlin/W. 1977, o.S.
Vom gleichen Thema existieren Bearbei-
tungen in z.T. anderen Techniken (WVZ
194 und WVZ 2481). Strempel spricht von
einer ersten Skizze in schwarz-weiß 100,0 x
70,0 cm in Öl, die sehr stark beschädigt sei;
dabei könnte es sich möglicherweise um die
Öltempera WVZ 259 handeln. Des weiteren soll eine »allererste Ideenskizze in Feder und Blei« sowie ein Studienkopf in
Tempera (WVZ 697) angefertigt worden
sein (Brief von Horst Strempel an Wilhelm
Puff, 24.3.1972).- Das Gemälde wurde
1972 grundlegend restauriert (vgl. das Re-
staurierungs-Protokoll, undat.). Strempel
berichtete, daß sich die Farbschichten von
dem Bild gelöst hätten, da es drei bis vier
Jahre in Ostberlin im Keller, mit der Vorderseite an ein Heizungsrohr gelehnt, gestanden habe. Bei der Restaurierung sorgte
er zunächst für eine Regenerierung der einzelnen Schichten durch die Bearbeitung
mit Copaiva-Balsam; anschließend wurden
die aufgeplatzten Stellen mehrmals gekit-

tet und der alte Firnis mit Alkohol beseitigt.
Danach wurden die präparierten Stellen
wieder übermalt. (Qu.: Brief von Horst
Strempel an Wilhelm Puff, 24.3.1972).

(259) *Kreuzigt den Fortschritt* * (Ö 29a)
Öltempera
100,0 x 72,0 cm
Datierung: 1947/48
Besitzer: unbekannt
Ausstellungen: Berlin 1949/3, Nr. 1
(Mischtechnik); evtl. Berlin/W. 1959/2,
Nr. 40 (Vorstudie zum Gemälde)

(260) *Arbeit* (Skizze zum Wandbild)
Öl (Temp./Papier?)
67,0 x 87,0 cm (Mitteltafel: 63,0 x 38,0 cm;
Flügel je 43,0 x 21,0 cm)
Bezeichnung: u.l. »H. Strempel 1949« (?)
Datierung: 1948
Besitzer: Privatbesitz
Ausstellung: Berlin/W. 1977, Nr. 36
Abbildung: Berlin/W. 1977, Titelseite
Die Ölskizze ist eine Vorarbeit zum *Wand-
bild Friedrichstraße* (WVZ 6).

(261) *Ruhe und Ordnung*
Öl/Lwd.
55,0 x 85,0 cm
Bezeichnung: u.l »Strempel 48«
Datierung: 1948
Besitzer: Halle, Staatl. Gal. Moritzburg,
Inv.Nr. I/310 (1948, erworben aus Mitteln
des Ministeriums für Volksbildung)
Literatur: E.K. 1949, 59
Siehe die entsprechende Zeichnung um
1948 (WVZ 1631).

(262) *Egoismus*
Öl
Datierung: um 1946/48
Besitzer: unbekannt
Ausstellung: Berlin 1948/3
Literatur: NE, 27.3.1948; TG, 27.7.1948;
Tribüne, 2.8.1948
Abbildung: Ulenspiegel, 3, 1948, H. 8, 4
Es ist wahrscheinlich, daß das Gemälde
Egoismus zeitgleich mit anderen gesell-
schaftskritischen Arbeiten entstand, bei-
spielsweise *Dummheit* 1946 (WVZ 192 und
193), *Gier* 1946 (WVZ 191) und *Gier II* 1947
(WVZ 228).

(263) *Der Trauerzug*
Öl/Spanplatte
62,0 x 101,0 cm
Bezeichnung: u.l. »Strempel 48«; verso o.l.
»Strempel Der Trauerzug«
Datierung: 1948
Provenienz: Nachlaß; Generaldirektion
des Staatl. Kunsthandels der DDR (1985,
aus Mitteln des Kulturfonds)
Besitzer: Berlin, StM, NG, Inv.Nr. A IV 541
(1986)
Ausstellung: Berlin/W. 1959/2, Nr. 39
(104,0 x 64,0 cm)
Abbildung: Spiegel, 21.10.1953, 30
Strempel bearbeitete dieses Thema in verschiedenen Varianten und Techniken. Neben der hier aufgeführten Version schuf er
vermutlich ein zweites Ölbild, das wohl
verkauft wurde (WVZ 264). Weiterhin befand sich im Nachlaß eine Fotografie, die
zwar identisch mit dem oben erwähnten
Version zu sein scheint, jedoch eine andere
Rahmung hat und handschriftlich datiert

ist (1945/46). In einem Brief Wilhelm Puffs an Horst Strempel vom 12.1.1975 findet sich folgende Notiz: »Da muß ausgerechnet ein Sammler bei dir den Trauerzug entdecken und ihn sogleich entführen, um ihn dem Berliner Museum zu stiften! Ein Ehrenplatz dort dürfte ihm sicher sein.« Damit kann keinesfalls das Bild aus der Nationalgalerie gemeint sein, da dieses sich noch bis 1985 im Nachlaß befand. In anderen Berliner Museen ist ist keine Arbeit dieser Thematik vorhanden.- Vgl. die Radierung (WVZ 2438) und Aquarell (WVZ 721) zum gleichen Thema.

(264) *Der Trauerzug* (Ö 33)
Öl
62,0 x 83,0 cm
Datierung: 1948
Besitzer: unbekannt
Ausstellungen: Berlin/W. 1970/1, Nr. 12; Berlin/W. 1977, Nr. 35
Keine Abbildung bekannt.

(265) *Sonnenrosen*
Öl/Lwd.
80,0 x 70,0 cm
Bezeichnung: u.l. »Strempel 48«; verso o. (am Rahmen) »Strempel Sonnenrosen 1948 37«
Datierung: 1948

(266) *»Sonnenblumen«*
Öl/Lwd.
184,0 x 140,0 cm
Bezeichnung: o.l. »für meinen freund / franz schwabenbauer / horst strempel 1950«; verso o. »für meinen / freund franz / horst strempel«
Datierung: um 1948 (vgl. WVZ 265)
Provenienz: Privatbesitz
Besitzer: Privatbesitz

(267) *Stilleben mit Gläsern*
Öl/Pappe
51,5 x 37,0 cm
Bezeichnung: u.l. »Strempel 48«; verso o. »Stilleben m. Gläsern 1948«
Datierung: 1948
Besitzer: Berlin, Berlin. Gal. (Leihgabe), Inv.Nr. BG—M 3433/83L

(268) *Arbeiterfrau* (Ö 36)
Öl/Lwd.
83,5 x 61,0 cm
Datierung: 1949*
Provenienz: Nachlaß; Generaldirektion des Staatl. Kunsthandels der DDR (1985, aus Mitteln des Kulturfonds)
Besitzer: Berlin, StM, NG, Inv.Nr. A IV 543 (1986)
Ausstellung: Berlin/W. 1970/1, Nr. 4 (?)

(269) *Selbstbildnis I*
Öl
40,0 x 50,0 cm (50,0 x 40,0 cm?)
Datierung: 1949
Besitzer: unbekannt
Ausstellung: Berlin/W. 1959/2, Nr. 44
Keine Abbildung bekannt.

(270) *Porträt Frau S.*
Öl
60,0 x 85,0 cm (85,0 x 60,0 cm?)
Datierung: 1949
Besitzer: unbekannt

Ausstellung: Berlin, 1959/2, Nr. 45
Keine Abbildung bekannt.

(271) *Eva* (Ö 41)
Öl/Hartfaserplatte
ca. 61,0 x 32,5 cm
Bezeichnung: u.l. »Horst Strempel 49«; verso »H. Strempel. 1949 ‹Eva› Kat.Nr.41«
Datierung: 1949
Besitzer: Privatbesitz

(272) *Erna* (Ö 38)
Öl/Lwd./Spanplatte
60,0 x 45,5 cm
Bezeichnung: verso o.l. »H. Strempel 1949 Kopfstudie Erna (Für Wandbild Ballenstedt) Öl 63x47 Kat.Nr.38«
Datierung: 1949
Ausstellung: Berlin/W. 1977, Nr. 39 (Kopfstudie, 63,0 x 47,0 cm)

(273) *»Porträt Erna Strempel«*
Gemälde (?)
Datierung: um 1949
Besitzer: unbekannt
Literatur: Für Dich, 19.3.1950 (Abb.)
Abbildung: Für Dich, 19.3.1950

(274) *»Porträt der Journalistin Ilse Galfert«*
Gemälde (?)
Datierung: um 1949
Besitzer: unbekannt
Literatur: Für Dich, 19.3.1950 (Abb.)
Abbildung: Für Dich, 19.3.1950

(275) *Der Trinker**
Öl/Spanplatte
71,0 x 58,0 cm
Bezeichnung: verso »1949«
Datierung: 1949

(276) *Mädchen am Spiegel (Angela Brunner)*
Öl
103,0 x 64,0 cm
Bezeichnung: u.l. »Strempel«
Datierung: 1949
Besitzer: Privatbesitz
Ausstellung: Berlin/W. 1959/2, Nr. 36 (110,0 x 67,0 cm)
Abbildung: bildende kunst, 1949, H. 5, Rücktitel

(277) *Mädchen am Spiegel*
Öl/Tischlerplatte
124,0 x 53,0 cm
Bezeichnung: u.l. »St.49«
Datierung: 1949
Provenienz: Privatbesitz
Besitzer: Privatbesitz

(278) *»Weiblicher Rückenakt vor einem Spiegel«*
Öl/Lwd./Spanplatte
76,0 x 59,0 cm
Bezeichnung u.l. »St.«; verso »1949«
Datierung: 1949

(279) *»Weiblicher Akt mit Badelaken«*
Öl/Spanplatte
130,0 x 50,0 cm
Datierung: um 1949 (siehe WVZ 290)
Auf der Vorderseite befindet sich das Gemälde *Boote* (WVZ 290).- Die Bildfläche wurde teilweise auf den Rahmen ausgedehnt.

(280) *Stehender Akt*
Öl
92,0 x 56,0 cm
Datierung: 1949
Besitzer: unbekannt
Ausstellung: Berlin/W. 1977, Nr. 41
Keine Abbildung bekannt.

(281) *»Liegendes Paar«*
Gemälde (?)
Datierung: um 1949 (?)
Besitzer: unbekannt
Die Fotografie des Bildes befindet sich im Archiv der Nationalgalerie Berlin.- Vgl. die Radierung 1949 (WVZ 2470) und das Gemälde 1953 (WVZ 316).

(282) *Zwei Mädchen** (Ö 176)
Öl
90,0 x 58,0 cm
Datierung: 1949
Besitzer: unbekannt
Keine Abbildung bekannt.

(283) *Zuhörer*
Öl
Datierung: um 1949
1953 vernichtet*
Ausstellung: Berl. Palette, 18.11.1949; ND, 30.11.1949; Berl. Palette, 16.12.1949 (Abb.); Ulenspiegel, 5, 1950, Nr.16, 16
Abbildungen: Berlin 1949/3, o.S.; Palette, 16.12.1949; Ulenspiegel, 5, 1950, H. 16, 16 (Farbabb.)
In dem Artikel des »Ulenspiegel« wurde das Gemälde als positiver künstlerischer Beitrag zur Formalismus-Debatte angeführt; man verwies insbesondere auf seinen humanistischen Gehalt.

(284) *Wollt ihr das wieder?* (Ö 144 / 34a)
Öl/Lwd.
120,0 x 81,0 cm
Bezeichnung: u.l. »St.49«
Datierung: 1949
Besitzer: Privatbesitz
Ausstellungen: Berlin 1949/3, Nr. 2; München 1951, Nr. 68; Berlin/W. 1959/2, Nr. 43
Abbildung: München 1951, o.S.
Siehe die Radierung 1949 (WVZ 2439).

(285) *Lidice* (Die Erschießung, Die Trauer) (Ö 34a, Ö 144)
Öl/Lwd.
115,0 x 95,0 cm
Bezeichnung: u.l. »Horst Strempel 1949«; verso o.l. »Horst Strempel 1949 Lidice«
Datierung: 1949
Besitzer: Privatbesitz
Ausstellung: Berlin/W. 1959/2, Nr. 35 (dat. 1948); Berlin/W. 1970/1, Nr. 13; Berlin/W. 1977, Nr. 37 (120,0 x 100,0 cm)
In Berlin/W. 1959/2 wird dieses Bild als Darstellung eines Erlebnisses in Griechenland bezeichnet.

(286) *Plandiskussion*
Öl/Lwd.
85,0 x 98,0 cm
Datierung: 1949
Besitzer: Berlin, StM, NG, Inv.Nr. A IV 87 (1966, Übereignung des Kulturfonds der DDR)
Ausstellungen: Berlin/DDR 1984; Leipzig 1986; Berlin/DDR 1987, L 11

Literatur: Thomas 1980, 28; Makarinus 1985, 41; Hartleb 1986, 24; NG 1986, 82.- Berlin/DDR 1987, 439 (Abb.)
Abbildungen: Bildende Kunst, 1985, H. 1 (rückwärtiges Deckblatt).- Berlin/DDR 1984, 81; Berlin/DDR 1987, 439
Das Gemälde ist eine Skizze zum *Wandbild Henningsdorf* (WVZ 7); sie wurde in wesentlichen Teilen in den von Strempel bearbeiteten Teil übernommen. Diese Arbeit soll in Strempels Berliner Atelier entstanden sein, nach später vernichteten Zeichnungen, die in Henningsdorf direkt vor Ort angefertigt wurden.

(287) *Kinder mit Fahne*
Gemälde
Bezeichnung: u.r. »St.49«
Datierung: 1949
Besitzer: Privatbesitz
Ausstellung: Berlin 1949/2
Literatur: Tribüne, 4.6.1949 (Abb.); ND, 16.6.1949
Abbildung: Tribüne, 4.6.1949

(288) *Arbeiter mit roter Fahne*
Öl/Pappe
65,0 x 30,0 cm
Bezeichnung: u.r. »Strempel 49«
Datierung: 1949
Besitzer: Privatbesitz
Ausstellung: Berlin/DDR 1980/81

(289) *Landschaft aus Dresden*
Öl/Hartfaser
114,0 x 76,0 cm
Bez. u. l. »St. 49«
Datierung: 1949
Provenienz: Privatbesitz
Besitzer: Privatbesitz
Ausstellung: Berlin/W. 1959/2, Nr. 46
Keine Abbildung bekannt.

(290) *Boote* (Ö 42)
Tempera/Papier/Spanplatte
130,0 x 50,0 cm
Bezeichnung: u.l. »Strempel 1949«
Datierung: 1949
Auf der Rückseite: *Weiblicher Akt mit Badelaken* (WVZ 279).

(291) **Schwarz-weiß-roter Torso** (Ö 40)
Öl/Spanplatte
67,5 x 52,2 cm
Bezeichnung: u.l. »Strempel 49«; verso o.l. »Horst Strempel 1949 schwarz-weiß-roter Torso Kat.Nr.40«
Datierung: 1949
Siehe WVZ 234.

(292) *Vor dem Abstich (Walzwerk I*)* (Ö 43)
Öl/Lwd.
180,0 x 120,0 cm
Bezeichnung: u.l. »Strempel 50«
Datierung: 1950
Provenienz: Nachlaß; Generaldirektion des Staatl. Kunsthandels der DDR (1985, aus Mitteln des Kulturfonds)
Besitzer: Berlin, StM, NG, Inv.Nr. A IV 540 (1986)
Ausstellungen: Berlin/W. 1959/2, Nr. 47; Berlin/W. 1977, Nr. 42; Berlin/W. 1980/2, Nr. 332
Literatur: NZ, 5.8.1950; BZ, 6.12.1950; NZ, 7.12.1950.- Stephanowitz 1984, 219
Abbildung: Berufsausbildung, 1951, 1. Januarheft, Titelseite.

Das Gemälde entstand vermutlich in Zusammenhang mit den Arbeiten am Dresdner Wandbild, als Strempel im Stahlwerk Henningsdorf Skizzen fertigte. Es wurde 1950 von Ministerium für Volksbildung unter Paul Wandel angekauft. 1951 wurde der Kauf jedoch annulliert, offenbar weil Strempel durch die Formalismus-Debatte immer mehr ins Abseits geriet.- Wahrscheinlich existierte noch ein zweites Gemälde gleichen Themas.

(293) *Walzwerk II*
Tempera/Lwd.
110 x 80,0 cm
Datierung: 1950*

(294) *Spreewald* *
Öl
Datierung: 1950
Besitzer: unbekannt
Keine Abbildung bekannt.- Nach Angaben Horst Strempels muß sich dieses Gemälde bei seiner Flucht noch in seiner Wohnung befunden haben; möglicherweise gelangte es nach der Beschlagnahme durch die Behörden in den Kunsthandel.- Siehe die Pastellstudie (WVZ 773).

(295) *Karl Marx* *
Öl
53,0 x 48,0 cm
Datierung: 1951
Besitzer: unbekannt
Eine Fotografie des Porträts befindet sich im Archiv der Nationalgalerie Berlin.

(296) **Arbeiter aus Henningsdorf**
(Stahlwerker)
Öl/Pappe
69,0 x 51,5 cm
Bezeichnung: u.r. »St.51«
Datierung: 1951
Provenienz: Ministerium für Kultur der DDR
Besitzer: Berlin, StM, NG, Inv.Nr. A IV 256 (1971)
Ausstellung: Berlin/DDR 1951/52, Nr. 263
Literatur: TR, 16.12.1951 (Abb.); BZ, 30.12.1951.- NG 1986, 2
Abbildung: TR, 16.12.1951
Bezüglich dieses Bildes schrieb Jürgen Rühle in der »Berliner Zeitung« 1951: »Eine andere Schwäche, die noch im Verhaftetsein in der imperialistischen Dekadenzstimmung begründet liegt, ist der Hang zur Häßlichkeit, zur Düsternis, der bei Prof. Mohr (‹Bildhauer Cremer›), Prof. Strempel (‹Stahlwerker›) und anderen Arbeiten zu finden ist.«

(297) *»Frau mit Kind auf dem Arm«* *
Gemälde
Bezeichnung: u.l. »St.51«
Datierung: 1951
Besitzer: unbekannt
Eine Fotografie befindet sich im Archiv der Nationalgalerie Berlin.

(298) **Karl Liebknecht**
Öl/Lwd./Spanplatte
90,0 x 58,5 cm
Datierung: 1951*
Provenienz: Nachlaß; Generaldirektion des Staatl. Kunsthandels der DDR (1985, aus Mitteln des Kulturfonds)

Besitzer: Berlin, StM, NG, Inv.Nr. A IV 548 (1986)
Ausstellungen: Berlin/W. 1977, Nr. 43; Berlin/W. 1980/2, Nr. 333
Abbildung: Berlin/W. 1980/2, 55
Diese Arbeit ist eine Studie zu einem verschollenen größeren Bild (WVZ 303).

(299) *Frieden 1951*
Öl/(Papier?)
Datierung: 1951
Besitzer: unbekannt
Die Fotografie dieses Großplakates befindet sich in der Fotothek der Sächsischen Landesbibliothek Dresden. Der Bezeichnung zufolge sollte es als Wandbildentwurf zu einem von der Deutschen Akademie der Künste ausgeschriebenen Wettbewerb dienen.

(300) *1848**
Öl
73,0 x 55,0 cm
Datierung: 1951
Besitzer: unbekannt
Keine Abbildung bekannt.

(301) **Selbstporträt** (Ö 43a?)
Öl/Holz
65,0 x 59,0 cm
Bezeichnung: u.l. »St.51«; verso o.l. »Selbstporträt 1952«
Datierung: 1951/52
Abbildungen: Stephanowitz 1984, 217; Feist 1989, 127

(302) *»Porträt des Architekten Selmanagic«* *
Öl
Datierung: 1952
Besitzer: unbekannt

(303) *Karl Liebknecht**
Öl
250,0 x 120,0 cm
Datierung: 1952
Besitzer: verschollen
Siehe die Ölstudie 1951 (WVZ 298). Im Archiv der Nationalgalerie Berlin wird eine Reihe von Fotografien aufbewahrt, die die Vorarbeiten zu diesem Gemälde dokumentieren.

(304) *Erschießung (Marstall 1919)**
Gemälde
Datierung: um/vor 1952
Besitzer: verschollen
Auf einer Atelieraufnahme ist die Erschießung zusammen mit dem Gemälde *Karl Liebknecht spricht* (WVZ 303) abgebildet. Die Maße beider Werke scheinen sich in etwa zu entsprechen.- Vorstudien zur *Erschießung*, die entweder noch im Original vorhanden (WVZ 1604) oder im Werkkatalog aufgeführt sind (WVZ 1605), wurden auf 1947 datiert. Das Gemälde ist jedoch, wie der eng am »Sozialistischen Realismus« orientierte Stil nahelegt, keinesfalls schon zu diesem Zeitpunkt entstanden. Die Gestaltung der Figuren läßt vermuten, daß es in etwa in die Nähe des Ballenstedter Wandbildes zu rücken wäre.

(305) *Leben* *
Öl
ca. 180,0 x 120,0 cm

Datierung: 1952
Besitzer: verschollen
Von dem Gemälde existiert nur eine Detail-Reproduktion (drei weibliche Akte als Brustbilder). Nach einem Vermerk unter der Fotografie waren auf dem Bild drei lebensgroße Akte dargestellt.

(306) *Am Meer**
Öl
100,0 x 80,0 cm
Datierung: 1952
Besitzer: unbekannt

Datierung: 1952
Besitzer: verschollen
Von dem Gemälde existiert nur eine Detail-Reproduktion (drei weibliche Akte als Brustbilder). Nach einem Vermerk unter der Fotografie waren auf dem Bild drei lebensgroße Akte dargestellt.

(306) *Am Meer**
Öl
100,0 x 80,0 cm
Datierung: 1952
Besitzer: unbekannt

(307) *»Frauenkopf«*
Tempera/Sperrholz
50,0 x 39,0 cm
Bezeichnung: Mitte l. (im Bild) »Für Friedrich. / Der Mensch und Künstler, /der mir in meiner Not / die wichtigste Hilfe angedeihen liess. / Er gab mir die Möglichkeit weiterzuarbeiten. / In großer Dankbarkeit / Horst Strempel / 15.Okt. 53«
Datierung: 1953
Besitzer: Privatbesitz
Ausstellung: Berlin/W. 1977, Nr. 45
Abbildung: Berlin/W. 1977, o.S.
Das Motiv diente als Vorlage für das Plakat der Retrospektive Berlin/W. 1977.

(308) *Souvenir (Kleine Heilige)*
Öl/Lwd.
35,0 x 28,0 cm
Bezeichnung: o.l. »Souvenir«; Mitte r. »Strempel / 1953.«
Datierung: 1953
Besitzer: Privatbesitz

(309) *»Frauenkopf«*
Öl
46,0 x 38,0 cm*
Bezeichnung: u.l. »Strempel 53«
Datierung: 1953
Besitzer: Privatbesitz
Ausstellung: Berlin/W. 1977, Nr. 45
Abbildung: Berlin/W. 1977, o.S.

(310) *Porträt Frau K.**
Öl
100,0 x 80,0 cm
Datierung: 1953
Besitzer: unbekannt

(311) *Sitzendes Mädchen II* (Ö 47)
Öl
72,0 x 53,0 cm
Datierung: 1953
Besitzer: unbekannt

(312) *»Sitzende vor einem Spiegel«*
Tempera/Spanplatte
54,5 x 42,0 cm

Bezeichnung: u.l. »St.53, Strempel 1953.«
Datierung: 1953
Besitzer: Privatbesitz

(313) *Sitzendes Mädchen auf dem Bett* (Ö 46)
Öl/Spanplatte
105,0 x 67,0 cm
Bezeichnung: verso o. »Sitzendes Mädchen Kat.Nr.46 1953«
Datierung: 1953

(314) *Rückenakt*
Öl
100,0 x 65,0 cm
Datierung: 1953
Besitzer: unbekannt
Ausstellung: Berlin/W. 1977, Nr. 46
Keine Abbildung bekannt.

(315) *Die Wäscherin** (Ö 50)
Öl
96,0 x 52,0 cm
Datierung: 1953
Besitzer: unbekannt
Ausstellung: Berlin/W. 1959/2, o.Nr. (?)
Abbildung: Tag, 9.7.1959
Das Gemälde wurde nicht im Ausstellungskatalog Berlin/W. 1959/2 verzeichnet, obwohl es, den Angaben im »Tag« vom 9.7.1959 zufolge, dort ausgestellt worden sein soll.

(316) *Liebespaar* (Ö 48)
Öl/Jute
81,0 x 114,0 cm
Bezeichnung: u.l. »Strempel 1953«
Datierung: 1953
Ausstellungen: Berlin/W. 1955/2, Nr. 20 (?); Berlin/W. 1970/1, Nr. 14 (85,0 x 115,0 cm)

(317) ***Die Tauben*** *(Die Musiker)*
Öl/Hartfaserplatte
45,0 x 89,0 cm
Bezeichnung: u.l. »Strempel 53«
Datierung: 1953
Besitzer: Berlin, Berlin. Gal. (Leihgabe), Inv.Nr. BG-M 3446/83L
Ausstellung: Berlin/W. 1977, Nr. 47 (88,0 x 43,0 cm)
Abbildung: Feist 1989, 135
Vgl. das Gemälde gleicher Thematik um 1948 (WVZ 250).

(318) *»Die Blinden und die Tauben«*
Gemälde
Bezeichnung: u.l. »Strempel«
Datierung: um 1953
Besitzer: unbekannt
Zur Datierung siehe WVZ 317.

(319) ***Figürliche Komposition I*** *(Spiegelzimmer)*
Öl
100,0 x 80,0 cm
Datierung: um 1953 (vgl. WVZ 334)
Besitzer: unbekannt

(320) *»Am Wannsee«*
Öl/Lwd.
140,0 x 80,0 cm
Bezeichnung: u.l. »St. 53«; u.r. »St. 53«
Datierung: 1953
Besitzer: Privatbesitz
Ausstellung: Berlin/W. 1955/2, Nr. 3; Ber-

lin/W. 1959/2, Nr. 49 (Camping)
Literatur: TS, 22.7.1959
Im Werkkatalog Strempels wird das Gemälde unter der Kat. Nr. 76 als *Wannsee I* angeführt; das Entstehungsjahr ist dort mit 1957 angegeben.- Vgl. auch WVZ 321 und 322.

(321) *Wannsee I*
Öl
120,0 x 100,0 cm
Datierung: 1953
Besitzer: unbekannt
Ausstellung: Berlin/W. 1977, Nr. 44
Keine Abbildung bekannt.

(322) ***Wannsee II (Am Strand)***
Öl/Lwd.
98,0 x 79,0 cm
Bezeichnung: u.l. »St.53«
Besitzer: Privatbesitz
Im Werkkatalog Strempels ist das Gemälde unter der Kat. Nr. 78 als Wannsee III registriert; als Entstehungsjahr ist dort 1957 angegeben.

(323) ***Interieur (Frau am Fenster)***
Öl/Lwd.
120,0 x 70,0 cm
Bezeichnung: u.l. »Strempel 53«; verso o.l. »Horst Strempel »Interieur« 1953 Strempel«
Datierung: 1953
Besitzer: Privatbesitz

(324) *Atelier* (Ö 45)
Öl/Lwd.
98.0 x 74,0 cm
Bezeichnung: u.l. »Strempel«
Datierung: 1953
Besitzer: Berlin, Berlin. Gal. (Leihgabe), Inv.Nr. BG-M 3449/83 L
Ausstellung: Berlin/W. 1955/2, Nr. 4 (dat.)
Abbildung: Berlin/W. 1955/2, o.S.

(325) *Das Gerüst**
Öl
95,0 x 75,0 cm
Datierung: um 1953
Besitzer: unbekannt
Siehe auch WVZ 834.

(326) *Plastik im Park* (Ö 49)
Öl/Spanplatte
55,0 x 20,0 cm
Bezeichnung: verso »452«
Datierung: 1953*
Besitzer: Privatbesitz

(327) *Stilleben mit »Judenkirschen«**
Öl
100,0 x 53,0 cm
Datierung: 1953
Besitzer: unbekannt
Möglicherweise ist das hier aufgeführte Stilleben mit einem Gemälde gleichen Titels von 1955 (WVZ 383) identisch.

(328) *Frau mit rotem Krug*
Öl
95,0 x 53,0 cm
Bezeichnung: u.l. »St.54«
Datierung: 1954
Besitzer: unbekannt
Ausstellung: Berlin/W. 1955/2, Nr. 10
Abbildungen: FAZ, 27.10.1954; Morgen-

post, 29.9.1955; NN, 29.10.1955.- Berlin/
W. 1955/2, o.S.
Siehe die Kreidezeichnung, datiert auf
1953 (WVZ 811). Wilhelm Puff (Brief an
Horst Strempel, 2.10.1954) bezeichnete das
Bild als zu kontemplativ und kritisierte insbesondere die formalen Unklarheiten, die
sich in der Schreitbewegung und der plaka-
tiv aufgefaßten Hand, die den Krug um-
spannt, äußerten.

(329) »Weiblicher Akt, Brustbild«*
Gemälde
Bezeichnung: u.l. »St.54.«
Datierung: 1954
Besitzer: unbekannt

(330) **Mädchen am Spiegel**
Schabtechnik/Hartfaserplatte
57,5 x 71,5 cm (sichtb.)
Bezeichnung: o.r. »Strempel«
Datierung: um 1954
Besitzer: Privatbesitz
Die Datierung richtet sich nach einem Brief
von Wilhelm Puff an Ernst Niekisch vom
25.6.1954.

(331) »Paar, Köpfe«*
Gemälde (?)
Bezeichnung: u.l. »St.54«
Datierung: 1954
Besitzer: unbekannt

(332) **Wahrsagerin** (Ö 51)
Öl/Hartfaserplatte
95,0 x 81,0 cm
Bezeichnung: u.l. »Strempel«; verso o. »Öl,
‹Wahrsagerin› Kat.Nr.51 H. Strempel«
Datierung: 1954*
Besitzer: Privatbesitz
Ausstellungen: Berlin/W. 1959/2, Nr. 48
(dat. 1953); Hildesheim 1964, Nr. 31

(333) Frau mit Kind *
Öl
50,0 x 40,0 cm
Datierung: 1953
Besitzer: unbekannt

(334) **Frauen im Raum** (Figürliche Kompo-
sition II*)
Öl/Hartfaserplatte
95,0 x 80,0 cm
Bezeichnung: u.l. »St.53/54«; verso »H.
Strempel Frauen im Raum 1953«
Datierung: 1953/54
Ausstellung: Berlin/W. 1955/2, Nr. 21 (Fi-
guren im Raum)

(335) Die Blinden
Öl
82,0 x 61,0 cm
Datierung: 1954
Besitzer: unbekannt
Ausstellung: Berlin/W. 1977, Nr. 49
Keine Abbildung bekannt.

(336) Die grüne Bank (Paar auf der Bank)*
(Ö 44)
Öl
108,0 x 120,0 cm
Bezeichnung: u.l. »St. 54«
Datierung: 1954
Besitzer: Privatbesitz
Ausstellung: Berlin/W. 1955/2, Nr. 2 (Figu-
ren auf der Bank, Öltempera)

Vgl. Zeichnung von 1953 WVZ 2066.- Die
o.a. Daten stützen sich u.a. auf Angaben
Horst Strempels in einem Brief an Wilhelm
Puff (18.9.1974), dem auch eine Fotografie
des Gemäldes beilag. Puff antwortete darauf
(16.10.1974): »...ist natürlich, mit der Wesenheit des Loth verglichen, formale und farb-
ästhetische Idyllik, spricht aber immerhin
das Auge durch die Symbolik an, das Haupt
der Frauengestalt in die lebensgrüne Aureo-
le des Buschwerks zu rücken, während das
des Mannes künstlich aus dem blauschwar-
zen Schatten strebend dargestellt ist.«

(337) **Die Straße** (Straße mit zwei Figuren)*
Öl
Bezeichnung: u.l. »Strempel 54.«
Datierung: 1954
Besitzer: unbekannt
Ausstellung: Berlin/W. 1955/1, Nr. 4
Abbildung: Berlin/W. 1955/1, o.S.

(338) **Pothiphar***(Ö 74)
Öl/Lwd.
95,0 x 92,0 cm
Bezeichnung: u.l. »St. 53/54«
Datierung: 1954
In einem Brief an Ernst Niekisch schrieb
Wilhelm Puff am 25.6.1954 über dieses
Bild: »Nun ist es äußerst erregend zu beobachten, wie leidenschaftlich Strempel von
dem Problem ergriffen ist, das Weib in seiner urphänomenalen Bedeutung im eben
erwähnten Sinne zu gestalten, wie er sich
aber, schon fast am Ziel, vom Abstraktion-
steufel mit einem dekorativen Typ narren
und in die Irre führen läßt. Vor seinem
großformatigen, fast fertig gemalten Bild,
das den Stoff der Versuchung Josephs
durch Potiphars Weib zum Gegenstand hat,
drängt sich einem dies gewaltig auf. Ohne
Frage ist das Bild ein Wurf, um den Strempel Hunderte von Künstlern beneiden
dürften: für einen Maler von Strempels
Kraft und geistiger Substanz indessen
scheint die Gestaltung zu früh aufgegeben.
Die Vereinigung von Erwartung seliger
Verzücktheit und fassungsloser Enttäuschung übers Betrogenwerden um den Lie-
besgenuß, die das Antlitz von Potiphars
Frau spiegelt, wirkt zwar groß zusammen
mit der Gebärde der ziellos und wie flügel-
gelähmt nach dem Schatten des entfliehen-
den Begehrten ins Universum getauchten
Arme; aber sie wirkt, und nicht nur in Verbindung mit dem uneinheitlich durchgebil-
deten Körper bloß, nicht wahr genug, um
aus der jüdischen Moralgeschichte den
amoralisch schöpferischen Kern, nämlich
das Wesen des urphänomenal Weiblichen
herauszuschälen. Es müßte die Tragik, zum
Ziel des Weibseins, also zur Welterneue-
rung, Lebensverjüngung nicht gekommen
zu sein, im Antlitz sichtbar werden, und es
müßte diese Tragik überdies durch einen
kontrastierenden Körper ins Bewußtsein
getrieben werden, der sich in höchster, voll-
kommenster Sinnenfülle, nämlich durch
milchpralle Brüste, schmiegsamen Leib
und Schoß, schwellende Schenkel, für das
Begattungsbegehren als naturvernünftig
vorbestimmt darstellte. Nun aber sieht man
zwar die drängenden Schenkel, doch einen
flachen Leib und unvernünftig moralisch-
asketische Brüste, und einen linken Arm,
der in einen langen rechteckig geometri-

sierten Gewandstreifen verpreßt ist: kurzum, es wird abstrahiert, wo es nicht sein
dürfte. Beim Versuch, zu ergründen, warum Strempel in die Schiefheit seiner Darstellung letztlich geraten mußte, glaube ich
sein Beharren bei der Verführungsgeschichte annehmen zu dürfen. Im 39. Kapitel des 1. Buches Mose, 6ff., handelt es sich
meiner Ansicht nach aber zweifellos um eine altägyptische Isis-Mythe: der stierhör-
nige Gewaltmann Moses hat sie nur für seine moralreligiösen Zwecke mit jüdisch sinn-
licher Schwüle und mit der dürren Ge-
setzessittlichkeit seines Gottes Jahve zu-
recht stilisiert, auch hebräeranekdotisch
ausgeschmückt, um Joseph zu heroisieren.
Räumt man den jüdischen Moralschutz ab,
so stößt man etwa auf folgenden Mythen-
gehalt: Osiris, der Himmels- und Sonnen-
gott, von Set, dem Gott der Finsternis und
Wüstenglut, getötet, hinterläßt seine Ge-
mahlin Isis, die Göttin der Erde und der
Nilfruchtbarkeit, mit dem als Sehnsucht in
sie gesenkten Horus-Samen. Den Sohn
zum Leben zu erwecken, bedarf Isis, deren
Wesen im vollkommensten Weibsein besteht, als stellvertretend legitimen Zeuger
des herrlichsten Mannes. Osiris, auch im
Totenreich noch weit nach dem Osten zu
mächtig, schickt sie von dorther den Er-
wecker. Aber siehe, der versagt sich der
sehnsüchtig harrenden Isis. (In der neute-
stamentlichen ‹Verführungsgeschichte›
flieht Joseph nicht, willig macht er sich zum
Osiris-Stellvertreter und wird der ‹Nährva-
ter› des von Isis-Maria geborenen Horus-
Jesus ...). Man kann das natürlich noch weiter ausspinnen, auf das eigens in Moses
39,6 erwähnte Wort von Josephs ‹schönem›
Angesicht verweisen, oder die Reise Potiphars als verkleidete Totenfahrt des Osiris
nehmen, und dergleichen Entlarvungen
und Rückstrahlungen auf den ägyptischen
Mythos vollziehen. Doch das ist nicht weiter wichtig. Als Hauptsache bleibt: die Darstellung einer tragischen, weil betrogenen
Potiphar-Isis. Vielleicht würde mir Strempel entgegnen: Narr, du siehst doch, daß ich
ja eben das Weib als Verführerin, oder
höchstens als betrogene Verführerin malen
wollte; was geht mich deine ägyptische Isis-
mythe an! In diesem Falle müßte ich ant-
worten: Weiser, lies die Potiphargeschichte
nicht nach dem Buchstaben, sondern dem Geiste
nach, und du wirst finden, daß du nur die
Betrogene zu malen hast: ihren Schmerz
und ihren Zorn darüber, daß es ein voll-
kommener Mann wagte, ihren vollkommenen Weibwillen zu verachten.« Evtl. gab es
noch eine zweite Variante des Themas von
1956.- Vgl. die Zeichnung Joseph und Potiphar von 1956 (WVZ 2179).

(339) **Mannequins*** (Ö 53)
Öl
95,0 x 78,0 cm
Datierung: 1954
Besitzer: unbekannt
Ausstellung: Berlin/W. 1955/2, Nr. 11
Keine Abbildung bekannt.

(340) **Die Straße** (Rote Ampel)
Öl/Lwd.
80,0 x 100,0 cm
Bezeichnung: u.l. »Strempel 54«; verso o.
(auf dem Keilrahmen) »Straße 1954«

Datierung: 1954
Besitzer: Berlin, Berlin. Gal. (Leihgabe),
Inv.Nr. BG-M 3447/83L
Ausstellungen: Berlin, 1955/2, Nr.10;
Nürnberg 1958; Berlin/W. 1977, Nr. 50
Literatur: Abend, 24.5.1955; Kurier,
25.5.1955; 8-Uhr-Blatt, Nürnbg., 4.6.1958;
Freie Presse, Bielefeld, 3.2.1959; SpVbl.,
24.9.1977
Abbildungen: Feist 1989, 136.- Berlin/W.
1977, o.S.
Möglicherweise existiert noch eine Kopie
des Gemäldes von 1967 (WVZ 611).- Zur
Interpretation ein Brief Wilhelm Puffs an
Strempel vom 2.10.1954: »hier sehe ich Sie
so ernst mit dem Problem der ‹sozialen› Malerei ringen...Sie werden mit mir darin übereinstimmen, daß zwischen uns keine Erör-
terung stattzufinden braucht, inwiefern Ihre ‹soziale› Malerei nicht das geringste mit
der Malerei des sogenannten ‹Sozialen
Themenkreises› zu tun hat: das Stoffliche
interessiert hier gar nicht, oder besser gesagt: nicht mehr und nicht weniger als jedes
andere Stoffliche. Ihre soziale Malerei ist
Malerei einer gesellschaftlich neuen Zeit in
Bezug auf deren Form- und Farbprobleme.
Und da ist nun *Straße* äußerst aufschlußreich. Hier wird nun deutlich, wie Sie das
Kollektiv der neuen Menschengesellschaft
zwingt, das Individuelle und Physiognomische in Antlitz und Gestalt zu tilgen, das
Persönliche in die Gruppe zu tauchen, es zu
typisieren, ja zu uniformieren, die Energien
der Gruppe selbst aber in perspektivische
Spannungen zu verlagern, wobei sie freilich
die Gruppen auch wieder in sich wie in Bezug auf ihre gegenseitigen Beziehungen
durch Farbspannungen dynamisieren. Hier
wird aber auch ebenso stark deutlich, daß
Sie, um der Gefahr der Leere und Versteifung zu entgehen, gezwungen sind, das ver-
drängte Physiognomische und Individuelle
in der Gebärdenform der Gliedmaßen,
hauptsächlich der Arme, wieder aufleben
zu lassen.«.- Im »Abend« wird das Gemälde
von Hans Rauschning als Beispiel für
Strempels »weltanschauliche Sehweise« genannt: »Menschen drüben, Menschen hier.
Auseinandergerissen von der trennenden
roten Verkehrsampel. Uns wenn man will,
ließe sich die weltanschauliche Ausdeutung
sogar weitertreiben — bis zu den von der roten Ampel abgewandten Köpfen auf der
hiesigen Seite.«

(341) *Straße mit Bäumen
(Straße mit Figuren)**
Öl
80,0 x 60,0 cm
Datierung: 1954
Besitzer: unbekannt
Ausstellung: Berlin/W. 1955/1, Nr. 5 (Stra-
ße mit Zäunen = Druckfehler)
Abbildungen: Abend, 24.5.1955; Welt,
27.5.1955 (Detail)

(342) *Brücke in Halensee* *
Öl
40,0 x 67,0 cm
Bezeichnung: u.l. »St. 54«
Datierung: 1954
Besitzer: unbekannt

(343) *Halensee-Brücke*
Öl

65,0 x 77,0 cm
Datierung: 1954
Besitzer: unbekannt
Ausstellung: Berlin/W. 1977, Nr. 48
Keine Abbildung bekannt.

(344) *Stilleben mit Birnen** (Ö 58)
Öl
30,0 x 40,0 cm
Bezeichnung: u.l. »Strempel 54«
Datierung: 1954
Besitzer: unbekannt

(345) *»Stilleben mit Birnen«* *
Öl
Bezeichnung: u.l. »St. 54«
Datierung: 1954
Besitzer: unbekannt

(346) *Stilleben mit Pfefferschoten* *
Öl
35,0 x 40,0 cm
Bezeichnung: u.r. »Strempel«
Datierung: 1954
Besitzer: unbekannt

(347) *Blumen am Fenster* (Ö 52)
Öl/Spanplatte
60,7 x 47,5 cm
Bezeichnung: u.l. »Strempel«; verso: »1954
Nr.52«
Datierung: 1954

(348) *Stilleben mit Banane**
Öl
35,0 x 40,0 cm
Bezeichnung: u.l. »Strempel 54«
Datierung: 1954
Besitzer: unbekannt

(349) *Stilleben mit schwarzem Krug und
Birne* * (Ö 54)
Öl
34,5 x 43,0 cm
Datierung: 1954
Besitzer: unbekannt
Keine Abbildung bekannt.

(350) *Calla* *
Öl
Datierung: 1954
Besitzer: unbekannt
Eine Fotografie zeigt ein dreigeteiltes Bild
im Querformat, wobei auf den ersten beiden Segmenten je eine Blüte aus zwei verschiedenen Perspektiven zu sehen ist, während das dritte beide Ansichten zusammen-
faßt.

(351) *»Stilleben mit Kerzenleuchter und
Totenkopf«**
Gemälde
Bezeichnung: u.l. Widmung »H. Strempel /
54.«
Datierung: 1954
Besitzer: unbekannt
Siehe die Studie WVZ 2126.

(352) *»Selbstbildnis«* (Ö 59a)
Öl/Lwd.
52,0 x 39,0 cm
Bezeichnung: u.l. »St. 55«
Datierung: 1955
Ausstellungen: Berlin/W. 1955/2, Nr. 12;
Berlin/W. 1961/2, Nr. 24; Berlin/W. 1963,
Nr. 25; Berlin/W. 1977, Nr. 52

Literatur: Tag, 19.10.1961; SpVbl.,
24.9.1977.- Lossow 1962, 50 (Abb.)
Abbildungen: FAZ, 16.7.1959.- Lossow
1962, o.S. Stephanowitz 1984, 217.- Berlin/
W. 1959/2, o.S.; Berlin/W. 1961, o.S.; Ber-
lin/W. 1963, 7; Berlin/W. 1970, o.S.; Berlin/
W. 1977, o.S.

(353) *Selbstbildnis II*
Öl
35,0 x 25,0 cm
Datierung: 1955
Besitzer: unbekannt
Ausstellung: Berlin/W. 1959/2, Nr. 50
Keine Abbildung bekannt. Die in Berlin/W.
1959 reproduzierte Abbildung zeigt das
Selbstbildnis (WVZ 352).

(354) *»Porträt Frau Weiß«*
Tempera/Spanplatte
Bezeichnung: u.r. »Strempel 55«; verso o.l.
»H. Strempel 1955 Studie zum Porträt Frau
Weiß«
Datierung: 1955
Besitzer: Privatbesitz

(355) *»Porträt Frau Weiß«*
Öl/Lwd./Spanplatte
76,0 x 67,0 cm
Bezeichnung: u.l. »Strempel«
Datierung: um 1955
Besitzer: Privatbesitz

(356) *Alte Frau mit Gießkanne*
Öl/Lwd.
102,0 x 77,0 cm
Bezeichnung: u.l. »Strempel«
Datierung: 1955*
Besitzer: Privatbesitz

(357) *Mädchen an der Maschine*
Gemälde
Datierung: um 1955
Besitzer: unbekannt
Literatur: Nordwestdt. Rundschau,
13.1.1956 (Abb.); Wilhelmshavener Ztg.
(Abb.); Ihre Freundin, 1956, H. 3 (Abb.)
Abbildungen: Nordwestdt. Rundschau,
13.1.1956; Wilhelmshavener Ztg.,
13.1.1956; Ihre Freundin, 1956, H. 3

(358) *Mädchen mit Pferdeschwanz*
Öl/Karton
79,5 x 58,0 cm
Bezeichnung: verso o. »H. Strempel /
»Mädchen mit Pferdeschwanz« »
Datierung: 1955*
Besitzer: Nürnberg, Stadtgesch. Mus.,
Inv.Nr. Gm 1978 (10.9.1958)
Ausstellung: Berlin/W. 1955/1 (?); Nürn-
berg 1958, Nr. 30
Literatur: Film und Frau, 10, 1958, H. 12,
o.S. (Abb.)
Abbildungen: Morgenpost, 27.5.1955; NN,
31.5./1.6.1958; NN, 18.5.1963.- Film und
Frau, 10, 1958, H. 12, o.S.

(359) *»Frau im Raum«*
Gemälde
Datierung: um 1953—55
Besitzer: unbekannt
Ausstellung: Berlin/W. 1955/1 (?)
Abbildung: TS, 26.5.1955

(360) *Fensterputzerin**
Öl

100.0 x 80,0 cm
Datierung: um 1955 (siehe WVZ 877)
Besitzer: unbekannt

(361) »Flötenspieler«
Öl/Hartfaserplatte
81,0 x 57,0 cm
Bezeichnung: u.l. »Strempel 55«
Datierung: 1955
Besitzer: Privatbesitz
Literatur: Film und Frau, 10, 1958, H. 12,
o.S. (Abb.)
Abbildung: Film und Frau, 10, 1958, H. 12, o.S.

(362) Liegender Akt mit rotem Haarschopf
Öl/Lwd.
40,5 x 50,0 cm
Bezeichnung: u.l. »Strempel«; verso o. Mit-
te »H. Strempel 1955«
Datierung: 1955
Besitzer: Privatbesitz
Siehe das Pastell WVZ 880 und die Zeich-
nung WVZ 2146.

(363) »Liegender Akt«
Öl/Spanplatte
47,0 x 116,0 cm
Bezeichnung: u.l. »Strempel«
Datierung: um 1955
Besitzer: Privatbesitz
Ausstellung: Berlin/W. 1955/2, Nr. 7(?);
Berlin/W. 1959/2, Nr. 51
Die Datierung auf 1955 erfolgte aufgrund
stilistischer und formaler Übereinstim-
mungen mit Liegender Akt mit rotem Haar-
schopf (WVZ 362).

(364) Sitzender Halbakt
Öl
47,0 x 116,0 cm (116,0 x 47,0 cm?)
Datierung: um 1955
Besitzer: unbekannt
Ausstellung: Berlin/W. 1955/2, Nr. 8
Keine Abbildung bekannt.- Die Datierung
ergibt sich einerseits aus der zeitlichen Begrenzung der ausgestellten Objekte
(1953–1955), anderseits läßt das ungewöhnliche Format, das auch im Liegenden
Akt (WVZ 363) gewählt wurde, auf die gleiche Entstehungszeit schließen.

(365) Mädchen mit Pferdeschwanz
(Christa)
Öl/Hartfaserplatte
112,0 x 46,0 cm
Bezeichnung: u.r. »Strempel«; verso o.
»Nr.2 Mädchen mit Pferdeschwanz (Chri-
sta) Strempel«
Datierung: 1955*
Besitzer: Privatbesitz
Ausstellungen: Berlin/W. 1963, Nr. 26; Hil-
desheim 1964, Nr. 17

(366) Mädchen vor dem Spiegel (Spiegel-
bild *)
Öl/Hartfaserplatte
114,0 x 46,0 cm
Bezeichnung: u.l. »Strempel«; verso o. »H.
Strempel«
Datierung: um 1955
Besitzer: Privatbesitz
Ausstellungen: Berlin/W. 1955/2, Nr. 9;
Berlin/W. 1963, Nr. 36(?); Erlangen (o.J.),
191
Abbildungen: Kurier, 24.5.1955.- Erlangen
(o.J.)

Die im Werkkatalog Strempels angegebene
Datierung (1957) trifft nicht zu, da das Gemälde schon 1955 ausgestellt wurde.

(367) Das Paar
Öl
60,0 x 80,0 cm
Datierung: um 1953–55
Besitzer: unbekannt
Ausstellung: Berlin/W. 1955/2, Nr. 14
Keine Abbildung bekannt.

(368) Mannequins (Fotomodelle*) (Ö 61)
Öl/Spanplatte
29,0 x 45,0 cm
Bezeichnung: u.l. »St.55«; verso »Manne-
quins Kat.Nr.101 St. 1955«
Datierung: 1955

(369) Die Blinden
Öl/Imoglas
ca. 34,0 x 44,0 cm (sichtb.)
Bezeichnung: u.l. »Strempel«; verso o.
»Kat.Nr.449 H. Strempel »Die Blinden« Öl
1955«
Datierung: 1955
Besitzer: Privatbesitz

(370) »Paar am Strand«
Tempera/Hartfaserplatte
38,5 x 61,0 cm
Bezeichnung: u.l. »Strempel«
Datierung: um 1955
Besitzer: Privatbesitz
Die Tempera-Arbeit muß aus zwei Gründen um 1955 entstanden sein. Einmal zeigt
sich eine stilistische Nähe zu vielen anderen Werken Strempels aus diesen Jahren,
vor allem, was die die symbolhafte Verkürzung von Figuren und Landschaft angeht.
Außerdem scheint der vorliegenden Bearbeitung ein Thema der Odysseus-Ge-
schichte (Odysseus und Kalipse) zugrunde
gelegt worden zu sein, die Strempel wahrscheinlich nur um die Mitte der 50er Jahre
bearbeitet hat; vgl. dazu WVZ 820–822.

(371) **Abendland – Morgenland** (Arkadien
/ Dekorative Komposition) (Ö 147)
Öl
160,0 x 200,0 cm
Datierung: um 1955 (?) (1957*)
Besitzer: unbekannt
Ausstellung: Berlin/W. 1955/2, Nr. 1
(Öltempera); Berlin/W. 1959/2, Nr. 60
Literatur: TG, 17.7.1959
Abbildung: Berlin/W. 1955/2, o.S.

(372) **Der Gasometer** (Ö 59)
Öl/Spanplatte
90,0 x 74,0 cm
Bezeichnung: u.l. »Strempel«; verso »Der
Gasometer Kat.Nr.59 1955«
Datierung: 1955
Ausstellungen: Berlin/W. 1955/2, Nr. 18 (67,0
x 73,0 cm, vermutlich Druckfehler); Berlin/
W. 1963, Nr. 32; Berlin/W. 1980/2, Nr. 334
(72,0 x 88,0 cm, vermutlich Druckfehler)

(373) **Häuser mit Wäsche** *
Öl
Bezeichnung: u.l. »Strempel 55«
Datierung: 1955
Besitzer: unbekannt
Das Gemälde scheint bis auf zwei Unter-
schiede mit der Arbeit gleichen Titels (WVZ

444) von 1957 identisch zu sein. Die anhand
der vorliegenden Fotografie erkennbaren
Unterschiede beziehen sich einmal auf den
von Strempel gewählten Bildausschnitt —
die frühere Fassung ist sowohl an den beiden Seiten als auch am unteren Rand erweitert und ist stellenweise anders proportioniert. Außerdem sind Unterschiede in der
Bezeichnung unten links festzustellen; die
frühere Fassung ist datiert.

(374) Häusergruppe
Öl
60,0 x 70,0 cm
Datierung: um 1953–55
Besitzer: unbekannt
Ausstellung: Berlin/W. 1955/2, Nr. 19
Keine Abbildung bekannt.

(375) Gewitter
Öl
90,0 x 100,0 cm
Datierung: um 1953–55
Besitzer: unbekannt
Ausstellung: Berlin/W. 1955/2, Nr. 5
Keine Abbildung bekannt.

(376) »Straße«
Öl/Hartfaserplatte
48,0 x 67,0 cm
Bezeichnung: u.l. »Strempel 55«
Datierung: 1955
Besitzer: Privatbesitz

(377) Stilleben mit roter Schale (Ö 62)
Öl/Hartfaserplatte
35,0 x 46,0 cm
Bezeichnung: u.l. »Strempel 55«; verso o.
»1955 Stilleben mit roter Schale 35x46
Kat.Nr.62«
Datierung: 1955
Besitzer: Privatbesitz

(378) Stilleben mit Pfeife
Gemälde (?)
Bezeichnung: u.l. »Strempel. 55.«
Datierung: 1955
Besitzer: unbekannt
Vgl. das nahezu identische Pastell von 1961
(WVZ 1070).

(379) »Stilleben mit Fruchtschale« (Ö 60)
Öl/Spanplatte
30,0 x 39,5 cm
Bezeichnung: u.l. »Strempel / 1955.«; verso
o.l. »H. Strempel 1955 / Kat.Nr.65 »
Datierung: 1955
Besitzer: Privatbesitz

(380) Stilleben mit Fruchtschale*
Öl
40,0 x 50,0 cm
Datierung: 1955
Besitzer: unbekannt
Keine Abbildung bekannt.

(381) Stilleben mit rosa Schale und Früch-
ten *
Öl
30,0 x 35,0 cm
Datierung: 1955
Besitzer: unbekannt

(382) »Stilleben mit Krug, Schale und Banane«*
Gemälde (?)

Bezeichnung: u.l. »Strempel 55«
Datierung: 1955
Besitzer: unbekannt

(383) *Stilleben mit Judenkirschen* *
Öl
100,0 x 70,0 cm
Datierung: 1955
Besitzer: unbekannt
Keine Abbildung bekannt.- Vgl. WVZ 327.

(384) *Albertine Strempel* (Ö 97)
Öl/Spanplatte
67,0 x 55,0 cm
Bezeichnung: o.r. »H. Strempel / 56.«; u.l.
»Albertine / Strempel. / 84. Jahre.«
Datierung: 1956

(385) *Der Lesende* (Ö 63)
Öl
110,0 x 95,0 cm
Bezeichnung: u.l. »Strempel«
Datierung: 1956*
Besitzer: Privatbesitz
Ausstellung: Berlin/W. 1970/1, Nr. 16

(386) *Porträt Lilly Palmer*
Öl/Lwd.
120,0 x 100,0 cm
Bezeichnung: u.r. »Strempel 56«; verso o.
»H. Strempel Filmschauspielerin
Lilly Palmer 67«
Datierung: 1956
Ausstellung: Berlin/W. 1959, Nr. 96 (?)
Strempel lernte die Schauspielerin bei den
Dreharbeiten für den Film »Wie ein Sturm-
wind« kennen. Der Regisseur Falk Har-
nack, den er noch aus der »Möwe« kannte,
verpflichtete ihn dazu, den Film mit seinen
Bildern auszustatten.

(387) »*Porträt Lilly Palmer*«
Öl/Lwd.
120,0 x 100,0 cm
Bezeichnung: u.r. »Strempel 56«; verso:
»Horst Strempel 1956 Nr. 66«
Datierung: 1956
Ausstellung: Berlin/W. 1959, Nr. 96 (?)

(388) *Porträt Lilly Palmer*
Öl
138,0 x 119,0 cm
Datierung: 1956
Besitzer: unbekannt
Ausstellung: Berlin/W. 1970/1, Nr. 15
Im Werkkatalog Strempels finden sich eine
Reihe widersprüchlicher Angaben zu den
genannten Porträts der Lilly Palmer. Die auf
den Bildern selbst angebrachten Katalog-
nummern entsprechen nicht den Eintragun-
gen bzw. den Fotografien im Katalog.

(389) *Kleine Tänzerin*
Öl/Lwd.
ca. 89,0 x 58,0 cm
Bezeichnung: u.l. »Strempel 56«; verso o.:
»H. Strempel Kleine Tänzerin Nr.9«
Datierung: 1956
Besitzer: Privatbesitz
Ausstellung: Hildesheim 1964, Nr. 8

(390) *Akt am Spiegel*
Öl/Nessel
110,0 x 81,0 cm
Bezeichnung; u.l. »Strempel«; verso r. »H.
Strempel Mädchen am Spiegel 1956 G.1.«;

auf dem Rahmen »Nr.9«
Datierung: 1956 (1963*)
Besitzer: Privatbesitz

(391) *Stehendes Mädchen mit Blattpflan-
ze* * (Ö 72)
Öl
139,0 x 60,0 cm
Datierung: 1956
Besitzer: unbekannt
Ausstellung: Hildesheim 1964, Nr. 37
Keine Abbildung bekannt.

(392) *Mädchenkopf mit Blumen* *
Öl
74,0 x 50,0 cm
Datierung: 1956
Besitzer: unbekannt
Keine Abbildung bekannt.

(393) *Schreibmaschinenmädchen (An der
Schreibmaschine)* *
Öl
60,0 x 44,0 cm
Datierung: 1956
Besitzer: unbekannt
Auf der Rückseite der Fotografie sind die
Farben des Bildes angegeben: Haar und
Fußboden dunkelrot, Tisch heller Umbra,
Fenster blau und weiß, Hintergrund und
linke Seite schwarz und weiß, Obergewand
schwarz, Rock leuchtend grün.

(394) ***Zwei Figuren im Raum***
Öl/Lwd.
110,0 x 90,0 cm
Bezeichnung: u.l. »Strempel 67«
Datierung: um 1956
Besitzer: Privatbesitz
Ausstellung: Darmstadt 1956, Nr. 284
Abbildungen: Kurier, 17.4.1956 (Figürliche
Komposition).- Darmstadt 1956
Obwohl das Bild von Strempel mit 1967 datiert wurde, ist es, sofern es sich hier um
keine Kopie handelt, spätestens 1956 entstanden (vgl. die o.g. Ausstellung und Abbildungen). Eine Werkfotografie im Nachlaß läßt erkennen, daß das Bild u.l. lediglich
mit »St.« signiert war; die Signatur könnte
jedoch später beim Verkauf des Bildes ergänzt worden sein. Unter der Fotografie ist
handschriftlich vermerkt: »Sitzende im
Raum / 1960 Öltempera 77 x 60«.-

(395) »*Mutter und Kind*«
Gemälde
Bezeichnung: u.l. »Strempel«
Datierung: um 1956
Besitzer: unbekannt
Abbildung: Film-Revue, o.D. (1956), 17
Nach einer Notiz in der »Film-Revue« wur-
de dieses Bild für die Dekoration des Films
»Wie ein Sturmwind« verwendet; anschlie-
ßend habe Lilly Palmer es erworben, »weil
sie es besonders eindrucksvoll fand.«

(396) *Mädchen am Tisch* *
Öl
100,0 x 120,0 cm
Datierung: 1956
Besitzer: unbekannt
Keine Abbildung bekannt.

(397) ***Adam und Eva*** (Ö 65)
Öl/Lwd.
110,0 x 90,0 cm

Bezeichnung: u.l. »Strempel«; verso
»Strempel Adam und Eva Nr.65 1956«
Datierung: 1956
Besitzer: Privatbesitz
Ausstellung: Hildesheim 1964, Nr. 20
In einem Ausstellungsbericht über die Ausstellung Berlin/W. 1955/2 wird ein Bild mit
dem Titel *Vertreibung aus dem Paradies* genannt, das jedoch nicht im Katalog aufgeführt ist. Wenn die o.a. Datierung zutreffend ist, könnte Strempel eine weitere Version des Themas geschaffen haben.

(398) *Maler im Atelier* * (Ö 73)
Öl
61,0 x 81,0 cm
Bezeichnung: u.l. »St. 56«
Datierung: 1956
Besitzer: unbekannt

(399) *Mädchen auf grüner Bank* * (Ö 145)
Öl
88,0 x 73,0 cm
Bezeichnung: u.l.
Datierung: 1956
Besitzer: unbekannt
Ausstellung: Berlin/W. 1963, Nr. 28

(400) *Zwei Figuren im Raum (Figürliche
Komposition)*
Öl
98,0 x 75,0 cm
Bezeichnung: u.l. »Strempel«
Datierung: um 1956
Besitzer: unbekannt
Ausstellungen: Darmstadt und Stuttgart,
1956, Nr. 284; Bamberg 1956, Nr. 270
Literatur: Hannov. Allgemeine, 3.4.1956
Abbildungen: Kurier, 17.4.1956.- Darm-
stadt und Stuttgart 1956, o.S.; Bamberg
1956, o.S.
Es ist zu vermuten, daß Strempel dieses
Bild in späteren Jahren kopiert hat. Abge-
sehen von unterschiedlichen Maßen,
scheint ein Gemälde von 1967 der Arbeit
von 1956 bis ins Detail zu entsprechen.

(401) *Das Paar* *
Gemälde
80,0 x 95,0 cm
Datierung: 1956
Besitzer: unbekannt

(402) ***Die Verschwörer*** (Ö 71)
1. Fassung
Öl/Spanplatte
95,0 x 80,0 cm
Datierung: um 1954–56
Siehe verso *Drei Frauen* (WVZ 405).

(403) *Die Verschwörer*
2. Fassung
Kaseintempera
88,0 x 73,0 cm
Datierung: um 1954–56
Besitzer: unbekannt
Eine Fotografie des Werks befindet sich in
Privatbesitz.

(404) *Die Verschwörer*
3. Fassung
Öl/Spanplatte
112,0 x 94,0 cm
Bezeichnung u.l. »H. Strempel 56«; verso
o.l. »Horst Strempel Berlin E. Niekisch W.
Puff E. Drexel« und eine Widmung

Datierung: 1956
Besitzer: Privatbesitz
Ausstellung: Erlangen (o.J.), Nr. 190
Der von Strempel selbst stammende Bildtitel erinnert an die drei Freunde Joseph E. Drexel, Ernst Niekisch und Wilhelm Puff, die während des Faschismus gegen Hitler gekämpft hatten und deshalb in Gefängnissen bzw. im KZ interniert waren.- Es scheint, daß Strempel sich mehr als zwei Jahre mit diesem Freundschaftsbild beschäftigt hat. Ein erster Hinweis findet sich in einem Brief Wilhelm Puffs an Horst Strempel vom 2.10.1954: »Ich fasse solch ein Werk wie Freundschaft als einen von Ihnen unternommenen Versuch der Selbstprüfung auf, wieweit sich für Sie der Mut belohnte, zur Erlangung eines höheren Eigentlichen das nationalenge Physiognomische, Individuelle verlassen zu haben und vor der Aneignung einer fremden, südlich klassischen formstarken Typenwelt von strengster raumgesetzlicher Ordnung nicht zurückgeschreckt zu sein. Das ‹Eigentliche›: was aber ist in Ihrem Bild Freundschaft in Wahrheit nun das vom Ausgangspunkt des Physiognomischen, Individuellen her so bezeichnete erzielte Neue? Und was ist im Gemälde letztlich das ‹Fremderworbene›? Zweifellos gibt sich die Verwandlung ins erstere dadurch kund, daß das Individuelle seiner ungesellschaftlichen und damit auch unpolitischen Abrechung, Vereinzelung, Erstarrung, Besonderheit, oder wie man sein eigenmächtig einsames Wesen sonst nennen möge, entkleidet ist und statt dessen als Funktion in ein Ganzes einbezogen erscheint. Restlos dünkt mich die Umwandlung vom angeschlossenen Physiognomischen ins tätig wirkend Bewegliche wohl nicht geglückt; da bleiben noch Wünsche offen. Doch davon nachher. Das ‹Fremderworbene›, das eben die zuvor isolierten Köpfe in die Funktion der seelischen und geistigen Verbindung stößt, erkenne ich am strengen Dreieck; genauer gesagt an der dreiseitigen Prismenform; doch genügt es hier von Dreieck zu sprechen. In der Zweiten Fassung sind die Köpfe mehr zusammengerückt, das Dreieck wirkt nun als unumstößliche eigengesetzliche Form, das selbst von der stärksten Dynamik der in die mathematischen Schnittpunkte von Basis- und Kathetenwinkel gelagerten Köpfe nicht nur nicht gesprengt werden könnte, sondern durch deren geistige Energien seinen Bestand erst recht verbürgt: höchstes Wesen der Freundschaft. Niekisch, in breiter wuchtiger Auslandung die Basis bildend, durch das diagonal gestellte Kreuz des Fensters als der willensunbändige Denker und der mit revolutionärem Dynamit geladene hervorgehoben, scheint eben zum umstürzlerischen Handeln aus dem engen Verschwörerraum aufzubrechen und die andern mitzureißen. Aber er hat im Bild etwas zuviel vom brutalen politischen Kommissar, er müßte mehr das Gepräge des führenden Staatsmannes tragen. Sie sollten sich, lieber Herr Strempel, die leise, aber notwendige Korrektur der zu barbarisch vertrumpfenden Unterpartie des Gesichts nicht verdrießen lassen. Und meinen Sie nicht, es wäre vielleicht gut, Stirn und Schädel nochmal mit der Niekisch von Natur verliehenen überragenden Form zu vergleichen, die man mit Goethe wirklich als ‹unschätzbar herrlich ein Gebild› und als ein Stück ‹Gott-Natur› bezeichnen könnte, in welchen sich offenbart ‹wie sie (die Gott-Natur) das Feste läßt zu Geist verrinnen, wie sie das Geisterzeugte fest bewahre›? Natürlich möchte ich dazu nur raten, wenn dem von Ihnen bereits erreichten Willensgeballten kein Abbruch geschähe. Drexel, hart an Niekisch und mit ihm fast wie Jakob mit dem Engel ringend, wittert mit kühn bewegter Nase in Richtung der vorgeschlagenen Spur. In seine Augen gelang es Ihnen den sein Wesen ja grundbestimmenden Zug von Güte unverkennbar, doch mit großartiger Unsentimentalität, hineinzutragen und dadurch ein in den nachschmeckend eingezogenen Lippen und den Mund- und Augenwinkeln sich verratendes besorgtes Prüfen zu erklären, wieweit er als Organisator die verwegenen Pläne ohne Humanitätsverletzung realisieren könne. Sein Schädel scheint mir von den dreien am zwingendsten gepackt; in der ersten Fassung war zuviel vom mißtrauisch aushorchenden Gestapobeamten darin; jetzt ist das Physiognomische da und zugleich dessen Erhöhung durch ausdrucksstark willensgespannte geistige Funktion. Die mächtig offene und zugleich kritische Stirn weist übrigens aus, daß hinter ihr ein künstlerisches Weltbild Aussöhnung mit dem politischen pflegt; und nicht von ungefähr durchzuckt das Antlitz Ironie. Was den dritten im Bunde, mich selbst, betrifft, so haben Sie dem — ich spreche wieder von der in allen Stücken bedeutenderen zweiten Fassung — ein vom Handeln ins Schaun und Horchen weggerücktes Wesen verliehen. Wie tief gespannt er sich auch am dramatischen Gespräch beteiligt, so scheint er doch mehr alles in einem tragischen Sinne nach innen zu loten und Klänge zu vernehmen, die zum Wort zu gestalten ihm als schwere Pflicht auferlegt dünkt. Die breit tragende Unterlippe — durch Dr. Strempel vorgenommene operative Stülpung von labrum inferius seines Patienten, der sie für gewöhnlich schmal einbeißt — ist deshalb künstlerisch wohl gerechtfertigt; andernteils ist nicht zu leugnen. daß sie des Trägers Wesen mehr überfremdet als verfremdet. Es steht außer Diskussion, daß es sich bei Ihrem Werk Freundschaft um eine ganz außergewöhnliche künstlerische Leistung handelt. Die Ballung der denkerischen und willensmäßigen Energien darin wirkt um so ungeheurer, als sie sich im Winkel eines geduckten Raumes vollzieht; die Dynamik der Verschwörung wird ihn aus den Fugen sprengen. Es gibt nicht nur die soziale Säkularisation des Religiösen überhaupt, es gibt auch eine gesellschaftliche, aus der Zeit herausgeborene Säkularisation der religiösen Malerei. Unter den Deutschen nenne ich als kühnsten Säkularisierer Max Beckmann. Sie werden es, verehrter Strempel, nicht als eine müßige ästhetische Spielerei nehmen, wenn ich Sie mit dem Werk Freundschaft in die wenigen maßgebenden Säkularisierer der religiösen Malerei unserer Zeit einreihe, indem ich behaupte, hier sei die Nürnberger Verkündigung des Konrad Witz politisch-gesellschaftlich säkularisiert als Geburtverkündigung eines den bisherigen Gesellschaftsraum sprengenden weltrevolutionären Geistes.«- In einem weiteren Brief an Horst Strempel vom 28.6.1957 notierte Puff seine Gedanken zur 3. Fassung des Freundschaftsbildes.

(405) **Drei Frauen**
Öl/Spanplatte
95,0 x 80,0 cm
Datierung: um 1956 (?)
Siehe die Vorderseite *Die Verschwörer* (WVZ 402).

(406) *Die Spieler**
Öl
100,0 x 80,0 cm
Datierung: 1956
Besitzer: unbekannt
Ausstellungen: Berlin/W. 1963, Nr. 38; Berlin/W. 1977, Nr. 57

(407) *Die Spieler III* (Ö 69)
Öl
98,0 x 78,5 cm
Datierung: 1956
Besitzer: Privatbesitz
Ausstellung: Hildesheim 1964, Nr. 7 (?)

(408) *Das Boot**
Öl
Bezeichnung: u.l. »H. Strempel 56«
Datierung: 1956
Besitzer: unbekannt

(409) **Straße am Abend**(Ö 57a)
Öl
Bezeichnung u.l. »Strempel 56«
Datierung: 1956 (1954*)
Besitzer: unbekannt

(410) *Landschaft mit Blütenstrauch (Klausener Platz)* (Ö 70)
Öl/Spanplatte
73,0 x 57,5 cm
Bezeichnung: u.r. »Strempel«; verso o. »39. Landschaft mit / Blütenstrauch / 1956 Nr. 85«
Datierung: 1956
Besitzer: Privatbesitz
Ausstellung: Berlin/W. 1977, Nr. 53

(411) *Halenseebrücke*
Öl
Datierung: 1956
Besitzer: unbekannt
Ausstellung: Berlin/W. 1959/3, Nr. 65
Keine Abbildung bekannt.

(412) *Landschaft mit Wäsche**
Öl
Datierung: 1956
Besitzer: unbekannt

(413) *Stilleben mit Plastik* (Ö 64)
Öl/Hartfaserplatte
40,5 x 51,0 cm
Bezeichnung: u.l. »H. Strempel 1956«
Datierung: 1956
Besitzer: Berlin, Berlin. Gal. (Leihgabe), Inv.Nr. BG—M 3444/83L
Vgl. die Radierung WVZ 2533.

(414) *Stilleben mit weißer Schale**
Öl
25,0 x 35,0 cm
Datierung: 1956
Besitzer: unbekannt

(415) *Stilleben mit farbigen Tüchern* *
Öl
76,0 x 90,0 cm
Bezeichnung: u.l. »Strempel 56.«
Datierung: 1956
Besitzer: unbekannt

(416) *Rittersporn* *
Öl
110,0 x 55,0 cm
Datierung: 1956
Besitzer: unbekannt
Keine Abbildung bekannt.

(417) *Porträt Karin Kaiser* *
Öl
80,0 x 50,0 cm
Datierung: 1957
Besitzer: unbekannt

(418) *Käthe Braun als Nora* (Ö 75)
Öl/Lwd.
168,0 x 91,0 cm
Bezeichnung: o.l. »Käthe Braun als ›Nora‹«; u.l. »Strempel«; verso »Kat. 75 Käthe Braun als ›Nora‹ 2. Fassung«
Datierung: 1957*
Ausstellungen: Berlin/W. 1957/1, Nr. 1274; Berlin/W. 1963, Nr. 30 (172,0 x 95,0 cm); Berlin/W. 1970/1, Nr. 12
Literatur: Film und Frau, 10, 1958, H. 12, o.S. (Abb.)
Abbildung: Film und Frau, 10, 1958, H. 12, o.S.

(419) *Käthe Braun als Nora*
2. Fassung
92,0 x 115,0 cm (115,0 x 92,0 cm?)
Datierung: 1957
Besitzer: unbekannt
Ausstellung: Berlin/W. 1959/2, Nr. 53
Literatur: Abend, 24.7.1959
Keine Abbildung bekannt.- Obwohl dieses Bildnis, wie das vorausgehende, als »2. Fassung« bezeichnet ist, kann aufgrund der unterschiedlichen Maßangaben davon ausgegangen werden, daß die beiden nicht identisch sind.

(420) **Lesende**
Öl/Hartfaserplatte
100,0 x 80,0 cm
Bezeichnung: u.r. »Strempel«
Datierung: 1957
Besitzer: Regensburg, Ostdt. Gal., Inv.Nr. 2262
Ausstellung: Berlin/W. 1961/3, Nr. 6 (dat.)
Abbildung: Westf.-Blatt, Bielefeld, 6.2.1959; Tag, 29.10.1961

(421) *Lesender Junge*
Öl
110,0 x 120,0 cm
Datierung: 1957
Besitzer: unbekannt
Ausstellung: Berlin/W. 1959/2, Nr. 83
Keine Abbildung bekannt.

(422) *Die Träumende*
Öl
98,0 x 110,0 cm
Datierung: 1957
Besitzer: unbekannt
Ausstellung: Berlin/W. 1959/2, Nr. 79
Keine Abbildung bekannt.

(423) *Sitzender Akt* (Ö 79)

Öl/Hartfaserplatte
102,0 x 75,0 cm
Bezeichnung: u.r. »Strempel«; verso: »Sitzender Akt Öl Nr.79«
Datierung: 1957*
Ausstellung: Berlin/W. 1970/1, Nr. 18

(424) *Sitzende im rosa Kleid* * (Ö 81)
Öl
84,0 x 62,0 cm
Bezeichnung: u.r. »Strempel 57«
Datierung: 1957
Besitzer: unbekannt
Ausstellungen: Berlin/W. 1963, Nr. 35; Hildesheim 1964, Nr. 10

(425) *Sitzende im Raum (Frau im Raum)* *
Öl
95,0 x 80,0 cm
Bezeichnung: u.l. »Strempel«
Datierung: 1957
Besitzer: unbekannt

(426) *Mädchen mit Wäsche* *
Öl
Bezeichnung: u.l. »Strempel«
Datierung: 1957
Besitzer: unbekannt

(427) *»Schlafendes Mädchen am Tisch«* *
Gemälde (?)
Bezeichnung: u.l. »Strempel 57«
Datierung: 1957
Besitzer: unbekannt

(428) *»Stehender weiblicher Akt«*
Öl/Hartfaserplatte
59,0 x 38,5 cm
Bezeichnung: u.l. »H. Strempel 57«
Datierung: 1957
Besitzer: Privatbesitz

(429) *Tänzerin* (Ö 150)
Öl/Spanplatte
182,0 x 82,0 cm
Bezeichnung: u.l. »Strempel 57«; verso o.l. »Tänzerin«
Datierung: 1957 (1967*)
Besitzer: Privatbesitz
Ausstellung: Berlin/W. 1970/1, Nr. 20 (200,0 x 85,0 cm)

(430) *»Zwei Frauen«*
Malerei auf Seide
84,5 x 78,9 cm (sichtb.)
Bezeichnung: u.l. »H. Strempel 57. / ..«
Datierung: 1957
Besitzer: Privatbesitz

(431) *David*
Öl/Lwd.
120,0 x 100,0 cm
Datierung: 1957
Besitzer: Privatbesitz
Ausstellungen: Nürnberg 1958; Berlin/W. 1959/2, Nr. 84
Literatur: NN, 31.5./1.6.1958; SpVbl., 9.7.1959
Abbildung: Berlin/W. 1959/2. o.S. (Detail)

(432) **Cloe und Ariane**
Öl
70,0 x 65,0 cm
Datierung: 1957
Besitzer: unbekannt
Ausstellungen: Berlin/W. 1959/2, Nr. 70

(dat.); Hildesheim 1964, Nr. 1 (Zwei Mädchen in der Landschaft)
Abbildungen: TS, 22.7.1959; Kurier, 28.4.1961; Braunschweiger Ztg., 7.7.1964.- Hildesheim 1964, o.S.

(433) *Die Trauer*
Öl
120,0 x 180,0 cm (180,0 x 120,0 cm?)
Datierung: 1957
Besitzer: unbekannt
Ausstellung: Berlin/W. 1959/2, Nr. 81
Keine Abbildung bekannt. — Vgl. *Die Trauer* 1961 (WVZ 516).

(434) *Die Blinden*
Öl
30,0 x 35,0 cm
Datierung: 1957
Besitzer: unbekannt
Ausstellung: Berlin/W. 1959/2, Nr. 71
Keine Abbildung bekannt.- Siehe WVZ 369.

(435) *Die Unberührbaren*
Öl
42,0 x 115,0 cm (115,0 x 42,0 cm?)
Datierung: 1957
Besitzer: unbekannt
Ausstellung: Berlin/W. 1959/2, Nr. 61
Keine Abbildung bekannt.

(436) *Kartenspieler vor der Friedhofstür*
Öl
80,0 x 100,0 cm
Datierung: 1957
Besitzer: unbekannt
Ausstellung: Berlin/W. 1959/2, Nr. 76
Keine Abbildung bekannt.

(437) *Antonius und die Frauen*
Öl
154,0 x 120,0 cm
Datierung: 1957
Besitzer: unbekannt
Ausstellung: Berlin/W. 1959/2, Nr. 80
Keine Abbildung bekannt.- Vgl. zum gleichen Thema WVZ 495.

(438) *Zigeunerinnen* *
Öl
80,0 x 100,0 cm
Datierung: 1957
Besitzer: unbekannt
Keine Abbildung bekannt.

(439) *Straße*
Öl/Hartfaserplatte
78,0 x 56,0 cm
Bezeichnung: u.r. »Strempel«; verso ›Straße‹ 1957 Kat.Nr.161«
Datierung: 1957

(440) *Zirkuswagen* *
Öl
80,0 x 90,0 cm (80,0 x 110,0 cm*)
Bezeichnung: u.l. »Strempel. 57«
Datierung: 1957
Besitzer: unbekannt
Ausstellungen: Nürnberg 1958; Berlin/W. 1959/2, Nr. 55; Berlin/W. 1960/1, Nr. 310; Berlin/W. 1961/3, Nr. 4; Berlin/W. 1963, Nr. 27; Hildesheim 1964, Nr. 25
Literatur: NN, 31.5./1.6.1958; Welt, 18.10.1961
Abbildung: Hildesheim 1964, o.S.

(441) *Wannsee II* (Ö 77)
Öl/Spanplatte
72,0 x 123,0 cm
Bezeichnung: u.r. »Strempel 57«; verso
»Wannsee II H. Strempel 77 Kat.Nr.«
Datierung: 1957
Ausstellungen: Berlin/W. 1959/2, Nr. 77
(125,0 x 74,0 cm); Berlin/W. 1961/3, Nr. 7
(Strand); Berlin/W. 1963, Nr. 21 (Am
Strand); Hildesheim 1964, Nr. 16 (126,0 x
77,0 cm)

(442) *Spielplatz*
Öl
80,0 x 100,0 cm (100,0 x 80,0 cm?)
Datierung: 1957
Besitzer: unbekannt
Ausstellungen: Berlin/W. 1959/2, Nr. 54;
Berlin/W. 1961/3, Nr. 5 (Spielende Kin-
der); Hildesheim 1964, Nr. 26 (Spielende
Kinder)
Keine Abbildung bekannt.

(443) »*Stadtlandschaft mit vier Frauen im
Vordergrund*«
Öl/Lwd.
61,0 x 49,5 cm
Bezeichnung: u.r. »Strempel 57.«
Datierung: 1957
Besitzer: Privatbesitz

(444) *Häuser mit Wäsche*
Öl/Hartfaserplatte
70,0 x 60,0 cm
Bezeichnung: u.l. »Strempel«
Datierung: 1957
Besitzer: Berlin, Berlin. Gal. (Leihgabe),
Inv.Nr. BG-M 3445/83L
Ausstellungen: Berlin/W. 1959/2, Nr. 56
(65,0 x 77,0 cm, dat.); Wiesbaden 1959, Nr.
154 (77,0 x 65,0 cm)
Vgl. das Gemälde WVZ 373.

(445) **Berlin – Sektorengrenze**
Öl/Sperrholzplatte
80,0 x 55,5 cm
Bezeichnung: u.l. »Strempel 57«
Datierung: 1957
Besitzer: Regensburg, Ostdt. Gal., Inv.Nr.
922
Ausstellung: Berlin/W. 1987, Nr. 237
Literatur: Berlin/W. 1987, 405–406 (Abb.)
Abbildung: Berlin/W. 1987, 405

(446) *Landschaft in Charlottenburg** (Ö
74a)
Öl
57,0 x 37,0 cm
Bezeichnung: u.l. »Strempel«
Datierung: 1957
Besitzer: unbekannt

(447) *Ruinen in Berlin*
Öl
54,0 x 79,0 cm
Datierung: 1957
Besitzer: unbekannt
Ausstellung: Berlin/W. 1959/2, Nr. 57
Keine Abbildung bekannt.

(448) *Lietzenseepark*
Öl
72,0 x 95,0 cm
Datierung: 1957
Besitzer: unbekannt
Ausstellungen: Berlin/W. 1959/2, Nr. 72

(dat.); Berlin/W. 1959/3, Nr. 66 (dat.); Ber-
lin/W. 1961/3, Nr. 11 (dat.)

(449) *Gasometer in Schöneberg*
Öl
Datierung: 1957
Besitzer: unbekannt
Ausstellung: Berlin/W. 1961/3, Nr. 14
Keine Abbildung bekannt.- Vgl. *Gasometer*
(WVZ 372).

(450) *Torso*
Gemälde
100,0 x 78,0 cm
Datierung: 1957
Besitzer: unbekannt
Ausstellung: Berlin/W. 1970/1, Nr. 19

(451) *Stilleben mit Plastik* (Ö 151)
Öl/Nessel
104,0 x 64,0 cm
Bezeichnung: u.r. »Strempel 1957«; verso
»cm 104x64 Stilleben mit Plastik Nr.151«
Datierung: 1957
Ausstellungen: Hildesheim 1964, Nr. 14
(Stilleben mit Torso); Mülheim 1974
Abbildung: Hildesheim 1964, o.S. (Im Atelier)

(452) *Stilleben*
Öl/Sperrholzplatte
58,0 x 40,0 cm
Bezeichnung: u.l. »Strempel 57«; verso o.l.
»H. Strempel Stilleben. Öl. 1957«
Datierung: 1957
Besitzer: Privatbesitz

(453) *Großes Stilleben* *
Öl
79,0 x 93,0 cm
Datierung: 1957
Besitzer: unbekannt
Ausstellung: Berlin/W. 1959/2, Nr. 73
Abbildung: Welt, Juli o.J.

(454) *Kleines Stilleben*
Öl
41,0 x 51,0 cm
Datierung: 1957
Besitzer: unbekannt
Ausstellung: Berlin/W. 1959/2, Nr. 94
Keine Abbildung bekannt.

(455) *Stilleben mit Fruchtschale*
Öl
60,0 x 50,0 cm
Datierung: 1957
Besitzer: unbekannt
Ausstellung: Berlin/W. 1959/2, Nr. 75
Keine Abbildung bekannt.

(456) *Stilleben mit blauem und rotem Tuch*
Öl
90,0 x 75,0 cm
Datierung: 1957
Besitzer: unbekannt
Ausstellung: Berlin/W. 1959/2, Nr. 78
Keine Abbildung bekannt.

(457) *Stilleben mit Geranie*
Öl
54,0 x 65,0 cm
Datierung: 1957
Besitzer: unbekannt
Ausstellungen: Berlin/W. 1959/2, Nr. 58;
Hildesheim 1964, Nr. 38

(458) *Mädchen mit Kopftuch*

Öl/Hartfaserplatte
58,0 x 34,5 cm
Bezeichnung: u.l. »Strempel«; verso o. »H.
Strempel »Mädchen mit Kopftuch« Nr.28
(Skizze)«
Datierung: 1958*
Besitzer: Privatbesitz
Vgl. den Siebdruck (WVZ 2540).

(459) *Mädchen mit Kopftuch* *
Öl
Datierung: 1958
Besitzer: unbekannt

(460) *Mädchenkopf auf blauem Grund* *
Öl
43,0 x 33,0 cm
Datierung: 1958
Besitzer: unbekannt

(461) *Christa* (Ö 88)
Öl/Lwd.
70,5 x 61,0 cm
Bezeichnung: u.r. »Strempel«; verso »1958,
Nr. 88, Christa«
Datierung: 1958

(462) »*Porträt eines jungen Mädchens*« *
Öl
60,0 x 80,0 cm
Datierung: 1958
Besitzer: unbekannt

(463) *Mädchen am Fenster mit Pflanze*
(Ö 85)
Öl/Lwd.
81,0 x 56,0 cm
Bezeichnung: u.r. »Strempel«
Datierung: 1958*
Ausstellung: Berlin/W. 1959/2, Nr. 102

(464) **Mädchen am Fenster**
Öl
130,0 x 85,0 cm
Bezeichnung: u.l. »Strempel«
Datierung: 1958
Besitzer: unbekannt
Ausstellung: Berlin/W. 1959/2, Nr. 107
Literatur: Stephanowitz 1984, 219 (dat./
Abb.)
Abbildung: Stephanowitz 1984, 218

(465) *Mädchen am Balkon** (Ö 88a)
Öl
80,0 x 56,0 cm
Bezeichnung: u.l. »Strempel«
Datierung: 1958
Besitzer: unbekannt

(466) »*Mädchen mit Tulpen*« *
Gemälde
100,0 x 80,0 cm
Datierung: 1958
Besitzer: unbekannt

(467) *Sitzendes Mädchen im Raum** (Ö 84)
Öl
63,0 x 76,0 cm
Datierung: 1958
Besitzer: unbekannt

(468) *Frau im Raum** (Ö 83)
Öl
115,0 x 90,0 cm
Datierung: 1958
Besitzer: unbekannt

(469) *Sitzende*
Öl
Datierung: 1958
Besitzer: unbekannt
Ausstellung: Berlin/W. 1961/3, Nr. 3
Keine Abbildung bekannt.

(470) *Liegender Akt I*
Öl
Datierung: 1958
Besitzer: unbekannt
Ausstellung: Berlin/W. 1961/3, Nr. 15
Keine Abbildung bekannt.

(471) *Liegender Akt*
Öl
110,0 x 75,0 cm
Datierung: 1958
Besitzer: unbekannt
Ausstellung: Berlin/W. 1959/2, Nr. 104
Keine Abbildung bekannt.

(472) *Traum der Tänzerin*
Öl
85,0 x 195,0 cm (195,0 x 85,0 cm?)
Datierung: 1958
Besitzer: unbekannt
Ausstellungen: Berlin/W. 1959/2, Nr. 103;
Berlin/W. 1963, Nr. 29 (Tänzerin, 195,0 x
85,0 cm)
Keine Abbildung bekannt.

(473) *Olympia*
Öl
80,0 x 60,0 cm
Datierung: 1958
Besitzer: unbekannt
Ausstellungen: Berlin/W. 1959/2, Nr. 106;
Berlin/W. 1963, Nr. 24;
Hildesheim 1964, Nr. 2
Keine Abbildung bekannt.- Siehe WVZ
577.

(474) *Akt mit farbigen Tüchern**
Öl
105,0 x 90,0 cm
Datierung: 1958
Besitzer: übermalt
Ausstellung: Berlin/W. 1959/2, Nr. 105

(475) *Zwei Mädchen am Tisch**
Öl
110,0 x 100,0 cm
Datierung: 1958
Besitzer: unbekannt
Keine Abbildung bekannt.

(476) *Mädchen am Strand**
Öl oder Tempera
130,0 x 110,0 cm
Bezeichnung: u.l. »Strempel«
Datierung: 1958
Besitzer: unbekannt
Abbildung: TG, 16.6.1964

(477) ***Joseph und seine Brüder***
Öl/Hartfaserplatte
ca. 60,0 x 40,0 cm (sichtb.)
Bezeichnung: u.r. »H. Strempel« und Widmung
Datierung: um 1958 (siehe WVZ 478)
Besitzer: Privatbesitz

(478) *Joseph wird verkauft** (Ö 87)
Öl
116,0 x 100,0 cm

Datierung: 1958
Besitzer: unbekannt
Ausstellung: Berlin/W. 1964/1, Nr. 364
(125,0 x 100,0 cm, 1960); Berlin/W. 1970/1,
Nr. 22
Wilhelm Puff an Horst Strempel,
12.6.1965: »Aber am schmerzlichsten bewegt mich der mir aufgezwungene Vergleich, wo eindeutig groß gesehenem Entwurf im ausgeführten Opus offenbare Schrumpfung der Idee Platz machte. Das ist der Fall beim Stoff ‹Joseph und seine Brüder›. In der von mir so überaus geschätzten Ölskizze, die ich dir zu danken habe, ist das Problem in rembrandtischer Weise angepackt. Rembrandtisch, das meine ich hier nicht in irgendwelchem nachahmenden Sinn, sondern in jenem ursprünglichen, malerischen Grundvermögen, die Licht-Finsternis-Polarität dynamisch in Farbe und Figurenknäul restlos auszudrükken und der tragisch-dramatischen Spannung jenen Funken, Blitzfunken zu entlokken, den man als ironische Heiterkeit des tragischen bezeichnen mag. Es ist nicht weiter erklärbar, sondern von dir eben in nachtwandlerischer Sicherheit gepackt, wie der jugendliche Joseph in seiner beinah abstrakt zu nennenden Urform in Haltung und gewähltem Standort über die finstere Dämonie der Brüder in ‹existentialer› Freiheit triumphiert (insofern auch gesteigert zeitgenössisch weltanschaulicher Ausdruck). — Aus der Dämonie des Wüsten-Bildes mit seinen verschiedenen Sandgelbs, hellen und dunklen Ockern, etwas gehelltem Krapp, Mischgrau, dann tiefem Schwarz und Caput mortuum ist jetzt bei der großformatigen Ausführung und Übersetzung eine dekorative jüdische Historie mit ganz überflüssigen Bekleidungsstükken, Zelt- und anderen Requisiten geworden, Joseph theatert, kurzum, das ganze wurde spannungsloser, untragischer, unheiterer, ironieloser, dynamikberaubter, buntwirkender Effekt.«

(479) *Joseph und Potiphar*
Öl
97,0 x 82,0 cm
Datierung: um 1958 (?)
Besitzer: unbekannt
Ausstellung: Hildesheim 1964 (Ausst.-Verz.)

(480) *Berlin Kurfürstendamm* *
Öl
75,0 x 55,0 cm
Datierung: 1958
Besitzer: unbekannt

(481) *Gedächtniskirche**
Öl
70,0 x 50,0 cm
Datierung: 1958
Besitzer: unbekannt

(482) *Lietzenseepark Berlin*
Öl
ca. 100,0 x 80,0 cm
Bezeichnung: u.r. »Strempel«
Datierung: 1958*
Besitzer: Privatbesitz

(483) *Kastanien im Kaffeegarten*
Öl

50,0 x 120,0 cm (120,0 x 50,0 cm?)
Datierung: 1958
Besitzer: unbekannt
Ausstellungen: Berlin/W. 1959/2, Nr. 99;
Berlin/W. 1961/3, Nr. 17 (Gartenlokal);
Berlin/W. 1963, Nr. 22 (Kastaniengarten);
Hildesheim 1964, Nr. 6 (lt. Ausst. Verz.
120,0 x 50,0 cm)

(484) *Schloßpark Berlin-Charlottenburg
(Bäume am Ufer)**
Öl
100,0 x 130,0 cm
Bezeichnung: u.l. »Strempel 58«
Datierung: 1958
Besitzer: unbekannt
Ausstellungen: Nürnberg 1958; Berlin/W.
1959/2, Nr. 101; Berlin/W. 1961/3, Nr. 1;
Berlin/W. 1970/1, Nr. 21
Literatur: Welt, o.D. (Juli 1959); TS,
24.10.1961 (Abb.); TG, 10.11.1961 (Abb.)
Abbildungen: TS, 24.10.1961; TG,
10.11.1961; TG,19.11.1967.- Berlin/W.
1959/2, o.S.; Berlin/W. 1961/3, o.S.; Berlin/W. 1970/1, o.S.; Berlin/W. 1977, o.S.-
Kunstkalender »Panorama Berlin« 1968,
arani-Verlag

(485) *Stilleben mit schwarzer Schale* (Ö 86)
Öl/Spanplatte
69,5 x 56,0 cm
Bezeichnung: u.l. »Horst Strempel«; verso
o. »Strempel / Stilleben mit schwarzer
Schale 58. / Öl. Kat.Nr.86 /
Kat.Nr.86 1958«
Datierung: 1958
Besitzer: Privatbesitz

(486) *Schreibendes Mädchen** (Ö 96a)
Öl
54,0 x 59,0 cm
Datierung: 1959
Besitzer: unbekannt

(487) *Schreibendes Mädchen** (Ö 96)
Öl
52,0 x 58,0 cm
Datierung: 1959
Besitzer: unbekannt
Keine Abbildung bekannt.

(488) *Mädchen mit Sonnenblume* (Ö 91)
Öl/Lwd.
80,0 x 60,0 cm
Bezeichnung: u.l. »Strempel«; verso »Mädchen mit Sonnenblume Öl 1959 Nr.91«
Datierung: 1959
Vgl. Skizze von 1959 (WVZ 1013).

(489) *»Sitzendes Mädchen mit Blume«**
Gemälde
110,0 x 100,0 cm
Datierung: 1959
Besitzer: unbekannt

(490) *Mädchen mit Wäsche*
Öl
51,0 x 72,0 cm
Datierung: 1959
Besitzer: unbekannt
Ausstellung: Berlin/W. 1959/2, Nr. 110
(dat.)
Abbildung: Tag, 9.7.1959

(491) *Liegender Akt schwarz-weiß*
Öl

Datierung: 1959
Besitzer: unbekannt
Ausstellung: Berlin/W. 1961/3, Nr. 9
Keine Abbildung bekannt.

(492) *Liegender Akt II*
Öl
Datierung: 1959
Besitzer: unbekannt
Ausstellung: Berlin/W. 1961/3, Nr. 16
Keine Abbildung bekannt.

(493) ***Zwei Mädchen mit Pflanze***
Öl/Lwd.
110,0 x 100,0 cm
Bezeichnung: u.l. »Strempel 59«
Datierung: 1959
Besitzer: Privatbesitz
Ausstellungen: Berlin/W. 1959/2, Nr. 102;
Berlin/W. 1960/1, Nr. 309; Berlin/W. 1961/
3, Nr. 2 (?)
Abbildungen: FAZ, Juni 1959; Kurier,
13.10.1961.- Berlin/W. 1960/1, o.S.

(494) *Die Spieler*
Öl
100,0 x 80,0 cm
Datierung: 1959
Besitzer: unbekannt
Ausstellung: Berlin/W. 1977, Nr. 54
Keine Abbildung bekannt.

(495) *Versuchung des Hl. Antonius*
Gemälde
100,0 x 78,0 cm
Datierung: 1959
Besitzer: unbekannt
Ausstellung: Berlin 1970/1, Nr. 23
Keine Abbildung bekannt.- Strempel hat
das Motiv des Hl. Antonius häufiger bearbeitet (vgl. auch WVZ 437 und 541). Am
13.12.1960 schrieb er darüber an Cuno Fischer: »besonders beschäftigt mich ein vorwurf antonius und die beiden weiber (der
tod und die wollust). davon habe ich schon
zwei fassungen gemalt, aber man müsste
das viel größer und monumentaler machen.«

(496) *Stilleben mit Plastik und Tüchern* (Ö
92)
ÖL/Lwd.
68,0 x 51,0 cm
Bezeichnung: u.l. »Strempel«
Datierung: 1959*
Besitzer: Privatbesitz
Ausstellungen: Berlin/W. 1963, Nr. 37; Hil-
desheim 1964, Nr. 29 (Stilleben mit Tü-
chern)
Vgl. die Tempera-Studie von 1958 WVZ
1003.

(497) *Stilleben mit Kerze* (Ö 95)
Öl/Spanplatte
96,0 x 41,0 cm
Bezeichnung: u.l. »Strempel 59«; verso »H.
Strempel 1959 ‹Stilleben mit Kerze›
Kat.95«
Datierung: 1959

(498) *Stilleben mit Zitrone* * (Ö 93)
Öl
43,0 x 69,0 cm
Datierung: 1959
Besitzer: unbekannt

(499) *Stilleben mit blauem Tuch*
Öl
39,0 x 48,0 cm
Datierung: 1959
Besitzer: unbekannt
Ausstellung: Berlin/W. 1959/2, Nr. 109
Keine Abbildung bekannt.

(500) *»Porträt eines jungen Mädchens«*
Öl/Hartfaserplatte
81,0 x 57,0 cm
Bezeichnung: u.r. »H. Strempel / 1960«
Datierung: 1960
Besitzer: Privatbesitz

(501) *Mädchen mit Torso* (Ö 102)
Öl/Spanplatte
84,0 x 69,0 cm
Datierung: 1960*

(502) *Mädchen im Atelier* *
Öl
100,0 x 80,0 cm
Bezeichnung: u.l. »Strempel«
Datierung: 1960
Besitzer: unbekannt
Ausstellung: Berlin/W. 1961/1, Nr. 233

(503) *Mädchen am Spiegel* *
Öl
90,0 x 51,0 cm
Datierung: 1960
Besitzer: unbekannt

(504) *»Stehendes Mädchen«* *
Gemälde (?)
Bezeichnung: u.r. »Strempel 60«
Datierung: 1960
Besitzer: unbekannt

(505) *Mädchen mit Pflanze*
Öl
Datierung: 1960
Besitzer: unbekannt
Ausstellung: Berlin/W. 1961/3, Nr. 2

(506) *Stehender Mädchenakt* * (Ö 101)
Öl
97,0 x 51,0 cm
Datierung: 1960
Besitzer: unbekannt

(507) *Liegender Akt* (Ö 99)
Öl/Spanplatte
74,0 x 111,0 cm
Bezeichnung: u.r. »Strempel«; verso: »Lie-
gender Akt Kat.99«
Datierung: 1960*
Ausstellung: Berlin/W. 1963, Nr. 23 (dat.)

(508) *Liegender Akt II* * (Ö 98?)
Öl
55,0 x 130,0 cm
Datierung: 1960
Besitzer: unbekannt

(509) *Liegender Akt III* * (Ö 100)
Öl
50,0 x 81,0 cm
Datierung: 1960
Besitzer: unbekannt
Keine Abbildung bekannt.

(510) *»Liegender Rückenakt«* (Ö 107)
Öl/Holz
42,0 x 55,0 cm

Bezeichnung: u.l. »H. Strempel 1960«
Datierung: 1960
Besitzer: Privatbesitz

(511) *Turm der Frauen*
Tempera/Lwd.
69,0 x 43,5 cm
Bezeichnung: u.l. »Strempel«
Datierung: 1960*
Besitzer: Privatbesitz
Siehe die Tempera-Arbeit WVZ 1047 und
den Siebdruck WVZ 2599.

(512) *Sektorengrenze* * (Ö 97)
Öl
100,0 x 60,0 cm
Datierung: 1960
Besitzer: unbekannt
Keine Abbildung bekannt.

(513) *Margueriten* (Ö 106)
Öl
42,0 x 54,0 cm
Bezeichnung: u.l. »Strempel«
Datierung: 1960*
Besitzer: Privatbesitz

(514) *Stilleben mit Krug und Früchten*
Öl
Datierung: 1960
Besitzer: unbekannt
Ausstellung: Berlin/W. 1961/3, Nr. 39
Keine Abbildung bekannt.

(515) *Mädchen auf der Straße (Junges Mäd-
chen in Stadtlandschaft)* *
Öl
100,0 x 80,0 cm
Bezeichnung: u.l. »Strempel«
Datierung: 1961
Besitzer: unbekannt

(516) ***Die Trauer*** (Ö 111a / 149)
Öl/Lwd.
180,0 x 130,0 cm
Bezeichnung: u.l. »Strempel«; verso »I. Die
Trauer 149 Horst Strempel 1961«
Datierung: 1961
Besitzer: Berlin, AG 13. August (1989)

(517) *Susanna im Bade* *
Mittelteil, 1. Fassung
Öl
100,0 x 80,0 cm
Bezeichnung: u.r. »Strempel«
Datierung: um 1961
Besitzer: übermalt

(518–520) *Susanna im Bade*
Die Arbeiten zu *Susanna im Bade* (WVZ
517–520) wurden im Werkkatalog von
Strempel sämtlich auf 1963 datiert. Dieses
erscheint jedoch, in Anbetracht dessen,
daß das Triptychon schon 1961 auf der
»Großen Berliner Kunstausstellung« gezeigt wurde, als unzutreffend. Ebenso weist
ein Brief Wilhelm Puffs an Strempel vom
9.5.1961 darauf hin, daß das Werk bereits
abgeschlossen war. Um die 1. Fassung kann
es sich auch nicht gehandelt haben, da sowohl die Abbildung im Katalog der »Großen Berliner« als auch die Beschreibungen
Puffs eindeutig zur Identifizierung der vorliegenden Variante beitragen. — Strempel
hatte Wilhelm Puff die Fotografien seines
Susanna-Triptychons zur Begutachtung

geschickt. In einem Brief vom 9.5.1961 äußerte dieser sich dazu: »Trotz der rückseitig angemerkten Farben ist es natürlich schwierig, ohne spezielle Angaben sich die Arbeiten farbig richtig vorzustellen. Ich halte mich daher vorerst an die Form und den durch sie und die Komposition erreichten Ausdruck. Der ist zweifellos dramatisch erregend in den Beiden Alten und in der Susanna. Sie haben sich von der allgemein üblichen Motivik und Charakterisierung der drei Gestalten bewußt ferngehalten, haben das uralte Sujet von einer ganz neuen Seite angepackt. Nichts von Lüsternheit bei den Alten, eher ein von der Schönheit Überfallenwerden; die auf Susanna gepfeilten Augen auf eine höhere Erkenntnis zurückenergetisiert; ein plötzlich erwachendes Bewußtsein, daß die Schönheit weder durch List noch durch Gewalt zu gewinnen ist, sondern ein freies Geschenk höchster Menschenwürde darstellt. Dementsprechend bei Susanna nicht das sonst gebräuchliche Erschrecktsein und auch keine Fluchtneigung. Vielmehr, stark ausgeprägt, mit dem blitzartigen Wissen ums Beobachtetwerden auch die blitzartige Erkenntnis, daß die Schönheit einen kosmischen Funktionssinn hat, daß sie für das Weib das Lockmittel einer Opfergabe in ihrem Verhältnis zum Mann bedeutet; und daher die an Baldung Griens Judith erinnernde, ihr verwandte stolz-tragische Haltung. Weil die drei Gestalten von so packender Tiefe sind, fällt auf, was als Nebensächliches um ihre Wesenheiten herumdekoriert ist: etwa die Gabelbaumstangen auf dem Bild der Alten, die Statue, das schiffsbeflaggte Busch- oder Baumzeug dahinter; auf beiden Bildern aber die die Brotkipf- bzw. die Wurstwolken. Das ist überflüssig, darum die Bildaussage schädigend. Sie haben die Landschaft ausgeschaltet, weil Sie die ganze Dichte in die Gestaltung der Alten und der Susanna gepreßt haben; Sie sollten die ausgeschaltete Landschaft nicht künstlich wieder hineinzerren ins Bild. Im Park ist es anders: da wirkt die Spannung zwischen Spaziergänger (Beobachter) und Landschaft. Natürlich wirken die drei Werke als Triptychon; aber insofern man bewußt konstruieren muß, das Bild Park stelle einen täglich und stündlich sich vollziehenden Erkenntnisakt von der kosmischen Bedeutung der Schönheit dar wie er in den Alten und in Susanna beschworen ist, muß man — versteht sich nur innerhalb des Triptychons — das dritte, das Parkbild, als nur angehängt bezeichnen.«

(518) *I. Die Alten* (Ö 116)
Öl/Lwd.
100,0 x 80,0 cm
Bezeichnung: u.l. »Strempel«
Datierung: um 1961
Besitzer: Privatbesitz
Ausstellungen: Berlin/W. 1961/1, Nr. 234; Hildesheim 1964, Nr. 3; Berlin/W. 1970/2

(519) *II. Susanna* (Ö 117)
Öl/Lwd.
100,0 x 80,0 cm
Bezeichnung: u.l. »Strempel«
Datierung: um 1961
Besitzer: Privatbesitz
Ausstellungen: Berlin/W. 1961/1, Nr. 235; Berlin/W. 1970/2

(520) *III. Jugend* (Im Park) (Ö 118)
Öl/Lwd.
100,0 x 80,0 cm
Datierung: um 1961
Besitzer: Privatbesitz
Ausstellungen: Berlin/W. 1961/1, Nr. 236; Hildesheim 1964, Nr. 4; Berlin/W. 1970/2
Abbildung: Berlin/W. 1961/1, o.S.

(521) *Cathedrale* *
Öltempera
80,0 x 60,0 cm
Bezeichnung: u.l. »Strempel 61«
Datierung: 1961
Besitzer: unbekannt
Austellung: Berlin/W. 1961/2; Hildesheim 1964, Nr. 40
Abbildung: Kurier, 26.7.1961

(522) **Die Mauer I** *(Der Turm)** (Ö 109)
Öl
115,0 x 88,0 cm
Datierung: 1962
Besitzer: unbekannt
Der »Abend« schrieb am 3.10.1963 anläßlich einer Ausstellung, in der auch der Mauer-Zyklus gezeigt wurde: »Doch die kaum faßbare Realität kann Strempel mit seinen Mitteln nicht bannen, Mit weit aufgerissenen, überdimensionierten Augen allein lassen sich der Schmerz, die Klage, Verzweiflung, Trauer, Verlorenheit kaum fassen. In seinen Darstellungen des Elends mischen sich dazu Manier und Schematismus ein.«

(523) *Die Mauer III (Der Schmerz)** (Ö 110)
Öl
100,0 x 70,0 cm
Datierung: 1962
Besitzer: unbekannt
Keine Abbildung bekannt.

(524) *Die Mauer IV (Frauen an der Mauer)* (Ö 111)
Öl/Lwd.
101,0 x 70,0 cm
Bezeichnung: u.l. »Strempel«
Datierung: 1962
Besitzer: Privatbesitz

(525) **Die Mauer V** *(Der Grenzwald)* (Ö 112)
Öl/Lwd.
100,0 x 70,0 cm
Bezeichnung: u.l. »Strempel«
Datierung: 1962
Besitzer: Privatbesitz

(526) *Mädchen an der Mauer* (Ö 113a)
Öl/Lwd.
100,0 x 70,0 cm
Bezeichnung: u.l. »Strempel«; verso o.l. (am Rahmen) »Strempel«; verso o.l. »Strempel. / ‹Mädchen an der Mauer›«; verso o.r. »Kat.Nr.113a«
Datierung: 1962
Besitzer: Privatbesitz
Am unteren Bildrand befindet sich im mittleren Bereich ein etwa 10 cm langer Riß.

(527) *Die Mauer VII (Klagende)* (Ö 114)
Öl/Lwd.
101,0 x 50,0 cm
Bezeichnung: u.l. »Strempel«
Datierung: 1962
Besitzer: Privatbesitz

(528) *Die Mauer (Frau an der Mauer)*
Öl/Lwd.
100,0 x 70,0 cm
Datierung: 1962
Besitzer: Berlin, AG 13. August

(529) *Frau an der Mauer*
Öl
118,0 x 90,0 cm
Bezeichnung: u.l. »Strempel«
Datierung: 1962
Besitzer: unbekannt
Austellung: Berlin/W. 1963, Nr. 2
Abbildung: Berlin/W. 1963, 5

(530) *Mädchen mit Blumen im Haar* *
(Ö 108)
Öl
74,0 x 50,0 cm
Datierung: 1962
Besitzer: unbekannt
Keine Abbildung bekannt.

(531) *Zwei Frauen* (T 123)
Tempera/Karton
95,0 x 39,5 cm
Bezeichnung: u.l. »Strempel 1962«; u.l. (a.d. Passepartout) »2 Frauen 94x39 Nr.123«; verso u. »246 Frauen auf der Straße G.8«
Datierung: 1962

(532) *Zwei Frauen* *
Öl
120,0 x 60,0 cm
Datierung: 1962
Besitzer: unbekannt
Keine Abbildung bekannt.

(533) »*Porträt Martin Strempel*«
Tempera/Hartfaserplatte
63,0 x 48,5 cm
Datierung: 1960
Siehe die Pastellzeichnung WVZ 1081.

(534) *Porträt Herr Schrank* *
Öl
60,0 x 50,0 cm
Bezeichnung: u.l. »Strempel 63.«
Datierung: 1963
Besitzer: Privatbesitz

(535) »*Mädchenkopf*«
Öl/Hartfaserplatte
58,0 x 40,0 cm
Datierung: 1963
Besitzer: Privatbesitz
Ausstellung: Berlin/W. 1977, Nr.56
Eine Fotografie des Gemäldes, die sich im Nachlaß befand, zeigte links über der Schulter der Dargestellten die Bezeichnung »H. Strempel / 1963«. Es ist möglich, daß Strempel zwei identische Fassungen schuf.

(536) *Mädchenkopf*
Öl/Spanplatte
30,5 x 15,5 cm
Bezeichnung: u.l. »St.«
Datierung: 1963*
Besitzer: Privatbesitz

(537) *Roter Mädchenkopf* * (Ö 94)
Öl
38,0 x 40,0 cm
Datierung: 1963
Besitzer: unbekannt

(538) *Lolita* (Ö 122a)
Öl
100,0 x 80,0 cm
Datierung: 1963
Besitzer: unbekannt

(539) *Der Schlaf (Die Nacht)*
Öl/Lwd.
90,5 x 100,0 cm
Bezeichnung: u.l. »Strempel«; verso »406
Nr.27, Öl Der Schlaf«
Datierung: 1963
Besitzer: Privatbesitz
Ausstellung: Hildesheim 1964, o.Nr.
(Ausst.-Verz.)

(540) *Im Atelier* *
Öl
50,0 x 70,0 cm
Datierung: 1963
Besitzer: unbekannt
Ausstellung: Hildesheim 1964, Nr. 11
Keine Abbildung bekannt.- Vgl. *Atelier II*
(WVZ 581).

(541) **Versuchung des Hl. Antonius**
(Ö 119a)
Öl/Lwd.
120,0 x 153,0 cm
Bezeichnung: u.l. »Strempel«; verso
»Kat.Nr.119a 1963«
Datierung: 1963
Besitzer: Privatbesitz (1987)
Ausstellungen: Berlin/W. 1963, Nr. 31 (Antonius mit Wollust und Tod); Berlin/W.
1964/1, Nr. 365 (dat. 1961)
Vgl. WVZ 495.

(542) *Antonius II (Skizze)* * (Ö 120a)
Öl
70,0 x 135,0 cm
Bezeichnung: u.l. »Strempel«
Datierung: 1963
Besitzer: unbekannt
Skizze zu WVZ 541.

(543) *Halde*
Öl/Hartfaserplatte
80,0 x 83,0 cm
Bezeichnung: u.l. »H. Strempel 1963«
Datierung: 1963
Besitzer: Regensburg, Ostdt. Gal. Inv.Nr.
14398
Ausstellung: Regensburg 1985, Nr. 175
Abbildung: Regensburg 1985, 45

(544) *Halde* * (Ö 115)
Öl
80,0 x 85,0 cm
Besitzer: unbekannt

(545) *Halde II (Halde Carsten-Zentrum-grube bei Beuthen)* * (Ö 120)
Öl
45,0 x 55,0 cm
Datierung: 1963
Besitzer: unbekannt
Dem Gemälde *Halde II* wurde im Werkkatalog Strempels die Fotografie eines Aquarells zugeordnet. Eine bezeichnete Foto-

grafie (Ratingen, Mus.) hingegen entspricht den o.g. Daten.
Die Wiederaufnahme des schon 1923 bearbeiteten Motivs — wie auch von Themen
des Bergbaus Ende der 40er Jahre — könnte
auf Aufträge der IG Metall zurückgehen.
Strempel orientierte sich dabei an früheren
Studien.

(546) *Stilleben mit Torso* (Ö 147)
Öl/Karton
115,0 x 44,0 cm
Bezeichnung: u.r. »Strempel«; verso »Nr.47
Öl / Stilleben mit Torso«
Datierung: 1963*
Besitzer: Privatbesitz
Ausstellung: Hildesheim 1964, Nr. 36
(Stilleben mit Torso und Früchten)

(547) *Stilleben mit Plastik* (Ö 119)
Öl/Sperrholz
77,5 x 94,0 cm
Bezeichnung: u.r. »Strempel«; verso o.l.
»Stilleben mit Plastik / Öl / 1963«; verso o.r.
»119«; verso l. (seitlich) »Mädchen am
Tisch 1948«
Datierung: 1963
Besitzer: Privatbesitz
Aus der auf der Rückseite des Bildes angebrachten Bezeichnung ist zu schließen, daß
das Gemälde *Mädchen am Tisch* von 1948
vermutlich übermalt wurde.

(548) *Stilleben mit Plastik* *
Öl
83,0 x 95,0 cm
Datierung: 1963
Besitzer: unbekannt

(549) *Weiße Tulpen* *
Öl
56,0 x 64,0 cm
Datierung: 1963
Besitzer: unbekannt
Ausstellung: Hildesheim 1964, Nr. 33

(550) *Porträt Hennig*
Öl/Lwd.
99,0 x 79,0 cm
Bezeichnung: u.l. »Strempel 64«
Datierung: 1964
Besitzer: Privatbesitz

(551) *Porträt Hennig II*
Öl/Lwd.
ca. 99,0 x 79,0 cm
Bezeichnung: u.r. »Strempel 64«
Datierung: 1964
Besitzer: Privatbesitz

(552) *Mädchenkopf mit Tuch*
Öl
59,0 x 56,0 cm
Datierung: 1953–1964
Besitzer: unbekannt
Ausstellung: Hildesheim 1964, Nr. 22
Keine Abbildung bekannt.

(553) *Sitzendes Mädchen mit Tulpe* *
Öl
110,0 x 110,0 cm
Datierung: 1964
Besitzer: unbekannt

(554) *Sitzende Frau*
Öl

97,0 x 82,0 cm
Datierung: 1953–1964
Besitzer: unbekannt
Ausstellung: Hildesheim 1964, Nr. 19
Keine Abbildung bekannt.

(555) *Mädchen mit Tulpen*
Öl
116,0 x 48,0 cm
Datierung: 1953–1964
Besitzer: unbekannt
Ausstellung: Hildesheim 1964, Nr. 24
Keine Abbildung bekannt.

(556) *Mädchen mit Blumen im Haar*
Öl
70,0 x 60,0 cm
Datierung: 1953–1964
Besitzer: unbekannt
Ausstellung: Hildesheim 1964, Nr. 30
Keine Abbildung bekannt.

(557) *Mädchen mit Torso*
Öl
70,0 x 55,0 cm
Datierung: 1953–1964
Besitzer: unbekannt
Ausstellung: Hildesheim 1964, Nr. 31
Keine Abbildung bekannt.

(558) *Mädchen vor rosa Vorhang* * (Ö 173)
Öl
90,0 x 60,0 cm
Datierung: 1964
Besitzer: unbekannt
Keine Abbildung bekannt.

(559) *Träumende* *
Öl
67,0 x 79,0 cm
Datierung: um 1953–1964
Besitzer: unbekannt
Ausstellung: Hildesheim 1964, o.Nr.
(Ausst.-Verz.)

(560) *Weiblicher Torso* *
Öl
80,0 x 60,0 cm
Datierung: 1964
Besitzer: unbekannt
Keine Abbildung bekannt.

(561) *Sitzende im Raum*
Öl
76,0 x 55,0 cm
Datierung: 1953–1964
Besitzer: unbekannt
Ausstellung: Hildesheim 1964, Nr. 32
Keine Abbildung bekannt.

(562) *Frauen auf leerem Platz*
Öl
70,0 x 60,0 cm
Datierung: 1953–1964
Besitzer: unbekannt
Ausstellung: Hildesheim 1964, Nr. 28
Keine Abbildung bekannt.

(563) *Sitzende Frauen im Raum*
Öl
65,0 x 85,0 cm
Datierung: 1953–1964
Besitzer: unbekannt
Ausstellung: Hildesheim 1964, Nr. 9
Keine Abbildung bekannt.

(564) *Im Atelier*
Öl
70,0 x 51,0 cm
Datierung: 1953—1964
Besitzer: unbekannt
Ausstellung: Hildesheim 1964, Nr. 11
Keine Abbildung bekannt.

(565) *Zwei Mädchen auf dem Balkon*
Öl
132,0 x 88,0 cm
Datierung: 1953—1964
Besitzer: unbekannt
Ausstellung: Hildesheim 1964, Nr. 12

(566) *Alte Stadt**
Öl
Datierung: 1964
Besitzer: unbekannt

(567) *Die Straße*
Öl
100,0 x 52,0 cm
Datierung: 1953—1964
Besitzer: unbekannt
Ausstellung: Hildesheim 1964, Nr. 15
Keine Abbildung bekannt.

(568) *Schloß Charlottenburg**
Öl
50,0 x 40,0 cm
Datierung: 1964
Besitzer: unbekannt

(569) *Stilleben mit Pflaumen**
Öl
32,0 x 42,0 cm
Datierung: um 1953—1964
Besitzer: unbekannt
Ausstellung: Hildesheim 1964. o. Nr.
(Ausst.-Verz.)

(570) *Stilleben mit Blätterzweig*
Öl
90,0 x 40,0 cm
Datierung: 1953—1964
Besitzer: unbekannt
Ausstellung: Hildesheim 1964, Nr. 35
Keine Abbildung bekannt.

(571) *Porträt Martin G. Strempel* (Ö 128)
Öl/Lwd.
66,0 x 55,0 cm (sichtb.)
Bezeichnung: u.l. »St. 65 Martin G. Strempel / gemalt von seinem / Vater. 1965«
Datierung: 1965

(572) *Porträt Frau Krimmer**
Gemälde (?)
Bezeichnung: u.l. »Strempel 65«
Datierung: 1965
Besitzer: vernichtet

(573) *Schreibende* (Ö 127)
Öl/Sperrholz
51,5 x 39,5 cm
Bezeichnung: u.l. »H. Strempel 65.«; verso
o.l. »Katl.Nr. 125 / 1965 / »Schreibende« »
Datierung: 1965
Besitzer: Privatbesitz

(574) *»Weibliche Halbfigur vor grünem Vorhang«**
Gemälde
110,0 x 120,0 cm
Datierung: 1965

Besitzer: unbekannt

(575) *Sitzender Mädchenakt**
Öl
Datierung: 1965
Besitzer: unbekannt
Keine Abbildung bekannt

(576) *Mädchen vor Vorhang** (Ö 165)
Öl
90,0 x 60,0 cm
Datierung: 1965
Besitzer: unbekannt
Keine Abbildung bekannt.

(577) *Olympia** (Ö 121)
Öl
61,0 x 80,0 cm
Datierung: 1965
Besitzer: unbekannt
Vgl. WVZ 473.

(578) *Halbakt am Fenster** (Ö 122)
Öl
59,0 x 45,0 cm
Datierung: 1965
Besitzer: unbekannt

(579) **Rückenakt (Mädchen mit rotem Haar)** (Ö 126)
Öl/Lwd.
58,5 x 45,5 cm
Bezeichnung: u.l. »H. Strempel 65«; verso
o. »Nr. 126 Rückenakt. Mädchen mit rotem Haar 1965«
Datierung: 1965
Besitzer: Privatbesitz

(580) *Zwei Mädchen in der Landschaft* *
Öl
Datierung: 1965
80,0 x 75,0 cm
Besitzer: unbekannt
Keine Abbildung bekannt.

(581) *Atelier II** (Ö 123)
Öl
70,0 x 52,0 cm
Datierung: 1965
Besitzer: unbekannt
Vgl. Im Atelier 1963 (WVZ 540).

(582) *Unter Tage — Heinitzgrube*
Öl
80,0 x 100,0 cm
Bezeichnung: »Strempel«
Datierung: um 1965
Besitzer: Düsseldorf, Min. f. Soziales, Gesundheit und Arbeit von NRW, Inv.Nr. 673 G (2.12.1965)
Horst Strempel notierte in einem Brief an Wilhelm Puff vom 24.10.1965, daß er drei Bilder zum Thema »Oberschlesien« nach alten Skizzen gemalt und diese verkauft habe. Die beiden figurativen Kompositionen gehen allerdings nicht auf Skizzen aus Oberschlesien zurück, sondern auf diejenigen, die er zum Wandbild in Ballenstedt anfertigte. Die *Industrielandschaft* (WVZ 584) sowie auch die entsprechenden Werke von 1963 (WVZ 543, 544 und 545) hingegen orientieren sich möglicherweise an Studien aus den 20er Jahren.

(583) *Im Stollen — Heinitzgrube*
Öl

80,0 x 100,0 cm
Bezeichnung: u.l. »H. Strempel«
Datierung: um 1965 (s.o.)
Besitzer: Düsseldorf, Min. f. Soziales, Gesundheit und Arbeit von NRW, Inv.Nr. 674 G (2.12.1965)

(584) *Der Schacht (Einfahrt Heinitzgrube bei Beuthen)*
Öl
100,0 x 80,0 cm
Bezeichnung: u.l. »h. Strempel«
Datierung: um 1965*
Provenienz: Düsseldorf, Min. f. Gesundheit, Soziales und Arbeit von NRW, Inv.Nr. 672 G (2.12.1965)
Besitzer: unbekannt (1971)
Abbildung: Heyer o.J.

(585) *Tunesien* *
Öl
50,0 x 60,0 cm
Datierung: 1965
Besitzer: unbekannt
Keine Abbildung bekannt.

(586) *Tunesien**
Öl
50,0 x 60,0 cm
Datierung: 1965
Besitzer: unbekannt
Keine Abbildung bekannt.- Bei den beiden Werken *Tunesien* handelt es sich um fiktive Motive, da Strempel selbst wohl niemals dort war.

(587) *Brücke in Dinkelsbühl*
Öl/Lwd.
82,0 x 66,0 cm
Bezeichnung: u.l. »H. Strempel / 65«
Datierung: 1965
Besitzer: Privatbesitz

(588) *Dinkelsbühl* *
Öl
46,0 x 65,0 cm
Datierung: 1965
Besitzer: unbekannt
Ausstellung: Reutlingen 1967, o.Nr. (Ausst. Verz.)

(589) *Godesberg** (Ö 146)
Öl
53,0 x 67,0 cm
Datierung: 1965
Besitzer: unbekannt
Keine Abbildung bekannt.

(590) *Dächer** (Ö 124)
Öl
59,0 x 82,0 cm
Datierung: 1965
Besitzer: unbekannt

(591) *Bäume mit roter Sonne**
Öl
56,0 x 45,0 cm
Datierung: 1965
Besitzer: unbekannt

(592) *»Stilleben mit Birnen«*
Öl/Lwd.
30,0 x 40,0 cm
Bezeichnung: u.l. »Strempel 65«
Datierung: 1965
Besitzer: Privatbesitz

(593) *Frauenkopf (Erna)* (Ö 135)
Öl/Lwd.
66,5 x 53,0 cm
Bezeichnung: u.l. »H. Strempel 1966«; ver-
so »H. Strempel 1966 ‹Frauenkopf (Erna).
Kat.Nr.135. Original. Kopie 1974 Samm-
lung N.N.«
Datierung: 1966
Ausstellungen: Berlin/W. 1970/1, Nr.25;
Berlin/W. 1977/, Nr. 57
Abbildung: Berlin/W. 1970/1, o.S.
Siehe auch die Kopie WVZ 639.

(594) *Mädchen mit rotem Haar* *
Öl
Bezeichnung: u.l. »Strempel«
Datierung: 1966
Besitzer: unbekannt

(595) *»Schreibende«* *
Gemälde (?)
Datierung: 1966
Besitzer: unbekannt
Vgl. *Schreibendes Mädchen* (WVZ 486)
und *Schreibende* (WVZ 573).

(596) *Die Angst* (Ö 129)
Öl/Lwd.
89,0 x 110,0 cm
Bezeichnung. u.l. »Strempel 66«
Datierung: 1966
Besitzer: Privatbesitz
Ausstellung: Berlin/W. 1977, Nr. 58

(597) *»Die Grenze bei Lübars«*
(Ö 142)
Öl/Lwd.
56,0 x 109,0 cm
Bezeichnung: u.l. »Strempel 66«
Datierung: 1966
Besitzer: Privatbesitz
Ausstellung: Berlin/W. 1977, Nr. 61

(598) *Rote Dächer* *(Ö 137)
Öl
62,0 x 29,0 cm
Bezeichnung: u.l. »Strempel 66«
Datierung: 1966
Besitzer: unbekannt

(599) *»Rote Bäume«* (Ö 136)
80,0 x 66,0 cm
Bezeichnung. u.l. »Strempel 66«
Datierung: 1966
Besitzer: Berlin, Kunstamt Charlottenburg
Ausstellung: Berlin/W. 1968

(600) *Wald* *
Öl
74,0 x 66,0 cm
Datierung: 1966
Besitzer: unbekannt
Keine Abbildung bekannt.

(601) *Dinkelsbühl* *(Ö 133)
Öl
76,0 x 50,0 cm
Datierung: 1966
Besitzer: unbekannt
Keine Abbildung bekannt.

(602) *Alte Mauer (Mauer mit roter Sonne)*
(Ö 125)
Öl
46,0 x 61,0 cm
Datierung: 1966

Besitzer: unbekannt
Keine Abbildung bekannt.

(603) *Torso* *(Ö 130)
Öl
76,0 x 63,0 cm
Datierung: 1966
Besitzer: unbekannt
Ausstellung: Reutlingen 1967
Keine Abbildung bekannt.

(604) *Stilleben mit grünem Tuch* *(Ö 134)
Öl
52,0 x 70,0 cm
Bezeichnung: u.l.
Datierung: 1966
Besitzer: unbekannt

(605) *Stilleben mit grünem Tuch* *
Öl
44,0 x 66,0 cm
Datierung: 1966
Besitzer: unbekannt
Keine Abbildung bekannt.

(606) *Stilleben mit blauem Krug*
Öl
70,0 x 60,0 cm
Datierung: 1966
Besitzer: unbekannt

(607) *Stilleben mit grüner Pflanze* *(Ö 131)
Öl
82,0 x 62,0 cm
Datierung: 1966
Besitzer: unbekannt

(608) *Zwiebelpflanze (Stilleben mit Zwie-
belblüte)* *(Ö 132)
Öl
86,0 x 66,0 cm
Bezeichnung: u.l. »Strempel«
Datierung: 1966
Besitzer: unbekannt
Ausstellung: Mülheim 1974

(609) *»Stehender weiblicher Akt«*
Öl/Hartfaserplatte
64,0 x 38,0 cm (sichtb.)
Bezeichnung: u.l. »H. Strempel 67«
Datierung: 1967
Besitzer: Privatbesitz

(610) *Stehender Akt* *(Ö 141)
Öl
64,0 x 38,0 cm
Datierung: 1967
Besitzer: unbekannt

(611) *Straßenübergang* (Ö 139)
Öl
50,0 x 63,0 cm
Datierung: 1966/67
Besitzer: unbekannt
Ausstellung: Reutlingen 1967 (50,0 x 61,0 cm)
Das hier aufgeführte Werk ist wahrschein-
lich eine Kopie der *Roten Ampel* von 1954
(WVZ 340).

(612) *Drei Mädchen* (Ö 140)
Öl
110,0 x 90,0 cm
Datierung: 1967
Besitzer: unbekannt
Ausstellung: Berlin/W. 1977, Nr. 60
Keine Abbildung bekannt.

(613) *Chartres* *(Ö 138)
Öl
73,0 x 65,0 cm
Bezeichnung: u.l. »Strempel 67«
Datierung: 1967
Besitzer: unbekannt

(614) *Blume im Krug* *
Öl
81,0 x 65,0 cm
Datierung: 1967
Besitzer: unbekannt
Ausstellung: Reutlingen 1967, o.Nr. (Ausst.
Verz.)
Keine Abbildung bekannt.

(615) *»Bezirksbürgermeister Spruch«*
Öl/Lwd.
110,0 x 90,0 cm
Bezeichnung: u.l. »Strempel 68«
Datierung: 1968

(616) *Bürgermeister Spruch* *
1. Fassung
Öl (?)
110,0 x 100,0 cm
Datierung: 1968
Besitzer: unbekannt

(617) *Bürgermeister Spruch* *
2. Fassung
Öl (?)
110,0 x 100,0 cm
Datierung: 1968
Besitzer: unbekannt

(618) *»Porträt Bürgermeister Spruch«* *
Gemälde (?)
Datierung: um 1968
Besitzer: unbekannt

(619) *Apfelsine* *
Öl/Lwd.
Bezeichnung: u.r. »H. Strempel 69.«
Datierung: 1969
Besitzer: unbekannt

(620) *Mädchen*
Öl
92,0 x 67,0 cm
Datierung: 1970
Besitzer: unbekannt
Ausstellung: Berlin/W. 1977, Nr. 62

(621) *Frau mit Kind (Frau Ehlers)* (Ö 155)
Öl/Lwd.
109,0 x 69,0 cm
Bezeichnung: u.r. »Strempel«; verso o.l.
»H. Strempel 1970 Frau Ehlers (Frau mit
Kind) Nr. 155«
Datierung: 1970

(622) *Engelstreppe* *(Ö 157)
Öl
90,0 x 68,0 cm
Datierung: 1970
Besitzer: unbekannt

(623) *Sonnenuntergang* *(Ö 156)
Öl
43,0 x 56,0 cm
Datierung: 1970
Besitzer: unbekannt
Keine Abbildung bekannt.

(624) *Selbstbild* (Ö 158)
Öl/Sperrholz
51,5 x 46,0 cm
Bezeichnung: verso o.l. »Horst Strempel
1971 ‹Selbstbild› 50x45 Kat.Nr.158«
Datierung: 1971 (1970*)

(625) »*Porträt Dr. Parchwitz*«
Acrylfarbe/Hartfaserplatte
38,0 x 30,0 cm
Bezeichnung: u.l. »H. Strempel 71«
Datierung: 1971
Besitzer: Privatbesitz

(626) »*Porträt Dr. Parchwitz*«
Acrylfarbe/Lwd.
80,0 x 60,0 cm
Bezeichnung: u.l. »H. Strempel 71«
Datierung: 1971
Besitzer: Privatbesitz

(627) *Am Meer** (Ö 160)
Öl
70,0 x 145,0 cm
Bezeichnung: u.l. »H. Strempel 71«
Datierung: 1971
Besitzer: Privatbesitz

(628) *Berglandschaft (Andalusien)**
(Ö 159)
Öl
47,0 x 69,0 cm
Datierung: 1971
Besitzer: unbekannt
Keine Abbildung bekannt.

(629) *Berlin Kaiserdamm* * (Ö 161)
Öl
61,0 x 67,0 cm
Datierung: 1971
Besitzer: unbekannt
Ausstellung: Mülheim 1974, o.Nr.
(Ausst.Verz.)
Keine Abbildung bekannt.

(630) *Melonenfeld* (Ö 162)
Öl/Hartfaserplatte
47,0 x 70,0 cm
Bezeichnung: u.l. »H. Strempel 72«
Datierung: 1972
Besitzer: Privatbesitz

(631) *Hafen I** (Ö 163)
Öl
48,0 x 72,0 cm
Datierung: 1972
Besitzer: unbekannt

(632) *Hafen II** (Ö 164)
Öl
48,0 x 72,0 cm (?)
Datierung: 1972
Besitzer: unbekannt

(633) »*Hafen*«
Öl/Spanplatte
50,0 x 70,0 cm
Datierung: um 1972
Das Gemälde ist nahezu identisch mit den
beiden vorausgehenden Hafenbildern
WVZ 631 und 632.

(634) *Hafen (Esdepona)** (Ö 169)
Acrylfarbe
50,0 x 70,0 cm
Datierung: 1972

Besitzer: unbekannt
Keine Abbildung bekannt.

(635) *Hafen II (Esdepona)** (Ö 170)
Acrylfarbe
50,0 x 70,0 cm
Datierung: 1972
Besitzer: unbekannt
Keine Abbildung bekannt.

(636) *Weiße Stadt** (Ö 171)
Acrylfarbe
50,0 x 70,0 cm
Datierung: 1972
Besitzer: unbekannt
Keine Abbildung bekannt.

(637) »*Fische*«
Öl/Spanplatte
50,0 x 70,0 cm
Bezeichnung: u.l. »Strempel 72«
Datierung: 1972
Besitzer: Privatbesitz

(638) *Porträt Wilhelm Puff* (Ö 177)
Acrylfarbe/Hartfaserplatte
50,0 x 37,7 cm
Bezeichnung: u.l. »Versuch eines Porträts
meines / Freundes Wilhelm Puff / Horst
Strempel 1973«; verso o.l. »Horst Strempel
1973 Versuch eines Porträts von Wilhelm
Puff Öl cm50x36 Kat.Nr.177«
Datierung: 1973
Besitzer: Privatbesitz

(639) »*Frauenkopf (Erna)*« (Ö 135?)
Öl/Lwd.
66,0 x 52,0 cm
Bezeichnung: u.l. »H. Strempel 1966«; verso o.l. (a.d. Keilrahmen) »H. Strempel 1966.
restauriert 1973 / cm 67x53. / Kat.Nr.135.«
Datierung: um 1973/74
Besitzer: Privatbesitz
Strempels Angaben auf diesem Bild entsprechen vermutlich nicht den Tatsachen.
Einem Vermerk auf dem Original (WVZ
593) zufolge, wurde die Kopie 1974 hergestellt. Es ist davon auszugehen, daß Strempel die Kopie als Original verkaufte, um
den Wert zu steigern.

(640) *Frauenkopf (Frau Dr. Parchwitz)*
Öl/Lwd.
69,5 x 50,5 cm
Bezeichnung: Mitte l. »Horst Strempel
1977/74 / ‹Frauenkopf› «
Datierung: 1974

(641) »*Porträt Frau Dr. Parchwitz*«
Öl/Spanplatte
ca. 86,0 x 60,0 cm
Datierung: um 1974
Besitzer: Privatbesitz

(642) »*Mädchenakt*«
Öl/Spanplatte
92,0 x 56,0 cm (sichtb.)
Bezeichnung: u.l. (durch den Rahmen ver-
deckt)
Datierung: um 1974
Besitzer: Privatbesitz
Kopie des Aktes von 1946 (WVZ 158).

(643) »*Frau mit Kind*«
Öl/Lwd.
100,0 x 72,5 cm

Bezeichnung: u.l. »H. Strempel / 2 Fas-
sung. / Paris 1935 — Berlin 74.«
Datierung: 1974
Besitzer: Privatbesitz
Kopie des Gemäldes von 1935 (WVZ 91).

(644) *Die Diskussion*
Öl/Lwd.
140,0 x 98,0 cm
Bezeichnung: u.l. »Strempel 47/74«
Datierung: 1974
Besitzer: Privatbesitz
Ausstellung: Berlin/W. 1977, Nr. 65
Es handelt sich hier um die Kopie des Dis-
kussionsbildes von 1947, heute fragmen-
tiert (WVZ 225).

(645) *Loth (Sodom und Gomorrha)*
Öl/Lwd.
202,0 x 100,0 cm
Bezeichnung: u.l. »H. Strempel«
Datierung: 1972—74*
Besitzer: Berlin, Berlin. Gal. (Leihgabe),
Inv.Nr. BG-M 3450/83L
Ausstellung: Berlin/W. 1977, Nr. 64
Horst Strempel schrieb am 16.3.1973 an
Marie-Luise Neumann über den Loth-
Stoff, er sei »kein biblisches Thema, sondern der Versuch, die Angst und Ausweglosigkeit, die Brutalität und Unfähigkeit, diesem zu begegnen in Form und Farbe zum
Ausdruck zu geben. Es ist ein Kampf. Vielleicht gelingt es, vielleicht nicht.«- »Form
und Raumgriff Deiner Begabung, dingli-
cher wie symbolhafter Zwang der Farbe haben Dich ein Werk schaffen lassen, das wohl
als das tiefste, Geist und Gefühl gleichermaßen stark ergreifendste Deines gesamten
Opus bezeichnet werden kann. Vom Form-
konstruktiven her betrachtet tritt die hoch-
gestellt zur Salzsäule Erstarrte in scharfen
Kontrast zur tiefgesetzten Gruppe Loths
und seiner Töchter, wobei der Kontrast
durchs horizontalebene Hinausschauen
der Gruppe und der Seithaltung von Loths
Frau noch verstärkt wird, übrigens die
Gruppe selbst durch Höherreckung der le-
bensgierigen neugierigen Töchter über
Loths Haupt hinaus und des Vaters Lebens-
angst (seine das Antlitz stützenden Hände)
an Eindringlichkeit gewinnt. Überzeugend
vermittelst Du, daß der Blick in die Flamme
tötet, einzig der dem irdischen Licht zuge-
wendete Lust und Leben verspricht. ...
Mißlungen scheint mir, verzeihe die Kritik,
das Finger- und Fußzehenspiel von Loths
Weib. Diese Spreizungen sind zu bewußt
ins Bild gesetzt, theatralisieren etwas, fallen
auf, weil das gesamte Werk auch nicht ein
Minimum von Theatralik aufzeigt, sondern
ganz und gar tragische Expression atmet.«
(Wilhelm Puff, 16.10.1974)

(646) *Landschaft bei Seebüll** (Ö 179)
Öl
59,0 x 84,0 cm
Datierung: 1974
Besitzer: unbekannt
Keine Abbildung bekannt.

(647) *Stilleben mit Früchten** (Ö 180)
Öl
41,0 x 52,0 cm
Datierung: 1974
Besitzer: unbekannt
Keine Abbildung bekannt.

(648) *Daphne*
Öl/Lwd.
131,0 x 70,0 cm
Datierung: 1975
Die Daphne, im unvollendeten Zustand
verblieben, war Strempels letztes Gemälde.

(649) *»Vierzig Jahre Frieden«*
Tempera/Spanplatte
64,0 x 79,5 cm
Datierung: 1975*

Farbige Arbeiten auf Papier

(650) *Heinitzgrube bei Beuthen*
Aquarell, Kohle/Papier
31,5 x 41,8 cm
Bezeichnung: u.l. »Horst Strempel 1923.
Heinitzgrube b. Beuthen O/S«
Datierung: 1923
Besitzer: Regensburg, Ostdt. Gal., Inv.Nr.
14 399

(651) *»Industrielandschaft mit Fördertür-men«*
Aquarell
Datierung: um 1923 (vgl. WV 650)
Besitzer: unbekannt
Eine unbezeichnete Fotografie des Aqua-
rells befindet sich im Archiv der National-
galerie Berlin.

(652) *Sonnenblumen*
Aquarell, Feder und Tusche/Papier
58,0 x 41,5 cm
Bezeichnung: u.l. »1927. Strempel«; verso
u.l. »Sonnenblumen 57x41«
Datierung: 1927

(653) *Studienakt Irene*
Tempera oder Gouache (?)
Datierung: 1931
Besitzer: unbekannt
Es existiert ein handschriftlich bezeichne-
tes und datiertes Werkfoto (Privatbesitz).
Der Studienakt ist nahezu identisch mit
dem Akt WVZ 29.

(654) *Spaziergang*
Aquarell (?)
52,0 x 41,0 cm
Datierung: 1930/31
Besitzer: unbekannt
Die o.g. Angaben stammen von zwei handschriftlich bezeichneten Fotografien (Berlin, StM, NG/Archiv, dat. 1931, und Privatbesitz, dat. 1930). Das in der Nationalgalerie archivierte Foto vermerkt außerdem
zwei Besitzer, so daß davon ausgegangen
werden kann, daß noch eine zweite Fassung dieses Bildes existiert hat.

(655) *Frau mit Kind* (T 1a)
Aquarell/Papier
ca. 39,0 x 28,0 cm
Bezeichnung: u.r. »St. 32«
Datierung: 1932
Besitzer: Privatbesitz

(656) *»Frau mit Kind«*
Aquarell
Datierung: um 1932 (vgl. WVZ 655)
Besitzer: unbekannt
Eine unbezeichnete Fotografie des Aqua-
rells befindet sich im Archiv der National-
galerie Berlin.

(657) *Porträt eines Jungen, auf einem Stuhl sitzend*
Aquarell (?)
Datierung: 1932
Besitzer: unbekannt
Ein handschriftlich datiertes Foto befindet
sich im Archiv der Nationalgalerie Berlin.

(658) *Im Tiergarten* (Ö 167)
Aquarell/Papier
26,0 x 22,0 cm
Bezeichnung: u.l. »Horst Strempel 1932«;
verso (auf dem Trägerkarton) »Horst
Strempel 1932. Kat.Nr.167«
Datierung: 1932
Besitzer: Privatbesitz

(659) *Im Tiergarten*
Tempera
55,0 x 45,0 cm
Datierung: 1932
Besitzer: unbekannt
Ausstellung: Berlin/W. 1977, Nr. 1

(660) *Mutter mit Kind I* (T 1)
Tempera/Papier
46,0 x 33,5 cm
Bezeichnung: u.l. »Strempel 1933«
Datierung: 1933
Besitzer: Privatbesitz
Das Motiv der Mutter mit ihrem Kind auf
einem Balkon griff Strempel in den Jahren
des Exils wiederholt, u.a. auch in einem Ge-
mälde (WVZ 91) auf.

(661) *Die Braut*
Tempera/Papier
50,0 x 43,0 cm
Bezeichnung: u.l. »Horst Strempel Paris
1933.«; mit Widmung
Datierung: 1933
Besitzer: Privatbesitz

(662) *Gummibaum*
Aquarell/Papier
54,0 x 44,0 cm
Bezeichnung: u.l. »Strempel Paris 1933«;
u.l. (Rand d. Passepartouts) »Gummi-
baum«
Datierung: 1933
Ausstellung: Berlin 1946/6
Literatur: BZ, 20.8.1946

(663) *Stilleben mit Spielkarte*
Aquarell/Papier
22,0 x 16,0 cm (sichtbar.)
Bezeichnung: verso o. »Horst Strempel /
Berlin-Halensee / Joachim-Friedrich-Str.
35 / ›Stilleben mit Spielkarte‹ 1934 22x16«
Datierung: 1934
Besitzer: Privatbesitz
Ausstellung: Berlin/W. 1977, Nr. 5
Bei diesem Stilleben handelt es sich um ei-
ne Vorstudie zu einem Ölbild (WVZ 83).

(664) *Stilleben mit Spielkarte*
Tempera
20,0 x 25,0 cm
Datierung: 1934

Besitzer: unbekannt
Ausstellung: Berlin/W. 1959/2, Nr. 6
Keine Abbildung bekannt.

(665) *Stilleben mit Torso*
Tempera
20,0 x 23,0 cm
Datierung: 1934
Besitzer: unbekannt
Ausstellung: Berlin/W. 1959/2, Nr. 7
Keine Abbildung bekannt.

(666) *Bergarbeiter*
schwarze Gouache/Karton
65,0 x 50,0 cm
Bezeichnung: u.r. »St. 35 Bergarbeiter
65x50«
Datierung: 1935

(667) *Circus* (T 2a)
Tempera/Tapete
60,0 x 43,5 cm
Bezeichnung: u.l. »Horst Strempel Paris
1936. / ‹Circus› Kat.Nr. 2a«
Datierung: 1936
Besitzer: Privatbesitz

(668) *Liebespaar* (T 2)
Aquarell/Papier
30,0 x 17,0 cm
Bezeichnung: u.r. »Horst Strempel 1936«;
a.d. Passepartout u.l. »Skizze zu Liebes-
paar 30x17 Nr.2«
Datierung: 1936
Besitzer: Privatbesitz

(669) *Für Spanien*
Gouache/Papier
17,0 x 10,7 cm
Bezeichnung: u.l. »St. 36«; a.d. Passepartout u.l. »carte postale pour Espagne (Comité Mondial contre la Guerre et le Fascisme)«; verso a.d. Passepartout »36. carte postale — 5 Skizzen Pyrenäen 40/41 vernichten«
Datierung: 1936
Besitzer: Privatbesitz
Laut Bezeichnung war die Gouache für eine Postkarte zur Unterstützung der Repu-
blikaner im Spanischen Bürgerkrieg gedacht. Es ist nicht bekannt, ob sie jemals
vertrieben wurde. Von der Bildkonzeption
ähnelt sie einer von Strempel in »La Patrie
humaine« veröffentlichten Zeichnung
(WVZ 2794). Der gravierende Unterschied
zwischen beiden besteht jedoch darin, daß
die Frau in der Pressezeichnung ein ihr zu
Füßen liegendes totes Kind betrauert, während der Postkarten-Entwurf sie allein in
einer verwüsteten Landschaft zeigt. — Der
Klagegestus mit den erhobenen Armen
wird seit dieser Zeit von Strempel immer
wieder aufgegriffen, wenn er Hilflosigkeit
und Leid ausdrücken will.

(670) *Stilleben*
Aquarell (?)
Datierung: 1936
Besitzer: unbekannt
Ausstellungen: Berlin 1946/7; Berlin
1947/1
Von diesem Blatt existieren zwei Fotografien. Die eine (Privatbesitz) ist im Original
u.l. »St. 46« bezeichnet, während bei der
anderen (Berlin, StM, NG/Archiv) eine
handschriftliche Änderung auf »St. 36«

vorgenommen wurde. Es ist davon auszugehen, daß das frühere Entstehungsdatum das
richtige ist, da der Stil seine Entsprechung in
anderen zeitgleichen Werken, wie z. B. Stillleben mit Spielkarte (WVZ 663) findet.

(671) *»Frauenkopf (Erna)«*
Aquarell, Kreide/Papier
45,0 x 29,0 cm
Bezeichnung: u.l. »Strempel / Paris 37«
Datierung: 1937
Besitzer: Privatbesitz

(672) *Mutter mit Kind auf einem Balkon*
Aquarell/Papier
26,0 x 22,0 cm
Bezeichnung: u.l. »St. 37 Paris / Horst
Strempel Paris 1937«; verso (a.d. Trägerkarton) »Kat.Nr.17 Horst Strempel Paris
1937«
Datierung: 1937
Besitzer: Privatbesitz
Das Aquarell nimmt das Motiv des Gemäldes von 1935 (WVZ 91) mit wenigen Abän-
derungen, aber stärker abstrahierend, wieder auf.

(673) *Frau mit Kind** (Ö 166)
Aquarell
32,0 x 26,0 cm
Datierung: 1937
Besitzer: unbekannt
Keine Abbildung bekannt. Laut Angabe in
dem von Strempel angelegten Verzeichnis
»Vorhandene Werke« soll es sich hier um ei-
ne Studie zu dem Ölbild (WVZ 91) han-
deln.

(674) *Frau mit Kind*
Tempera
45,0 x 44,0 cm
Datierung: 1937
Besitzer: unbekannt
Ausstellung: Berlin/W. 1977, Nr. 8
Keine Abbildung bekannt.

(675) **Studie zu »Germinal«** (Z 3)
Gouache/Papier
58,0 x 41,5 cm
Bezeichnung: u.r. »Strempel / Paris 37«;
verso o.l. »Studie zu Germinal 1937 (Nr.3)«
Datierung: 1937

(676) *Frau mit Kind*
Aquarell/Karton
16,0 x 10,8 cm
Bezeichnung: o.r. »Strempel / Paris 1938«
Datierung: 1938
Besitzer: Privatbesitz
Das Aquarell ist eine Studie zum Ölbild
(WVZ 91).

(677) *Jardin du Luxembourg* (Ö 163 / T 3)
Aquarell/Papier
60,0 x 45,0 cm
Bezeichnung: u.r. »Strempel Paris 38 / Lu-
xembourg«; verso (a.d. Trägerkarton)
»Horst Strempel 1938 Paris »Jardin du Lu-
xembourg« cm 59x64 Kat.Nr.3«
Datierung: 1938
Besitzer: Privatbesitz

(678) *Voisine Rue de la Glacière*
Gouache/Papier
19,5 x 12,0 cm
Bezeichnung: u.l. »St. 38«; u.l. (a.d. Passepartout) »voisine Rue de la Glacière Paris
1938«
Datierung: 1938

(679) *Aphrodite au collier* (Z 4a)
Gouache, Kohle/Karton
40,0 x 29,5 cm
Bezeichnung: u.l. »H. Strempel Paris 38.«;
verso o.l. »H. Strempel Paris 1938 Skizze
‹Aphrodite au Collier› cm 30x40, Kat.Nr.4a
(Zeichnung)«
Datierung: 1938
Die kopflose Aphrodite erscheint auf dem
Gemälde *Jardin Publique* (WVZ 118) auf
einer Säule.

(680) *»Mädchenkopf mit Torso (Frau Billig)** *
(T 6)
Tempera
17,0 x 21,0 cm
Datierung: 1939
Besitzer: unbekannt
Keine Abbildung bekannt.

(681) *»Weiblicher Rückenakt«*
Aquarell/Japanpapier
31,0 x 21,0 cm
Bezeichnung: u.l. »St. 39 Paris«
Datierung: 1939

(682) *Jardin du Luxembourg** *
Aquarell
54,0 x 39,0 cm
Datierung: 1939 (?)
Besitzer: unbekannt
Fotografien des Aquarells mit den o.g. Da-
ten befinden sich im Nachlaß; sie sind aller-
dings unterschiedlich datiert (1939 und
1946). Das Motiv läßt vermuten, daß diese
Arbeit noch während der Exilzeit entstand.

(683) *»Kopf« (Studie zum Wandbild in
Gëus)*
Gouache/Papier
19,5 x 14,0 cm
Bezeichnung: u.l. (a.d. Passepartout) »Stu-
die zum Wandbild Gëus«; u.r. »St. 40«
Datierung: 1940
Vgl. die Ölstudie zum Wandbild (WVZ 138)
sowie die Zeichnungen (WVZ 1326–1328).

(684) *»Balkon in Gëus«*
Aquarell/Papier
21,0 x 13,0 cm
Bezeichnung: u.l. »St. 40«; u.l. (a.d. Passepartout) »Gëus 1940–41«
Datierung: 1940
Dargestellt ist der Balkon des Hauses, in
dem Strempel von 1940 bis 1941 zeitweise
lebte. Nebenan wohnte Mme. Solanille
(siehe WVZ 1329), deren Tochter ihm Fran-
zösisch-Unterricht erteilte.

(685) *Soumoulou* (T 4)
Aquarell/Papier
30,0 x 23,0 cm
Bezeichnung: verso »Soumoulou 1940
30x23 Nr.4«
Datierung: 1940

(686) *Soumoulou** (T 4?)
Aquarell
30,0 x 23,0 cm
Bezeichnung: u.l. »Strempel 1940«
Datierung: 1940
Besitzer: unbekannt

(687) *»Pyrenäenlandschaft mit Feldweg«*
Aquarell/Papier
ca. 29,0 x 21,5 cm (sichtb.)
Bezeichnung: u.l. »St. 40. / Strempel 1940«
Datierung: 1940
Besitzer: Privatbesitz

(688) *»Laubwald mit Haus im Hinter-
grund«*
Aquarell/Papier
ca. 28,5 x 23,0 (sichtb.)
Bezeichnung: u.l. »Strempel 1940«
Datierung: 1940
Besitzer: Privatbesitz

(689) *»Waldboden mit Baumwurzeln«*
Aquarell/Papier
ca. 28,0 x 21,0 cm (sichtb.)
Bezeichnung: u.l. »St. 40 / Strempel 1940«
Datierung: 1940
Besitzer: Privatbesitz

(690) *Lager in Montauban** *
Aquarell
Datierung: 1940/41
Besitzer: unbekannt
Von dem Aquarell des Lagers Montauban,
an anderer Stelle auch als Lager Septfond
benannt, existieren nur noch Fotografien.
Die handschriftlich angegebenen Entste-
hungsdaten schwanken zwischen 1939 und
1941. Da die Reihenfolge der Lager, in denen Strempel sich aufhielt nicht bekannt
ist, läßt sich auch das Entstehungsdatum
nicht eindeutig festlegen.- Ein Brief Wilhelm Puffs an Horst Strempel vom
30.5.1974 bestätigt, daß noch andere Blätter der gleichen Thematik vorhanden gewesen sein müssen, denn Puff bedankte
sich für die »herrlichen Blätter Deiner In-
ternierungszeit« aus Septfonds und Etien-
ne. Es scheint sich jedoch dabei nicht nur
um Landschaftsmotive, sondern ebenso
um figurale Kompositionen gehandelt zu
haben. Puff schrieb darüber: » ... diese Blätter atmen einen wahren Goyageist an geistiger Deutung von malerischer Schwarz-
weiß-Aussage, sie sind ganz große Würfe
Deines Schaffens, ein gerade im Zustand
des Ausgestoßenseins aus Gemeinschaft
sich beweisender Menschheitswille, sind
Zeugnisse Deines künstlerischen Grund-
befindens, die dramatische Moral zu wagen. Man könnte versucht sein, die Schach-
und Kartenspieler als Symbolfiguren für eine Welt- und Daseinsform zu nehmen, in
der wie in der tragisch betonten Antike das
Schicksal als Spiel zwischen Gottheit und
Mensch zu deuten versucht wird; man
könnte in jedes der vier Blätter Interniert-
endasein und Verfluchtsein hineinlesen
oder aus ihnen herauslesen; aber letztens
bleibt dies müßige Sache: das Größte in
den Blättern ist das künstlerische Ereignis
von dramatischem Licht-Finsternis-
Kampf, ist die Aussage des nie endenden
tragischen Kampfes des Menschen. Daher
geht von den Etiennesblättern zur Ölskizze
Joseph und seine Brüder eine gerade Linie,
eine durch keinerlei Ästhetik verbogene Linie.«

(691) *»Selbstporträt als Soldat«** *
Pastell (?)
Datierung: 1942*
Besitzer: unbekannt

(692) »Liebespaar in Crossen«
Pastell (?)
Bezeichnung: u.l. »H. Strempel / Crossen 1942«
Datierung: 1942
Besitzer: unbekannt
Eine Fotografie des Werks befindet sich im Archiv der Nationalgalerie Berlin.

(693) Souvenir
Aquarell, Feder und Tusche/Papier
44,0 x 30,0 cm
Bezeichnung: u.l. » »Souvenir« / Strempel 42«
Datierung: 1942
Besitzer: Privatbesitz
Ausstellung: Berlin/W. 1977, Nr. 14
Abbildung: Berlin/W. 1977, o.S.
In dem nach seiner Rückkehr nach Berlin entstandenen Aquarell erinnert Strempel seine Pariser Zeit, wie deutlich an Details — den französischen Balkon und den Lamellen-Blendläden — zu erkennen ist.

(694) »Griechisches Dorf« *
Aquarell
30,0 x 20,0 cm*
Bezeichnung: u.l. sign / dat. (nur teilweise sichtbar, da angeschnitten)
Datierung: 1943*
Besitzer: unbekannt

(695) »Griechisches Dorf« *
Aquarell
30,0 x 20,0 cm*
Bezeichnung: u.l. (unleserlich)
Datierung: 1943*
Besitzer: unbekannt

(696) »Berglandschaft in Griechenland« *
Aquarell
30,0 x 20,0 cm*
Bezeichnung: u.l. unleserlich)
Datierung: 1943*
Besitzer: unbekannt

(697) »Männlicher Kopf«
Tempera /Papier
Bezeichnung: u.l. »Strempel 45 Skizze zu Kreuzigt ihn«; u.r. datierte Widmung
Datierung: 1945
Besitzer: Privatbesitz
Studie zum Gemälde WVZ 258.

(698) Der Puppenspieler
Pastellkreide (?)
Datierung: um 1945
Besitzer: unbekannt
Abbildung: Der Neubau, Zs. f. Architektur und Kunst, 1, 1947, H. 5, Titelseite
Studie zum Ölbild von 1945 (WVZ 133).

(699) Referat (Studie) (T 168)
Tempera/Papier
33,0 x 23,0 cm
Bezeichnung: u.l. »St. 45 H. Strempel 45«; verso (a.d. Trägerkarton) »Kat.Nr.168 H. Strempel 1945«
Datierung: 1945
Besitzer: Privatbesitz
Siehe das Gemälde WVZ 139.

(700) »Sitzende«
Tempera/Papier
35,5 x 29,5 cm

Bezeichnung: u. Mitte »Horst Strempel 45«; u.r. »St. 45.«
Datierung: 1945
Besitzer: Privatbesitz

(701) »Liebespaar«
Aquarell/Papier
33,0 x 15,5 cm (sichtb.)
Bezeichnung: u.l. »H. Strempel Berlin 45«
Datierung: 1945
Besitzer: Privatbesitz
Vgl. das Gemälde Liebespaar (WVZ 137).

(702) Litfaßsäule Kurfürstendamm/Uhlandstraße * (T 8)
Pastellkreide/Papier
49,5 x 36,5 cm (sichtb.)
Bezeichnung: u.l. »H. Strempel 7. Juli 1945«
Datierung: 1945
Besitzer: Privatbesitz
Ausstellungen: Berlin/W. 1977, Nr. 21; Berlin/W. 1980/1, Nr. 27

(703) Souvenir à Picasso
Aquarell/Papier
56,0 x 44,5 cm
Bezeichnung: u.l. »St. 45. / ‹Souvenir à Picasso›«; verso u.l. »Horst Strempel 45 / ‹Souvenir à Picasso› »
Datierung: 1945
Provenienz: Privatbesitz
Besitzer: Privatbesitz

(704) »Stilleben mit Obstschale«
Aquarell/Papier
62,0 x 47,5 cm
Bezeichnung: u.l. »Strempel«
Datierung: um 1945 (?) (vgl. WVZ 703)
Provenienz: Privatbesitz
Besitzer: Privatbesitz

(705) »Porträt Ruge (Studie I)«
Pastellkreide/Papier
ca. 45,0 x 31,0 cm
Bezeichnung: u.l. (a.d. Passepartout) »St. 46. / Studie I zum Porträt«
Datierung: 1946
Besitzer: Privatbesitz

(706) »Porträt Ruge (Studie II)«
Pastellkreide/Papier
ca. 46,0 x 36,5 cm
Bezeichnung: u.l. (a.d. Passepartout) »St. 46 / Studie II«
Datierung: 1946
Besitzer: Privatbesitz

(707) »Porträt Ruge (Studie III)«
Pastellkreide/Papier
45,0 x 36,5 cm
Bezeichnung: u.l. (a.d. Passepartout) »St.46 / Studie III«
Datierung: 1946
Besitzer: Privatbesitz
Vgl. das Ölbild WVZ 153.

(708) Blut (Heimkehrer) (T 132)
Tempera, Tusche/Karton
61,0 x 44,0 cm
Bezeichnung: u.l. »St.46 / Horst Strempel 1946«
Datierung: 1946
Ausstellungen: Berlin 1946/3; Berlin/W. 1978, Nr.4

(709) **Zwei stehende Mädchenakte**
Gouache/Papier
39,5 x 31,5 cm
Bezeichnung: verso o.l. »1946 2 stehende Mädchenakte ›Studien für das Tier‹ Germinalmappe 39x32 Nr.1 — Ingrid«
Datierung: 1946

(710) Kurfürstendamm *
Tempera
Datierung: um 1945/46 (?)
Besitzer: unbekannt
Ausstellung: Berlin 1946/4
Literatur: BZ, 16.5.1946; TS, 17.5.1946; TG, 13.6.1946

(711) Atelierecke
Aquarell
Bezeichnung: u.l. »Strempel 46«
Datierung: 1946
Besitzer: unbekannt
Eine Fotografie des Aquarells befindet sich im Archiv der Nationalgalerie Berlin.- Vgl. das Ölbild (WVZ 232), 1947.

(712) »Kastanienblüten«
Pastellkreide
64,0 x 52,0 cm
Bezeichnung: u.l. »Strempel 1946«
Datierung: 1946
Besitzer: Privatbesitz

(713) Stilleben mit gelbem Krug (T 14)
Tempera/Papier
57,5 x 44,0 cm
Bezeichnung: u.l. »St.46«; u.r. »260«; verso u. »Horst Strempel Berlin 1946 ‹Stilleben mit gelbem Krug› 1946 57x44 Nr.14«
Datierung: 1946

(714) Stilleben mit Krug, Flasche und Schale
Tempera/Pappe
68,0 x 90,0 cm
monogr., dat. 1946
Besitzer: unbekannt
Literatur: Auktions-Kat. 1988, 398; Almanach d. Graphikpreise, Ausg. 1987, Bd. 2, Nr. 17070
Bei der Auktion Berlin, Villa Grisebach, 11.12.1987 (Nr. 173)

(715) Porträt Bärbel*
Aquarell
30,0 x 40,0 cm
Datierung: 1947
Besitzer: unbekannt

(716) Mädchen mit Maske *
Gouache od. Aquarell (?)
Datierung: um 1947
Besitzer: unbekannt
Vgl. Holzschnitt WVZ 2420.

(717) Zwei Mädchen *
Aquarell
Datierung: 1947
Besitzer: unbekannt
Vgl. das Gemälde Zwei Mädchen, 1946 (WVZ 165).

(718) Zwei Mädchen*
Aquarell
Datierung: 1947
Besitzer: unbekannt

(719) *Drei Mädchen* *
Aquarell
Bezeichnung: u.l. »St.«
Datierung: 1947
Besitzer: unbekannt

(720) *Kreuzigt ihn** (T 17)
Tempera
48,0 x 40,0 cm
Datierung: 1946/47
Besitzer: unbekannt
Keine Abbildung bekannt.- Studie zum Gemälde WVZ 258.

(721) *Trauerzug* (T 15)
Aquarell/Papier
40,0 x 57,0 cm (sichtb.)
Bezeichnung: u.l. »Strempel 1947«; verso (a.d. Trägerkarton) »Skizze zu ‹Trauerzug› 1947 Kat.Nr.15 / ‹Trauerzug› 1948 cm 62x83 Kat.Nr.33«
Datierung: 1947
Besitzer: Privatbesitz (1974, Geschenk d. Künstlers)
Vgl. die Ölbilder (WVZ 263 und 264) und die Aquatinta (WVZ 2438).

(722) *Die Gier* (Ö 22a)
Tempera/Papier/Spanplatte
47,5 x 62,0 cm
Bezeichnung: u.r. »Strempel 1947«; verso o.r. »Horst Strempel 1947 ‹Die Gier› Kat.Nr.22a«
Datierung: 1947
Vgl. WVZ 228.

(723) *Im Atelier**
Tempera
24,0 x 17,0 cm
Datierung: 1947
Besitzer: unbekannt
Keine Abbildung bekannt.

(724) *Stilleben* *
Tempera
Datierung: 1947
Besitzer: unbekannt
Keine Abbildung bekannt.

(725) *»Stilleben mit Weinglas und Flaschen«*
Aquarell/Papier
19,0 x 13,3 cm
Bezeichnung: u.l. »Strempel 47«
Datierung: 1947
Besitzer: Privatbesitz

(726) *»Stilleben mit Birnen«*
Gouache (?)
23,0 x 15,0 cm
Bezeichnung: u.l. »Strempel 47«
Datierung: 1947
Besitzer: Privatbesitz

(727) *»Stilleben mit Krug und Schale«*
Aquarell/Papier
18,4 x 12,7 cm
Bezeichnung: u.l. »Strempel 47«
Datierung: 1947
Besitzer: Privatbesitz

(728) *Stilleben* *
Tempera
Bezeichnung: u.l. »Strempel«
Datierung: 1947
Besitzer: unbekannt

(729) *Erna* (T 9)
Tempera/Papier/Holz
47,0 x 37,0 cm
Bezeichnung: u.l. »Strempel 48«; verso o.l. »Porträt Erna . Studie zu dem Familienbild …? Darmstadt. Erworben 1953 von der Staatlichen Kunstkommission der D.D.R. cm47x37 Kat.Nr.9«
Datierung: 1948
Literatur: Für Dich, 19.3.1950 (Abb.)
Abbildung: Für Dich, 19.3.1950

(730) *»Sitzende Frau an einer Balkontür«*
Aquarell, Deckfarben, Pastellkreide/Papier
57,6 x 40,7 cm
Bezeichnung: u.l. »Strempel 48.«
Datierung: 1948
Besitzer: Berlin, StM, SdZ, Inv.Nr. F V 1352

(731) *Drei stehende Mädchen* *
Aquarell
Datierung: 1948
Besitzer: unbekannt

(732) *Nacktes Mädchen vor dem Spiegel**
Tempera
55,0 x 37,0 cm
Datierung: 1948
Besitzer: unbekannt
Keine Abbildung bekannt.

(733) *»Theater«*
Aquarell
Datierung: 1948
Besitzer: unbekannt
Die Arbeit ist ein Entwurf zu einem Wandbild für das Foyer der Berliner Volksbühne (WVZ 4). Sie ist unten als solcher bezeichnet und trägt weiterhin den Vermerk »Maßstab 1:5« und die Unterschriften Strempels und des verantwortlichen Architekten Lemmert.

(734) *»Theater«*
Aquarell
Datierung: 1948
Besitzer: unbekannt
Die Arbeit ist ein Entwurf zu einem Wandbild für das Foyer der Berliner Volksbühne (WVZ 4). Sie ist unten als solcher bezeichnet und trägt weiterhin den Vermerk »Maßstab 1:5« und die Unterschriften Strempels und des verantwortlichen Architekten Lemmert.

(735) *»Sonnenblumen«*
Aquarell
Bezeichnung: u.l. »St. 48«
Datierung: 1948
Besitzer: unbekannt
Eine Fotografie befindet sich im Archiv der Nationalgalerie Berlin.

(736) *»Sonne mit Sonnenblumen«*
Aquarell
Bezeichnung: u.r. »St.«
Datierung: um 1948 (vgl. WVZ 735)
Besitzer: unbekannt
Eine Fotografie befindet sich im Archiv der Nationalgalerie Berlin.

(737) *Stilleben**
Tempera
Bezeichnung: u.r. »Strempel 48«

Datierung: 1948
Besitzer: unbekannt

(738) *»Der rote Krug«*
Aquarell/Papier
48,0 x 40,0 cm
Bezeichnung: u.l. »Strempel . 48«
Datierung: 1948
Provenienz: Privatbesitz
Besitzer: Privatbesitz

(739) *»Selbstbildnis«*
Kohle, Pastellkreide/Packpapier
54,0 x 44,0 cm
Bezeichnung: u.l. »Strempel 49«
Datierung: 1949

(740) *»Selbstporträt«*
Pastellkreide/Packpapier
67,0 x 48,0 cm (sichtb.)
Bezeichnung: u.l. »Horst Strempel Dresden 1949« und datierte Widmung
Datierung: 1949
Besitzer: Privatbesitz

(741) *»Frauenkopf«*
Gouache/Karton
53,3 x 43,0 cm
Bezeichnung: u.l. »St. 49«
Datierung: 1949

(742) *Frauenkopf II*
Gouache/Karton
68,0 x 42,5 cm
Bezeichnung: u.r. »Strempel 49 / ‹Frauenkopf II› «; verso o.l. »13«; verso o.r. »79«
Datierung: 1949
Ausstellung: Berlin 1949/3
Abbildung: Berlin 1949/3 o.S.

(743) *Mädchenkopf* *
Tempera
48,0 x 40,0 cm
Datierung: 1949
Besitzer: unbekannt
Keine Abbildung bekannt.

(744) *Mädchenkopf* *
Pastell
60,0 x 45,0 cm
Datierung: 1949
Besitzer: unbekannt
Keine Abbildung bekannt.

(745) *»Mädchenkopf«*
Pastellkreide/Packpapier
64,0 x 45,5 cm
Datierung: um 1949 (?)

(746) *»Mädchenkopf«*
Pastellkreide (?)
Datierung: um 1949 (?)
Besitzer: unbekannt
Vgl. den Gipsschnitt 1949 (WVZ 2460).

(747) *Mädchenkopf III*
Pastell
um 1949
Besitzer: unbekannt
Ausstellung: Berlin 1949/3
Abbildung: Berlin 1949/3, o.S.

(748) *»Männlicher Kopf«*
Gouache, Kohle/Papier
65,5 x 48,0 cm
Datierung: um 1949

(749) *Arbeiterkopf*
Pastellkreide, Kohle/Karton
59,5 x 37,0 cm
Bezeichnung: u.l. »St. 49«
Datierung: 1949

(750) *Arbeiterkopf*
Pastellkreide/Karton
61,0 x 50,0 cm
Bezeichnung: u.r. »272«; verso u.l. »1949
60x50 Arbeiterkopf«
Datierung: 1949

(751) *Akt Erna (Studie)** (T 13)
Tempera
78,0 x 56,0 cm
Datierung: 1949
Besitzer: unbekannt
Keine Abbildung bekannt.

(752) *Mädchenakt* (Z 8a)
Pastellkreide, Kohle/Packpapier
57,0 x 31,0 cm (sichtb.)
Bezeichnung: u.l. »H. Strempel 49 Nr.8a«;
verso »Horst Strempel Mädchenakt cm
59x32 1949 Kat.Nr.8a«
Datierung: 1949
Besitzer: Privatbesitz

(753) *Mädchenakt**
Pastell
59,0 x 42,0 cm
Datierung: 1949
Besitzer: unbekannt
Keine Abbildung bekannt.

(754) *»Mädchenakt«*
Pastellkreide/Packpapier
ca. 148,0 x 65,0 cm
Datierung: um 1949

(755) *»Mutter mit Kind«*
Pastellkreide/Papier
80,0 x 60,0 cm (sichtb.)
Bezeichnung: u.l. »Strempel 49«
Datierung: 1949
Besitzer: Privatbesitz

(756–762) Studien zum Wandbild Ballenstedt:

(756) *»Bergmann«*
Tempera/Karton
70,5 x 58,5 cm
Bezeichnung: u.l. »Strempel 273«
Datierung: um 1949

(757) *»Vier Bergleute im Stollen«* (T 18)
Tempera/Karton
66,5 x 84,0 cm
Bezeichnung: u.l. »Strempel 49«
Datierung: 1949

(758) *»Zwei Bergleute im Stollen«* (T 18/7)
Tempera
62,0 x 82,0 cm
Bezeichnung: u.l. »Strempel 49«
Datierung: 1949
Besitzer: Privatbesitz

(759) *»Zwei Bergleute im Stollen«**
Tempera
Datierung: um 1949
Besitzer: unbekannt

(760) *»Arbeiter am Hochofen«*
Tempera, Pastell/Papier

58,0 x 47,0 cm
Bezeichnung: u.l. »H. Strempel 49«
Datierung: 1949
Besitzer: Privatbesitz

(761) *»Arbeiter im Bergwerk«*
Pastellkreide/Papier
44,0 x 57,0 cm
Bezeichnung: u.l. »Strempel 49«
Datierung: 1949
Besitzer: Privatbesitz

(762) *»Am Hochofen«**
Pastellkreide
Datierung: um 1949
Besitzer: unbekannt

(763) *»Landschaft am Meer«*
Tempera/Papier
46,0 x 70,0 cm (sichtb.)
Bezeichnung: u.l. »Strempel 49«
Datierung: 1949
Besitzer: Privatbesitz

(764) *Stilleben mit gelbem Krug**
Tempera
60,0 x 40,0 cm
Datierung: 1949
Besitzer: unbekannt
Keine Abbildung bekannt.

(765) *»Agave«*
Pastellkreide/Packpapier
58,0 x 43,0 cm
Bezeichnung: u.l. »1949 St.«
Datierung: 1949

(766) *»Porträtstudie Architekt
Selmanagic«*
Pastellkreide/Karton
58,0 x 41,0 cm
Datierung: um 1950
Studie zum Porträt WVZ 302; siehe auch
WVZ 2047.

(767) *»Porträtstudie Architekt
Selmanagic«*
Pastellkreide (?)
Datierung: um 1950
Besitzer: unbekannt
Das Foto der Zeichnung stammt aus dem
Archiv der Nationalgalerie Berlin.

(768) *Schiffer* (T 11)
Tempera/Papier/Karton
62,0 x 48,0 cm
Bezeichnung: verso o. »1950 63x48, Schif-
fer, Nr.11«
Datierung: 1950

(769) *Frau mit Kind** (T 10)
Pastellkreide
63,0 x 48,0 cm
Datierung: 1950
Besitzer: unbekannt
Keine Abbildung bekannt.

(770) *Gießerei*
Pastellkreide/Packpapier
54,4 x 44,4 cm
Bezeichnung: verso o.l. (aufgeklebtes Etikett) »1950 Gießerei 67x53cm Nr.12«
Datierung: 1950
Nach einem Vermerk im Werkkatalog ist
das Pastell eine Studie zum Ölbild *Walzwerk* (WVZ 292).

(771) *Gießerei I** (T 12)
Pastellkreide
67,0 x 53,0 cm
Datierung: 1950
Besitzer: unbekannt

(772) *Abstich (Walzwerk)**
Kreide
74,0 x 53,0 cm
Datierung: 1950
Besitzer: unbekannt
Ausstellung: Berlin/W. 1978, Nr. 25
Keine Abbildung bekannt.

(773) *Spreewald*
Pastellkreide/Papier/Karton
102,0 x 72,0 cm
Bezeichnung: verso »1950 102x71 Spree-
wald (Studie)«
Datierung: 1950
Studie zum Gemälde WVZ 294.

(774) *»Begonie im Blumentopf«*
Gouache
49,0 x 36,0 cm
Bezeichnung: u.r. »Strempel 50«
Datierung: 1950
Provenienz: Privatbesitz
Besitzer: Privatbesitz

(775) *Grüne Pflanze** (T 16)
Pastellkreide
64,0 x 45,0 cm
Datierung: 1950
Besitzer: unbekannt
Keine Abbildung bekannt.

(776) *Sitzende Frau **
Tempera
97,0 x 96,0 cm
Datierung: 1951
Besitzer: unbekannt
Keine Abbildung bekannt.- Nach einem
Vermerk soll die Tempera-Arbeit eine Stu-
die zum *Wandbild Ballenstedt* (WVZ 8)
sein.

(777) *Sitzendes Mädchen ** (T 27)
Pastellkreide
57,0 x 40,0 cm
Datierung: 1951
Besitzer: unbekannt
Keine Abbildung bekannt.

(778) *»Frau, wäscheaufhängend«*
Pastellkreide/Karton
59,5 x 37,0 cm
Bezeichnung: u.l. »Strempel 1951«
Datierung: 1951

(779) *Wäscherin (Studie)** (T 19)
Pastellkreide
90,0 x 50,0 cm
Datierung: 1951
Besitzer: unbekannt
Keine Abbildung bekannt.

(780) *Das Gesicht des Faschismus: Korea**
Pastellkreide (?)
Bezeichnung: u.l. »Strempel 51 / Zu der
Folge / ‹Das Gesicht des Faschismus› /
Blatt 6: Korea … »
Datierung: 1951
Besitzer: unbekannt
Laut Bezeichnung hat es sich hier um einen
Zyklus oder eine Mappe gehandelt; von

den übrigen Blättern ist jedoch nichts bekannt.- Strempel schrieb am 14.10.1967 in einem Brief an Wilhelm Puff über eine Folge von etwa 30 Pastellen zum Thema *Das Gesicht des Faschismus,* »die alle vom Osten abgelehnt wurden, als formalistisch stark angegriffen wurden und in Ostberlin verschwunden sind.« Am 1.1.1966 schrieb Strempel an Wilhelm Puff: »Natürlich bin ich längst über solche Darstellungen hinweggekommen. Aber beide Blätter haben doch garnichts mit östlicher Ideologie zu tun, sondern, von mir aus gesehen, ein Protest gegen die Unmenschlichkeit. (Auch wegen dieser Folge von Blättern (es waren 20) bin ich damals im Osten äußerst scharf angegriffen worden. Ich finde, das diese Blätter, trotz ihres literarischen und politischen Inhaltes durchaus ‹farbig› und gemalt sind. Natürlich würde ich heute so etwas nicht mehr machen ... Lidici ist eines der sehr vielen Blätter die ich als Vorstudien für die grosse Erschießung gemacht hatte.«

(781) *Lidice**
Pastellkreide (?)
Datierung: um 1951
Besitzer: unbekannt
Keine Abbildung bekannt.

(782) *Garten (Hiddensee*)* (T 21a)
Pastellkreide/Papier
41,0 x 28,0 cm
Bezeichnung: u.l. »Strempel 1951 Nr. 277«; verso (a.d. Trägerkarton) »Garten«
Datierung: 1951 (1949*)
Besitzer: Privatbesitz

(783) *Liegender Mädchenakt**
Pastellkreide
100,0 x 60,0 cm
Datierung: 1952
Besitzer: unbekannt
Keine Abbildung bekannt.

(784) *Aktstudien **
Pastellkreide
Datierung: 1952
Besitzer: unbekannt

(785) *»Aktstudie«*
Pastellkreide
Datierung: 1952
Besitzer: unbekannt

(786) *Frau mit Kind* (Z 9a)
Pastellkreide, weiß gehöht/Karton
73,0 x 54,5 cm
Bezeichnung: u.l. »Strempel«; verso u.r. »Frau mit Kind 1952«
Datierung: 1952
Ausstellung: Berlin/W. 1978, Nr. 26

(787) *Junge Mutter** (T 24)
Pastellkreide
54,0 x 36,0 cm
Datierung: 1952
Besitzer: unbekannt
Keine Abbildung bekannt.

(788) *Mutter mit Kind ** (T 28)
Pastellkreide
80,0 x 63,0 cm
Datierung: 1952
Besitzer: unbekannt
Keine Abbildung bekannt.- Nach einer No-

tiz Strempels im Werkkatalog soll das Pastell *Mutter mit Kind* eine Studie zu einem Wandbild sein.

(789) *Frauen am Meer** (T 25)
Pastellkreide
80,0 x 61,0 cm
Datierung: 1952
Besitzer: unbekannt
Keine Abbildung bekannt.

(790) *Westdeutschland: Philipp Müller**
Pastellkreide (?)
Bezeichnung: u.r. »St. 52 / ‹Westdeutschl.› / Philipp Müller / Bl. 2.«
Datierung: 1952
Besitzer: unbekannt
Offenbar gehörte diese Arbeit in einen größeren Zusammenhang, wie der Zusatz »Bl. 2« in der Bezeichnung erkennen läßt. Aufgrund einer Fotografie, die das Werk gerahmt zeigt, kann man vermuten, daß es sich um ein relativ großes Format gehandelt haben muß, ähnlich wie etwa bei der Erschießung (WVZ 1604). Das Thema des Bildes ist der Tod des FDJlers Philipp Müller. Am 11.5.1952 fand eine Friedenskarawane der westdeutschen Jugend gegen EVG- und Generalvertrag mit ca. 40000 Teilnehmern in Essen statt. Müller wurde dort von der Polizei erschossen.

(791) *Landschaft mit Bäumen** (T 26)
Pastellkreide
53,0 x 36,0 cm
Datierung: 1952
Besitzer: unbekannt
Keine Abbildung bekannt.

(792) *Am Ufer I** (T 21)
Pastellkreide
74,0 x 49,0 cm
Datierung: 1952
Besitzer: unbekannt
Keine Abbildung bekannt.

(793) *Am Ufer II** (T 22)
Pastellkreide
82,0 x 65,0 cm
Datierung: 1952
Besitzer: unbekannt
Keine Abbildung bekannt.

(794) *»Straße mit Bäumen«*
Pastellkreide (?)
Bezeichnung: u.r. »St. 52«
Datierung: 1952
Besitzer: unbekannt
Eine Werkfotografie befindet sich im Archiv der Nationalgalerie Berlin.

(795) *Am Meer** (T 23)
Pastellkreide
58,0 x 80,0 cm
Datierung: 1952
Besitzer: unbekannt
Keine Abbildung bekannt.

(796) *»Weibliches Porträt im Profil nach rechts blickend«*
Tempera/Papier
61,0 x 44,0 cm
Datierung: 1953*

(797) *Porträt Frau Klaas**
Aquarell

Datierung: 1953
Besitzer: unbekannt

(798) *»Weibliche Maske«*
Tempera/Papier
50,0 x 32,0 cm (sichtb.)
Bezeichnung: u.l. »Strempel 53«
Datierung: 1953
Besitzer: Privatbesitz
Wilhelm Puff schrieb über dieses Werk an Ernst Niekisch (25.6.1954): »Hier, obschon es sich um eine Maske handelt, wäre es völlig verfehlt, von abstrakter Darstellung zu sprechen. Diese ätherische Abhebung frauenhaften Glücks und zugleich Schmerzes vom realen Antlitz ist geistige Wirklichkeit geworden. Herber und verführrerischer Reiz sind hier in die sinnbildliche Physiognomie einer weiblichen Wesenheit emporgerückt, deren Eros freispielend schöpferische Erinnerung wurde. Hingegen fehlt vielleicht der Tafel mit dem Doppelbildnis [WVZ 330] wiewohl man sich bis darein bis zur Andacht verlieben kann, im Kunst gespiegelten Gegenüber ein winziger Grad von Anderssein in Bezug auf die davor plazierte Realität: das, was im Maskenbild als geistige Wirklichkeit unbedingte Anerkennung heischt, wurde hier, die Wirklichkeit spiegelnd, mehr Wiederholung als Verwandlung auf höherer Ebene.«

(799) *»Weibliche Maske«**
Tempera (?)
Bezeichnung: u.l. »H. Strempel«
Datierung: um 1953 (vgl. WVZ 798)
Besitzer: unbekannt
Vgl. Ausstellung Hildesheim 1964, Nr. 67 (WVZ 1106).

(800) *Kopf*
Tempera, Pastellkreide/Karton
53,0 x 41,0 cm
Bezeichnung: u.l. »Strempel 53«; verso o. »Strempel Horst Berlin »Kopf« 1953«
Datierung: 1953

(801) *Kopf einer Frau*
Pastellkreide/Papier
56,0 x 45,5 cm (60,0 x 47,4 cm)
Bezeichnung: u.l. »271«
Datierung: um 1953 (vgl. WVZ 800)

(802) *»Kopf einer Frau im Profil«*
Pastellkreide/Papier
52,5 x 40,0 cm
Datierung: 1953 (?*)

(803) *Porträt Frau Klaas**
Pastellkreide
60,0 x 50,0 cm
Datierung: 1953
Besitzer: unbekannt

(804) *»Kopf einer Frau im Profil«*
Pastellkreide/Papier
64,0 x 44,0 cm
Datierung: um 1953

(805) ***Mädchenkopf****
Pastellkreide
80,0 x 60,0 cm
Datierung: 1953
Besitzer: unbekannt

(806) *Mädchenkopf*
Pastellkreide
60,0 x 80,0 cm
Datierung: um 1953(?)
Besitzer: unbekannt
Ausstellung: Berlin/W. 1955/2, Nr. 15
Keine Abbildung bekannt.

(807) *Männerkopf*
Pastellkreide/Packpapier
55,0 x 45,0 cm
Bezeichnung: u.l. »1953 ›Männerkopf‹ 54x43«
Datierung: 1953

(808) *»Brustbild einer sich kämmenden Frau«*
Pastellkreide/Papier
60,0 x 45,0 cm (67,0 x 51,5 cm)
Bezeichnung: u.l. »250 1953«
Datierung: 1953

(809) *Liegende auf blauem Divan** (T 40)
Pastellkreide
57,0 x 43,0 cm
Datierung: 1953
Besitzer: unbekannt

(810) *»Weiblicher Rückenakt auf einem Stuhl«*
Pastellkreide/Papier
60,0 x 43,0 cm (sichtb.)
Bezeichnung: u.l. »Strempel«
Datierung: 1953*
Besitzer: Privatbesitz

(811) *Mädchen mit Krug**
Kreide
84,0 x 41,0 cm
Datierung: 1953
Besitzer: unbekannt
Ausstellungen: Berlin/W. 1955/1, Nr. 17; Berlin/W. 1977, Nr. 30
Abbildung: Berlin/W. 1955/1, Titelblatt
Laut Werkkatalog ist diese Zeichnung eine Studie zu einem Ölbild (WVZ 328).

(812) *Mädchen auf dem Balkon** (T 29)
Pastellkreide
53,0 x 40,0 cm
Datierung: 1953
Besitzer: unbekannt
Keine Abbildung bekannt.

(813) *Mädchen auf dem Balkon** (T 43)
Pastellkreide
60,0 x 43,0 cm
Datierung: 1953
Besitzer: unbekannt
Keine Abbildung bekannt.

(814) *Morgentoilette** (T 39)
Tempera/Karton
71,0 x 51,0 cm
Bezeichnung: u.l. »Strempel 53«
Datierung: 1953
Ausstellung: Berlin/W. 1978, Nr. 32

(815) *Mutter und Kind**
Aquarell
48,0 x 36,0 cm
Datierung: 1953
Besitzer: unbekannt

(816) **Don Quichote**
Pastellkreide, Tempera/Gips/Papier

63,0 x 45,0 cm (sichtb.)
Bezeichnung: u.l. »Strempel 53«
Datierung: 1953
Besitzer: Privatbesitz
Wie aus einem Brief Wilhelm Puffs an Ernst Niekisch (25.6.1954) zu schließen ist, muß noch eine zweite Fassung dieser Thematik vorhanden gewesen sein. In diesem Brief stellt Puff die o.g. Zeichnung einer zweiten gegenüber, die sich zu dieser Zeit noch im Besitz Strempels befand. Das Don-Quichote-Motiv, schon immer als Symbol des mit der Wirklichkeit entzweiten Künstlers verwandt, ist gerade zu dieser Zeit ist als Sinnbild für die schwierige Lebenssituation Strempels nach seiner Flucht nach Westberlin anzusehen.

(817) *»Europa mit dem Stier«* (T 42)
Tempera/Papier/Karton
56,0 x 37,5 cm (Blattgröße 63,0 x 44,5 cm)
Bezeichnung: u.l. »Strempel 53«
Datierung: 1953

(818) **David und Abisag I** (T 35)
Tempera/Karton
43,0 x 61,0 cm
Bezeichnung: u.l. »Strempel 53«; verso (Klebeetikett) »Tempera David und Abisag I 43x61 Nr.35«
Datierung: 1953
Das Tempera-Bild ist auch im Werkkatalog unter der Nummer 35 mit Fotografie vorhanden, verzeichnet jedoch die Maße 53,0 x 68,0 cm, die andernorts auch für ein Pastell gleicher Thematik (WVZ 819) genannt wurden.

(819) *Abisag II** (T 37)
Pastellkreide
53,0 x 68,0 cm
Bezeichnung: u.l. »Strempel«
Datierung: 1953
Besitzer: unbekannt

(820) *Odysseus und Kalipse* (T 41)
Tempera/Papier
56,0 x 39,0 cm
Bezeichnung: u.l. »Strempel 53«; verso u.l. »Odysseus und Kalibso 55x38 Nr.41«
Datierung: 1953

(821) *Odysseus und Kalipse*
Pastellkreide/Papier
65,0 x 44,5 cm
Bezeichnung:
verso u.l. »1953 OdysseusKalipse 65x44«
Datierung: 1953

(822) *Odysseus und die Sirenen**
Tempera
53,0 x 38,0 cm
Datierung: 1953
Besitzer: unbekannt
Keine Abbildung bekannt.

(823) *Sirene* (T 196)
Tempera/Papier
54,5 x 40,5 cm
Bezeichnung: u.l. »Strempel 53«; verso o. »Sirene KNR 196 53x38«
Datierung: 1953

(824) *»Kassandra und Helena«*
Tempera/Gips/Papier

66,0 x 50,0 cm (sichtb.)
Bezeichnung: u.l. »Strempel 53«
Datierung: 1953
Besitzer: Privatbesitz

(825) *Schaufenster*
Pastellkreide/Packpapier
68,0 x 44,0 cm
Bezeichnung: verso u.l. »1953 »Schaufenster« 68x44«
Datierung: 1953

(826) *Das rosa Haus* *
Pastellkreide
70,0 x 42,0 cm
Datierung: 1953
Besitzer: unbekannt

(827) *Wannsee (Studie)**
Tempera (?)
Bezeichnung: u.l. »Strempel 53«
Datierung: 1953
Besitzer: unbekannt

(828) *Strand I** (T 30)
Tempera
60,0 x 46,0 cm
Bezeichnung: u.r.
Datierung: 1953
Besitzer: unbekannt

(829) *Auf dem Balkon* * (T 29a)
Tempera
65,0 x 47,0 cm
Bezeichnung: u.l.
Datierung: 1953
Besitzer: unbekannt
Ausstellung: Berlin/W. 1978, Nr. 27
Diese Tempera-Arbeit diente als Vorlage für ein Motiv des Siebdruck-Kalenders 1966 (WVZ 2631).

(830) *Treppe** (T 34a)
Tempera
64,0 x 46,0 cm
Bezeichnung: u.l. »Strempel / 53«
Datierung: 1953
Besitzer: unbekannt

(831) *Das Gespräch** (T 33a)
Tempera
65,0 x 47,0 cm
Bezeichnung: u.l. »Strempel 53«
Datierung: 1953
Besitzer: unbekannt

(832) *Die Concierge** (T 33)
Tempera
65,0 x 46,0 cm
Datierung: 1953
Besitzer: unbekannt
Keine Abbildung bekannt.

(833) *Weibliche Figur auf Sockel**
Tempera
37,0 x 17,0 cm
Datierung: 1953
Besitzer: unbekannt
Keine Abbildung bekannt.

(834) **Gerüst**
Pastellkreide/Papier
63,0 x 49,0 cm
Bezeichnung: u.l. » ‹Gerüst› 1953 / 63x49cm«; u.r. »Strempel 53«; verso o.l. »Strempel Gerüst Nr.11«

Datierung: 1953
Ausstellung: Berlin/W. 1978, Nr. 28
Siehe dazu das Ölbild (verschollen) *Das Gerüst* 1953 (WVZ 325).

(835) *Strand mit Fischernetzen*
Pastellkreide/Papier
32,0 x 50,0 cm (sichtb.)
Bezeichnung: u.l. datierte Widmung
Datierung: 1953
Besitzer: Privatbesitz

(836) *»Landschaft mit Haus und Bäumen«**
Pastell
Datierung: 1953
vernichtet

(837) *U-Bahn** (T 34)
Tempera
64,0 x 46,0 cm
Datierung: 1953
Besitzer: unbekannt
Keine Abbildung bekannt.

(838) *»Stilleben mit Zitrone und blauem Teller«*
Tempera/Papier
52,0 x 38,0 cm
Bezeichnung: u.l. »Strempel 53«
Datierung: 1953
Besitzer: Privatbesitz

(839) *Stilleben mit rotem Krug* (T 31)
Gouache/Papier
ca. 54,0 x 34,5 cm (sichtb.)
Bezeichnung: u.l. »Strempel 53 / St. 53 Strempel 53«
Datierung: 1953
Besitzer: Privatbesitz

(840) *Stilleben mit Krug und buntem Tuch**
Tempera
70,0 x 50,0 cm
Datierung: 1953
Besitzer: unbekannt
Keine Abbildung bekannt.

(841) *Stilleben mit Krug*
Tempera/Papier
ca. 51,0 x 71,0 cm (sichtb.)
Bezeichnung: u.r. »Strempel 53«
Datierung: 1953
Besitzer: Privatbesitz

(842) *Stilleben mit Krug**
Tempera
56,0 x 40,0 cm
Datierung: 1953
Besitzer: unbekannt
Keine Abbildung bekannt.

(843) *Stilleben mit Krug und Tuch** (T 38)
Tempera/Papier
64,5 x 47,0 cm
Bezeichnung: u.r. »Strempel«
Datierung: 1953
Das Bild wurde von Strempel durchkreuzt und mit der Notiz »ungültig« versehen.

(844) *»Stuhl mit Zwiebelkorb«*
Tempera/Papier
68,0 x 53,0 cm
Bezeichnung: u.l. »Strempel«; verso o. (a.d. Trägerkarton) »Horst Strempel 1953 cm 68x53 Tempera Kat.Nr.Temp.36«

Datierung: 1953
Besitzer: Privatbesitz

(845) *Stilleben mit Zwiebelkorb** (T 36)
Tempera
60,0 x 45,0 cm
Datierung: 1953
Besitzer: unbekannt
Vgl. WVZ 844.

(846) *»Stilleben mit Farn«**
Tempera (?)
Datierung: 1953
Besitzer: unbekannt

(847) *Mädchenkopf** (T 204)
Tempera
68,0 x 48,0 cm
Datierung: 1954
Besitzer: unbekannt

(848) *Mädchenkopf** (T 50)
Tempera (Schabtechnik)
57,0 x 42,0 cm
Datierung: 1954
Besitzer: unbekannt
Keine Abbildung bekannt.- Laut Werkkatalog ist die Arbeit stark beschädigt.

(849) *»Mädchenkopf«* (Z 55)
Pastellkreide/Papier
60,0 x 45,0 cm
Bezeichnung: u.l. »Strempel 299«; verso »Pastell ‹Mädchenkopf› 1954 60x45 Nr.51«
Datierung: 1954

(850) *Mädchenkopf 5*
Pastellkreide, Kohle/Tapete
63,5 x 48,0 cm
Bezeichnung: u.l. »Strempel 1954«; verso u. Mitte »6. Mädchenkopf 5«
Datierung: 1954
Siehe die Kopie des Blattes WVZ 1251.

(851) *Mädchenkopf** (Z 32)
getönte Zeichnung
60,0 x 45,0 cm
Besitzer: unbekannt
Ausstellung: Berlin/W. 1955

(852) *Mädchenkopf*
farbige Kreide
65,5 x 50,0 cm
Datierung: 1954
Besitzer: unbekannt
Ausstellung: Berlin/W. 1978, Nr. 39
Keine Abbildung bekannt

(853) *»Frauenkopf en face und Männerkopf im Profil«*
Tempera/Karton
64,0 x 44,5 cm
Bezeichnung: u.l (im Bild) »Strempel 53«; u.r. »Strempel 54«
Datierung: 1954

(854) *Liegende Frau**
Pastellkreide/Papier
42,0 x 29,5 cm (sichtb.)
Bezeichnung: u.l.
Datierung: 1954*
Besitzer: Privatbesitz

(855) *»Biblische Szene«**
Tempera
29,0 x 13,0 cm

Bezeichnung: u.l. und u.Mitte datierte Widmung
Datierung: 1954
Besitzer: unbekannt

(856) *Eingang der Artisten (Skizze)**
Tempera (?)
Bezeichnung: Widmung und »Januar 1954. / Skizze zu / Eingang der Artisten. / H. Strempel«
Datierung: 1954
Besitzer: unbekannt

(857) *»Frauen im Raum«**
Tempera (?)
Bezeichnung: Mitte (im Bild) datierte Widmung
Datierung: 1954
Besitzer: unbekannt

(858) *»Paar auf einer Bank«**
Tempera (?)
13,0 x 29,0 cm
Bezeichnung: u.r. datierte Widmung
Datierung: 1954
Besitzer: unbekannt
Das Foto trägt auf der Rückseite folgenden, wahrscheinlich von Strempel selbstgeschriebenen Text: »mit verschiedenen Titeln dieselbe Größe: 29 x 13 von 1953–1956 ungefähr 150 Bilder«. Da der bei WVZ 855–858 angegebene Besitzer noch nicht erfaßt werden konnte, ist es es unklar, ob sämtliche 150 Bilder für eine Person geschaffen wurden.

(859) *Wilmersdorf**
Tempera
70,0 x 50,0 cm
Bezeichnung: u.l. »St. 54«
Datierung: 1954
Besitzer: unbekannt
Vgl. das Ölbild 1954 *Straße mit Bäumen* bzw. *Straße mit Figuren* (WVZ 341).

(860) *Straße in Charlottenburg*
Tempera
Bezeichnung: u.l. »H. Strempel / 54«
Datierung: 1954
Besitzer: unbekannt
Ausstellung: Berlin/W. 1955 (?)
Abbildung: Kurier, 15.1.1955 (Tempera)

(861) *Charlottenburg II* (T 45)
Tempera/Karton
63,5 x 51,5 cm
Bezeichnung: u.l. »H. Strempel 1954 / Strempel«; verso (aufgeklebtes Etikett) »Charl.II 1954 58x43 Nr.43«
Datierung: 1954

(862) *Halenseebrücke mit Funkturm**
(T 46)
Tempera
48,0 x 66,0 cm
Bezeichnung: u.l.
Datierung: 1954
Besitzer: unbekannt

(863) *Bahnübergang**
Tempera
Bezeichnung: u.l. »St. 54«
Datierung: 1954
Besitzer: unbekannt

(864) *Kurfürstendamm*
Tempera
Datierung: 1954
Besitzer: unbekannt
Ausstellung: Berlin/W. 1959/2, Nr. 60
Keine Abbildung bekannt.

(865) *Bäume I** (T 49)
Tempera
63,0 x 45,0 cm
Datierung: 1954
Besitzer: unbekannt

(866) *Sterbende Chrysanthemen**
Tempera
67,0 x 47,0 cm
Datierung: 1954
Besitzer: unbekannt

(867) *Rosa Blumen* (T 48)
Pastellkreide/Papier
37,0 x 55,0 cm
Bezeichnung: u.l. »Strempel 54«
Datierung: 1954
Besitzer: Privatbesitz

(868) »*Pfingstrosen*«
Tempera (?)
55,0 x 45,0 cm
Bezeichnung: u.l. »Strempel«
Datierung: um 1954 (?) (vgl. WVZ 867)
Besitzer: Privatbesitz

(869) *Stilleben mit schwarzem Krug und Schale I** (T 47)
Tempera
45,0 x 60,0 cm
Datierung: 1954
Besitzer: unbekannt

(870) *Stilleben mit schwarzem Krug und Schale II** (T 47a)
Tempera
45,0 x 60,0 cm
Datierung: 1954
Besitzer: unbekannt
Keine Abbildung bekannt.

(871) »*Männerkopf*«
Tempera/Karton
54,0 x 35,5 cm
Bezeichnung: u.l. »258«
Datierung: um 1955 (vgl. WVZ 872)

(872) *Porträt Villon (Studie)** (T 66)
Tempera (Schabtechnik)/Papier
48,0 x 27,0 cm
Bezeichnung: u.l.
Datierung: 1955
Besitzer: unbekannt

(873) »*Mädchen mit Pferdeschwanz*«
Tempera/Papier
63,5 x 44,5 cm
Bezeichnung: u.l. »Strempel 55«
Datierung: 1955
Besitzer: Privatbesitz

(874) »*Mädchen mit Pferdeschwanz*«
Tempera/Papier
66,0 x 48,0 cm (sichtb.)
Bezeichnung: u.l. »Strempel«
Datierung: 1955 (s.o.)
Besitzer: Privatbesitz
Die Blätter WVZ 873 und WVZ 874 sind fast identisch.

(875) *Mädchen vor dem Spiegel*
Tempera/Papier
66,0 x 49,5 cm
Bezeichnung: u.l. »Strempel 55«; u.l. (a.d. Passepartout) »›Mädchen vor dem Spiegel‹ Tempera 56 250.-«
Datierung: 1955
Besitzer: Privatbesitz

(876) »*Mädchen vor dem Spiegel*«
Tempera/Papier
57,0 x 41,0 cm (sichtb.)
Bezeichnung: u.l. »Strempel 55«
Datierung: 1955
Besitzer: Privatbesitz

(877) ***Fensterputzerin*** (T 61)
Tempera/Papier/Karton
79,5 x 60,0 cm
Bezeichnung: u.l. »Strempel«; verso o.l. »Nr.14 Fensterputzerin«; verso u.l. »Fensterputzerin Blatt 22 foto«; verso u.l. (a.d. Passepartout) »Tempera ‹Fensterputzerin› 1955 Nr.61«
Datierung: 1955
Ausstellungen: Berlin/W. 1955/2, Nr. 22; Hildesheim 1964, Nr. 52
Studie zum Gemälde WVZ 360.

(878) *Roter Akt I** (T 54)
Aquarell
45,0 x 60,0 cm
Datierung: 1955
Besitzer: unbekannt
Keine Abbildung bekannt.- Studie zur Radierung *Roter Akt* (WVZ 2514?).

(879) *Roter Akt II** (T 56)
Aquarell
38,0 x 57,0 cm
Datierung: 1955
Besitzer: unbekannt
Keine Abbildung bekannt.- Studie zur Radierung *Roter Akt* (WVZ 2514?).

(880) »***Liegender Rückenakt***«
Pastellkreide/Papier
49,0 x 66,0 cm
Bezeichnung: u.l. »H. Strempel 55«
Datierung: 1955
Besitzer: Privatbesitz
Ausstellung: Berlin/W. 1980/1, Nr. 27
Abbildung: Berlin/W. 1959/2, o.S.
Studie zum Gemälde WVZ 362.

(881) *Frau mit Kind*
Tempera
60,0 x 80,0 cm
Datierung: um 1953–1955
Besitzer: unbekannt
Ausstellung: Berlin/W. 1955/2, Nr. 13
Keine Abbildung bekannt.

(882) *Liebespaar** (T 195)
Tempera
54,0 x 66,0 cm
Datierung: 1955
Besitzer: unbekannt

(883) *Balkon** (T 59)
Tempera
77,0 x 58,0 cm
Datierung: 1955
Besitzer: unbekannt
Keine Abbildung bekannt.

(884) *Schöneberg, Naumannstraße**
Tempera
50,0 x 70,0 cm
Bezeichnung: u.l. »Strempel 55«
Datierung: 1955
Besitzer: unbekannt

(885) *Am Bahnhof Westend* (T 53)
Tempera/Karton
50,0 x 66,0 cm
Bezeichnung: u.l. »Strempel 55 / 259«; verso o.l. »Am Bahnof Westend 1955 49x65 Nr.53«
Datierung: 1955

(886) »*Halenseebrücke*«
Tempera oder Gouache (?)
Datierung: um 1955
Besitzer: unbekannt
Ausstellung: Berlin/W. 1978, Nr. 43 (?)

(887) *Charlottenburg, Knobelsdorffstraße*
Tempera
Datierung: 1955
Besitzer: unbekannt
Ausstellung: Berlin/W. 1959/3, Nr. 62
Keine Abbildung bekannt.

(888) *Landschaft Schöneberg*
Tempera
Datierung: 1955
Besitzer: unbekannt
Ausstellung: Berlin/W. 1959/3, Nr. 61
Keine Abbildung bekannt.

(889) *Berlin-Schöneberg, Hewaldstraße** (T 65)
Tempera
79,0 x 55,0 cm
Datierung: 1955
Besitzer: unbekannt

(890) *Charlottenburg, Pestalozzistraße*
Tempera, Kohle/Papier
70,0 x 50,0 cm
Bezeichnung: u.l. »H. Strempel 55 / Pestalozistr. Charl.«
Datierung: 1955
Besitzer: Privatbesitz

(891) *Stilleben mit schwarzen Krügen** (T 58)
Tempera
39,0 x 65,0 cm
Datierung: 1955
Besitzer: unbekannt

(892) *Stilleben mit schwarzem Krug* (T 62)
Tempera/Papier
54,0 x 37,0 cm
Bezeichnung: u.l. »Strempel«; verso »Horst Strempel 1955, Tempera 70x50, ‹Stilleben mit schwarzem Krug› Kat.Nr.62«
Datierung: 1955

(893) *Stilleben mit schwarzem Krug* (T 57)
Pastellkreide/Papier
45,0 x 58,0 cm (49,0 x 62,5 cm)
Bezeichnung: u.l. »Strempel 1955«; verso »Strempel Stilleben mit schwarzem Krug 1955 / 49x62 Nr.57«
Datierung: 1955

(894) *Stilleben mit grüner Flasche*
(T 52)
Tempera
55,0 x 69,0 cm
Bezeichnung: u.l. »Strempel 55«
Datierung: 1955
Besitzer: Privatbesitz

(895) *Stilleben mit Krügen**
Tempera
75,0 x 56,0 cm
Datierung: 1955
Besitzer: unbekannt

(896) *Stilleben mit Torso**
Tempera
70,0 x 60,0 cm
Bezeichnung: u.l. »Strempel 55.«
Datierung: 1955
Besitzer: unbekannt

(897) *»Sonnenblumen«*
Tempera, Pastell/Papier
50,0 x 44,0 cm
Bezeichnung: u.l. »Strempel 55«
Datierung: 1955
Besitzer: Privatbesitz

(898) *Stilleben mit Blumen** (T 60)
Tempera (Schabtechnik)
57,0 x 45,0 cm
Bezeichnung: u.l. »Strempel 55«
Datierung: 1955
Besitzer: unbekannt

(899) *»Mädchenkopf mit blauem Tuch«*
Tempera/Papier
58,0 x 44,0 cm (sichtb.)
Bezeichnung: u.l. »Strempel«
Datierung: um 1956
Besitzer: Privatbesitz
Zur Datierung vgl. *Mädchenkopf* aus der
Mappe *Mädchen im Atelier* (WVZ 2524).

(900) *Mädchenkopf auf blauem Grund*
Aquarell
62,0 x 50,0 cm
Bezeichnung: u.l. »Strempel 56«
Datierung: 1956
Besitzer: unbekannt
Ausstellung: Berlin/W. 1978, Nr. 48
Abbildung: Berlin/W. 1978, o.S.

(901) *»Porträt Lilli Palmer«*
Pastellkreide/Papier
43,0 x 32,0 cm (62,0 x 49,0 cm)
Datierung: um 1956
Zur Datierung vgl. die Porträts von 1956
(WVZ 386–388).

(902) *Mädchenkopf (Studie)** (T 73)
Pastellkreide
46,0 x 42,0 cm
Datierung: 1956 (1959*)
Besitzer: unbekannt

(903) *Mädchen am Tisch* (T 71)
Tempera/Papier
50,0 x 66,0 cm
Bezeichnung: u.r. »Strempel«
Datierung: 1956
Ausstellung: Erlangen 1964
Abbildung: Erlanger Volksbl., 11.9.1964

(904) *»Weiblicher Akt am Fenster«*
Tempera/Papier

Datierung: um 1956 (?)
Besitzer: Privatbesitz

(905) *»Weiblicher Akt mit Tuch«*
Pastellkreide/Papier
62,2 x 37,8 cm
Bezeichnung: u.l. »H. Strempel 56«
Datierung: 1956
Besitzer: Privatbesitz

(906) *Sitzender Akt in Blau**
Aussprengtechnik
60,0 x 43,0 cm
Datierung: 1956
Besitzer: unbekannt

(907) *Rückenakt** (T 78)
Pastellkreide
63,0 x 31,0 cm
Datierung: 1956
Besitzer: unbekannt
Ausstellung: Berlin/W. 1978, Nr. 50

(908) *Don Quichote und Sancho Pansa*
getönte Zeichnung
Datierung: 1956
Besitzer: unbekannt
Ausstellung: Berlin/W. 1961/3, Nr. 42
Keine Abbildung bekannt.

(909) *Zwei Mädchen am Tisch** (T 72)
Tempera
55,0 x 42,0 cm
Datierung: 1956
Besitzer: unbekannt
Ausstellung: Berlin/W. 1959/2, Nr. 67

(910) *»Paar«*
Tempera
64,0 x 41,0 cm
Bezeichnung: u.l. »H. Strempel 56«
Datierung: 1956
Besitzer: Privatbesitz

(911) *»Häusergruppe mit Wäsche«*
Deckfarben
51,0 x 71,0 cm
Bezeichnung: u.l. »Strempel«
Datierung: um 1956
Besitzer: Wuppertal, Von der Heydt-Mus.,
Inv.Nr. KK 1956/164
Die Datierung wurde vom Besitzer vorge-
geben. Vgl. auch WVZ 373.

(912) *Aquarium **
Tempera
17,0 x 12,0 cm
Datierung: 1956
Besitzer: unbekannt
Keine Abbildung bekannt.

(913) *Stilleben mit Blume** (T 67)
Tempera
66,0 x 92,0 cm
Datierung: 1956
Besitzer: unbekannt
Keine Abbildung bekannt.

(914) *Stilleben mit Äpfeln** (T 76)
Aquarell
35,0 x 47,0 cm
Datierung: 1956
Besitzer: unbekannt

(915) *Stilleben mit Birnen** (T 70)
Tempera

43,0 x 56,0 cm
Datierung: 1956
Besitzer: unbekannt

(916) *Stilleben mit Früchten** (T 74)
Tempera
65,0 x 47,0 cm
Datierung: 1956
Besitzer: unbekannt

(917) *Netz mit Früchten* (T 74a)
Tempera/Karton
66,0 x 50,0 cm
Bezeichnung: u.r. »Strempel 56«; verso o.l.
»‹Netz mit Früchten› Kat.Nr.74a Tempera«
Datierung: 1956

(918) *Stilleben mit Schale** (T 75)
Pastellkreide
29,0 x 44,0 cm
Datierung: 1956
Besitzer: unbekannt
Keine Abbildung bekannt.

(919) *Stilleben mit Zitronen** (T 77)
Pastellkreide
37,0 x 53,0 cm
Datierung: 1956
Besitzer: unbekannt

(920) *Kleine Blume** (T 68)
Tempera
58,0 x 37,0 cm
Datierung: 1956
Besitzer: unbekannt

(921) *Rote Tulpen** (T 69)
Aquarell
50,0 x 63,0 cm
Datierung: 1956
Besitzer: unbekannt

(922) *Mädchenkopf mit Tuch* (T 89)
Aquarell und Pastellkreide/Papier
55,5 x 37,5 cm
Bezeichnung: u.r. »Strempel 57«; verso
(aufgeklebtes Etikett) »1957 Mädchenkopf
mit Tuch 55x37 Nr.89«
Datierung: 1957

(923) *Mädchenkopf mit Tuch* (Z 52)
Bister, aquarelliert/Papier
55,0 x 38,0 cm
Bezeichnung: u.l. »Strempel 57«; verso o.l.
(aufgeklebtes Etikett) »Mädchenkopf mit
Tuch 1957 55x38cm Bister aquarelliert
Nr.52«
Datierung: 1957

(924) *Mädchenkopf*
Tempera
38,0 x 52,0 cm (52,0 x 38,0 cm?)
Datierung: 1957
Besitzer: unbekannt
Ausstellung: Berlin/W. 1959/2, Nr. 92
Keine Abbildung bekannt.

(925) *Mädchenkopf**
Pastellkreide
60,0 x 50,0 cm
Bezeichnung: u.l. »Strempel 57«
Datierung: 1957
Besitzer: unbekannt

(926) *Porträt K. Kaiser** (T 90)
Pastellkreide
51,0 x 35,0 cm
Datierung: 1957
Besitzer: unbekannt

(927) *Porträt K. Kaiser**
Pastellkreide
Datierung: 1957
Besitzer: unbekannt

(928) *Porträt Käthe Braun (Studie)* (T 87?)
Tempera, Pastellkreide/Karton
96,0 x 58,0 cm
Bezeichnung: u.l. »96x58 Studie zu Käthe
Braun 1957 Nr.87«
Datierung: 1957

(929) *Käthe Braun als Nora (Studie)*
Pastellkreide
50,0 x 90,0 cm (90,0 x 50,0 cm?)
Datierung: 1957
Besitzer: unbekannt
Ausstellung: Berlin/W. 1959/2, Nr. 52
Keine Abbildung bekannt.

(930) *»Mädchen am Fenster«*
Tempera/Papier
98,0 x 53,0 cm
Bezeichnung: u.l. »Strempel 57«
Datierung: 1957
Besitzer: Privatbesitz

(931) *Mädchen mit Tulpen**
Tempera
Datierung: 1957
Besitzer: unbekannt

(932) *»Frau auf einem Balkon sitzend«*
Tempera/Papier
72,0 x 53,5 cm (sichtb.)
Bezeichnung: u.l. »Strempel 57«
Datierung: 1957
Besitzer: Privatbesitz

(933) *Mädchen mit Sonnenblume*
Tempera
54,0 x 71,0 cm (71,0 x 54,0 cm?)
Datierung: 1957
Besitzer: unbekannt
Ausstellung: Berlin/W. 1959/2, Nr. 93
Keine Abbildung bekannt.

(934) *Mädchen am Spiegel*
Tempera
55,0 x 78,0 cm (78,0 cm x 55,0 cm?)
Datierung: 1957
Besitzer: unbekannt
Ausstellung: Berlin/W. 1959/2, Nr. 66
Keine Abbildung bekannt.

(935) *Badende** (T 79)
Aquarell
38,0 x 58,0 cm
Datierung: 1957
Besitzer: unbekannt

(936) *Mädchen am Strand*
Pastellkreide
Datierung: 1957
Besitzer: unbekannt
Ausstellung: Berlin/W. 1961/3, Nr. 8
Abbildung: Berlin/W. 1961/3, o.S.

(937) *Rückenakt**
Aquarell/Papier

40,5 x 57,5 cm
Bezeichnung: u.l. (im Bild) »Strempel
1957«
Datierung: 1957

(938) *Rückenakt*
Pastellkreide
30,0 x 64,0 cm
Datierung: 1957
Besitzer: unbekannt
Keine Abbildung bekannt.

(939) *Stehender Rückenakt**
Pastellkreide
49,0 x 23,0 cm
Datierung: 1957
Besitzer: unbekannt
Keine Abbildung bekannt.

(940) *Stehender Akt**
Pastellkreide
Bezeichnung: u.l. »Strempel 57«
Datierung: 1957
Besitzer: unbekannt

(941) *Liegendes Mädchen mit rotem Tuch**
(T 83)
Tempera
59,0 x 79,0 cm
Datierung: 1957
Besitzer: unbekannt
Ausstellung: Prag 1971
Keine Abbildung bekannt.

(942) *Liegender Akt I**
Aquarell
46,0 x 60,0 cm
Datierung: 1957
Besitzer: unbekannt
Ausstellung: Berlin/W. 1978, Nr. 53 (?)

(943) *Mädchen vor dem Spiegel*
Wachskreide, Gouache/Karton
60,0 x 43,0 cm (Blattgröße 62,5 x 48,0 cm)
Bezeichnung: u.l. »Mädchen vor dem Spiegel G2 60x43 1957. 53«; verso »2 Mädchen
vor dem Spiegel 1957 60x43«
Datierung: 1957

(944) *»Zwei Mädchen vor dem Spiegel«*
Tempera/bräunlichem Papier
59,2 x 46,8 cm
Bezeichnung: u.l. »Strempel«
Datierung: um 1957 (vgl. WVZ 943)
Besitzer: Privatbesitz

(945) *Zwei Mädchen** (T 80)
Tempera
74,0 x 55,0 cm
Datierung: 1957
Besitzer: unbekannt
Keine Abbildung bekannt.

(946) *Geständnis in tiefer Nacht*
Tempera
76,0 x 55,0 cm
Datierung: 1957
Besitzer: unbekannt
Ausstellung; Berlin/W. 1959/2, Nr. 62

(947) *Das Paar (Geständnis in tiefer
Nacht)**
Aquarell oder Tempera (?)
Bezeichnung: u.l. »Strempel«
Datierung: um 1957 (siehe WVZ 946)
Besitzer: unbekannt

Laut Werkkatalog handelt es sich um eine
Studie zu *Geständnis in tiefer Nacht*, wahrscheinlich WVZ 946.

(948) *Zwei Naturen*
Tempera
Datierung: 1957
Besitzer: unbekannt
Ausstellung: Berlin/W. 1959/2, Nr. 74
Keine Abbildung bekannt.

(949) *Kinder auf der Straße**
Aquarell
79,0 x 57,0 cm
Datierung: 1957
Besitzer: unbekannt

(950) *Straße in Charlottenburg*
Tempera/Karton
77,0 x 55,0 cm
Bezeichnung: u.l. »Strempel 57«; verso o.l.
»Straße in Charlottenbg. Nr.207«
Datierung: 1957

(951) *Fassaden in Berlin** (T 93)
getönte Zeichnung
64,0 x 48,0 cm
Bezeichnung: u.l. »Strempel 57«
Datierung: 1957
Besitzer: unbekannt

(952) *Berliner Stadtansicht**
Pastell
ca. 70,0 x 50,0 cm
Datierung: 1957
Besitzer: unbekannt

(953) *Berliner Stadtansicht** *(mit zwei
Figuren)*
Tempera
ca. 70,0 x 50,0 cm
Bezeichnung: u.l. »Strempel 57.«
Datierung: 1957
Besitzer: unbekannt

(954) *Berliner Stadtansicht** *(mit Litfaß-
säule)*
Tempera
ca. 70,0 x 50,0 cm
Datierung: 1957
Besitzer: unbekannt

(955) *Berliner Stadtansicht**
Tempera
ca. 70,0 x 50,0 cm
Datierung: 1957
Besitzer: unbekannt

(956) *»Berliner Stadtansicht«**
Tempera (?)
Bezeichnung: u.l. »H. Strempel 57«
Datierung: 1957
Besitzer: unbekannt

(957) *»Berliner Stadtansicht mit Wäsche-
leine«**
Tempera (?)
Bezeichnung: u.l. »Strempel«
Datierung: um 1957
Besitzer: unbekannt

(958) *Charlottenburg, Schloßbrücke**
Tempera
50,0 x 70,0 cm
Datierung: um 1957 (?)
Besitzer: unbekannt

(959) *Berliner Landschaft* * (T 82)
Aquarell
55,0 x 38,0 cm
Datierung: 1957
Besitzer: unbekannt

(960) *Berliner Landschaft*
Pastellkreide, Kohle, teilweise aquarelliert/
Papier
55,0 x 38,0 cm
Bezeichnung: u.r. »Strempel 57«; verso o.l.
»Berliner Landschaft 1957 55x38cm«
Datierung: 1957

(961) *Berlin-Charlottenburg*
Tempera
Datierung: 1957
Besitzer: unbekannt
Ausstellung: Berlin/W. 1959/2, Nr. 64
Keine Abbildung bekannt.

(962) *Im Harz* *
Pastellkreide
60,0 x 75,0 cm
Bezeichnung: u.l. »Strempel 57«
Datierung: 1957
Besitzer: unbekannt

(963) *Herbstbaum* *
Tempera
41,0 x 58,0 cm
Datierung: 1958
Besitzer: unbekannt
Keine Abbildung bekannt.

(964) *Bäume vor rotem Grund* * (T 140)
Tempera
63,0 x 38,0 cm
Bezeichnung: u.l. »Strempel 57«
Datierung: 1957 (1964*)
Besitzer: unbekannt
Nach einer Notiz Strempels handelt es sich
um eine Studie zu einem Siebdruck.

(965) »*Rote Bäume*«
Tempera/Papier
58,0 x 44,0 cm
Bezeichnung: u.l. »Strempel«
Datierung: um 1957 (vgl. WVZ 969)
Besitzer: Privatbesitz

(966) *Rote Bäume I* (T 85a)
Tempera/Papier
78,0 x 57,0 cm*
Bezeichnung: u.l. »Strempel 57«
Datierung: 1957
Besitzer: Berlin, Kunstamt Charlotten-
burg, Graphothek

(967) »*Bäume*«
Tempera
Bezeichnung: u.l. »Strempel«
Datierung: um 1957 (vgl. WVZ 966)
Besitzer: Privatbesitz

(968) »*Bäume mit roter Sonne*«
Tempera/Papier
Datierung: um 1957
Besitzer: Berlin, Kunstamt Charlotten-
burg, Graphothek

(969) *Rote Bäume I* *
Pastellkreide
78,0 x 57,0 cm
Datierung: 1957 (?)
Besitzer: unbekannt

Keine Abbildung bekannt.

(970) *Rote Bäume II* *
Pastellkreide
74,0 x 58,0 cm
Datierung: 1957
Besitzer: unbekannt
Keine Abbildung bekannt.

(971) *Stilleben mit Torso*
Tempera/Papier
68,8 x 49,5 cm
Bezeichnung: u.l. »Strempel 57«
Datierung: 1957
Besitzer: Regensburg, Ostdt. Gal., Inv.Nr.
940
Ausstellungen: Berlin/W. 1961/3, Nr. 27;
Hildesheim 1964, Nr. 59

(972) »*Plastik vor einem Spiegel*«
Tempera/Papier
ca. 69,0 x 50,0 cm
Bezeichnung: u.l. »Strempel 57«
Datierung: 1957
Besitzer: Privatbesitz

(973) *Stilleben mit roter und grüner Flasche*
Tempera
70,0 x 56,0 cm
Datierung: 1957
Besitzer: unbekannt
Ausstellung: Berlin/W. 1959/2, Nr. 69
Keine Abbildung bekannt.

(974) *Stilleben mit schwarzem Krug*
Pastellkreide
55,0 x 40,0 cm
Datierung: 1957
Besitzer: unbekannt
Ausstellung: Berlin/W. 1959/2, Nr. 87
Keine Abbildung bekannt.

(975) *Stilleben mit Geranie* * (T 88)
Pastellkreide
60,0 x 45,0 cm
Datierung: 1957
Besitzer: unbekannt
Keine Abbildung bekannt.- Nach Angaben
im Werkkatalog ist das Pastell eine Studie
zu einem gleichnamigen Ölbild.

(976) *Mädchenkopf* * (T 91)
Aquarell
55,0 x 38,0 cm
Datierung: 1958
Besitzer: unbekannt
Keine Abbildung bekannt.

(977) »*Mädchenkopf*«
Tempera/Karton
54,0 x 38,0 cm
Bezeichnung: u.l. »Strempel«
Datierung: um 1958 (vgl. WVZ 973)
Besitzer: Privatbesitz

(978) »*Porträt Lilli Palmer*«
Pastellkreide/Papier
63,0 x 49,0 cm
Bezeichnung: u.r. »Strempel 1958«; darun-
ter ein Autogramm von L.P.
Datierung: 1958
Literatur: Film und Frau, 10, 1958, H. 12.
o.S.
Abbildungen: Film und Frau, 10, 1958, H.
12, o.S.; Heyer 1965, 5

(979) *Käthe Braun als Nora (Studie)*
Pastellkreide/Papier
70,0 x 50,0 cm
Datierung: 1958*
Besitzer: Privatbesitz

(980) *Käthe Braun als Nora (Studie)*
Pastellkreide/Papier
65,0 x 50,0 cm
Datierung: 1958*
Besitzer: Privatbesitz

(981) *Porträtstudie Christine* (Z 64)
Pastellkreide
57,0 x 39,0 cm
Bezeichnung: u.r. »St. 1958«
Datierung: 1958
Besitzer: unbekannt
Ausstellung: Berlin/W. 1978, Nr. 57
Abbildung: Berlin/W. 1978, Titelseite

(982) *Sitzende am Tisch*
Pastellkreide
69,0 x 51,0 cm
Datierung: 1958
Besitzer: unbekannt
Ausstellung: Berlin/W. 1959/2, Nr. 100
Keine Abbildung bekannt.

(983) *Mädchen am Fenster* * (T 98)
Pastellkreide
78,0 x 57,0 cm
Datierung: 1958
Besitzer: unbekannt
Keine Abbildung bekannt.

(984) *Frau im Raum (Studie)* *
Tempera oder Gouache
Bezeichnung: u.l. »Strempel 58? »
Datierung: um 1958
Besitzer: unbekannt

(985) »*Stehender weiblicher Akt im Profil
(Hilde Brust)*«
Tempera/Karton
73,0 x 52,5 cm
Bezeichnung: u.l. »Strempel 1958«
Datierung: 1958

(986) *Stehender Akt (H.B.)* * (T 96)
Aquarell
92,0 x 51,0 cm
Datierung: 1958
Besitzer: unbekannt
Keine Abbildung bekannt.

(987) *Mädchen mit Strümpfen* *
Tempera
60,0 x 80,0 cm
Datierung: 1958
Besitzer: unbekannt
Keine Abbildung bekannt.

(988) *Mädchen* *
Tempera
93,0 x 38,0 cm
Datierung: 1958
Besitzer: unbekannt
Keine Abbildung bekannt.

(989) *Mädchen am Strand (Studie)* *
Tempera
60,0 x 80,0 cm
Datierung: 1958
Besitzer: unbekannt
Keine Abbildung bekannt.

(990) *Mannequins** (T 95)
Tempera
80,0 x 56,0 cm
Datierung: 1958
Besitzer: unbekannt
Keine Abbildung bekannt.

(991) *Liegende (Figuren im Raum)* (T 98a)
Tempera/Karton
48,0 x 60,0 cm
Bezeichnung: u.l. »Strempel 1958«; verso
o.l. »Horst Strempel ‹Liegende› 1958;
Kat.Nr.98a cm48x60«
Datierung: 1958
Ausstellung: Berlin/W. 1978, Nr. 56

(992) *Zwei Mädchen am Meer**
Tempera
57,0 x 76,0 cm
Datierung: 1958
Besitzer: unbekannt

(993) *Fassaden in Berlin I* (T 92a)
Tempera/Papier
73,0 x 53,0 cm
Bezeichnung: u.l. »Strempel 58 / Strempel«; verso o.l. »Fassaden in Berlin 1958
71x53 Nr.92a«; verso u.r. »Charl. Riehlstr.«
Datierung: 1958

(994) *Fassaden in Berlin II** (T 93)
Tempera
64,0 x 48,0 cm
Datierung: 1958
Besitzer: unbekannt

(995) *Schloß Charlottenburg**
Tempera
50,0 x 70,0 cm
Datierung: 1958
Besitzer: unbekannt

(996) *Schloß Charlottenburg**
Pastellkreide
70,0 x 50,0 cm
Datierung: 1958
Besitzer: unbekannt

(997) *U-Bahnhof Berlin** (T 97)
Tempera
41,0 x 54,0 cm
Datierung: 1958
Besitzer: unbekannt
Keine Abbildung bekannt.

(998) *Berlin-Schöneberg, Naumannstraße*
Tempera
Datierung: 1958
Besitzer: Privatbesitz

(999) *Landschaft in Berlin*
Aquarell
39,0 x 58,0 cm
Datierung: 1958
Besitzer: unbekannt
Keine Abbildung bekannt.

(1000) *Das Schiff**
Tempera, geschliffen
30,0 x 40,0 cm
Datierung: 1958
Besitzer: unbekannt
Im Werkkatalog befindet sich unter der
Nummer T 186 das gleiche Foto unter dem
Titel *Das Boot*, datiert 1968.

(1001) *Lesbos*
Tempera
54,0 x 75,0 cm
Datierung: 1958
Besitzer: unbekannt
Ausstellung: Berlin/W. 1959/2, Nr. 108
Keine Abbildung bekannt.

(1002) *Stilleben mit Plastik (Stilleben mit
Torso und Spiegel)* (T 92)
Tempera/Karton
73,0 x 52,0 cm
Bezeichnung: u.l. »Strempel 1958«; verso
u.l. »‹Stilleben mit Plastik› 314«
Datierung: 1958

(1003) *Stilleben mit Plastik und Tüchern**
Tempera
70,0 x 50,0 cm
Datierung: 1958
Besitzer: unbekannt
Vgl. das Ölbild *Stilleben mit Plastik und
Tüchern* 1959 (WVZ 496).

(1004) *Stilleben mit braunem Topf**
Tempera
55,0 x 75,0 cm
Datierung: 1958
Besitzer: unbekannt

(1005) *Stilleben mit Flaschen**
Tempera
50,0 x 70,0 cm
Bezeichnung: u.l. »Strempel«
Datierung: 1958
Besitzer: unbekannt

(1006) *Mohnblumen**
Aquarell
50,0 x 60,0 cm
Datierung: 1958
Besitzer: unbekannt
Keine Abbildung bekannt.

(1007) *Chrysanthemen**
Aquarell
65,0 x 50,0 cm
Datierung: 1958
Besitzer: unbekannt
Keine Abbildung bekannt.

(1008) »*Weiblicher Kopf*«
Tempera/Karton
59,5 x 41,5 cm
Datierung: 1959
Plakatentwurf für die Personalausstellung
in Berlin, Haus am Lützowplatz 1959.

(1009) »*Weiblicher Kopf*«
Tempera/Karton
44,0 x 40,0 cm
Datierung: 1959
Plakatentwurf für die Personalausstellung
in Berlin, Haus am Lützowplatz 1959.

(1010) »*Weiblicher Kopf*«
Tempera/Karton
50,0 x 43,0 cm
Datierung: 1959
Besitzer: unbekannt
Plakatentwurf für die Personalausstellung
in Berlin, Haus am Lützowplatz 1959.

(1011) »*Weiblicher Kopf*«
Kohle, Tempera/Karton
58,5 x 48,0 cm

Bezeichnung: u.l. »Strempel 59«
Datierung: 1959
Plakatentwurf für die Personalausstellung
in Berlin, Haus am Lützowplatz 1959.

(1012) *Mädchen im Trikot II** (T 100)
Tempera
85,0 x 56,0 cm
Bezeichnung: u.l. »Strempel. 59.«
Datierung: 1959
Besitzer: unbekannt

(1013) *Mädchen mit Sonnenblume**
Tempera
Datierung: 1959
Besitzer: unbekannt
Studie zum Ölbild von 1959 (WVZ 488).

(1014) *Spiegelbild**
Tempera
88,0 x 50,0 cm
Datierung: 1959
Besitzer: unbekannt
Keine Abbildung bekannt.

(1015) *Sitzender Akt**
Aquarell
Datierung: 1959
Besitzer: unbekannt

(1016) *Sitzende*
Tempera
Datierung: 1959
Besitzer: unbekannt
Ausstellung: Berlin/W. 1961/3, Nr. 18
Keine Abbildung bekannt.

(1017) *Dunkle Straße* (T 99)
Tempera/Papier
54,5 x 41,5 cm
Bezeichnung: u.l. »Horst Strempel 1959«;
verso o.l. »Horst Strempel Dunkle Straße
1959 54x41 Tempera Nr.99«
Datierung: 1959

(1018) *Kirche im Morgenlicht**
Aquarell
48,0 x 62,0 cm
Datierung: 1959
Besitzer: unbekannt
Keine Abbildung bekannt.

(1019) *Zonengrenze Berlin 1959*
Tempera
Datierung: 1959
Besitzer: unbekannt
Ausstellung: Berlin/W. 1961/3, Nr. 12
Keine Abbildung bekannt.

(1020) *Am Lützowplatz*
Tempera
Datierung: 1959
Besitzer: unbekannt
Ausstellung: Berlin/W. 1961/3, Nr. 36
Keine Abbildung bekannt.

(1021) *Haus mit rotem Dach*
Tempera
Datierung: 1959
Besitzer: unbekannt
Ausstellung: Berlin/W. 1961/3, Nr. 40
Keine Abbildung bekannt.

(1022) »*Stilleben mit Obstschale*«
Aquarell/Papier
36,0 x 49,0 cm (sichtb.)

Bezeichnung: u.l. »Strempel 59«
Datierung: 1959
Besitzer: Privatbesitz

(1023) »Stilleben mit Blattpflanze«*
Tempera
90,0 x 70,0 cm
Bezeichnung: u.l. »Strempel 59«
Datierung: 1959
Besitzer: unbekannt

(1024) Stilleben mit Krug
Tempera
Datierung: 1959
Besitzer: unbekannt
Ausstellung: Berlin/W. 1961/3, Nr. 38
Keine Abbildung bekannt.

(1025) Stilleben mit Torso
Tempera
Datierung: 1959
Besitzer: unbekannt
Ausstellung: Berlin/W. 1961/3, Nr. 27
Keine Abbildung bekannt.

(1026) Porträt Hennig I* (T 102)
Aquarell
48,0 x 35,0 cm
Datierung: 1960
Besitzer: unbekannt
Studie zum Porträt 1964 (WVZ 550/551).

(1027) »Porträt Hennig«*
Aquarell (?)
Datierung: um 1960 (vgl. WVZ 1023)
Besitzer: unbekannt
Studie zum Porträt 1964 (WVZ 550/551).

(1028) »Porträt eines Mädchens im Profil«
Pastellkreide/Papier
41,0 x 31,0 cm
Bezeichnung: u.l. H. Strempel 1960«
Datierung: 1960
Besitzer: Privatbesitz

(1029) Mädchen mit rotem Kopftuch* (T 120)
Pastellkreide
56,0 x 39,0 cm
Bezeichnung: u.l. unleserlich
Datierung: 1960
Besitzer: unbekannt

(1030) Mädchen im Trikot I* (T 108)
Tempera
82,0 x 55,0 cm
Bezeichnung: u.r. unleserlich
Datierung: 1960
Besitzer: unbekannt
Ausstellungen: Berlin/W. 1963, Nr. 44 (?);
Hildesheim 1964, Nr. 64 (?)

(1031) Mädchen vor dem Spiegel*
Tempera
59,0 x 45,0 cm
Datierung: 1960
Besitzer: unbekannt
Keine Abbildung bekannt.

(1032) »Mädchenakt«
Tempera
108,0 x 57,0 cm
Bezeichnung: u.l. »H. Strempel 1960«
Datierung: 1960
Besitzer: Privatbesitz

(1033) Mädchen mit Blumen im Haar*
Tempera
80,0 x 55,0 cm
Datierung: 1960
Besitzer: unbekannt
Keine Abbildung bekannt.

(1034) Mädchen am Fenster* (T 113)
Tempera
53,0 x 73,0 cm
Datierung: 1960
Besitzer: unbekannt
Keine Abbildung bekannt.

(1035) Mädchen am Tisch (T 118)
Pastellkreide/Karton
53,5 x 72,5 cm
Bezeichnung: u.l. »Strempel«
Datierung: 1960*

(1036) Mädchen in der Landschaft* (T 209)
Tempera
65,0 x 50,0 cm
Datierung: 1960
Besitzer: unbekannt
Keine Abbildung bekannt.

(1037) Sitzendes Mädchen blau-rot*
Pastellkreide
58,0 x 44,0 cm
Datierung: 1960
Besitzer: unbekannt

(1038) »Rückenakt mit Stuhl«
Tempera/Papier/Spanplatte
68,0 x 39,0 cm
Bezeichnung: u. Mitte »Strempel«
Datierung: um 1960
Studie zum Siebdruck WVZ 2597.

(1039) Rückenakt*
Pastellkreide
53,0 x 73,0 xm
Datierung: 1960
Besitzer: unbekannt
Keine Abbildung bekannt.

(1040) Mädchenakt
Pastellkreide/Karton
53,5 x 72,5 cm
Bezeichnung: u.l. »Strempel«
Datierung: 1960*

(1041) Stehender Akt* (T 117)
Tempera
60,0 x 32,0 cm
Bezeichnung: u.l. »Strempel«
Datierung: 1960
Besitzer: unbekannt

(1042) Stehendes Mädchen am Fenster*
(T 104)
Tempera
83,0 x 60,0 cm
Datierung: 1960
Besitzer: unbekannt
Keine Abbildung bekannt.

(1043) Stehendes Mädchen mit blauem
Tuch* (T 101)
Tempera
110,0 x 61,0 cm
Datierung: 1960
Besitzer: unbekannt
Keine Abbildung bekannt.

(1044) »Mädchenakt vor einem Spiegel«*
Tempera (?)
Datierung: um 1960 (?)
Besitzer: unbekannt

(1045) Liegender Akt mit Tuch
Pastellkreide/Papier, mit Sand grundiert
57,0 x 72,0 cm
Bezeichnung: u.r. »Strempel«; verso o.l.
»1960 Liegender Akt mit Tuch Pastell / Pastell 57x72cm Nr.16«
Datierung: 1960
Vgl. Olympia 1965 (WVZ 577).

(1046) Die Nacht (Das Paar) (T 111)
Tempera/Papier/Spanplatte
59,0 x 81,0 cm
Bezeichnung: u.l. »Strempel 360«; verso
»Nr.111, 1960. Die Nacht Tempera 56x79«
Datierung: 1960

(1047) Turm der Frauen*
Tempera
Bezeichnung: u.l. »Strempel 60«
Datierung: 1960
Besitzer: unbekannt
Im Ausst.Kat. Berlin/W. 1961 (Nr. 28—30)
wurden drei Varianten dieser Thematik gezeigt.- Vgl. die Tempera-Arbeit (WVZ 511)
und den Siebdruck (WVZ 2?99).

(1048) Turm der Frauen * (T 106)
Tempera
87,0 x 57,0 cm
Datierung: 1960
Besitzer: unbekannt
Keine Abbildung bekannt.- Vgl. WVZ 1047.

(1049) Sportler
Tempera/Karton
56,0 x 59,0 cm (Blattgröße 62,0 x 62,0 cm)
Bezeichnung: u.l. »Strempel Skizze 295cm
x 280cm«; verso u.l. »höchstens Lothputz
-24«
Datierung: um 1963
Entwurf zum Wandbild (WVZ 9).- Siehe
auch die Kohlezeichnung (WVZ 2282).

(1050) Rotes Dach* (T 107)
Aquarell
58,0 x 39,0 cm
Datierung: 1960
Besitzer: unbekannt
Keine Abbildung bekannt.

(1051) »Landschaft«
Tempera/Papier
76,0 x 55,0 cm (sichtb.)
Bezeichnung: u.l. »Strempel 60«
Datierung: 1960
Besitzer: Privatbesitz

(1052) Charlottenburg Schloßbrücke*
(T 103)
Tempera
51,0 x 70,0 cm
Bezeichnung: u.l.
Datierung: 1960
Besitzer: unbekannt
Das Entstehungsdatum ist auf der Werkfotografie nicht klar zu entziffern, möglicherweise könnte 1957 gemeint sein.

(1053) Häuser in Charlottenburg* (T 105)
Tempera
74,0 x 53,0 cm

Bezeichnung: u.r. »Strempel«
Datierung: 1960
Besitzer: unbekannt

(1054) *Bäume** (T 119)
Aquarell, Pastellkreide
60,0 x 48,0 cm
Datierung: 1960
Besitzer: unbekannt

(1055) *St. Chapelle**
Aquarell
Datierung: 1960
Besitzer: unbekannt
Keine Abbildung bekannt.

(1056) *Pariser Park I** (T 114)
Tempera
60,0 x 45,0 cm
Datierung: 1960
Besitzer: unbekannt
Ausstellung: Hildesheim 1964, Nr. 62 (?)
Vgl. auch WVZ 325.

(1057) *Île St. Louis Paris*
Tempera
Datierung: 1960
Besitzer: unbekannt
Ausstellung: Berlin/W. 1961/3, Nr. 23
Keine Abbildung bekannt.

(1058) *Kastanienblüten** (T 112)
Tempera
75,0 x 51,0 cm
Datierung: 1960
Besitzer: unbekannt
Keine Abbildung bekannt.

(1059) *»Dekorative Komposition«*
Tempera/Karton
79,5 x 60,0 cm
Bezeichnung: u.r. »H. Strempel 60«
Datierung: 1960

(1060) *»Stilleben mit gelben Rosen«*
Tempera (?)
56,0 x 37,0 cm
Bezeichnung: u.l. »Strempel 60«
Datierung: 1960
Besitzer: Privatbesitz

(1061) *Stilleben am Fenster**
Aquarell, Tempera
55,0 x 43,0 cm
Datierung: 1960
Besitzer: unbekannt

(1062) *Stilleben mit Tulpen** (T 109)
Tempera
80,0 x 55,0 cm
Datierung: 1960
Besitzer: unbekannt
Keine Abbildung bekannt.

(1063) *Stilleben mit Plastik** (T 115)
Tempera
54,0 x 75,0 cm
Bezeichnung: u.l. »Strempel«
Datierung: 1960
Besitzer: unbekannt
Ausstellungen: Berlin/W. 1963, Nr. 45;
Prag 1971

(1064) *Stilleben mit Pfefferschoten*
Tempera
Datierung: 1960

Besitzer: unbekannt
Ausstellung: Berlin/W. 1961/3, Nr. 22

(1065) *Mädchen mit Blumen**
Tempera
70,0 x 53,0 cm
Datierung: 1961
Besitzer: unbekannt

(1066) *Lesendes Mädchen**
Tempera
80,0 x 60,0 cm
Datierung: 1961
Besitzer: unbekannt
Keine Abbildung bekannt.

(1067) *Mädchen am Fenster*
Tempera
Datierung: 1961
Besitzer: unbekannt
Ausstellung: Berlin/W. 1961/3, Nr. 25
Keine Abbildung bekannt.

(1068) *»Stadtlandschaft«*
Tempera/Karton
63,2 x 44,0 cm
Bezeichnung: u.l. »Strempel 61«
Datierung: 1961
Besitzer: Privatbesitz

(1069) *Am Park** (T 122)
Pastell
54,0 x 39,0 cm
Datierung: 1961
Besitzer: unbekannt

(1070) *»Stilleben mit Pfeife«*
Pastellkreide/Papier
40,8 x 5.5 cm
Bezeichnung: u.l. »Strempel 61«
Datierung: 1961
Besitzer: Privatbesitz
Ausstellungen: Hildesheim 1964, Nr. 71;
Berlin/W. 1977, Nr.55
Abbildung: Berlin/W. 1977, o.S.

(1071) *»Die Frau an der Mauer«*
Tempera/Papier
53,0 x 38,0 cm
Bezeichnung: u.l. »H. Strempel 62«
Datierung: 1962
Besitzer: Privatbesitz

(1072) *Frau an der Mauer* (T 124)
Tempera/Karton
72,0 x 41,0 cm
Bezeichnung: u.l. »1962. 72x40. Frau an
der Mauer Nr. 124«
Datierung: 1962
Ausstellung: Berlin/W. 1963
Literatur: Berlin/W. 1963 (Abb.)
Abbildungen: TS, 30.5.1962.- Berlin/W.
1963, o.S.

(1073) *Die Frau an der Mauer*
Tempera
Bezeichnung: u.l. »Strempel«
Datierung: um 1962
Besitzer: unbekannt
Abbildung: Der Gewerkschafter, 10, 1962,
H. 10, Titelblatt

(1074) *Zwei Mädchen**
Tempera (?)
Datierung: um 1962
Besitzer: unbekannt

Eine Werkfotografie, der Daten eines anderen Werks zugeordnet waren, befindet sich im Katalog.

(1075) *Zwei Frauen* (T 123)
Tempera/Karton
95,0 x 39,5 cm
Bezeichnung: u.l. »Strempel 1962«; u.l.
(a.d. Passepartout) »2 Frauen 94x39
Nr.123«; verso u. »246. Frauen auf der Straße G.8«
Datierung: 1962

(1076) *Cours de Reines I** (T 126)
Tempera
56,0 x 39,0 cm
Datierung: 1962
Besitzer: unbekannt
Ausstellungen: Hildesheim 1964, Nr. 61;
Prag 1971*
Vgl. auch *Plastik im Park* 1953 (WVZ 325).

(1077) *»Stadtlandschaft«*
Tempera, Kohle/Papier
Bezeichnung: u.l. »Strempel Strempel
1962«
Datierung: 1962
Besitzer: Privatbesitz

(1078) *Neubau in Charlottenburg** (T 125)
Tempera
40,0 x 54,0 cm
Datierung: 1962
Besitzer: unbekannt
Keine Abbildung bekannt.

(1079) *Torso, bekleidet*
Tempera/Karton
83,0 x 57,0 cm
Bezeichnung: u.l. »Horst Strempel 1962«;
verso o.l. »1962 Torso (bekleidet) Nr.23
82x57 Tempera«
Datierung: 1962

(1080) *Stilleben mit Krug auf blauem Tuch**
Tempera
80,0 x 59,0 cm
Datierung: 1962
Besitzer: unbekannt
Keine Abbildung bekannt.

(1081) *Porträt Martin* (T 133)
Pastellkreide/Papier
83,4 x 50,3 cm
Bezeichnung: u.r. »Strempel 63«; verso u.l.
»Studie zum Porträt Martin 83x53 Nr.133«
Datierung: 1963
Studie zum Gemälde (WVZ 533).

(1082) *»Kopf, en face«*
Aquarell/Papier
15,5 x 6,0 cm (sichtb.)
Bezeichnung: u.l. »Strempel 63«
Datierung: 1963
Besitzer: Privatbesitz

(1083) *»Weibliches Brustbild«*
Aquarell/Papier
15,0 x 6,5 cm (sichtb.)
Bezeichnung: u.l. »Strempel 63«
Datierung: 1963
Besitzer: Privatbesitz

(1084) *Mädchen mit blauem Kopftuch**
(T 55)
Aquarell

50,0 x 34,0 cm
Bezeichnung: u.l. »Strempel«
Datierung: 1963
Besitzer: unbekannt
Unter T 55 im Werkkatalog wurde das
Aquarell auf 1965 datiert.

(1085) »Mädchenkopf im Profil, nach
rechts blickend«
Tempera/Karton
52,5 x 43,5 cm
Bezeichnung: u.r. »Strempel«
Datierung: um 1960–1963(?)
Studie zur Kupferätzung (WVZ 2891).

(1086) »Weiblicher Akt«
Aquarell, Kugelschreiber/Papier
13,5 x 4,5 cm (sichtb.)
Bezeichnung: u.l. »Strempel«
Datierung: um 1963
Besitzer: Privatbesitz

(1087) Mädchen am Spiegel I (T 133a)
Tempera/Papier
79,0 x 55,0 cm
Bezeichnung: u.r. »Strempel«; verso »Nr.13
Tempera ‹Mädchen am Spiegel› I laufende
Nr.133a 79x55 1963«
Datierung: 1963

(1088) Mädchen vor dem Spiegel*
Tempera
82,0 x 60,0 cm
Bezeichnung: u.l. (im Bild) »Strempel«
Datierung: um 1963 (s.o.)
Besitzer: unbekannt
Ausstellung: Hildesheim 1964, Nr. 51

(1089) Sitzender Akt
Tempera, Pastellkreide/Papier
84,0 x 55,0 cm
Bezeichnung: u.r. »Strempel«; verso o.l.
»›sitzender Akt‹ Tempera Pastell. 1963«
Datierung: 1963
Besitzer: Privatbesitz

(1090) Bahnhof Witzleben (T 203)
Aquarell, Feder und Tusche/Papier
42,0 x 56,0 cm
Bezeichnung: u.l. »H. Strempel 1963«
Datierung: 1963
Besitzer: Privatbesitz

(1091) Figuren am See (T 128/Z 108a)
Tempera, Kohle, Pastellkreide/Karton
56,5 x 69,0 cm
Bezeichnung: u.l. »Strempel 1963«; verso
o.l. »1963 Figuren am See 56x68 Nr.108a«
Datierung: 1963
Ausstellung: Berlin/W. 1978, Nr. 64

(1092) Friedhofsmauer*
Tempera
60,0 x 80,0 cm
Datierung: 1963
Besitzer: unbekannt
Keine Abbildung bekannt.

(1093) Stadt am Berg*
Aquarell
60,0 x 80,0 cm
Datierung: 1963
Besitzer: unbekannt

(1094) Berge*
Aquarell

60,0 x 80,0 cm
Bezeichnung: u.l.
Datierung: 1963
Besitzer: unbekannt

(1095) Neubau Charlottenburg* (T 131)
Tempera
40,0 x 55,0 cm
Datierung: 1963
Besitzer: unbekannt

(1096) Platz St. Germain* (T 129a)
Tempera
80,0 x 53,0 cm
Datierung: 1963
Besitzer: unbekannt

(1097) Dekorativer Entwurf I
Tempera/Kupferfolie/Sperrholz
42,0 x 42,0 cm
Bezeichnung: verso »H. Strempel 63 Deko-
rativer Entwurf I 42x42«
Datierung: 1963
Besitzer: Privatbesitz

(1098) Rote Blume* (T 127)
Aquarell
36,0 x 26,0 cm
Datierung: 1963
Besitzer: unbekannt
Keine Abbildung bekannt.

(1099) Stilleben mit Blattpflanze* (T 132)
Tempera
75,0 x 74,0 cm
Datierung: 1963
Besitzer: unbekannt
Keine Abbildung bekannt.

(1100) Mädchen am Fenster* (T 144)
Aquarell, Pastellkreide
67,0 x 51,0 cm
Datierung: 1964
Besitzer: unbekannt

(1101) Sitzendes Mädchen am Fenster
Tempera
85,0 x 60,0 cm
Datierung: 1953–1964
Besitzer: unbekannt
Ausstellung: Hildesheim 1964, Nr. 43

(1102) Mädchen am Fenster I
Tempera
83,0 x 57,0 cm
Datierung: 1953–1964
Besitzer: unbekannt
Ausstellung: Hildesheim 1964, Nr. 56

(1103) Mädchen am Fenster II
Tempera
60,0 x 80,0 cm
Datierung: 1953–1964
Besitzer: unbekannt
Ausstellung: Hildesheim 1964, Nr. 57

(1104) Mädchen am Fenster
Tempera
53,0 x 73,0 cm
Datierung: 1953–1964
Besitzer: unbekannt
Ausstellung: Hildesheim 1964, Nr. 66

(1105) Sitzendes Mädchen am Tisch
Pastellkreide
51,0 x 67,0 cm

Datierung: 1953–1964
Besitzer: unbekannt
Ausstellung: Hildesheim 1964, Nr. 72
Keine Abbildung bekannt.

(1106) Mädchenkopf Maske
Tempera
43,0 x 34,0 cm
Datierung: 1953–1964
Besitzer: unbekannt
Ausstellung: Hildesheim 1964, Nr. 67
Vgl. Weibliche Maske (WVZ 799).

(1107) Mädchenkopf
Pastellkreide
80,0 x 60,0 cm
Datierung: 1953–1964
Besitzer: unbekannt
Ausstellung: Hildesheim 1964, Nr. 69
Keine Abbildung bekannt.

(1108) Briefleserin
Tempera
80,0 x 60,0 cm
Datierung: 1953–1964
Besitzer: unbekannt
Ausstellung: Hildesheim 1964, Nr. 65

(1109) Mädchen mit Blumen
Tempera
100,0 x 59,0 cm
Datierung: 1953–1964
Besitzer: unbekannt
Ausstellung: Hildesheim 1964, Nr .42

(1110) Sitzender Akt*
Tempera (Schabtechnik)
63,0 x 69,0 cm
Datierung: 1964
Besitzer: unbekannt
Keine Abbildung bekannt.

(1111) Mädchen vor dem Spiegel (T 139)
Tempera/Papier
67,0 x 50,0 cm
Bezeichnung: u.r. »Strempel«
Datierung: 1964*
Besitzer: Privatbesitz
Lt. Werkkatalog handelt es sich um eine
Studie zu einem Siebdruck.

(1112) Die Judenbraut (T 148)
Pastellkreide/Karton
100,0 x 59,0 cm
Bezeichnung: verso »Die Judenbraut 1964
99x59«
Datierung: 1964

(1113) »Tänzerin«
Aquarell, Kohle/Papier/Hartfaserplatte
Bezeichnung: u.l. »Strempel 64«
Datierung: 1964
Besitzer: Privatbesitz

(1114) Tänzerin I (T 143)
Aquarell/Karton
76,0 x 50,5 cm
Bezeichnung: u.l. »Strempel 1964«; verso
o.l. »Horst Strempel ‹Tänzerin I› 1964
Nr.143 76x50«
Datierung: 1964

(1115) Gymnastik (T 135)
Aquarell/Papier
75,0 x 48,5 cm
Bezeichnung: u.l. »Strempel 64«; verso

(aufgeklebtes Etikett) »1964 ‹Gymnastik›
75x49 Nr.135«
Datierung: 1964

(1116) *Liegende*
Tempera
52,0 x 73,0 cm
Datierung: 1953—1964
Besitzer: unbekannt
Ausstellung: Hildesheim 1964, Nr. 56

(1117) *Baumgruppe (Studie)**
Aquarell
23,0 x 20,0 cm
Datierung: 1964
Besitzer: unbekannt
Keine Abbildung bekannt.

(1118) *Bäume I*
Tempera
67,0 x 48,0 cm
Datierung: 1953—1964
Besitzer: unbekannt
Ausstellung: Hildesheim 1964. Nr. 55

(1119) *Bäume II*
Tempera
57,0 x 42,0 cm
Datierung: 1953—1964
Besitzer: unbekannt
Ausstellung: Hildesheim 1964, Nr. 63

(1120) *Erinnerung an Chartres*
Tempera
68,0 x 49,0 cm
Datierung: 1953—1964
Besitzer: unbekannt
Ausstellung: Hildesheim 1964, Nr. 60

(1121) **Am Schloßgarten** (T 137)
Aquarell/Papier
59,0 x 42,5 cm
Bezeichnung: u.r. »Strempel 64«; verso
»Am Schloßgarten Charl. 1964 58x42
Nr.137«
Datierung: 1964
Besitzer: Privatbesitz
Ausstellung: Berlin/W. 1978, Nr. 65

(1122) *Wannsee Berlin** (T 199)
Aquarell
49,0 x 67,0 cm
Datierung: 1964
Besitzer: unbekannt
Keine Abbildung bekannt.

(1123) *Omnibushaltestelle** (T 138)
Aquarell
66,0 x 46,0 cm
Datierung: 1964
Besitzer: unbekannt
Keine Abbildung bekannt.

(1124) *Bei Godesberg**
Aquarell
50,0 x 70,0 cm
Datierung: 1964
Besitzer: unbekannt
Keine Abbildung bekannt.

(1125) *Berliner Landschaft** (T 202)
Aquarell
35,0 x 46,0 cm
Datierung: 1964
Besitzer: unbekannt

(1126) *Dächer** (T 146)
Aquarell
37,0 x 23,0 cm
Datierung: 1964
Besitzer: unbekannt
Keine Abbildung bekannt.

(1127) *Dächer II** (T 197)
Aquarell
48,0 x 67,0 cm
Datierung: 1964/65
Besitzer: unbekannt
Keine Abbildung bekannt.

(1128) *Rote Bäume*
Pastellkreide
60,0 x 45,0 cm
Datierung: 1953—1964
Besitzer: unbekannt
Ausstellung: Hildesheim 1964, Nr. 68
Keine Abbildung bekannt.

(1129) *Rote Bäume II**
Pastellkreide
64,0 x 43,0 cm
Datierung: 1953—1964
Besitzer: unbekannt
Ausstellung: Hildesheim 1964, o.Nr.
(Ausst.Verz.)
Keine Abbildung bekannt.

(1130) *Im Park*
Pastellkreide
52,0 x 37,0 cm
Datierung: 1953—1964
Besitzer: unbekannt
Ausstellung: Hildesheim 1964, Nr. 70
Keine Abbildung bekannt.

(1131) *Bäume im Schnee*
Pastellkreide
57,0 x 43,0 cm
Datierung: 1953—1964
Besitzer: unbekannt
Ausstellung: Hildesheim 1964, Nr. 73
Keine Abbildung bekannt.

(1132) *Stilleben mit Zitronen* (T 136)
Mischtechnik/Karton
49,0 x 67,0 cm (Blattgröße 60,5 x 80,5 cm)
Bezeichnung: u.l. »Strempel 64«; verso o.l.
»Stilleben m. Zitronen 1964 Nr.136 48x66
G.Z«
Datierung: 1964

(1133) *Stilleben mit Früchten* (Z 117)
Aquarell, Filzstift/Karton
38,0 x 48,0 cm
Bezeichnung:u.l. »Strempel 1964«; verso
o.l. »Stilleben mit Früchten 1964 38x48
Aquarell und Filzstift Nr.117«
Datierung: 1964′

(1134) *Stilleben mit Fruchtschale (mit Pfefferschoten und Weintrauben)* (T 147)
Tempera/Papier
43,0 x 56,0 cm(sichtb.)
Bezeichnung: u.l. »H. Strempel 64«; verso
o.l. (a.d. Bildrahmen) »Horst Strempel Stillleben mit Fruchtschale 1964. cm43x56
Kat.Nr.147«
Datierung: 1964

(1135) *Stilleben mit Tulpen*
Aquarell/Papier
58,0 x 44,0 cm (sichtb.)

Bezeichnung: u.l. »Strempel«
Datierung: 1964*
Besitzer: Privatbesitz
Siehe die Variante von 1965 (WVZ 1181).

(1136) *Stilleben mit Apfelsine** (T 145)
Aquarell
36,0 x 45,0 cm
Datierung: 1964
Besitzer: unbekannt

(1137) *Violette Blumen I** (T 141)
Aquarell
69,0 x 46,0 cm
Datierung: 1964
Besitzer: unbekannt
Keine Abbildung bekannt.

(1138) *Violette Blumen II** (T 142)
Aquarell, Tusche
57,0 x 45,0 cm
Datierung: 1964
Besitzer: unbekannt
Ausstellung: Berlin/W. 1978, Nr. 70
Keine Abbildung bekannt.

(1139) *Stilleben mit blauem Tuch**
Aquarell
50,0 x 60,0 cm
Datierung: 1964
Besitzer: unbekannt
Keine Abbildung bekannt.

(1140) *Stilleben mit Pflanze** (T 134)
Tempera
79,0 x 58,0 cm
Datierung: 1964
Besitzer: unbekannt
Keine Abbildung bekannt.

(1141) *Stilleben mit Torso** (T 206)
Aquarell
50,0 x 36,0 cm
Datierung: 1964
Besitzer: unbekannt
Keine Abbildung bekannt.

(1142) *»Stilleben mit Torso«*
Aussprengtechnik/Papier
32,5 x 21,8 cm
Bezeichnung: u.l. »H. Strempel 1964«
Datierung: 1964

(1143) *Stilleben mit Blattpflanze*
Tempera
90,0 x 91,0 cm
Datierung: 1953—1964
Besitzer: unbekannt
Ausstellung: Hildesheim 1964, Nr. 41
Keine Abbildung bekannt.

(1144) *Stilleben mit blauem Tuch*
Tempera
68,0 x 89,0 cm
Datierung: 1953—1964
Besitzer: unbekannt
Ausstellung: Hildesheim 1964, Nr. 46
Keine Abbildung bekannt.

(1145) *Stilleben mit Fruchtschale*
Tempera
69,0 x 45,0 cm
Datierung: 1953—1964
Besitzer: unbekannt
Ausstellung: Hildesheim 1964, Nr. 47
Keine Abbildung bekannt.

(1146) *Stilleben mit rotem Tuch*
Tempera
76,0 x 56,0 cm
Datierung: 1953–1964
Besitzer: unbekannt
Keine Abbildung bekannt.

(1147) *Stilleben mit schwarzem Tuch*
Tempera
Datierung: 1953–1964
Besitzer: unbekannt
Ausstellung: Hildesheim 1964, Nr. 49
Keine Abbildung bekannt.

(1148) *Stilleben mit Fischen*
Tempera
68,0 x 98,0 cm
Datierung: 1953–1964
Besitzer: unbekannt
Ausstellung: Hildesheim 1964, Nr. 54
Keine Abbildung bekannt.

(1149) *Stilleben mit rotem und schwarzem Krug*
Tempera
54,0 x 37,0 cm
Datierung: 1953–1964
Besitzer: unbekannt
Ausstellung: Hildesheim 1964, Nr. 58
Keine Abbildung bekannt.

(1150) *Knospen*
Tempera
63,0 x 56,0 cm
Datierung: 1953–1964
Besitzer: unbekannt
Ausstellung: Hildesheim 1964, Nr. 53
Keine Abbildung bekannt.

(1151) *Stilleben mit Zitronen und Krug*
Tempera
52,0 x 70,0 cm
Datierung: 1953–1964
Besitzer: unbekannt
Ausstellung: Hildesheim 1964, o.Nr.
(Ausst.Verz.)
Keine Abbildung bekannt.

(1152) *Stilleben mit Fenstern**
Tempera/Papier
59,0 x 45,0 cm
Bezeichnung: u.l. »Strempel«
Datierung: 1964*
Besitzer: Privatbesitz
Ausstellung: Hildesheim 1964, Nr. 50

(1153) *Mädchen mit rotem Kopftuch*
(T 163)
geschliffene Tempera/Karton
66,0 x 45,0 cm
Bezeichnung: u.l. »Strempel 1965«; verso
»Mädchen mit rotem Kopftuch 1965 Nr.
163«
Datierung: 1965

(1154) *Mädchenkopf** (T 205)
Tempera
50,0 x 64,0 cm
Datierung: 1965
Besitzer: unbekannt
Keine Abbildung bekannt.

(1155) *Stehendes Mädchen im Trikot*
(T 164)
Aquarell
75,0 x 48,0 cm

Datierung: 1965
Besitzer: unbekannt
Keine Abbildung bekannt.

(1156) *Mädchen auf rotem Grund*
(Halbakt I)
Tempera, Kohle/Karton
76,0 x 52,5 cm
Bezeichnung: u.l. »Strempel 1965«; verso
u.l. »Mädchen auf rotem Grund«
Datierung: 1965

(1157) *Halbakt II**
Tempera
80,0 x 50,0 cm
Bezeichnung: u.l. »Strempel«
Datierung: 1965
Besitzer: unbekannt

(1158) *Judenbraut (Studie)* (T 151)
Tempera, Pastellkreide/Karton
90,0 x 57,6 cm
Bezeichnung: verso o.l. »1965 Studie zur
Judenbraut Nr.151 (Frau Krimmer) 90x57«
Datierung: 1965
Siehe das Pastell WVZ 1112.

(1159) *»Stadtlandschaft«*
Aquarell
64,0 x 46,0 cm (sichtb.)
Bezeichnung: u.r. »H. Strempel 65«
Datierung: 1965
Besitzer: Privatbesitz

(1160) *Ernst-Reuter-Platz**
Aquarell
70,0 x 50,0 cm
Datierung: 1965
Besitzer: unbekannt
Keine Abbildung bekannt.

(1161) *Rathaus Charlottenburg** (T 158)
Aquarell
28,0 x 29,0 cm
Datierung: 1965
Besitzer: unbekannt
Keine Abbildung bekannt.

(1162) *Häuser*
Tempera/Karton (Absprengtechnik)
68,0 x 48,0 cm
Bezeichnung: verso o.l. »›Häuser‹ 1965«
Datierung: 1965
Besitzer: Privatbesitz

(1163) *Dächer II** (T 149)
Aquarell
40,0 x 54,0 cm
Datierung: 1965
Besitzer: unbekannt
Lt. Werkkatalog muß das Aquarell eine
Studie zu einem Ölbild gewesen sein.

(1164) *Dächer III** (T 154)
Aquarell
45,0 x 65,0 cm
Datierung: 1965
Besitzer: unbekannt
Keine Abbildung bekannt.

(1165) *Im Schloßpark** (T 208)
Aquarell
47,0 x 56,0 cm
Datierung: 1965
Besitzer: unbekannt

(1166) *Kleine Landschaft** (T 159)
Aquarell
21,0 x 27,0 cm
Datierung: 1965
Besitzer: unbekannt
Keine Abbildung bekannt.

(1167) *Stadt am See** (T 160)
Aquarell
63,0 x 74,0 cm
Bezeichnung: u.l. »H. Strempel 1965. /
Kat.Nr.160«
Datierung: 1965
Besitzer: unbekannt

(1168) *Im Park**
Aquarell
80,0 x 65,0 cm
Datierung: 1965
Besitzer: unbekannt

(1169) *Bäume im Schnee**
Aquarell, Pastellkreide
60,0 x 50,0 cm
Datierung: 1965
Besitzer: unbekannt

(1170) *Bäume im Winter*
Tempera, Tusche und Pinsel
57,0 x 41,0 cm
Bezeichnung: u.l. »1965 / ›Bäume im Win-
ter‹ 57x41 Nr.126«; u.Mitte »Strempel 65«
Datierung: 1965

(1171) *»Herbstlaub«*
Aquarell
50,0 x 35,0 cm
Bezeichnung: u.l. »Strempel 65«
Datierung: 1965
Besitzer: Privatbesitz

(1172) *Blätter im Herbst** (T 162)
Aquarell
55,0 x 45,0 cm
Datierung: 1965
Besitzer: unbekannt
Keine Abbildung bekannt.

(1173) *Stilleben mit Fruchtschale* (T 155)
Tempera/Papier
76,0 x 54,0 cm
Bezeichnung: u.l. »Strempel 1965«
Datierung: 1965
Besitzer: Privatbesitz

(1174) *Stilleben mit schwarzem Krug* (T
161)
Tempera/Papier
70,0 x 60,0 cm (sichtb.)
Bezeichnung: u.r. »Strempel«; verso »Stillleben mit schwarzem Krug Tempera 1965
70x60 Nr.161«
Datierung: 1965

(1175) *»Stilleben mit Obstschale«**
Tempera (?)
76,0 x 54,0 cm
Bezeichnung: u.l. »Strempel«
Datierung: 1965
Besitzer: unbekannt

(1176) *Stilleben mit Fruchtschale*
Tempera/Papier
63,0 x 44,0 cm (sichtb.)
Bezeichnung: u.l. »Strempel«
Datierung: um 1965 (s.o.)

(1177) *Stilleben mit Frucht** (T 157)
Aquarell, Pastellkreide
36,0 x 48,0 cm
Datierung: 1965
Besitzer: unbekannt
Keine Abbildung bekannt.

(1178) *Stilleben mit Früchten** (T 156)
Aquarell
34,0 x 49,0 cm
Datierung: 1965
Besitzer: unbekannt

(1179) *Stilleben. Grüner Krug auf rotem Tuch**
Aquarell
30,0 x 30,0 cm
Datierung: 1965
Besitzer: unbekannt
Keine Abbildung bekannt.

(1180) *Stilleben mit Tulpen*
Aquarell/Papier
58,0 x 44,0 cm (sichtb.)
Bezeichnung: u.l. »Strempel«
Datierung: 1965*
Besitzer: Privatbesitz

(1181) *Tulpen II* (T 153)
Aquarell/Papier
57,7 x 43,5 cm
Bezeichnung: u.l. »Strempel 1965«; verso (aufgeklebtes Etikett) »Tulpen II 1965 57x43 Nr.153«
Datierung: 1965
Vgl. WVZ 1135.

(1182) *Zitrone auf gelbem Tuch** (T 152)
Aquarell
49,0 x 74,0 cm
Datierung: 1965
Besitzer: unbekannt
Keine Abbildung bekannt.

(1183) *Blume in grüner Vase**
Aquarell
40,0 x 50,0 cm
Datierung: 1965
Besitzer: unbekannt
Keine Abbildung bekannt.

(1184) *Torso** (T 201)
Tempera
48,0 x 32,0 cm
Datierung: 1965
Besitzer: unbekannt
Keine Abbildung bekannt.

(1185) *»Dekorative Komposition«*
Tempera/Kupferfolie/Spanplatte
69,0 x 32,0 cm
Bezeichnung: u.l. »H. Strempel 65«
Datierung: 1965
Besitzer: Privatbesitz

(1186) *»Dekorative Komposition«*
Tempera/Kupferfolie/Spanplatte
69,0 x 32,0 cm
Datierung: um 1965
Besitzer: Privatbesitz

(1187) *»Dekorative Komposition«*
Tempera/Kupferfolie/Spanplatte
28,0 x 28,0 cm
Bezeichnung: u.l. »H. Strempel 65«

Datierung: 1965
Besitzer: Privatbesitz

(1188) *»Dekorative Komposition«*
Tempera, Bleistift/Papier/Spanplatte
69,0 x 32,0 cm
Bezeichnung: u.l. »H. Strempel 65«
Datierung: 1965
Besitzer: Privatbesitz

(1189) *»Dekorative Komposition«*
Tempera/Papier/Spanplatte
69,0 x 32,0 cm
Bezeichnung: u.l. »H. Strempel 65«
Datierung: 1965
Besitzer: Privatbesitz

(1190) *»Dekorative Komposition«*
Tempera/Papier/Spanplatte
69,0 x 32,0 cm
Bezeichnung: u.l. »H. Strempel 65«
Datierung: 1965
Besitzer: Privatbesitz

(1191) *»Dekorative Komposition«*
Tempera, Kupferbronze/Papier/Spanplatte
31,0 x 31,5 cm
Bezeichnung: u.l. »Strempel 65«
Datierung: 1965
Besitzer: Privatbesitz

(1192) *»Dekorative Komposition mit Vögeln«*
Tempera/Papier/Spanplatte
41,0 x 41,0 cm
Bezeichnung: u.l. »H. Strempel 65«
Datierung: 1965
Besitzer: Privatbesitz

(1193) *»Dekorative Komposition«*
Tempera, Bronze/Karton
67,5 x 66,5 cm
Datierung: um 1965

(1194) *»Dekorative Komposition«*
Tempera/Papier/Spanplatte
35,0 x 36,0 cm
Bezeichnung: u.l. »Strempel«
Datierung: um 1965
Besitzer: Privatbesitz

(1195) *»Drei Entwürfe für Kupferätzungen«*
1. Frau mit Korb
2. Stahlarbeiter
3. Bäume mit Wappen
Tempera, Bleistift/Papier
je 28,0 x 18,5 cm (28,0 x 18,5 cm)
Datierung: um 1965 (?)
Siehe die Kupferätzungen
WVZ 2894—2898.

(1196) *»Dekorative Komposition«**
Tempera
70,0 x 32,0 cm
um 1965 (?)
Besitzer: unbekannt
Entwurf für eine geätzte Kupfertür.

(1197) *»Dekorative Komposition«**
Tempera
70,0 x 32,0 cm
um 1965 (?)
Besitzer: unbekannt
Entwurf für eine geätzte Kupfertür.

(1198) *»Dekorative Komposition«**
Tempera
70,0 x 32,0 cm
um 1965 (?)
Besitzer: unbekannt
Entwurf für eine geätzte Kupfertür.

(1199) *Mädchenkopf (Fragment)** (T 178)
Aquarell
26,0 x 23,0 cm
Datierung: 1966
Besitzer: unbekannt
Keine Abbildung bekannt.

(1200) *Mädchen im rosa Kleid**
Aquarell
35,0 x 20,0 cm
Datierung: 1966
Besitzer: unbekannt

(1201) *Stehendes Mädchen mit rotem Haar** (T 172)
Aquarell
88,0 x 59,0 cm
Datierung: 1966
Besitzer: unbekannt
Keine Abbildung bekannt.

(1202) *Stehendes Mädchen** (T 194)
Aquarell
63,0 x 46,0 cm
Datierung: 1966
Besitzer: unbekannt
Keine Abbildung bekannt.

(1203) *Mädchen mit rotem Haar (Kreta)** (T 180)
Aquarell
76,0 x 34,0 cm
Datierung: 1966
Besitzer: unbekannt
Keine Abbildung bekannt.

(1204) *Stehender Akt** (T 174)
Aquarell
84,0 x 60,0 cm
Datierung: 1966
Besitzer: unbekannt
Keine Abbildung bekannt.

(1205) *Stehender Akt mit rotem Tuch** (T 173)
Aquarell
90,0 x 63,0 cm
Datierung: 1966
Besitzer: unbekannt
Keine Abbildung bekannt.

(1206) *Akt Zuzi**
Tempera (?)
100,0 x 80,0 cm
Bezeichnung: u.l. »Strempel 66.«
Datierung: 1966
Besitzer: unbekannt

(1207) *Halbakt mit weiß-rotem Tuch** (T 179)
Aquarell
81,0 x 60,0 cm
Bezeichnung: u.l. »Strempel«
Datierung: 1966
Besitzer: unbekannt

(1208) *Halbakt mit rotem Haar**
Aussprengtechnik
61,0 x 48,0 cm

Datierung: 1966
Besitzer: unbekannt

(1209) »Halbakt Gaby H.«*
Pastellkreide
100,0 x 80,0 cm
Datierung: 1966
Besitzer: unbekannt

(1210) Halbakt*
Aussprengtechnik
61,0 x 45,0 cm
Datierung: 1966
Besitzer: unbekannt

(1211) Sitzender Akt*
Aussprengtechnik
52,0 x 38,0 cm
Datierung: 1966
Besitzer: unbekannt
Keine Abbildung bekannt.

(1212) Sitzender Akt*
Aussprengtechnik
61,0 x 48,0 cm
Datierung: 1966
Besitzer: unbekannt

(1213) Sitzender Akt (T 165)
Aquarell/Papier
91,0 x 66,0 cm
Bezeichnung: u.l. »Strempel 66,«
Datierung: 1966
Besitzer: Privatbesitz

(1214) Rückenakt
Schabtechnik/Karton
49,0 x 35,0 cm
Bezeichnung: verso o.l. »1966 Rückenakt
Schabtechnik 49x35 Nr.34«
Datierung: 1966

(1215) Mädchenakt I
Aquarell/Papier
63,0 x 49,0 cm
Bezeichnung: u.l. »1966 52x43 Mädchen-
akt I Nr.35«
Datierung: 1966

(1216) Mädchenakt II
Aquarell/Papier
60,0 x 50,0 cm
Bezeichnung: u.l. »Strempel 1966«
Datierung: 1966

(1217) Liegender Akt*
Aussprengtechnik
40,0 x 49,0 cm
Datierung: 1966
Besitzer: unbekannt
Keine Abbildung bekannt.

(1218) »Wald«
Tempera
66,5 x 44,0 cm
Bezeichnung: u.l. »Strempel 66«
Datierung: 1966
Besitzer: Privatbesitz

(1219) »Landschaft mit Bäumen«
Aquarell/Papier
44,0 x 54,0 cm
Bezeichnung: u.l. »Horst Strempel 1966«
Datierung: 1966
Besitzer: Privatbesitz

(1220) In Murnau* (T 175)
Aquarell
50,0 x 72,0 cm
Datierung: 1966
Besitzer: unbekannt
Keine Abbildung bekannt.

(1221) Klostergarten in Dinkelsbühl* (T 167)
Aquarell, Pastellkreide
77,0 x 60,0 cm
Datierung: 1966
Besitzer: unbekannt
Keine Abbildung bekannt.

(1222) Im Tiergarten* (T 198)
Aquarell
44,0 x 57,0 cm
Datierung: 1966
Besitzer: unbekannt
Keine Abbildung bekannt.

(1223) »Park mit antiker Büste«
Mischtechnik/Papier
68,0 x 57,0 cm
Bezeichnung: u.l. »Strempel 1966«
Datierung: 1966

(1224) Torso mit rotem Krug (T 169)
Tempera/Papier
57,0 x 43,0 cm (sichtb.)
Bezeichnung: u.l. »Strempel«
Datierung: 1966*

(1225) Fliederblüten I* (T 166)
Aquarell, Aussprengtechnik
56,0 x 40,0 cm
Datierung: 1966
Besitzer: unbekannt
Keine Abbildung bekannt

(1226) Fliederblüten II* (T 166 II)
Aussprengtechnik
56,0 x 40,0 cm
Datierung: 1966
Besitzer: unbekannt
Keine Abbildung bekannt.

(1227) Blumenstilleben*
Aquarell
Datierung: 1966
Besitzer: unbekannt
Ausstellung: Wiesbaden 1967

(1228) Stilleben mit Fenster* (T 168)
Tempera
73,0 x 58,0 cm
Datierung: 1966
Besitzer: unbekannt
Keine Abbildung bekannt.

(1229) Stilleben mit Landschaft* (T 170)
Aquarell
75,0 x 55,0 cm
Datierung: 1966
Besitzer: unbekannt
Keine Abbildung bekannt.

(1230) Stilleben mit Pfirsichen* (T 171)
Aquarell
60,0 x 75,0 cm
Datierung: 1966
Besitzer: unbekannt
Keine Abbildung bekannt.

(1231) Mädchen im blauen Kleid* (T 181)
Aquarell

57,0 x 24,0 cm
Datierung: 1967
Besitzer: unbekannt
Keine Abbildung bekannt.

(1232) Liegender Akt (Z 127)
Pastellkreide/Papier
64,0 x 92,0 cm
Bezeichnung: u.l. »Strempel 67«; verso u.l.
»liegender Akt get. Zeichnung 1967 64x92
Nr.37«
Datierung: 1967

(1233) Im Park (T 177?)
Aquarell/Karton
89,0 x 61,0 cm
Bezeichnung: u.l. »Strempel 67«
Datierung: 1967

(1234) »Stadtlandschaft mit zwei Frauen«
Tempera, Pinsel und Tusche, Deckweiß/
Papier
27,0 x 20,0 cm (sichtb.)
Bezeichnung: am rechten Blattrand »H.
Strempel«
Datierung: 1966/67
Besitzer: Privatbesitz
Studie zum Siebdruck-Kalender (WVZ
2633).

(1235) »Stadtlandschaft mit Frauen«
Tempera/Papier
52,0 x 39,0 cm (sichtb.)
Bezeichnung: u.r. »Horst Strempel«
Datierung: 1966/67
Besitzer: Privatbesitz
Studie zum Siebdruck-Kalender (WVZ
2633).

(1236) »Frauen auf dem Balkon«
Tempera, Pinsel und Tusche, Deckweiß/
Papier
27,0 x 20,0 cm (sichtb.)
Bezeichnung: o.l. »Strempel«
Datierung: 1966/67
Besitzer: Privatbesitz
Studie zum Siebdruck-Kalender (WVZ
2631).

(1237) »Alter Balkon in Berlin (Lützow-
straße)«
Tempera/Papier
52,0 x 40,0 cm
Bezeichnung: u.r. »Horst / Strempel«
Datierung: 1966/67
Besitzer: Privatbesitz
Studie zum Siebdruck-Kalender (WVZ
2631).

(1238) »Philharmonie Berlin«
Tempera/Papier
52,5 x 39,8 cm
Bezeichnung: u.l. »Horst Strempel«
Datierung: 1966/67
Besitzer: Privatbesitz
Studie zum Siebdruck-Kalender (WVZ
2634).

(1239) »Schloß Charlottenburg«
Tempera/Papier
51,0 x 40,0 cm (sichtb.)
Bezeichnung: u.r. »Strempel«
Datierung: 1966/67
Besitzer: Privatbesitz
Studie zum Siebdruck-Kalender (WVZ
2837).

(1240) »Berlin Kurfürstendamm«
Tempera/Papier
51,0 x 40,0 cm (sichtb.)
Bezeichnung: u.l. »Strempel«
Datierung: 1966/67
Besitzer: Privatbesitz

(1241) Berlin-Charlottenburg
Tempera/Papier
52,0 x 39,5 cm
Bezeichnung: u.Mitte »Horst / Strempel«;
u. (a.d. Passepartout) »Berlin Charlottenburg Strempel Original Tempera«
Datierung: um 1966
Besitzer: Privatbesitz
Studie zum Siebdruck-Kalender (WVZ 2837).

(1242) »Stadtlandschaft mit Brücke«
Aquarell, Pinsel und Tusche/Papier
50,5 x 39,0 cm (sichtb.)
Bezeichnung: u.l. »Horst Strempel 67.«
Datierung: 1967
Besitzer: Privatbesitz

(1243) Wannsee*
Aquarell
52,0 x 33,0 cm
Datierung: 1967
Besitzer: unbekannt
Keine Abbildung bekannt.

(1244) Winterwald*
Tempera
80,0 x 64,0 cm
Datierung: 1967
Besitzer: unbekannt
Keine Abbildung bekannt.

(1245) Zwiebelpflanze (T 187a)
Aquarell/Papier
79,0 x 58,0 cm
Bezeichnung: u.l. »Strempel«
Datierung: 1967*
Besitzer: Privatbesitz

(1246) »Stilleben mit Pflaumen«
Aquarell, Pastellkreide/Papier
28,0 x 36,0 cm (sichtb.)
Bezeichnung: u.l. »H. Strempel 67«
Datierung: 1967
Besitzer: Privatbesitz

(1247) Stilleben mit Blumen* (T 191)
Aquarell
Datierung: 1967
Besitzer: unbekannt

(1248) Stilleben mit Äpfeln* (T 176)
Aquarell
23,0 x 36,0 cm
Datierung: 1967
Besitzer: unbekannt
Keine Abbildung bekannt.

(1249) Stilleben. Blumentopf vor dem Fenster auf blauer Decke*
Aquarell
82,0 x 57,0 cm
Datierung: 1967
Besitzer: unbekannt
Keine Abbildung bekannt.

(1250) Stilleben mit Melone*
Aquarell
Datierung: 1967

Besitzer: unbekannt
Ausstellung: Wiesbaden 1967
Keine Abbildung bekannt.

(1251) »Mädchenkopf«
Pastellkreide/Papier
57,0 x 40,0 cm (sichtb.)
Bezeichnung: u.l. »Strempel 54/-68«
Datierung: 1968
Besitzer: Privatbesitz
Aus der Bezeichnung ist zu schließen, daß es sich bei diesem Pastell um die Kopie eines Blattes von 1954 (WVZ 850?) handeln muß.

(1252) Liegender Akt (T 185)
Tempera/Karton
60,0 x 80,0 cm
Bezeichnung: u.l. »H. Strempel 68. / Kat.Nr.185«; verso o.l. »H. Strempel 1968 Tempera »Liegender Akt« cm 60x80 Kat.Nr.185«
Datierung: 1968

(1253) Mädchenakt
Tempera, Kohle/Papier
141,0 x 62,0 cm
Bezeichnung: u.l. »Strempel«; verso »Horst Strempel ›Mädchenakt‹ 1968 get. Zeichnung«
Datierung: 1968
Besitzer: Privatbesitz

(1254) Berlin-Schöneberg
Tempera, Pastellkreide/Karton
77,0 x 56,7 cm
Bezeichnung: u.l. » Horst Strempel / Strempel«; verso o.l. »Berlin Schöneberg«
Datierung: um 1968 (?)
Besitzer: Privatbesitz

(1255) Bergstraße
Aquarell, Pastellkreide/Papier
74,0 x 55,0 cm
Bezeichnung: u.l. »Strempel«; verso o.l. »Nr.7 »Bergstraße« Aquarell und Pastell«
Datierung: um 1968 (?)
Besitzer: Privatbesitz

(1256) Die Brücke
Tempera, Pastellkreide/Papier
55,5 x 73,8 cm
Bezeichnung: u.l. »Strempel«; verso o.l. »Nr. 10 ‹Die Brücke› Tempera DM 500.-«
Datierung: um 1968 (?)
Besitzer: Privatbesitz

(1257) Dächer*
Aquarell (?)
Bezeichnung: u.l. »H. Strempel 1968«
Datierung: 1968
Besitzer: unbekannt

(1258) Sektorengrenze* (T 189)
Tempera
110,0 x 60,0 cm
Datierung: 1968
Besitzer: unbekannt
Keine Abbildung bekannt.

(1259) Rathaus Charlottenburg* (T 187)
Aquarell
60,0 x 44,0 cm
Datierung: 1968
Besitzer: unbekannt
Keine Abbildung bekannt.

(1260) Stilleben mit Fruchtschale* (T 188)
Tempera
70,0 x 45,0 cm
Datierung: 1968
Besitzer: unbekannt
Keine Abbildung bekannt.

(1261) Stilleben mit Früchten und Landschaft* (T 190)
Aquarell
75,0 x 50,0 cm
Datierung: 1968
Besitzer: unbekannt
Keine Abbildung bekannt.

(1262) Stilleben mit Kirschen* (T 183)
Aquarell
34,0 x 35,0 cm
Datierung: 1968
Besitzer: unbekannt

(1263–1265) Wanddekorationen mit Berlin-Thematik:

(1263) »Schloß Charlottenburg«
Tempera/Karton
150,0 x 250,0 cm
Datierung: 1969
Besitzer: ehem. Berlin, Seniorenzentrum Herbarthstraße, verschollen bzw. zerstört

(1264) »Lietzensee mit Funkturm«
Tempera/Karton
150,0 x 250,0 cm
Datierung: 1969
Besitzer: ehem. Berlin, Seniorenzentrum Herbarthstraße, verschollen bzw. zerstört

(1265) »Wannsee«
Tempera/Karton
150,0 x 250,0 cm
Datierung: 1969
Besitzer: ehem. Berlin, Seniorenzentrum Herbarthstraße, verschollen bzw. zerstört

(1266) »Berlin, Lietzensee und Funkturm«
Tempera/Karton
37,0 x 50,5 cm (Blattgröße 42,0 x 59,0 cm)
Bezeichnung: u.l. »St. 69«
Datierung: 1969

(1267) »Berlin, Schloß Charlottenburg«
Tempera/Karton
34,0 x 49,0 cm (Blattgröße 42,0 x 57,0 cm)
Bezeichnung: u.l. »St. 69«
Datierung: 1969

(1268) »Berlin, Schloß Charlottenburg«
Tempera/Karton
36,5 x 49,5 cm (Blattgröße 44,0 x 57,0 cm)
Bezeichnung: u.l. »St. 69«
Datierung: 1969

(1269) »Berlin, Wannsee«
Tempera/Karton
34,0 x 49,0 cm (Blattgröße 42,0 x 57,0 cm)
Bezeichnung: u.l. »St. 69«
Datierung: 1969

(1270) »Berlin, Lietzensee«
Tempera/Karton
34,0 x 50,0 cm (Blattgröße 43,0 x 58,0 cm)
Bezeichnung: u.l. »St. 69«
Datierung: 1969

(1271) »Berlin, Wannsee mit Grunewald-
turm«*
Tempera/Karton (?)
Datierung: 1969 (?)
Besitzer: unbekannt

(1272) Stehender Akt grün-rot (T 211)
Tempera/Papier/Holz
82,5 x 35,0 cm
Bezeichnung: u.l. »Strempel 70«
Datierung: 1970

(1273) Liebeslaube (T 210)
Tempera/Papier
88,0 x 62,0 cm
Datierung: 1969/70*

(1274) **Drei Mädchen** (T 214)
Tempera/Papier/Hartfaserplatte
68,0 x 92,5 cm (mit Rahmen 106,0 x 79,5
cm)
Bezeichnung: u.l. »Strempel 70«; verso o.l.
»Horst Strempel 1970 ‹Drei Mädchen›
(Tempera) Kat.Nr.214«
Datierung: 1970
Besitzer: Privatbesitz

(1275) Berlin, Eberstraße* (T 213)
Aquarell
64,0 x 49,0 cm
Datierung: 1970
Besitzer: unbekannt
Keine Abbildung bekannt.

(1276) Küstenlandschaft in Spanien*
(T 192)
Aquarell
57,0 x 80,0 cm
Datierung: 1970
Besitzer: unbekannt
Keine Abbildung bekannt.

(1277) Küstenlandschaft in Spanien II*
(T 193)
Aquarell
50,0 x 60,0 cm
Datierung: 1970
Besitzer: unbekannt
Keine Abbildung bekannt.

(1278) Stilleben mit Melone* (T 212)
Aquarell
47,0 x 67,0 cm
Datierung: 1970
Besitzer: unbekannt
Keine Abbildung bekannt.

(1279) »Porträt Dr. Parchwitz«
Tempera/Karton
27,5 x 23,5 cm
Bezeichnung: u.l. »H. Strempel 71«; verso
o.l. »H. Strempel 1971 ‹Entwurf zu einem
Holzschnitt› Kat.Nr.134 (Entwürfe)«
Datierung: 1971
Besitzer: Privatbesitz

(1280) »Sitzendes Mädchen«
Aquarell/Papier
30,0 x 20,0 cm
Bezeichnung: u.l. »H. Strempel« und da-
tierte Widmung
Datierung: 1971
Besitzer: Privatbesitz

(1281) »Am Meer«
Aquarell/Japanpapier

77,0 x 56,0 cm
Datierung: um 1971
Studie zum Ölbild Am Meer (WVZ 627).

(1282) Lübars* (T 215)
Aquarell
43,0 x 63,0 cm
Datierung: 1971
Besitzer: unbekannt

(1283) »Melonenfeld«
Pastellkreide/Papier
46,0 x 60,0 cm (sichtb.)
Bezeichnung: u.l. »H. Strempel 1971«
Datierung: 1971
Besitzer: Privatbesitz
Studie zum Ölbild WVZ 630.

(1284) Gelbe Blüten (T 216)
Tempera/Papier
79,0 x 59,0 cm
Bezeichnung: u.l. »H. Strempel 71«
Datierung: 1971
Besitzer: Privatbesitz

(1285) Apfelzweig (T 217)
Aquarell/Papier/Holz
42,0 x 30,0 cm
Bezeichnung: u.l. »Strempel 71«
Datierung: 1971
Besitzer: Privatbesitz

(1286) »Schwimmerin«
Aquarell, Pinsel und Tusche, Bleistift/Pa-
pier
13,4 x 4,6 cm
Bezeichnung: u.Mitte »Strempel«; u.l. (a.d.
Passepartout) datierte Widmung
Datierung: 1973
Besitzer: Privatbesitz

Handzeichnungen

(1287) »12 Zeichnungen zu ‹Brigitte B.›
von Frank Wedekind« (Z 131)
Ein Buch mit zwölf Original-Zeichnungen
und handgeschriebenem Text; Vorder- und
Rückseite des Einbandes, Titelblatt und
rückwärtiges Deckblatt sind mit Zeitungs-
ausschnitten collagiert; auf der ersten Seite
u.r. befindet sich eine Widmung: »Meiner
kleinen Freundin Ly. / Weihnachten im /
‹Vagabundenjahr› 1927. / Horst Strempel.«
Feder und Tusche/Papier
je 13,8 x 11,8 cm (Blattgröße 26,5 x 20,5 cm)
Bezeichnung: Blatt I-VIII und X-XII u.r.
»Strempel / 1927.«; Blatt IX u.r. »Strempel /
27.«
Datierung: 1927
Besitzer: Privatbesitz
Frank Wedekind (1864–1918) stand als
Dichter in der Tradition von Georg Büch-
ner, Heinrich Heine und Christian Grabbe.
Als Kabarettist trug er eigene Lieder und
Balladen vor, oft in der Form des Bänkel-
sanges. Besonders den Expressionisten galt
er als Anreger; auf Bertolt Brecht hatte er
einen starken Einfluß. Seit 1896 schrieb
Wedekind für den »Simplicissimus«. Die
Moritat über »Brigitte B.« verfaßte Wedekind 1909. Als Quelle diente ihm eine Ge-
richtsverhandlung. Seine Intention war in
erster Linie die Übermittlung einer Moral
nach dem Motto: wer so dumm und einfäl-

tig ist, daß er selbst durch Schaden nicht
klug wird, wird bestraft. Gleichzeitig spielen aber bei Wedekind auch Gesellschaftskritik und Polemik gegen die bürgerlichen
moralischen Konventionen eine Rolle.

(1288) Schrotholzkirche in Beuthen
Feder und Tusche/Papier
29,0 x 23,5 cm
Bezeichnung: u.r. (a.d. Passepartout) »St.
27«
Datierung: 1927

Fünf Zeichnungen:
(1289) Unentrinnbare Begegnung
(1290) Das Märchen
(1291) Gewähren − Ersehnen
(1292) Das Mädchen und die beiden
Männer
(1293) Lustvolle Sühne
Datierung: 1927
Besitzer: unbekannt
In einem Brief an Marie-Luise Neumann
vom 25.12.1927 berichtete Strempel, daß
gerade die o.g. fünf Zeichnungen entstanden seien.

(1294) **Geiger**
Feder und Tusche/Papier
45,5 x 35,5 cm (Blattgröße 49,0 x 39,0 cm)
Bezeichnung: u.l. »Geiger«; u.r. »St. 30«
Datierung: 1930
Ausstellung: Berlin/W. 1978, Nr. 1

(1295) Boulevard de la Villette
Feder und Tusche/Papier
26,0 x 21,0 cm
Bezeichnung: u.l. »Strempel 1930«; u.r.
»Bd. de la Vilette« (sic)
Datierung: 1930
Ausstellung: Berlin/W. 1971, Nr. 461 (Har-
monikaspieler)
Abbildung: Berlin/W. 1971, 79

(1296) Zeitungsjunge
Bleistift/Papier
35,7 x 26,0 cm
Bezeichnung: u.l. »Berlin«; u.r. »H. Strem-
pel 1930«
Datierung: 1930
Besitzer: Wien, Privatbesitz (1973) / unbe-
kannt
Ausstellungen: Berlin/W. 1971, Nr. 462
(Abb.) ; Wien 1973, Nr. 78 (Abb.)
Literatur: Berlin/DDR 1978/79, 67
Abbildungen: Berlin/W. 1971, 79; Wien
1973, o.S.
Das Motiv des Zeitungsverkäufers wurde
Ende der 20er, Anfang der 30er Jahre zu einem Symbol für die soziale Misere des Proletariats; dementsprechend häufig findet
man dieses Motiv in den Bildern fortschrittlicher, engagierter Künstler. Zu nennen sind hier vor allem Arbeiten von Heinrich Zille (1920), Georg Scholz (1921/22),
Georg Schrimpf (1923) und Conrad Felixmüller (1928).

(1297) **Stilleben mit Fisch** (Z 1)
Feder, Pinsel und Tusche, leicht farbig
aquarelliert/Papier
29,0 x 23,0 cm (Blattgröße 34,0 x 28,5 cm)
Bezeichnung: u.l. im Bild »Strempel 30«;
u.l. »Nr.1«; u.r. »St. 30«; verso u. »1930 Stillleben mit Fisch 29x23 Nr.1«
Datierung: 1930

(1298) *Fröhliche Ostern?*
Kohle
13,4 x 8,6 cm
Bezeichnung: u.r. »St. 33«; u. Mitte »Fröhliche Ostern?«
Datierung: 1933
Besitzer: Privatbesitz

(1299) *Erna*
Kohle/Papier
27,0 x 21,0 cm
Bezeichnung: u.l. »12.4.34. / Erna«
Datierung: 1934

(1300) *»Weiblicher Halbakt mit Tuch am Fenster«* (Z 136)
Enkaustik/Papier
37,5 x 29,0 cm
Bezeichnung: u.r. »H. Strempel 1934. / Paris«
Datierung: 1934
Besitzer: Privatbesitz

(1301) *»Sitzende Frau auf einem Balkon«*
Pinsel und Tusche/Papier
19,0 x 29,0 cm (sichtb.)
Bezeichnung: u.l. »St. 34. Paris«
Datierung: 1934

(1302) *Moi je ne voudrais pas reçevoir de l'argent d'une femme!*
Feder und Tusche, Bleistift/Papier
24,0 x 16,0 cm
Bezeichnung: u.l. im Bild »Ho. / 34.«; verso »Moi je ne voudrais pas reçevoir de l'argent d'une femme! / in anderer Schrift: Dessin de Strempel«; a.d. Passepartout »La lutte regards patrie humaine«
Datierung: 1934
Diese Zeichnung ist, ebenso wie die folgenden Karikaturen, vermutlich für eine Veröffentlichung in der Zeitschrift »La Patrie humaine« vorgesehen gewesen, wurde aber offenbar nicht gedruckt. — Mit diesen Karikaturen setzte Strempel seine Angriffe auf den seiner Meinung nach heuchlerischen Klerus fort, die schon in den beiden Tafelbildern *Fürsorge* und *Selig sind die geistig Armen* zum Ausdruck kamen.

(1303) *Tartüffe*
Feder, Pinsel und Tusche, teilweise leicht weiß gehöht/Papier
22,0 x 14,5 cm (Blattgröße 24,0 x 16,0 cm)
Bezeichnung: u. Mitte »Ho. 34 / Rodin«; a.d. Passepartout Mitte »Tartüffe«; verso »Rodin«
Datierung: 1934
Vgl. WVZ 1302.

(1304) *Schwestern in Christo*
Feder und Tusche, Bleistift/Papier
24,0 x 16,0 cm
Bezeichnung: o.r. »Ho. 35.«; u. Mitte »Schwestern in Christo«; verso »Pas besoin de savoir lire s'ils savent jurier (sic)«
Datierung: 1935
Vgl. WVZ 1302.- Die Bezeichnung auf der Rückseite der Karikatur ist zu verstehen als »Sie müssen nicht lesen können, wenn sie nur wissen, wie man das (Ordens-)Gelübde spricht«. Strempel zielt hiermit, wie auch schon in seinem Triptychon *Fürsorge*, auf christliche Bildungs- und Erziehungsmaßnahmen.

(1305) **Unsere lieben Brüder im Herrn**
Feder und Tusche, Bleistift/Papier
24,0 x 16,0 cm
Bezeichnung: o.l. »Ho. 35.«; u.l. »Unsere lieben brüder im Herrn«; verso »Les hommes … pas comme les autres«
Datierung: 1935

(1306) *Frau mit Kind* (Z 2)
Feder und Tusche, dunkelblaue Kreide/Papier
21,5 x 18,0 cm (Blattgröße 23,5 x 20,0 cm sichtb.)
Bezeichnung: u.l. im Bild »Horst Strempel 1936 Paris.«; u.l. »1936. H. Strempel«
Datierung: 1936
Besitzer: Privatbesitz
Die Zeichnung ist eine Skizze zum gleichnamigen Gemälde (WVZ 91).

(1307) *»Frau mit drei Kindern auf einer Landstraße«*
Feder und Tusche, teilweise laviert
30,5 x 19,5 cm
Bezeichnung: u.l. »St. 36 Paris«; u.l. (a.d. Passepartout) »Paris 36.«
Datierung: 1936
Besitzer: Privatbesitz
Die Zeichnung steht möglicherweise in Zusammenhang mit den *Germinal*-Illustrationen, an denen Strempel seit der Breslauer Zeit arbeitete. Zwar läßt sich diese Darstellung keiner bestimmten Szene des Romans zuordnen; jedoch zeigen sich formale Übereinstimmungen mit dem Holzschnitt *Der Weg* (WVZ 2397).

(1308) *Kopf*
Pinsel und Tusche, Kohle, weiß gehöht/Papier
25,0 x 18,5 cm
Bezeichnung: u.l. »St. 37. Paris.«; u.l. (a.d. Passepartout) »Studie zur ‹Internationale›«; verso u.l. (a.d. Passepartout) »33. Kopf. Studie zur ‹Internationale› «
Datierung: 1937
Laut Bezeichnung wird es sich bei dieser Zeichnung zu einer Studie zu einem größeren Bild handeln, über dessen Verbleib jedoch nichts bekannt ist.

(1309) *»Frau mit Kind«*
Feder und Tusche, dunkelblaue Kreide, weiß gehöht/Papier
21,5 x 18,0 cm
Bezeichnung: u.l. »St. 1937. Paris«; u.l. (a.d. Passepartout) Widmung an die derzeitige Besitzerin
Datierung: 1937
Besitzer: Privatbesitz
Die Zeichnung ist eine Studie zu dem Gemälde *Frau mit Kind* (WVZ 91). Vgl. die nahezu identische Zeichnung *Frau mit Kind* von 1936 (WVZ 1306).

(1310) *Porträt Erna* (T 5)
Feder und Tusche, leicht aquarelliert/Papier
38,5 x 29,0 cm
Bezeichnung: u.l. »Horst Strempel Paris 1938«
Datierung: 1938

(1311) *»Weiblicher Halbakt«* (Z 36)
Feder und Tusche/Papier
25,2 x 19,2 cm
Bezeichnung: u.l. »St. 38«

Datierung: 1938
Die Federzeichnung ist eine Studie zu dem Gemälde WVZ 101.

(1312) *Sitzendes Mädchen. Akt* (Z 4)
Feder und Tusche, teilweise aquarelliert/Papier
28,5 x 22,5 cm
Bezeichnung: u.l. im Bild »Strempel / Paris 38.«; u.l. »Sitzendes Mädchen. Akt. 29x22 Nr.4«
Datierung: 1938
Vgl. die Enkaustik *Sitzender Akt* von 1939 (WVZ 1319).

(1313) *»Tischgesellschaft«* (Z 38)
Feder und Tusche, Bleistift/Papier
17,0 x 20,0 cm
Bezeichnung: u.l. »St. 38. / Paris«
Datierung: 1938
Die Zeichnung befindet sich auf der Rückseite eines Brieffragmentes. Sie ist eine Skizze zum Ölgemälde WVZ 117.

(1314) *»Blattpflanzen«*
Pinsel und Tusche/Papier
24,0 x 17,5 cm (sichtb.)
Bezeichnung: u.l. »Strempel Paris 38«
Datierung: 1938

(1315) *»Weiblicher Halbakt mit Kamm«*
Feder und Tusche/Papier
17,0 x 12,0 cm
Bezeichnung: u.l. »St. 39 Paris«
Datierung: 1939

(1316) *Kopf*
Pinsel und Tusche, Kohle, teilweise gehöht/Papier
28,5 x 21,0 cm
Bezeichnung: u.r. »Strempel / Paris 39.«; u.l. (a.d. Passepartout) »29. ‹Kopf› «
Datierung: 1939

(1317) *Legionär Sachs*
Feder und Tusche/Papier
ca. 21,0 x 12,5 cm
Bezeichnung: u.l. »Legionär Sachs. / Dez. 39.«
Datierung: 1939
Besitzer: Berlin, StM, SdZ, Inv.Nr. 15
Die Zeichnung entstand wahrscheinlich in dem französischen Internierungslager Névers, in dem sich Strempel Weihnachten 1939 aufhielt (Brief von Erna Strempel an Max Raphael, 25.12.1939). »Feindliche Ausländer« konnten sich, um der Inhaftierung zu entgehen, als Freiwillige zur französischen Fremdenlegion melden.

(1318) A. *»Legionär Sachs«*
Feder und Tusche/Papier
ca. 21,0 x 12,5 cm
Datierung: um 1939
Besitzer: Berlin, StM, SdZ, Inv.Nr. 14 (recto)
Die Porträtzeichnung, wahrscheinlich in einem französischen Lager entstanden, ist nahezu identisch mit der vorhergehenden Zeichnung (WVZ 1317).
B. *«Porträt Erna Strempel«*
Bleistift/Papier
ca. 12,5 x 13,0 cm (Blattgröße ca. 21,0 x 12,5 cm)
Datierung: um 1939 (vgl. WVZ 1317)
Besitzer: Berlin, StM, SdZ, Inv.Nr. 14 (verso)

(1319) *Sitzender Akt* (Z 5)
Enkaustik
26,5 x 18,5 cm
Bezeichnung: u.l. »St. 39.«; u.l. (a.d. Passe-
partout) »1939 Sitzender Akt Paris 27x19
cm Nr.5«
Datierung: 1939
Vgl. die Zeichnung WVZ 1312.

(1320) *»Paar«*
Feder und Tusche/Papier
23,0 x 17,0 cm
Bezeichnung: u.l. »Strempel 39. / Paris«
Datierung: 1939

(1321) *»Mädchen mit Brotwagen«*
Feder und Tusche/Papier
18,5 x 12,0 cm
Bezeichnung: u.l. »St. 39. Paris«
Datierung: 1939

(1322) *Jardin Publique*
Feder und Tusche/Papier
23,0 x 18,5 cm
Bezeichnung: u.l. »St. 39«; u.l. (a.d. Passepartout) »Pour Jardin Publique«
Datierung: 1939
Horst Strempel zeichnete die Parkszenen
auf einen Brief, der o.l. mit einem gedruckten Briefkopf versehen ist: »Pro 2864 / R.c.
Seine 58597 / Direction Générale«. Es handelt sich hier wahrscheinlich um eine Vorstudie zu dem gleichnamigen verschollenen Ölbild von 1939 (WVZ 118).

(1323) *»Balkon in Paris«*
Feder, Pinsel und Tusche/Papier
38,5 x 19,5 cm
Datierung: um 1939 (?)

(1324) *»Stilleben mit Flasche und Obst-
schale«*
Feder und Tusche/Papier
Bezeichnung: u.l. »St. 39. / Strempel«
Datierung: 1939
Besitzer: Privatbesitz

(1325) *»Stilleben mit Blumen und Früchten
auf rundem Tisch«*
Feder und Tusche (?)
Bezeichnung: u.l. »St. 39«
Datierung: 1939
Besitzer: unbekannt
Eine Fotografie der Zeichnung befindet
sich im Nachlaß: bei dem dort angegebe-
nen Besitzer konnte sie jedoch nicht nach-
gewiesen werden.

(1326–1328) *Studien zum Wandbild Gëus:*

(1326) *»Kopf der Großmutter«*
Kohle
19,5 x 14,5 cm
Bezeichnung: u.l. (a.d. Passepartout) »Stu-
die zum Wandbild Gëus (Basses-Pyré-
nées)«
Datierung: 1940
Siehe das Gemälde WVZ 138.

(1327) **»Alte Frau auf einem Stuhl sitzend«**
Fettkreide, Bleistift/Papier
22,0 x 20,0 cm
Bezeichnung: u.l. (a.d. Passepartout)
»Gëus. Studie zum Wandbild«; u.r. »St. 40.«
Datierung: 1940
Siehe das Gemälde WVZ 138.

(1328) *»Mann am Tisch beim Einnehmen
seiner Mahlzeit«*
Kohle/Papier
19,5 x 14,5 cm
Bezeichnung: u.l. (a.d. Passepartout) »Stu-
die zum Wandbild, Gëus.
Basses-Pyrénées«; u.r. »St. 40«
Datierung: 1940
Siehe das Gemälde WVZ 138.

(1329) *Madame Solanille*
Pinsel und Sepia, Bleistift, Fettkreide/Pa-
pier
19,0 x 13,5 cm
Bezeichnung: u.l. »St. 40«; u.l. (a.d. Passepartout) »Mme. Solanige (sic) Gëus. Basses-Pyrénées«
Datierung: 1940

(1330) *Jo-Jo (in zwei Ansichten)*
Bleistift/Papier
23,2 x 15,5 cm
Bezeichnung: u.l. »Jo-Jo. 11.10.1940
Strempel«
Datierung: 1940
Besitzer: Berlin, StM, SdZ, Inv.Nr. 27

(1331) *»Alte Frau auf einem Stuhl sitzend«*
Bleistift/Papier
23,2 x 15,5 cm
Bezeichnung: u.l. »St. 40 / Gëus«
Datierung: 1940
Besitzer: Berlin, StM, SdZ, Inv.Nr. 12

(1332) *»Erna Strempel auf einem Stuhl sit-
zend«*
Bleistift/Papier
21,7 x 14,0 cm (23,5 x 15,5 cm)
Bezeichnung: u.l. »St. 40 / Gëus«
Datierung: 1940
Besitzer: Berlin, StM, SdZ, Inv.Nr. 32

(1333) *»Knabe auf einem Stuhl sitzend«*
Bleistift/Papier
23,5 x 15,5 cm
Bezeichnung: u.l. »St. Gëus / 10.10.40«
Datierung: 1940
Besitzer: Berlin, StM, SdZ, Inv.Nr. 26

(1334) *»Zwei Frauen unter einem Schirm«*
Pinsel und Sepia, Bleistift/Papier
22,0 x 17,0 cm
Bezeichnung: u.l. »Strempel. Gëus 40.«
Datierung: 1940

(1335) *»Haus in Gëus«*
Bleistift/Papier
23,2 x 15,5 cm
Bezeichnung: u.l. »St. 40 / Gëus«
Datierung: 1940
Besitzer: Berlin, StM, SdZ, Inv.Nr. 13

(1336) *»Landschaft«*
Kohle, teilweise laviert/Papier
ca. 20,0 x 15,0 cm (22,0 x 17,0 cm)
Bezeichnung: u.l. »St. 40«
Datierung: 1940
Besitzer: Berlin, StM, SdZ, Inv.Nr. 16

(1337) *»Landschaft mit Baum«*
Kreide/Papier
18,4 x 11,4 cm (20,8 x 13,5 cm)
Bezeichnung: u.r. »Strempel / Gëus / Juli
40«
Datierung: 1940
Besitzer: Berlin, StM, SdZ, Inv.Nr. 17

(1338) *»Landschaft mit Dorf im Hinter-
grund«*
Kreide/Papier
19,5 x 15,5 cm (22,0 x 17,0 cm)
Bezeichnung: u.l. »St. 40.«
Datierung: 1940
Besitzer: Berlin, StM, SdZ, Inv.Nr. 18

(1339) *»Landschaft mit Haus«*
Bleistift/Papier
20,8 x 13,3 cm
Bezeichnung: u.l. »Strempel / Juli 40 Gëus«
Datierung: 1940
Besitzer: Berlin, StM, SdZ, Inv.Nr. 23

(1340) *»Landschaft mit Pappeln«*
Bleistift/Papier
23,3 x 15,5 cm
Bezeichnung: u.l. »St. 8.8.40 / Gëus«
Datierung: 1940
Besitzer: Berlin, StM, SdZ, Inv.Nr. 24

(1341) *»Zwei Bäume«*
Bleistift/Papier
20,2 x 13,5 cm
Bezeichnung: u.l. »St. 40«
Datierung: 1940
Besitzer: Berlin, StM, SdZ, Inv.Nr. 22

(1342) *»Zwei Bäume«*
Pinsel und Tusche, teilweise laviert/Papier
21,8 x 16,8 cm
Bezeichnung: u.l. »St. 40 / 13.8.40«
Datierung: 1940
Besitzer: Berlin, StM, SdZ, Inv.Nr. 21

(1343) *»Dorf in den Pyrenäen«*
Pinsel und Tusche, teilweise laviert/Papier
21,8 x 16,8 cm
Bezeichnung: u.l. »St. 40 / 16.8.40«
Datierung: 1940
Besitzer: Berlin, StM, SdZ, Inv.Nr. 31

(1344) *»Flußbrücke«*
Pinsel und Tusche, teilweise laviert/Papier
21,7 x 16,8 cm
Bezeichnung: u.l. »St. 40 / 18.8.40«
Datierung: 1940
Besitzer: Berlin, StM, SdZ, Inv.Nr. 30

(1345) *Am Wasser*
Pinsel und Sepia, teilweise laviert/Papier
22,0 x 16,0 cm
Bezeichnung: u.l. »St.40 / 23.8.40«; u.l.
(a.d. Passepartout) »33. Am Wasser«
Datierung: 1940

(1346) *»Fenster«*
Bleistift/Papier
20,9 x 13,3 cm
Bezeichnung: u.l. »St. 7.8.40«
Datierung: 1940
Besitzer: Berlin, StM, SdZ, Inv.Nr. 25

(1347) *»Fenster«*
Pinsel und Tusche, teilweise laviert und
weiß gehöht/Papier
21,8 x 16,8 cm
Bezeichnung: u.l. »St. 40 / 20.8.40«
Datierung: 1940
Besitzer: Berlin, StM, SdZ, Inv.Nr. 29

(1348) *»Alte Schuhe«*
Bleistift/Papier
21,8 x 16,8 cm cm
Bezeichnung: u.l. »St. 40«

Datierung: 1940
Besitzer: Berlin, StM, SdZ, Inv.Nr. 33

(1349) »*Alter Schuh und Handstudie*«
Bleistift/Papier
11,4 x 16,8 cm
Bezeichnung: u.l. »Gëus. 40«
Datierung: 1940
Besitzer: Berlin, StM, SdZ, Inv.Nr. 28

(1350) *Stilleben III*
Bleistift/Papier
5,5 x 10,0 cm
Bezeichnung: u. Mitte »St. 40«; u.l. (a.d. Passepartout) »Strempel 1940«; u.l. (am Passepartout-Rand) »27. Stilleben III«
Datierung: 1940
Besitzer: Privatbesitz

(1351) »*Paar am Fenster*«
Bleistift/Papier
30,0 x 21,0 cm (32,0 x 23,0 cm)
Bezeichnung: u.l. »St. 41«
Datierung: 1941

(1352) »*Paar unter Bäumen in Rückenansicht*«
Zeichnung (Kugelschreiber?)
ca. 25,0 x 15,0 cm
Datierung: 1941
Besitzer: Privatbesitz
Die Skizze befindet sich in einem Brief, den Horst Strempel am 24.4.1941 an eine Freundin in New York (S.G.) schrieb. Hierin warb er um Verständnis für seine beabsichtigte Rückkehr nach Deutschland. Die Zeichnung ist wohl als Symbol für die ungewisse Zukunft, die Strempel vor sich liegen sah, zu deuten.

(1353) »*Strandlandschaft mit Boot*«
Zeichnung
ca. 14,8 x 21,0 cm
Bezeichnung: u.l. »St. 42«
Datierung: 1942
Besitzer: Privatbesitz

(1354) »*Stilleben mit Tüchern*«
Bleistift/Papier
31,5 x 23,0 cm
Bezeichnung: u.l. »St. 42«
Datierung: 1942

(1355) »*Frauenkopf*«
Bleistift/Papier
14,3 x 10,3 cm
Datierung: um 1943
Besitzer: Berlin, StM, SdZ, Inv.Nr. 37

(1356) A. «*Männliche Kopfstudie im Profil*«
Bleistift/Papier
14,3 x 10,3 cm
Datierung: um 1943
Besitzer: Berlin, StM, SdZ, Inv.Nr. 52 (recto)
B. «*Männliche Kopfstudie im Profil*«
Bleistift/Papier
14,3 x 10,3 cm
Datierung: um 1943
Besitzer: Berlin, StM, SdZ, Inv.Nr. 52 (verso)

(1357) »*Soldat an einem Tisch sitzend*«
Bleistift/Papier
17,0 x 14,8 cm
Datierung: 1943
Besitzer: Berlin, StM, SdZ, Inv.Nr. 132

(1358) »*Soldat an einem Tisch sitzend*«
Bleistift/Papier
14,4 x 10,4 cm
Datierung: um 1943
Besitzer: Berlin, StM, SdZ, Inv.Nr. 110

(1359) A. «*Junge Frau*«
Bleistift/Papier
17,0 x 14,8 cm
Bezeichnung: u. Mitte »Wien«
Datierung: 1943
Besitzer: Berlin, StM, SdZ, Inv.Nr. 184 (recto)
B. «*Zwei Kopfstudien*«
Bleistift/Papier
14,8 x 17,0 cm
Datierung: um 1943
Besitzer: Berlin, StM, SdZ, Inv.Nr. 184 (verso)

(1360) »*Bauer in Niš*«
Bleistift/Papier
17,0 x 14,8 cm
Bezeichnung: u.l. »Nisch (sic)«
Datierung: 1943
Besitzer: Berlin, StM, SdZ, Inv.Nr. 185

(1361) »*Junges Mädchen an einem Tisch sitzend*«
Bleistift/Papier
19,5 x 15,0 cm
Datierung: um 1943
Besitzer: Berlin, StM, SdZ, Inv.Nr. 162

(1362) »*Liegende Frau*«
Bleistift/Papier
19,0 x 14,8 cm
Datierung: um 1943
Besitzer: Berlin, StM, SdZ, Inv.Nr. 129

(1363) »*Studie eines Mannes mit Schürze*«
Bleistift/Papier
19,6 x 15,5 cm
Datierung: um 1943
Besitzer: Berlin, StM, SdZ, Inv.Nr. 164

(1364) »*Mann mit Spaten in einer Landschaft*«
Bleistift/Papier
14,3 x 19,0 cm
Bezeichnung: u.l. »Mawrowinni / Aug. 43«
Datierung: 1943
Besitzer: Berlin, StM, SdZ, Inv.Nr. 167

(1365) A. »*Arbeitender Mann in einer Landschaft*«
Bleistift/Papier
19,0 x 14,4 cm
Datierung: um 1943
Besitzer: Berlin, StM, SdZ, Inv.Nr. 175 (recto)
B. «*Figurenstudien arbeitender Männer*«
Bleistift/Papier
19,0 x 14,4 cm
Datierung: um 1943
Besitzer: Berlin, StM, SdZ, Inv.Nr. 175 (verso)

(1366) »*Lesender Mann vor einer Haustür*«
Bleistift /Pergamentpapier
19,0 x 14,8 cm
Bezeichnung: u.l. »Moravigni / 19.7.43.«
Datierung: 1943
Besitzer: Berlin, StM, SdZ, Inv.Nr. 153

(1367) *Griechische Bäuerin**
Zeichnung

Bezeichnung: u.l. »Gydleyon 26.8.43«
Datierung: 1943
Besitzer: unbekannt

(1368) »*Zwei sitzende Knaben*«
Bleistift/Pergamentpapier
19,0 x 14,7 cm
Bezeichnung: o.l. »19.7.1943«
Datierung: 1943
Besitzer: Berlin, StM, SdZ, Inv.Nr. 154

(1369) »*Zwei sitzende Frauen*«
Zeichnung
ca. 9,0 x 10,0 cm
Bezeichnung: u.l. »St. 43 / Velikia. Peloponnis 1943«
Datierung: 1943
Besitzer: Privatbesitz

(1370) »*Esel mit Reiter und Begleiter*«
Feder und ockerfarbene Tinte, Bleistift/Papier
19,0 x 14,3 cm
Datierung: um 1943
Besitzer: Berlin, StM, SdZ, Inv.Nr. 161

(1371) »*Rastende Bauern mit Esel*«
Bleistift/Papier
14,8 x 19,3 cm
Bezeichnung: u.l. »17.7.43. / Penegelideon«
Datierung: 1943
Besitzer: Berlin, StM, SdZ, Inv.Nr. 150

(1372) »*Esel vor einem Haus*«
Feder und Tinte, Bleistift/Papier
14,4 x 19,0 cm
Bezeichnung: u.l. »Gydleion / 43«
Datierung: 1943
Besitzer: Berlin, StM, SdZ, Inv.Nr. 157

(1373) »*Griechische Dorfszenen*«
Feder und ockerfarbene Tinte, Bleistift/Papier
19,0 x 14,4 cm
Datierung: um 1943
Besitzer: Berlin, StM, SdZ, Inv.Nr. 158

(1374) »*Figurenstudien arbeitender Männer*«
Bleistift/Papier
15,0 x 20,0 cm
Datierung: um 1943
Besitzer: Berlin, StM, SdZ, Inv.Nr. 177

(1375) »*Straßenbauer bei der Arbeit*«
Bleistift/Papier
15,0 x 20,0 cm
Datierung: um 1943
Besitzer: Berlin, StM, SdZ, Inv.Nr. 178

(1376) »*Figurenstudien arbeitender Männer*«
Bleistift/Papier
15,0 x 20,0 cm
Datierung: 1943
Besitzer: Berlin, StM, SdZ, Inv.Nr. 179

(1377) A. »*Figurenstudien arbeitender Männer*«
Bleistift/Papier
19,0 x 14,3 cm
Datierung: um 1943
Besitzer: Berlin, StM, SdZ, Inv.Nr. 181 (recto)
B. »*Figurenstudien arbeitender Männer*«
Bleistift/Papier

19,0 x 14,3 cm
Datierung: um 1943
Besitzer: Berlin, StM, SdZ, Inv.Nr. 181
(verso)

(1378) »Beim Straßenbau«
Bleistift/Papier
14,3 x 19,0 cm
Datierung: um 1943
Besitzer: Berlin, StM, SdZ, Inv.Nr. 182

(1379) A. »Männer beim Straßenbau«
Bleistift/Papier
15,0 x 20,0 cm
Datierung: um 1943
Besitzer: Berlin, StM, SdZ, Inv.Nr. 183 (recto)
B. »Männliche Kopfstudie«
Bleistift/Papier
15,0 x 20,0 cm
Datierung: um 1943
Besitzer: Berlin, StM, SdZ, Inv.Nr. 183
(verso)

(1380) A. »Vier Männer beim Straßenbau«
Bleistift/Papier
15,0 x 20,0 cm
Datierung: um 1943
Besitzer: Berlin, StM, SdZ, Inv.Nr. 146
(recto)
B. »Drei Soldatenköpfe«
Bleistift/Papier
20.0 x 15,0 cm
Datierung: um 1943
Besitzer: Berlin, StM, SdZ, Inv.Nr. 146
(verso)

(1381) »Figurenstudien von Männern mit Spaten«
Bleistift/Papier
19,0 x 14,4 cm
Datierung: um 1943
Besitzer: Berlin, StM, SdZ, Inv.Nr. 174

(1382) »Figurenstudien arbeitender Män-
ner«
Bleistift/Papier
19,0 x 14,4 cm
Datierung: um 1943
Besitzer: Berlin, StM, SdZ, Inv.Nr. 176

(1383) »Figurenstudien arbeitender Män-
ner«
Bleistift/Papier
19,0 x 14,4 cm
Datierung: um 1943
Besitzer: Berlin, StM, SdZ, Inv.Nr. 166

(1384) A. »Figurenstudien«
Bleistift/Papier
19,0 x 14,4 cm
Datierung: um 1943
Besitzer: Berlin, StM, SdZ, Inv.Nr. 163
(recto)
B. »Figurenstudie eines arbeitenden Man-
nes«
Bleistift/Papier
ca. 6,0 x 5,0 cm (Blattgröße 19,0 x 14,4 cm)
Datierung: um 1943
Besitzer: Berlin, StM, SdZ, Inv.Nr. 163
(verso)

(1385) »Figurenskizzen, sitzend«
Bleistift/Papier
17,0 x 14,8 cm
Datierung: 1943
Besitzer: Berlin, StM, SdZ, Inv.Nr. 134

(1386) »Figurenskizzen«
Bleistift/Papier
17,0 x 14,8 cm
Datierung: 1943
Besitzer: Berlin, StM, SdZ, Inv.Nr. 133

(1387) »Frauen auf einem Balkon«
Bleistift, blauer Farbstift/Papier
15,0 x 19,3 cm
Bezeichnung: linker Rand »17.7.43.«; r.
Mitte »Tripolis. / 17.7.43«
Datierung: 1943
Besitzer: Berlin, StM, SdZ, Inv.Nr. 159

(1388) »Frau auf einem Balkon«
Bleistift/Papier
19,2 x 14,7 cm
Bezeichnung: u.r. »Tripolis. / 18.7.43«
Datierung: 1943
Besitzer: Berlin, StM, SdZ, Inv.Nr. 160

(1389) »Café in Tripolis«
Bleistift, Kohle/Papier
19,2 x 14,8 cm
Bezeichnung: u. Mitte »Tripolis / 13.7.43«
Datierung: 1943
Besitzer: Berlin, StM, SdZ, Inv.Nr. 135

(1390) »Straßencafé in Gydleion«
Bleistift/Pergamentpapier
19,0 x 14,4 cm
Bezeichnung: o.l. »Gydleion«
Datierung: 1943
Besitzer: Berlin, StM, SdZ, Inv.Nr. 155

(1391) »Gleisanlagen mit Güterzug«
Bleistift/Papier
17,0 x 14,8 cm
Bezeichnung: o.l. »2.5.43. / bei Nish (sic)«
Datierung: 1943
Besitzer: Berlin, StM, SdZ, Inv.Nr. 170

(1392) »Landschaft bei Niš«
Bleistift/Papier
14,8 x 17,0 cm
Bezeichnung: o.l. »2.5.43. / bei Nitsch
(sic)«
Datierung: 1943
Besitzer: Berlin, StM, SdZ, Inv.Nr. 169

(1393) »Eisenbahnstation in Croatien«
Bleistift/Papier
14,8 x 17,0 cm
Bezeichnung: o.l. »1. Station in Croatien /
31.5.43. / Strempel«
Datierung: 1943
Besitzer: Berlin, StM, SdZ, Inv.Nr. 171

(1394) »Landschaft mit Bahnstrecke«
Bleistift/Papier
14,8 x 16,8 cm
Bezeichnung: o.l. »Saloniki 5.6.43«
Datierung: 1943
Besitzer: Berlin, StM, SdZ, Inv.Nr. 140

(1395) »Dorfstraße in Skutari«
Bleistift/Papier
31,7 x 22,5 cm
Bezeichnung: u.l. »St. Kutari 1943 / Juni«;
o.l. »Ku«
Datierung: 1943
Besitzer: Berlin, StM, SdZ, Inv.Nr. 20

(1396) »Landschaft bei Salamis / Kulari«
Bleistift/Papier
14,7 x 17,0 cm

Bezeichnung: u.l. »Salamis / Kulari Juni
43«
Datierung: 1943
Besitzer: Berlin, StM, SdZ, Inv.Nr. 143

(1397) »Landschaft bei Salamis«
Bleistift/Papier
31,7 x 22,5 cm
Bezeichnung: u.l. »Salamis. / Juni 1943«
Datierung: 1943
Besitzer: Berlin, StM, SdZ, Inv.Nr. 19

(1398) »Blick auf Salamis«
Zeichnung
ca. 19,5 x 29,5 cm
Bezeichnung: u.l. »Strempel. Juni 43. / Sa-
lamis / Strempel. 43«
Datierung: 1943
Besitzer: Privatbesitz

(1399) A. «Boote auf einem See«
Bleistift/Papier
19,3 x 29,9 cm
Bezeichnung: u.l. »4. Juli 43«
Datierung: 1943
Besitzer: Berlin, StM, SdZ, Inv.Nr. 192
(recto)
B. «Zwei Frauen mit Wasserkrug«
Bleistift/Papier
29,0 x 19,3 cm
Datierung: 1943
Besitzer: Berlin, StM, SdZ, Inv.Nr. 192
(verso)

(1400) »Gebirgslandschaft bei Kalamata«
Bleistift/Papier
14,8 x 19,3 cm
Bezeichnung: o.r. »Kalamata / 16.7.43«
Datierung: 1943
Besitzer: Berlin, StM, SdZ, Inv.Nr. 136

(1401) »Platz in Tripolis«
Bleistift/Papier
19,3 x 14,8 cm
Bezeichnung: o.l. »Tripolis / 17.7.43«
Datierung: 1943
Besitzer: Berlin, StM, SdZ, Inv.Nr. 141

(1402) »Straße in Tripolis«
Bleistift/Papier
14,8 x 19,3 cm
Bezeichnung: o.r. »Tripolis / 17.7.43«
Datierung: 1943
Besitzer: Berlin, StM, SdZ, Inv.Nr. 137

(1403) »Straße in Tripolis«
Bleistift/Papier
19,0 x 14,7 cm
Bezeichnung: u.l. »Tripolis. / 18.7.43.«
Datierung: 1943
Besitzer: Berlin, StM, SdZ, Inv.Nr. 168

(1404) »Gebirgslandschaft mit Bäumen«
Bleistift/Papier
15,0 x 19,0 cm
Bezeichnung: u.r. »19.7.43«
Datierung: 1943
Besitzer: Berlin, StM, SdZ, Inv.Nr. 195

(1405) »Häuser in Mawrowinni«
Bleistift/Papier
14,8 x 19,3 cm
Bezeichnung: u.l. »Mawrowinni / 29.7.43«
Datierung: 1943
Besitzer: Berlin, StM, SdZ, Inv.Nr. 139

(1406) *Blick auf Gydleion*
Bleistift/Papier
14,8 x 19,2 cm
Bezeichnung: o.l. »blick auf Gydleion /
29.7.43«
Datierung: 1943
Besitzer: Berlin, StM, SdZ, Inv.Nr. 194

(1407) *»Kirchturm in einer Landschaft«*
Bleistift/Papier
19,0 x 15,0 cm
Bezeichnung: u.l. »St / Mawrowinni 30. Juli
43«
Datierung: 1943
Besitzer: Berlin, StM, SdZ, Inv.Nr. 145

(1408) *»Umgestürztes Boot am Strand«*
Bleistift/Papier
14,8 x 19,3 cm
Bezeichnung: u.l. »Str, / Mawrowinni
30.7.43.«
Datierung: 1943
Besitzer: Berlin, StM, SdZ, Inv.Nr. 138

(1409) *Weg nach Gydleion*
Bleistift/Papier
19,0 x 14,4 cm
Bezeichnung: »Weg nach Gydleion.
10.8.43«
Datierung: 1943
Besitzer: Berlin, StM, SdZ, Inv.Nr. 190

(1410) *»Straßenszene in Gydleion«*
Feder und blaue und ockerfarbene Tinte,
Bleistift/Papier
19,0 x 14,4 cm
Bezeichnung: u.l. »Str. Gydleion. /
22.8.43.«
Datierung: 1943
Besitzer: Berlin, StM, SdZ, Inv.Nr. 148

(1411) *»Häuser in Gydleion«**
Zeichnung (Feder und Tusche?)
Bezeichnung: u.l. »Gydleyron (sic)
26.8.43«
Datierung: 1943
Besitzer: unbekannt

(1412) *Weg nach Gydleion*
Bleistift/Papier
19,0 x 14,3 cm
Bezeichnung: u.l. »Weg nach Gydleion /
August 43«
Datierung: 1943
Besitzer: Berlin, StM, SdZ, Inv.Nr. 142

(1413) *Kirche in Mawronni*
Feder und ockerfarbene Tinte/Papier
14,4 x 19,0 cm
Bezeichnung: o.l. »Kirche in Mawronni /
August 43.«
Datierung: 1943
Besitzer: Berlin, StM, SdZ, Inv.Nr. 156

(1414) *»Blick auf Mawrowinni«*
Bleistift/Papier
19,5 x 15,0 cm
Bezeichnung: u.l. »Str. / Mawrowinni / Au-
gust 43.«
Datierung: 1943
Besitzer: Berlin, StM, SdZ, Inv.Nr. 187

(1415) *»Blick auf Neu-Phaleron«*
Bleistift/Papier
10,3 x 14,4 cm
Bezeichnung: u.r. »neu-Phaleron

28.12.43«
Datierung: 1943
Besitzer: Berlin, StM, SdZ, Inv.Nr. 113

(1416) *»Feldweg«*
Bleistift/Papier
19,0 x 14,3 cm
Datierung: um 1943
Besitzer: Berlin, StM, SdZ, Inv.Nr. 180

(1417) *»Landschaft in Griechenland«*
Bleistift/Papier
10,3 x 14,3 cm
Datierung: um 1943
Besitzer: Berlin, StM, SdZ, Inv.Nr. 35

(1418) *Straße*
Feder und Tusche/Papier
32,0 x 22,0 cm
Bezeichnung: u.l. »8.5.43 / Strempel«; u.l.
(a.d. Passepartout) »78. Straße«
Datierung: 1943

(1419) *»Häuser in Mawrowinni«*
Feder und ockerfarbene Tinte/Papier
19,0 x 14,4 cm
Bezeichnung: u.l. »Mawrowinni / 43«
Datierung: 1943
Besitzer: Berlin, StM, SdZ, Inv.Nr. 147

(1420) *Pferd*
Bleistift/Papier
10,3 x 14,3 cm
Datierung: 1943
Besitzer: Berlin, StM, SdZ, Inv.Nr. 36

(1421) *»Hand- und Beinstudien eines Sit-
zenden«*
Bleistift/Papier
17,0 x 14,8 cm
Datierung: um 1943
Besitzer: Berlin, StM, SdZ, Inv.Nr. 172

(1422) A. *»Bein-, Fuß- und Schuhstudien«*
Bleistift/Papier
17,0 x 14,7 cm
Datierung: um 1943
Besitzer: Berlin, StM, SdZ, Inv.Nr. 151 (rec-
to)
B. *»Figurenstudien und Briefentwurf«*
Bleistift/Papier
17,0 x 14,7 cm
Datierung: um 1943
Besitzer: Berlin, StM, SdZ, Inv.Nr. 151
(verso)

(1423) *»Agave«*
Bleistift/Papier
19,0 x 14,4 cm
Datierung: um 1943
Besitzer: Berlin, StM, SdZ, Inv.Nr. 165

(1424) *»Baumstudie«*
Feder und blaue Tinte/Papier
14,7 x 9,9 cm
Datierung: um 1943
Besitzer: Berlin, StM, SdZ, Inv.Nr. 41

(1425) *»Kopf eines Soldaten«*
Bleistift/Papier
14,7 x 10,0 cm
Datierung: 1944
Besitzer: Berlin, StM, SdZ, Inv.Nr. 53

(1426) *»Porträtskizze Emil Adrian«*
Zeichnung

ca. 15,0 x 10,0 cm
Bezeichnung: u.l. »H. Strempel / Nord 44. /
4. Oktober 1944«
Datierung: 1944
Besitzer: Privatbesitz
Emil Adrian war Kriegskamerad Strempels
in Griechenland.

(1427) *»Mann in Rückenansicht, sich links
anlehnend«*
Bleistift/Papier
14,7 x 9,8 cm
Bezeichnung: u.r. »Velikia. Juli ›44«
Datierung: 1944
Besitzer: Berlin, StM, SdZ, Inv.Nr. 64

(1428) *»Partisan«*
Bleistift/Papier
14,7 x 9,9 cm
Bezeichnung: u.l. »Velikia / Juli 44.«
Datierung: 1944
Besitzer: Berlin, StM, SdZ, Inv.Nr. 111

(1429) *»Griechische Bäuerin«*
Zeichnung
ca. 14,5 x 10,0 cm
Bezeichnung: u.l. »Juli 44 / St. 44. Velikia«
Datierung: 1944
Besitzer: Privatbesitz

(1430) *»Griechische Bäuerin mit Körben«*
Bleistift/Papier
ca. 14,5 x 10,0 cm
Bezeichnung: u.l. »Velikia Juli 44 / St. 44«
Datierung: 1944
Besitzer: Privatbesitz

(1431) A. *»Mundharmonikaspieler«*
Bleistift/Papier
14,7 x 9,7 cm
Datierung: 1944
Besitzer: Berlin, StM, SdZ, Inv.Nr. 55
(recto)
B. *»Soldat«*
Bleistift/Papier
14,7 x 9,7 cm
Datierung: 1944
Besitzer: Berlin, StM, SdZ, Inv.Nr. 55
(verso)

(1432) *»Junges Mädchen, Rückenansicht«*
Bleistift/Papier
14,7 x 9,7 cm
Bezeichnung: u.l. »Juli 44«
Datierung: 1944
Besitzer: Berlin, StM, SdZ, Inv.Nr. 56

(1433) *»Griechische Volkstypen«*
Bleistift/Papier
14,7 x 9,9 cm
Bezeichnung: u.l. »Velikia. Juli 44«
Datierung: 1944
Besitzer: Berlin, StM, SdZ, Inv.Nr. 45

(1434) *»Junge Mädchen«*
Bleistift/Papier
14,7 x 9,8 cm
Datierung: 1944
Besitzer: Berlin, StM, SdZ, Inv.Nr. 66

(1435) *»Zwei Soldaten und Schubkarre«*
Bleistift/Papier
14,5 x 9,8 cm
Bezeichnung: u.l. »Velikia Juli 44.«
Datierung: 1944
Besitzer: Berlin, StM, SdZ, Inv.Nr. 54

(1436) »*Frau mit Kind auf dem Arm, Män-nerkopf*«
Bleistift/Papier
14,5 x 10,0 cm
Datierung: um 1943/44
Besitzer: Berlin, StM, SdZ, Inv.Nr. 44

(1437) »*Geschorenes Schaf*«
Bleistift/Papier
9,9 x 14,7 cm
Bezeichnung: u.l. »Velikia Juli 44«
Datierung: 1944
Besitzer: Berlin, StM, SdZ, Inv.Nr. 89

(1438) »*Pferd*«
Bleistift/Papier
9,8 x 14,6 cm
Bezeichnung: u.l. »Velikia. Juli 44.«
Datierung: 1944
Besitzer: Berlin, StM, SdZ, Inv.Nr. 112

(1439) A. »*Dorfstraße in Griechenland*«
Bleistift/Papier
24,5 x 15,0 cm
Datierung: 1943/44
Besitzer: Berlin, StM, SdZ, Inv.Nr. 193
(recto)
B. »*Bootstudie*«
Bleistift/Papier
24,5 x 15,0 cm
Datierung: um 1943/44
Besitzer: Berlin, StM, SdZ, Inv.Nr. 193
(verso)

(1440) »*Griechische Dorflandschaft*«
Bleistift/Papier
15,0 x 24,2 cm
Datierung: um 1943/44
Besitzer: Berlin, StM, SdZ, Inv.Nr. 186

(1441) »*Gebirgslandschaft mit Dorf im Vor-dergrund*«
Feder und Tusche, Bleistift/Papier
14,3 x 20,6 cm
Datierung: um 1943/44
Besitzer: Berlin, StM, SdZ, Inv.Nr. 144

(1442) A. »*Dorf am Meer*«
Bleistift/Papier
15,0 x 24,2 cm
Datierung: um 1943/44
Besitzer: Berlin, StM, SdZ, Inv.Nr. 188
(recto)
B. »*Zwei Kopfstudien*«
Bleistift/Papier
24,2 x 15,0 cm
Datierung: um 1943/44
Besitzer: Berlin, StM, SdZ, Inv.Nr. 188
(verso)

(1443) »*Landschaft am Meer*«
Bleistift/Papier
15,0 x 24,0 cm
Datierung: um 1943/44
Besitzer: Berlin, StM, SdZ, Inv.Nr. 196

(1444) »*Boot*«
Bleistift/Papier
15,0 x 24,2 cm
Datierung: um 1943/44
Besitzer: Berlin, StM, SdZ, Inv.Nr. 189

(1445) »*Akropolis*«
Feder und Tusche, teilweise laviert, Blei-stift/Papier
ca. 24,8 x 33,0 cm (50,0 x 34,8 cm)

Datierung: um 1943/44
Besitzer: Berlin, StM, SdZ, Inv.Nr. 34

(1446) »*Balkon*«
Bleistift/Papier
14,6 x 9,9 cm
Bezeichnung: u.l. »Juli 44«
Datierung: 1944
Besitzer: Berlin, StM, SdZ, Inv.Nr. 97

(1447) »*Dorfhäuser*«
Bleistift/Papier
14,8 x 10,0 cm
Bezeichnung: u.l. »Velikia 25.7.44«
Datierung: 1944
Besitzer: Berlin, StM, SdZ, Inv.Nr. 121

(1448) »*Hütten*«
Bleistift/Papier
9,8 x 14,7 cm
Bezeichnung: u.l. »Velikia. Juli 44«
Datierung: 1944
Besitzer: Berlin, StM, SdZ, Inv.Nr. 98

(1449) »*Dorfstraße*«
Bleistift/Papier
14,7 x 9,9 cm
Datierung: um 1943
Besitzer: Berlin, StM, SdZ, Inv.Nr. 39

(1450) A. »*Wagen in einem Garten*«
Bleistift/Papier
14,7 x 9,9 cm
Bezeichnung: u.l. »Velikia / Juli 44«
Datierung: 1944
Besitzer: Berlin, StM, SdZ, Inv.Nr. 38 (rec-to)
B. »*Zwei Eselsköpfe*«
Bleistift/Papier
14,7 x 9,9 cm
Datierung: 1944
Besitzer: Berlin, StM, SdZ, Inv.Nr. 38 (ver-so)

(1451) »*Weg in Velikia*«
Bleistift/Papier
14,7 x 9,8 cm
Bezeichnung: u.r. Velikia Juli 44«
Datierung: 1944
Besitzer: Berlin, StM, SdZ, Inv.Nr. 65

(1452) *Blick nach Petalidi*
Bleistift/Papier
9,8 x 14,6 cm
Bezeichnung: u.l. »Velikia. Blick nach Peta-lidi. Coroni Juli 44.«
Datierung: 1944
Besitzer: Berlin, StM, SdZ, Inv.Nr. 90

(1453) »*Berglandschaft bei Velikia*«
Bleistift/Papier
9,6 x 14,7 cm
Bezeichnung: u.l. »Velikia / Juli 44.«
Datierung: 1944
Besitzer: Berlin, StM, SdZ, Inv.Nr. 91

(1454) »*Baumstudie*«
Bleistift/Papier
14,7 x 9,9 cm
Bezeichnung: u.l. »Velikia / 22.7.44«
Datierung: 1944
Besitzer: Berlin, StM, SdZ, Inv.Nr. 40

(1455) »*Baumstudie*«
Bleistift/Papier
14,7 x 9,9 cm

Bezeichnung: u.l. »Juli 44«
Datierung: 1944
Besitzer: Berlin, StM, SdZ, Inv.Nr. 42

(1456) »*Verankerung*«
Bleistift/Papier
9,5 x 9,9 cm (14,7 x 9,9 cm)
Bezeichnung: u.l. »Juli 44«
Datierung: 1944
Besitzer: Berlin, StM, SdZ, Inv.Nr. 43

(1457–1518) Zeichnungen aus Kriegsge-fangenenlagern und Camps:

(1457) A. »*Kopf eines schlafenden Solda-ten*«
Bleistift/Papier
9,5 x 12,5 cm
Bezeichnung: u. Mitte »16.4.45. / Drau«
Datierung: 1945
Besitzer: Berlin, StM, SdZ, Inv.Nr. 58
(recto)
B. »*Beschuhter Fuß*«
Bleistift/Papier
9,5 x 12,5 cm
Datierung: um 1945
Besitzer: Berlin, StM, SdZ, Inv.Nr. 58
(verso)

(1458) »*Kopf eines schlafenden Jungen*«
Bleistift/Papier
14,8 x 10,5 cm
Datierung: 1945
Besitzer: Berlin, StM, SdZ, Inv.Nr. 87

(1459) »*Kopf eines ruhenden Mannes*«
Bleistift/Papier
4,8 x 10,0 cm
Datierung: 1945
Besitzer: Berlin, StM, SdZ, Inv.Nr. 70

(1460) »*Kopf eines Soldaten*«
Bleistift/Papier
12,7 x 9,8 cm
Bezeichnung: u.l. »Drau / 19.4.45.«
Datierung: 1945
Besitzer: Berlin, StM, SdZ, Inv.Nr. 85

(1461) »*Kopf eines Soldaten*«
Bleistift/Papier
14,7 x 10,1 cm
Datierung: 1945
Besitzer: Berlin, StM, SdZ, Inv.Nr. 94

(1462) »*Kopf eines Soldaten*«
Bleistift/Papier
12,8 x 9,3 cm
Datierung: 1945
Besitzer: Berlin, StM, SdZ, Inv.Nr. 61

(1463) »*Kopf eines liegenden Soldaten*«
Bleistift, Feder und blaue Tinte/Papier
10,7 x 14,8 cm
Datierung: 1945
Besitzer: Berlin, StM, SdZ, Inv.Nr. 68

(1464) »*Männerkopf*«
Bleistift/Papier
12,6 x 9,1 cm
Bezeichnung: u.l. »26.6.45«
Datierung: 1945
Besitzer: Berlin, StM, SdZ, Inv.Nr. 100

(1465) »*Männerkopf*«
Bleistift/Papier
12,9 x 9,4 cm

Datierung: 1945
Besitzer: Berlin, StM, SdZ, Inv.Nr. 79

(1466) »*Kopf eines Soldaten*«
Bleistift/Papier
13,6 x 12,0 cm
Bezeichnung: u. Mitte »St. 45. / Ellwangen«
Datierung: 1945
Besitzer: Berlin, StM, SdZ, Inv.Nr. 126

(1467) »*Selbstporträt und Handstudie*«
Bleistift/Pauspapier
25,3 x 14,5 cm
Datierung: um 1945
Besitzer: Berlin, StM, SdZ, Inv.Nr. 149

(1468) »*Zwei Kopfstudien*«
Bleistift/Papier
12,6 x 9,8 cm
Datierung: 1945
Besitzer: Berlin, StM, SdZ, Inv.Nr. 59

(1469) *Im Bunker*
Bleistift/Papier
10,0 x 12,7 cm
Bezeichnung: u.l. »Klingstett / im Bunker / Drau. 18.4.45«
Datierung: 1945
Besitzer: Berlin, StM, SdZ, Inv.Nr. 82

(1470) A. «*Schlafender Soldat*«
Bleistift/Papier
12,7 x 10,0 cm
Bezeichnung: »An der Drau / 18.4.45.«
Datierung: 1945
Besitzer: Berlin, StM, SdZ, Inv.Nr. 75 (recto)
B. «*Handstudie*«
Bleistift/Papier
12,7 x 10,0 cm
Datierung: 1945
Besitzer: Berlin, StM, SdZ, Inv.Nr. 75 (verso)

(1471) »*Ruhender Soldat*«
Bleistift/Papier
14,7 x 10,0 cm
Datierung: 1945
Besitzer: Berlin, StM, SdZ, Inv.Nr. 77

(1472) »*Schlafender Mann*«
Bleistift/Papier
14,5 x 10,0 cm
Datierung: 1945
Besitzer: Berlin, StM, SdZ, Inv.Nr. 46

(1473) »*Schlafender Soldat*«
Bleistift/Papier
9,8 x 12,7 cm
Datierung: 1945
Besitzer: Berlin, StM, SdZ, Inv.Nr. 92

(1474) »*Schlafender Soldat*«
Bleistift/Papier
15,0 x 17,0 cm
Bezeichnung: u.l. »Ellwangen / St. Juli 1945«
Datierung: 1945

(1475) »*Soldat im Graben auf Posten*«
Bleistift/Papier
12,7 x 9,9 cm
Bezeichnung: u. Mitte »An der Drau / 18.4.45.«
Datierung: 1945
Besitzer: Berlin, StM, SdZ, Inv.Nr. 122

(1476) *Schinkenfresser*
Bleistift/Papier
12,6 x 9,9 cm
Bezeichnung: u.l. »Drau/im Graben. 19.4.45. / ‹Schinkenfresser› »
Datierung: 1945
Besitzer: Berlin, StM, SdZ, Inv.Nr. 57

(1477) »*Soldat, im Graben stehend*«
Bleistift/Papier
12,6 x 9,8 cm
Bezeichnung: »Drau / 19.4.45.«
Datierung: 1945
Besitzer: Berlin, StM, SdZ, Inv.Nr. 83

(1478) *Kamerad Gouvernante*
Bleistift/Papier
12,8 x 9,8 cm
Bezeichnung: o.r. »Kamerad / ‹Gouvernante› / Drau 20.4.45.«
Datierung: 1945
Besitzer: Berlin, StM, SdZ, Inv.Nr. 67

(1479) »*Soldat im Graben auf Posten*«
Bleistift/Papier
12,6 x 9,8 cm
Bezeichnung: »Drau / 20.4.45.«
Datierung: 1945
Besitzer: Berlin, StM, SdZ, Inv.Nr. 124

(1480) »*Sitzender Soldat*«
Bleistift/Papier
12,7 x 10,0 cm
Datierung: 1945
Besitzer: Berlin, StM, SdZ, Inv.Nr. 105

(1481) »*Sitzender Soldat*«
Bleistift/Papier
14,8 x 10,2 cm
Datierung: 1945
Besitzer: Berlin, StM, SdZ, Inv.Nr. 80

(1482) »*Sitzender Soldat*«
Bleistift/Papier
12,8 x 10,0 cm
Datierung: 1945
Besitzer: Berlin, StM, SdZ, Inv.Nr. 47

(1483) »*Sitzender Soldat*«
Bleistift/Papier
14,7 x 10,0 cm
Datierung: 1945
Besitzer: Berlin, StM, SdZ, Inv.Nr. 108

(1484) »*Ruhende Figur mit aufgestütztem Arm*«
Bleistift/Papier
10,0 x 12,8 cm
Datierung: 1945
Besitzer: Berlin, StM, SdZ, Inv.Nr. 95

(1485) »*Schlafender*«
Bleistift/Papier
ca. 12,9 x 9,7 cm
Bezeichnung: o.l. »Das ist ein Mensch der schläft«; u.l. »Drau / 22.4.45«
Datierung: 1945
Besitzer: Berlin, StM, SdZ, Inv.Nr. 74

(1486) »**Lesender Soldat**«
Bleistift/Papier
12,9 x 9,6 cm
Bezeichnung: o. Mitte »Drau / 26.4.45«
Datierung: 1945
Besitzer: Berlin, StM, SdZ, Inv.Nr. 96

(1487) »*Schlafender Soldat*«
Bleistift/Papier
12,9 x 9,6 cm
Bezeichnung: »Drau 26.4.45«
Datierung: 1945
Besitzer: Berlin, StM, SdZ, Inv.Nr. 81

(1488) »*Liegender Soldat und Handstudie*«
Bleistift/Papier
12,7 x 9,8 cm
Bezeichnung: u.r. »27.5.45.«
Datierung: 1945
Besitzer: Berlin, StM, SdZ, Inv.Nr. 60

(1489) »*Lesender Soldat*«
Bleistift/Papier
13,5 x 9,9 cm
Bezeichnung: u.l. »30.5.45«
Datierung: 1945
Besitzer: Berlin, StM, SdZ, Inv.Nr. 49

(1490) »*Männlicher Akt mit Lendentuch, liegend*«
Bleistift/Papier
9,5 x 12,8 cm
Datierung: 1945
Besitzer: Berlin, StM, SdZ, Inv.Nr. 71

(1491) »*Kartenspielende Soldaten*«
Bleistift/Papier
12,6 x 10,0 cm
Bezeichnung: »Radstadt / 19.6.45«
Datierung: 1945
Besitzer: Berlin, StM, SdZ, Inv.Nr. 84

(1492) »*Schlafender Soldat und Fußstudien*«
Bleistift/Papier
9,2 x 12,7 cm
Bezeichnung: Bildmitte »28.6.45«
Datierung: 1945
Besitzer: Berlin, StM, SdZ, Inv.Nr. 78

(1493) »*Ein stehender und ein sitzender Soldat*«
Bleistift/Papier
12,6 x 9,2 cm
Bezeichnung: u.r. »27.6.45«
Datierung: 1945
Besitzer: Berlin, StM, SdZ, Inv.Nr. 109

(1494) »*Ein knieender und ein hockender Soldat*«
Bleistift/Papier
12,6 x 9,2 cm
Bezeichnung: u.r. »27.6.45«
Datierung: 1945
Besitzer: Berlin, StM, SdZ, Inv.Nr. 107

(1495) »*Soldaten*«
Bleistift/Papier
12,7 x 9,2 cm
Bezeichnung: »27.6.45«
Datierung: 1945
Besitzer: Berlin, StM, SdZ, Inv.Nr. 106

(1496) »*Ruhende Soldaten*«
Bleistift/Papier
12,6 x 9,1 cm
Bezeichnung: u. Mitte »28.6.45.«
Datierung: 1945
Besitzer: Berlin, StM, SdZ, Inv.Nr. 73

(1497) »*Bauernpaar in St. Martin*«
Bleistift/Papier
12,8 x 9,8 cm

Bezeichnung: u.l. »St. Martin«
Datierung: 1945
Besitzer: Berlin, StM, SdZ, Inv.Nr. 76

(1498) »*Soldaten vor einem Zelt sitzend*«
Feder und blaue Tinte/Papier
ca. 14,0 x 9,3 cm (15,0 x 10,5 cm)
Bezeichnung: u.r. »28.6.45«
Datierung: 1945
Besitzer: Berlin, StM, SdZ, Inv.Nr. 63

(1499) »*Soldaten in einer Landschaft mit Schloß und Häusern*«
Feder und blaue Tinte/Papier
14,7 x 10,5 cm
Bezeichnung: u.r. »29.6.45«
Datierung: 1945
Besitzer: Berlin, StM, SdZ, Inv.Nr. 51

(1500) »*Soldaten im Kreise hockend*«
Bleistift/Papier
ca. 6,5 x 9,0 cm (Blattgröße 13,5 x 9,9 cm)
Datierung: 1945
Besitzer: Berlin, StM, SdZ, Inv.Nr. 48

(1501) »*Zwei junge Frauen*«
Bleistift/Papier
14,6 x 10,0 cm
Datierung: 1945
Besitzer: Berlin, StM, SdZ, Inv.Nr. 104

(1502) »*Kompositions- und Figurenstudien*«
Bleistift/Papier
14,5 x 10,0 cm
Datierung: 1945
Besitzer: Berlin, StM, SdZ, Inv.Nr. 103

(1503) »*Kopf- und Handstudien*«
Bleistift/Papier
9,8 x 14,8 cm
Datierung: 1945
Besitzer: Berlin, StM, SdZ, Inv.Nr. 69

(1504) »*Arm- und Handstudien*«
Bleistift/Papier
12,6 x 9,2 cm
Bezeichnung: u.r. »28.6.45«
Datierung: 1945
Besitzer: Berlin, StM, SdZ, Inv.Nr. 93

(1505) »*Zwei Kopfstudien und Spaten*«
Bleistift/Papier
12,6 x 9,1 cm
Datierung: um 1945
Besitzer: Berlin, StM, SdZ, Inv.Nr. 101

(1506) »*Fuß- und Beinstudien*«
Bleistift/Papier
12,7 x 9,8 cm
Datierung: 1945
Besitzer: Berlin, StM, SdZ, Inv.Nr. 102

(1507) *Camp 8*
Bleistift/Papier
10.0 x 12,7 cm
Bezeichnung: u.Mitte »27.5.45 / Camp.8«
Datierung: 1945
Besitzer: Berlin, StM, SdZ, Inv.Nr. 72

(1508) »*Schloß*«
blaue Tinte/Papier
14,7 x 10,5 cm
Datierung: 1945
Besitzer: Berlin, StM, SdZ, Inv.Nr. 50

(1509) »*Gebirgslandschaft*«
Bleistift/Papier
10,0 x 12,6 cm
Bezeichnung: u.l. »27.5.45. / bei Lagers«
Datierung: 1945
Besitzer: Berlin, StM, SdZ, Inv.Nr. 99

(1510) *Ellwangen*
Bleistift/Papier
12,9 x 9,4 cm
Bezeichnung: »Ellwangen / 28.6.45«
Datierung: 1945
Besitzer: Berlin, StM, SdZ, Inv.Nr. 62

(1511) »*Gefangenenlager Ellwangen*«
blauer und grüner Farbstift, Bleistift/Papier
21,0 x 15,0 cm
Bezeichnung: u.l. »St. 45. / Ellwangen«
Datierung: 1945
Besitzer: Berlin, StM, SdZ, Inv.Nr. 131

(1512) »*Hütten und Zelte*«
Bleistift/Papier
12,6 x 9,2 cm
Bezeichnung: u.r. »28.6.45.«
Datierung: 1945
Besitzer: Berlin, StM, SdZ, Inv.Nr. 88

(1513) »*Zeltbahn*«
Bleistift/Papier
12,9 x 9,7 cm
Bezeichnung: o. Mitte »Drau / 26.4.45.«
Datierung: 1945
Besitzer: Berlin, StM, SdZ, Inv.Nr. 123

(1514) »*Schützengraben*«
Bleistift/Papier
12,8 x 9,6 cm
Bezeichnung: u.l. »Drau / 22.4.45«
Datierung: 1945
Besitzer: Berlin, StM, SdZ, Inv.Nr. 127

(1515) »*Stilleben mit Stahlhelm, Trinkflasche und Kochgeschirr*«
Bleistift/Papier
9,8 x 12,7 cm
Bezeichnung: u.l. »Drau / 19.4.45.«
Datierung: 1945
Besitzer: Berlin, StM, SdZ, Inv.Nr. 125

(1516) »*Gebirgslandschaft bei Radstadt*«
Bleistift/Papier
10,1 x 12,8 cm
Bezeichnung: u.l. »bei Radstadt. / 18.6.45«
Datierung: 1945
Besitzer: Berlin, StM, SdZ, Inv.Nr. 86

(1517) »*Windmühle*«
Bleistift/Pauspapier
22,6 x 14,4 cm
Datierung: um 1945
Besitzer: Berlin, StM, SdZ, Inv.Nr. 173

(1518) »*Kirchen an einem breiten Boulevard*«
Bleistift/Pauspapier
25,3 x 14,5 cm
Datierung: um 1945
Besitzer: Berlin, StM, SdZ, Inv.Nr. 152

(1519–1525) Sieben Anti-Hitler-Karikaturen:
12,8 x 9,5 cm (Blattgröße)
Datierung: 1945
Die Karikaturen wurden von Strempel in

einer Art Heftchen – ohne Bindung – in der hier aufgeführten Reihenfolge zusammengefaßt. Möglicherweise war daran gedacht, die Folge fortzusetzen, denn die letzten Seiten blieben leer. – Strempel knüpfte hier an die Zeichnungen der Exilzeit wieder an, griff aber ausnahmslos Themen auf, die mit dem Nationalsozialismus in Verbindung standen.- In *Die Unentwegten* (WVZ 1521) taucht ein Motiv auf, das er späterhin als *Dummheit* (WVZ 192 und 193) in eine größere, und durch den Wegfall der Trümmerlandschaft auch in eine zeitlose Form umsetzte.- Das Blatt *Es ist vollbracht* zeigt Hitler in Triumphator-Pose auf einem von Kreuzen und Stahlhelmen durchsetzten Schädelberg.

(1519) »*Nero*«
Bleistift/Papier
ca. 11,0 x 8,0 cm
Besitzer: Berlin, StM, SdZ, Inv.Nr. 114

(1520) *Wir kapitulieren nicht!*
Bleistift/Papier
ca. 11,0 x 8,0 cm
Bezeichnung: u.l. »25.4.45 Wir kapitulieren nicht«
Besitzer: Berlin, StM, SdZ, Inv.Nr. 115

(1521) *Die Unentwegten*
Bleistift/Papier
ca. 11,0 x 8,0 cm
Bezeichnung: u.l. »Die Unentwegten / 28.4.45«
Besitzer: Berlin, StM, SdZ, Inv.Nr. 116

(1522) *Mit traumwandlerischer Sicherheit...*
Bleistift/Papier
ca. 11,6 x 8,6 cm
Bezeichnung: o. »Mit traumwandlerischer Sicherheit gehe ich meinen Weg«; u.l. »26.4.45«
Besitzer: Berlin, StM, SdZ, Inv.Nr. 117

(1523) *Wir siegen doch!*
Bleistift/Papier
ca. 8,4 x 11,5 cm
Bezeichnung: u.r. »St. 24.4.45«
Besitzer: Berlin, StM, SdZ, Inv.Nr. 118

(1524) *Kurz vor Anwendung der wirklichen V-Waffe...*
Bleistift/Papier
ca. 11,7 x 8,7 cm
Bezeichnung: u.l. »Kurz vor Anwendung / der wirklichen / V-Waffe, wird / Herrmann Meyer krank / und verläßt die ‹Regierung› / 24.4.45«
Besitzer: Berlin, StM, SdZ, Inv.Nr. 119

(1525) *Deutschland April 1945*
Bleistift/Papier
12,8 x 9,5 cm
Bezeichnung: o.r. »Deutschland April 1945«; u. »27.4.45 »Es ist vollbracht« »
Besitzer: Berlin, StM, SdZ, Inv.Nr. 120

(1526) A. »*Antifaschistische Karikatur*«
Feder und Tusche/Papier
15,6 x 11,0 cm
Datierung: um 1945
Besitzer: Berlin, StM, SdZ, Inv.Nr. 128 (recto)
B. »*Schloß*«
Bleistift/Papier

11,0 x 15,6 cm
Datierung: 1945
Besitzer: Berlin, StM, SdZ, Inv.Nr. 128
(verso)

(1527) *Wir kapitulieren nicht!*
Feder und Tusche/Papier
25,0 x 16,2 cm (Blattgröße 28,0 x 18,6 cm)
Bezeichnung: u.r. »St. 45«
Datierung: 1945
Besitzer: Berlin, StM, SdZ, Inv.Nr. 191
Siehe auch WVZ 1520.

(1528–1535) Illustrationen zur Broschüre
»Opfer des Faschismus«
8 Zeichnungen
Datierung: um 1945
Die Zeichnungen für eine projektierte Broschüre »Opfer des Faschismus« zeigen eine
im wesentlichen schematische Figurenge-
staltung. Strempel verwandte hier Typen
wie sie u.a. auch in der Mappe *Gestalten
der Vergangenheit* und dem Triptychon
Nacht über Deutschland vorkommen.

(1528) *Die Widerstandsbewegung*
Tusche und Feder, Kohle/Pauspapier
18,0 x 19,8 cm (Blattgröße 27,5 x 18,0 cm)
Bezeichnung: u.l. »1«; u. Mitte »Die Wie-
derstandsbewegung«
Besitzer: Berlin, StM, SdZ

(1529) *Widerstand im Lager*
Feder und Tusche, Fettstift/Pauspapier
17,7 x 13,5 cm
Bezeichnung: u.r. (a.d. Passepartout) »Wie-
derstand im Lager«
Besitzer: Berlin, StM, SdZ

(1530) *Widerstand der Kirchen*
Feder und Tusche, Fettstift/Papier
14,5 x 13,2 cm
Bezeichnung: u.r. (a.d. Passepartout) »Wie-
derstand der Kirchen«
Besitzer: Berlin, StM, SdZ

(1531) *Nonnen in Ravensbrück*
Feder und Tusche, Fettstift/Pauspapier
16,5 x 13,7 cm
Bezeichnung: u.r. (a.d. Passepartout) »Illu-
stration, ‹Nonnen in Ravensbrück› «
Besitzer: Berlin, StM, SdZ

(1532) *200 000 politisch Organisierte*
Feder und Tusche, Fettstift/Pauspapier
17,5 x 12,0 cm
Bezeichnung: u.r. (a.d. Passepartout)
»200 000 / politisch organisierte«
Besitzer: Berlin, StM, SdZ

(1533) *Alle drei Minuten fiel ein Kopf*
Feder und Tusche, Fettstift/Pauspapier
18,0 x 7,8 cm
Bezeichnung: o.r. (a.d. Passepartout)
»1943. / 20 neue Guilliotinen / ange-
schafft«; u. (a.d. Passepartout) »alle drei minuten fiel ein kopf«
Besitzer: Berlin, StM, SdZ

(1534) *9513 Soldaten füsiliert*
Feder und Tusche, Fettstift/Pauspapier
17,5 x 16,5 cm
Bezeichnung: u. Mitte (a.d. Passepartout)
»9513. Soldaten / bis 30.11.44. / füsiliert«
Besitzer: Berlin, StM, SdZ

(1535) »*Grafische Darstellung der Wider-
standsgruppen*«
Feder und Tusche, Bleistift/Pauspapier
12,5 x 16,5 cm
Bezeichnung: o. » ›...? ‹neues Deutschland›«;
u. »graphische Darstellung der Wieder-
standsgruppen«; u. (a.d. Passepartout)
»graphische Darstellung«
Besitzer: Berlin, StM, SdZ

(1536) »*Gruppe von Flüchtenden*«
Feder und Tusche, Bleistift/Papier
ca. 15,0 x 13,0 cm
Bezeichnung: u.l. »St. 45«
Datierung: 1945
Besitzer: Berlin, StM, SdZ, Inv.Nr. F III
3424/Kat.12
Skizze zu *Zwangsarbeit* (WVZ 180).

(1537) »*Frau mit Kind*«
Feder und Tusche, Bleistift/Papier
ca. 20,0 x 9,7 cm
Bezeichnung: u.l. »St. 45«
Datierung: 1945
Besitzer: Berlin, StM, SdZ, Inv.Nr. F III
3424/Kat. 13
Skizze zu *Zwangsarbeit* (WVZ 180).

(1538) »*Zwangsarbeiter*«
Bleistift/Papier
ca. 12,7 x 10,3 cm
Bezeichnung: u.l. »St. 45«
Datierung: 1945
Besitzer: Berlin, StM, SdZ, Inv.Nr. F III
3424/Kat.9
Skizze zu *Zwangsarbeit* (WVZ 180).

(1539) »*Zwei Zwangsarbeiter*«
Bleistift/Papier
ca. 12,0 x 10,5 cm
Bezeichnung: u.l. »St. 45«
Datierung: 1945
Besitzer: Berlin, StM, SdZ, Inv.Nr. F 3424/
Kat.10
Skizze zu *Zwangsarbeit* (WVZ 180).

(1540) »*Zwei Zwangsarbeiter*«
Feder und Tusche, Bleistift/Papier
ca. 20,0 x 22,5 cm (ca. 22,0 x 26,5 cm)
Bezeichnung: u.l. »St. 45«
Datierung: 1945
Besitzer: Berlin, StM, SdZ, Inv.Nr. F III
3424/Kat.11
Skizze zu *Zwangsarbeit* (WVZ 180).

(1541) »*Zwei Frauen*«
Feder und Tusche, Bleistift/Papier
ca. 12,5 x 9,5 cm (ca. 13,0 x 11,5 cm)
Datierung: um 1945 (?)
Besitzer: Berlin, StM, SdZ, Inv.Nr. F III
3424/Kat.3
Skizze zu *Angst* (WVZ 174).

(1542) »*Frau*«
Feder und Tusche, Bleistift/Papier
ca. 21,5 x 18,0 cm (ca. 27,0 x 23,0 cm)
Datierung: um 1945 (?)
Besitzer: Berlin, StM, SdZ, Inv.Nr. F III
3424/Kat.6
Skizze zu *Angst* (WVZ 174).

(1543) »*Schreiender Mann*«
Feder und Tusche, Bleistift/Papier
ca. 10,5 x 8,5 cm
Datierung: um 1945 (?)
Besitzer: Berlin, StM, SdZ, Inv.Nr. F III

3424/Kat.5
Skizze zu *Angst* (WVZ 174).

(1544) *Gefangene*
Feder und Tusche, Sepia, Bleistift/Papier
16,0 x 12,5 cm (33,0 x 18,5 cm)
Bezeichnung: u.l. »St. 45«
Datierung: 1945
Besitzer: Berlin, StM, SdZ, Inv.Nr. F III
3424/Kat.2
Skizze zu *Gefangene* (WVZ 177).

(1545) *Gestapo*
Bleistift/Papier
30,0 x 17,3 cm (31,9 x 23,2 cm)
Bezeichnung: u.l. »Gestapo Strempel«
Datierung: 1945
Besitzer: Berlin, StM, SdZ, Inv.Nr. F III
3424/Kat.7
Ausstellung: Berlin/DDR 1980 (dat.)

(1546) »*Jüdische Familie*«
Feder und Sepia, Bleistift/Papier
ca. 18,5 x 15,0 cm (ca. 23,0 x 17,0 cm)
Bezeichnung: u.l. »St. 45«
Datierung: 1945
Besitzer: Berlin, StM, SdZ, Inv.Nr. F III
3424/Kat. 4
Skizze zum rechten Flügel von *Nacht über
Deutschland* (WVZ 170).

(1547) »*Familie*«
Feder und Sepia, Bleistift/Papier
15,0 x 11,5 cm (18,0 x 14,5 cm)
Bezeichnung: u.l. »St.«
Datierung: 1945/46
Besitzer: Berlin, StM, SdZ, Inv.Nr. F III
3424/Kat. 17
Skizze zum rechten Flügel von *Nacht über
Deutschland* (WVZ 170].

(1548) Skizzen zu ***Nacht über Deutschland***
Feder und Tusche, Bleistift/Papier
ca. 13,0 x 26,0 cm (ca. 16,0 x 28,5 cm)
Bezeichnung: u.l. »St. 45«
Datierung: 1945
Besitzer: Berlin, StM, SdZ, Inv.Nr. F III
3424/Kat. 20
Skizzen zur Mitteltafel von *Nacht über
Deutschland* (WVZ 170).

(1549) Skizze zu ***Nacht über Deutschland***
Feder und Tusche, Bleistift/Papier
ca. 16,5 x 16,0 cm (Blattgröße ca. 23,5 x 19,5
cm)
Bezeichnung: u.l. »St. 45«
Datierung: 1945
Besitzer: Berlin, StM, SdZ, Inv.Nr. F III
3424/Kat. 16
Skizzen zur Mitteltafel von *Nacht über
Deutschland* (WVZ 170).

(1550) Skizze zu ***Nacht über Deutschland***
Feder und Tusche, Bleistift/Papier
ca. 12,5 x 12,0 cm (ca. 14,0 x 15,0 cm)
Bezeichnung: u.l. »St. 45«
Datierung: 1945
Besitzer: Berlin, StM, SdZ, Inv.Nr. F III
3424/Kat. 15
Skizze zur Mitteltafel von *Nacht über
Deutschland* (WVZ 170).

(1551) Skizze zu ***Nacht über Deutschland***
Bleistift, Fettkreide/Papier
ca. 26,5 x 27,0 cm (37,0 x 27,0 cm)
Bezeichnung: u.l. »St. 45«; u.l.

(a.d. Passepartout) »Skizze zum Mittelteil«
Datierung: 1945
Besitzer: Berlin, StM, SdZ, Inv.Nr. F III
3424/Kat.14
Skizzen zur Mitteltafel von *Nacht über Deutschland* (WVZ 170).

(1552) Skizze zu **Nacht über Deutschland**
Feder und blaue Tinte/Papier
10,5 x 17,0 cm
Datierung: 1945/46
Besitzer: Berlin, StM, SdZ, Inv.Nr. F III
3424/Kat. 19
Figurenstudien zur Mitteltafel von *Nacht über Deutschland* (WVZ 170).

(1553) **»Mann mit Maske«***
Feder, Pinsel und Tusche (?)
Bezeichnung: u.l. »H. Strempel 1945«; u.r.
datierte Widmung
Datierung: 1945
Besitzer: unbekannt
Studie zum Holzschnitt WVZ 2394.

(1554) *»Wahrsagerin«*
Feder, Pinsel und Tusche (?)
Bezeichnung: u.l. »H. Strempel 1945«; u.r.
datierte Widmung
Datierung: 1945
Besitzer: unbekannt
Studie zum Holzschnitt WVZ 2395.

(1555) *»Gefangener mit Totenschädel«*
Feder, Pinsel und Tusche (?)
Bezeichnung: u.l. »H. Strempel 1945«; u.r.
datierte Widmung
Datierung: 1945
Besitzer: unbekannt
Studie zum Holzschnitt WVZ 2402.

(1556) **»Trauernde mit geigendem Tod«**
Feder, Pinsel und Tusche (?)
Bezeichnung: u.l. »H. Strempel 1945«; u.r.
datierte Widmung
Datierung: 1945
Besitzer: unbekannt
Studie zum Linolschnitt WVZ 2396.

(1557) *Alte Frau*
Feder, Pinsel und Tusche
Datierung: 1945
Besitzer: unbekannt
Abbildung: Der Neubau, 1, 1947, H. 3,
Rücktitel

(1558) *Zwei Arbeiterköpfe*
Tusche
37,0 x 31,0 cm
Datierung: 1945
Besitzer: unbekannt
Ausstellung: Berlin/W. 1978, Nr. 3
Keine Abbildung bekannt.

(1559) *Don Quichote und Sancho Pansa* *
Kohle
60,0 x 70,0 cm
Datierung: 1945
Besitzer: unbekannt
Keine Abbildung bekannt.

(1560) *»Litfaßsäule«*
Bleistift/Papier
19,0 x 10,7 cm
Datierung: 1945
Besitzer: Berlin, StM, SdZ, Inv.Nr. 130

(1561) *»Selbstporträt«*
Pinsel und Tusche
Datierung: um 1946
Besitzer: unbekannt
Ausstellung: Berlin 1946/7
Abbildung: Kurier 23.10.1946

(1562) Skizze zu *Pogrom*
Feder und Tusche, Bleistift/Papier
ca. 21,0 x 15,0 cm (31,7 x 21,0 cm)
Bezeichnung: u.l. »St. 46«
Datierung: 1945
Besitzer: Berlin, StM, SdZ, Inv.Nr. 211

(1563) Skizze zu *Pogrom*
Feder und Tusche/Papier
17,7 x 18,0 cm
Bezeichnung: u.l (im Bild) »St. 46«; u.l. (a.d.
Passepartout) »Skizze zu Pogrom«
Datierung: 1946
Besitzer: Berlin, StM, SdZ, Inv.Nr. F III
3424/Kat.1

(1564) *Der Gefangene* (Z 5a)
Feder, Pinsel und Tusche/Papier
50,0 x 38,0 cm (sichtb.)
Bezeichnung: u.l. »Horst Strempel 1946. /
‹Der Gefangene› Kat.Nr.59«
Datierung: 1946
Besitzer: Privatbesitz
Abbildungen: BaM, 4.3.1947.- Greifenka-
lender 1947 (?)
Studie zum Mittelteil von *Nacht über Deutschland* (WVZ 170).

(1565) **»Der Gefangene«**
Bleistift/Papier
12,0 x 8,0 cm
Bezeichnung: u.l. »St. / Lager 8.«
Datierung: 1945/46
Besitzer: Berlin, StM, SdZ, Inv.Nr. F III
3424/Kat. 18
Studie zum Mittelteil von *Nacht über Deutschland* (WVZ 170).

(1566) *»Kinder«*
Feder und Tusche, Bleistift/Papier
ca. 27,8 x 22,5 cm (31,8 x 22,5 cm)
Bezeichnung: u.l. »St. 46«
Datierung: 1946
Besitzer: Berlin, StM, SdZ, Inv.Nr. F III
3424/Kat. 8
Studie zum Mittelteil von *Nacht über Deutschland* (WVZ 170).

(1567) *»Gefangene«*
Bleistift/Papier
13,5 x 31,0 cm
Bezeichnung: u.l. »St.«
Datierung: 1945/46
Besitzer: Berlin, StM, SdZ, Inv.Nr. F III
3424/Kat. 23
Studie zur Predella von *Nacht über Deutschland* (WVZ 170).

(1568) *»Gefangene«*
blauer Farbstift/Papier
14,5 x 39,5 cm
Bezeichnung: u.l. »St«
Datierung: 1945/46
Besitzer: Berlin, StM, SdZ, Inv.Nr. F III
3424/Kat. 22
Studie zur Predella von *Nacht über Deutschland* (WVZ 170).

(1569) *»Gefangene«*

Feder und Tusche, blauer Farbstift/Papier
16,5 x 37,5 cm (Blattgröße 23,6 x 48,8 cm)
Bezeichnung: u.l. »St. 46«
Datierung: 1946
Besitzer: Berlin, StM, SdZ, Inv.Nr. F III
3424/Kat. 21
Studie zur Predella von *Nacht über Deutschland* (WVZ 170).

(1570) *»Mann mit Laterne«*
Feder und Tusche, Bleistift/Papier
27,0 x 16,0 cm
Bezeichnung: u.l. »St.«; verso u.l. »1946
27x16«
Datierung: 1946
Studie zum Ölbild *Die Sucher* (WVZ 252).

(1571) **Einheit**
Feder und Tusche/Papier
23,5 x 13,0 cm
Bezeichnung: u.l. »St. 46«; verso u.l. »47,
Skizze zur Einheit«
Datierung: 1946
Studie zum Gemälde WVZ 189.

(1572) *Diskussion*
Feder und Tusche/Papier
28,0 x 21,0 cm
Bezeichnung: u.l. »H. Strempel 46«; u.l.
(am Blattrand) »Skizze zu ‹Diskussion› «
Datierung: 1946
Abbildung: Ulenspiegel, 3, 1948, H. 23, 7
Studie zum Gemälde WVZ 188.

(1573) *»Die Zeitung«*
Feder und Tusche/Karton
34,9 x 23,5 cm
Bezeichnung: u.l. »Strempel 46.« und da-
tierte Widmung
Datierung: 1946
Besitzer: Privatbesitz

(1574) *»Typen-Pyramide«*
Feder und Tusche/grünem Papier
16,5 x 21,5 cm (28,0 x 20,0 cm)
Bezeichnung: u.l. »St. 46 / Strempel 46«
Datierung: 1946

(1575) *»Mann mit Fahne«*
Kohle/Papier
29,5 x 21,5 cm (32,0 x 23,5 cm)
Datierung: um 1946 (?)
Im Mittelpunkt der Zeichnung steht ein
Mann mit einer vermutlich bluttriefenden
Fahne auf einer Ansammlung von Toten-
schädeln. Um ihn herum sind mehrere
schreiende Menschen gruppiert, die jeweils
einen Arm erhoben haben, so daß Analogien zum Hitlergruß festzustellen sind.
Möglicherweise steht die Zeichnung in Zusammenhang mit dem Gemälde *Dummheit*.

(1576–1585) *Gestalten der Vergangenheit?*
Mappe mit einem Titelblatt und neun Fe-
derzeichnungen
Datierung: 1946
Besitzer: Privatbesitz
Ausstellung: Berlin 1947/1 (12 Zeichnun-
gen)
Literatur: NE, 15.4.1947.- Müller 1947, 32
Die Mappe muß ursprünglich einen größe-
ren Umfang gehabt haben (siehe Ausstel-
lung Berlin 1947/1). Es ist allerdings eben-
so denkbar, daß zwei unterschiedliche
Exemplare geschaffen wurden. Diese Ver-

mutung wird durch eine Bemerkung Strempels in einem Brief an Wilhelm Puff vom 5.11.1974 nahegelegt; Strempel schreibt dort, daß die Mappe von Edwin Redslob erworben worden und wahrscheinlich nun im Berlin-Museum sei (wo sie aber heute nicht ist).- Auf Fotografien aus dem Nachlaß, die zu diesem Zyklus gehören, ist der handschriftliche Vermerk »20 Zeichnungen« angebracht. Demnach gehört außerdem die Zeichnung *Gefolgschaft* (WVZ 1606) dazu.

(1576) »*Titelblatt*«
Gouache/Papier
ca. 35,0 x 25,0 cm

(1577) *Reichsnährstand*
Feder und Tusche/Papier
34,7 x 23,4 cm
Bezeichnung: u.r. »Strempel 46«

(1578) *Reichslehrstand*
Feder und Tusche/Papier
34,8 x 23,3 cm
Bezeichnung: u.r. »Strempel 46«

(1579) **Herrenmenschen** (Untermenschen)
Feder und Tusche, Bleistift/Papier
34,7 x 23,4 cm
Bezeichnung: u.r. »Strempel 46«

(1580) *Reichswehrstand*
Feder und Tusche/Papier
35,0 x 24,0 cm
Bezeichnung: u.r. »Strempel 46«

(1581) *Wissenschaft (Euthanasie)*
Feder und Tusche/Papier
34,5 x 23,4 cm
Bezeichnung: u.l. »Strempel 46«

(1582) *Mörder und Maiden (Maiden und Helden)*
Feder und Tusche/Papier
34,7 x 23,2 cm
Bezeichnung: u.r. »Strempel 46«

(1583) *Gestapo*
Feder und Tusche/Karton
35,0 x 23,6 cm
Bezeichnung: u.l. »Strempel 46«

(1584) **Justiz**
Feder und Tusche/Papier
35,0 x 23,8 cm
Bezeichnung: u.l. »Strempel 46«

(1585) **Ordnungshüter**
Feder und Tusche/Papier
35,0 x 23,9 cm
Bezeichnung: o.l. »Strempel 46«

(1586) »*Masken*«
schwarze und graue Fettkreide, Feder und blaue Tinte/Papier
20,0 x 32,0 cm
Datierung: um 1946
Studie zu *Masken*, Tempera (WVZ 202).

(1587) *Blick aus einem Dresdner Atelierfenster*
Zeichnung, laviert
Datierung: um 1946
Besitzer: unbekannt
Ausstellung: Berlin 1946/7
Abbildung: TS, 8.11.1946

(1588) *Torso*
Kreide
Datierung: 1946
Besitzer: unbekannt
Abbildung: Der Neubau, 1, 1946, H. 5. 15

(1589) »*Stilleben*«
Feder und blaue Tinte/Bütten
12,5 x 24,0 cm (23,5 x 31,5 cm)
Bezeichnung: u.l. »St. 46«
Datierung: 1946

(1590) »*Liegende*«
Bleistift/Papier
22,0 x 39,5 cm
Bezeichnung: u.l. »1947«
Datierung: 1947

(1591) *Liegender Akt*
farbige Bleistiftzeichnung
27,0 x 41,0 cm
Datierung: 1947
Besitzer: unbekannt
Ausstellung: Berlin/W. 1978, Nr. 10

(1592) *Aktstudie*
Tuschzeichnung
62,0 x 47,0 cm
Datierung: 1947
Besitzer: unbekannt
Ausstellung: Berlin/W. 1978, Nr. 5
Keine Abbildung bekannt.

(1593) »*Frau, die einen Raum betritt*«
Feder und Tusche, Bleistift/Papier
20,0 x 15,5 cm (23,0 x 18,7 cm)
Datierung: um 1948
Vgl. die Radierung WVZ 2412.

(1594) »*Paar am Tisch*«
Bleistift/Papier
20,5 x 15,5 cm (23,2 x 18,8 cm)
Datierung: um 1947
Vgl. den Holzschnitt *Tischgesellschaft* (WVZ 2410).

(1595) »*Tischgesellschaft*«
Bleistift/Karton
17,8 x 22,8 cm
Datierung: um 1948
Studie zur Radierung WVZ 2413.

(1596) »*Zwei Frauen*«
Bleistift, Fettstift/Papier
20,5 x 15,5 cm (Blattgröße 28,5 x 22,0 cm)
Datierung: um 1947
Vgl. den Holzschnitt *Mädchen* (WVZ 2405).

(1597) »*Paar mit Kind*«
Fettstift/Papier
19,0 x 14,5 cm (24,5 x 21,0 cm)
Datierung: um 1947
Studie zur Radierung WVZ 2411.

(1598) *Kreuzigt ihn!**
Feder und Tusche, Bleistift
36,0 x 23,0 cm
Bezeichnung: u.l. »1946/47«
Datierung: 1946/47
Besitzer: unbekannt
Skizze zum Gemälde WVZ 258.

(1599) *Die Dummheit*
Feder und grüne Tinte, Bleistift/Papier
20,0 x 13,0 cm (27,2 x 17,0 cm)

Bezeichnung: u.l. »H. Strempel 47«; verso u. datierte Widmung
Datierung: 1947
Besitzer: Privatbesitz
Abbildung: Vorwärts, 7.5.1947
Vgl. WVZ 191 und 192.- »So haben sie geschrien und ergriffen die Hände gefaltet vor dem Schatten ihres großen ‹Führers›, während hunderttausende verbrannt, vergast und erschossen wurden. Horst Strempel zeichnete sie mit herben Strichen, diese Pyramide der Dummheit, die sich bald in die Pyramide der Trümmer verwandeln sollte.« (Vorwärts, 7.5.1947)

(1600) *Gefolgschaft*
Feder und Tusche
Datierung: 1947
Besitzer: unbekannt
Abbildung: Prisma, 1947, H. 14, o.S.
Die *Gefolgschaft* betitelte Zeichnung ist in den Grundzügen mit der vorgenannten *Dummheit* vergleichbar; stilistisch und inhaltlich ist sie dem Zyklus *Gestalten der Vergangenheit* zuzuordnen.

(1601) *Erschießung*
Kohle/Papier
ca. 45,0 x 29,0 cm
Bezeichnung: u.l. »Studie zu »Erschießung« 47«; u.r. »Strempel 47«; u. (a.d. Passepartout) datierte Widmung
Datierung: 1947
Besitzer: Privatbesitz
Studie zu *Lidice* (WVZ 285).

(1602) *Erschießung* II
Bleistift/Papier
47,1 x 29,5 cm
Bezeichnung: u.l. »ersch. II«; u.r. datierte Widmung und »Strempel 47«
Datierung: 1947
Besitzer: Privatbesitz
Studie zu *Lidice* WVZ 285.

(1603) *Erschießung*
Tuschzeichnung
Datierung: 1947 (?)
Besitzer: unbekannt
Über diese Zeichnung gibt es eine Nachricht in einem Brief Wilhelm Puffs an Horst Strempel vom 2.6.1964. Demnach hatte Strempel ihm die Tuschzeichnung geschenkt. Puff schrieb darüber: »Eine erschütternde künstlerische Leistung ist von Dir in der ‹Erschießung› vollbracht. Ja, das sind Themen, um derentwillen möchte ich sagen, Du geboren wurdest. Blätter wie diese Tuschzeichnung dokumentieren nicht nur stofflich, sondern noch mehr in der dynamischen Behandlung von Licht und Finsternis und in der auf Polarität und Steigerung (um mich eines von mir immer wieder gebrauchten Grundgesetzes der Dichtung und der Kunst zu bedienen) beruhenden Formkraft Deine ureigene künstlerische Domäne. Im Vergleich mit Picassos ‹Erschießung in Korea› liegt für mich der Reiz Deines Blattes in der diagonalen Verrückung von Mörder-Pontonkommando und heroischer Opfergruppe: eine sehr eigenwillige, Steigerung hervorrufende Lösung des Problems«.

(1604) *Die Erschießung (1919 Marstall)* (Z 6)
Bleistift, weiß gehöht, leicht koloriert/Karton

99,0 x 61,0 cm
Bezeichnung: verso o.l. »getönte Zeichnung 1947 ‹Die Erschießung (1919 Marstall)› 99 x 61 Nr.6«
Datierung: 1947
Studie zum Gemälde WVZ 304.

(1605) *»Die Erschießung (Marstall 1919)«** (Z 6a?)
getönte Zeichnung
99,0 x 61,0 cm
Datierung: 1947*
Besitzer: unbekannt
Eine Fotografie der Zeichnung befindet sich im Archiv der Nationalgalerie Berlin. − Studie zum Gemälde WVZ 304.

(1606) *»Liegender Mann«*
Kohle/rosafarbenem Papier
49,0 x 63,0 cm
Bezeichnung: u.l. »43«
Datierung: um 1947 (?)

(1607−1620) Illustrationen zu Henri Barbusse »Le train criminel«*
Folge von neun Zeichnungen
Datierung: 1947
Nach einer Notiz Strempels auf den Fotografien handelt es sich bei dieser Mappe mit 13 Tuschzeichnungen um Illustrationen zu Henri Barbusses »Le Train Criminel«; an anderer Stelle wird die literarische Quelle Romain Rolland zugeschrieben. Bei beiden Autoren fand sich jedoch kein entsprechender Roman bzw. eine entsprechende Erzählung.
Wilhelm Puff, dem Strempel die Mappe zu Weihnachten 1971 geschenkt hatte, würdigte die Zeichnungen in einem Brief vom 29.12.1971 als »eine der ganz großen humanen Leistungen der Nachkriegszeit«.- »...diese Machtkälte und nonchalante Menschenverachtung der Herren Offiziere, dieser Widerstandswille der Verurteilten, dieses Fluchtwagnis aus sausendem Zug, diese surrealistisch-futuristische Gestaltveränderung im Versuch die rasende Zeit zu überlisten, dieser unheilbare Zorntrauer der Frau und das erschütternde Ahnen des Kindes −!« (Brief von Wilhelm Puff an Horst Strempel, 22.2.1972).

(1607) 1. *»Soldaten auf einem Bahnhof«*
Feder, Pinsel und Tusche
Bezeichnung: u.l. »Strempel 47«
Besitzer: unbekannt

(1608) 1a. *»Soldaten auf einem Bahnhof«*
Feder, Pinsel und Tusche
Besitzer: unbekannt

(1609) 1b. *»Soldaten auf einem Bahnhof«*
Feder, Pinsel und Tusche
Bezeichnung: u.l. »Strempel 47«
Besitzer: unbekannt

(1610) 1c. *»Soldaten im Zugabteil«*
Feder, Pinsel und Tusche
Besitzer: unbekannt

(1611) 2. *»Diskussion mit Militärs«*
Feder, Pinsel und Tusche
Besitzer: unbekannt

(1612) 2. *»Diskussion mit Militärs«*
Feder, Pinsel und Tusche
Besitzer: unbekannt

(1613) 3. *»Bahnstrecke in den Bergen«*
Feder, Pinsel und Tusche
Besitzer: unbekannt

(1614) 4. *»Zug in Fahrt, von oben gesehen«*
Feder, Pinsel und Tusche
Besitzer: unbekannt

(1615) 4. *»Mann, sich aus dem Zugfenster hinauslehnend«*
Feder, Pinsel und Tusche
Bezeichnung: o.r. »Strempel 47«
Besitzer: unbekannt

(1616) 5. *»Sturz aus dem Zug«*
Feder, Pinsel und Tusche
Besitzer: unbekannt

(1617) 6. *»Leichen an der Bahnstrecke«*
Feder, Pinsel und Tusche
Besitzer: unbekannt

(1618) 7. *»Aufgereihte Leichen«*
Feder, Pinsel und Tusche
Besitzer: unbekannt

(1619) 8. *»Zwei Militärs beim Lesen einer Zeitung«*
Feder, Pinsel und Tusche
Bezeichnung: u.l. »Strempel 47«
Besitzer: unbekannt

(1620) 9. *»Trauernde Briefleserin«*
Feder, Pinsel und Tusche
Bezeichnung: u.l. »Strempel 47«
Besitzer: unbekannt

(1621) *»Kopf im Profil nach links«*
Kohle/Karton
20,0 x 16,0 cm (33,0 x 24,0 cm)
Bezeichnung: u.l. »1947/48«; u.r. »Die Söldner«
Datierung: 1947/48 (?)
Die Bezeichnung und möglicherweise auch die Datierung sind wahrscheinlich nicht auf das Bild bezogen. Klebe-Etiketten auf dem Bildträger lassen vermuten, daß dieser vorher als Trägerkarton für eine andere Arbeit gedient hat.

(1622) *Kopf des Negermädchens*
Feder und Tusche
Datierung: um 1948
Besitzer: unbekannt
Abbildung: Vorwärts, 14.7.1948
Der Kopf wurde nach einer Skulptur gezeichnet, die sich im Atelier Strempels befand.

(1623) *Sitzender Mädchenakt*
Rötel/Papier
57,0 x 41,0 cm
Bezeichnung: u.l. »Strempel 48«; verso o.l. »1948 Sitzender Mädchenakt 57x41 Rötel Nr.3«
Datierung: 1948

(1624) *Stehender Mädchenakt*
Rötel/Papier
57,0 x 41,0 cm
Bezeichnung: u.l. St. 48«; verso o.l. »57x41 sitzender Mädchenakt 1948 Rötel Nr.4«
Datierung: 1948

(1625) *Trümmerfrauen** (Z 7?)
Tusche

47,0 x 24,0 cm
Datierung: 1948
Besitzer: unbekannt
Keine Abbildung bekannt.

(1626) *»Zwei Frauen«*
Fettstift, Bleistift/Papier
19,0 x 14,5 cm (21,0 x 17,5 cm)
Datierung: um 1948
Studie zur Radierung WVZ 2435.

(1627) *»Müdes Paar«*
Fettstift, Bleistift/Papier
25,0 x 17,0 cm
Datierung: um 1948
Studie zur Radierung WVZ 2436.

(1628) *Soldaten*
Pinsel und Tusche/Papier
22,0 x 17,0 cm
Bezeichnung: u.l. »Strempel 48«; u.l. (a.d. Passepartout) »Soldaten«
Datierung: 1948
Siehe den Holschnitt WVZ 2419 und die Radierung WVZ 2434.

(1629) *»Der Blinde«*
Pinsel und Tusche/Papier
17,0 x 21,0 cm
Datierung: um 1948 (vgl. WVZ 1630)

(1630) ***Blinde III***
Pinsel und Tusche/Papier
21,0 x 28,0 cm (Blattgröße 23,0 x 31,0 cm)
Bezeichnung: u.l. »Strempel 48«; u.l. (a.d. Passepartout) » ‹Blinde› III«
Datierung: 1948

(1631) *»Erschießung«*
Fettkreide/Papier
21,0 x 29,5 cm
Datierung: 1948*
Besitzer: Privatbesitz
Studie zum Gemälde *Ruhe und Ordnung* (WVZ 261).- Möglicherweise schuf Horst Strempel noch eine Radierung gleichen Themas.

(1632) *»Soldaten, von einem Skelett mit Fahne angeführt«*
Fettkreide/Papier
20,0 x 27,5 cm (22,5 x 31,0 cm)
Datierung: um 1948 (?)
Die dem Zug vorangehenden drei Männer entsprechen den in dem Gemälde *Soldaten* (WVZ 257) dargestellten. Da Strempel die Fettkreide vor allem für Skizzen zu Radierungen benutzte, ist davon auszugehen, daß eine derartige Grafik existiert oder zumindest vom Künstler intendiert war.

(1633) *Arbeiter vor einer Fabrik*
Zeichnung
Datierung: um 1948
Besitzer: unbekannt
Abbildung: Vorwärts, 30.4.1948

(1634) *»Diskutierendes Paar«*
Zeichnung
Bezeichnung: u. Mitte »Strempel 48«
Datierung: 1948
Besitzer: unbekannt
Abbildung: Vorwärts, 9.3.1948

(1635) *Vorschlag zur Gesundung Berlins*
Zeichnung

Bezeichnung: u.l. »St.48«
Datierung: 1948
Besitzer: unbekannt
Abbildung: Wille und Weg, 1948, H. 8, o.S.

(1636) *Was würde geschehen, wenn Christus
heute wiederkäme?*
Zeichnung
Datierung: um 1948
Besitzer: unbekannt
Abbildung: Ulenspiegel, 3, 1948, H. 26, 8
Diese Karikatur ist wahrscheinlich die einzi-
ge Zeichnung, die von Horst Strempel spe-
ziell für den »Ulenspiegel« geschaffen wurde.

(1637) *»Bewegungsstudien«*
Zeichnung
Datierung: um 1947/48
Besitzer: unbekannt
Abbildung: Berliner Illustrierte o.D.
Studien zur Mittelfigur im Wandbild Bahn-
hof Friedrichstraße (WVZ 6).

(1638) *»Arbeiter im Bergwerk«*
Feder und Sepia, schwarz und braun la-
viert/Papier
16,5 x 11,0 cm
Bezeichnung: u.l. »Wandbild Bahnhof
Friedrichstr. 1948«
Datierung: um 1947/48
Besitzer: Privatbesitz
Studie zum rechten Flügel des Wandbildes
im Bahnhof Friedrichstraße (WVZ 6).

(1639) *»Skizze zum Wandbild Friedrich-
straße«*
Zeichnung
Datierung: um 1947/48
Besitzer: unbekannt
Foto: Berlin, StM, NG/Archiv.-

(1640) *»Stilleben mit Kerze und Tasse«*
Fettstift, Bleistift/Papier
20,5 x 15,5 cm
Datierung: um 1948

(1641–1652) Folge von schwarz-weiß-
Zeichnungen:
Die Folge von schwarz-weiß-Zeichnungen,
wahrscheinlich als Studien für Holz- oder
Linolschnitt gedacht, sind stark an Frans
Masereel und Clément Moreau orientiert.
Die weitgehende Abstraktion der Formen
trägt zu einer ausgesprochenen Flächen-
wirkung bei. Es ist offensichtlich, daß die
Blätter – mit Ausnahme von *Der Redner* –
in einem inneren Zusammenhang stehen,
etwa im Stil einer Bildergeschichte. Ob eine
literarische Quelle zugrunde gelegt wurde,
war jedoch nicht herauszufinden.

(1641) *»Der Redner«*
Tusche/Karton
19,4 x 12,6 cm
Bezeichnung: u.l. »St. 48 / Zur Kulturta-
gung 23./24.9.48«
Datierung: 1948
Besitzer: Berlin, StM, SdZ, Inv.Nr. 206

(1642) *»Gespräch zwischen einem älteren
Mann und einem Jungen«*
Pinsel und Tusche, Deckweiß/Karton
19,2 x 13,3 cm
Bezeichnung: u.l. »St. 48«
Datierung: 1948
Besitzer: Berlin, StM, SdZ, Inv.Nr. 203

(1643) *»Junge in der Dachkammer beim Le-
sen«*
Pinsel und Tusche/Karton
19,5 x 13,6 cm
Bezeichnung: u.l. »St. 48«
Datierung: 1948
Besitzer: Berlin, StM, SdZ, Inv.Nr. 204

(1644) *»Ein als Soldat verkleidetes Kind«*
Pinsel und Tusche, Deckweiß/Karton
19,5 x 14,0 cm (Blattgröße 21,8 x 16,8 cm)
Datierung: um 1948
Besitzer: Berlin, StM, SdZ, Inv.Nr. 198

(1645) *»Eine Familie beobachtet eine De-
monstration«*
Pinsel und Tusche, Bleistift, Deckweiß/
Karton
19,6 x 14,5 cm (23,3 x 15,4 cm)
Datierung: um 1948
Besitzer: Berlin, StM, SdZ, Inv.Nr. 199

(1646) *»Abschied«*
Pinsel und Tusche/Karton
23,0 x 16,0 cm
Datierung: um 1948
Besitzer: Berlin, StM, SdZ, Inv.Nr. 202

(1647) *»Frau mit Totenbrief«*
Pinsel und Tusche/Karton
19,0 x 14,4 cm
Datierung: um 1948
Besitzer: Berlin, StM, SdZ, Inv.Nr. 200

(1648) *»Nazi schlägt einen Flüchtenden«*
Pinsel und Tusche/Karton
19,5 x 12,7 cm
Datierung: um 1948
Besitzer: Berlin, StM, SdZ, Inv.Nr. 206

(1649) *»Junge vor Lehrer und Pfarrer«*
Pinsel und Tusche, Bleistift/Karton
20,0 x 14,5 cm (23,6 x 16,0 cm)
Datierung: um 1948
Besitzer: Berlin, StM, SdZ, Inv.Nr. 201

(1650) *»Männer einen Wagen schiebend«*
Pinsel und Tusche/Karton
19,6 x 15,5 cm (22,0 x 15,5 cm)
Datierung: um 1948
Besitzer: Berlin, StM, SdZ, Inv.Nr. 207

(1651) A. *»Männer einen Wagen schie-
bend«*
Pinsel und Tusche/Karton
19,4 x 14,5 cm (22,0 x 16,0 cm)
Datierung: um 1948
Besitzer: Berlin, StM, SdZ, Inv.Nr. 208
(recto)
B. *»Mann, einen Wagen ziehend«*
Bleistift/Papier
11,0 x 16,5 cm (16,0 x 22,0 cm)
Datierung: um 1948
Besitzer: Berlin, StM, SdZ, Inv.Nr. 208
(verso)
Die Zeichnung scheint im Zusammenhang mit
dem Bild *Zwangsarbeit* (WVZ 180) zu stehen.

(1652) *»Streikende«* (?)
Pinsel und Tusche/Karton
20,5 x 15,0 cm (23,5 x 16,5 cm)
Datierung: um 1948
Besitzer: Berlin, StM, SdZ, Inv.Nr. 209

(1653–1693) Illustrationen zu Emile Zola
»Germinal«

Mappe mit 40 Federzeichnungen
39,5 x 27,5 cm (44,0 x 33,5 cm)
Datierung: 1946–1948
Besitzer: Berlin, Kunstamt Charlottenburg
Ausstellungen: Berlin 1947/1 (40 Zeich-
nungen); Berlin 1947/2; Berlin/W. 1959/2;
Berlin/W. 1978; Berlin/W. 1982/83
Literatur: Vorwärts, 25.3.1947; NE,
15.4.1947; ND, 3.6.1947; BZ, 28.6.1947;
ND, 4.3.1950; BZ, 17.3.1950; Landes-Ztg.,
Schwerin, 4.4.1950; Thür. Landesztg. Weimar, 15.4.1950; Sächs. Ztg., Dresden,
18.4.1950; Der freie Bauer, Berlin, 7.5.1950;
Freie Presse, Plauen, 26.9.1950; TS,
22.7.1959; Die Welt, 31.7.1978.- Müller
1947, 32; Stephanowitz 1984, 219
Veröffentlicht 1949 im Sachsenverlag,
Dresden.
In einer Erläuterung über die Entstehung
der Germinal-Illustrationen berichtete
Strempel: »Während der Blockade, als es
kein Licht und keine Heizung gabe und
meine Frau und ich an einem kleinen Kano-
nenofen mit einer Kerze saßen, habe ich
beinahe jeden Abend ein Blatt gezeichnet.
Die Vorstellung war so intensiv, daß ich eigentlich nur nachzuzeichnen brauchte, was
durch jahrelange Vorarbeit in meinem Ge-
hirn fixiert war. Ein Glück war es, daß ich
von der Firma Spitta & Leutz einen Block
graues Papier, Zeichenfedern und Tinte bekam.« (Typoskript, undat., um 1969)
Strempel schrieb am 12.4.1969 an Wilhelm
Puff: »Leider besitzt Du das Schandwerk
Germinal aus dem Sachsenverlag. Man hat
das damals saumäßig entgegen dem abgeschlossenen Vertrag in Lichtdruck herausgebracht und die Blätter aus dem Zusammenhang gerissen und anstatt 50 Zeichnungen nur einen Teil veröffentlicht. Damals war gerade die Hennecke Bewegung
und man wollte nicht wahrhaben, daß
Bergarbeiter ausgenutzt wurden und werden. Der Minister Zeller (d.i.Ziller), der das
Vorwort geschrieben hat, ein hervorragender Sammler von Daumier Graphiken und
Kleinplastiken, ist dann in Ungnade gefallen, im Gefängnis gefoltert worden, daß er
Selbstmord beging. Darauf ein Staatsbe-
gräbnis. Auch diese Sache mit Zeller trug
dazu bei, daß das Büchlein eingestampft
wurde.«

(1653) *Der Weg*
Bezeichnung: u.l. »Strempel 46«
Ausstellung: Berlin/W. 1959/2, Nr. 25

(1654) *Am Feuer*
Bezeichnung: u.l. »Strempel 46«

(1655) *Der Tag beginnt (Das Erwachen)*
Bezeichnung: u.l. »Strempel 46«
Ausstellung: Berlin/W. 1959/2, Nr. 16
Abbildung: Erk 1948, 16

(1656) *Jeden Morgen*
Bezeichnung: u.l. »Strempel 46«
Ausstellungen: Berlin/W. 1959/2, Nr. 24;
Berlin/W. 1978
Abbildungen: SpVbl., 15.7.1978.- Berlin/
W. 1978

(1657) *Der Karren*
Bezeichnung: u.l. »Strempel 46«

(1658) *Der Schacht*
Bezeichnung: u.l. »Strempel 46 »6. Der
Schacht«2«
Ausstellung: Berlin/W. 1959/2, Nr. 19
Abbildung: Berlin/W. 1978

(1659) *Die Einfahrt*
Bezeichnung: u.l. »Strempel 46«
Ausstellung: Berlin/W. 1959/2, Nr. 23
Abbildung: Berlin/W. 1978

(1660) *Maulwürfe*
Bezeichnung: u.l. »Strempel 46«

(1661) *Das Tier*
Bezeichnung: u.l. »Strempel 46 9. Das Tier«
Ausstellungen: Berlin 1947/8, Nr. 90; Berlin/W. 1959/2, Nr. 18
Abbildung: Der Neubau, 1, 1947, H. 1, 18

(1662) *Hochzeit ohne Umstände*
Ausstellung: Berlin/W. 1959/2, Nr. 17
Abbildung: Wahrheit, 12.11.1982

(1663) *Nur noch Milch*
Bezeichnung: u.l. »Strempel 46 11. Nur
noch Milch«
Ausstellungen: Berlin 1947/8, Nr. 90; Berlin/W. 1959/2, Nr. 22

(1664) *Weg am Kanal*
Bezeichnung: u.l. »Strempel 46«
Ausstellung: Berlin/W. 1959/2, Nr. 15

(1665) *Die Wohltäterin*
Bezeichnung: u.l. »Strempel 46/47«

(1666) *Die Suppe*
Bezeichnung: u.l. »Strempel 46/47«

(1667) **Das tote Kind (Der Hunger)**
Bezeichnung: u.l. »Strempel 46/47«
Abbildungen: Erk 1948, 17.- Berlin/W. 1978

(1668) *Am Fließband*

(1669) *Die Diskussion*
Bezeichnung: u.l. »Strempel 46/47«

(1670) *Der Klatsch*
Bezeichnung: u.l. »Strempel 46/47«

(1671) *Das Plakat*
Bezeichnung: u.l. »Strempel 46/47«
Abbildung: Der Gewerkschafter 10, 1962,
H. 5, 24

(1672) *Der Hebel*
Bezeichnung: u.l. »Strempel 46/47«

(1673) *Die Delegation*
Ausstellung: Berlin/W. 1978
Abbildungen: ND, 4.3.1950; Landesztg.
Schwerin, 4.4.1950.- Berlin/W. 1978

(1674) *Streikbrecher*
Bezeichnung: u.l. »Strempel 46/47«

(1675) *Ausgesperrt*
Bezeichnung: u.l. »Strempel 46/47«
Abbildung: Wahrheit, 12.11.1982

(1676) *Die Halde*

(1677) *Die Zerstörung*
Bezeichnung: u.l. »Strempel 46/47«

(1678) *Das Unglück*
Bezeichnung: u.l. »Strempel 46/47«

(1679) *Die Furien*
Bezeichnung: u.l. »Strempel 46/47«

(1680) *Die Verlassene*
Bezeichnung: u.l. »Strempel 46/47«

(1681) *Wacht auf*
1. Fassung
Bezeichnung: u.l. »Strempel 46/47«

(1682) *Wacht auf*
2. Fassung
Bezeichnung: u.l. »Strempel 46/47«

(1683) *Die Empörung*
Ausstellung: Berlin 1947/8, Nr. 90
Bezeichnung: u.l. »Strempel 46/47«

(1684) *Die Bajonette*
Bezeichnung: u.l. »Strempel 46/47«

(1685) *Die Opfer*
Bezeichnung: u.l. »Strempel 46/47 33. Die
Opfer«
Ausstellung: Berlin 1947/3
Literatur: Thür. Landesztg. Weimar, 15.4.1950
Abbildungen: Sonntag, 27.7.1947, 6; Thür.
Landesztg. Weimar, 15.4.1950

(1686) *Die Angst*
Bezeichnung: u.l. »Strempel 46/47«
Ausstellung: Berlin 1947/8, Nr. 90
Abbildung: Sächs. Ztg., Dresden,
18.4.1950 (»Die Sorge«)

(1687) *Das Warten*
Bezeichnung: u.l. »Strempel 46/47 35. Das
Warten«
Abbildung: BZ, 17.3.1950

(1688) *Die Bahre*
Bezeichnung: u.l. »Strempel 46/47«

(1689) *Nicht verzagen*
Bezeichnung: u.l. »Strempel 46/47«

(1690) **Die Besiegten**
Bezeichnung: u.l. »Strempel 46/47«
Abbildungen: Erk 1948, 17.- Berlin/W. 1978

(1691) *Der Kampf geht weiter*
Feder und Tusche, mit Deckweiß gehöht
Bezeichnung: u.l. »Strempel 48«

(1692) *Der Kampf geht weiter*
Feder und Tusche, mit Deckweiß gehöht
und teilweise rot koloriert
Bezeichnung: u.l. »Strempel 48«

(1693) *Der Weg*
Feder und Tusche (?)
Datierung: um 1946/48
Besitzer: unbekannt
Abbildung: Kalenderblatt (?) ohne weitere
Angaben

(1694) »*Skizzenbuch*«
116 Seiten
17,0 x 11,8 cm
Datierung: um 1947/48
Besitzer: Berlin, StM, SdZ
1. S. 1: »*Beweinungsszene*«
Bleistift

ca. 13,0 x 9,5 cm
Studie zu *Wollt ihr das wieder?* (WVZ 284).
2. S. 3: »*Drei Studien einer Trauernden*«
Bleistift
17,0 x 11,8 cm
Studie zu *Wollt ihr das wieder?* (WVZ 284).
3. S. 5: »***Frau mit emporgestreckten Händen, Brustbild***«
Feder und Tusche, Bleistift
17,0 x 11,8 cm
Studie zu *Wollt ihr das wieder?* (WVZ 284).
4. S. 7: »***Frau mit emporgestreckten Händen, Ganzfigur***«
Feder und Tusche, Bleistift
17,0 x 11,8 cm
Studie zu *Wollt ihr das wieder?* (WVZ 284).
5. S. 9: »*Lesender Junge*«
Feder und Tinte, Bleistift
17,0 x 11,8 cm
6. S. 11: »*Zwei Kopfstudien*«
Bleistift
17,0 x 11,8 cm
Loses Blatt, beschädigt.
7. S. 13: »*Beweinungsszene*«
Feder und Tusche, Bleistift
17,0 x 11,8 cm
Loses Blatt. – Studie zu *Wollt ihr das wieder?* (WVZ 284).
8. S. 15: »*Diskussion*«
Bleistift
11,8 x 17,0 cm
Loses Blatt.
9. S. 17: »*Kopfstudie eines Jungen im Profil
und vielfigurige Komposition*«
Bleistift
17,0 x 11,8 cm
10. S. 19: Zwei Kompositionsstudien
A. »*Menschen vor Landschaft*«
Bleistift
6,0 x 5,0 cm
B. »*Diskussion*«
Bleistift
ca. 10,0 x 9,5 cm
11. S. 21: »*Im Atelier*«
Bleistift
17,0 x 11,8 cm
Skizze zu Im Atelier (WVZ 231).
12. S. 23: »*Diskussion*«
blauer Farbstift
ca. 7,0 x 13,0 cm
13. S. 27: »*Kopfstudie eines Jungen im Profil*«
Bleistift
ca. 7,0 x 10,0 cm
14. S. 29: »*Errichtung eines Denkmals*«
Bleistift
ca. 10,0 x 15,0 cm
15. S. 31: »*Errichtung eines Denkmals*«
Bleistift
17,0 x 11,8 cm
16. S. 33: »*Errichtung eines Denkmals*«
Bleistift
11,8 x 17,0 cm
17. S. 35: »*Sitzende*«
Bleistift
17,0 x 11,8 cm
18. S. 36: »*Sitzende und Fußstudie*«
Bleistift
17,0 x 11,8 cm
19. S. 37: »*Weiblicher Rückenakt*«
Bleistift
17,0 x 11,8 cm
20. S. 38: »*Weiblicher Akt mit aufgestütztem Knie*«
Bleistift
17,0 x 11,8 cm

21. S. 39: »*Sitzender Akt, nach links gewandt*«
Bleistift
17,0 x 11,8 cm
22. S. 41: »*Studie mit Arm und Fuß*«
Bleistift
11,8 x 17,0 cm
Bezeichnung: o. »Plan realisierung«; u. »Schöpferkraft von Millionen im Aufbau«
23. S. 43: »*Junge in Ganzfigur*«
Bleistift
ca. 14,0 x 6,0 cm
24. S. 45: »*Brustbild eines Jungen*«
Bleistift
17,0 x 11,8 cm
25. S. 47: »*Kopfstudie eines Jungen im Profil*«
Bleistift
17,0 x 11,8 cm
26. S. 49: »*Weiblicher Akt, stehend*«
Bleistift
17,0 x 11,8 cm
27. S. 50: »*Kompositionsstudien*«
Bleistift
17,0 x 11,8 cm
28. S. 51: »*Männliche Kopfstudie mit Telefonhörer*«
Bleistift
17,0 x 11,8 cm
29. S. 53: »*Weibliche Figurenstudie*«
Bleistift
17,0 x 11,8 cm
30. S. 55: »*Weiblicher Halbakt, nach links gewandt*«
Bleistift
17,0 x 11,8 cm
31. S. 57: »*Weiblicher Akt im Profil*«
Bleistift
17,0 x 11,8 cm
32. S. 59: »*Weiblicher Rückenakt*«
Bleistift
17,0 x 11,8 cm
33. S. 61: »*Weiblicher Halbakt*«
Bleistift
17,0 x 11,8 cm
34. S. 63: »*Proportionsstudie*«
Bleistift
17,0 x 11,8 cm
35. S. 65: »*Weiblicher Akt, knieend*«
Bleistift
17,0 x 11,8 cm
36. S. 67: »*Kopf-, Hand- und Kompositionsstudie*«
blauer Farbstift
17,0 x 11,8 cm
37. S. 69: »*Studie*«
Bleistift
17,0 x 11,8 cm
38. S. 71: »*Arbeiter*«
Bleistift
17,0 x 11,8 cm
39. S. 72: »*Zwei Kopfstudien*«
Bleistift
17,0 x 11,8 cm
Bezeichnung: u.r. »Kuba«
40. S. 73: »*Frau am Tisch*«
Bleistift
8,0 x 12,5 cm
41. S. 75: »*Männliches Brustbild*«
Bleistift
17,0 x 11,8 cm
42. S. 77: »*Weibliche Figurenstudien*«
Bleistift
17,0 x 11,8 cm
43. S. 79: »*Kopf- und Handstudien*«
Bleistift

17,0 x 11,8 cm
44. S. 81: »*Porträt eines Mannes mit Pfeife*«
Bleistift
ca. 12,0 x 11,5 cm
Bezeichnung: o.r. »Prizel« (?)
45. S. 83: »*Lesender*«
Bleistift
17,0 x 11,8 cm
46. S. 85: »*Nachdenkender Mann und Handstudie*«
Bleistift
ca. 14,0 x 10,5 cm
47. S. 87: »*Porträtskizze Ernst Niekisch*«
Bleistift
17,0 x 11,8 cm
Bezeichnung: u.r. »Niekisch / Presse«
48. S. 89: »*Männliches Porträt*«
Bleistift
17,0 x 11,8 cm
Bezeichnung: u.r. »Keilson«
49. S. 91: »*Sitzender Mann mit übereinandergeschlagenen Beinen*«
Bleistift
17,0 x 11,8 cm
50. S. 93: »*Weiblicher Akt*«
blauer Farbstift
17,0 x 11,8 cm
Papier ist zerrissen.
51. S. 95: »*Weiblicher Akt, knieend*«
blauer Farbstift
17,0 x 11,8 cm
52. S. 97: »*Weiblicher Akt in Vorder- und Rückenansicht*«
blauer Farbstift
17,0 x 11,8 cm
53. S. 99: »*In der Bahn*«
Bleistift
17,0 x 11,8 cm
54. S. 101: »*Männliche Kopfstudie, den Kopf auf die rechte Hand gestützt*«
Bleistift
17,0 x 11,8 cm
55. S. 103: »*Männliche Kopfstudie*«
Bleistift
17,0 x 11,8 cm
56. S. 105: »*Männliche Kopfstudie*«
Bleistift
17,0 x 11,8 cm
Bezeichnung: u.r. »Schulz«
57. S. 107: »*Studien*«
Bleistift
17,0 x 11,8 cm
58. S. 109: »*Schreibender Junge*«
Bleistift
11,8 x 17,0 cm
59. S. 111: »*Weiblicher Akt*«
blauer Farbstift
17,0 x 11,8 cm
60. S. 113: »*Männliche Kopfstudie nach links blickend*«
blauer Farbstift
ca. 9,0 x 7,5 cm

(1695) »*Selbstporträt*«
Bleistiftzeichnung
Datierung: um 1949
Besitzer: unbekannt
Abbildung: Ulenspiegel, 4, 1949, H. 10, 7

(1696) »*Frauenkopf*«
Pinsel und Tusche/Papier
14,7 x 10,4 cm
Bezeichnung: u. »frohes fest wünscht / Horst Strempel«
Datierung: um 1949

Besitzer: Privatbesitz
Vgl. die Lithografie WVZ 2475.

(1697) *Mädchenkopf** (Z 9)
Tusche
49,0 x 40,0 cm
Datierung: 1949
Besitzer: unbekannt

(1698) *Frauenkopf**
Tusche
67,0 x 43,0 cm
Datierung: 1949
Besitzer: unbekannt
Keine Abbildung bekannt.

(1699) *Frauenkopf*
Tusche
54,0 x 43,0 cm
Datierung: 1949
Besitzer: unbekannt
Keine Abbildung bekannt.

(1700) ***Zwei Köpfe***
Kohle/Packpapier
56,0 x 46,0 cm
Bezeichnung: u.l. »Strempel 1949 Studie durchgestrichen: Zur Kreuzigung 48x40 2 Köpfe 56x46«
Datierung: 1949

(1701) »*Frau*«
Kohle/Packpapier
58,0 x 37,0 cm (63,0 x 41,5 cm)
Bezeichnung: u.l. »Strempel 1949«
Datierung: 1949

(1702) *Sitzende Frau* *
getönte Zeichnung
61,0 x 49,0 cm
Datierung: 1949
Besitzer: unbekannt
Keine Abbildung bekannt.

(1703) *Stehendes Mädchen I**
Kohle
Datierung: 1949
Besitzer: unbekannt
Keine Abbildung bekannt.

(1704) *Stehendes Mädchen III**
Kohle
Datierung: 1949
Besitzer: unbekannt
Keine Abbildung bekannt.

(1705) *Sitzender Rückenakt**
Kohle
61,0 x 45,0 cm
Datierung: 1949
Besitzer: unbekannt
Keine Abbildung bekannt.

(1706) »*Kopf eines Arbeiters*«
Kohle/Papier
56,0 x 47,5 cm
Datierung: um 1949
Vgl. das Pastell von 1949 (WVZ 750).

(1707) »*Arbeiter mit Mundschutz*«
Kohle/Skizzenpapier
72,0 x 53,8 cm
Datierung: um 1949

(1708) »*Bergarbeiter*«
Kohle/Papier

82,0 x 59,0 cm
Datierung: um 1949
Provenienz: Berlin, Ministerium für Kultur, Abt. Bildende Kunst
Besitzer: Berlin, Märk.Mus., Inv.Nr. VII 63/1318 W (7.11.1963)

(1709) »Drei Bergarbeiter im Stollen«
Kohle/Papier
62,0 x 78,0 cm
Datierung: 1949*

(1710) »Bergarbeiter«
Kohle/Papier
57,0 x 74,5 cm (60,0 x 80,0 cm)
Datierung: 1949*

(1711) »Bergarbeiter«
Kohle/Papier
61,0 x 85,0 cm
Datierung: 1949*

(1712) »Bergarbeiter«
Kohle/Karton
69,5 x 85,5 cm
Datierung: 1949*

(1713) »Stahlwerksarbeiter«
Kohle/Papier
85,0 x 61,5 cm
Datierung: 1949*

(1714) »Zwei Arbeiter am Hochofen«
Kohle/Papier
86,0 x 61,0 cm
Datierung: 1949*

(1715) »Zwei Arbeiter am Hochofen«
Kohle/Papier
78,0 x 64,5 cm
Datierung: 1949*

(1716) Walzwerk 2
Feder, Pinsel und Tusche, Bleistift/Karton
30,0 x 40,5 cm (37,5 x 50,0 cm)
Bezeichnung: u.l. »Walzwerk 2 1949 / Studie zum Walzwerk I«; u.r. »Strempel 49«
Datierung: 1949

(1717) »Drei Arbeiter am Hochofen«
Feder, Pinsel und Tusche, Bleistft, laviert/Papier
30,5 x 41,0 cm (35,5 x 44,5 cm)
Datierung: um 1949

(1718) »Drei Arbeiter am Hochofen«*
Zeichnung (Tusche und Kohle?)
Datierung: um 1949
Besitzer: unbekannt

(1719) Stahlwerksarbeiter
Schabblatt
Auflage: kein Expl. bekannt
Datierung: um 1949
Besitzer: unbekannt
Abbildung: Vorwärts, 31.12.1949

(1720) »Demonstration«
Zeichnung
Bezeichnung: u.r. »St. 49.«
Datierung: 1949
Besitzer: unbekannt
Abbildung: Wille und Weg, 1949, H. 3, Titelblatt

(1721) **Horrorzeichnung**
Bleistift/Papier

29,0 x 45,0 cm (38,0 x 50,0 cm)
Bezeichnung: u.l. »St. 49«; u.l (am Blattrand) »29x45«
Datierung: 1949
Vgl. dazu die Studien WVZ 1694, 14—16.
Drei Menschen versuchen mit äußerster Anstrengung, eine beschädigte Plastik, durch die am Boden liegenden Wagschalen als Justitia ausgewiesen, aufzurichten.

(1722) In Dresden*
farbige Tuschzeichnung
61,0 x 46,0 cm
Datierung: 1949
Besitzer: unbekannt
Ausstellung: Berlin/W. 1978, Nr. 24
Abbildung: ND, 18.11.1949

(1723) Dresden, Terrasse
Kohle/Packpapier/Papier
60,0 x 49,0 cm
Bezeichnung: u.l. »Strempel 49«; verso u.l. »Dresden Terrasse«
Datierung: 1949
Studie zur Radierung WVZ 2473.

(1724—2044) 323 Skizzenblätter verschiedener Größe und Art, unregelmäßig beschnitten bzw. gerissen, einseitig aufgeklebt auf 26 Bögen Packpapier.- Die Blätter sind fast alle undatiert. Für eine Datierung des gesamten Kontingents auf um 1949 spricht einerseits, daß zwei der Skizzen von Strempel auf 1949 datiert wurden; andererseits weisen auch andere Zeichnungen, wie z. B. die Arbeitsdarstellungen auf diesen Entstehungszeitraum. Die angenommene Datierung wurde in den Einzelfällen nicht mehr begründet.

(1724) »Porträt eines Mannes mit Hut«
Bleistift/Papier
11,7 x 8,8 cm
Datierung: um 1949

(1725) »Porträt eines Mannes mit Kappe im Profil nach links«
Bleistift/Papier
ca. 12,5 x 8,5 cm
Datierung: um 1949

(1726) »Männliches Porträt im 3/4 Profil, nach links gewandt«
Bleistift/Papier
ca.12,5 x 8,7 cm
Datierung: um 1949

(1727) »Paar im Profil nach rechts blickend«
Bleistift/Papier
ca. 12,5 x 7,5 cm
Datierung: um 1949

(1728) »Frau im Profil nach rechts gewandt«
Bleistift/Papier
ca. 12,7 x 8,7 cm
Datierung: um 1949

(1729) »Brustbild eines Mannes mit Kappe«
Bleistift/Papier
ca. 13,0 x 7,2 cm
Datierung: um 1949

(1730) »Weibliche und männliche Porträtstudie im Profil«

Bleistift/Papier
ca. 13,0 x 7,8 cm
Datierung: um 1949

(1731) »Männerkopf mit Kappe von hinten«
Bleistift/Papier
ca. 11,0 x 9,0 cm
Datierung: um 1949

(1732) »Kopfstudie mit Bart im Profil«
Bleistift/Papier
ca. 12,0 x 8,7 cm
Datierung: um 1949

(1733) »Brustbild einer Frau mit Hut und Pelzkragen«
Bleistift/Papier
ca. 12,7 x 9,0 cm
Datierung: um 1949

(1734) »Brustbild eines Mannes im Mantel mit Kappe«
Bleistift/Papier
ca. 13,0 x 9,0 cm
Datierung: um 1949

(1735) »Männerkopf mit Brille von hinten«
Kugelschreiber/Papier
ca. 12,0 x 10,5 cm
Datierung: um 1949

(1736) »Kopf eines Mannes im Profil nach links blickend«
Bleistift/Papier
ca. 14,0 x 12,5 cm
Datierung: um 1949
Oben rechts schriftliche Notizen.

(1737) »Paar im Brustbild«
Bleistift/Papier
ca. 13,5 x 16,5 cm
Datierung: um 1949

(1738) »Brustbild eines Mannes«
Kugelschreiber/Papier
ca. 10,0 x 10,5 cm
Datierung: um 1949

(1739) »Frau mit Kappe im Profil nach links«
Kugelschreiber/Papier
ca. 11,5 x 10,0 cm
Datierung: um 1949

(1740) »Kopf auf die rechte Hand gestützt«
Kugelschreiber/Papier
ca. 11,0 x 8,0 cm
Datierung: um 1949

(1741) »Männerkopf im Profil nach rechts blickend«
Kugelschreiber/Papier
ca. 14,0 x 9,5 cm
Datierung: um 1949

(1742) »Frauenkopf mit Hand vor dem Mund nach links blickend«
Kugelschreiber/Papier
ca. 14,0 x 10,5 cm
Datierung: um 1949

(1743) »Kopf eines Mannes mit Brille im Dreiviertel-Profil nach links blickend«
Kugelschreiber/Papier
ca. 12,0 x 9,5 cm
Datierung: um 1949

(1744) »*Kopf einer Frau mit Brille im Dreiviertel-Profil nach links blickend*«Kugelschreiber/Papier
ca. 12,5 x 10,5 cm
Datierung: um 1949

(1745) »*Brustbild eines Mannes nach links gewandt*«
Kugelschreiber/Papier
ca. 12,5 x 9,0 cm
Datierung: um 1949

(1746) »*Männerkopf nach links gewandt*«
Kugelschreiber/Papier
ca. 10,0 x 9,5 cm
Datierung: um 1949

(1747) »*Kopf einer Frau mit Schleier*«
Kugelschreiber/Papier
ca. 12,0 x 9,5 cm
Datierung: um 1949

(1748) »*Brustbild einer Frau mit Hut nach rechts gewandt*«
Kugelschreiber/Papier
ca. 12,0 x 8,5 cm
Datierung: um 1949

(1749) »*Brustbild einer Frau mit Hut, essend*«
Kugelschreiber/Papier
ca. 12,0 x 8,7 cm
Datierung: um 1949

(1750) »*Porträt eines Mannes nach links blickend*«
Kugelschreiber/Papier
ca. 13,0 x 10,5 cm
Datierung: um 1949

(1751) »*Kopf eines Mannes im Profil nach rechts*«
Kugelschreiber/Papier
ca. 12,5 x 10,5 cm
Datierung: um 1949

(1752) »*Kopf einer Frau im Profil nach links*«
Kugelschreiber/Papier
ca. 10,5 x 10,5 cm
Datierung: um 1949

(1753) »*Männerkopf im Profil mit an das Kinn gelegter Hand*«
Kugelschreiber/Papier
ca. 15,0 x 9,5 cm
Datierung: um 1949

(1754) »*Brustbild mit einer an die Wange gelegten Hand*«
Kugelschreiber/Papier
ca. 14,5 x 10,5 cm
Datierung: um 1949

(1755) »*Männliche Halbfigur nach rechts gewandt*«
Bleistift/Papier
ca. 19,0 x 16,0 cm
Datierung: um 1949

(1756) »*Kopf- und Handstudien*«
Bleistift/Briefbogen
ca. 18,0 x 25,0 cm
Datierung: um 1949

(1757) »*Kopf- und Handstudien*«
Bleistift/Briefbogen

ca. 26,5 x 20,8 cm
Datierung: um 1949

(1758) »*Kopf- und Handstudien*«
Bleistift/Briefbogen
ca. 26,5 x 20,8 cm
Datierung: um 1949

(1759) »*Mann mit an den Kopf gelegter Hand von hinten gesehen*«
Bleistift/Papier
ca. 22,5 x 18,5 cm
Datierung: um 1949

(1760) »*Männliches Brustbild nach linke gewandt*«
Bleistift/Papier
ca. 24,2 x 20,0 cm
Datierung: um 1949

(1761) »*Fuß- und Handstudien*«
Bleistift/Papier
ca. 14,0 x 11,5 cm
Datierung: um 1949

(1762) »*Kopf im Profil mit Brille*«
Bleistift/Papier
ca. 15,0 x 11,0 cm
Datierung: um 1949

(1763) »*Männerkopf im Profil mit Brille*«
Bleistift/Papier
ca. 13,0 x 11,0 cm
Datierung: um 1949

(1764) »*Männlicher Kopf im Profil nach rechts*«
Bleistift/Papier
ca. 14,0 x 11,0 cm
Datierung: um 1949

(1765) »*Männlicher Kopf im Profil nach links*«
Bleistift/Papier
ca. 12,5 x 10,0 cm
Datierung: um 1949

(1766) »*Männliches Porträt mit Bart und Brille im Profil nach links*«
Bleistift/Papier
ca. 14,0 x 10,0 cm
Datierung: um 1949

(1767) »*Männliches Brustbild und Handstudie*«
Bleistift/Papier
ca. 14,5 x 10,0 cm
Datierung: um 1949

(1768) »*Männliche Rückenfigur*«
Bleistift/Papier
ca. 15,5 x 10,0 cm
Datierung: um 1949

(1769) »*Kopf mit Locken von hinten gesehen*«
Bleistift/Papier
ca. 13,0 x 11,5 cm
Datierung: um 1949

(1770) »*Weibliches Brustbild im Profil nach rechts*«
Bleistift/Papier
ca. 15,0 x 11,0 cm
Datierung: um 1949

(1771) »*Sitzender Mann mit Brille*«
Bleistift/Papier
ca. 17,0 x 10,8 cm
Datierung: um 1949

(1772) »*Männlicher Kopf mit Kappe nach links gewandt*«
Bleistift/Papier
ca. 15,5 x 11,5 cm
Datierung: um 1949

(1773) »*Familie an einem Tisch*«
Bleistift/Papier
ca. 11,5 x 13,0 cm
Datierung: um 1949

(1774) »*Figur mit Latzhose im Profil*«
Bleistift/Papier
ca. 15,5 x 8,5 cm
Datierung: um 1949

(1775) »*Weiblicher Kopf mit Stirnband im Profil nach rechts*«
Bleistift/Papier
ca. 13,0 x 11,5 cm
Datierung: um 1949

(1776) »*Männlicher Kopf mit Brille im Profil*«
Bleistift/kariertem Papier
ca. 12,5 x 12,5 cm
Datierung: um 1949

(1777) »*Kopfstudien*«
Kugelschreiber/kariertem Papier
19,5 x 14,0 cm
Datierung: um 1949

(1778) »*Zwei Kopfstudien im Profil*«
Bleistift/kariertem Papier
ca. 18,5 x 11,0 cm
Datierung: um 1949

(1779) »*Weiblicher Kopf im Profil*«
Bleistift/kariertem Papier
ca. 11,0 x 12,0 cm
Datierung: um 1949

(1780) »*Zwei Kopfstudien im Profil*«
Bleistift/kariertem Papier
ca. 18,5 x 11,5 cm
Datierung: um 1949

(1781) »*Weiblicher Kopf im Profil nach links*«
Bleistift/kariertem Papier
ca. 14,0 x 13,0 cm
Datierung: um 1949

(1782) »*Drei Kopfstudien*«
Kugelschreiber/kariertem Papier
ca. 19,5 x 14,0 cm
Datierung: um 1949

(1783) »*Zwei Kopfstudien und eine Handstudie*«
Kugelschreiber/kariertem Papier
ca. 18,0 x 13,5 cm
Datierung: um 1949

(1784) »*Zwei Kopfstudien und eine Handstudie*«
Kugelschreiber/kariertem Papier
ca. 19,5 x 11,5 cm
Datierung: um 1949

(1785) »*Männliches Porträt*«
Bleistift/Papier
ca. 14,2 x 11,5 cm
Datierung: um 1949
Bezeichnung: u.l. »Walcher? »

(1786) »*Männliches Porträt im Profil*«
Bleistift/Papier
ca. 14,5 x 11,5 cm
Datierung: um 1949

(1787) »*Knabenkopf im Profil nach rechts*«
Bleistift/Papier
ca. 13,5 x 11,5 cm
Datierung: um 1949

(1788) »*Männerkopf mit Pfeife im Profil*«
Bleistift/Papier
ca. 12,0 x 11,5 cm
Datierung: um 1949

(1789) »*Weibliches Porträt im Profil nach rechts*«
Bleistift/Papier
ca. 15,0 x 12,0 cm
Datierung: um 1949

(1790) »*Männlicher Kopf nach links gewandt*«
Bleistift/Papier
ca. 13,5 x 12,0 cm
Datierung: um 1949

(1791) »*Weibliches Porträt, en face*«
Bleistift/Papier
ca. 13,5 x 11,0 cm
Datierung: um 1949

(1792) »*Porträt Neumann*«
Bleistift/Papier
ca. 14,0 x 11,5 cm
Bezeichnung: u.r. »Neumann«
Datierung: um 1949

(1793) »*Zwei sitzende Männer in Halbfigur*«
Bleistift/Papier
ca. 14,5 x 11,5 cm
Datierung: um 1949

(1794) »*Männliches Brustbild, en face*«
Bleistift/Papier
ca. 13,0 x 12,0 cm
Datierung: um 1949

(1795) »*Handstudie*«
Bleistift/Papier
ca. 8,5 x 8,0 cm
Datierung: um 1949

(1796) »*Männliches Porträt mit Pfeife*«
Bleistift/Papier
ca. 16,5 x 11,5 cm
Bezeichnung: u.r. »Fuhl(?)«
Datierung: um 1949

(1797) »*Porträt Dr. Schacht*«
Bleistift/Papier
ca. 13,5 x 12,0 cm
Bezeichnung: u.r. »Dr. Schacht«
Datierung: um 1949

(1798) »*Mann mit Monokel an einem Gasthaustisch*«
Bleistift/Papier
ca. 16,0 x 11,5 cm
Bezeichnung: u. »20.2.1949 / Delegierten-

konferenz / Presse. Heermann(?)«
Datierung: 1949

(1799) »*Mann mit Pfeife nach rechts blickend*«
Bleistift/Papier
ca. 16,0 x 11,8 cm
Datierung: um 1949

(1800) »*Studie übereinandergeschlagener Beine*«
Bleistift/Papier
ca. 12,8 x 9,0 cm
Datierung: um 1949

(1801) »*Person an einem Tisch im Profil*«
Kugelschreiber/Papier
ca. 13,0 x 9,0 cm
Datierung: um 1949

(1802) »*Sitzender an einem Tisch*«
Kugelschreiber/Papier
ca. 13,0 x 9,0 cm
Datierung: um 1949

(1803) »*Sitzende*«
Kugelschreiber/Papier
ca. 13,0 x 9,0 cm
Datierung: um 1949

(1804) »*Am Tisch sitzende Frau mit aufgestütztem Arm*«
Kugelschreiber/Papier
ca. 14,7 x 10,5 cm
Datierung: um 1949

(1805) »*Sitzende männliche Rückenfigur*«
Kugelschreiber/Papier
ca. 15,0 x 10,3 cm
Datierung: um 1949

(1806) »*Weibliche Rückenfigur, sich auf einen Tisch stützend*«
Kugelschreiber/Papier
ca. 15,0 x 10,3 cm
Datierung: um 1949

(1807) »*Kopf- und Fußstudie*«
Bleistift /Papier
ca. 13,0 x 8,8, cm
Datierung: um 1949

(1808) »*Weibliches Brustbild im Profil*«
Kugelschreiber/kariertem Papier
ca. 24,0 x 14,8 cm
Datierung: um 1949

(1809) »*Sitzende im Profil*«
Kugelschreiber/kariertem Papier
ca. 19,0 x 14,0 cm
Datierung: um 1949

(1810) »*Männliches Profil mit an den Mund gelegter Hand*«
Kugelschreiber/kariertem Papier
ca. 15,0 x 13,0 cm
Datierung: um 1949

(1811) »*Frau mit Haarknoten nach rechts blickend*«
Kugelschreiber/kariertem Papier
16,0 x 14,0 cm
Datierung: um 1949

(1812) »*Sitzende Frau mit Haarknoten im Profil*«
Kugelschreiber/kariertem Papier

ca. 22,0 x 13,0 cm
Datierung: um 1949

(1813) »*Mann im Profil nach rechts gewandt*«
Kugelschreiber/kariertem Papier
16,5 x 14,0 cm
Datierung: um 1949

(1814) »*Frau mit Kopftuch im Profil und männlicher Hinterkopf*«
Bleistift/kariertem Papier
ca. 15,5 x 13,2 cm
Datierung: um 1949

(1815) »*Fünf Kopfstudien*«
Bleistift/kariertem Papier
ca. 20,0 x 13,5 cm
Datierung: um 1949

(1816) »*Profil nach links*«
Kugelschreiber/Papier
ca. 12,0 x 7,2 cm
Datierung: um 1949

(1817) »*Männliches Porträt im Profil nach links*«
Kugelschreiber/Papier
ca. 15,0 x 7,3 cm
Datierung: um 1949

(1818) »*Mädchenkopf*«
Kugelschreiber/Papier
ca. 9,5 x 8,0 cm
Datierung: um 1949

(1819) »*Männlicher Kopf im Profil nach links*«
Kugelschreiber/Papier
ca. 12,5 x 7,5 cm
Datierung: um 1949

(1820) »*Handstudie*«
Kugelschreiber/Papier
ca. 12,0 x 7,0 cm
Datierung: um 1949

(1821) »*Weibliches Brustbild im Profil nach links*«
Kugelschreiber/Papier
ca. 14,0 x 7,0 cm
Datierung: um 1949

(1822) »*Personen unter einem Baum*«
Kugelschreiber/Papier
ca. 11,0 x 8,5 cm
Datierung: um 1949

(1823) »*Kinderkopf, frontal*«
Kugelschreiber/Papier
ca. 15,0 x 7,0 cm
Datierung: um 1949

(1824) »*Paar im Profil*«
Kugelschreiber/kariertem Papier
ca. 13,0 x 11,5 cm
Datierung: um 1949

(1825) »*Sitzende weibliche Halbfigur in Rückenansicht*«
Kugelschreiber/kariertem Papier
ca. 18,0 x 10,5 cm
Datierung: um 1949

(1826) »*Sitzende im Profil*«
Kugelschreiber/kariertem Papier

ca. 14,5 x 11,5 cm
Datierung: um 1949

(1827) »Brustbild einer sitzenden Frau im Profil«
Kugelschreiber/kariertem Papier
ca. 14,0 x 7,0 cm
Datierung: um 1949

(1828) »Weibliche Rückenfigur mit Haarknoten«
Kugelschreiber/kariertem Papier
ca. 17,0 x 13,5 cm
Datierung: um 1949

(1829) »Weibliche Rückenfigur mit Haarknoten und Handstudie«
Kugelschreiber/kariertem Papier
ca. 16,5 x 14,0 cm
Datierung: um 1949

(1830) »Stehende Frau und weibliche Rückenfigur mit Kind«
Kugelschreiber/kariertem Papier
ca. 18,5 x 13,5 cm
Datierung: um 1949

(1831) »Landschaft und Häuser an einem See mit drei Personen«
Kugelschreiber/kariertem Papier
ca. 9,5 x 14,5 cm
Datierung: um 1949

(1832) »Frau, wäscheaufhängend«
Kugelschreiber/kariertem Papier
ca. 9,0 x 13,5 cm
Datierung: um 1949

(1833) »Männliches Brustbild nach rechts gewandt«
schwarze Kreide/Papier
ca. 11,5 x 11,5 cm
Datierung: um 1949

(1834) »Kopf eines Mannes im Profil nach links«
Bleistift /Papier
ca. 16,0 x 11,5 cm
Datierung: um 1949

(1835) »Kopf einer Frau mit Ohrring im Profil nach links«
Bleistift /Papier
ca. 13,0 x 11,8 cm
Datierung: um 1949

(1836) »Kopf einer Frau mit Kappe im Profil nach links«
Bleistift /Papier
ca. 14,5 x 11,0 cm
Datierung: um 1949

(1837) »Kopf eines Mannes mit Halbglatze im Profil nach links«
schwarze Kreide/Papier
ca. 13,5 x 11,5 cm
Datierung: um 1949

(1838) »Porträt eines Mannes mit aufgestütztem Arm«
Bleistift /Papier
ca. 13,5 x 11,7 cm
Datierung: um 1949

(1839) »Zwei Männer im Brustbild, en face«

Bleistift /kariertem Papier
ca. 20,8 x 14,5 cm
Datierung: um 1949

(1840) »Weibliches Porträt im Profil nach rechts«
Bleistift /Papier
ca. 15,5 x 11,7 cm
Datierung: um 1949

(1841) »Weibliche Kopfstudie«
Bleistift /Papier
ca. 12,5 x 8,0 cm
Datierung: um 1949

(1842) »Männliches Porträt im Profil nach links«
Bleistift /kariertem Papier
ca. 13,5 x 14,5 cm
Datierung: um 1949

(1843) »Zwei männliche Kopfstudien im Profil, Finger- und Augenstudien«
Bleistift /kariertem Papier
ca. 20,8 x 14,5 cm
Datierung: um 1949

(1844) »Handstudie, greifend«
Kugelschreiber /Papier
ca. 13,0 x 21,5 cm
Datierung: um 1949

(1845) »Kopf- und Gesichtsstudien«
Kugelschreiber/Papier
ca. 13,0 x 10,0 cm
Datierung: um 1949

(1846) »Weibliche Kopfstudie«
Kugelschreiber/kariertem Papier
ca. 11,0 x 9,0 cm
Datierung: um 1949

(1847) »Vier Personen an einem Tisch«
Kugelschreiber/Papier
ca. 10,0 x 15,0 cm
Datierung: um 1949

(1848) »Landschaft mit Häusern«
Kugelschreiber/Papier
ca. 12,0 x 9,0 cm
Datierung: um 1949

(1849) »Fünf szenische bzw. Landschaftsstudien«
Kugelschreiber/Papier
ca. 14,0 x 19,8 cm
Datierung: um 1949
Skizzen zum Pastell Schiffer (WVZ 768).

(1850) »Weibliches und männliches Profil«
Kugelschreiber/Papier
ca. 8,4 x 13,9 cm
Datierung: um 1949

(1851) »Schachspieler«
Kugelschreiber/Papier
ca. 20,6 x 28, 7 cm
Datierung: um 1949

(1852) »Kopf- und Figurenstudien«
Bleistift /Papier
ca. 29,6 x 21,0 cm
Datierung: um 1949
Skizzen zu Karl Liebknecht spricht (WVZ 298).

(1853) »Schreibende Frau«
Kugelschreiber/Papier
ca. 16,0 x 16,0 cm
Datierung: um 1949

(1854) »Kopfstudie«
Kugelschreiber/Papier
ca. 10,5 x 7,2 cm
Datierung: um 1949

(1855) »Handstudie«
Kugelschreiber/Papier
ca. 6,0 x 13,5 cm
Datierung: um 1949

(1856) »Männerkopf mit Oberlippenbart im Profil«
Kugelschreiber/Papier
ca. 10,0 x 7,0 cm
Datierung: um 1949

(1857) »Drei Kopfstudien«
Bleistift /Papier
ca. 16,5 x 14,5 cm
Datierung: um 1949

(1858) »Männliche Rückenfigur sitzend, mit Stühlen«
Kugelschreiber/Papier
ca. 12,5 x 7,0 cm
Datierung: um 1949

(1859) »Porträt einer Frau im Profil«
Bleistift /Papier
ca.1 4,0 x 10,5 cm
Datierung: um 1949

(1860) »Kopf eines Mannes mit Brille«
Kugelschreiber/ Papier
ca. 8,2 x 7,2 cm
Datierung: um 1949

(1861) »Brustbild eines Mannes im Profil nach links«
Kugelschreiber/Papier
ca. 19,5 x 11,0 cm
Datierung: um 1949

(1862) »Brustbild eines Mannes mit Kappe nach links blickend«
Kugelschreiber/Papier
ca. 12,8 x 10,0 cm
Datierung: um 1949

(1863) »Brustbild einer Frau mit Mantel«
Kugekschreiber/Papier
ca. 15,5 x 14,0 cm
Datierung: um 1949

(1864) »Kopf eines Mannes mit Brille im Profil nach links blickend«
Kugelschreiber/Papier
ca. 11,0 x 7,3 cm
Datierung: um 1949

(1865) »Mädchenkopf frontal und im Profil«
Kugelschreiber/Papier
ca. 13,7 x 10,5 cm
Datierung: um 1949

(1866) »Studie von Mund- und Augenpartie im Profil«
Kugelschreiber/Papier
ca. 14,5 x 6,0 cm
Datierung: um 1949

(1867) »*Männliche Rückenfigur, sich rek-
kend*«
Kugelschreiber/Papier
ca. 14,8 x 10,3 cm
Datierung: um 1949

(1868) »*Männliche Rückenfigur, sich rek-
kend und Handstudie*«
Kugelschreiber/Papier
ca. 14,8 x 10,5 cm
Datierung: um 1949

(1869) »*Männliche Rückenfigur*«
Bleistift /Papier
ca. 11,5 x 7,0 cm
Datierung: um 1949

(1870) »*Mädchenkopf*«
Bleistift /Papier
ca. 6,5 x 10,5 cm
Datierung: um 1949

(1871) »*Ohren*«
Bleistift /kariertem Papier
ca. 8,8 x 14,0 cm
Datierung: um 1949

(1872) »*Hand- und Kopfstudie*«
Kugelschreiber/Papier
ca. 14,5 x 10,3 cm
Datierung: um 1949

(1873) »*Studie einer Hand mit Zeichenstift*«
Kugelschreiber/Papier
ca. 13,4 x 10,4 cm
Datierung: um 1949

(1874) »*Studie einer Hand*«
Kugelschreiber/Papier
ca. 14,2 x 10,3 cm
Datierung: um 1949

(1875) »*Handstudie und weiblicher Kopf
im Profil*«
Kugelschreiber/Papier
ca. 14,4 x 10,2 cm
Datierung: um 1949

(1876) »*Studie einer Hand mit Zeichenstift*«
Kugelschreiber/Papier
ca. 14,0 x 10,0 cm
Datierung: um 1949

(1877) »*Zwei Handstudien*«
Kugelschreiber/Papier
ca. 13,8 x 10,3 cm
Datierung: um 1949

(1878) »*Hand- und Fingerstudien*«
Kugelschreiber/Papier
ca. 14,0 x 10,7 cm
Datierung: um 1949

(1879) »*Studie einer Faust*«
Kugelschreiber/Papier
ca. 14,5 x 10,0 cm
Datierung: um 1949

(1880) »*Männlicher Kopf mit an die Stirn
gelegter Hand und Handstudie*«
Kugelschreiber/Papier
ca. 13,5 x 10,0 cm
Datierung: um 1949

(1881) »*Handstudie*«
Kugelschreiber/Papier
ca. 7,3 x 10,2 cm
Bezeichnung: u.l. »2 D.H.Z.«
Datierung: um 1949

(1882) »*Ohr*«
Kugelschreiber/Papier
ca. 12,6 x 10,3 cm
Datierung: um 1949

(1883) »*Ohr, Hinterkopf und Hand*«
Kugelschreiber/Papier
ca. 13,5 x 10,5 cm
Datierung: um 1949

(1884) »*Studien von Nasen- und Augenpartie, Ohr und Hand*«
Kugelschreiber/Papier
14,0 x 10,5 cm
Datierung: um 1949

(1885) »*Studie eines angewinkelten Arms*«
Kugelschreiber/Papier
ca. 13,7 x 9,8 cm
Datierung: um 1949

(1886) »*Männlicher Kopf im Profil nach
links blickend*«
Kugelschreiber/Papier
ca. 13,0 x 9,0 cm
Datierung: um 1949

(1887) »*Brustbild einer Frau mit Hut*«
Kugelschreiber/Papier
ca. 13,0 x 9,0 cm
Datierung: um 1949

(1888) »*Kopf eines Mannes im Profil nach
links blickend*«
Kugelschreiber/Papier
ca. 13,0 x 8,5 cm
Datierung: um 1949

(1889) »*Zwei Frauenköpfe im Profil*«
Kugelschreiber/Papier
ca. 13,0 x 17,3 cm
Datierung: um 1949

(1890) »*Kopf eines Mannes mit Kappe*«
Kugelschreiber/Papier
ca. 13,0 x 8,5 cm
Datierung: um 1949

(1891) »*Porträt eines Mannes mit Kappe im
Profil*«
Kugelschreiber/Papier
ca. 13,0 x 9,0 cm
Datierung: um 1949

(1892) »*Porträt eines Mannes mit Kappe
und Pfeife im Profil*«
Bleistift/Papier
ca. 13,0 x 9,0 cm
Datierung: um 1949

(1893) »*Kopf einer Frau*«
Bleistift/Papier
ca. 12,8 x 9,0 cm
Datierung: um 1949

(1894) »*Porträtskizze*«
Bleistift/Papier
ca. 12,5 x 9,0 cm
Datierung: um 1949

(1895) »*Kopf eines nachdenkenden Mannes*«
Kugelschreiber/Papier
ca. 13,0 x 8,5 cm
Datierung: um 1949

(1896) »*Brustbild im Profil*«
Kugelschreiber/Papier
ca. 13,0 x 8,5 cm
Datierung: um 1949

(1897) »*Kopf im Profil nach links blickend*«
Bleistift/Papier
ca. 13,0 x 9,0 cm
Datierung: um 1949

(1898) »*Porträtskizze*«
Bleistift/Papier
ca. 12,5 x 8,5 cm
Datierung: um 1949

(1899) »*Brustbild im Dreiviertel-Profil*«
Kugelschreiber, Bleistift/Papier
ca. 12,8 x 8,5 cm
Datierung: um 1949

(1900) »*Kopf eines Mannes mit Kappe im
Profil*«
Kugelschreiber, Bleistift/Papier
ca. 13,0 x 8,5 cm
Datierung: um 1949

(1901) »*Männliche Porträtstudie en face*«
Bleistift/Papier
ca. 12,0 x 8,5 cm
Datierung: um 1949

(1902) »*Männliches Porträt im Profil*«
Bleistift/Papier
ca. 12,2 x 8,5 cm
Datierung: um 1949

(1903) »*Mann mit Brille im Profil nach
rechts*«
Kugelschreiber/Papier
ca. 14,0 x 10,3 cm
Datierung: um 1949

(1904) »*Porträt im Profil mit Hand an der
Wange*«
Kugelschreiber/Papier
ca. 14,0 x 10,3 cm
Datierung: um 1949

(1905) »*Männliches Profil und Handstudie*«
Kugelschreiber/Papier
ca. 14,0 x 10,3 cm
Datierung: um 1949

(1906) »*Mann im Profil nach links blik-
kend*«
Kugelschreiber/Papier
14,0 x 10,3 cm
Datierung: um 1949

(1907) »*Hinterkopf eines Mannes mit Glatze*«
Kugelschreiber/Papier
ca. 14,0 x 10,0 cm
Datierung: um 1949

(1908) »*Zwei Kopfstudien*«
Kugelschreiber/Papier
ca. 14,0 x 10,5 cm
Datierung: um 1949

(1909) »Sitzender Mann mit großer Nase im Profil«
Kugelschreiber/Papier
ca. 13,5 x 10,5 cm
Datierung: um 1949

(1910) »Weibliches Porträt im Profil nach links gewandt«
Kugelschreiber/Papier
ca. 14,2 x 10,4 cm
Datierung: um 1949

(1911) »Weiblicher Kopf im Profil«
Kugelschreiber/Papier
ca. 14,3 x 10,4 cm
Datierung: um 1949

(1912) »Männlicher Kopf mit Brille im Profil«
Kugelschreiber/Papier
ca. 14,2 x 9,5 cm
Datierung: um 1949

(1913) »Kopf im Profil nach links blickend«
Kugelschreiber/Papier
14,0 x 10,5 cm
Datierung: um 1949

(1914) »Männlicher Kopf im Profil nach rechts blickend«
Kugelschreiber/Papier
14,6 x 10,3 cm
Datierung: um 1949

(1915) »Männliche Porträtskizze im Profil«
Kugelschreiber/Papier
ca. 14,0 x 9,5 cm
Datierung: um 1949

(1916) »Gesicht im Profil«
Kugelschreiber/Papier
ca. 14,0 x 10,2 cm
Datierung: um 1949

(1917) »Kopf eines Mannes«
Kugelschreiber/Papier
ca. 14,0 x 9,5 cm
Datierung: um 1949

(1918) »Drei Porträtstudien«
Bleistift/Papier
ca. 25,8 x 19,7 cm
Datierung: um 1949

(1919) »Kopf- und Fußstudien«
Bleistift/Papier
ca. 21,0 x 14,0 cm
Datierung: um 1949

(1920) »Kopf« (?)
Bleistift/Papier
ca. 19,6 x 15,0 cm
Datierung: um 1949

(1921) »Vier männliche Köpfe«
Bleistift/Papier
ca. 25,0 x 20,5 cm
Datierung: um 1949

(1922) »Zwei Kopfstudien im Profil«
Kugelschreiber/kariertem Papier
ca. 19,0 x 14,5 cm
Datierung: um 1949

(1923) »Sitzender«
Kugelschreiber/kariertem Papier

(1924) »Schreibender«
Kugelschreiber/kariertem Papier
ca. 14,5 x 14,5 cm
Datierung: um 1949

(1925) »Stehender Mann nach links gewandt, Hand- und Beinstudien«
Bleistift/Papier
ca. 29,5 x 18,5 cm
Datierung: um 1949

(1926) »Sitzende männliche Rückenfigur«
Bleistift/Papier
16,0 x 20,0 cm
Datierung: um 1949

(1927) »Männlicher Kopf«
Bleistift/Papier
ca. 11,0 x 8,5 cm
Datierung: um 1949

(1928) »Studie der Kopf-und Schulterpartie eines Mannes«
Feder und Tinte, Bleistift/Papier
ca. 16,5 x 12,0 cm
Datierung: um 1949

(1929) »Weibliches Brustbild im Profil«
Bleistift/Papier
ca. 17,5 x 11,0 cm
Datierung: um 1949

(1930) »Männlicher Kopf mit Brille im Profil und Handstudie«
Bleistift/Briefbogen
ca. 13,5 x 12,5 cm
Datierung: um 1949

(1931) »Mädchen«
Kugelschreiber/ Papier
ca. 29,5 x 11,0 cm
Datierung: um 1949

(1932) »Verschiedene Kopfskizzen, Hand- und Fußstudien«
Bleistift/Papier
ca. 17,0 x 20,0 cm
Datierung: um 1949

(1933) »Männlicher Kopf mit Brille im Profil«
Bleistift/Papier
ca. 14,0 x 9,5 cm
Datierung: um 1949

(1934) »Brustbild eines Mädchens im Profil«
Kugelschreiber /Papier
ca. 16,5 x 10,5 cm
Datierung: um 1949

(1935) »Kopf eines Mannes mit Brille en face«
Bleistift/Papier
ca. 17,5 x 11,0 cm
Datierung: um 1949

(1936) »Vielfigurige Kompositionsskizze«
Bleistift/Papier
ca. 12,0 x 17,5 cm
Datierung: um 1949

(1937) »Familie an einem Tisch«
Bleistift/Papier

14,0 x 17,5 cm
Datierung: um 1949

(1938) »Kopf eines Mannes im Profil nach links«
Bleistift/Papier
14,5 x 12,0 cm
Datierung: um 1949

(1939) »Kopf eines Mannes mit langer Nase im Profil nach links«
Bleistift/Papier
ca. 12,5 x 11,5 cm
Datierung: um 1949

(1940) »Männerkopf (obere Hälfte) mit Kappe im Profil«
Bleistift/Papier
ca. 9,0 x 14,5 cm
Datierung: um 1949

(1941) »Kopf eines Mannes mit Halbglatze im Profil nach links«
Bleistift/Papier
ca. 15,0 x 12,0 cm
Datierung: um 1949

(1942) »Kopf eines Mannes mit Glatze im Dreiviertel-Profil«
Bleistift/Papier
ca. 15,0 x 9,0 cm
Datierung: um 1949

(1943) »Studie eines Unterarms mit greifender Hand«
Bleistift/Papier
ca. 10,5 x 17,0 cm
Datierung: um 1949

(1944) »Mann mit Brille und Halbglatze im Profil«
blauer Farbstift/Papier
ca. 17,0 x 12,0 cm
Datierung: um 1949

(1945) »Betende. Priester, Nonne und Kind«
Bleistift/Papier
ca. 17,0 x 12,0 cm
Datierung: um 1949

(1946) »Studie einer Rückenfigur mit Kapuze«
Bleistift/Papier
ca. 14,5 x 11,3 cm
Datierung: um 1949

(1947) »Kopf eines Mannes im Profil nach links blickend«
Bleistift/Papier
ca. 15,5 x 11,3 cm
Datierung: um 1949

(1948) »Frau im Profil nach links blickend«
Kugelschreiber/kariertem Papier
ca. 13,5 x 10,5 cm
Datierung: um 1949

(1949) »Drei Handstudien«
Kugelschreiber/kariertem Papier
ca. 9,5 x 14,0 cm
Datierung: um 1949

(1950) »Frauenkopf in Rückenansicht«
Kugelschreiber/kariertem Papier
ca. 13,0 x 9,5 cm
Datierung: um 1949

(1951) »Zwei männliche Kopfstudien«
Kugelschreiber/kariertem Papier
ca. 14,0 x 10,0 cm
Datierung: um 1949

(1952) »Schreibende Frau im Profil«
Kugelschreiber/kariertem Papier
ca. 14,0 x 10,0 cm
Datierung: um 1949

(1953) »Weibliche Rückenansicht«
Kugelschreiber/kariertem Papier
ca. 12,5 x 8,0 cm
Datierung: um 1949

(1954) »Kopf eines Mannes mit aufgestütztem Arm im Profil«
Kugelschreiber/kariertem Papier
ca. 13,0 x 8,5 cm
Datierung: um 1949

(1955) »Brustbild einer Frau mit Hut im
Profil«
Kugelschreiber/kariertem Papier
ca. 14,0 x 10,0 cm
Datierung: um 1949

(1956) »Hut mit männlicher Stirn- und Na-
senpartie im Profil«
Kugelschreiber/kariertem Papier
ca. 13,0 x 10,0 cm
Datierung: um 1949

(1957) »Kopf eines Mannes mit Kappe im
Profil«
Bleistift/Papier
ca. 6,7 x 6,7 cm
Datierung: um 1949

(1958) »Brustbild einer Person mit Locken
im Profil«
Kugelschreiber/kariertem Papier
ca. 13,0 x 10,0 cm
Datierung: um 1949

(1959) »Kopf eines Mannes im Profil«
Kugelschreiber/kariertem Papier
ca. 10,5 x 9,8 cm
Datierung: um 1949

(1960) »Zwei Handstudien und eine Ohr-
studie«
Kugelschreiber/kariertem Papier
ca. 13,0 x 10,0 cm
Datierung: um 1949

(1961) »Brustbild eines Mannes mit Kappe
im Profil«
Kugelschreiber/kariertem Papier
ca. 14,0 x 10,0 cm
Datierung: um 1949

(1962) »Kopf eines Mannes mit Halbglatze«
Kugelschreiber/kariertem Papier
ca. 11,5 x 10,0 cm
Datierung: um 1949

(1963) »Kopf eines Mannes mit Kappe in
Rückenansicht«
Kugelschreiber/kariertem Papier
ca. 11,5 x 9,5 cm
Datierung: um 1949

(1964) »Kopf eines Mannes mit Kappe im
Profil«
Kugelschreiber/kariertem Papier

ca. 11,0 x 9,0 cm
Datierung: um 1949

(1965) »Männliche Rückenfigur mit Hut
und Schuhstudie«
Kugelschreiber/kariertem Papier
ca. 14,0 x 10,0 cm
Datierung: um 1949

(1966) »Paar auf einer Bank«
Kugelschreiber/kariertem Papier
ca. 13,5 x 9,5 cm
Datierung: um 1949

(1967) »Zwei männliche Kopfstudien«
Bleistift/kariertem Papier
ca. 11,0 x 10,0 cm
Datierung: um 1949

(1968) »Rückenansicht eines sitzenden
Mannes«
Kugelschreiber/kariertem Papier
ca. 12,0 x 10,0 cm
Datierung: um 1949

(1969) »Rückenansicht einer Frau in Halbfigur«
Kugelschreiber/kariertem Papier
ca. 14,0 x 10,0 cm
Datierung: um 1949

(1970) »Porträtstudie Helga«
Kugelschreiber/kariertem Papier
ca. 13,5 x 10,0 cm
Datierung: um 1949

(1971) »Kopf eines Mannes im Profil«
Kugelschreiber/kariertem Papier
13,5 x 10,0 cm
Datierung: um 1949

(1972) »Drei Schuhstudien«
Bleistift/kariertem Papier
ca. 14,0 x 10,0 cm
Datierung: um 1949

(1973) »Männliches Porträt im Profil nach
rechts«
Bleistift/kariertem Papier
ca. 13,0 x 9,5 cm
Datierung: um 1949

(1974) »Sitzende«
Kugelschreiber/kariertem Papier
ca. 13,5 x 10,0 cm
Datierung: um 1949

(1975) »Kopf eines Mannes mit Brille im
Profil«
Kugelschreiber/kariertem Papier
ca. 11,5 x 9,0 cm
Datierung: um 1949

(1976) »Kopf einer Frau mit Kopftuch«
Kugelschreiber/kariertem Papier
ca. 13,3 x 10,0 cm
Datierung: um 1949

(1977) »Kopf eines Mannes mit Brille, die
Hand am Ohr«
Kugelschreiber/kariertem Papier
ca. 13,6 x 10,0 cm
Datierung: um 1949

(1978) »Kopf eines Mannes mit Brille en face«
Kugelschreiber/kariertem Papier

ca. 13,0 x 9,5 cm
Datierung: um 1949

(1979) »Haus mit Palme«
Kugelschreiber/kariertem Papier
ca. 12,5 x 8,5 cm
Datierung: um 1949

(1980) »Südländisches Haus«
Kugelschreiber/kariertem Papier
ca. 13,5 x 10,0 cm
Datierung: um 1949

(1981) »Häuserfassaden«
Kugelschreiber/kariertem Papier
ca. 14,0 x 10,0 cm
Datierung: um 1949

(1982) »Säulen«
Kugelschreiber/kariertem Papier
ca. 13,5 x 10,0 cm
Datierung: um 1949

(1983) »Häuserfassaden«
Kugelschreiber/kariertem Papier
ca. 14,0 x 10,0 cm
Datierung: um 1949

(1984) »Vier Säulen«
Kugelschreiber/kariertem Papier
ca. 14,0 x 10,0 cm
Bezeichnung: u.l. »4 Säulen«
Datierung: um 1949

(1985) »Drei Arbeiter im Stahlwerk«
Bleistift/Papier
ca. 14,0 x 12,0 cm
Datierung: um 1949

(1986) »Porträt eines Mannes mit an den
Mund gelegter rechter Hand«
Bleistift/Papier
ca. 16,5 x 11,7 cm
Datierung: um 1949

(1987) »Porträt Kowalski«
Bleistift/Papier
ca. 16,5 x 11,8 cm
Bezeichnung: u.l. »Kowalski«
Datierung: um 1949

(1988) »Porträt Bauer«
Bleistift/Papier
ca. 16,3 x 11,7 cm
Bezeichnung: o.r. »Bauer / 16.3.1949«
Datierung: 1949

(1989) »Zwei männliche Kopfstudien im
Profil«
Bleistift/Papier
ca. 20,0 x 17,5 cm
Datierung: um 1949

(1990) »Männliche Kopfstudie im Profil«
Bleistift/Papier
ca. 15,0 x 8,5 cm
Datierung: um 1949

(1991) »Porträt eines Mannes mit Brille,
das Kinn auf die rechte Hand gestützt«
Bleistift/Papier
15,0 x 10,7 cm
Datierung: um 1949

(1992) »Porträtstudie einer Frau im Profil«
Bleistift/Papier

14,8 x 10,7 cm
Datierung: um 1949

(1993) »Brustbild eines Mannes mit Brille«
Bleistift/Papier
ca. 16,5 x 11,7 cm
Datierung: um 1949

(1994) »Porträt eines Mannes en face«
Bleistift/Papier
ca. 16,5 x 12,0 cm
Datierung: um 1949

(1995) »Porträtstudie einer Frau im Profil«
Bleistift/Papier
ca. 12,5 x 9,5 cm
Datierung: um 1949

(1996) »Porträt einer Frau mit Kopftuch en face«
Bleistift/Papier
ca. 13,0 x 10,5 cm
Datierung: um 1949

(1997) »Porträt einer Frau im Profil«
Bleistift/Papier
ca. 13,8 x 11,0 cm
Datierung: um 1949

(1998) »Porträtskizze einer Frau mit Halskette en face«
Bleistift/Papier
ca. 13,0 x 11,5 cm
Datierung: um 1949

(1999) »Porträtskizze eines Mannes mit Kappe im Profil«
Bleistift/Papier
ca. 12,5 x 11,5 cm
Datierung: um 1949

(2000) »Porträt einer Frau mit Pelzkappe und Mantel en face«
Bleistift/Papier
ca. 12,5 x 12,0 cm
Datierung: um 1949

(2001) »Redner«
Bleistift/Papier
ca. 14,0 x 12,0 cm
Datierung: um 1949

(2002) »Porträt eines Mannes mit Glatze im Profil«
Bleistift/Papier
ca. 14,5 x 12,0 cm
Datierung: um 1949

(2003) »Handstudie und Kopfstudie«
(durchkreuzt)
Bleistift/Papier
ca. 14,5 x 9,5 cm
Datierung: um 1949

(2004) »Porträtstudie einer Frau mit Hut im Profil«
Bleistift/Papier
ca. 14,0 x 9,5 cm
Datierung: um 1949

(2005) »Männlicher Kopf mit den Händen vor dem Gesicht«
Bleistift/Papier
ca. 14,5 x 12,0 cm
Datierung: um 1949

(2006) »Mann mit Brille, die Hand am Mund, im Profil nach links« gewandt
Bleistift/Papier
ca. 14,5 x 12,0 cm
Datierung: um 1949

(2007) »Studie übereinandergelegter Hände«
Bleistift/Papier
ca. 11,5 x 13,0 cm
Datierung: um 1949

(2008) »Brustbild eines Mannes mit Mantel im Profil«
Bleistift/Papier
ca. 17,0 x 12,0 cm
Datierung: um 1949

(2009) »Kopf eines Mannes im Profil nach links blickend«
Bleistift/Papier
ca. 13,0 x 12,0 cm
Datierung: um 1949

(2010) »Kopf eines Mannes mit Halbglatze im Profil«
Bleistift/Papier
ca. 13,0 x 11,5 cm
Datierung: um 1949

(2011) »Studie eines Unterkörpers mit Schürze«
Bleistift/Papier
ca. 15,5 x 11,5 cm
Datierung: um 1949

(2012) »Studie mit Rocksaum, Waden und Schuhen«
Bleistift/Papier
ca. 19,5 x 20,5 cm
Datierung: um 1949

(2013) »Studien von zwei männlichen Köpfen und einem Auge«
Bleistift/Papier
ca. 18,0 x 14,5 cm
Datierung: um 1949

(2014) »Männlicher Halbakt, Rückenfigur«
Bleistift/Papier
ca. 14,8 x 11,5 cm
Datierung: um 1949

(2015) »Halbakt eines Mädchens«
Bleistift/Papier
14,0 x 11,5 cm
Datierung: um 1949

(2016) »Weibliche Aktstudie«
Kugelschreiber/Papier
ca. 17,0 x 12,0 cm
Datierung: um 1949

(2017) »Halbakt eines Mädchens«
Kugelschreiber/Papier
ca. 17,0 x 11,5 cm
Datierung: um 1949

(2018) »Weiblicher Torso im Profil«
Bleistift/Papier
ca. 16,0 x 12,0 cm
Datierung: um 1949

(2019) »Weiblicher Torso«
Kugelschreiber/Papier
ca. 17,0 x 11,5 cm
Datierung: um 1949

(2020) »Porträtstudie im Profil«
Bleistift/Papier
ca. 12,5 x 12,0 cm
Datierung: um 1949

(2021) »Studie zweier Stahlarbeiter«
Bleistift/Papier
ca. 16,5 x 11,5 cm
Datierung: um 1949

(2022) »Figurenstudie eines Stahlarbeiters« (?)
Bleistift/Papier
ca. 16,0 x 11,5 cm
Datierung: um 1949

(2023) »Männliche Ganzfigur mit der rechten Hand in der Hosentasche«
Bleistift/Papier
ca. 17,0 x 11,7 cm
Datierung: um 1949

(2024) »Stahlwerkarbeiter«
Bleistift/Papier
ca. 11,6 x 13,0 cm
Datierung: um 1949

(2025) »Stahlwerkarbeiter«
Bleistift/Papier
ca. 17,0 x 11,5 cm
Datierung: um 1949

(2026) »Studie eines bekleideten Unterschenkels«
Bleistift/Papier
ca. 17,0 x 11,5 cm
Datierung: um 1949

(2027) »Gießereianlage«
Bleistift/Papier
ca. 16,5 x 11,7 cm
Datierung: um 1949

(2028) »Weibliche Rückenfigur«
Bleistift/Papier
ca. 16,8 x 9,0 cm
Datierung: um 1949

(2029) »Zwei männliche Kopfstudien im Profil«
Kugelschreiber/kariertem Papier
ca. 18,0 x 11,0 cm
Datierung: um 1949

(2030) »Weibliche Porträtskizze und Handstudie«
Kugelschreiber/kariertem Papier
ca. 16,0 x 12,0 cm
Datierung: um 1949

(2031) »Mann mit der rechten Hand am Kopf im Profil«
Kugelschreiber/kariertem Papier
ca. 13,0 x 13,0 cm
Datierung: um 1949

(2032) »Zwei männliche Köpfe im Profil«
Kugelschreiber/kariertem Papier
9,5 x 14,5 cm
Datierung: um 1949

(2033) »Männliches Porträt im Profil mit Blumenstrauß«
Kugelschreiber/kariertem Papier
ca. 13, 0 x 14,0 cm
Datierung: um 1949

(2034) »Männliches Porträt im Profil«
Kugelschreiber/kariertem Papier
ca. 12,0 x 10,5 cm
Datierung: um 1949

(2035) »Männliches Porträt mit Brille im Profil«
Kugelschreiber/kariertem Papier
ca. 10,0 x 12,5 cm
Datierung: um 1949

(2036) »Kopfstudie mit Haarknoten«
Kugelschreiber/kariertem Papier
ca. 19,0 x 14,0 cm
Datierung: um 1949

(2037) »Brustbild einer Frau en face«
Kugelschreiber/kariertem Papier
ca. 12,5 x 11,5 cm
Datierung: um 1949

(2038) »Zwei Kopfstudien mit Haarknoten, eine Handstudie«
Kugelschreiber/kariertem Papier
ca. 16,5 x 13,0 cm
Datierung: um 1949

(2039) »Männliches Porträt mit Brille im Profil«
Kugelschreiber/kariertem Papier
ca. 14,5 x 12,5 cm
Datierung: um 1949

(2040) »Drei männliche Kopfstudien im Profil, eine Augenstudie«
Bleistift/Papier
ca. 29,5 x 16,5 cm
Datierung: um 1949

(2041) »Vier Kopfstudien im Profil und eine Gruppe von sitzenden Personen«
Bleistift/Papier
ca. 26,5 x 22,0 cm
Datierung: um 1949

(2042) »Vier männliche Porträts im Profil«
Bleistift/Papier
ca. 27,5 x 21,0 cm
Datierung: um 1949

(2043) »Skelett«
Bleistift/Papier
ca. 28,0 x 18,5 cm
Datierung: um 1949

(2044) »Studie eines Knochens«
Bleistift/Papier
ca. 21,0 x 14,0 cm
Datierung: um 1949

(2045) Selbstporträt
Zeichnung (Kohle oder Tusche?)
Datierung: um 1950
Besitzer: unbekannt
Literatur: Für Dich, 19.3.1950, o.S.
Abbildung: Für Dich, 19.3.1950. o.S.

(2046) »Porträt der Journalistin Ilse Galfert«
Zeichnung (Kohle oder Tusche?)
Datierung: um 1950
Besitzer: unbekannt
Literatur: Für Dich, 19.3.1950, o.S.
Abbildung: Für Dich, 19.3.1950. o.S.

(2047) »Porträtstudie des Architekten Selmanagic«

Kohle, teilweise laviert/Papier
59,2 x 42,0 cm
Bezeichnung: u.l. »1950«
Datierung: 1950
Siehe auch das Pastell WVZ 766.

(2048) Am Ofen
Kohle/Papier
71,0 x 51,0 cm
Bezeichnung: u.r. »Strempel 50«; verso o.l. »Am Ofen«
Datierung: 1950

(2049) »Arbeiter am Hochofen«
Kohle/Papier
75,5 x 52,5 cm
Bezeichnung: u.r. »50«
Datierung: 1950

(2050) Rückenakt
Kohle/Papier
64,5 x 45,5 cm
Bezeichnung: u.l. »Strempel«; verso o. »Strempel Horst Berlin Rückenakt 1951«
Datierung: 1951

(2051) A. Korea
Kohle/Papier
51,0 x 67,0 cm
Bezeichnung: u.l. »1951 Studien zu ‹Korea›«
Datierung: 1951
B. Korea
Kohle/Papier
51,0 x 67,0 cm
Datierung: 1951
Nach Angaben von Martin Strempel soll ein Ölbild zu diesen Studien existiert haben, das bei Strempels Flucht in der DDR geblieben sein muß.

(2052) »Werftanlagen«
Bleistift/Papier
51,0 x 40,5 cm
Bezeichnung: u.l. »St. 51«
Datierung: 1951

(2053) »Werftanlagen«
Kohle/Papier
71,0 x 53,0 cm
Datierung: um 1951 (vgl. WVZ 2052)

(2054) Kraftwagenwerk VEB Mansfeld
Bleistift/Papier
52,5 x 41,5 cm
Bezeichnung: o.l. »Kraftwagenwerk / V.E.B. Mansfeld«; u.l. »St. 51«
Datierung: 1951

(2055) Im Kraftwagenwerk VEB Mansfeld
Bleistift/Papier
52,5 x 42,0 cm
Bezeichnung: u.l. »St. 51«
Datierung: 1951

(2056) Im Kraftwagenwerk VEB Mansfeld
Bleistift/Papier
53,0 x 42,0 cm
Bezeichnung: u.l. »St. 51 / 43x41«
Datierung: 1951

(2057) Weiblicher Kopf im Profil nach links
Kohle- oder Kreidezeichnung (?)
Datierung: um 1953 (vgl. WVZ 798)
Besitzer: unbekannt

(2058) Weiblicher Kopf im Profil nach links

blickend
Kohle/Papier
43,0 x 30,5 cm
Datierung: um 1953 (vgl. WVZ 310)

(2059) Weiblicher Kopf im Profil nach links blickend
Kohle/Papier
42,5 x 30,5 cm
Datierung: um 1953 (vgl. WVZ 310)

(2060) Die Träumerin *(Z 14)
Kohle
55,0 x 38,0 cm
Datierung: 1953
Besitzer: unbekannt
Ausstellung: Hildesheim 1964, Nr. 88

(2061) »Frauenkopf mit Tuch«
Zeichnung
ca. 9,5 x 7,5 cm
Bezeichnung: u.r. »St. 53«
Besitzer: Privatbesitz
Die Zeichnung befindet sich auf einer Grußkarte zu Neujahr.

(2062) »Zwei Tänzerinnen«
Feder und Tusche/Papier
61,0 x 43,0 cm
Bezeichnung: u.l. »1953«
Datierung: 1953

(2063) Odysseus und Kalipse
Kohle/Karton
56,5 x 44,0 cm
Bezeichnung: u.l. »Strempel 53«; verso o.l. »Rückenakt 56x44 Studie zu Odysseus u. Kalipse Nr.6«
Datierung: 1953
Siehe WVZ 820 und 821 zur gleichen Thematik.

(2064) Au nom des peuples
Tusche /Gips/Papier
Bezeichnung: o.r. »au nom des peuples«; u.l. »Strempel / 53«; u.r. datierte Widmung
Datierung: 1953
Besitzer: Privatbesitz

(2065) Im Atelier (Z 12)
Kohle/Karton
88,0 x 62,0 cm
Bezeichnung: u.r. »Strempel 53«; verso o. (aufgeklebtes Etikett) » ‹Im Atelier› 1953 83x54 Kohle Nr.12«
Datierung: 1953
Ausstellung: Berlin/W. 1978, Nr. 29
Abbildung: Berlin/W. 1978, o.S.
Studie zum Gemälde von 1953 (WVZ 324).

(2066) Paar auf der Bank*(Z 10)
Kohle
36,0 x 36,0 cm
Datierung: 1953
Besitzer: unbekannt
Keine Abbildung bekannt.
Angaben im Werkkatalog zufolge war die Kohlezeichnung eine Vorstudie für ein Ölbild, 100,0 x 120,0 cm (WVZ 336).

(2067) Die Straße*(Z 13)
getönte Zeichnung
65,0 x 44,0 cm
Datierung: 1953
Besitzer: unbekannt
Ausstellung: Hildesheim 1964, Nr. 82 (?)
Keine Abbildung bekannt.

(2068) *Ernst Niekisch beim Anhören der Adenauerrede*
Kohle/Papier
41,0 x 38,0 cm
Bezeichnung: o.r. »E. Nikich beim anhören der / Adenauerrede / 23.2.1954«; u.r. »H. Strempel 54« und Widmung
Datierung: 1954
Besitzer: Privatbesitz
Skizze zur Monotypie WVZ 2503.

(2069) »*Mädchenkopf*«
Kohle (?)
Bezeichnung: u.r. »Strempel 54«
Datierung: 1954
Besitzer: unbekannt

(2070) *Mädchenkopf*
Kohle
Datierung: um 1954
Besitzer: unbekannt
Abbildung: Kurier, 15.1.1955

(2071) »*Mädchenkopf*«
Enkaustik
12,0 x 9,0 cm
Bezeichnung: u.l. (im Bild) »St. 54«; u.l. »H. Strempel 54«
Datierung: 1954
Besitzer: Privatbesitz

(2072) »*Frauenkopf*«
Enkaustik
32,0 x 20,0 cm
Bezeichnung: u.r. (im Bild) »Strempel 54«
Datierung: 1954
Besitzer: Privatbesitz

(2073) *Mädchen im Atelier*
Enkaustik
40,1 x 28,5 cm
Bezeichnung: u.l. »Strempel 54«
Datierung: 1954
Besitzer: Regensburg, Ostdt. Gal., Inv.Nr. 2015

(2074) *Mädchen im Zimmer*
Enkaustik
38,5 x 22,5 cm
Bezeichnung: l. Mitte (im Bild) »Strempel 54«; u.l. »St. 54, Strempel 54«
Datierung: 1954
Besitzer: Regensburg, Ostdt. Gal., Inv.Nr. 2566

(2075) *Stehender Akt mit Mantel*
Kohle/Papier
59,5 x 45,0 cm
Bezeichnung: u.l. »St. 1954«
Datierung: 1954

(2076) *Stehender Halbakt mit Mantel*
Kohle/Papier
61,0 x 43,0 cm
Bezeichnung: verso (aufgeklebtes Etikett) »1954«
Datierung: 1954

(2077) *Stehender Akt*
Kohle/Papier
63,0 x 43,0 cm
Bezeichnung: u.l. »Strempel 54«
Datierung: 1954

(2078) *Knieendes Mädchen*
Bleistift/Papier
63,0 x 47,5 cm
Bezeichnung: u.l. »Strempel 54«
Datierung: 1954

(2079) »*Weibliche Rückenfigur*«
Bleistift/Papier
61,0 x 42,5 cm
Bezeichnung: u.l. »1954«
Datierung: 1954

(2080) »*Weiblicher Akt mit hinter dem Kopf verschränkten Armen*«
Bleistift/Papier
43,0 x 30,5 cm
Bezeichnung: u.l. »St. 1954«
Datierung: 1954

(2081) »*Stehender weiblicher Akt*«
Kohle/Papier
61,0 x 43,0 cm
Bezeichnung: u.l. »1954«
Datierung: 1954

(2082) »*Stehender weiblicher Akt mit angewinkeltem rechten Bein*«
Kohle/Papier
61,0 x 43,0 cm
Bezeichnung: u.l. »1954«
Datierung: 1954

(2083) »*Sitzender weiblicher Akt*«
Feder, Pinsel und Tusche/Karton
60,0 x 46,5 cm
Bezeichnung: u.l. »1954«
Datierung: 1954

(2084) »*Sitzender weiblicher Akt mit Pferdeschwanz im Profil*«
Kohle/Papier
63,0 x 49,0 cm
Bezeichnung: u.r. »St. 1954«
Datierung: 1954

(2085) »*Sitzender weiblicher Akt mit Pferdeschwanz*«
Kohle/Papier
61,0 x 43,0 cm
Bezeichnung: u.l. »1954«
Datierung: 1954

(2086) A. «*Sitzender weiblicher Akt*«
Feder und Tusche, Bleistift/Papier
63,0 x 49,0 cm
Bezeichnung: u.l. »1954«
Datierung: 1954
B. «*Liegender weiblicher Halbakt*«
Feder und Tusche, Bleistift/Papier
49,0 x 63,0 cm
Datierung: um 1954 (s.o.)

(2087) »*Knieender weiblicher Akt*«
Bleistift/Papier
61,0 x 42,5 cm
Bezeichnung: u.l. »1954«
Datierung: 1954

(2088) »*Weibliche Aktstudien*«
Feder und Tusche, Bleistft/Papier
63,0 x 49,0 cm
Bezeichnung: u.l. »1954«
Datierung: 1954

(2089) »*Liegender Akt*«
Enkaustik
17,5 x 26,0 cm (23,0 x 31,0 cm)
Bezeichnung: u.r. (im Bild) »St. 54 / Strem-

pel 54«
Datierung: 1954
Besitzer: Privatbesitz

(2090) »*Liegender Akt*«
Enkaustik
25,3 x 37,7 cm
Bezeichnung: u.l. »Strempel« / und datierte Widmung
Datierung: um 1954 (vgl. WVZ 2089)
Besitzer: Privatbesitz

(2091) »*Liegender Rückenakt*«*
Enkaustik
Datierung: um 1954 (vgl. WVZ 2089)
Besitzer: unbekannt

(2092) »*Zwei weibliche Akte, liegend*«
Bleistift/Papier
39,5 x 51,5 cm
Bezeichnung: u.l. »1954«
Datierung: 1954

(2093) »*Zwei weibliche Aktstudien*«
Feder und Tusche, Bleistift/Papier
63,0 x 49,0 cm
Bezeichnung: u.l. »1954«
Datierung: 1954

(2094) »*Sitzende*«*
Enkaustik
Bezeichnung: u.l. »Strempel (II)«
Datierung: um 1954 (?)
Besitzer: unbekannt
Vgl. Mappe *Mädchen im Atelier* (WVZ 2530).

(2095) »*Zwei weibliche Akte*«
Enkaustik
28,0 x 18,0 cm (35,0 x 24,0 cm)
Bezeichnung: u.r. »Strempel 54«
Datierung: 1954
Besitzer: Privatbesitz

(2096) »*Mädchen mit Plastik*«*
Enkaustik
Bezeichnung: u.l. »Strempel (II)«
Datierung: um 1954 (?)
Besitzer: unbekannt
Vgl. Mappe *Mädchen im Atelier* (WVZ 2528).

(2097) »*Frau mit Plastik im Hintergrund*«
Enkaustik
31,5 x 19,5 cm
Bezeichnung: o.r. (im Bild) »Strempel«; u.l. »Strempel 54«; u.r. (im Bild) »St. 54«
Datierung: 1954
Besitzer: Privatbesitz
Vgl. Mappe *Mädchen im Atelier* (WVZ 2526).

(2098) *Der kleine Flötenspieler I** (Z 16)
Tusche
47,0 x 31,0 cm
Datierung: 1954
Besitzer: unbekannt
Die im Werkkatalog abgebildete Fotografie zeigt keine Tuschzeichnung, sondern eine Enkaustik.

(2099) *Der kleine Flötenspieler II* (Z 17)
Pinsel und Tusche, Bleistift/Papier
47,0 x 32,0 cm
Bezeichnung: u.l. »St. 54«; verso (a.d. Trägerkarton) »aus der Serie ‹Der kleine Flö-

tenspieler› II 1954 47x32 Tusche Nr.17«
Datierung: 1954
Besitzer: Privatbesitz

(2100) »Flötenspieler«
Enkaustik
32,0 x 19,0 cm (sichtb.)
Bezeichnung: u.l. (a.d. Passepartout)
»Horst Strempel 54«; u.l. »Strempel 54«
Datierung: 1954
Besitzer: Privatbesitz

(2101) »Flötenspieler«*
Enkaustik
Datierung: um 1954
Besitzer: unbekannt

(2102) Sitzendes Mädchen * (Z 19)
Kohle
51,0 x 41,0 cm
Datierung: 1954
Besitzer: unbekannt
Ausstellung: Berlin/W. 1978, Nr. 41

(2103) »Weiblicher Akt«
Kohle, teilweise aquarelliert/Papier
ca. 96,0 x 38,0 cm (sichtb.)
Bezeichnung: u.l. datierte Widmung
Datierung: um 1954
Besitzer: Privatbesitz

(2104) Zwei Mädchen in der Loge (Z 15)
Kohle/Karton
88,0 x 62,5 cm
Bezeichnung: u.l. »H. Strempel 54«; verso
o.l. »2 Mädchen in der Loge 1954 87x61
Kohle Nr.15«
Datierung: 1954
Ausstellung: Berlin/W. 1978, Nr. 40

(2105) A. Zwei Mädchen
Kreide /Papier
63,0 x 48,0 cm
Bezeichnung: o.l. »48. Figuren«; u.l.
»Strempel«; u.r. »Strempel 1954«; verso o.l.
»2 Mädchen 1954 63x48 Kreide«
Datierung: 1954
B. Figuren
Kreide/Papier
63,0 x 48,0 cm
Bezeichnung: s.o.
Datierung: 1954

(2106) Spaziergang
Kohle/Papier
41,0 x 38,0 cm
Bezeichnung: u.r. datierte Widmung
Datierung: 1954
Besitzer: Privatbesitz

(2107) Auf einer Bank
Kohle/Papier
38,0 x 41,0 cm
Bezeichnung: u.l. datierte Widmung
Datierung: 1954
Besitzer: Privatbesitz

(2108) »Drei Frauen mit Kind«
Kohle/Papier
52,0 x 60,0 cm
Bezeichnung: u.l. »269«
Datierung: um 1954 (?)
Die Zeichnung zeigt stilistische Übereinstimmungen mit WVZ 2106 und 2107.

(2109) »Joseph und Potiphar«

Kohle/Papier
37,0 x 35,2 cm
Bezeichnung: u.l. »Strempel 1954«
Datierung: 1954
Besitzer: Privatbesitz

(2110) Bahnübergang (Saldernstraße*)
Kohle, teilweise aquarelliert/Papier
49,0 x 66,0 cm (sichtb.)
Bezeichnung: u.l. »Strempel 54«
Datierung: 1954
Provenienz: Nürnberg, Slg. Drexel
Besitzer: Privatbesitz
Ausstellung: Braunschweig 1960
Abbildungen: Pensberger Anz., München,
6.6.1958 (Bahnübergang in Berlin); Film u.
Frau, 10, 1958, H. 12, o.S.; Vorwärts,
24.7.1959 (Bahnübergang, Berlin); Braunschweiger Ztg., 8.4.1960
Aus einem Brief Wilhelm Puffs an Ernst
Niekisch: »Hier ist Berlin in seiner hinreißenden dynamischen Gewalt gepackt. Dramatisch-malerischer Gegensatz von
Schwarz-Weiß und Bewegungswucht der
Linien einen sich zu einem Hochgesang der
Zeit auf Technik, Raumwillen und den Bewußtseinstanz des die Materie besiegenden
Menschen. Die Wände des Bahngrundes
biegen sich, das Schutzgeländer, sie in
schräger Schärfe überschneidend, knirscht,
wendet sich beruhigt und federt die breite
Straße brückenleicht über die Geleistiefe.
Man sieht keinen Zug, aber schon hört man
ihn heranbrausen, schon verkündet der
Baum oben, die Äste wie Arme emporwerfend, sein donnerndes Nahen, schon ballt
seine Windwucht die Häuser zur Gruppe,
schon pflanzt sich die im Boden vorausschwellende Schwingung in den Frauen empor, die
am Geländer der Zugrichtung entgegenschreiten. Besessene Wucht — die Zeichnung scheint wie hingewühlt — und höchster Kunstverstand haben diese Hymne auf
Berlin zustande gebracht.«

(2111) Straße*
Kohle
41,0 x 57,0 cm
Bezeichnung: u.l. »Strempel 54«
Datierung: 1954
Besitzer: Darmstadt, Rat der Stadt (1956)
Ausstellungen: Darmstadt und Stuttgart
1956, Nr. 286
Abbildungen: Berliner Stimme,
31.12.1955.- Kalender der Esslinger
Künstlergilde 1956
Studie zu Rote Ampel (WVZ 340).

(2112) Berliner S-Bahn-Unterführung
Kohlezeichnung, aquarelliert
49,0 x 64,0 cm
sign., dat. 1954
Besitzer: unbekannt
Literatur: Almanach der Graphikpreise
1988, Nr. 16183

(2113) Berlin-Charlottenburg, Holtzendorffplatz*
getönte Zeichnung
50,0 x 70,0 cm
Bezeichnung: u.l. »Strempel /?
Datierung: 1954
Besitzer: unbekannt

(2114) Berlin-Charlottenburg, Holtzendorffplatz* (Z 31)

getönte Zeichnung
49,0 x 70,0 cm
Datierung: 1954
Besitzer: unbekannt

(2115) Holtzendorffbrücke I (Z 24)
Schabblatt
47,0 x 64,5 cm
Bezeichnung: u.r. »Strempel 54«; verso o.l.
»Holtzendorffbrücke I Char. 1954 47x64
Schabblatt Nr. 24«
Datierung: 1954
Ausstellung: Berlin/W. 1978, Nr. 36
Auf der Rückseite des Blattes befindet sich
ein durchkreuztes Stilleben.

(2116) Knobelsdorffstraße
Schabblatt, koloriert
65,0 x 47,0 cm
Bezeichnung: u.l. »H. Strempel 54«; verso
(aufgeklebtes Etikett) »Berlin-Charl. ‹Knobelsdorffstr.› 65x47 Nr. 23 Original getönte
Schabtechnik (338)«
Datierung: 1954
Besitzer: Privatbesitz
Ausstellung: Berlin/W. 1978, Nr. 37
Abbildung: Berlin/W. 1978, o.S.

(2117) Berlin-Charlottenburg III* (Z 26)
getönte Zeichnung
66,0 x 51,0 cm
Bezeichnung: u.r. »Strempel«
Datierung: 1954
Besitzer: unbekannt

(2118) Apostelkirche* (Z 27)
getönte Zeichnung
60,0 x 45,0 cm
Datierung: 1954
Besitzer: unbekannt
Keine Abbildung bekannt.

(2119) Giesebrechtstraße (Z 29)
Kohle, Pastellkreide, Aquarell/Karton
72,0 x 51,0 cm
Bezeichnung: u.l. »Strempel 1954«; verso
o.l. »Horst Strempel 1954 Giesebrechtstr.
Berl-Wilmersdorf 72x51 Nr.29«
Datierung: 1954

(2120) Wilmersdorf, Giesebrechtstraße* (Z 29)
getönte Zeichnung
72,0 x 51,0 cm
Bezeichnung: u.l. »Strempel«
Datierung: 1954
Besitzer: unbekannt
Unter der Werkkatalog-Nr. 29 werden zwar
mit WVZ 2120 identische technische Angaben gemacht, die zugeordnete Fotografie
zeigt jedoch eine andere Stadtlandschaft.

(2121) Bahnhof Halensee* (Z 25)
Kreide, getönt
50,0 x 69,0 cm
Datierung: 1954
Besitzer: unbekannt
Ausstellung: Berlin/W. 1978, Nr. 35

(2122) Wernerwerk Siemensstadt
Schabblatt, koloriert
46,5 x 65,0 cm (60,0 x 80,0 cm)
Bezeichnung: u.l. »St. 54 Strempel 1954«;
u.l. (a.d. Passepartout) »Kat.Nr.15a«; verso
»Wernerwerk Siemensstadt Schabblatt
1954 60x80 15a Kat.Nr.15a«
Datierung: 1954

(2123) *Kottbusser Tor*
Kreide/Papier
63,0 x 44,0 cm
Bezeichnung: o.r. »Strempel«; u.r. »Kott-
busser Tor«; verso o.l. »H. Strempel 1954
Kottbusser Tor«
Datierung: 1954
Ausstellung: Berlin/W. 1978, Nr. 38
Abbildung: Berlin/W. 1978, o.S.

(2124) *Am Kaiserdamm** (Z 28)
getönte Zeichnung
63,0 x 45,0 cm
Datierung: 1954
Besitzer: unbekannt

(2125) *Straße mit Bäumen** (Z 30)
Kohle
70,0 x 55,0 cm
Datierung: 1954
Besitzer: unbekannt
Ausstellung: Berlin/W. 1978, Nr. 33 (?)

(2126) *Stilleben mit Schädel und Kerze* (Z 20)
Kohle/Papier
55,0 x 39,0 cm
Bezeichnung: u.l. »Strempel«; verso o.l.
»Stilleben mit Schädel und Kerze 1954
54x39 Kohle Nr.20«
Datierung: 1954
Ausstellung: Berlin/W. 1978, Nr. 42
Studie zum Gemälde WVZ 351.

(2127) *Calla*
Kohle, Pastellkreide/Karton
66,0 x 51,0 cm
Bezeichnung: u.l. »Strempel 54«
Datierung: 1954
Studie zum Gemälde WVZ 350.

(2128) *Engelsbote*
Enkaustik
17,5 x 32,0 cm (sichtb.)
Bezeichnung: u.l. »Strempel 54«
Datierung: 1954
Besitzer: Privatbesitz

(2129) *»Stilleben mit Früchten und Krug«*
Enkaustik
17,5 x 31,5 cm (sichtb.)
Bezeichnung: u.l. »Strempel 54«
Datierung: 1954
Besitzer: Privatbesitz

(2130) *»Porträt Ernst Niekisch«*
Kugelschreiber/Papier
ca. 14,0 x 10,0 cm
Bezeichnung: u.l. »St. 1955«
Datierung: 1955
Besitzer: Privatbesitz

(2131) *»Mädchenkopf«* * (Z 32)
get. Zeichnung
60,0 x 45,0 cm
Datierung: um 1955 (?)
Besitzer: unbekannt
Ausstellung: Berlin/W. 1955/1 (?)

(2132) *»Mädchenkopf«*
Kohle/Papier
61,0 x 43,0 cm
Bezeichnung: u.l. »Strempel 28.11.1955«
Datierung: 1955

(2133) *Mädchenkopf** (Z 33)
Kreide

57,0 x 42,0 cm
Bezeichnung: u.r. »Strempel«
Datierung: 1955
Besitzer: unbekannt

(2134) *Edith** (Z 40)
Kohle
55,0 x 40,0 cm
Datierung: 1955
Besitzer: unbekannt

(2135) *»Mädchenkopf«*
Feder, Pinsel und Tusche/Papier
23,5 x 16,5 cm
Datierung: um 1955
Studie zur Radierung WVZ 2506.

(2136) *»Sitzende«*
Kohle/Papier
63,0 x 49,0 cm
Bezeichnung: u.l. »1955«
Datierung: 1955

(2137) *Sitzende** (Z 39)
Tusche
38,0 x 56,0 cm
Datierung: 1955
Besitzer: unbekannt
Ausstellung: Hildesheim 1964, Nr. 87
(39,0 x 56,0 cm)

(2138) *Sitzendes Mädchen*
Kohle
62,0 x 48,0 cm
Datierung: 1955
Besitzer: unbekannt
Ausstellung: Berlin/W. 1978, Nr. 45
Keine Abbildung bekannt.

(2139) *»Rückenakt«*
Bleistift/Papier
54,0 x 36,0 cm (61,0 x 43,0 cm)
Bezeichnung: u.l. »St. 55«
Datierung: 1955

(2140) *Rückenakt**
Bleistift
55,0 x 35,0 cm
Datierung: 1955
Besitzer: unbekannt
Keine Abbildung bekannt

(2141) *»Stehender Rückenakt mit Tuch«*
Bleistift/Papier
62,0 x 36,5 cm
Bezeichnung: u.l. »1955«
Datierung: 1955

(2142) *Sitzender Akt*
Bleistift
60,0 x 42,0 cm
Datierung: 1955
Besitzer: unbekannt
Ausstellung: Berlin/W. 1978, Nr. 44
Keine Abbildung bekannt.

(2143) *»Akt im Sessel«*
Bleistift/Papier
61,0 x 42,0 cm
Bezeichnung: u.l. »St.55«
Datierung: 1955

(2144) *»Liegender Rückenakt«*
Enkaustik
31,2 x 45,1 cm
Bezeichnung: u.l. »Horst Strempel 1955«

Datierung: 1955
Besitzer: Privatbesitz

(2145) *»Liegender Rückenakt«*
Kohle/Papier
48,5 x 63,0 cm
Bezeichnung: u.l. »St. 55«
Datierung: 1955

(2146) *»Liegender Akt«*
Bleistift/Papier
30,2 x 42,0 cm
Bezeichnung: u.l. »H. Strempel. 1955. /
Zeichnung getönt« und Angabe des Besit-
zers der Zeichnung und des dazugehörigen
Ölbildes
Datierung: 1955
Besitzer: Privatbesitz
Das Blatt ist an der Ecke unten rechts be-
schädigt.- Siehe das Ölbild WVZ 362 und
das Pastell WVZ 880.

(2147) *»Liegender Akt«*
Kugelschreiber/Karton
21,5 x 45,5 cm (25,0 x 49,5 cm)
Bezeichnung: u.l. »27.11.1955 / H. Strem-
pel«
Datierung: 1955

(2148) *»Liegender Akt I«* *
Zeichnung (Bleistift?)
25,0 x 51,0 cm
Bezeichnung: u.l. »St. 55« und datierte
Widmung
Datierung: 1955
Besitzer: unbekannt

(2149) *»Liegender Akt II«* *
Zeichnung (Bleistift?)
27,0 x 51,0 cm
Bezeichnung: u.l. »St. 55« und datierte
Widmung
Datierung: 1955
Besitzer: unbekannt

(2150) *»Liegender Akt«*
Bleistift/Papier
43,0 x 61,5 cm
Bezeichnung: o.l. »7.2.55«
Datierung: 1955

(2151) *»Liegender Akt«*
Enkaustik
21,0 x 28,4 cm
Bezeichnung: u.l. »Strempel«
Besitzer: Privatbesitz

(2152) *»Liegender Akt«*
Enkaustik
21,0 x 29,5 cm
Bezeichnung: u.l. (im Bild) »Strempel 55«
Datierung: 1955
Besitzer: Privatbesitz

(2153) *Aktstudie*
Bleistift/Papier
61,0 x 42,5 cm
Bezeichnung: Mitte l. »1954/55 / Aktstu-
die«
Datierung: 1955

(2154) *»Zwei Aktstudien«*
Bleistift/Papier
43,0 x 61,5 cm
Bezeichnung: u.l. 7.2.55«
Datierung: 1955

(2155) »Zwei Aktstudien«
Bleistift/Papier
43,0 x 61,0 cm
Bezeichnung: u.l. »St. 55«
Datierung: 1955

(2156) Der Wächter
Feder, Pinsel und Tusche/Karton
43,0 x 30,0 cm
Datierung: um 1955
Studie zur Radierung WVZ 2507.

(2157) Der Wächter*
Feder, Pinsel und Tusche/Karton
42,5 x 30,5 cm
Datierung: um 1955 (vgl. WVZ 2156)

(2158) »Mutter und Kind«
Kohle, koloriert/Papier
55,0 x 39,0 cm (sichtb.)
Bezeichnung: u.r. »Strempel 55«
Datierung: 1955
Besitzer: Privatbesitz
Studie zur Radierung WVZ 2501.

(2159) »Schlittschuhläufer«
Kohle, Kreide
40,5 x 63,0 cm
Bezeichnung: u.l. »Strempel 55«
Datierung: 1955
Besitzer: Wuppertal, Von der Heydt-Mus.,
Inv.Nr. KK 1956/163

(2160) Halenseebrücke
Kohle/Karton
54,5 x 64,0 cm
Bezeichnung: u.r. »Strempel 55«; verso u.l.
»Halenseebrücke 421«
Datierung: 1955
Ausstellung: Berlin/W. 1961/3 (?)
Abbildung: Tag, 24.10.1961

(2161) Berliner Mietshäuser
Kohlezeichnung, aquarelliert
75,5 x 57,0 cm
sign., dat. 1955
Literatur: Almanach der Graphikpreise
1988, Nr. 16182

(2162) Halenseebrücke* (Z 36)
Kohle
54,0 x 64,0 cm
Datierung: 1955
Besitzer: unbekannt
Ausstellung: Berlin/W. 1978, Nr. 43
Abbildung: Berlin/W. 1978, o.S.

(2163) Die Brücke*
Kohle
60,0 x 80,0 cm
Datierung: 1955
Besitzer: unbekannt

(2164) Schusterusstraße Charlottenburg*
Kohle
60,0 x 80,0 cm
Datierung: 1955
Besitzer: unbekannt

(2165) Häuser in Charlottenburg (Charlottenburg IV)* (Z 35)
getönte Zeichnung
75,0 x 57,0 cm
Datierung: 1955
Besitzer: unbekannt

(2166) Am Nonnendamm* (Z 38)
Schabblatt
59,0 x 45,0 cm
Bezeichnung: u.l.
Besitzer: unbekannt

(2167) »Skizzenheft«
16 Blätter mit 25 Zeichnungen, in ein Heft
(DIN A 4) rechtsseitig eingeklebt; teilweise
signiert, datiert und bezeichnet
Datierung: 1955
Besitzer: Privatbesitz

(2168) »Skizzenheft«
16 Blätter mit 20 Aktzeichnungen
teilweise signiert und datiert
Datierung: 1955
Besitzer: Privatbesitz

(2169) Mädchenkopf* (Z 50)
Kohle
59,0 x 43,0 cm
Datierung: 1956
Besitzer: unbekannt
Ausstellung: Berlin/W. 1978, Nr. 47

(2170) Mädchenkopf (Z 49)
Kohle/Skizzenpapier
ca, 41,0 x 38,0 cm
Bezeichnung: u.l. »Strempel 1956«; verso
o.l. »Nr. 49«
Datierung: 1956

(2171) »Mädchenkopf mit Tuch«
Bleistift/Pergamentpapier
26,5 x 18,8 cm
Datierung: um 1956
Studie zur Radierung aus der Mappe Mädchen im Atelier (WVZ 2513).

(2172) »Porträtskizze Albertine Strempel«
Filzstift/Papier
64,5 x 53,0 cm
Bezeichnung: u.l. »232«
Datierung: um 1956
Studie zum Porträt WVZ 384.

(2173) »Weiblicher Akt mit über dem Kopf verschränkten Armen«
Bleistift/Papier
42,3 x 30,5 cm
Bezeichnung: u.l. »H. Strempel 56« und datierte Widmung
Datierung: 1956
Besitzer: Privatbesitz

(2174) A. «Stehender weiblicher Akt mit über dem Kopf verschränkten Armen«
schwarzer Kugelschreiber/Papier
23,6 x 13,0 cm
Bezeichnung: u.l. »6.2.56 Strempel«
Datierung: 1956
Besitzer: Privatbesitz
B. «Liegender Akt«
schwarzer Kugelschreiber/Papier
13,0 x 23,6 cm
Bezeichnung: seitl. (von r.o. nach r.u.)
»6.2.56«
Datierung: 1956
Besitzer: Privatbesitz

(2175) »Liegender weiblicher Akt«
Feder und rötliche Tusche, koloriert/Papier
6,5 x 11,5 cm (11,0 x 15,5 cm)
Bezeichnung: u.l. »H. Strempel 56«

Datierung: 1956
Besitzer: Privatbesitz

(2176) Mädchen auf dem Balkon
Kreide/Papier
59,5 x 46,0 cm
Bezeichnung: u.l. »Strempel 56«
Datierung: 1956
Ausstellung: Berlin/W. 1978, Nr. 46

(2177) Mädchen vor dem Spiegel
Wachskreide, Gouache/Papier
64,0 x 49,0 cm
Bezeichnung: u.r. (im Bild) »Strempel 15«;
verso »Horst Strempel 1956 Mädchen vor
dem Spiegel / get. Zeichnung 64x49
Kat.Nr.46«
Datierung: 1956
Ausstellung: Berlin/W. 1963, Nr. 46; Hildesheim 1964, Nr. 83

(2178) Frauen im Raum (Z 48)
Kohle/Papier
28,0 x 28,0 cm (sichtb.)
Bezeichnung: u. (a.d. Passepartout) »H.
Strempel 1956 28x28 Skizze zu »Frauen im
Raum« Kat.Nr.48«
Datierung: 1956
Besitzer: Privatbesitz

(2179) Joseph und Potiphar* (Z 44)
Kohle
69,0 x 51,0 cm
Datierung: 1956
Besitzer: unbekannt
Keine Abbildung bekannt.- Nach den Angaben im Werkkatalog soll die Zeichnung
eine Skizze zu einem gleichnamigen Ölbild
(95,0 x 82,0 cm) von 1956 sein. Es ist möglich, daß entweder bei den Zeichnungen
oder bei dem Ölbild von 1954 (WVZ 338)
eine unkorrekte Datierung vorliegt; ebenso
aber ist es denkbar, daß Strempel zwischen
1954 und 1956 mehrere Varianten dieses
Stoffes schuf.- Vgl. auch die folgenden
Zeichnungen.

(2180) Joseph und Potiphar II* (Z 45)
Kohle
32,0 x 37,0 cm
Datierung: 1956
Besitzer: unbekannt
Unter der Katalog-Nummer 45 wird im
Werkkatalog darauf hingewiesen, daß auch
diese Zeichnung eine Skizze zu einem Ölbild sei. Für eine 3., 4. und 5. Fassung der
Studie konnten weder genauere Daten herausgefunden noch die Besitzangabe verifiziert werden.- Aus einem Brief Wilhelm
Puffs zu schließen, hatte Strempel diesem
1965 die Skizze überlassen. Er schrieb darüber am 10.7.1965 an Strempel: »Das Aufreizende des Blattes, wenn ich mich so ausdrücken darf, liegt wohl in der dialektischen Behandlung von Licht und Schatten,
in der antinomischen Verkehrung, die
‹Keuschheit› als das Dunkle, Schattenhafte, Körper-Verstockte, ins ‹Sittliche› Verhärtete und damit Flucht-Moralische abzudrängen, während das Verführerische, als
das ethisch Wertvolle, Lebensvitale in den
Glanz des Lichtes gehoben wird (im weitausgreifend verlangenden Arm, in den
sehnsuchtsprallen Brüsten, im schmeichelnden Leib).«

(2181) A. *Potiphar III*
Kohle/Papier (aus vier unterschiedlich gro-
ßen Stücken zusammengesetzt)
54,5 x 37,0 cm (62,0 x 41,0 cm)
Bezeichnung: u.l. »Strempel 56«; verso u.l.
»14. Potiphar III«
Datierung: 1956
B. *Joseph und Potiphar*
Feder und Tinte, Bleistift/Papier (s.o.)
28,0 x 22,0 cm (62,0 x 41,0 cm)
Bezeichnung: s.o.
Datierung: 1956

(2182) *Das Leben (Das Paar)*
Feder und Tusche/Papier
vier Motive je ca. 20,0 x 9,5 cm (31,5 x 48,5
cm)
Datierung: um 1956
Studien zum Radierungs-Zyklus *Das Leben* (WVZ 2517−2522).

(2183) *»Paar mit Kind«*
Kugelschreiber, Bleistift/Papier
20,0 x 30,5 cm (31,0 x 48,5 cm)
Datierung: um 1956
Studie zur Radierung *Paar mit Kind* (WVZ
2516).

(2184) *Die Straße* (Z 47)
Kohle/Papier
40,0 x 35,0 cm
Bezeichnung: u.l. »Skizze zu »der Straße«
1956 Kohle: 40x35cm Nr.47«
Datierung: 1956

(2185) *»Häusergruppe mit Figuren«*
Tusche
66,0 x 51,0 cm
Bezeichnung: u.r. »Strempel 56«
Datierung: 1956
Besitzer: Wuppertal, Von der Heydt-Mus.,
Inv.Nr. KK 1956/165

(2186) *»Häuser«*
Tusche
63,0 x 48,5 cm
Bezeichnung: u.l. »H. Strempel 56«
Datierung: 1956
Besitzer: Wuppertal, Von der Heydt-Mus.,
Inv.Nr. KK 1956/166

(2187) *David**
Kohlezeichnung
47,0 x 41,0 cm
Datierung: um 1957
Besitzer: unbekannt
Ausstellung: Hildesheim 1964, o. Nr.
(Ausst.Verz.)
Keine Abbildung bekannt.

(2188) *Mädchen am Fenster (Mädchen auf
dem Balkon)* (Z 55)
Kreide/Karton
79,5 x 58,5 cm
Bezeichnung: u.r. »Strempel 57«, verso o.
»Mädchen am Fenster (Kohle 60) Mädchen
auf dem Balkon 1957 Nr. 55«
Datierung: 1957
Ausstellung: Berlin/W. 1978, Nr. 54

(2189) *Mädchen auf dem Balkon* (Z 56)
Kohle/Papier
81,0 x 58,5 cm
Bezeichnung: u.l. »48«; verso (Etikett) »56.
‹Mädchen auf dem Balkon› 78x58 Nr. 56«
Datierung: 1957*

(2190) *Haarkämmendes Mädchen*
Pinsel und schwarze Tusche und Sepia,
Deckweiß/Papier
56,5 x 39,0 cm
Bezeichnung: u.l. »H. Strempel 1957«
Datierung: 1957
Besitzer: Privatbesitz

(2191) **Mädchen vor dem Spiegel** (Z 53)
Wachskreide, Gouache/Karton
60,0 x 43,0 cm (62,5 x 48,0 cm)
Bezeichnung: u. »Mädchen vor dem Spiegel GZ 60x43 1957. 53«; verso »2 Mädchen
vor dem Spiegel 1957 60x43«
Datierung: 1957

(2192) *Mädchen am Spiegel*
getönte Zeichnung
49,0 x 67,0 cm
Datierung: 1957
Besitzer: unbekannt
Ausstellung: Berlin/W. 1959/2, Nr. 88
Keine Abbildung bekannt.

(2193) *»Sitzende Frau am Strand«*
Kohle/Papier
57,5 x 43,0 cm (63,0 x 46,5 cm)
Bezeichnung: u.l. »St. 57«
Datierung: 1957

(2194) *»Sitzende Frau am Strand«**
Kohle?
Datierung: um 1957
Besitzer: unbekannt

(2195) *»Sitzende Frau am Strand«*
Kohle/Karton
32,0 x 49,0 cm
Bezeichnung: u.l. »Strempel«
Datierung: um 1957

(2196) *»Sitzende Rückenfigur«*
Kohle/Papier
48,5 x 63,0 cm
Datierung: um 1957

(2197) *»Liegende Rückenfigur am Strand«*
Kohle/Papier
17,0 x 26,0 cm (39,0 x 30,0 cm)
Datierung: um 1957

(2198) *»Frau und Kind am Strand«*
Kohle/Papier
55,0 x 41,0 cm (62,0 x 46,0 cm)
Bezeichnung: u.l. »57. St.« / datierte Wid-
mung
Datierung: 1957
Besitzer: Privatbesitz

(2199) *»Zwei sitzende Frauen am Strand«*
Kohle/Papier
57,5 x 42,0 cm (62,0 x 47,0 cm)
Bezeichnung: u.l. »St. 57«
Datierung: 1957

(2200) *»Zwei liegende Frauen am Strand«*
Kohle/Papier
48,0 x 63,0 cm
Bezeichnung: u.l. »St. 57 48x63«
Datierung: 1957

(2201) *»Frauen am Strand«*
Kohle/Papier
58,0 x 43,0 cm (62,0 x 47,5 cm)
Bezeichnung: u.l. »St. 57«
Datierung: 1957

(2202) *»Frauen am Strand«*
Kohle/Skizzenpapier
ca. 58,0 x 42,0 cm (62,0 x 47,0 cm)
Bezeichnung: u.l. »St. 57«
Datierung: 1957

(2203) *»Frauen am Strand«*
Feder und Tusche, Gouache/Papier
57,5 x 43,0 cm (62,0 x 47,0 cm)
Bezeichnung: u.l. »St. 57«
Datierung: 1957

(2204) *Stehender Akt*
getönte Zeichnung
53,0 x 68,0 cm
Datierung: 1957
Besitzer: unbekannt
Ausstellung: Berlin/W. 1959/2, Nr. 89
Keine Abbildung bekannt.

(2205) *Halbakt*
Zeichnung
46,0 x 68,0 cm
Datierung: 1957
Besitzer: unbekannt
Ausstellung: Berlin/W. 1959/2, Nr. 91
Keine Abbildung bekannt.

(2206) *Liegender Akt*
getönte Zeichnung
68,0 x 48,0 cm
Datierung: 1957
Besitzer: unbekannt
Ausstellung: Berlin/W. 1959/2, Nr. 90
Keine Abbildung bekannt.

(2207) *Liegender Akt*
aquarellierte Zeichnung
46,0 x 60,0 cm
Datierung: 1957
Besitzer: unbekannt
Ausstellung: Berlin/W. 1978, Nr. 53
Keine Abbildung bekannt.

(2208) *Zwei Mädchen*
Zeichnung
Datierung: 1957
Besitzer: unbekannt
Ausstellung: Berlin/W. 1961/3, Nr. 33
Keine Abbildung bekannt.

(2209) *Stehendes Paar*
getönte Zeichnung
54,0 x 96,0 cm (96,0 x 54,0 cm?)
Datierung: 1957
Besitzer: unbekannt
Ausstellung: Berlin/W. 1959/2, Nr. 95
Keine Abbildung bekannt.

(2210) *Die Trauer* (Studie)
Zeichnung
78,0 x 60,0 cm
Datierung: 1957
Besitzer: unbekannt
Ausstellung: Berlin/W. 1959/2, Nr. 82
Keine Abbildung bekannt.

(2211) *Im Atelier* (Z 54?)
Kohle, Gouache/Papier
67,0 x 47,0 cm (77,0 x 57,0 cm)
Bezeichnung: u.r. »Strempel 1957«; verso
o.l. » »Im Atelier« 1957 66x47 get.Zeich-
nung Nr.54«
Datierung: 1957

(2212) *Berliner Landschaft* (Z 56)
Kohle, Pastellkreide, teilweise aquarelliert/
Papier
55,0 x 38,0 cm
Bezeichnung: u.r. »Strempel 57«; verso o.l.
»Berliner Landschaft 1957 55x38cm«
Datierung: 1957

(2213) *Tiergarten, Alt-Moabit* (Z 58)
schwarze Kreide, Gouache/Karton
ca. 51,5 x 41,5 cm (62,0 x 49,5 cm)
Bezeichnung: u.l. »Tiergarten — Alt-Moabit«;
verso o.l. » ‹Straße› 1957 51x40cm Nr.58«
Datierung: 1957

(2214) *Die Straße** (Z 62)
Kohle
57,0 x 49,0 cm
Datierung: 1957
Besitzer: unbekannt
Keine Abbildung bekannt.

(2215) *Brandmauern*
Kreide
55,0 x 38,0 cm
Datierung: 1957
Besitzer: unbekannt
Ausstellung: Berlin/W. 1978, Nr. 52
Keine Abbildung bekannt.

(2216) *Sektorengrenze*
schwarze Kreide, aquarelliert/Papier
66,5 x 47,5 cm
Bezeichnung: u.l. »Strempel«
Datierung: um 1957
Besitzer: Regensburg, Ostdt.Gal., Inv.Nr. 939
Ausstellung: Hildesheim 1964, Nr. 85
Studie zu *Berlin — Sektorengrenze* (WVZ 445).

(2217) *Sektorengrenze*
blauschwarzer Kugelschreiber/Papier
23,4 x 15,6 cm
Bezeichnung: u. »Strempel 57. Skizze zu
Sektorengrenze«
Datierung: 1957
Besitzer: Privatbesitz
Studie zu *Berlin — Sektorengrenze* (WVZ 445).

(2218) *Häuser mit Baum*
Kohle/Karton
62,0 x 43,0 cm
Bezeichnung: u.l. »Strempel 57«; verso u.l.
»424«
Datierung: 1957

(2219) »*Berliner Stadtlandschaft*«
blauschwarzer Kugelschreiber/Papier
20,0 x 16,0 cm
Bezeichnung: u.l. »H. Strempel / 30.4.57«
Datierung: 1957
Besitzer: Privatbesitz

(2220) »*Berliner Stadtlandschaft*«
blauschwarzer Kugelschreiber/Papier
24,0 x 16,0 cm
Bezeichnung: u.l. »Strempel«; u. Mitte
»30.4.57«
Datierung: 1957
Besitzer: Privatbesitz

(2221) »*Berliner Stadtlandschaft*«
blauschwarzer Kugelschreiber/Papier
22,0 x 15,0 cm
Bezeichnung: o.l. »St. 57«
Datierung: 1957
Besitzer: Privatbesitz

(2222) »*Berliner Stadtlandschaft*«
blauschwarzer Kugelschreiber/Papier
22,0 x 15,5 cm
Bezeichnung: u. Mitte »Strempel 57.«
Datierung: 1957
Besitzer: Privatbesitz

(2223) »*Berliner Stadtlandschaft*«
blauschwarzer Kugelschreiber/Papier
23,0 x 15,8 cm
Bezeichnung: u.l. »Strempel 57«
Datierung: 1957
Besitzer: Privatbesitz

(2224) *Berlin-Charlottenburg, Schillerstraße*
blauschwarzer Kugelschreiber/Papier
24,0 x 15,5 cm
Bezeichnung: u.l. »7.6.57 / H. Strempel. /
Schillerstr. Berl. Charl.«
Datierung: 1957
Besitzer: Privatbesitz

(2225) »*Berliner Stadtlandschaft*«
grüner und schwarzer Kugelschreiber/Papier
21,0 x 15,0 cm
Bezeichnung: u.l. »Strempel 57«
Datierung: 1957
Besitzer: Privatbesitz

(2226) *Am Wannsee* (Z 59)
Kohle/Karton
58,0 x 71,0 cm
Bezeichnung: u.l. »Strempel 57«; verso o.l.
»Horst Strempel ‹Am Wannsee› (Schild-
horn) 1957 58x71 Nr.59«
Datierung: 1957

(2227) *Halensee-Brücke*
Zeichnung
Datierung: 1957
Besitzer: unbekannt
Ausstellung: Berlin/W. 1961/3, Nr. 37
Keine Abbildung bekannt.

(2228) *Zweige** (Z 61)
Tusche
38,0 x 53,0 cm
Datierung: 1957
Besitzer: unbekannt
Ausstellung: Hildesheim 1964, Nr. 84 (Ka-
stanienzweige)
Keine Abbildung bekannt.

(2229) *Stilleben mit Torso** (Z 60)
Tusche
70,0 x 50,0 cm
Datierung: 1957
Besitzer: unbekannt
Ausstellungen: Berlin/W. 1963, Nr. 52; Hil-
desheim 1964, Nr. 89 (69,0 x 50,0 cm)

(2230) *Stilleben mit Torso**
getönte Zeichnung
Bezeichnung: u.l. »Strempel 57.«
Datierung: 1957
Besitzer: unbekannt

(2231) *Torso mit Spiegel*
Zeichnung
Datierung: 1957
Besitzer: unbekannt
Ausstellung: Berlin/W. 1961/3, Nr. 35
Keine Abbildung bekannt.

(2232) *Porträt Christine* (Z 64?)
Kohle/Papier

54,0 x 39,0 cm
Bezeichnung: u. »Strempel 58 Studie zum
Porträt zu Christine 54x39 Nr. 64«
Datierung: 1958

(2233) »*Brustbild einer Frau mit Pferdeschwanz*«
Kohle/Papier
63,0 x 49,0 cm
Datierung: um 1958

(2234) *Stehender Akt**
getönte Zeichnung
90,0 x 60,0 cm
Datierung: 1958
Besitzer: unbekannt
Ausstellung: Berlin/W. 1963, Nr. 57
Abbildung: Berlin/W. 1963, o.S.

(2235) *Stehender Akt I**
Kohle
86,0 x 52,0 cm
Datierung: 1958
Besitzer: unbekannt

(2236) *Stehender Akt II*
Kohle/Karton
87,0 x 53,5 cm
Bezeichnung: u.l. »Strempel 1958«; verso o.l.
»Stehender Akt II 1958 Kohle cm 86x53 Nr.13«
Datierung: 1958

(2237) *Mädchenakt**
Kohle (?)
100,0 x 60,0 cm
Datierung: 1958
Besitzer: unbekannt

(2238) *Mädchen auf dem Balkon*
Kreide
62,0 x 47,0 cm
Datierung: 1958
Besitzer: unbekannt
Ausstellung: Berlin/W. 1978, Nr. 55
Keine Abbildung bekannt.

(2239) *Ballspielerin*
Zeichnung
65,0 x 60,0 cm
Datierung: 1958
Besitzer: unbekannt
Ausstellung: Berlin/W. 1959/2, Nr. 98
Keine Abbildung bekannt.

(2240) *Am Strand** (Z 69)
Kohle
49,0 x 46,0 cm
Datierung: 1958
Besitzer: unbekannt

(2241) »*Paar*«
Feder und Tusche, Bleistift/Karton
20,0 x 30,5 cm (30,5 x 43,0 cm)
Datierung: um 1958

(2242) *Joseph wird von seinen Brüdern ver-
kauft*
Zeichnung
18,0 x 12,0 cm
Bezeichnung: Mitte »J. wird / von seinen /
Brüdern /verkauft«; u.l. »Strempel«
Datierung: 1958
Besitzer: Privatbesitz (1974, Geschenk des
Künstlers)
Auf dem Blatt befinden sich vier verschie-
dene Skizzen zum Thema.

(2243) *Neubauten Lützowplatz-Keith-straße* (Z 67)
Kohle, Gouache/Karton
50,0 x 70,0 cm (54,0 x 73,0 cm)
Bezeichnung: u.l. »Lützowplatz-Keithstr.
Berlin / H.Strempel 1958«; verso (aufge-
klebtes Etikett) »Neubauten Lützopl.-
Keithstr. 1958 50x70 Nr. 67«
Datierung: 1958
Besitzer: Privatbesitz

(2244) *Berlin-Charlottenburg, Pestalozzi-straße* (Z 66)
Kohle, Gouache/Papier
47,0 x 67,0 cm (49,5 x 69,0 cm)
Bezeichnung: u.l. »Strempel 58«; verso
(aufgeklebtes Etikett) »Peizalodzistr. [sic!]
Charl. 47x67 Nr.66«
Datierung: 1958

(2245) *Berlin-Charlottenburg, Sybelstraße*
getönte Zeichnung
65,0 x 48,0 cm
Bezeichnung: u.l. »Strempel«
Datierung: 1958
Besitzer: unbekannt

(2246) *Berlin-Charlottenburg, Goethestraße*
getönte Zeichnung
65,0 x 48,0 cm
Bezeichnung: u.l. »H. Strempel / ... «
Datierung: 1958
Besitzer: unbekannt
Abbildung: Hildesheimer Allg. Ztg.,
2.7.1964

(2247) *Berlin-Charlottenburg II* (Z 68)
Kohle/Karton
61,0 x 43,5 cm
Bezeichnung: u. Mitte »Berlin-Charl.II
60x43«; u.r. »St.58«; verso o.l. »Horst
Strempel Berlin Charl.II 1958 60x43
Nr.68«
Datierung: 1958

(2248) *Straßenschlucht*
getönte Zeichnung
80,0 x 60,0 cm
Datierung: 1958
Besitzer: unbekannt

(2249) »*Stilleben*«
Tusche
22,0 x 24,5 cm (sichtb.)
Datierung: um 1958
Studie zur Radierung WVZ 2547.

(2250) *Stilleben mit Torso*
Tuschezeichnung
50,0 x 70,0 cm
Datierung: 1958
Besitzer: unbekannt
Keine Abbildung bekannt.

(2251) *Mädchenkopf** (Z 73a)
getönte Zeichnung
39,0 x 31,0 cm
Datierung: 1959
Besitzer: unbekannt

(2252) *Halbakt*
Kohle/Papier
67,0 x 46,2 cm
Bezeichnung u.l. »Strempel 59«
Datierung: 1959
Besitzer: Privatbesitz

(2253) »*Sitzende Frau vor einem Spiegel*«
Feder und Tusche, Bleistift/Papier
35,0 x 27,5 cm (43,5 x 34,5 cm)
Datierung: um 1959
Ausstellung: Berlin/W 1961/3, Nr. 21 (?)
(Mädchen vor dem Spiegel / dat. 1959)
Studie zum Siebdruck (WVZ 2576).

(2254) »*Sitzende vor einem Spiegel*«
Wachskreide/Papier
23,8 x 16,5 cm
Bezeichnung: u.l. »Horst Strempel«
Datierung: um 1959 (?)
Besitzer: Privatbesitz
Zur Datierung vgl. die Siebdrucke WVZ
2576 und WVZ 2577.

(2255) *Ballspielerinnen*
Kohle/Karton
60,0 x 67,0 cm
Bezeichnung: u.l. »Strempel«; verso o.l.
»1964 60x65 Nr.190 Ballspielerinnen«
Datierung: 1959
Ausstellungen: Berlin/W. 1961/3, Nr. 34
(dat. 1959); Berlin/W. 1978, Nr. 66
Abbildungen: Westfäl. Ztg., 9.2.1959; Tag,
13.10.1961

(2256) *Ballspielerinnen*
Kohlezeichnung
70,0 x 78,0 cm
Datierung: um 1959 (vgl. WVZ 2255)
Besitzer: unbekannt
Ausstellung: Hildesheim 1964, Nr. 92
Keine Abbildung bekannt.

(2257) *Strand*
Kugelschreiber/Papier
18,0 x 22,5 cm (sichtb.)
Bezeichnung: u.l. »Strempel 59«; u.l. (a.d.
Passepartout) »Skizze zu ‹Strand› 1959.«
Datierung: 1959

(2258) »*Stadtlandschaft am Abend*«
Kohle/Papier
63,0 x 48,5 cm
Bezeichnung: u.l. »Strempel 59«
Datierung: 1959

(2259) *Straße*
Pinsel und Tusche
Datierung: um 1959
Besitzer: unbekannt
Ausstellung: Berlin/W. 1959/1, Nr. 318
Abbildung: Mittag, Düsseldorf, 8.5.1959

(2260) *Blütenstaude* (Z 71)
Bleistift/Karton
78,5 x 53,0 cm
Bezeichnung: u.l. »H. Strempel 1959 /
68x50 ‹Blütenstaude› 1959 Bleistift Nr.71«
Datierung: 1959

(2261) *Pflanze** (Z 70)
Feder und Tusche
35,0 x 12,0 cm
Datierung: 1959
Besitzer: unbekannt

(2262) *Blumen**
getönte Zeichnung
Bezeichnung: u.l. »Strempel«
Datierung: 1959
Besitzer: unbekannt

(2263) *Mädchenkopf** (Z 77)

getönte Zeichnung
54,0 x 36,0 cm
Datierung: 1960
Besitzer: unbekannt

(2264) »*Frauenkopf mit bunten Eiern*«
Kugelschreiber, Gouache/Karton
14,0 x 11,0 cm (14,0 x 22,0 cm)
Bezeichnung: u.l. »St. 60«
Datierung: 1960
Besitzer: Privatbesitz
Die Zeichnung ist ein Ostergruß.

(2265) »*Madonna*«
Feder und Tusche/Karton
20,5 x 6,8 cm (24,0 x 9,0 cm)
Bezeichnung: u.l. »Skizze«; verso »Ausführung wie Muster I, II, III / 2 teilig Stück 4,50
/ 3 teilig Stück 5,00«
Datierung: 1960
Skizze zur Radierung *Madonna mit Kind*
1960 (WVZ 2586).

(2266) *Sitzendes Mädchen** (Z 75)
Rötel, aquarelliert
57,0 x 46,0 cm
Datierung: 1960
Besitzer: unbekannt
Ausstellung: Berlin/W. 1978, Nr. 60 (?)
(60,0 x 46,0 cm)

(2267) *Stehendes Mädchen**
Zeichnung, Tempera
87,0 x 54,0 cm
Datierung: 1960
Besitzer: unbekannt
Keine Abbildung bekannt.

(2268) *Tänzerin (Studie)*
Zeichnung
Datierung: 1960
Besitzer: unbekannt
Ausstellung: Berlin/W. 1961/3, Nr. 31
Abbildung: Tag, 29.10.1961

(2269) *Sitzendes Mädchen im Trikot**
Kreide
82,0 x 54,0 cm
Datierung: 1960
Besitzer: unbekannt
Ausstellung: Berlin/W. 1978, Nr. 59
Keine Abbildung bekannt.

(2270) *Mädchenakt*
Kohle/Karton
97,0 x 68,5 cm
Bezeichnung: u.l. »Strempel 1960«; verso
o.l. »1960 Mädchenakt Kohle 98x69 Nr.19«
Datierung: 1960
Studie zu WVZ 1044.

(2271) *Stehender Akt*
Kohle/Papier
72,5 x 48,5 cm
Bezeichnung: u.r. »1960«; verso »Stehen-
der Akt 72x50 Kohle«
Datierung: 1960
Auf der Rückseite des Blattes befindet sich ei-
ne durchkreuzte Aktstudie einer Sitzenden.

(2272) *Stehender Akt*
Feder und Tusche, Bleistift/Karton
73,0 x 50,0 cm
Bezeichnung: u.l. »1960«; verso o. »71x45
(o.Rand) 1960 stehender Akt Feder«
Datierung: 1960

(2273) *Zwei sitzende Mädchen** (Z 74)
Rötel
60,0 x 45,0 cm
Datierung: 1960
Besitzer: unbekannt
Keine Abbildung bekannt.

(2274) »*Zwei sitzende Frauen*«*
Zeichnung
Datierung: um 1960 (?)
Besitzer: unbekannt
Studie zur Radierung WVZ 2588.

(2275) *Liebespaar* (Z 86)
Filzstift/Papier
58,0 x 43,5 cm (63,0 x 49,0 cm)
Bezeichnung: u.l. »Strempel/6«
Datierung: 1960
Ausstellung: Hildesheim 1964, Nr. 97

(2276) *Liebespaar**
Zeichnung (Filzstift?)
60,0 x 50,0 cm
Datierung: 1960
Besitzer: unbekannt
Diese Zeichnung entspricht der vorgenannten in fast allen Details, sie ist allerdings mit kräftigerer Linienführung gezeichnet.

(2277) *Turm der Frauen* (Z 78)
Kohle/Papier
41,0 x 38,0 cm
Bezeichnung: u.l. »1. Skizze zum Turm der Frauen 1960 38x36 Nr.78«
Datierung: 1960
Vgl. WVZ 2599.

(2278—2281) Vier Illustrationen zu Voltaire »Candide«
Die Illustrationen zu Voltaires »Candide« werden mehrmals im Briefwechsel Strempel — Puff thematisiert. Am 30.5.1972 schrieb Wilhelm Puff an Horst Strempel, nachdem ihm dieser Reproduktionen der Zeichnungen, möglicherweise aber auch die Originale, geschickt hatte: »Die Skizzen zu Voltaires ‹Candide› — wie schade, daß dich damals die Schinderarbeit mit den Tapeten hinderte, über das erste Kapitel hinaus die Illustration fortzuführen — packen sogleich den ganzen Voltaire: seine ironische Gesellschaftskritik, aber auch sein höllisches Vergnügen am amourenseligen Rokoko; nehmen den Aufklärer wie den Genießer pikant-genau in den Zeichenzwickel. Unbeschreiblich köstlich, wie die Baronin Thunder-ten-Tronck hinter dem Paravent die in Liebe sich findenden Cunigonde und Candide belauscht, oder wie Cunigonde ihr Interesse tanzt an der ‹leçon de physique expérimentale, que le docteur Pangloss donnait à la femme de chambre de sa mère›, oder auch, wie Madame ihrer Tochter den Popo verklatscht. Das Blatt der die Liebenden belauschenden Alten wirkt so stark, daß es ins Symbolische strebt...«.

(2278) »*Kunigunde wird von Madame geschlagen*«
Kohle/Packpapier
64,0 x 50,0 cm
Datierung: um 1960

(2279) »*Kunigunde wird von Madame geschlagen*«*

Zeichnung (Feder und Tusche?)
Datierung: um 1960
Besitzer: unbekannt

(2280) »*Unterricht in experimenteller Physik bei Dr. Pangloss*«*
Zeichnung (Feder und Tusche?)
Datierung: um 1960
Besitzer: unbekannt

(2281) »*Kunigunde und Candide hinter dem Paravent*«
Zeichnung (Feder und Tusche?)
Bezeichnung: u.l. (im Bild) »Counigonde et Candide / se trouvérant derrière / un paravent«
Datierung: um 1960
Besitzer: unbekannt
Die Zeichnung ist nur als Reproduktion in einem Gruß zum Jahreswechsel 1972/73 überliefert, der ein Gedicht von Wilhelm Puff »Sonnenwend-Meditationen« beigefügt wurde.

(2282) *Sportler**
Kohle/Papier (?)
Datierung: 1960
Besitzer: unbekannt
Die wahrscheinlich in der Größe dem Original entsprechende Zeichnung ist eine Skizze zum Wandbild in der Schule Berlin-Tiergarten, Turmstraße (WVZ 9).

(2283) **Neubauten** (Z 80)
Kohle, Gouache/Karton
ca. 68,0 x 48,0 cm
Bezeichnung: u.l. »Strempel 1960 Neubauten 68x48 Berlin Nr.80«
Datierung: 1960

(2284) *Berliner Landschaft (Nollendorfstraße)* (Z 84)
Kohle, Tempera/Papier/Karton
39,0 x 52,5 cm
Bezeichnung: u.l. »Horst Strempel 1960«; verso o.l. »Berliner Landschaft (Nollendorfstr.) 38x52 1960 Nr.84 beschädigt«
Datierung: 1960

(2285) *Am Bayrischen Platz** (Z 81)
getönte Zeichnung
66,0 x 46,0 cm
Datierung: 1960
Besitzer: unbekannt
Keine Abbildung bekannt.

(2286) »*Häuser*«
Tusche, laviert/Papier
77,5 x 55,0 cm
Bezeichnung: u.l. »Strempel / 1960«
Datierung: 1960
Besitzer: Privatbesitz

(2287) *Straße in Berlin* (Z 82)
Kohle/Papier
55,0 x 40,0 cm
Bezeichnung: u.l. »Strempel 60«; verso (aufgeklebtes Etikett) »Straße in Berlin 1960 55x40 Nr.82«
Datierung: 1960

(2288) *Häuser* (Z 83)
Kohle/Papier
60,5 x 45,5 cm
Bezeichnung: u.l. »Strempel 60«; verso o.l. »H. Strempel Berlin Charl. 1960 »Häuser« /

Technik: Zeichnung 60x45 Nr.82«
Datierung: 1960

(2289) **Notre Dame de Paris***
getönte Zeichnung
50,0 x 30,0 cm
Bezeichnung: u.l. »Strempel 1960«
Datierung: 1960
Besitzer: unbekannt

(2290) »*Pariser Park mit Plastik*«
Kreide/Papier
65,0 x 41,0 cm
Bezeichnung: u.l. »Strempel«; Widmung am linken Rand
Datierung: um 1960
Besitzer: Privatbesitz

(2291) *Stilleben mit Krug und Früchten* (Z 76)
Pinsel und Tusche/Papier
60,0 x 46,0 cm
Bezeichnung: u.l. »Strempel 1960«; verso (aufgeklebtes Etikett) »Stilleben mit Krug und Früchten 60x46 Tuschzeichnung Nr.76«
Datierung: 1960
Ausstellung: Berlin/W. 1978, Nr. 61

(2292) »*Stilleben mit Krug und Früchten*«*
Pinsel und Tusche (?)
Datierung: um 1960
Besitzer: unbekannt
Die Zeichnung übernimmt im wesentlichen die Konzeption der vorgenannten. Das oben verwendete Hochformat wurde hier durch ein Querformat ersetzt.

(2293) »*Stilleben mit Mädchenbüste und Fensterausblick*«
Bleistift, Gouache
9,4 x 11,0 cm
Bezeichnung: u.l. »H. Strempel 60«; u.r. »Skizze«
Datierung: 1960
Besitzer: Privatbesitz
Studie zur Radierung WVZ 2590.

(2294) *Ebereschen* (Z 85)
Kohle/Papier
59,0 x 50,5 cm (&3,0 x 53,5 cm)
Bezeichnung: u.l. »Strempel«; verso o. »Zeichnung 1960 ‹Ebereschen› 60x51 Nr.85«
Datierung: 1960

(2295) *Blumen*
getönte Zeichnung
Datierung: 1960
Besitzer: unbekannt
Ausstellung: Berlin/W. 1961/3, Nr. 19
Keine Abbildung bekannt.

(2296) »*Liegender Akt*«
Enkaustik/Papier
7,5 x 14,5 cm (sichtb.)
Bezeichnung: Mitte l. Widmung; u.r. »H. Strempel«
Datierung: um 1961 (?)
Besitzer: Privatbesitz

(2297) *Zwei Mädchen auf grüner Bank* (Z 87)
Kohle/Papier
63,0 x 49,0 cm
Bezeichnung: u.r. »Strempel 61«;

u. (a.d. Passepartout) »Skizze ‹Zwei Mädchen auf grüner Bank› 1961 Ölbild Ausstellung Bielefeld Nr.87«
Datierung: 1961
Ausstellung: Berlin/W. 1963, Nr. 53
Das entsprechende Ölbild ist verschollen.

(2298) *Place des Vosges* (Z 90)
Filzstift/Papier
48,0 x 63,0 cm
Bezeichnung: u.r. »Strempel 1961«; verso (aufgeklebtes Etikett) »Place des Vosges 1961 43x58 Nr.90«
Datierung: 1961
Ausstellung: Berlin/W. 1978, Nr. 63

(2299) *Blick auf Montmartre*
Filzstift, aquarelliert/Papier
43,0 x 58,0 cm
Bezeichnung: u.l. »Strempel 61«; u.l. (a.d. Passepartout) »Blick auf Mont-Martre vom Butte Chaumont (Remy Gourmand) 43x58 Nr.88«
Datierung: 1961
Besitzer: Privatbesitz

(2300) *Paris Île St. Louis*
Filzstift/Papier
63,0 x 49,0 cm
Bezeichnung: u.r. »Strempel 61 Paris«
Datierung: 1961

(2301) *Paris Île St. Louis* (Z 89)
Filzstift, Bleistift/Papier
57,5 x 43,7 cm
Bezeichnung: u.l. »Strempel 61«
Datierung: 1961
Besitzer: Privatbesitz (1961)
Strempel hatte 1961 mit Wilhelm Puff einige Tage in Paris verbracht. Im Anschluß daran entstanden die Blätter mit der Paris-Thematik. Zu dieser Zeichnung schrieb Strempel an den Freund (20.12.1961): »...weniger, wie wir beide sie dieses Jahr mit unseren Frauen erlebt haben, sondern mehr die Ile St. Louis wie ich sie früher erlebt hatte, als ich um Fahrgeld zu sparen, wegabkürzend nach hause ging (Bd. de Hopital). Die Erinnerung an die damaligen Zeiten kamen mir immer wieder und ich konnte einfach nicht ‹umschalten›. Ich glaube, ich mußte das erstmal loswerden, ehe mir ein Blatt gelingt, mit dem starken farbigen Grün, das wir beide so bewunderten«.

(2302) »*Park mit Plastik im Hintergrund*«
Kohle/Papier
56,0 x 45,0 cm (sichtb.)
Bezeichnung: u.l. »Strempel 61«
Datierung: 1961
Besitzer: Privatbesitz (1961)

(2303) *Zwei Mädchen* (Z 103)
Kohle/Papier
60,0 x 43,0 cm
Bezeichnung: u.r. »Strempel 1962«; verso o.l. »2 Mädchen hell-dunkel 1962 57x38 Kohle Nr.103«
Datierung: 1962

(2304) *Drei Mädchen im Raum** (Z 104)
Tusche
72,0 x 56,0 cm
Datierung: 1962
Besitzer: unbekannt
Keine Abbildung bekannt.

(2305) *Frau an der Mauer I** (Z 91)
Tusche
100,0 x 70,0 cm
Datierung: 1962
Besitzer: unbekannt

(2306) *Frau an der Mauer III** (Z 93)
Tusche
100,0 x 70,0 cm
Datierung: 1962
Besitzer: unbekannt

(2307) *Frau an der Mauer IV ** (Z 94)
Tusche
70,0 x 49,0 cm
Datierung: 1962
Besitzer: unbekannt

(2308) *Frau an der Mauer IV ** (Z 95)
getönte Zeichnung
70,0 x 49,0 cm
Datierung: 1962
Besitzer: unbekannt
Keine Abbildung bekannt.

(2309) *Frau an der Mauer IV (Bernauer Straße)* (Z 95a)
Pinsel und Tusche/Karton
96,0 x 65,0 cm
Bezeichnung: verso o.l. »Bernauerstr. 1962 96x65 Nr.95a«
Datierung: 1962

(2310) *Frau an der Mauer V* (Z 96)
Pinsel und Tusche/Karton
96,5 x 66,8 cm
Bezeichnung: verso o.l. » »Die Frau an der Mauer« Horst Strempel 97x67cm Nr.96«
Datierung: 1962*

(2311) *Frau an der Mauer VII* (Z 98)
Pinsel und Tusche/Karton
87,5 x 66,5 cm
Bezeichnung: u.r. »Strempel 62«; verso o.l. » ‹Frau an der Mauer› VII 88x66 1962 Tusche Nr.98«
Datierung: 1962

(2312) *Frau an der Mauer VIII* (Z 99)
Pinsel und Tusche/Karton
61,0 x 50,0 cm
Bezeichnung: u.r. »Strempel 62.«; verso o.l. »Frau an der Mauer IIX 1962 60x50 Tusche Nr.99«
Datierung: 1962

(2313) *Frau an der Mauer IX** (Z 100)
Tusche
56,0 x 65,0 cm
Datierung: 1962
Besitzer: unbekannt
Keine Abbildung bekannt.

(2314) *Frau an der Mauer X* (Z 101)
Kohle/Karton
83,5 x 57,0 cm
Bezeichnung: u.r. »Strempel 62«; verso u.l. » ‹Frau an der Mauer› Bernauerstr.«
Datierung: 1962
Ausstellung: München 1965, Nr. 190
Anläßlich der geplanten Münchener Ausstellung »Flucht und Grenze«, wo die o.g. Zeichnung ausgestellt wurde, äußerte sich Strempel in einem Brief an Wilhelm Puff vom 27.7.1965 über seine Mauerbilder: »Trotzdem Du so skeptisch gegen meine

Mauerbilder bist, werde ich diese ausstellen, wenn es sich nicht um eine Angelegenheit der ‹Heimatvertriebenen› handelt. Nochmals Mauerbilder. Diese können gut oder schlecht sein. (höchstwahrscheinlich sind sie schlecht.) *Aber* — kein einziger deutscher Künstler hat sich an dieses Problem herangewagt. Selbst wenn die Bilder schlecht sind, wenn ich natürlich nicht an die ‹Mater Dolorosa› entfernt herangekommen bin, so sind meine schlechten Bilder *doch* das einzige Dokument, das sich mit diesem Problem wagt auseinanderzusetzen. Es gibt keinen deutschen Künstler, der außer mir, den Mut hat, sich mit diesem Problem zu beschäftigen. Das dabei das Resultat nicht befriedigend ist, oder nicht ganz befriedigend ist, ist natürlich selbstverständlich. Nenne mir einen ‹Künstler›, der so wie ich, seine Familie auf Schmalkost setzt, nur um einige Bilder zu malen, die keine Aussicht haben, verkauft zu werden. (Ich kenne keinen keinen). Das mußt Du meinen schlechten Bildern zugute halten.«

(2315) *Frau an der Mauer XI* (Z 102)
Pinsel und Tusche/Karton
97,5 x 65,0 cm
Bezeichnung: u.l. »Horst Strempel 62 Nr. 102 98x65«; verso o.l. »Horst Strempel. Die Frau an der Mauer«
Datierung: 1962

(2316) *Frau an der Mauer XVIII (Frau an der Mauer II*)* (Z 92)
Pinsel und Tusche/Papier
80,0 x 54,0 cm
Bezeichnung: u.r. »Strempel 62«; verso o.l. »Horst Strempel ‹Die Frau an der Mauer› XVIII«
Datierung: 1962

(2317) »*Frau an der Mauer*«
Pinsel und Tusche/Karton
80,0 x 54,0 cm
Bezeichnung: u.l. »Strempel 62«
Datierung: 1962

(2318) *Häuser in Charlottenburg** (Z 105)
getönte Zeichnung
52,0 x 38,0 cm
Datierung: 1962
Besitzer: unbekannt
Keine Abbildung bekannt.

(2319) *Tulpen** (Z 106)
Tusche
38,0 x 65,0 cm
Datierung: 1962
Besitzer: unbekannt
Ausstellung: Hildesheim 1964, Nr. 77 (?)
(43,0 x 68,0 cm)

(2320) *Mädchenkopf** (Z 113)
getönte Zeichnung
55,0 x 41,0 cm
Datierung: 1963
Besitzer: unbekannt
Keine Abbildung bekannt.

(2321) *Porträtstudie Frau Plaue* (Z 107)
Kohle/blauem Papier
63,0 x 49,0 cm
Bezeichnung: u.l. »Porträtstudie Frau Plaue St.1963 / 53x49 / Kohle«
Datierung: 1963

(2322) *Liegende* (Z 115)
Kohle, Rötel/Papier
44,0 x 58,0 cm (sichtb.)
Bezeichnung: u.l. »Strempel 63«; verso
»Liegende getönte Zeichnung Nr.115 /
1963 56x69«
Datierung: 1963
Ausstellung: Hildesheim 1964, Nr. 78

(2323) *Der Tanz** (Z 111a)
Tusche
30,0 x 21,0 cm
Datierung: 1963
Besitzer: unbekannt
Skizze zum Holzschnitt WVZ 2618.

(2324) *Balkon** (Z 114)
Kohle
51,0 x 75,0 cm
Datierung: 1963
Besitzer: unbekannt
Keine Abbildung bekannt.

(2325) *»Kirchturm«**
Filzstift/Papier
63,0 x 49,0 cm
Bezeichnung: u.l. »Strempel 63«
Datierung: 1963

(2326) *Dächer* (Z 111)
Feder und Tusche, Bleistift/Papier
49,0 x 63,0 cm
Bezeichnung: u.l. »Strempel 63 / Dächer
Skizze zu ‹Dächern› / 49x63cm Nr.111«
Datierung: 1963

(2327) *Am Wannsee* (Z 108)
Kohle/Papier
48,0 x 58,0 cm
Bezeichnung: u.l. »Horst Strempel 63;«
verso (aufgeklebtes Etikett) »1963 Am
Wannsee 48x58 Nr.108«
Datierung: 1963

(2328) *Blaue Blumen** (Z 112)
getönte Zeichnung
65,0 x 45,0 cm
Datierung: 1963
Besitzer: unbekannt
Keine Abbildung bekannt.

(2329) *Stilleben mit zwei Krügen** (Z 109)
Tusche
62,0 x 47,0 cm
Datierung: 1963
Besitzer: unbekannt

(2330) *»Männliches Porträt«*
Kohle, Bleistift/Karton
40,0 x 30,0 cm (48,5 x 33,5)
Datierung: um 1964

(2331) *Porträt Dr. Vogt* (Z 116)
Kohle/Karton
41,0 x 35,0 cm (54,5 x 45,0 cm)
Bezeichnung: u.l. »H. Strempel 1964«; u.
(a.d. Passepartout) »Studie Porträt Dr.Vogt
Ölbild … 41x35 Kohle Nr.116«
Datierung: 1964
Der Verbleib des Ölbildes ist unbekannt.

(2332) *Mädchenkopf*
Kohlezeichnung
66,0 x 50,0 cm
Datierung: 1953—1964
Besitzer: unbekannt

Ausstellung: Hildesheim 1964, Nr. 76
Keine Abbildung bekannt.

(2333) *Mädchen im Trikot*
Kohle/Karton
85,0 x 59,0 cm
Bezeichnung: u.r. »Strempel 1964«; verso
o.l. »1965. Mädchen im Trikot. Kohle.
85x59 Nr.24«
Datierung: 1964
Ausstellung: Berlin/W. 1978, Nr. 67

(2334) *Tänzerin II** (Z 118)
Tusche
78,0 x 55,0 cm
Datierung: 1964
Besitzer: unbekannt
Keine Abbildung bekannt.

(2335) *Mädchen auf dem Balkon*
Feder und Tusche, laviert, weiß gehöht/Papier
19,5 x 21,0 cm (sichtb.)
Bezeichnung: u.l. (im Bild) »Strempel«; u.l.
»Strem.«; u.l. (a.d. Passepartout) »Skizze
zur Radierung ‹Mädchen auf dem Balkon›
1964«
Datierung: 1964
Von der dazugehörigen Radierung ist kein
Exemplar bekannt.

(2336) *Zwei Mädchen* (Z 119)
Filzstift/Papier
49,0 x 62,0 cm
Bezeichnung: u.l. »Strempel 1964. / 2 Mädchen Filzstift 48x58 Nr. 119«
Datierung: 1964
Ausstellung: Berlin/W. 1978, Nr. 68

(2337) *Zwei Mädchen auf der Bank* (Z 121)
Kreide
62,0 x 48,0 cm
Datierung: 1964
Besitzer: unbekannt
Ausstellung: Berlin/W. 1978, Nr. 69
Keine Abbildung bekannt.

(2338) *Zwei Mädchen auf einer Bank*
Kohlezeichnung
74,0 x 59,0 cm
Datierung: 1953—1964
Besitzer: unbekannt
Ausstellung: Hildesheim 1964, Nr. 75
Keine Abbildung bekannt.

(2339) *Strandkaffee**
Kohlezeichnung
58,0 x 80,0 cm
Datierung: um 1953—1964
Besitzer: unbekannt
Ausstellung: Hildesheim 1964, Nr. 81
Keine Abbildung bekannt.

(2340) *»Am Strand«*
Kohlezeichnung
52,0 x 48,0 cm
Datierung: 1953—1964
Besitzer: unbekannt
Ausstellung: Hildesheim 1964, Nr. 80
Keine Abbildung bekannt.

(2341) *Die Straße II**
Kohlezeichnung
53,0 x 36,0 cm
Datierung: um 1953—1964
Besitzer: unbekannt

Ausstellung: Hildesheim 1964. o.Nr.
(Ausst.Verz.)
Keine Abbildung bekannt.

(2342) *Schloß Charlottenburg**
Kohle- oder Kreidezeichnung (?)
Bezeichnung: u.l. »Strempel«
Datierung: um 1964 (vgl. WVZ 568)
Besitzer: unbekannt

(2343) *Balkonpflanzen**
Kohlezeichnung
56,0 x 80,0 cm
Datierung: um 1953—1964
Besitzer: unbekannt
Ausstellung: Hildesheim 1964, Nr. 86
Keine Abbildung bekannt.

(2344) *Stilleben mit Zitronen** (Z 136)
getönte Zeichnung
48,0 x 66,0 cm
Bezeichnung: u.l. »Strempel«
Datierung: 1964
Besitzer: unbekannt

(2345) *Stilleben mit rotem Tuch** (Z 123)
getönte Zeichnung
46,0 x 66,0 cm
Datierung: um1964 (1965*)
Besitzer: unbekannt
Ausstellung: Hildesheim 1964, o.Nr.
(Ausst.Verz.)
Keine Abbildung bekannt.

(2346) *Stilleben mit Früchten**
getönte Zeichnung
46,0 x 56,0 cm
Datierung: um 1953—1964
Besitzer: unbekannt
Ausstellung: Hildesheim 1964, o.Nr.
(Ausst.Verz.)
Keine Abbildung bekannt.

(2347) *Zwei Blumen in der Vase**
getönte Zeichnung
64,0 x 45,0 cm
Datierung: um 1953—1964
Besitzer: unbekannt
Ausstellung: Hildesheim 1964, o.Nr.
(Ausst.Verz.)
Keine Abbildung bekannt.

(2348) *»Liegende«*
Feder, Pinsel und Tusche/Papier
5,7 x 17,6 cm (sichtb.)
Bezeichnung: u.l. »H. Strempel«; u. (a.d.
Passepartout) datierte Widmung
Datierung: um 1965 (?)
Besitzer: Privatbesitz

(2349) *Stehender Akt**
Bister
63,0 x 38,0 cm
Datierung: 1965
Besitzer: unbekannt
Keine Abbildung bekannt.

(2350) *Bäume im Winter* (Z 126)
Pinsel und Tusche, Deckweiß/blauem Papier
57,0 x 41,0 cm
Bezeichnung: u.l. »Bäume im Winter 57x41
Nr.126«; u. Mitte »Strempel 65«
Datierung: 1965

(2351) *Berliner Landschaft* (Z 125)
Schabblatt/Papier/Spanplatte
48,0 x 62,5 cm
Bezeichnung: u.r. »Strempel«; verso »1965
48x63 Berliner Landschaft Nr.125«
Datierung: 1965

(2352) *Litfaßsäule* (Z 124)
Schabblatt, koloriert/Papier/Spanplatte
63,0 x 48,2 cm
Bezeichnung: u.l. »Strempel«; verso »1965
63x48 Nr. 124 Litfaßsäule«
Datierung: 1965

(2353) *Charlottenburg**
getönte Zeichnung
Datierung: 1965
Besitzer: unbekannt

(2354) *Torso**
Kreide
76,0 x 56,0 cm
Datierung: 1965
Besitzer: unbekannt
Keine Abbildung bekannt.

(2355) *Stilleben mit Früchten** (Z 122)
getönte Zeichnung
58,0 x 80,0 cm
Datierung: 1965
Besitzer: unbekannt
Keine Abbildung bekannt.

(2356) *Porträtstudie Gaby**
Zeichnung
35,0 x 40,0 cm
Datierung: 1966
Besitzer: unbekannt
Keine Abbildung bekannt.

(2357) *Liegender Akt*
Filzstift/Papier
48,5 x 63,0 cm
Bezeichnung: u.l. »Strempel 1966«; verso
o.l. »1966 / liegender Akt / 49x62 / Filzstift«
Datierung: 1966

(2358) *»Im Atelier«*
Kreide/Papier
21,8 x 17,4 cm
Bezeichnung: u.l. (a.d. Passepartout) »H.
Strempel« / datierte Widmung
Datierung: um 1966
Besitzer: Privatbesitz

(2359) *Porträt Frau Dr. Parchwitz* (Z 128)
Kohle, Bleistift/Papier
60,0 x 43,0 cm (62,0 x 49,0 cm)
Bezeichnung: u.l. »Skizze 1967 60x43«
Datierung: 1967

(2360) *Liegender Akt**
Kohle
70,0 x 100,0 cm
Datierung: 1967
Besitzer: unbekannt

(2361) *Am Lützowufer*
Kohle, Gouache/Papier
52,5 x 38,5 cm
Bezeichnung: u.l. »Horst Strempel«; u.l.
(a.d. Passepartout) »Berlin-Tiergarten ‹Am
Lützow-Ufer› « ; u.r. (a.d. Passepartout)
»Original getönte Zeichnung«
Datierung: um 1966/67

Besitzer: Privatbesitz
Studie zum Siebdruck-Kalender (WVZ 2628).

(2362) *»Berliner Stadtlandschaft mit Gas-
laterne«*
Kohle, Gouache/Papier
27,0 x 20,0 cm (sichtb.)
Bezeichnung: u. Mitte »H. Strempel«
Datierung: um 1966/67
Besitzer: Privatbesitz

(2363) *»Wernerwerk Siemensstadt«*
Pinsel und Tusche, koloriert/Papier
52,6 x 39,6 cm
Bezeichnung: u.l. »Horst Strempel 1967.«
Datierung: 1967
Besitzer: Privatbesitz

(2364) *»Brücke in Berlin (Siemensplatz)«*
Feder und Tusche, Bleistift/Pauspapier
52,8 x 41,0 cm
Bezeichnung: u.l. »Februar. (Zeichnung.
Foto)«
Datierung: um 1966/67
Besitzer: Privatbesitz
Studie zum Siebdruck-Kalender (WVZ
2627).

(2365) *»Brücke in Berlin (Siemensplatz)«*
Feder und Tusche, Tempera/Papier
52,5 x 40,0 cm
Bezeichnung: o.l. »Horst Strempel«
Datierung: um 1966/67
Besitzer: Privatbesitz
Studie zum Siebdruck-Kalender (WVZ
2627).

(2366) *»Cafégarten im Grunewald«*
Feder und Tusche/Papier
53,0 x 40,0 cm
Bezeichnung: u.r. »Horst Strempel«
Datierung: um 1966/67
Besitzer: Privatbesitz
Studie zum Siebdruck-Kalender (WVZ
2630).

(2367) *»Cafégarten im Grunewald«*
Kohle, aquarelliert/Pauspapier
27,0 x 20,0 cm (sichtb.)
Bezeichnung: u. Mitte »H. Strempel«; u.
Mitte (a.d. Passepartout) »H. Strempel. /
Skizzen zu Siebdrucken 1967.«
Datierung: um 1966/67
Besitzer: Privatbesitz
Studie zum Siebdruck-Kalender (WVZ
2630).

(2368) *Berlin-Charlottenburg, Autobahn
Messedamm*
Feder und Tusche, Kohle, laviert und mit
Deckweiß gehöht/Papier
53,5 x 41,5 cm
Bezeichnung: u.r. »Horst Strempel«; u.l.
(a.d. Passepartout) »Berl. Charl. Autobahn
– Messedamm 1967.«; u.r. (a.d. Passepart-
out) »Original Tuschezeichnung«
Datierung: 1967
Besitzer: Privatbesitz
Studie zum Siebdruck-Kalender (WVZ
2627).

(2369) *Am Sender Freies Berlin ** (Z 129)
Tusche
55,0 x 38,0 cm
Datierung: 1967
Besitzer: unbekannt

(2370) *»Funkturm«*
Schabblatt
61,0 x 41,5 cm
Datierung: um 1966/67
Besitzer: Privatbesitz
Studie zum Siebdruck-Kalender (WVZ
2636).

(2371) *Sitzender Akt*
Rötel, teilweise laviert/Karton
58,0 x 40,0 cm
Bezeichnung: u.l. »Strempel 68 / sitzender
Akt 58x40 Nr. 38«
Datierung: 1968

(2372–2385) *Zwölf lose Blätter aus dem
Aktsaal*
Mappe mit einer Umschlagzeichnung und
13 Zeichnungen
Datierung: 1967/68
Besitzer: Privatbesitz

(2372) *»Umschlag: Stehender Akt«*
Filzstift, Bleistift/Papier
58,0 x 40,3 cm
Bezeichnung: u.r. »St. 68«

(2373) *»Sitzender Akt«*
Filzstift/blauem Papier
32,0 x 24,5 cm (31,2 x 41,0 cm)
Bezeichnung: u.l. »H. Strempel 68«

(2374) *»Stehender Halbakt«*
Filzstift, Aquarell/Papier
31,0 x 22,6 cm (31,2 x 41,0 cm)
Bezeichnung: o.l. »H. Strempel 67«

(2375) *»Stehender Halbakt«*
Pastell, teilweise laviert/Papier
23,5 x 17,0 cm (31,2 x 41,0 cm)
Bezeichnung: u. Mitte »H. Strempel 67«

(2376) *»Liegender Akt«*
Gouache, Pastell/Papier
17,0 x 24,0 cm (31,2 x 41,0 cm)
Bezeichnung: u.r. »H. Strempel 67«

(2377) *»Rückenakt«*
Kugelschreiber/kariertem Papier
20,5 x 15,0 cm (31,2 x 41,0 cm)
Bezeichnung: u.l. »H. Strempel 68«

(2378) *»Sitzende«*
Kugelschreiber/kariertem Papier
20,5 x 15,0 cm (31,2 x 41,0 cm)
Bezeichnung: u.l. »H. Strempel 67«

(2379) *»Halbakt«*
Pastellkreide, teilweise laviert, Bleistift/Papier
23,2 x 17,0 cm (31,2 x 41,0 cm)
Bezeichnung: u.r. »H. Strempel 68«

(2380) *»Stehender Akt«*
Pastellkreide, teilweise laviert, Bleistift/Papier
23,2 x 17,0 cm (31,2 x 41,0 cm)
Bezeichnung: u.l. »H. Strempel 68«

(2381) *»Sitzender Rückenakt«*
Kugelschreiber/kariertem Papier
20,5 x 15,0 cm (31,2 x 41,0 cm)
Bezeichnung: u.l. »H. Strempel 67«

(2382) *»Akt«*
Bleistift/Papier
23,5 x 17,1 cm (31,2 x 41,0 cm)
Bezeichnung: u.l. »H. Strempel 68«

(2383) »*Stehender Halbakt*«
Pastellkreide, teilweise laviert, Bleistift/Papier
23,2 x 13,2 cm (31,2 x 41,0 cm)
Bezeichnung: u.r. »St. 67«; u.l. (a.d. Passepartout) »H. Strempel 67«
Datierung: 1967

(2384) »*Torso*«
Aquarell, Kugelschreiber, Filzstift/Papier
30,0 x 13.8 cm (31,2 x 41,0 cm)
Bezeichnung: u.l. »H. Strempel 67«

(2385) »*Akt*«
Aquarell/Papier
29,5 x 15,3 cm (31,2 x 41,0 cm)
Bezeichnung: u. Mitte »Strempel 67«

(2386) *Die klugen Jungfrauen*
Zeichnung
Bezeichnung: u.l. »Horst Strempel 68.«
Datierung: 1968
Besitzer: Privatbesitz

(2387) »*Weiblicher Torso*«
Kugelschreiber/Papier
22,0 x 13,0 cm (32,3 x 23,8 cm)
Bezeichnung: u. Mitte »H. Strempel«; u.l. (a.d. Passepartout) datierte Widmung
Datierung: 1973 (?)
Besitzer: Privatbesitz

(2388) »*Lübars*«
braune Kreide/Papier
29,6 x 39,0 cm
Bezeichnung u.r. datierte Widmung / »Strempel«
Datierung: 1973 (?)
Besitzer: Privatbesitz
Siehe das Ölbild gleicher Thematik von 1968 (WVZ 597).

(2389) »*Landschaft am Meer*«
Kohle/Papier
21,0 x 27,0 cm (27,0 x 39,0 cm)
Bezeichnung: o.r. (in Spiegelschrift) »H.St.74«
Datierung: 1974

Druckgrafik

(2390) **Mutter und Kind**
Holzschnitt, koloriert
560 x 430 mm
Auflage: 1 Expl. bekannt
Bezeichnung: u.l. »Mutter und Kind; Umschlag 6. 1930«
Datierung: 1930
Der Holzschnitt *Mutter und Kind* ist nach einem traditionellen christlichen Madonnen-Schema aufgebaut. Das Kind trägt jedoch die Gesichtszüge Hitlers.

(2391) »*Familie des Arbeitslosen*«
Holzschnitt
280 x 220 mm
Auflage: 1 Expl. bekannt
Bezeichnung: u.r. (im Bild) »St. 32. / handdruck III«; u. »ein gutes Jahr wünscht / Horst Strempel«
Datierung: 1932
Besitzer: Privatbesitz
Vgl. das Gemälde mit dem gleichen Motiv

(WVZ 52). — Das Blatt erinnert an den Holzschnitt *Erwerbslos* (1925) von Käthe Kollwitz.

(2392) *Frauenkopf*
Linolschnitt
Auflage: kein Expl. bekannt
Bezeichnung: o.r. (im Druck) »Ostern / 33,«; u. (im Druck) »Frohes / Fest wünscht / Horst Strempel«
Datierung: 1933
Besitzer: unbekannt
Von der Osterkarte existiert nur eine Fotografie (Privatbesitz).

(2393) **Drei Mädchen**
Linolschnitt
290 x 170 mm
Auflage: 1 Expl. bekannt
Bezeichnung: u.l. »St. 39«
Datierung: 1939
Ausstellung: Berlin/W. 1978, Nr. 2
Abbildung: Berlin/W. 1978, o.S.

(2394) »*Mann mit Maske*«
Holzschnitt
215 x 145 mm
Auflage: 4 Expl. bekannt
Datierung: 1947
Abbildung: Greifenkalender, 16, 1948, Blatt 7
Vgl. die Zeichnung WVZ 1553.
a) kolorierter Holzschnitt
Bezeichnung: u.l. »Strempel 46«
Besitzer: Privatbesitz
b) Bezeichnung: u.l. »H. Strempel. 47.«; u.r. »Mann mit Maske / Holzschnitt«
Besitzer: Privatbesitz
c) Bezeichnung: u.l. »H. Strempel. 47.« / Widmung; u.r. »Mann mit Maske / Holzschnitt«
Besitzer: Privatbesitz

(2395) *Wahrsagerin*
Holzschnitt
240 x 165 mm
Auflage: 5 Expl. bekannt
Datierung: 1946
Vgl. die Zeichnung WVZ 1554.
a) Bezeichnung: u.l. »H. Strempel 47 / »Wahrsagerin« »
Besitzer: Privatbesitz
b) Bezeichnung: u.l. »Horst Strempel 47.«
Besitzer: Berlin, StM, KpstK, o. Inv.Nr.
c) Bezeichnung: u.l. »Strempel. 46.«; u.r. »Wahrsagerin«
Besitzer: Berlin, StM, KpstK, o. Inv.Nr.
d) Holzschnitt, koloriert
Bezeichnung: u.l. »H. Strempel 47 / ‹Wahrsagerin› » / Widmung; u.r. »Holzschnitt«
Besitzer: Privatbesitz

(2396) »*Trauernde mit geigespielendem Tod*«
Linolschnitt
210 x 140 mm
Auflage: kein Expl. bekannt
Datierung: um 1946
Platte vorhanden.- Vgl. Tuschzeichnung 1945 WVZ 1556.

(2397—2401) Illustrationen zu Emile Zola »Germinal«:

(2397) *Der Weg*
Linolschnitt

280 x 216 mm
Auflage: 5 Expl. bekannt
Bezeichnung: in der Platte u.l. »Strempel 47«
Datierung: 1947
Abbildungen: Vorwärts, 6.12.1947; Ulenspiegel, 4, 1949, H. 2, 8 (»Der Wanderer«)
Platte vorhanden.-
a) Bezeichnung: u.l. » ‹der Weg› »; u.r. »St. 1947«
b) Bezeichnung: u.l. » ‹der Weg› / ‹Aus Germinal› / Blatt.1«; u.r. »St. 1947«
Besitzer: Privatbesitz
c) Besitzer: Privatbesitz
d) Bezeichnung: u.l. »H. Strempel 47. / Germinal ‹Der Weg›; u.r. »handdruck«
Besitzer: Privatbesitz
e) Bezeichnung: u.l. »H. Strempel«; u.r. »Germinal ‹Der Weg› »; u.l. (am Blattrand) Widmung
Besitzer: Privatbesitz

(2398) *Das Tier*
Linolschnitt
325 x 230 mm
Auflage: 2 Expl. bekannt
Datierung: 1947
Ausstellungen: Dresden 1948, Nr. 360; Berlin/W. 1978, Nr. 6
Abbildung: Ehrig 1948, 63
a) Bezeichnung: u.l. »H. Strempel 47«; u.l. (auf grauem Passepartout durch ein weißes verdeckt) »Linolschnitt aus der Mappe ‹Germinal› / Umschlag 8«; u. Mitte (ebd.) » ‹Das Tier› Germinal«; u.r. (auf weißem Passepartout) » ‹Das Tier› Germinal 6«
b) Besitzer: Privatbesitz

(2399) **Das Erwachen**
Linolschnitt
320 x 225 mm
Auflage: 5 Expl. bekannt
Datierung: 1946
a) Bezeichnung: u.l. »H. Strempel 11/8«
b) Besitzer: Privatbesitz
c) Bezeichnung: u.l. »H. Strempel 46.« / »Germinal ‹Das Erwachen›«; u.r. »handdruck«
Besitzer: Privatbesitz
d) Bezeichnung: u.r. »aus Germinal / ‹Das Erwachen› / 8. handdruck«
Provenienz: Berlin/DDR, Staatl. Enteignungsstelle
Besitzer: Berlin, Märk. Mus., Inv.Nr. VII 62/493 W (6.6.1953)

(2400) *Das Warten I*
Linolschnitt
Auflage: 3 Expl. bekannt
Bezeichnung: im Druckstock u.l. »ST.«
Datierung: 1946
Literatur: Hütt 1979 (Abb.)
Ausstellung: Berlin/W. 1977, Nr. 24
Abbildungen: ND, 12.12.1948 (Literaturbeilage).- Berlin/W. 1977, o.S.- Hütt 1979, 398
Wolfgang Hütt sah in dieser Grafik, die Emile Zolas Roman »Germinal« zur Grundlage hat, nicht allein eine Illustration zum literarischen Thema, sondern im übertragenen Sinne bildhaftes Symbol für das Warten all derer, die wie gelähmt vom Schock des Erlittenen waren und daher passiv dem Kommenden entgegensahen, in dem sie noch keine Zukunft zu erkennen vermochten.

a) Besitzer: Privatbesitz
b) Bezeichnung: u.l. »Horst Strempel 46. / Germinal »Das Warten«; u.r. »handdruck«
Besitzer: Privatbesitz
c) Bezeichnung: u.l. »H. Strempel 47.«; u.r. »aus Germinal / ‹Das Warten› I. / 14. handdruck«
Provenienz: Berlin/DDR, Staatl. Enteignungsstelle
Besitzer: Berlin, Märk. Mus., Inv.Nr. 62/494 W (6.6.1953)

(2401) ***Das Warten II***
Linolschnitt
250 x 165 mm
Auflage: 1 Expl. bekannt
Datierung: um 1946/47
Druckstock vorhanden.

(2402) *Mann mit Tod*
Linolschnitt
210 x 145 mm
Auflage: 1 Expl. bekannt
Datierung: 1947*
Platte vorhanden.- Siehe die Zeichnung WVZ 1555.

(2403) *Der Bettler (Hiob)*
Linolschnitt
245 x 120 cm
Auflage: 3 Expl. bekannt
Datierung: 1947
Ausstellungen: Berlin 1948/2, Nr.31; Berlin/W. 1978, Nr. 7; Berlin/DDR 1990, o.Nr.
Literatur: Vorwärts, 1.3.1948
Abbildung: Vorwärts, 1.3.1948
Druckstock vorhanden. Siehe das Ölbild WVZ 134.
a) Bezeichnung: u.l. »H. Strempel 1947«; u.r. »3/10«; u. Mitte (a.d. Passepartout) »Der Bettler«
b) Linolschnitt, koloriert
Bezeichnung: u.l. »H. Strempel 1947«
Besitzer: Privatbesitz
c) Besitzer: Privatbesitz

(2404) ***Akt***
Holzschnitt
105 x 345 mm
Auflage: 4 Expl. bekannt
Datierung: 1947
Ausstellung: Berlin/W. 1978, Nr. 11 (2 Varianten, dat. 1948)
Druckstock vorhanden.
a) Bezeichnung: u.l. »Strempel 1948«; u.r. »‹Akt› 1/1«; u.r. (a.d. Passepartout) »handdruck«
b) Holzschnitt, koloriert
Bezeichnung: u.r. (im Bild) »Strempel 47«; u.r. (a.d. Passepartout) »Akt / handdruck«
Besitzer: Privatbesitz
c) Holzschnitt, koloriert/grünem Glanzkarton
Bezeichnung: u.l. »H. Strempel 1948«; u.r. »H. Strempel 48. / 1/1«
Besitzer: Privatbesitz
d) Holzschnitt
Bezeichnung (wahrscheinlich später): u.l. »H. Strempel 46«; u.r. »Holzschnitt«
Besitzer: Privatbesitz

(2405) *Mädchen*
Holzschnitt
190 x 85 mm
Auflage: 3 Expl. bekannt
Datierung: 1947

Druckstock vorhanden.
a) Bezeichnung: u.l. »H. Strempel 47«, u.r. »2/3«
b) Bezeichnung: u.l. »H. Strempel 48«; u.r. »H 10«
c) Bezeichnung: u.r. » »Mädchen« / 14 handdruck 1/3«; u.l. »Strempel 48« / datierte Widmung«

(2406) *Mädchen*
Holzschnitt
222 x 195 mm
Auflage: 3 Expl. bekannt
Datierung: 1947
Druckstock vorhanden.
a) Bezeichnung: u.l. »Strempel 47.«; u.r. »2. Mädchen 15/h«
Provenienz: Berlin/DDR, Staatl. Enteignungsstelle
Besitzer: Berlin, Märk. Mus., Inv.Nr. VII 62/507 W (6.6.1953)
b) Probedruck
Bezeichnung: u.l. »H. Strempel. 47« / »Mädchen« / »Probedruck«; u.r. Widmung
Besitzer: Privatbesitz

(2407) *»Mutter mit Kind«*
Linolschnitt
155 x 105 mm
Auflage: 2 Expl. bekannt
Datierung: 1947
Druckstock vorhanden.
a) Bezeichnung: u.l. »Strempel 47«; u.r. (a.d. Passepartout) »handdruck«
Besitzer: Privatbesitz

(2408) *Die Blinden*
Linolschnitt
266 x 175 mm
Auflage: 6 Expl. bekannt
Datierung: 1947
Druckplatte vorhanden.- Siehe die Studien WVZ 1629 und 1630 und das Gemälde WVZ 199.
a) Bezeichnung: u.l. »Strempel 47«; u.r. »handdruck 21. ‹die blinden› «
Besitzer: Privatbesitz
b) Linolschnitt, koloriert
Besitzer: Privatbesitz
c) Besitzer: Privatbesitz
d) Bezeichnung: u.l. »H. Strempel 47«; u.r. » ‹die blinden› «
Besitzer: Privatbesitz
e) Bezeichnung: u.l. »Strempel«; u.r. » ‹Blinde› / 23/h.«
Provenienz: Berlin/DDR, Staatl. Enteignungsstelle
Besitzer: Berlin, Märk. Mus., Inv.Nr. VII/508W

(2409) *Liebespaar (Paar)*
Holzschnitt
270 x 110 mm
Auflage: 5 Expl. bekannt
Datierung: 1947
Ausstellung: Berlin/W. 1978, Nr. 8
Druckplatte vorhanden.
a) Bezeichnung: u.l. »Strempel 47«; u.r. »3/5«
b) Bezeichnung: u.l. »Strempel 48 / 40,- Handdruck«; u.r. » ‹Liebespaar›«
c) Besitzer: Privatbesitz
d) Bezeichnung: u.l. »H. Strempel 48 / ‹Paar›«; u.r. »h./4«
Provenienz: Berlin/DDR, Staatl. Enteignungsstelle

Besitzer: Berlin, Märk. Mus., Inv.Nr. VII 62/497W
e) Bezeichnung: u.l. »H. Strempel 1948«; u.r. »4/8«
Besitzer: Privatbesitz

(2410) *Tischgesellschaft*
Holzschnitt
500 x 290 mm
Auflage: 3 Expl. bekannt
Datierung: 1947
Ausstellung: Berlin/W. 1978, Nr. 14 (dat. 1948)
Siehe das Gemälde WVZ 229.
a) Bezeichnung: u.l. »Strempel 47 1/3«, u.r. »Tischgesellschaft«
b) Holzschnitt/Papier (Rückseite eines Lehrplans der Kunsthochschule Weißensee 1946)
Bezeichnung: u.l. »Strempel 47 2/3«; u.r. »Tischgesellschaft«
c) Bezeichnung: u.l. »Strempel 48.«, u.r. »‹Tischgesellschaft› / 7/h.«
Provenienz: Berlin/DDR, Staatliche Enteignungsstelle
Besitzer: Berlin, Märk. Mus., Inv.Nr. VII 62/509 W (6.6.1953)

(2411) *Paar mit Kind*
Kaltnadelradierung
200 x 146 mm
Auflage: 2 Expl. bekannt
Datierung: 1947
Abbildung: BZ, 4.2.1949
Druckplatte vorhanden.
a) Kaltnadelradierung/Karton
Bezeichnung: u.l. »Strempel 47«; u.r. »handabzug«
b) Bezeichnung: u.l. »Strempel 47« / datierte Widmung
Provenienz: Düsseldorf, Mieke Monjau
Besitzer: Regensburg, Ostdt. Gal., Inv.Nr. 16694

(2412) *Tür*
Radierung, Aquatinta
210 x 150 mm
Auflage: 1 Expl. bekannt
Bezeichnung: u.l. »Strempel 47. / Tür«; u.r. »3/2«
Datierung: 1947
Provenienz: Berlin/DDR, Staatl. Enteignungsstelle
Besitzer: Berlin, Märk. Mus., Inv.Nr. VII 62/529 W (6.6.1953)
Vgl. die Studie zur Grafik WVZ 1593.

(2413) ***Tischgesellschaft (Diskutierende Gruppe)***
Radierung, Aquatinta
128 x 165 mm
Auflage: 5 Expl. bekannt
Datierung: 1947
Ausstellung: Berlin/DDR 1980
a) Bezeichnung: u.l. »h. Strempel. 47. / Tischgesellschaft«; u.r. »4/2«
Provenienz: Berlin/DDR, Staatl. Enteignungsstelle
Besitzer: Berlin, Märk. Mus., Inv.Nr. VII 62/525 W (6.6.1953)
b) Bezeichnung: u.l. »Strempel / Tischgesellschaft«
Provenienz: Berlin/DDR, Heinz Lüdecke
Besitzer: Berlin, DAK, Inv.Nr. M 51 (1966)
c) Bezeichnung: u.l. »Strempel 48 / Tischgesellschaft«; u.r. »8/11«
Besitzer: Privatbesitz

d) Bezeichnung: u.l. »Strempel«; u.r. »8/7«
Besitzer: unbekannt
Eine Fotografie befindet sich in Dresden, Sächs. Landesbibl./ Fotothek
e) Besitzer: Berlin, StM, KpstK, o. Inv.Nr.

(2414) *Frauenkopf*
Lithografie
200 x 100 mm
Auflage: kein Expl. bekannt
Datierung: 1947
Besitzer: unbekannt
Ausstellung: Berlin/W. 1978, Nr. 9
Keine Abbildung bekannt.

(2415) »*Porträt Ernst Niekisch*«
Linolschnitt
145 x 115 mm
Auflage: 4 Expl. bekannt
Datierung: 1948
Abbildung: ND, 22.5.1949
a) Bezeichnung: u.l. »Strempel 48«; u.r. »8. handdruck«
Besitzer: Privatbesitz
b) Probedruck
Bezeichnung: u.r. »Probedruck«; u.l. (a.d. Passepartout) »Strempel 48«
Besitzer: Privatbesitz
c) Probedruck
Bezeichnung: u.l. »Strempel«; u.r. »Probeabzug I«

(2416) »*Porträt Karl Marx*«
Holzschnitt
215 x 185 mm
Auflage: kein Expl. bekannt
Datierung: um 1948
Von diesem Holzschnitt ist nur der Druckstock vorhanden; auf seiner Rückseite befindet sich der Druckstock für *Zwei Akte* (WVZ 2423).

(2417) »*Zwei Köpfe*«
Linolschnitt
150 x 120 mm
Auflage: 3 Expl. bekannt
Datierung: 1948
Druckstock vorhanden.
a) Linolschnitt/Karton
Bezeichnung: u.l. »Strempel 48«; u.r. »2/5«

(2418) *Zwei Köpfe II*
Holzschnitt
135 x 95 mm
Auflage: 1 Expl. bekannt
Bezeichnung: u.l. »Strempel 48 / 2 Köpfe II«; u.r. »1/3«
Datierung: 1948
Druckstock vorhanden.

(2419) *Soldaten (Kanonenfutter)*
Linolschnitt
210 x 165 mm
Auflage: 4 Expl. bekannt
Datierung: 1948
a) Linolschnitt/Papier(Rückseite eines Lehrplans der Kunsthochschule Weißensee 1946
Bezeichnung: u.l. »H. Strempel 48«
b) Bezeichnung: u.l. »Strempel 48«; u.r. »handdruck 6.«;
u.r. (a.d. Passepartout) ‹Soldaten› Linolschnitt«
c) Bezeichnung: u.l. »Strempel«; u.r. ‹Soldaten› / handdruck«;
l. Mitte (a.d. Passepartout) »Kanonenfutter«

Besitzer: Privatbesitz
d) Besitzer: Privatbesitz

(2420) *Mädchen mit Masken*
Linolschnitt
195 x 145 mm
Auflage: 5 Expl. bekannt
Datierung: 1948
Ausstellung: Berlin/W. 1978, Nr. 12
Druckstock vorhanden.
a) Bezeichnung: u.l. »Strempel 48«; u.r. »3. handdruck 3/10«
b) Bezeichnung: u.l. »Strempel 48«; u.r. »handdruck«; u.l. (a.d. Passepartout) »Mädchen mit Masken«
c) Besitzer: Privatbesitz
d) Bezeichnung: u.l. »Strempel 48.«; u.r. »Mädchen mit Masken / 8/h.«
Provenienz: Berlin/DDR, Staatl. Enteignungsstelle
Besitzer: Berlin, Märk. Mus., Inv.Nr. VII 62/510 W (6.6.1953)

(2421) *Akt im Licht*
Linolschnitt
210 x 145 mm
Auflage: 3 Expl. bekannt
Bezeichnung: (i. d. Druckplatte) u.l. »H. St. 48«
Datierung: 1948
a) Besitzer: Privatbesitz
b) Bezeichnung: u.l. »Strempel«; u.r. »‹Akt im Licht› / 7/h.«
Provenienz: Berlin/DDR, Staatl. Enteignungsstelle
Besitzer: Berlin, Märk. Mus., Inv.Nr. VII 62/496 W (6.6.1953)

(2422) *Spannung*
Holzschnitt
315 x 230 mm
Auflage: 4 Expl. bekannt
Datierung: 1948
Druckstock vorhanden.
a) Besitzer: Privatbesitz
b) Bezeichnung: u.l. »Strempel 48. / Spannung«; u.r.»h/5«
Provenienz: Berlin/DDR, Staatl. Enteignungsstelle
Besitzer: Berlin, Märk. Mus., Inv.Nr. VII 62/505 W (6.6.1953)

(2423) *Zwei Akte*
Holzschnitt
215 x 185 mm
Auflage: 3 Expl. bekannt
Datierung: 1948
Druckstock vorhanden.
a) Bezeichnung: u.l. »Strempel 48 / 2 Akte«; u.r. »3/5«
b) Besitzer: Privatbesitz

(2424) *Trümmerfrauen (Frauen)*
Holzschnitt
470 x 241 mm
Auflage: 3 Expl. bekannt
Datierung: 1948
Abbildungen: BI, 4, 1948, Heft 42 (3. Oktoberheft); ND, o.D.
Lt. Werkkatalog wurde ein Ölbild mit dem gleichen Sujet vernichtet.
a) Bezeichnung: u.l. »Strempel 48.« / datierte Widmung; u.r.«‹Trümmerfrauen› / 3/5 HS«
Besitzer: Privatbesitz
b) Besitzer: Halle, Staatl. Gal. Moritzburg, Inv.Nr. G 8431

c) Bezeichnung: u.l. »Strempel 48.«; u.r. »‹frauen› 3/h«
Provenienz: Berlin/DDR, Staatl. Enteignungsstelle
Besitzer: Berlin, Märk. Mus., Inv.Nr. VII 62/495 W (6.6.1953)

(2425) *Spieler (Geldwechsler)*
Holzschnitt
201 x 257 mm
Auflage: 2 Expl. bekannt
Datierung: 1948
Ausstellungen: Berlin/W. 1961/3, Nr. 41 (dat. 1949); Berlin/DDR 1979, Nr. 542
Literatur: Berlin/DDR 1979, 295
Abbildungen: Ulenspiegel, 4, 1949, H. 11, 7; Berlin/W. 1961/3, o.S.; Berlin/W. 1970, Titelblatt
Druckstock vorhanden.
a) Bezeichnung: u.l. »H. Strempel 48. / ‹Spieler›«; u.r. »h./3.«
Provenienz: Berlin/DDR, Staatl. Enteignungsstelle
Besitzer: Berlin, Märk. Mus., Inv.Nr. VII 62/500 W (6.6.1953)

(2426) »*Heimkehr*«
Holzschnitt
160 x 100 mm
Auflage: 1 Expl. bekannt
Datierung: um 1947/48
Druckstock vorhanden.- Vgl. die Bearbeitungen des gleichen Themas in Öl (WVZ 220 und 221) und den Linolschnitt WVZ 2427.

(2427) *Heimkehr (Torweg)*
Linolschnitt
145 x 110 mm
Auflage: 2 Expl. bekannt
Datierung: 1948
a) Linolschnitt/Transparentpapier
Bezeichnung: u.l. »H. Strempel 49 Heimkehr«; u.r. »3/5«
b) Bezeichnung: u.l. »Strempel 48.«; u.r. »‹Torweg› / 3/h.«
Provenienz: Berlin/DDR, Staatl. Enteignungsstelle
Besitzer: Berlin, Märk. Mus., Inv.Nr. VII 62/519 W (6.6.1953)

(2428) *In der Bahn*
Holzschnitt
215 x 175 mm
Auflage: 3 Expl. bekannt
Datierung: 1948
Ausstellung: Berlin/DDR 1979, Nr. 543
Abbildungen: Berlin/DDR 1979, 295.- Kuhirt 1982, Abb. 105
Druckstock vorhanden.
a) Bezeichnung: u.l. »Strempel 49«; u.r. »in der Bahn«
Provenienz: Berlin, Heinz Lüdecke
Besitzer: Berlin, DAK, Inv.Nr. M 55 (1966)
b) Bezeichnung: u.l. »Strempel 48. / in der Bahn«, u.r. »h/5«
Provenienz: Berlin/DDR, Staatl. Enteignungsstelle
Besitzer: Berlin, Märk. Mus., Inv.Nr. VII 62/499 W (6.6.1953)

(2429) *Negerkopf*
Linolschnitt
203 x 117 mm
Auflage: 3 Expl. bekannt
Datierung: 1948
Druckstock vorhanden.- S. Ölbild WVZ 203.

a) Besitzer: Privatbesitz
b) Bezeichnung: u.l. »Strempel 48.«, u.r. »‹Negerkopf› / h/3«
Provenienz: Berlin/DDR, Staatl. Enteignungsstelle
Besitzer: Berlin, Märk. Mus., Inv.Nr. VII 62/492 W (6.6.1953)

(2430) »*Männlicher Kopf*«
Radierung, Aquatinta
150 x 118 mm
Auflage: kein Expl. bekannt
Datierung: um 1948
Druckplatte vorhanden.- Der Kopf könnte in Zusammenhang mit dem Wandbild Friedrichstraße gesehen werden.

(2431) »*Porträt Ernst Niekisch*«
Aquatinta
145 x 115 mm
Auflage: 3 Expl. bekannt
Datierung: 1948
a) Bezeichnung: u.l. »1948«; u.r. »4/18«
b) Zustandsdruck
Bezeichnung: u.l. »Strempel 48«; u.r. »2. Zustand 1. Druck«
c) Bezeichnung: u.r. »4/2«
Besitzer: Berlin, StM, KpstK, o. Inv.Nr.

(2432) »*Köpfe und Maske*«
Radierung
95 x 65 mm
Auflage: 1 Expl. bekannt
Bezeichnung: u.l. »Strempel 48«; u.r. »2/13«
Datierung: 1948
Besitzer: Privatbesitz

(2433) *Sackträger*
Radierung, Aquatinta
195 x 150 mm
Auflage: 3 Expl. bekannt
Datierung: 1948
Ausstellungen: Berlin/W. 1978, Nr. 21; Berlin/DDR 1980
Abbildung: Berlin/DDR 1980, 100
Druckplatte vorhanden.- Siehe das Gemälde *Die Sackträger* WVZ 256.
a) Bezeichnung: u.l. »Strempel 48 / ‹Sackträger›«; u.r. »4/4«
Provenienz: Berlin, Heinz Lüdecke
Besitzer: Berlin, DAK, Inv.Nr. M 52
b) Bezeichnung: u.l. »Strempel 49 / ‹Sackträger›«; u.r. »4/5«
c) Besitzer: Privatbesitz

(2434) *Soldaten*
Radierung, Aquatinta
200 x 145 mm
Auflage: 7 Expl. bekannt
Datierung: 1948 (1947*)
Ausstellung: Berlin/W. 1978, Nr. 13
Abbildung: Berlin/W. 1978, o.S.
Siehe das Gemälde WVZ 257.
a) Zustandsdruck
Bezeichnung: u.l. »1. zustand, 1. Abzug«; u.r. »1. Zustand«
b) Zustandsdruck
Bezeichnung: u.r. »2. Zustand 1. Druck«
c) Zustandsdruck
Bezeichnung: u.r. »2. Zustand, 2. Abzug«
d) Zustandsdruck
Bezeichnung: u.r. »3. Zustand Andruck«
e) Zustandsdruck
Bezeichnung: u.r. »4. Zustand, 1. Druck«
f) Bezeichnung: u.l. »Strempel 48«; u.r. »Soldaten 5/16«

g) Bezeichnung: u.l. »Strempel 48 / »Soldaten« »; u.r. »5/8«
Besitzer: Privatbesitz

(2435) *Zwei Frauen*
Radierung
190 x 140 mm
Auflage: 2 Expl. bekannt
Datierung: 1948
Abbildung: Ulenspiegel, 4, 1948, H. 17, 7
Druckplatte vorhanden.
a) Bezeichnung: u.l. »Strempel 48 2 Frauen«; u.r. »2/14«
b) Bezeichnung: u.l. »H. Strempel 48« / Widmung; u.r. »2/18«
Besitzer: Privatbesitz

(2436) *Die Müden*
Radierung
186 x 158 mm
Auflage: 3 Expl. bekannt
Bezeichnung: (in der Platte) u.l. »H. St. 48«
Datierung: 1948
Druckplatte vorhanden.- Im Werkkatalog sind außer den u.g. Exemplaren noch ein Probedruck und ein Abzug (3/10) verzeichnet.
a) Bezeichnung: u.l. »Strempel 48 / ‹Die Müden›«; u.r. »4/10«
b) Bezeichnung: u.l. »H. Strempel. 48«; u.r. »die Müden. 3/14«
Provenienz: Berlin, Heinz Lüdecke
Besitzer: Berlin, DAK, Inv.Nr. M 50
c) Bezeichnung: u.l. »Strempel 48. / Die Müden«; u.r. »3/9«
Besitzer: Privatbesitz

(2437) *Erschießung*
Radierung
200 x 152 mm
Auflage: 2 Expl. bekannt
Bezeichnung: (in der Platte) u.l. »H. St. 48«
Datierung: 1948
Druckplatte vorhanden.- Siehe das Gemälde *Lidice* WVZ 285.
a) Bezeichnung: u.l. »Strempel 48« / datierte Widmung; u.r. »2/14«
Besitzer: Privatbesitz
b) Bezeichnung: u.l. »Strempel 48 / … «; u.r. »3/6«
Besitzer: Privatbesitz

(2438) *Trauerzug*
Aquatinta
95 x 145 mm
Auflage: 3 Expl. bekannt
Datierung: 1948 (1947*)
Ausstellung: Berlin/DDR 1980
Siehe WVZ 263 und 264.
a) Bezeichnung: u.l. »Strempel 48 / ‹Trauerzug›«; u.r. »7/7«
Provenienz: Berlin, Heinz Lüdecke
Besitzer: Berlin, DAK, Inv.Nr. M 49 (1966)
b) Bezeichnung: u.l. »Strempel 48.«; u.r. »‹Trauerzug› 6/20«
Berlin, StM, KpstK, o. Inv.Nr.
c) Bezeichnung: u.l. »Strempel 48. / ‹Trauerzug›«; u.r. »7/17«
Besitzer: Privatbesitz

(2439) *Wollt ihr das wieder?*
Radierung
295 x 205 mm
Auflage: 2 Expl. bekannt
Datierung: 1948
Ausstellungen: Berlin 1949/3; Berlin/W. 1978, Nr. 23

Literatur: Tribüne, 1.12.1949; Abend, 6.12.1949; Welt, 31.7.1978
Abbildungen: Vorwärts, 12.5.1949; Aufbau, 1950, H. 4, 315; Tagespost, Potsdam, 22.10.1950.- Berlin/W. 1978
Druckplatte vorhanden.- Siehe das Gemälde WVZ 284.
a) Bezeichnung: u.l. »Strempel 49«; u.r. »2/4«; u.l. (a.d. Passepartout) » ‹Wollt ihr das wieder?›«
b) Bezeichnung: u.l. »H. Strempel. 48. / Wollt ihr das wieder?«; u.r. »3/2«
Provenienz: Berlin/DDR, Staatl. Enteignungsstelle
Besitzer: Berlin, Märk. Mus., Inv.Nr. VII 62/522 W (6.6.1953)

(2440) »*Stilleben*«
Aquatinta
140 x 97 mm
Auflage: 2 Expl. bekannt
Datierung: 1948
Druckplatte vorhanden.
a) Bezeichnung: u.l. »Strempel 48.«; u.r. »3/4«
b) Bezeichnung: u.l. »Strempel 48.«; u.r. »3/7«
Besitzer: Privatbesitz

(2441) »*Paar*«
Lithografie
480 x 380 mm
Auflage: 1 Expl. bekannt
Bezeichnung: u.l. »Strempel 48«; u.r. »Litho 3. Abzug«
Datierung: 1948

(2442) *Alte Frau*
Holzschnitt
310 x 233 mm
Auflage: 5 Expl. bekannt
Datierung: 1949
Druckstock vorhanden.
a) Zustandsdruck
Bezeichnung: u.l. »H. Strempel 49«, u.r. »1/3«
b) Bezeichnung: u.l. »Horst Strempel 1950 ‹Alte Frau› handdruck«; u.r. »6/10«
c) Bezeichnung: u.l. »Strempel 49«; u.r. »3/6«
d) Bezeichnung: u.l. »Strempel 49«; u.r. »2/5 / 1950«
e) bez.
Besitzer: Privatbesitz

(2443) *Mädchen*
Linolschnitt
160 x 130 mm
Auflage: 3 Expl. bekannt
Datierung: 1949
Druckplatte vorhanden.
a) Bezeichnung: u. Widmung
Besitzer: Privatbesitz
b) Bezeichnung: u.l. »Strempel 49 / Mädchen«
Provenienz: Berlin/DDR, Staatl. Enteignungsstelle
Besitzer: Berlin, Märk. Mus., Inv.Nr. VII 62/492 W (6.6.1953)

(2444) *Mädchenkopf II*
Holzschnitt
160 x 130 mm
Auflage: 2 Expl. bekannt
Datierung: 1949
Druckstock vorhanden
a) Bezeichnung: u.l. »Mädchenkopf II«; u.r. »1/2«
b) Holzschnitt, koloriert
Bezeichnung: u.l. »H. Strempel 49«; u.r. »1/1«

(2445) *Zwei Köpfe*
Holzschnitt
160 x 130 mm
Auflage: 1 Expl. bekannt
Bezeichnung: u.l. »Strempel 49 / 2 Köpfe«;
u.r. »1/3«
Datierung: 1949

(2446) *»Zwei Kinderköpfe«*
Holzschnitt
165 x 125 mm
Auflage: 2 Expl. bekannt
Datierung: 1949
a) Bezeichnung: u.l. »H. Strempel 49«
b) Privatbesitz

(2447) *Drei Köpfe*
Holzschnitt
150 x 180 mm
Auflage: 4 Expl. bekannt
Datierung: 1949
Druckstock vorhanden.
a) Holzschnitt/Japanpapier mit Blumendekor
Bezeichnung: u.l. »Strempel 49«; u.r. »2/5«; u.l. (a.d. Passepartout) »Drei Köpfe«
b) Bezeichnung: u.l. »Strempel 49«, u.r. »3/5«
c) Bezeichnung: u.l. »H. Strempel 1949«; u.r. »4/5«
d) Bezeichnung: u.l. »Strempel 49.«; u.r. »3. Köpfe«
Provenienz: Berlin, Heinz Lüdecke
Besitzer: Berlin, DAK, Inv.Nr. M 56 (1966)

(2448) *Drei Köpfe*
Holzschnitt
125 x 160 mm
Auflage: 4 Expl. bekannt
Datierung: 1949
Ausstellung: Berlin/W. 1978 (?)
Abbildungen: Vorwärts, 5.7.1949.- Berlin/W. 1978, o.S.
Druckstock vorhanden.
a) Bezeichnung: u.l. »Strempel 49«; u. Mitte »Drei Köpfe«; u.r. »72«
b) Besitzer: Privatbesitz
c) Bezeichnung: u.l. »Strempel 49.«; u.r. »3. Köpfe II«
Provenienz: Berlin, Heinz Lüdecke
Besitzer: Berlin, DAK, Inv.Nr. M 57 (1966)
d) Bezeichnung: u.l. »Strempel 49 / 3. Köpfe«; u.r. »h/3«
Provenienz: Berlin/DDR, Staatl. Enteignungsstelle
Besitzer: Berlin, Märk. Mus., Inv.Nr. VII 62/506 W (6.6.1953)

(2449) *Kollektiv*
Linolschnitt
249 x 325 mm
Auflage: 1 Expl. bekannt
Bezeichnung: u.l. »Strempel 49 / 75.- Strempel, Graetz, Mohr«; u.r. Kollektiv. 94«
Datierung: 1949
Besitzer: Berlin, StM, KpstK, Inv.Nr. 396–1968
Ausstellung: Berlin/DDR 1979, Nr. 546
Literatur: Hütt 1974.- Berlin/DDR 1979, 295–296 (Abb.)
Abbildung: Berlin/DDR 1979, 296

(2450) *Der Apfel (Frau und Apfel)*
Holzschnitt
260 x 140 mm

Auflage: 4 Expl. bekannt
Datierung: 1949
Ausstellung: Berlin/W. 1978, Nr. 18
Abbildung: Ulenspiegel, 5, 1950, H. 14 (Beilage)
Druckstock vorhanden.
a) Bezeichnung: u.l. »Strempel 49 Der Apfel«; u.r. »2/10«
b), c) Besitzer: Privatbesitz

(2451) *»Sitzender weiblicher Akt«*
Holzschnitt
162 x 100 mm
Auflage: 1 Expl. bekannt
Bezeichnung: u.l. »H. Strempel 1949« / Widmung; u.r. »8/10«
Besitzer: Privatbesitz
Druckstock vorhanden.

(2452) ***Modell***
Holzschnitt
315 x 95 mm
Auflage: 2 Expl. bekannt
Datierung: 1949
a) Bezeichnung: u.l. »Strempel 49« / ‹Modell›«; u.r. »3/5«
b) Besitzer: Privatbesitz

(2453) ***China-Sieg***
Linolschnitt
450 x 295 mm
Auflage: 2 Expl. bekannt
Datierung: 1949
Ausstellung: Dresden 1950
Literatur: Sächs. Tagebl., Dresden, 9.4.1950
Druckstock vorhanden.
a) Bezeichnung: u.l. »Strempel«; u.r. »China-Sieg 1949«
Besitzer: Privatbesitz
b) Bezeichnung: u.l. »Strempel 49. / Blatt für die chinesische Volksarmee«; u.r. »3/3«
Provenienz: Berlin/DDR, Staatl. Enteignungsstelle
Besitzer: Berlin, Märk. Mus., Inv.Nr. VII 62/517 W (6.6.1953)

(2454) ***Preßluftbohrer***
Holzschnitt
375 x 140 mm
Auflage: 1 Expl. bekannt
Datierung: um 1949
Literatur: BZ, 22.2.1951 (Abb.)
Abbildungen: ND, 13.3.1949; BZ, 22.2.1951.- Stephanowitz 1984, 217 (dat. 1951)
Druckstock vorhanden.-
Jürgen Rühle stellte in der »Berliner Zeitung« vom 22.2.1951 zur Illustration der Formalismusdebatte drei Bilder mit gleichem Sujet vor. Außer dem Holzschnitt Strempels wurden eine Tuschzeichnung von Schindler und als Beispiel mit Vorbildcharakter eine Plastik des polnischen Bildhauers Leo Machowski gezeigt. Obwohl der Rezensent dem Holzschnitt durchaus etwas Positives abgewinnen konnte, kam er doch zu der Auffassung, daß der Arbeiter mit einem Roboter und einem »Sklaven der Maschine« zu vergleichen sei.

(2455) *Auf dem Bau*
Holzschnitt
235 x 165 mm
Auflage: 6 Expl. bekannt
Datierung: 1949

Abbildungen: Vorwärts, 30.4.1949; ND, 22.5.1949
Druckplatte vorhanden.
a) Bezeichnung: u.l.«Strempel 49 Auf dem Bau«; u.r. »3/5«
b) Linolschnitt/Japanpapier
c) Linolschnitt/Transparentpapier
d) Bezeichnung: u.l. »Strempel 49«; u.r. »‹Auf dem Bau›«
Provenienz: Berlin, Heinz Lüdecke
Besitzer: Berlin, DAK, Inv.Nr. M 53 (1966)
e) Bezeichnung: u.l. »Strempel 49 / ›Bau III‹«; u.r. »h/3.«
Provenienz: Berlin/DDR, Staatl. Enteignungsstelle
Besitzer: Berlin, Märk. Mus., Inv.Nr. VII 62/503 W (6.6.1953)
f) Probedruck
Bezeichnung: u.l. »Strempel 49«; u. Mitte »‹Probedruck›«; u.r. »1/5«

(2456) *Bau*
Holzschnitt
235 x 180 mm
Auflage: 3 Expl. bekannt
Datierung: 1949
Abbildung: ND, 8.7.1949
Druckplatte vorhanden.
a) Holzschnitt/Japanpapier
b) Holzschnitt/Transparentpapier
Bezeichnung: u.l. »Strempel 49 / ‹Bau›»; u.r. »2/11«
c) Bezeichnung: u.l. »Strempel 49. / Bau«; u.r. »h/3«
Provenienz: Berlin/DDR, Staatl. Enteignungsstelle
Besitzer: Berlin, Märk. Mus., Inv.Nr. VII 62/501 W (6.6.1953)

(2457) *Auf dem Bau II*
Holzschnitt
165 x 130 mm
Auflage: 5 Expl. bekannt
Datierung: 1949
Abbildung: Vorwärts, 1.4.1949
Druckstock vorhanden.
a) Holzschnitt/Karton
Bezeichnung: u.l. »Strempel 49 / Auf dem Bau II«; u.r. »2/10«
b) Holzschnitt/Japanpapier
c) Besitzer: Privatbesitz
d) Bezeichnung: u.l. »Strempel 49. / Auf dem Bau III«
Provenienz: Berlin, Heinz Lüdecke
Besitzer: Berlin, DAK, Inv.Nr. M 54 (1966)
e) Bezeichnung: u.l. »Strempel 49. / ‹Bau› II«; u.r. »h/3.«
Provenienz: Berlin/DDR, Staatl. Enteignungsstelle
Besitzer: Berlin, Märk. Mus., Inv.Nr. VII 62/502 W (6.6.1953)

(2458) *»Stilleben mit Fruchtschale und Vase«*
Linolschnitt
130 x 165 mm
Auflage: 3 Expl. bekannt
Datierung: 1949
Druckstock vorhanden.
a) Linolschnitt/Japanpapier
b) Linolschnitt/Japanpapier
Bezeichnung: u.l. »H. Strempel 1949«; u.r. »1/5«
c) Bezeichnung: u.l. »H. Strempel 1949.«; u.r. Widmung
Besitzer: Privatbesitz

(2459) »*Stilleben mit Fruchtschale und Krug*«
Linolschnitt
103 x 116 mm
Auflage: 2 Expl. bekannt
Datierung: um 1948/49
Druckstock vorhanden.

(2460) *Mädchenkopf* *
Gipsschnitt
Datierung: um 1949
Auflage: kein Expl. bekannt

(2461) *Mädchenkopf*
Radierung, Aquatinta
323 x 244 mm
Auflage: 3 Expl. bekannt
Datierung: 1949
Abbildung: Vorwärts, 30.10.1949 (Zustandsdruck)
Druckplatte vorhanden.
a) Radierung, Aquatinta (blautonig)
Bezeichnung: u.l. »H. Strempel / ‹Mädchenkopf›«; u.r. »2/10«
b) Zustandsdruck
Bezeichnung: u.l. »‹Mädchen›« / Widmung; u.r. »Strempel 49«
Besitzer: Privatbesitz
c) Bezeichnung: u.l. »H. Strempel. 49.«; u.r. »3/2«
Provenienz: Berlin/DDR, Staatl. Enteignungsstelle
Besitzer: Berlin, Märk. Mus., Inv.Nr. VII 62/530 W (6.6.1953)

(2462) **Arbeiterköpfe I** (*Zwei Köpfe*)
Radierung, Aquatinta
323 x 246 mm
Auflage: 2 Expl. bekannt
Datierung: 1949
Ausstellung: Berlin/W. 1978, Nr. 17 (1. und 2. Fassung)
Abbildung: Aufbau, 5, 1949, H. 12, 1106 (Entwurf zu einem Wandbild)
Druckplatte vorhanden.
a) Umriß, Zustandsdruck
Bezeichnung: u.l. »Strempel 49«; u.r. »1/2«; u.l. (a.d. Passepartout) »2 Köpfe«; u. Mitte (a.d. Passepartout) »1. Fassung«; u.r. (a.d. Passepartout) »17«
b) Bezeichnung: u.l. »H. Strempel / ‹Arbeiterköpfe› 1«; u.r. »3/2«
Provenienz: Berlin/DDR, Staatl. Enteignungsstelle
Besitzer: Berlin, Märk. Mus., Inv.Nr. VII 62/527 W (6.6.1953)

(2463) *Arbeiterköpfe II* (*Drei Köpfe*)
Radierung, Aquatinta
245 x 320 mm
Auflage: 3 Expl. bekannt
Datierung: 1949
Ausstellungen: Berlin/DDR 1979, Nr. 545 (?); Berlin/W. 1978, Nr. 16 (2 Fassungen)
Abbildung: Vorwärts, 17.10.1949
a) Andruck
Bezeichnung: u.l. »Andruck ‹Arbeiterköpfe II›«
b) Bezeichnung: u.l. »H. Strempel 49«; u.r. »4/10«
c) Bezeichnung: u.l. »H. Strempel 49. / 3. Köpfe«; u.r. »3/2«
Provenienz: Berlin/DDR, Staatl. Enteignungsstelle
Besitzer: Berlin, Märk. Mus., Inv.Nr. VII 62/528 W (6.6.1953)

(2464) *Arbeiterköpfe aus Henningsdorf*
Aquatinta
250 x 325 mm
Auflage: 2 Expl. bekannt
Datierung: 1949
Abbildung: Aufbau, 5, 1949, H. 12, 1107
Druckplatte vorhanden.
a) Bezeichnung: u.l. »Strempel 49«; u.r. »4/10«
b) Bezeichnung: u.l. »Strempel. 49.«; u.r. »3/4 / Arbeiterköpfe aus Henningsdorf«
Besitzer: Berlin, StM, Kpstk., Inv.Nr. 317–1980

(2465) *Bohrhammer*
Radierung, Aquatinta
322 x 251 m
Auflage: 1 Expl. bekannt
Bezeichnung: u.l. »H. Strempel 49. / ‹Bohrhammer›«; u.r. »3/2«
Provenienz: Berlin/DDR, Staatl. Enteignungsstelle
Besitzer: Berlin, Märk. Mus., Inv.Nr. VII 62/526 W (6.6.1953)
Druckplatte vorhanden.

(2466) *Arbeiter*
Radierung
322 x 249 mm
Auflage: 1 Expl. bekannt
Bezeichnung: u.l. »H. Strempel 49. / Arbeiter«; u.r. »2/2«
Datierung: 1949
Provenienz: Berlin/DDR, Staatl. Enteignungsstelle
Besitzer: Berlin, Märk. Mus., Inv.Nr. VII 62/524 W (6.6.1953)

(2467) *Der Plan*
Radierung
325 x 256 mm
Auflage: 2 Expl. bekannt
Datierung: 1949
Ausstellung: Berlin/DDR 1979, Nr. 544
Abbildungen: Der Aufbau, 5, 1949, H. 12, 1108 (Entwurf zu einem Wandbild).- Kuhirt 1982, Abb. 106.- Berlin/DDR 1979, 33
a) Bezeichnung: u.r. »Strempel 49.«; verso u.l. »Der Plan«
Besitzer: Berlin, StM, KpstK, Inv.Nr. 228–1971
b) Bezeichnung: u.l. »H. Strempel. 49 / ‹Plan›«; u.r. »2/2«
Provenienz: Berlin/DDR, Staatl. Enteignungsstelle
Besitzer: Berlin, Märk. Mus., Inv.Nr. VII 62/523 W (6.6.1953)

(2468) »*Der Plan*«
Radierung
325 x 245 mm
Auflage: kein Expl. bekannt
Datierung: um 1949
Die Druckplatte mit durchkreuztem Motiv ist vorhanden. Auf der Vorderseite befindet sich der Druckstock von *Terrasse* (WVZ 2473).

(2469) *Vier Arbeiter*
Radierung
530 x 690 mm
Auflage: kein Expl. bekannt
Datierung: um 1949
Ausstellung: Dresden 1949/2, Nr. 55

(2470) *Liegendes Paar*
Radierung

100 x 145 mm
Auflage: 1 Expl. bekannt
Bezeichnung: u.l. »Strempel 49«; u.r. »2/7«; u.r. (a.d. Passepartout) »‹Liegendes Paar› / ‹Paar›«
Datierung: 1949
Ausstellung: Berlin/W. 1978, Nr. 19
Druckplatte vorhanden.-

(2471) »*Die Sucher*«
Aquatinta
200 x 150 mm
Auflage: 1 Expl. bekannt
Bezeichnung: u.l. »Strempel 49«; u.r. »5/3.«
Datierung: 1949
Besitzer: Privatbesitz
Siehe das Gemälde *Die Sucher* (WVZ 252).

(2472) *Unfall*
Radierung
192 x 145 mm
Auflage: 2 Expl. bekannt
Datierung: 1949
Ausstellung: Berlin/W. 1978, Nr. 22
Abbildung: Berlin/W. 1978, o.S.
a) Bezeichnung: u.l. »Strempel 49«; u.r. »2/3«; u.l. (a.d. Passepartout) ‹Unfall›«
b) Bezeichnung: u.l. »Strempel 49.«; u.r. »2/4«
Provenienz: Berlin, Heinz Lüdecke
Besitzer: Berlin, DAK

(2473) **Terrasse**
Radierung
323 x 246 mm
Auflage: 1 Expl. bekannt
Bezeichnung: u.l. »H. Strempel 49. / Terrasse«; u.r. »3/2«
Datierung: 1949
Provenienz: Berlin/DDR, Staatl. Enteignungsstelle
Besitzer: Berlin, Märk. Mus., Inv.Nr. VII 62/521 W (6.6.1953)
Druckplatte vorhanden.- Siehe die Zeichnung WVZ 1723.

(2474) *Frauenkopf* (*Mädchen III*)
Lithografie
365 x 285 mm
Auflage: 3 Expl. bekannt
Datierung: 1949
a) Bezeichnung: u.l. »Strempel 49 / ‹Frauenkopf›«
b) Besitzer: Privatbesitz
c) Bezeichnung: u.l. »H. Strempel 49. / ‹Mädchen III›«
Provenienz: Berlin/DDR, Staatl. Enteignungsstelle
Besitzer: Berlin, Märk. Mus., Inv.Nr. VII 62/514 W (6.6.1953)

(2475) *Mädchenkopf II* (*Mein Mädchen*)
Lithografie
478 x 370 mm
Auflage: 5 Expl. bekannt
Datierung: 1949
Abbildung: Ulenspiegel, 4, 1949, H. 24, 6/7
a) Lithografie, farbig
Besitzer: Privatbesitz
b) Lithografie, farbig
Bezeichnung: u.l. »H. Strempel 49 / ‹Mädchenkopf› II«
Provenienz: Berlin/DDR, Staatl. Enteignungsstelle
Besitzer: Berlin, Märk. Mus., Inv.Nr. VII 62/513 W (6.6.1953)
c) Lithografie, farbig

(2476) »*Arbeiterkopf*«
Lithografie
400 x 320 mm
Auflage: 1 Expl. bekannt
Bezeichnung: u.l. »Strempel 49«
Datierung: 1949

(2477) »*Paar*«
Lithografie
400 x 300 mm
Auflage: 3 Expl. bekannt
Datierung: 1949
a) Bezeichnung: u.l. »‹Das Beil von Wandsbeck› Illustration zu Arnold Zweig Strempel 49«
b) Besitzer: Privatbesitz
c) Bezeichnung: u.l. »Strempel 49. / zu Arnold Zweig. / ‹das Beil von Wandsbeck›«
Provenienz: Berlin/DDR, Staatl. Enteignungsstelle
Besitzer: Berlin, Märk. Mus., Inv.Nr. VII 62/520 W (6.6.1953)

(2478) *Henningsdorf I*
Lithografie
435 x 360 mm
Auflage: 2 Expl. bekannt
Datierung: 1949
a) Bezeichnung: u.l. »Strempel. 49 / Henningsdorf I«; u.r. »7«
Provenienz: Berlin/DDR, Staatl. Enteignungsstelle
Besitzer: Berlin, Märk. Mus., Inv.Nr. VII 62/515 W (6.6.1953)

(2479) »*Arbeiter in Henningsdorf*«
Lithografie
Auflage: 1 Expl. bekannt
Datierung: 1949
Besitzer: Privatbesitz
Ausstellung: Berlin 1949/3
Abbildung: BZ, 18.11.1949

(2480) *Paar*
Lithografie
470 x 390 mm
Auflage: 2 Expl. bekannt
Datierung: 1949
a) Bezeichnung: u.l. »H. Strempel. 49.«; u.r. »Paar«
Provenienz: Berlin/DDR, Staatl. Enteignungsstelle
Besitzer: Berlin, Märk. Mus., Inv.Nr. VII 62/511 W (6.6.1953)

(2481) *Kreuzigt ihn!*
Lithografie
505 x 400 mm
Auflage: 3 Expl. bekannt
Datierung: 1949
Ausstellungen: Berlin/W. 1978, Nr. 20 (Radierung); Berlin/DDR 1980
Abbildungen: Stephanowitz 1984, 217 (dat. 1951).- Berlin/W. 1978, o.S.; Berlin/DDR 1980, 78
Das Ecce Homo-Motiv ist von Strempel offenbar in mehreren Techniken aufgegriffen worden. Allerdings ist aus der Literatur nichts Zuverlässiges dazu zu erfahren. Während die noch vorhandenen Blätter durchweg in der Technik der Lithografie ausgeführt sind, verzeichnet der Ausstellungskatalog Berlin/W. 1978 mit den gleichen Daten eine Radierung. Die Abbildung dort ist mit den Lithografien identisch, so daß davon ausgegangen werden kann, daß

im Katalog ein Fehler unterlaufen ist. Wilhelm Puff schrieb zu den Bearbeitungen von *Kreuzigt ihn* in einem Brief an Strempel (27.12.1964) folgendes: »Nicht wenig begeistert hat mich aber auch Dein Litho Kreuziget ihn! und die im Jahr darauf entstandene Skizze zum selben Thema. Ohne Zweifel gehören alle Arbeiten dieses und verwandter Stoffkreise der sozialkritisch bedingten großen künstlerischen Periode zwingender Grotesk- und Karikaturformen Deines Schaffens an und werden in Deinem Gesamtopus unvermindert Wert behalten. Die Form ist hier auf die einfachste Formel überzeugend gebracht, das Gestische wie das Statuarische gleich groß bewältigt. das sozialistische Engagement widerstreitet nicht der Formordnung.«
a) Lithografie, zweifarbig
Bezeichnung: u.l. »H. Strempel 49. / ‹Kreuzigt ihn› Litho«
Provenienz: Berlin/DDR, Staatl. Enteignungsstelle
Besitzer: Berlin, Märk. Mus., Inv.Nr. VII 62/518 W (6.6.1953)
b) Besitzer: Privatbesitz

(2482) »*Kopf eines Arbeiters mit Kappe im Profil nach rechts*«
Monotypie
280 x 255 mm (400 x 305 mm)
Datierung: um 1949

(2483) »*Kopf eines Arbeiters mit Kappe im Profil nach rechts*«
farbige Monotypie
280 x 240 mm (390 x 360 mm)
Datierung: um 1949

(2484) »*Kopf eines Arbeiters mit Kappe nach rechts blickend*«
farbige Monotypie
ca. 270 x 250 mm (450 x 350 mm)
Datierung: um 1949

(2485) »*Kopf eines Arbeiters mit Kappe nach rechts blickend*«
farbige Monotypie
280 x 245 mm (395 x 355 mm)
Datierung: um 1949

(2486) »*Kopf eines Arbeiters mit Kappe nach rechts blickend*«
farbige Monotypie
ca. 280 x 245 mm (450 x 347 mm)
Datierung: um 1949

(2487) »*Brustbild eines Arbeiters*«
Monotypie
280 x 250 mm (510 x 415 mm)
Datierung: um 1949

(2488) »*Arbeiter mit einer Kette in der Hand*«
Monotypie
285 x 250 mm (515 x 420 mm)
Datierung: um 1949

(2489) »*Sitzender Arbeiter*«
Monotypie
282 x 252 mm (510 x 420 mm)
Datierung: um 1949

(2490) »*Stahlarbeiter mit Feuerhaken im Profil*«
Monotypie

555 x 375 mm (650 x 450 mm)
Datierung: um 1949

(2491) »*Zwei Stahlarbeiter*«
Monotypie
440 x 330 mm (550 x 450 mm)
Datierung: um 1949

(2492) »*Bergarbeiter im Stollen*«
Monotypie
330 x 440 mm (450 x 550 mm)
Datierung: um 1949

(2493) *Arbeiterkopf*
Lithografie, farbig
305 x 235 mm
Auflage: 1 Expl. bekannt
Bezeichnung: u.l. »H. Strempel. 50.« / ‹Arbeiterkopf›«
Provenienz: Berlin/DDR, Staatl. Enteignungsstelle
Besitzer: Berlin, Märk. Mus., Inv.Nr. VII 62/516 W (6.6.1953)
Ausstellung: Berlin/DDR 1979, Nr. 547
Abbildung: Berlin/DDR 1979, 310

(2494) *Arbeiterkopf*
Monotypie
280 x 250 mm (400 x 280 mm)
Bezeichnung: u.l. »Strempel 50 / Arbeiterkopf«; u.r. »Monotypie«
Datierung: 1950

(2495) »*Knabenkopf im Profil*«
Monotypie
280 x 250 mm (450 x 330 mm)
Bezeichnung: u.l. »H. Strempel. 1950« und Widmung; u.r. Monotypie 1/.«
Datierung: 1950

(2496) »*Paar*«
Lithografie, zweifarbig
580 x 425 mm
Auflage: 3 Expl. bekannt
Datierung: 1951
a) Lithografie, zweifarbig/Karton
Bezeichnung: u.l. »H. Strempel 51«; u.r. »7/..«
b) Bezeichnung: u.l. »H. Strempel 51.«
Besitzer: Berlin, StM, KpstK, Inv.Nr. 187−1983

(2497) »*Frau mit Kopftuch*«
Lithografie
400 x 295 mm
Auflage: 1 Expl. bekannt
Bezeichnung: u.l. »H. Strempel 1952 / Umschlag 8«
Datierung: 1952

(2498) *Mädchenkopf*
Monotypie
360 x 200 mm (450 x 325 mm)
Datierung: 1953*

(2499) *Mädchenkopf*
Monotypie (rot, grün)
360 x 250 mm (455 x 330 mm)
Bezeichnung: u.l. »Strempel 53«
Datierung: 1953
Dem Werkkatalog Strempels zufolge muß noch eine dritte Variante des Mädchenkopfes vorhanden gewesen sein.

(2500) *Frau mit Träne*
A. Radierung
158 x 120 mm
Auflage: 3 Exp. bekannt
Datierung: 1954
Ausstellung: Berlin/W. 1963
Abbildung: Berlin/1963
a) Bezeichnung: u.l. »H. Strempel«; u.r. »5/10«
b) Bezeichnung: u.l. »H. Strempel 60 / ‹Frau mit Träne›; u.r. »2/3«
Besitzer: Privatbesitz
B. Radierung
158 x 120 mm
Auflage: 2 Expl. bekannt
Datierung: 1954
a) Besitzer: Privatbesitz
b) Bezeichnung: u.l. »Strempel 54«
Besitzer: Privatbesitz
Platte A und Platte B sind von Maß und Motiv her identisch. Offenbar wurde jedoch nachträglich in die Platte B der Neujahrsgruß für 1955 radiert.

(2501) »*Mutter mit Kind*«
Radierung, Aquatinta
540 x 400 mm
Auflage: 3 Expl. bekannt
Datierung: 1954
Platte vorhanden. Siehe die Studie WVZ 2158.
a) Probedruck
Bezeichnung: u.l. »H. Strempel 1954«; u.r. »Probedruck I«
b) Probedruck
Bezeichnung: u.l. »H. Strempel 56« / Widmung; u.r. »1. Probedruck 1. Platte«
Besitzer: Privatbesitz
c) Bezeichnung: u.l. »H. Strempel 1956« / datierte Widmung
Besitzer: Privatbesitz

(2502) *Mutter mit Kind*
Radierung, Aquatinta
118 x 77 mm
Auflage: 1 Expl. bekannt
Bezeichnung: u. Mitte (im Druck) »Frohes Fest wünscht«, u.l. »H. Strempel«; u.r. »1/4«
Datierung: um 1954
Besitzer: Privatbesitz
Platte vorhanden.

(2503) »*Porträt Ernst Niekisch*«
Monotypie
376 x 345 mm
Bezeichnung: u.r. »H. Strempel März 54«
Datierung: 1954
Besitzer: Privatbesitz

(2504) *Hiob*
Linolschnitt
385 x 205 mm
Auflage: 1 Expl. bekannt
Bezeichnung: (im Druckstock) u.l. »St.«
Datierung: 1955
Der Linolschnitt wurde für ein Plakat für Oskar Kokoschkas »Hiob«- Aufführung anläßlich der Berliner Festspiele 1955 verwendet.

(2505) »*Mädchenkopf*«
Aquatinta
300 x 200 mm
Auflage: kein Expl. bekannt
Datierung: um 1955 (?)
Druckplatte vorhanden.

(2506) »*Mädchenkopf*«
Aquatinta

180 x 128 mm
Auflage: 3 Expl. bekannt
Datierung: 1955
a) Aquatinta, farbig
Bezeichnung: u.l. »H. Strempel 55«; u.r. »3/14«
b) Bezeichnung: u.l. »H. Strempel«; u.r. »2/5«

(2507) *Der Wächter*
Radierung, Aquatinta
294 x 200 mm
Auflage: 2 Expl. bekannt
Datierung: 1955
Druckplatte vorhanden. Vgl. WVZ 2156 und 2157.
a) Bezeichnung: u.l. »H. Strempel 55« und Widmung; u.r. »4/4«
Besitzer: Privatbesitz
b) Bezeichnung: u.r. »2/10«; u.l. (a.d. Passepartout) »Horst Strempel 55« und datierte Widmung
Besitzer: Privatbesitz

(2508) *Paar*
Aquatinta
300 x 195 mm
Auflage: 1 Expl. bekannt
Bezeichnung: u.l. »H. Strempel 1955 / ‹Paar›« keine Auflage Platte vorhanden; u.r. »1/10«; verso o.l. »Nr. 24«
Datierung: 1955

(2509) »*Sitzendes Paar im Profil*«
Radierung, Aquatinta
198 x 300 mm
Auflage: 4 Expl. bekannt
Bezeichnung: (in der Druckplatte) u.l. »St. 55«
Datierung: 1955
a) Bezeichnung: u.l. »Horst Strempel 55«; u.r. »1/5«
b) Bezeichnung: u.l. »H. Strempel 55.« / Widmung; u.r. »2/6«
Besitzer: Privatbesitz
c) Bezeichnung: u.l. »H. Strempel 55.« / Widmung; u.r. »2/10«
Besitzer: Privatbesitz
d) Bezeichnung: u.l. »H. Strempel«; u.r. »5/6«; u.l. (a.d. Passepartout) Widmung
Besitzer: Privatbesitz

(2510) »*Mädchen*«
Radierung
65 x 40 mm
Auflage: 1 Expl. bekannt
Bezeichnung: u.l. »H. Strempel« / Widmung, u.r. »56«
Datierung: 1956
Besitzer: Privatbesitz

(2511) »*Mädchen mit Blumenstrauß*«
Radierung, Aquatinta
ca. 200 x 60 mm
Auflage: 1 Expl. bekannt
Bezeichnung: u.l. »H. Strempel 56«; u.r. »1/10«
Datierung: 1956

(2512) »*Mädchen mit Blumenstrauß*«
Radierung, Aquatinta
200 x 60 mm
Auflage: 1 Expl. bekannt
Bezeichnung: u.l. »H. Strempel«
Datierung: um 1956
Besitzer: Privatbesitz
Die Motiv stimmt — abgesehen von der seitenverkehrten Wiedergabe — in den

Grundzügen mit der vorausgehenden Grafik (WVZ 2511) überein.- Da sie als Weihnachts- und Neujahrskarte verwendet wurde, ist anzunehmen, daß die Auflage relativ hoch gewesen ist.

(2513) »*Brustbild einer Frau mit Tuch*«
Radierung, Aquatinta
185 x 70 mm
Auflage: 4 Expl. bekannt
Datierung: um 1956 (vgl. WVZ 2524)
Druckplatte vorhanden.
a) Radierung, Aquatinta (blautonig)
Bezeichnung: u.l. »H. Strempel«; u.r. »2/1«
b) Radierung, Aquatinta (orangetonig)
c) Bezeichnung: u.l. »H. Strempel«; u.r. »1/R«
Besitzer: Privatbesitz

(2514) »*Weiblicher Akt, liegend*«
Aquatinta
395 x 545 mm
Auflage: 5 Expl. bekannt
Datierung: 1956
a) Aquatinta (rot auf hellem Hintergrund)
Bezeichnung: u.l. »Horst Strempel 56«/ datierte Widmung«
Besitzer: Privatbesitz
b) Aquatinta (rot mit hellem Hintergrund)
c) Aquatinta (rot auf türkisfarbenem Hintergrund)
Probedruck
Bezeichnung: u.l. »Strempel 57.« und Widmung; u.r. »Probedruck«
Besitzer: Privatbesitz
d) Radierung
Zustandsdruck
e) Bezeichnung: u.l. »Strempel 57; u.r. »5/«
Besitzer: Bielefeld, Kunsthalle, Inv.Nr. D 876

(2515) »*Paar in Halbfigur*«
Aquatinta
294 x 199 mm
Auflage: 2 Expl. bekannt
Datierung: 1956
Druckplatte vorhanden.-
a) Andruck
Bezeichnung: u.l. »2. Andruck H. Strempel 56«; u.r. »1/1«
Besitzer: Privatbesitz
b) Andruck
Bezeichnung: u.l. »3. Andruck«

(2516) »*Paar mit Kind*«
Radierung, Aquatinta
199 x 302 mm
Auflage: 1 Expl. bekannt
Bezeichnung: u.l. »H. Strempel 56« / Widmung; u.r. »1. Abzug«
Datierung: 1956
Besitzer: Privatbesitz

(2517—2522) *Das Leben (Das Paar)*
2 Blätter mit je drei Radierungen
Radierung, Aquatinta
je 207 x 105 mm
Auflage: 2 Expl. bekannt
Datierung: 1956
Druckplatten vorhanden.
a) Zustandsdrucke (Umriß)
Bezeichnung: jeweils u.l. »Horst Strempel 56«; u.r. »1/1«
Besitzer: Privatbesitz
b) Probedrucke
Bezeichnung: jeweils u.l. »Horst Strempel 56«; u.r. »Probedruck«
Besitzer: Privatbesitz

(2523–2532) Mappe: *Mädchen im Atelier*
Datierung: 1956

(2523) »Sitzende vor einem Spiegel«
Radierung, Aquatinta (2-Platten-Druck)
298 x 195 mm
Auflage: 5 Expl. bekannt
Platten vorhanden.
a) Bezeichnung: u.l. »Horst Strempel«; u.r.
»6/1«
Besitzer: Berlin, Gal. Schüler
b) Radierung, Aquatinta/Japanpapier
c) Bezeichnung: u.l. »H. Strempel«
Besitzer: Privatbesitz
d) Radierung, Aquatinta (schwarz-weiß)
Bezeichnung: u.l. »Horst Strempel«, u.r.
»2/1«
Besitzer: Privatbesitz
e) Radierung, Aquatinta (schwarz-rot)
Bezeichnung: u.l. »H. Strempel 56.«; u.r.
»2/10«
Besitzer: Privatbesitz

(2524) »Mädchenkopf«
Aquatinta (2-Platten-Druck)
298 x 195 mm
Auflage: 5 Expl. bekannt
a) Bezeichnung: u.l. »H. Strempel 56«; u.r.
»6/2«
Besitzer: Berlin, Gal. Schüler
b) Bezeichnung: u.l. »H. Strempel«
Besitzer: Privatbesitz
c) Bezeichnung: u.l. »H. Strempel 65« und
Widmung; u.r. »2/6«
Besitzer: Privatbesitz
d) Aquatinta, farbig
Bezeichnung: u.l. »Horst Strempel«; u.r.
»2/2«
Besitzer: Privatbesitz
e) Aquatinta (rot-blau)
Bezeichnung: u.l. »Horst Strempel 56.«;
u.r. »2/10«
Besitzer: Privatbesitz

(2525) »Sitzende vor einem Spiegel mit
Plastik«
Aquatinta
300 x 195 mm
Auflage: 4 Expl. bekannt
a) Bezeichnung: u.l. »Horst Strempel«; u.r.
»1/6«
Besitzer: Berlin, Gal. Schüler
b) Bezeichnung: u.l. »Horst Strempel 56«;
u.r. »5/2«
Besitzer: Berlin, Gal. Schüler
c) Bezeichnung: u.l. »H. Strempel 56«; u.r.
»1/9«
d) Aquatinta (schwarz/rot)
Bezeichnung: u.l. »Horst Strempel 56.«;
u.r. »2/10«
Besitzer: Privatbesitz

(2526) »Sitzende mit Torso«
Aquatinta
295 x 195 mm
Auflage: 4 Expl. bekannt
a) Bezeichnung: u.l. »Horst Strempel«; u.r.
»6/1«
Besitzer: Berlin, Gal. Schüler
b) Bezeichnung: u.l. »H. Strempel«
Besitzer: Privatbesitz
c) Aquatinta (rot/blau)
Bezeichnung: u.r. »2/3«; u.l. (a.d. Passepartout) »H. Strempel 57«
Besitzer: Privatbesitz
d) Aquatinta (farbig)

Bezeichnung: u.l. »Horst Strempel«; u.r.
»2/1«
Besitzer: Privatbesitz

(2527) »Sich kämmender Akt«
Aquatinta
295 x 195 mm
Auflage: 6 Expl. bekannt
a) Bezeichnung: u.l. »H. Strempel«, u.r. »3/
3«
Besitzer: Berlin, Gal. Schüler
b) Bezeichnung: u.l. »H. Strempel 56«; u.r.
»6/2«
Besitzer: Berlin, Gal. Schüler
c) Bezeichnung: u.l. »H. Strempel«
Besitzer: Privatbesitz
d) Bezeichnung: u.l. »Horst Strempel«; u.r.
»2/1«
Besitzer: Privatbesitz
e) Aquatinta (schwarz/rot)
Bezeichnung: u.l. »Horst Strempel 56.«;
u.r. »2/10«
Besitzer: Privatbesitz
f) Probedruck
Bezeichnung: u.l. »Horst Strempel«; u.r.
»Probedruck«; verso »aus
der Mappe »Mädchen im Atelier« »
Besitzer: Privatbesitz

(2528) »Stehendes Mädchen mit Torso«
Aquatinta
295 x 195 mm
Auflage: 5 Expl.
a) Bezeichnung: u.l. »Horst Strempel 56«,
u.r. »5/2«
Besitzer: Berlin, Gal. Schüler
b) Bezeichnung: u.l. »H. Strempel 56«; u.r.
»8/1«
Besitzer: Berlin, Gal. Schüler
c) Bezeichnung: u.l. »H. Strempel«
Besitzer: Privatbesitz
d) Bezeichnung: u.l. »Horst Strempel«; u.r.
»2/1«
Besitzer: Privatbesitz
e) Aquatinta (schwarz/rot)
Bezeichnung: u.l. »Horst Strempel 56.«;
u.r. »2/10«
Besitzer: Privatbesitz

(2529) »Stehendes Mädchen mit Torso«
Aquatinta
285 x 195 mm
Auflage: keine; 1 Expl. bekannt
Bezeichnung: u.l. »3. Andruck / ausradiert:
1. Platte vernichtet, 3. Zustand«

(2530) »Sitzendes Mädchen«
Aquatinta
298 x 198 mm
Auflage: 4 Expl. bekannt
a) Bezeichnung: u.l. »H. Strempel«
Besitzer: Privatbesitz
b) Bezeichnung: u.l. »H. Strempel« und
Widmung; u.r. »12/1«
Besitzer: Privatbesitz
c) Bezeichnung: u.l. »Horst Strempel«; u.r.
»2/1«
Besitzer: Privatbesitz
d) Aquatinta (schwarz/rot)
Bezeichnung: u.l. »Horst Strempel 56.«;
u.r. »2/10«
Besitzer: Privatbesitz

(2531) »Frau mit Blumen«
Aquatinta (2-Platten-Druck)
298 x 198 mm

Bezeichnung: u.l. »Horst Strempel«; u.r.
»2/1«
Besitzer: Privatbesitz

Auflage: 3 Expl. bekannt
Druckplatte vorhanden.-
a) Bezeichnung: u.l. »H. Strempel«
Besitzer: Privatbesitz
b) Bezeichnung: u.l. »Horst Strempel«, u.r.
»2/1«
Besitzer: Privatbesitz
c) Aquatinta (schwarz/rot)
Bezeichnung: u.l. »Horst Strempel 56.«;
u.r. »2/10«
Besitzer: Privatbesitz

(2532) *Torso*
Aquatinta
300 x 195 mm
Auflage: 2 Expl. bekannt
Datierung: 1956
Ausstellung: Berlin/W. 1978, Nr. 51 (4 Fas-
sungen)
a) Bezeichnung: u.l. »H. Strempel 1956 /
‹Torso›«; u. Mitte »‹Torso›«;
u.r. »Probedruck 51«
b) Bezeichnung: u.l. »H. St. Torso«; u. Mitte
»‹Torso›«; u.r. »51«

(2533) »Stilleben mit Büste«
80 x 120 mm
Auflage: 3 Expl. bekannt
Datierung: 1956
Druckplatte vorhanden.- Siehe das Gemälde WVZ 413.
a) Bezeichnung: u.l. »H. Strempel 56.« / datierte Widmung; u.r. »2/4«
Besitzer: Privatbesitz
b) Radierung, Aquatinta, koloriert
Bezeichnung: u.l. »H. Strempel 57«; u.r. »2/
15«
Besitzer: Privatbesitz

(2534) *Stilleben am Fenster*
Radierung, Aquatinta (2-Platten-Druck)
205 x 145 mm
Auflage: 4 Expl. bekannt
Datierung: 1956
Druckplatten vorhanden.
a) Bezeichnung: u.l. »H. Strempel 1956« /
datierte Widmung; u.r. »5/20«
Besitzer: Privatbesitz
b) Radierung, Aquatinta (dreifarbig)
Bezeichnung: u.l. »H. Strempel 58«; u.r. »1/
1«
Besitzer: Privatbesitz
c) Radierung, Aquatinta (dreifarbig)
Probedruck
Bezeichnung: u.l. »H. Strempel 1964«; u.r.
»Probedruck«; verso »‹Stilleben am Fen-
ster› Radierung Probedruck«
Besitzer: Privatbesitz

(2535) »Mädchenkopf«
Aquatinta (3-Platten-Druck)
300 x 198 mm
Auflage: 3 Expl. bekannt
Datierung: 1957
Druckplatte vorhanden.
a) Bezeichnung: u.l. »H. Strempel 57«; u.r.
»2/1«
Besitzer: Privatbesitz
b) Bezeichnung: u.l. »H. Strempel 65«; u.r.
»Probedruck II«
c) Radierung, Aquatinta, Tusche
Bezeichnung: u.l. »H. Strempel 65«; u.r.
»Probedruck I«

(2536) *David*
Radierung, Aquatinta
280 x 247 mm
Auflage: 10 Expl.
Datierung: 1957
Ausstellung: Berlin/W. 1963, Nr. 65
Literatur: Kurier, 5.10.1963
Druckplatte vorhanden.-
In einem Brief an Cuno Fischer vom
28.12.1957 schrieb Strempel, daß er die Radierung in einer Auflage von 10 Exemplaren für seine engsten Freunde gemacht habe. Offenbar bekam auch Cuno Fischer eines davon, den er äußerte sich am 9.1.1958 dazu: »die art der figürlichen darstellung entspricht meiner eigenen...das wesentliche des blattes aber ist für mich seine ‹stimmung›. die verinnerlichung und versenkung des gesichtes wird durch die spielenden Hände intensiviert. die hände bilden mit dem fuß ein imaginäres dreieck; es wird durch das harfendreieck noch verstärkt. die unter den saiten liegenden zerrissen hellen flächen machen den eigentlichen inhalt des blattes aus und deuten auf einen unerklärbaren ‹klang›...mindestens die gleiche überzeugungskraft ist in ihrem david zu sehen. die tatsache, dass wir in unserer entwicklung und ansicht so sehr übereinstimmen, hat fast etwas beängstigendes. der david ist für mich ein beweis, dass es noch grafik gibt, die in unserer zeit lebt, unbedingt aktuell im besten sinne ist und auf jeden bluff verzichtet. hier liegt das reine können bloß, es steht einsam und konträr den pseudo-modernen bestrebungen unserer gegenwart gegenüber. weil das so ist, glaube ich auch, dass der david nicht überall gut ‹ankommt›, er ist schwer zu verdauen und daher unbequem.«
a) Bezeichnung: u.l. »H. Strempel«; u.r. »9/10«
Besitzer: Privatbesitz
b) Bezeichnung: u.l. »H. Strempel 57«; u.r. »1/2«; u. datierte Widmung
Besitzer: Privatbesitz
c) Bezeichnung: u.l. »H. Strempel 59 (David)«; u.r. »1/4«
Besitzer: Privatbesitz
d) Bezeichnung: u.l. »H. Strempel«
Besitzer: Privatbesitz

(2537) »*Mädchen*«
Radierung, Aquatinta
195 x 65 mm
Auflage: 3 Expl. bekannt
Datierung: 1957
a) Bezeichnung: u.l. »H. Strempel 57«
Besitzer: Privatbesitz
b) Bezeichnung: u.l. »H. Strempel«
Besitzer: Privatbesitz
c) Entwurf für eine Weihnachtskarte
Bezeichnung: u.l. »H. Strempel 1960«

(2538) »*Madonna*«
Tiefdruckverfahren (weiß auf schwarz)
ca. 405 x 140 mm
Auflage: unbekannt / 1 Expl. vorhanden
Bezeichnung: (im Druckstock) u.r. »Strempel 57«
Datierung: 1957
Besitzer: Privatbesitz
Die Madonna nahm die rechte Seite einer Neujahrskarte ein. Da es sich bei dieser Arbeit um einen Auftrag für ein größeres Unternehmen handelte, wird die Anzahl der

Abzüge relativ hoch gewesen sein.

(2539) »*Mädchenkopf*«
Siebdruck
570 x 330 mm
Auflage: 3 Expl. bekannt
Datierung: 1957
a) Bezeichnung: u.l. »Horst Strempel« und Widmung; u.r. »S./4«
Besitzer: Privatbesitz
b) Bezeichnung: u.l. »H. Strempel 57«; u.r. »St/9? »
Besitzer: Privatbesitz
c) Bezeichnung: u.l. »Horst Strempel 57«; u.r. »handdruck«
Besitzer: Privatbesitz

(2540) »*Mädchenkopf*«
Siebdruck
565 x 345 mm
Auflage: 3 Expl. bekannt
Datierung: 1957
Vgl. das Gemälde WVZ 458.
a) Bezeichnung: u.l. »Horst Strempel 57«; u.r. »Handdruck«
Besitzer: Privatbesitz
b) Bezeichnung: u.l. »H. Strempel 58«
c) Bezeichnung: u.l. »Horst Strempel«; u.r. »S/8«
Besitzer: Privatbesitz

(2541) *Mädchenkopf III*
Siebdruck
575 x 350 mm
Auflage: 5 Expl. bekannt
Datierung: 1957
a) Bezeichnung: u.l. »Horst Strempel 57«; u.r. »Handdruck«
Besitzer: Privatbesitz
b) Bezeichnung: u.l. »Horst Strempel 58«; verso o.l. »Mädchenkopf III«
c) Bezeichnung: u.l. »Horst Strempel«; u.r. »S/11«
Besitzer: Privatbesitz
d) Bezeichnung: u.l. (im Bild) »Strempel«; u.l. »Strempel«; u.r. »S/6«
Besitzer: Privatbesitz
e) Besitzer: Privatbesitz

(2542) »*Sitzende Frau vor einem Spiegel*«
Siebdruck
565 x 325 mm
Auflage: 3 Expl. bekannt
Datierung: 1957
a) Bezeichnung: u.l. »H. Strempel 57«/ datierte Widmung; u.r. »S/1.«
Besitzer: Privatbesitz
b) Siebdruck, Tempera/Karton
600 x 415 mm
c) Probedruck

(2543) *Mächenakt*
Linolschnitt
495 x 265 mm
Auflage: 2 Expl. bekannt
Datierung: 1958
a) Linolschnitt/Japanpapier
Bezeichnung: u.l. »Strempel 1958. / Platte vorhanden. / keine Auflage«; u.r. »Handdruck 4/5«
b) Linolschnitt (blautonig)
Bezeichnung: u.l. »Strempel 1965 ‹Mädchenakt›«; u.r. »6/10«

(2544) »*Mädchenkopf*«
Radierung, Aquatinta

180 x 140 mm
Auflage: 2 Expl. bekannt
Datierung: 1958
Druckplatte vorhanden.
a) Bezeichnung: u.l. »H. Strempel 58«, u.r. »2/1.«
Besitzer: Privatbesitz

(2545) »*Mädchenkopf*«
Radierung, Aquatinta (zweifarbig, 2-Platten-Druck)
165 x 108 mm
Auflage: 1 Expl. bekannt
Bezeichnung: u.l. »H. Strempel 58«; u.r. »2/1«
Datierung: 1958
Besitzer: Privatbesitz

(2546) »*Frau in Halbfigur*«
Radierung, Aquatinta (2-Platten-Druck)
195 x 70 mm
Auflage: 1 Expl. bekannt
Bezeichnung: u.l. »H. Strempel 58«; u.r. »1/2«
Datierung: 1958
Besitzer: Privatbesitz
Druckplatten vorhanden.

(2547) »*Weiblicher Halbakt*«
Radierung, Aquatinta (2-Platten-Druck)
320 x 248 mm
Auflage: 2 Expl. bekannt
Datierung: 1958
Druckplatte vorhanden.
a) Radierung, Bleistift
b) Radierung, Aquatinta (schwarz/orange)
Bezeichnung: u.l. »H. Strempel 58« / datierte Widmung; u.r. »1/2.«
Besitzer: Privatbesitz

(2548) »*Mädchen am Fenster*«
Radierung, Aquatinta (2-Platten-Druck)
243 x 260 mm
Auflage: 5 Expl. bekannt
Datierung: 1958
Druckplatten vorhanden.
a) Radierung, Aquatinta (schwarz/orange)
Bezeichnung: u.l. »H. Strempel 58«; u.r. »1/1«
Besitzer: Privatbesitz
b) Bezeichnung: verso r. »Probedruck / Ausführung wie Muster I, II, III, 2 farbig / 3 teilig, 12,00«
Dieser Abzug war als Entwurf für eine Grußkarte gedacht, die, wie das Muster zeigt, zweifach gefaltet werden sollte.
c) Datierung: 1963
Besitzer: Privatbesitz
d) Radierung, Aquatinta (vierfarbig)
Bezeichnung: u.l. »Horst Strempel«
Besitzer: Privatbesitz

(2549) *Das Paar*
Radierung, Aquatinta
198 x 298 mm
Auflage: 2 Expl. bekannt
Bezeichnung: (in der Druckplatte) u.r. »Strempel«
Datierung: 1958
Druckplatte vorhanden.
a) Bezeichnung: u.l. »Horst Strempel 58 / ‹Das Paar› Blatt II«; u.r. »1/5 / DM 100.-; verso o.l. »Nr.19 DM 50.-«
b) Bezeichnung: u.l. »Horst Strempel 58 / ‹Das Paar› Blatt I«; u.r. »2/5 / DM 100.-«

(2550) »*Häuser*«
Radierung
115 x 90 mm
Auflage: 1 Expl. bekannt
Bezeichnung: u.l. »H. Strempel 58«; u.r. »2/
1.«
Datierung: 1958
Besitzer: Privatbesitz

(2551) »*Park*«
Radierung
295 x 195 mm
Auflage: 1 Expl. bekannt
Bezeichnung: u.l. »H. Strempel 58«; u.r. »2/
Zustand«
Datierung: 1958
Besitzer: Privatbesitz

(2552) »*Mädchenkopf*«
Siebdruck
540 x 395 mm
Auflage: 2 Expl. bekannt
Datierung: 1958
Vgl. die Radierung von 1957 (WVZ 2535).
a) Bezeichnung: u.l. »Strempel 58« / Widmung; u.r. »S/.«
Besitzer: Privatbesitz
b) Besitzer: Privatbesitz

(2553) »*Madonna mit Kind*«
Siebdruck
245 x 75 mm
Auflage: 1 Expl. bekannt
Bezeichnung: u.l. »Strempel 58«; u.r. »S/«
Datierung: 1958
Besitzer: Privatbesitz

(2554) *Mädchenkopf*
Holzschnitt
480 x 265 mm
Auflage: 2 Expl. bekannt
Datierung: 1959
Druckstock vorhanden.
a) Holzschnitt/Japanpapier
Bezeichnung: u.l. »Horst Strempel 1959
‹Mädchenkopf› Handdruck«; u.r. »5/10«
b) Holzschnitt/Japanpapier

(2555) *Mädchenkopf*
Holzschnitt (2-Platten-Druck)
458 x 403 mm
Auflage: 4 Expl. bekannt
Bezeichnung: (im Druckstock) u.l. »St.«
Datierung: 1959
a) Holzschnitt (zweifarbig)
Bezeichnung: u.l. »H. Strempel«; u.r.
»Holzschnitt«; verso u.l. »Nr. 19 Mädchenkopf«
b) Bezeichnung: u.l. »H. Strempel 59.« / datierte Widmung
Besitzer: Privatbesitz
c) Bezeichnung: u.l. »H. Strempel 59«
Besitzer: Privatbesitz
d) Holzschnitt/Karton
Zustandsdruck (mit einer Platte)
Bezeichnung: u.l. »H. Strempel 1959«

(2556) »*Kopf*«
Radierung, Aquatinta
240 x 173 mm
Auflage: 7 Expl. bekannt
Datierung: 1959
a) Aquatinta (blautonig)
Bezeichnung: u.l. »Strempel 59«
Besitzer: Privatbesitz
b) Aquatinta (blautonig)

Bezeichnung: u.l. »H. Strempel«; u.r. »2/
26«
Besitzer: Privatbesitz
c) Aquatinta (blautonig)
Bezeichnung: u.l. »H. Strempel 59«; u.r. »2/
3«; u.l. (a.d. Passepartout) datierte Widmung
Besitzer: Privatbesitz
d) Zustandsdruck
Bezeichnung: u.l. »H. Strempel 60«; u.r.
»Probedruck I«
Besitzer: Privatbesitz
e) Zustandsdruck
Bezeichnung: u.l. »H. Strempel 60«; u.r.
»Probedruck II«
Besitzer: Privatbesitz
f) Zustandsdruck
Bezeichnung: u.l. »H. Strempel 60«; u.r.
»Probedruck III«
Besitzer: Privatbesitz
g) Bezeichnung: u.l. »Strempel 59«
Besitzer: Bielefeld, Kunsthalle, Inv.Nr. D
880

(2557) »*Kopf eines Mädchens im Profil*«
Radierung
160 x 120 mm
Auflage: 2 Expl. bekannt
Datierung: 1959
Druckplatte vorhanden.
a) Bezeichnung: u.l. »H. Strempel 59«; u.r.
»2/4«

(2558) »*Kopf eines Mädchens im Profil*«
Radierung, Aquatinta
131 x 108 mm
Auflage: 3 Expl. bekannt
Datierung: 1959
Druckplatte vorhanden.
a) Bezeichnung: u.l. »H. Strempel 59.« / datierte Widmung; u.r. »3/10«
Besitzer: Privatbesitz
b) Bezeichnung: u.l. »H. Strempel«
Besitzer: Privatbesitz
c) Besitzer: Privatbesitz

(2559) »*Weiblicher Halbakt*«
Radierung, Aquatinta
157 x 135 mm
Auflage: 1 Expl. bekannt
Bezeichnung: u.l. »H. Strempel 59«; u.r. »1/
3«; u. datierte Widmung
Besitzer: Privatbesitz

(2560) »*Sitzendes Mädchen vor einem
Spiegel*«
Radierung, Aquatinta
76 x 77 mm
Auflage: 3 Expl. bekannt
Datierung: 1959
a) A. (recto) Zustandsdruck
Bezeichnung: u.l. »Strempel 1959«
B. (verso) Bezeichnung: u.l. »H. Strempel«;
u.r. »3/9«
b) Bezeichnung: u.l. »H. Strempel 60«; u.r.
»2/3«

(2561) »*Mädchen in Halbfigur mit Spiegel*«
Radierung, Aquatinta
77 x 75 mm
Auflage: 3 Expl. bekannt
Datierung: 1959
a) Bezeichnung: u.l. »H. Strempel«; u.r. »2/2«
b) Radierung, Aquatinta, koloriert

(2562) *Mädchen in der Stadt*

Radierung
75 x 120 mm
Auflage: 1 Expl. bekannt
Bezeichnung: u.l. »Mädchen in der Stadt /
H. Strempel 1959« und datierte Widmung;
u.r. »3/5«
Datierung: 1959
Besitzer: Privatbesitz

(2563) »*Madonna mit Kind*«
Aquatinta
203 x 56 mm
Auflage: 2 Expl. bekannt
Datierung: 1959
Druckplatte vorhanden.
a) Bezeichnung: u.l. »H. Strempel 59«, u.r.
»2/5«
b) Bezeichnung: u.l. »H. Strempel«
Besitzer: Privatbesitz

(2564) **Loth und seine Töchter**
Radierung, Aquatinta
320 x 254 mm
Auflage: 6 Expl. bekannt
Datierung: 1959
Die Druckplatte dieser Radierung schenkte Strempel wahrscheinlich 1964 Wilhelm Puff. Dieser schrieb in einem Brief vom 2.6.1964 dazu: »Die Platte wirkt, so will mich dünken, fast noch großartiger als die Radierung: die ins Expressive gesteigerte Dramatik bringt des Loth Beschwörungsgeste nicht nur als eine solche gegenüber dem tobenden Element zum Ausdruck, sie kann zugleich gedeutet werden als Trutzbekenntnis zum Schönheitsbesitz der Töchter: zu einem Unvernichtbaren inmitten der wütenden Feuer-Irrationalität. Mag Loths Frau zur Salzsäure erstarren: der Wille zur Form, zur Schönheit ist gerettet — der alttestamentliche Ethikkomplex ist überwunden, und es ist auch der neutestamentliche Erbsünden-Unsinn entlarvt, daß das Weib ‹Sünde› sei. Der künstlerische Ratiogriff ist vollkommen geglückt.«
Cuno Fischer schrieb am 19.4.1960 an Strempel über diese Radierung: »den stärksten eindruck auf mich macht der kleine, vertikale, brutale ausschnitt des himmels, der durch die bedrohliche zinnenbrücke zerschnitten wird. ferner lots weib. diese beiden elemente geben der gruppe lot und töchter die totale verängstigung. hier wurde ein symbolismus der höchsten aktualität radiert ohne symbolträchtig zu sein.«
a) Bezeichnung: u.l. »H. Strempel 59.« /
Widmung; u.r. »Loth seine Töchter«
Besitzer: Privatbesitz
b) Radierung
Zustandsdruck (Umriß)
c) Zustandsdruck
d) Zustandsdruck
e) Zustandsdruck
Bezeichnung: o. »Zink 10 Strich. 8 Minuten gut«

(2565) *Loth und seine Töchter*
Radierung, Aquatinta
250 x 320 mm
Auflage: 4 Expl. bekannt
Datierung: 1959
a) Bezeichnung: u.l. »H. Strempel 59 / 13.
‹Loth und seine Töchter›«; u.r. »1/3«
b) Bezeichnung: u.l. »Strempel 59« / datierte Widmung
Besitzer: Privatbesitz

(2566) »*Zwei Frauen mit Stilleben am Fenster*«
Radierung, Aquatinta
238 x 257 mm
Auflage: 2 Expl. bekannt
Datierung: 1959
Druckplatte vorhanden.
a) Bezeichnung: u.l. »H. Strempel 59.« / datierte Widmung; u.r. »1/4.«
Besitzer: Privatbesitz
b) Besitzer: Privatbesitz

(2567) »*Familie*«
Radierung, Aquatinta
236 x 255 mm
Auflage: 1 Expl. bekannt (Probedruck)
Bezeichnung: u.l.«Strempel 59«; u.r. »Probedruck«
Datierung: 1959
Besitzer: Privatbesitz
Die zweimalige Falzung des Blattes läßt vermuten, daß die Grafik als Grußkarte verwendet werden sollte.

(2568) *Berlin-Charlottenburg, Krumme Straße*
Radierung, Aquatinta
295 x 195 mm
Auflage: 1 Expl. bekannt
Bezeichnung: u.l. »H. Strempel 59 / Berlin-Charlbg. Krumme Straße« / datierte Widmung; u.r. »2/5«
Datierung: 1959
Besitzer: Privatbesitz
Druckplatte vorhanden.

(2569) »*Blick durch einen Torbogen auf Häuser und eine Kirche*«
Radierung
249 x 160 mm
Auflage: kein Expl. bekannt
Datierung: um 1959 (vgl. WVZ 2568)
Druckplatte vorhanden.-

(2570) *Berlin-Charlottenburg*
Radierung, Aquatinta
295 x 195 mm
Auflage: 2 Expl. bekannt
Datierung: 1959
Druckplatte vorhanden.-
a) Bezeichnung: u.l. »H. Strempel 59« / datierte Widmung; u.r. »2/1«
Besitzer: Privatbesitz
b) Bezeichnung: u.l. »Horst Strempel 1962«; u.r. »1/8«
Besitzer: unbekannt (Foto aus dem Nachlaß)

(2571) »*Häuser*«
Radierung, Aquatinta
123 x 71 mm
Auflage: kein Expl. bekannt
Datierung: um 1959
Druckplatte vorhanden. Das Motiv weist Ähnlichkeiten zu der vorhergehenden Grafik (WVZ 2570) auf.

(2572) »*Straße mit Bäumen und Häusern*«
Radierung
120 x 101 mm
Auflage: 1 Expl. bekannt
Bezeichnung: u.l. »Strempel 59«; u.r. »1/5«
Datierung: 1959
Besitzer: Privatbesitz

(2573) *Torso*
Radierung, Aquatinta
115 x 85 mm
Auflage: 2 Expl. bekannt
Datierung: 1959
a) Bezeichnung: u.l. »Strempel«; u.r. »2/5«
b) Bezeichnung: u.l. »H. Strempel 59 / ‹Torso›«; u.r. »1/5«
Besitzer: Privatbesitz

(2574) »*Mädchenkopf im Profil*«
Siebdruck
ca. 220 x 170 mm
Auflage: 1 Expl. bekannt
Bezeichnung: u.l. »1959«
Datierung: 1959

(2575) »*David*«
Siebdruck
440 x 400 mm
Auflage: 1 Expl. bekannt
Bezeichnung: u.l. »Strempel 59«
Datierung: 1959
Besitzer: Privatbesitz

(2576) »*Sitzende Frau vor einem Spiegel*«
Siebdruck
360 x 275 mm
Auflage: 1 Expl. bekannt
Bezeichnung: u.l. »1959«
Datierung: 1959

(2577) »*Sitzende*«
Siebdruck
570 x 330 mm
Auflage: 2 Expl. bekannt
Datierung: um 1959 (vgl. WVZ 2574)
a) Bezeichnung: u.l. »H. Strempel«
b) Siebdruck/Japanpapier

(2578) »*Weiblicher Akt mit Tuch*«
Siebdruck
795 x 445 mm
Auflage: unbekannt
Datierung: 1959

(2579) **Gedächtniskirche**
Siebdruck
ca. 665 x 395 mm
Auflage: unbekannt
Datierung: 1959
Ausstellung: Berlin/W. 1963, Nr. 61
Abbildung: Berlin/W. 1963
Die Auflage dieses Siebdrucks war wahrscheinlich hoch. Es konnten allein 20–30 Exemplare in verschiedensten Farbvarianten eruiert werden. Wie er in einem Brief an W. Puff (20.12.1961) schrieb, druckte Strempel zu diesem Zeitpunkt eine Neuauflage.
Wilhelm Puff interpretierte das Blatt folgendermaßen (Brief an Strempel vom 10.1.1960): »Ein Werk von unerhörter Größe – ja, Größe, und nicht etwa nur Großartigkeit. ... stehe ich erschüttert vor dem wuchtigen Monument Ihrer Leistung, vor diesem malerisch wie graphisch einzigartig ausdrucksstarken, überwältigend herrlichen Werk! Und übrigens: wer will, mag eine Glorifizierung der Kirche als einer Institution von ewiger, alle Katastrophen der Zeit überwindender Dauer hier sehen; aber ebenso sind andere Betrachter, und zu denen zähle ich, hier aufgerufen, die völlige Nichtigkeit der kirchlichen, versteinten Institution der Kirche zu erkennen gegenüber dem kosmischen Spiel von Licht, Schatten und Nacht, womit religiös-irdische Anma-ßung als durch gott-natürliche und nicht welthistorische Trumpfasse ausgestochen wird. Das Werk ist umfassend in volkstümlich greifbarem wie in esoterisch geistigem Sinn; und wenn das erstere dazu verhelfen kann, Ihnen Popularität zu sichern, so das letztere, Ihnen in den Augen aller wahren Kunstverständigen höchste Anerkennung zu erobern.«

(2580) »*Kirche mit roter Sonne*«
Siebdruck
ca. 330 x 255 mm
Auflage: 1 Expl. bekannt
Bezeichnung: u.l. »H. Strempel 59.«
Datierung: 1959
Besitzer: Privatbesitz

(2581) »*Stilleben mit Vase und Äpfeln*«
Siebdruck
460 x 385 mm (Blattgröße)
Auflage: 1 Expl. bekannt
Bezeichnung: u.l. »St. 1959«
Datierung: 1959

(2582) »*Drei Frauen*«
Gipsschnitt
750 x 460 mm
Auflage: 1 Expl. bekannt
Bezeichnung: (im Druckstock) u.l. »Strempel«
Datierung: um 1960 (?)

(2583) »*Liegender Akt*«
Aquatinta
81 x 125 mm
Auflage: 2 Expl. bekannt
Datierung: 1960
Druckplatte vorhanden.- Vgl. die Aquatinta WVZ 2584.
a) Bezeichnung: u.l. »Strempel 60«; u.r. »2/2«
Besitzer: Privatbesitz
b) Bezeichnung: u.l. »H. Strempel 61«; u.r. »2/4«; u.: Widmung
Besitzer: Privatbesitz

(2584) »*Liegender Akt*«
Aquatinta
Auflage: 2 Expl. bekannt
Datierung: um 1960 (?)
Druckplatte vorhanden.
a) Bezeichnung: u.l. »H. Strempel«; u.r. »1/21«
Besitzer: Privatbesitz
b) Bezeichnung: u.l. »H. Strempel«; u.r. »1/3«
Besitzer: Privatbesitz

(2585) »*Madonna mit Kind*«
Radierung
200 x 60 mm
Auflage: 2 Expl. bekannt
Datierung: 1960
a) Bezeichnung: u.l. »H. Strempel«; u.r. »Probedruck 1960«
b) Bezeichnung: u. »H. Strempel Probedruck II / 1960«

(2586) »*Madonna mit Kind*«
Radierung, Aquatinta
200 x 60 mm
Auflage: 1 Expl. bekannt
Bezeichnung: u. »H. Strempel 1960 Probedruck / Glasfenster«
Datierung: 1960
Siehe die Studie WVZ 2265.

(2587) »*Madonna mit Kind*«
Aquatinta (2-Platten-Druck)
Auflage: 1 Expl. bekannt
Bezeichnung: u.l. »H. Strempel«
Datierung: um 1960
Besitzer: Privatbesitz

(2588) »*Zwei sitzende Frauen*«
Radierung
120 x 79 mm
Auflage: 1 Expl. bekannt
Bezeichnung: u.l. »Horst Strempel«; u.r.
»1/7«
Datierung: um 1960
Besitzer: Privatbesitz

(2589) »*Paar*«
Radierung
185 x 65 mm
Auflage: 1 Expl. bekannt (Probedruck)
Bezeichnung: u.l. »H. Strempel 60 / Probe-
druck«
Datierung: 1960

(2590) *Bäume*
Radierung
98 x 119 mm
Auflage: 2 Expl. bekannt
Datierung: um 1960
a) Bezeichnung: u.l. »H. Strempel«, u.r. »1/6«
Besitzer: Privatbesitz
b) Bezeichnung: u.l. »H. Strempel«, u.r. »1/3«
Besitzer: Privatbesitz

(2591) *Stilleben mit Kopf*
Radierung, Aquatinta
93 x 117 mm
Auflage: 4 Expl. bekannt
Datierung: 1960
Dem Werkkatalog zufolge müssen zwei
Fassungen dieses Motivs vorhanden gewesen sein.
a) Probedruck
Besitzer: Privatbesitz
b) Bezeichnung: u.l. »H. Strempel 60«; u.r.
»2/4«
c) Bezeichnung: u.l. »H. Strempel 60«, u.r.
»3/10«
Besitzer: Privatbesitz

(2592) *Stilleben mit Zitronen*
Aquatinta (2-Platten-Druck)
180 x 85 mm
Auflage: 2 Expl. bekannt
Datierung: 1960
Druckplatten vorhanden.
a) Aquatinta (blau/schwarz)
b) Bezeichnung: u.l. »H. Strempel 1960 /
‹Stilleben mit Zitronen›«

(2593) »*Stilleben mit Zitronen*«
Radierung, Aquatinta (2-Platten-Druck)
68 x 90 mm
Auflage: 3 Expl. bekannt
Datierung: 1960
a) Bezeichnung: u.l. »H. Strempel 60«, u.r.
»2/5«
b) Radierung, Aquatinta (zweifarbig und
versetzt gedruckt)
Bezeichnung: u.l. »Strempel.«
Besitzer: Privatbesitz
c) Besitzer: Privatbesitz

(2594) *Glasfenster*
Radierung
linkes Motiv: 195 x 145 mm; rechtes Motiv:

195 x 64 mm
Auflage: 1 Expl. bekannt
Bezeichnung: u.l. »H. Strempel 1960. /
(Gratulationskarte) / Glasfenster«
Datierung: 1960
Druckplatten vorhanden.-
1960 hatte sich Strempel, wahrscheinlich
zum erstenmal seit seinem Weggang 1941,
wieder in Paris aufgehalten. In einem Brief
vom 14.12.1960 schrieb er an Cuno Fischer,
daß er unter dem Eindruck von Chartres
und St. Chapelle einige Bilder gemalt habe,
die von den Glasfenstern beeinflußt seien.
Gemaltes oder Gezeichnetes mit direkten
Bezügen zu Glasfenstern konnte nicht aufgefunden werden; jedoch sind einige Grafiken bekannt. Neben der o.g. handelt es sich
zumeist um Madonnendarstellungen, die
hauptsächlich als Motive für Gratulations-
karten usw. Verwendung fanden.

(2595) »*Abstrakte Komposition*«
Prägedruck
200 x 70 mm
Auflage: 1 Expl. bekannt
Datierung: um 1960
Druckplatte vorhanden.-
Die Druckplatte, die vorhanden ist, wurde
in einer Ätztechnik bearbeitet. Anders als
bei den Radierplatten, sind die Höhenun-
terschiede ziemlich groß, so daß die Reliefs
stark hervortreten.- Nachdem die Platte so
vorbereitet worden war, wurde das Motiv
auf dickeres Papier, beispielsweise Bütten,
ohne Verwendung von Farbe gedruckt.

(2596) »*Mädchenkopf im Profil mit Sternen
im Haar*«
Siebdruck
125 x 100 mm
Auflage: unbekannt
Datierung: 1960
Siehe das Gemälde WVZ 535.- Strempel
hatte einen Abzug an Cuno Fischer als
Weihnachtsgruß geschickt. Dieser fand die
Darstellung »mißglückt, denn engel sind
entweder sympathisch bis sogar lieblich
oder schrecklich; meistens das letztere. was
sollten sie auch sonst in dieser welt sein?
dein engel ist ernst. und das glaubt man ihm
nicht, weil er von dir stammt. deine engel
müssten entweder keine sein oder schreck-
liche engel.«
(Brief vom 27.12. 1960)
a) Bezeichnung: u.l. »Strempel 60«
Besitzer: Privatbesitz
b) Bezeichnung: u.l. »Strempel 60«
Besitzer: Privatbesitz

(2597) *Mädchen vor Spiegel*
Siebdruck
735 x 415 mm
Auflage: unbekannt
Datierung: 1960
Ausstellung: Berlin/W. 1963, Nr. 64
Der Siebdruck ist vermutlich in einer sehr
hohen Auflage gedruckt worden. Es sind
eine große Anzahl von z.T. bezeichneten
und datierten Exemplaren in mehreren
Farbvarianten vorhanden.

(2598) »*Stehender weiblicher Akt*«
Siebdruck
745 x 250 mm
Auflage: unbekannt
Datierung: um 1960 (vgl. WVZ 2597)

(2599) *Turm der Frauen*
Siebdruck
700 x 400 mm
Auflage: unbekannt
Datierung: 1960
Ausstellung: Berlin/W. 1961
Dem Werkkatalog zufolge sollen zwei Varianten des Drucks angefertigt worden
sein; die Datierung dort lautet auf 1963. Bei
der Durchsicht einer Anzahl von Drucken
stellte sich heraus, daß ein Teil der Arbeiten
tatsächlich im Sieb u.l. mit »H. Strempel
63« bezeichnet ist, während ein anderer
Teil unbezeichnet blieb. Die Motive der beiden Varianten sind jedoch, abgesehen von
unterschiedlicher Kolorierung, identisch.
Daß ein Teil der Drucke handschriftlich auf
1960 datiert ist und ein Exemplar schon
1961 ausgestellt wurde, spricht für das frühere Entstehungsdatum.- Der Siebdruck
wurde in wahrscheinlich hoher Auflage
und mit unterschiedlichen Farbvarianten
hergestellt.- Siehe auch WVZ 510, 1047
und 2277.

(2600) *Blumenstrauß*
Siebdruck
530 x 280 mm
Auflage: 2 Expl. bekannt
Datierung: um 1960 (?)
a) Siebdruck/Karton
Bezeichnung: u.l. »Horst Strempel«
b) Bezeichnung u.l. »Horst Strempel; u.r.
»SH S/1«; verso u. »Nr. 12 Blumenstrauß«

(2601) *Frau auf dem Balkon*
Radierung (2-Platten-Druck, dreifarbig)
180 x 90 mm
Auflage: 1 Expl. bekannt (Probedruck)
Bezeichnung: u.l. »H. Strempel 61«; u.r.
»Probedruck 1«
Datierung: 1961
Besitzer: Privatbesitz
Ausstellung: Berlin/W. 1978, Nr. 62
Druckplatte vorhanden.

(2602—2611) Zyklus:
Die Frau an der Mauer
10 Radierungen
Auflage: unbekannt
Datierung: 1962
Ausstellungen: Bonn 1964; Berlin/W.
1978, Nr. 72
Literatur: Diplomatischer Kurier, 13, 1964,
H. 7 (Abb.)
Abbildung: Diplomatischer Kurier, 13,
1964, H. 7, Titelblatt
Wilhelm Puff berichtete Strempel über eine
Diskussion mit Ernst Niekisch über die
Mauer-Zyklus. In seinem Brief vom
1.7.1962 schrieb er: »Niekisch ist der Ansicht, es sei nicht angängig, das Thema
‹Mauer› zu einem künstlerischen Bekenntnis des Westens zu machen. In Wahrheit ist
es ja so, daß Du aus dem politischen Thema
ein rein menschliches herauskristallisierst;
von einer Einseitigkeit politischer Behandlung kann gar keine Rede sein in Deinem
Zyklus. Es ist Leid von hüben und drüben,
das Du künstlerisch zu bewältigen ver-
suchst. Über diese künstlerische Bewältigung ein Urteil abzugeben, spreche ich Niekisch...glatt ab. ... Es sind einige ausge-
zeichnete Blätter darunter; aber pauscha-
les Lob für den ganzen Zyklus vermag ich
nicht aufzubringen. Das Thema zwingt

Dich meiner Ansicht nach zu einer gewissen Versteifung künstlerischer Grundsätze, zur Verirrung in allzu gewollte Vereinfachung, in allzu rigorose Formverhärtung. Pathetik begibt sich hier in Gefahr rhetorischer Ethik. Gewiß nicht auf allen Blättern. Blatt 1 und 2 (...) scheinen mir starke künstlerische Leistungen zu sein; hier glückte es Dir, das Leid der Frau in beinah antiker Größe zu gestalten; hier empfindet man aufrüttelnd das Unentrinnbare eines unbegreiflichen Fatums, ein Nachgrübeln auch über irgendwelche Schuld als einer nicht erklärbaren, sondern metaphysischen Ursache. Ebenso stark wirkt Blatt 3, wo sich im großäugigen Blick zum Leid noch Trotz mischt. Aber störend erscheint, wenigstens in der Wiedergabe des Fotos, Unterarme und Hände: die Frau hat ‹lange Handschuhe› an. Diese Handschuhe mußt Du ihr ausziehen. Blatt 4: Nicht gut; Ausdruck ins Harlekinmäßige verflacht oder doch ins Ausdruckslose ‹verschönt› und als Unschulds-Weiß vor Mauer-Dunkel zu billig im Effekt. Blatt 5: zu ungleich in der künstlerischen Gestaltung der Frauen. Die hinterm Draht karikiert gesehen mit den Spreizfingern und nicht ausdrucksgemäß; die vor der Mauer zu müde Variation von der auf Blatt 1. Blatt 6: In der Frau vor der Mauer der lange Hals ohne physische Begründung, nur formale Zufälligkeit; dieser Hals ‹stößt› nicht das Haupt empor, er wird zu einer unstatthaften Lehmbruckschen Erinnerung. Blatt 7 und 8: Diese Blätter wollen mir als nur durch Sentiments erklärbare Gestaltungen zu wenig durchgearbeitet erscheinen. Blatt 9: Hier hast Du ein bedeutsames Symbol aufgegriffen, aber nicht zu Ende gestaltet. In der Perspektive von Häusern und Mauer das Haupt ganz vorn tief an den Bildraum gerückt, erweckt es den Eindruck, als wäre es das vom Rumpf getrennte der weiblichen Märtyrerin. Aber das Haupt ist zu unterschiedlich in Strichführung und ins Nebensächliche gehend in der Kopfbedeckung.«

(2602) *Die Frau an der Mauer I — Der Schmerz*
Radierung, Aquatinta
255 x 235 mm
a) Radierung, Bleistift
Zustandsdruck
Bezeichnung: u.l. »Strempel 1. Zustand« (Strich)«

(2603) *Die Frau an der Mauer II — Die Überlegung*
Radierung, Aquatinta
185 x 125 mm
a) Radierung
Zustandsdruck
Bezeichnung: u.l. »Strempel«; u.r. »1. Zustand Strich«
b) Zustandsdruck
Bezeichnung: u.l. »Strempel«; u.r. »2. Zustand«

(2604) **Die Frau an der Mauer III – Der Schmerz**
Radierung, Aquatinta
200 x 126 mm
a) Radierung
Zustandsdruck
Bezeichnung: u.l. »Strempel 1. Zustand«;

u.r. »Strich«
b) Radierung
Zustandsdruck
Bezeichnung: u.l. »Strempel«; u. Mitte »2. Zustand«; u.r. »Ton«

(2605) **Die Frau an der Mauer IV – Getrennt I**
Radierung, Aquatinta
143 x 98 mm
a) Radierung, Bleistift
Zustandsdruck
Bezeichnung:
u.l. »1. Zustand«;
u.r. »Strempel 62«
b) Zustandsdruck
Bezeichnung: u.l. »Strempel«; u.r. »3. Zustand poliert«

(2606) *Die Frau an der Mauer V — Die Klage*
Radierung, Aquatinta
150 x 95 mm
a) Radierung, Bleistift
Zustandsdruck
Bezeichnung: u.l. »Strempel«; u. Mitte »Strich und Zeichnung«
b) Radierung, Aquatinta, Bleistift
Zustandsdruck
Bezeichnung: u.l. »Strempel 62 1. Zustand«
c) Zustandsdruck
Bezeichnung: u.l. »Strempel 62«; u.r. »3. Zustand«

(2607) *Die Frau an der Mauer VI — Getrennt II*
Radierung, Aquatinta
143 x 98 mm
a) Zustandsdruck
Bezeichnung: u.l. »Strempel«; u.r. »1. Zustand«

(2608) *Die Frau an der Mauer VII — Die Verlorenen*
Radierung, Aquatinta
140 x 95 mm
a) Radierung, Kugelschreiber
Zustandsdruck
Bezeichnung: u.l. »Strempel 62«; u. »1. Zustand und Zeichnung«

(2609) *Die Trauernde*
Radierung, Aquatinta
115 x 90 mm
a) Radierung, Bleistift
Zustandsdruck
Bezeichnung: u.l. »Strempel / Strich und Zeichnung«
b) Zustandsdruck
Bezeichnung: u.l. »Strempel«; u.r. »2. Zustand«
c) Zustandsdruck
Bezeichnung: u.l. »Strempel 62 3. Zustand«
d) Zustandsdruck
Bezeichnung: u.l. »H. Strempel«; u.r. »5. Zustand«

(2610) *Die Qual*
Radierung, Aquatinta
116 x 90 mm
a) Radierung
Zustandsdruck
Bezeichnung: u.l. »Strempel 62«; u.r. »1. Zustand«

b) Zustandsdruck
Bezeichnung: u.l. »Strempel 62«; u.r. »2. Zustand«

(2611) *Die Trauernde*
Radierung
120 x 100 mm
a) Zustandsdruck
Bezeichnung: u.l. »Strempel 62«; u.r. »Ton«

(2612) »*Die Frau an der Mauer*«
Radierung, Aquatinta
120 x 95 mm
Auflage: 2 Expl. bekannt
Datierung: 1962
a) Bezeichnung: u.l. »H. Strempel 62«; u.r. »1/3«

(2613) »*Die Frau an der Mauer (Frauenkopf)*«
Siebdruck
ca. 300 x 280 mm
Auflage: 1 Expl. bekannt
Datierung: um 1962

(2614) *Frauen an der Mauer*
Siebdruck
730 x 410 mm
Auflage: unbekannt
Datierung: 1962
Dieser Siebdruck wurde, wie wohl die meisten der »Mauerbilder«, in hoher Auflage hergestellt. Er existiert, teilweise bezeichnet und datiert, in mehreren Farbvarianten.

(2615) *Der Schmerz I*
Siebdruck
ca. 670 x 515 mm
Auflage: 15; 1 Expl. bekannt
Bezeichnung: u.l. »H. Strempel 62 / ‹Der Schmerz› I Letztes Exemplar. Auflage 15 Stück«; u.r. »Siebdruck«
Datierung: 1962

(2616) *Die Frau an der Mauer II*
Siebdruck
ca. 715 x 610 mm
Auflage: 2 Expl. bekannt
Datierung: 1962
a) Siebdruck/Karton (schwarz-weiß-grau)
Bezeichnung: u.l. (im Motiv) »Strempel 62«; u.l. »Strempel 62, / »Die Frau an der Mauer«; verso o.l. »Die Frau an der Mauer II«
b) Siebdruck, farbig
Bezeichnung: u.l. »Strempel 62«

(2617) »*Stilleben mit Zitronen*«
Siebdruck
380 x 615 mm
Auflage: unbekannt
Datierung: 1962 (?)
Im Nachlaß Strempels befinden sich mehrere unbezeichnete Exemplare dieses Siebdrucks.

(2618) »*Tänzer*«
Holzschnitt
620 x 470 mm
Auflage: 5 Expl. bekannt
Datierung: 1963
Druckstock vorhanden.
a) Holzschnitt/Japanpapier
b) Datierung: 1963
Besitzer: Privatbesitz

c) Bezeichnung: u.l. »H. Strempel 66«
d) Bezeichnung: u. »Strempel« und Widmung
Besitzer: Privatbesitz
e) Bezeichnung: u.l. »Horst Strempel 1964« / datierte Widmung; u.r. »3/20«
Besitzer: Privatbesitz

(2619) »*Liegender Rückenakt*«
Siebdruck
425 x 560 mm
Auflage: unbekannt
Datierung: 1963
Ausstellung: Berlin/W. 1963, Nr. 62
Von diesem Siebdruck gibt es eine Reihe unterschiedlicher Varianten.

(2620) »*Bäume mit roter Sonne*«
Siebdruck
450 x 450 mm
Auflage: 1 Expl. bekannt
Bezeichnung: u.l. »1963«; u.r. »6/25«
Datierung: 1963
Obwohl nur ein Exemplar dieses Siebdrucks aufgefunden werden konnte, ist zu vermuten, daß auch hier eine größere Auflage, evtl. 25, hergestellt wurden.

(2621) »*Stilleben mit Birnen*«
Siebdruck
460 x 76 mm
Auflage: unbekannt
Datierung: 1963
Es sind mehrere Farbvarianten vorhanden.

(2622) »*Frauenkopf*«
Gipsschnitt
570 x 370 mm
Auflage: 2 Expl. bekannt
Datierung: 1964
a) Gipsschnitt/Japanpapier
Bezeichnung: u.l. »H. Strempel 1964; u.r. »Gibsschnitt 1/1«
b) Gipsschnitt/Japanpapier

(2623) *Blick auf Schloß Charlottenburg*
Siebdruck
440 x 660 mm
Auflage: 2 Expl. bekannt
Datierung: 1964
Abbildung: Morgenpost, 8.3.1967
Im Werkverzeichnis Strempels sind zwei Exemplare verzeichnet und auf 1963 datiert.
a) Farbvariante (mit weißem Schloß)
Bezeichnung: u.l. »Horst Strempel 1964 Charlottenburger Schloß Berlin Siebdruck«
Besitzer: Privatbesitz
b) Farbvariante (mit grauem Schloß)
Besitzer: Privatbesitz

(2624) »*Weiblicher Akt (Torso) mit Schatten*«
Radierung, Aquatinta
297 x 197 mm
Auflage: 2 Expl. bekannt
Datierung: 1965
a) Radierung, Aquatinta (blautonig)
Probedruck
Bezeichnung: u.l. »H. Strempel 65«; u. Mitte »Ausser Katalog«; u.r. »Probedruck II«
b) Radierung, Aquatinta, Bleistift
Probedruck
Bezeichnung: u.l. »H. Strempel«; u. Mitte »Ausser Katalog«; u.r. »Probedruck III«

(2625) »*Abstrakte Komposition*«
Linolschnitt/Papier/Holz
180 x 160 mm
Auflage: 1 Expl. bekannt
Datierung: um 1965 (?)
Besitzer: Privatbesitz

(2626–2637) *Kalenderblätter mit Berliner Stadtansichten*
Siebdruck
530 x 390 mm
Auflage: unbekannt
Datierung: 1966
Strempel hatte Wilhelm Puff seine Kalenderblätter um die Jahreswende 1966/67 zur Begutachtung vorgelegt. Dieser, obwohl im großen und ganzen zustimmend, kritisierte insbesondere die Blätter für Februar, April, Mai und Oktober:
»Februar: Das technische Großraum-Thema hätte gerade im Siebdruck eine monumentale Gestaltung erfahren können, wenn Du (wobei der weiträumige, spannungsgeladene Grundentwurf geradezu herausfordert) die abgenützten Tuschzeichnungsmittel ad acta gelegt und dafür deine löwenpfotige Serigraphenmanier in Anwendung gebracht hättest. Das Wuchtige ist schematisch verpimpelt. April: Bedeutend besser als das Februarblatt und die Bewegung der Autos beschwörend (wenngleich man sichs noch expressiver wünschen möchte), ist dieses Blatt der ‹Kehren› leider im Wert durch die fliegenklappigen Leuchtkörperstangen empfindlich gestört und nebenher mit dem völlig unmotivierten Wölkchenklecks belastet. Solche Wolkenklecks treten in Deinen Arbeiten immer wieder auf; weiß der Teufel, warum Du sie an den Himmel spritzst. Mai: Zweifellos, es atmet Frische, das Frühlingsblatt. Indes die technischen wie stilistischen Mittel, die Du verwendest, sind für einen reifen Künstler Deines Schlages entschieden zu billig; diese Baumstämme wuchsen in einer Lithographenwerkstatt, und das dekorative Gehabe der Parkwirtschaft stammt auch dorther. Der Effekt tuts nicht … Selbstverständlich lassen sich da keine Wertstufen feststellen; es wird subjektiv die Schätzung bleiben müssen. Immerhin es darüber keine Debatte geben, daß die März-Landschaft und die September-Philharmonie zu den eindringlichsten Schöpfungen zählen, die Dir je gelungen...Wenn das März-Bild an Hofer erinnert, so bestimmt nicht im Sinne einer nachahmenden Problematik, sondern in einem Extrakt an Vergeistigung und in einer schöpferischen Hommage. Und das Blau-Weiß-Ocker-Blatt der Philharmonie mit den während der Konzertpause im Wandelgespräch sich davor bewegenden Gestalten — das wird Dir so leicht weder in Berlin noch sonst irgendwo in einer bundesrepublikanischen Stadt einer nachmachen!« — Strempel bezeichnete das Mai-Blatt (Gartenlokal) als das schlechteste des Kalenders, teilweise aus technischen Gründen. »Ich konnte keinen fertigen Entwurf machen, nach dem ich mich richten konnte. Die Farben weiß und rot sind auf das grüne Papier flüchtig gedruckt. Darüber kam eine Federzeichnung (schwarz), die dann fotographisch auf das Sieb übertragen wurde. Ich konnte einfach nicht die Endwirkung sehen oder voraus-

berechnen weil ich auf die Federzeichnung, die ganz hart sein mußte wegen der Fotoübertragung keine Farben einsetzen konnte...Der Hauptfehler ist, daß in diesem Blatt 2 Techniken verwendet wurden (Fläche und Zeichnung), die nicht zusammen passen. Das gleiche gilt, wenn auch in geringeren Maßen für das Februarblatt...Der Firma lag daran, in den 12 Blättern, möglichst viel Möglichkeiten, die der Siebdruck bietet zu zeigen. Da sind manche Sachen, die ich noch nicht beherrsche, z. B. der 4 Stufendruck im Aprilblatt. Dann kam dazu, daß ich in manchem Konzessionen machen mußte (Auswahl der Motive, Zahl der Farben für die einzelnen Blätter, die Unmöglichkeit, manche Druckfarben so zu mischen, wie sie im Tempera-Entwurf angegeben waren usw.). Du weißt ja, bei solchen Firmen,selbst wenn sie sehr großzügig sind, irgendwelche Sondervorstellungen und Wünsche, wie z. B. der Barockbrunnen, haben sie immer.« (Horst Strempel in einem Brief an Wilhelm Puff, 30.1.1967)

(2626) *Januar: Gedächtniskirche*

(2627) **Februar: Siemensplatz**

(2628) *März: Brücke*

(2629) *April: Stadtautobahn*

(2630) *Mai: Gartenlokal*

(2631) *Juni: Balkon*

(2632) *Juli: Strandbad*

(2633) *August: Vorort*

(2634) *September: Philharmonie*

(2635) *Oktober: Berliner Pumpe*

(2636) *November: Funkturm*

(2637) *Dezember: Schloß Charlottenburg*

(2638) »*Bäume*«
Siebdruck
640 x 385 mm
Auflage: 2 Expl. bekannt
Datierung: 1967
a) Bezeichnung: u.l. »H. Strempel 1967«
b) Besitzer: Privatbesitz

(2639) *Drei Mädchenakte*
Siebdruck
385 x 300 mm
Auflage: unbekannt
Datierung: 1968
Die Anzahl der Drucke ist unbestimmt; sie sind teilweise datiert. Das Motiv wurde als Umrißzeichnung in schwarzer bzw. weißer Farbe auf weißes bzw. farbiges Papier gedruckt und dann zumeist weiterverarbeitet.
a) Siebdruck, koloriert
Bezeichnung: u.l. »H. Strempel 70«
Besitzer: Privatbesitz
b) Siebdruck, koloriert*
Besitzer: unbekannt
c) Siebdruck, koloriert
Bezeichnung: u.l. »H. Strempel 69«
Besitzer: Privatbesitz

(2640) *Zwei Mädchenakte*
Siebdruck
390 x 300 mm
Auflage: 1 Expl. bekannt
Datierung: um 1968

(2641) *Liegender weiblicher Akt*
Siebdruck
290 x 390 mm
Auflage: unbekannt
Datierung: 1969
Siehe WVZ 2639.
a) Siebdruck, koloriert*
Bezeichnung: u.l. »H. Strempel 70«
Besitzer: unbekannt
b) Siebdruck, koloriert
Bezeichnung: u.l. »H. Strempel 70«
Besitzer: Privatbesitz
c) Siebdruck, koloriert
Bezeichnung: u.l. »H. Strempel 69«
Besitzer: Privatbesitz

(2642) *Liegender Rückenakt*
Siebdruck
ca. 325 x 430 mm
Auflage: unbekannt
Datierung: 1969
Siehe WVZ 2639.
a) Siebdruck, Pastellkreide
Bezeichnung: u.l. »H. Strempel 69«
Besitzer: Privatbesitz
b) Siebdruck, Pastellkreide
Bezeichnung: u.l. »H. Strempel 71«
Besitzer: Privatbesitz
c) Siebdruck, koloriert
Bezeichnung: u.l. »H. Strempel 71«
Besitzer: Privatbesitz

(2643) *Sitzender Akt*
Siebdruck
Auflage: unbekannt
Datierung: 1969
Siehe WVZ 2639.
a) Siebdruck, koloriert
430 x 325 mm (sichtb.)
Bezeichnung: u.l. »Horst Strempel 1970«
Besitzer: Privatbesitz
b) Siebdruck, koloriert
430 x 325 mm (sichtb.)
Bezeichnung: u.l. »H. Strempel 70«
Besitzer: Privatbesitz
c) Siebdruck, koloriert
385 x 295 mm (sichtb.)
Bezeichnung: u.l. »H. Strempel 69«
Besitzer: Privatbesitz
d) Siebdruck, koloriert
370 x 265 mm (sichtb.)
Bezeichnung: u.l. »H. Strempel 69«
Besitzer: Privatbesitz
e) Siebdruck, koloriert
Besitzer: Privatbesitz

(2644) *Sitzender Akt im Profil mit Spiegel*
Siebdruck
390 x 300 mm
Auflage: unbekannt
Datierung: 1970
Siehe WVZ 2639.
a) Siebdruck, koloriert
Bezeichnung: u.l. »H. Strempel 70«
Besitzer: Privatbesitz
b) Siebdruck, koloriert
Bezeichnung: u.l. »H. Strempel 69«
Besitzer: Privatbesitz

(2645) *Sitzender Rückenakt mit Spiegel*
Siebdruck
390 x 298 mm
Auflage: unbekannt
Datierung: 1970
Siehe WVZ 2639.
a) Siebdruck, koloriert
Bezeichnung: u.l. »H. Strempel 1970« und
datierte Widmung
Besitzer: Privatbesitz
b) Siebdruck, koloriert
Bezeichnung: u.l. »H. Strempel 70«
Besitzer: Privatbesitz
c) Siebdruck, koloriert
Bezeichnung: u.l. datierte Widmung (1970)
Besitzer: Privatbesitz

(2646) *Zwei weibliche Akte*
Siebdruck
385 x 295 mm
Auflage: unbekannt
Datierung: um 1970
a) Siebdruck (orange/grün)
b) Siebdruck, koloriert
430 x 325 mm (sichtb.)
Besitzer: Privatbesitz
c) Siebdruck, koloriert
Besitzer: Privatbesitz

(2647) *Liegender Akt*
Siebdruck, koloriert
430 x 325 mm (sichtb.)
Auflage: unbekannt
Datierung: 1970
Von diesem Motiv ist ein Siebdruck ohne
Kolorierung nicht bekannt.
a) Bezeichnung: u.l. »Strempel 70«
Besitzer: Privatbesitz
b) Bezeichnung: u.l. »H. Strempel 70«
Besitzer: unbekannt*

(2648) *Porträt Dr. Parchwitz*
Linolschnitt (3 Platten)
270 x 230 mm
Auflage: unbekannt
Datierung: um 1971
Zur Datierung vgl. Porträt und Porträtskizze
WVZ 625 und 626.- Von dem Linolschnitt
existieren unterschiedliche Farbvarianten.

(2649) *Liegender Akt*
Siebdruck, koloriert
325 x 430 mm (sichtb.)
Auflage: unbekannt
Bezeichnung: u.l. »H. Strempel 71«
Datierung: 1971
Besitzer: Privatbesitz
Von diesem Motiv ist ein Siebdruck ohne
Kolorierung nicht bekannt.

(2650) Musikanten
Radierung
120 x 85 mm
Auflage: unbekannt
Bezeichnung: (in der Druckplatte) u.r. »St. 72«
Datierung: 1972
Die Radierung ist ein Ex Libris.

Pressezeichnungen

Anmerkungen zur Signatur:
Die im Werkverzeichnis aufgeführten Pressezeichnungen sind im allgemeinen mit
dem Pseudonym »Ho« und der Jahreszahl

bezeichnet wie es auch bei den zur Veröffentlichung bestimmten Originalen (WVZ
1302–1305) der Fall ist. Bei einem kleineren Teil von Arbeiten verwandte Strempel
die Signatur »henry«. Die Zuschreibung
dieser Zeichnungen orientierte sich einerseits an stilkritischen Merkmalen, andererseits läßt sie sich aus einem Hinweis, der in
einem Brief von Strempel selbst gegeben
wurde ableiten. Demzufolge beabsichtigte
er, seine Lebenserinnerungen, von Herbert
Roch verfaßt, unter dem Pseudonym »henry« zu veröffentlichen. In der französischen Pressezeichnung der 30er Jahre unterzeichnet auch Maurice Henry mit »henry«. Seine Zeichnungen waren ziemlich
traditionell und bewegten sich vor allem
auf dem humoristischen Sektor.- Wenige
unbezeichnete Zeichnungen wurden ebenfalls aufgrund stilkritischer Untersuchungen Strempel zugeschrieben und in das
Werkverzeichnis aufgenommen.

(2651) »*Soldat in Form eines Hakenkreuzes*«
Bezeichnung: u.r. »HO«
Die Aktion, 1933, Nr. 3, 5

(2652) »***Zum Reichstagsbrand***«
Bezeichnung: u.r. »Ho«
La Défense Nr. 213, 1.9.1933
Die Zeichnung ist einem Artikel von M. Baudin zugeordnet »A trois semaines du procès
de Leipzig. Les criminels s'appretent a juger
leurs victimes«. Hier wird u.a. auf das gerade
erschienene Braunbuch zum Reichstagsbrand hingewiesen und dessen inhaltliche
Aussage auch von Seiten des SRI unterstützt.
Im April 1933 war ein Untersuchungsausschuß zur Aufklärung des Reichstagsbrandes
vom »Internationalen Hilfskomitee für die
Opfer des Hitlerfaschismus« gegründet worden, der einen Gegenprozeß zu den Leipziger
und Berliner Prozessen einleiten sollte. Die
Zeichnung Strempels orientiert hier auf eine
Versammlung, die aus diesem Anlaß am
11.9.1933 stattfinden sollte, und die von Persönlichkeiten wie E.E. Kisch, André Malraux,
Henri Barbusse u.a. unterstützt wurde.

(2653) ***Hitler accuse Torgler, Tanef, Dimitrof et Popof du crime dont avec Goering est
coupable. L'incendie du Reichstag est
l'œuvre des fascistes***
Bezeichnung: u.r. »HO«
La Défense Nr. 214, 8.9.1933

(2654) »*Mörder und Opfer*«
La Défense Nr. 215, 15.9.1933
Die Zeichnung ist zwar nicht bezeichnet,
dürfte aber Strempel zuzuschreiben sein,
vor allem wegen deutlicher Parallelen in der
Physiognomie. Auch die Geste des Zorns
und des Entsetzens der Frau im Vordergrund ist typisch für ihn. Gleichzeitig lassen
sich in dieser Figur deutliche Anspielungen
auf Käthe Kollwitz ausmachen, wenn auch
ihre Schwarze Anna im Bauerkriegs-Zyklus als Rückenfigur gegeben ist. (Vgl. Käthe Kollwitz' *Losbruch* aus der Mappe *Bauernkrieg* [Bl. 5] 1903, Radierung).

(2655) *A la conférence du désarmement.
Celui qui n'est pas invité*
Bezeichnung: (gedruckt) »Dessin de
Strempel«
La Patrie Humaine Nr. 84, 29.9.1933

(2656) *Croix de bois...Femmes, malgré le chômage, la misère, faites des enfants, la patrie a besoin des soldats!*
Bezeichnung: u.l. »Ho. 33«
La Patrie Humaine Nr. 85, 6.10.1933
Strempel wählte hier den profanisierten Typus der thronenden Madonna mit dem Jesuskind, um auf die Perspektive, die in dem Untertitel »Frauen, bringt trotz Arbeitslosigkeit und Elend Kinder zur Welt, das Vaterland braucht Soldaten« steckt, hinzuweisen. Das Gräberfeld im Hintergrund greift den Passionsgedanken nochmals auf.

(2657) *»Mörder und Opfer«*
Bezeichnung: u.r. »Ho. 33.«
La Défense Nr. 218, 6.10.1933
Strempel variierte das schon früher aufgegriffene Thema (WVZ 2654) durch Raffung von Stil und Inhalt. Einerseits wird der Personenkreis auf Opfer und Täter reduziert und auf die klagenden Hinterbliebenen verzichtet, andererseits werden auch die Figuren jetzt weitgehend zu Typen abstrahiert, was sich vor allem in einem knapperen Zeichenstil niederschlägt.

(2658) *Attention! Grande fête annuelle de »La Défense«*
Bezeichnung: u.r. »Ho 33«
La Défense Nr. 220, 20.10.1933
Für die Propagandazeichnung zugunsten des alljährlichen Pressefestes von »La Défense« bediente sich Strempel hier eines Typus, der seit den 20er Jahren als Demonstrationsbild bekannt war.

(2659) ***Rentrée des classes***
Bezeichnung: u.r. »Ho. 33.«
Monde Nr. 282, 28.10.1933
Das Bestreben des französischen Staates — und natürlich auch des deutschen Reiches —, schon Schulkinder auf Militärdienst und Krieg vorzubereiten, ist Gegenstand dieser Karikatur.

(2660) *Le condamné peut parler!*
Bezeichnung: u.r. »Ho 33.«
La Défense Nr. 222, 3.11.1933
Die Karikatur steht in unmittelbarem Zusammenhang mit dem Reichstagsbrandprozeß, der in seiner letzten Etappe vom 10. Oktober bis 18. November 1933 in Berlin stattfand. Sie prangert die Rechtspraxis des faschistischen Regimes an durch Gegenüberstellung von sich einander widersprechenden Worten und Bildern. Der unter den Augen des Gerichts mißhandelte Gefangene darf, gefesselt und geknebelt, seine Meinung frei äußern. Während Richter und SA-Mann typisiert dargestellt werden, sind dem Gefangenen die Gesichtszüge Dimitroffs verliehen worden.
Als Vorbild für diese Zeichnung diente eine Karikatur von Honoré Daumier (in: La Caricature, 14.5.1835), die dieser seinerzeit anläßlich eines ähnlich gearteten Skandals schuf. Strempel verzichtete darauf, das anekdotische Ambiente des Gerichtssaals wiederzugeben; er konzentrierte sich ganz auf die Figur des Gefangenen. Vermutlich ging es ihm weniger darum, eine bestimmte Situation zu illustrieren und zu kommentieren.

(2661) *A la manière de ses glorieux prédécesseurs du genre Eulenbourg, Goering se prépare a venir témoigner au procès du Reichstag*
Bezeichnung: u.l. »Ho. 33.«
Monde Nr. 283, 4.11.1933
Strempel zog in dieser Karikatur Parallelen zwischen der Rolle, die Göring beim Reichstagsbrandprozeß spielte und Ereignissen, die mit der Person Philipps Fürst zu Eulenburg und Hertefeld (1847–1921) in Zusammenhang standen. Dieser war Politiker und Diplomat, außerdem ein enger Vertrauter Wilhelms II. Nachdem er 1903 aus dem diplomatischen Dienst ausgeschieden war, wurde er zur Zentralfigur eines Skandals. Die gegen ihn erhobenen Vorwürfe, Homosexualität und Meineid, wurden nicht geklärt; die Affäre fügte aber der Monarchie schweren Schaden zu. — Die Verbindung zwischen beiden Skandalen wird durch den gleichgeschalteten »Simplicissimus« im Bild hergestellt.

(2662) *Plus que jamais, à bas la guerre!*
Le Peuple, 11.11.1933
Dieses unbezeichnete Blatt stammt mit ziemlicher Sicherheit von Horst Strempel. Indizien für die Zuschreibung sind sowohl die Art und Weise der Figurenbehandlung zu finden, besonders was die Physiognomien anbelangt, wie auch in der Collagetechnik, bei der eine Zeichnung mit gedruckten Börsentabellen unterlegt wird.

(2663) *Maxim Litwinoff*
Bezeichnung: u.r. »Ho 33«
Le Peuple, 8.11.1933; 19.5.1934; 19.9.1934; 29.3.1935; 1.8.1935; 15.9.1935;
La République, 11.11.1933; 2.12.1933; 18.9.1934
Maxim Maximowitsch Litwinow (1876–1951), sowjetischer Politiker. Er trat als Volkskommissar für Auswärtige Angelegenheiten (1930–39) vor allem für ein System der kollektiven Sicherheit gegenüber der Bedrohung durch das nationalsozialistische Deutschland und das faschistische Italien ein. Strempel orientierte sich bei der Zeichnung nahe an der wirklichen Erscheinung Litwinows, übertrieb dabei aber einige seiner hervorstechenden Züge ohne jedoch den Dargestellten der Lächerlichkeit preiszugeben.

(2664) *Arthur Henderson*
Bezeichnung: u.l. »Ho 33«
La République, 12.11.1933: 23.11.1933; 9.5.1934
Arthur Henderson (1863–1935), britischer Politiker. Henderson war 1932/33 der Präsident der Genfer Abrüstungskonferenz; aufgrund dieser Funktion erhielt er 1934 den Friedensnobelpreis.

(2665) — *Que va-t-on faire de ceux qui ont voté »non«? — Qu'on les stérilise afin qu'ils ne puissent se multiplier.*
Bezeichnung: u.l. »Ho. 33.«
Monde Nr. 285, 18.11.1933
Weltfront, 1933, Nr. 4, 2. Novemberhälfte
Die Karikatur thematisiert den Austritt Deutschlands aus dem Völkerbund vom 14.10.1933 und das anschließende Plebiszit vom November 1933. Entsprechend der Haltung der beiden von Henri Barbusse geleiteten Zeitschriften wird der Austritt als Ablenkungsmanöver von innenpolitischen Schwierigkeiten aufgefaßt. Euthanasie als Methode der Ausschaltung politischer Gegner ist ein zwar zynischer, jedoch durchaus realistischer Gedanke, wie die deutsche Geschichte zeigt. Die Schärfe der Aussage wird hier eher durch den Text als durch das Bild vermittelt, das trotz der deformierten Gesichtszüge Hitlers harmlos wirkt.

(2666) *Crise*
Bezeichnung: (4. Szene) o.r.«Ho 3«
Monde Nr. 287/88, 16.12.1933
Strempel persiflierte hier die häufigen Regierungswechsel in Frankreich. In einer Abfolge von fünf Szenen, in denen die Regierungschefs Daladier, Sarraut und Chautemps, der am 27. November ein neues Kabinett gestellt hatte, karikiert werden, zeigte er die Macht- und Ausweglosigkeit des Parlamentarismus auf, der vom Gespenst der Krise überwältigt wird. Als letztes Bild fügte er eine übergroße Arbeiterfigur an, die sich daran macht, den Kadaver zu beseitigen. — Da die Signatur auf dem vorletzten Bild angebracht ist, ist zu vermuten, daß die letzte Szene, möglicherweise auf Wunsch der Redaktion, erst später ergänzt wurde, um der Aussage eine optimistische Richtung zu verleihen.

(2667) *La République des sports*
Bezeichnung: u.l. »Ho. 33«
La République, seit 27.11.1933 in unregelmäßigen Abständen bis April 1937
Der von Strempel gezeichnete Kopf der Sportseite von »La République« reiht in lockerer Folge Darstellungen einzelner Sportarten auf. Die hier agierenden Personentypen unterscheiden sich im allgemeinen von den in politischen Zusammenhängen erscheinenden durch ihre Orientierung an herkömmlichen Witzzeichnungen.

(2668) *La guerre et ses différents dividendes*
Bezeichnung: u.l. »HO«
La Patrie Humaine Nr. 94, 8.12.1933
Wie schon in einer früheren Zeichnung (WVZ 2662) wird auch hier die Verbindung von Kapital und Krieg durch Gegenüberstellung von einem gezeichneten gefallenen Soldaten und collagierten Börsenberichten aufgezeigt. Diese Zusammenhänge spielten besonders in der Zeitschrift »La Patrie humaine«, sowohl in Artikeln als auch in den Zeichnungen, eine große Rolle.

(2669) *Eduard Bénès*
Bezeichnung: u.l. »Ho. 33.«
Le Peuple, 14.12.1933; 11.9.1934; 20.10.1934; 20.11.1934; 5.4.1935; 19.12.1935
Eduard Bénès (1884–1948), tschechischer Außenminister (1918–1935) und Staatspräsident (1935–1938).

(2670) *Noel!...Noel!...Et la voix des grands morts monte des profondeurs /pour appeler la paix sur la terre en douleurs...*
La Patrie Humaine Nr. 96, 22.12.1933

(2671) *ohne Titel*
Bezeichnung: u.l. »Ho. 33.«
La Jeune-République, 31.12.1933

(2672) *Pendent que piétine la conférence du désarmement...*
Bezeichnung: u.l. »Ho. 33.«
La Jeune-République, 31.12.1933
Die Zeichnung, die einen mit militaristischen Versatzstücken bekleideten, messerwetzenden Tod umgeben von Kanonenrohren darstellt, ist einem Artikel zur Seite gestellt, der die Situation von Frieden und Demokratie zur Jahreswende reflektiert und die Leser der »Jeune République« zum Engagement aufruft.

(2673) *Il sera meilleur...*
Bezeichnung: (5. Szene) u.r. »H. 33.«
Monde Nr. 290, 6.1.1934
Diese fünfteilige Karikatur beschäftigt sich in ähnlicher Weise wie die Zeichnung *Crise* (WVZ 2666) mit den häufigen Regierungsumbildungen.

(2674) *Pierre Renaudel*
Bezeichnung: u.l. »Ho. / 33«
La Jeune-République, 14.1.1934

(2675) *André Tardieu*
Bezeichnung: u.r. »Ho 33.«
La Jeune-République, 21.1.1934
André Tardieu (1876–1945), französischer Politiker, Radikalsozialist, Staatsminister (1934).

(2676) *Camille Chautemps*
Bezeichnung: (gedruckt) »vu par Ho«
La Jeune-République, 21.1.1934

(2677) *Georg Dimitroff*
Bezeichnung: u.l. »Ho 33«
La Défense NR. 234, 2.2.1934

(2678) *A Génève – la conférence du désarmement reprend ses travaux*
Bezeichnung: u.l. »Ho. / 33.«
La Patrie Humaine Nr. 101, 2.2.1934
Die Karikatur, die anläßlich der Wiederaufnahme der Genfer Abrüstungskonferenz entstand, bedient sich bekannter Stereotypen: feiste Kapitalisten mit Zylinder und Frack, zarter Friedensengel, Aufteilung der Erdkugel mit Dolchen.

(2679) *»Duell«*
Bezeichnung: u.r. »Ho. 34.«
Monde Nr. 292, 3.2.1934

(2680) *La guerre ou le moyen d'harmoniser la production et la consommation*
Bezeichnung: (1. Szene) u.r. »Ho 34.«
La Patrie Humaine Nr. 103, 16.2.1934
Strempel stellte in einer dreiteiligen Zeichnung seine Sichtweise herrschender Marktmechanismen dar.

(2681) *La semaille et la récolte*
Le Peuple, 17.2.1934

(2682) *Fascisme!*
Le Peuple, 24.2.1934
Die Karikatur stammt mit großer Wahrscheinlichkeit aus der Feder Strempels. Insbesondere die Hitlerfigur, die an anderer Stelle (WVZ 2665) ebenso aufgefaßt wurde, legt diese Vermutung nahe.- Die Zeichnung, in der das Verhältnis Hitlers zum Kapital illustriert wird – er baut sich auf dem Rücken des Kapitals auf –, ergänzt

einen Artikel, der sich mit den Auswirkungen des nationalsozialistischen Arbeitsordnungsgesetzes auseinandersetzt.

(2683) *»Josef Goebbels«*
Bezeichnung: u.l. »Ho. / ›34.«
Deutsche Volks-Zeitung, 1.3.1934

(2684) *Les semailles – la récolte*
Bezeichnung: (1. Szene) u.l. »Ho. 34.«; (2. Szene) u.l. »Ho. 34.«
La Patrie Humaine Nr. 105, 2.3.1934
In zwei antithetischen Bildern werden Schein (»Fütterung« der Öffentlichkeit mit anerkannten Werten wie Ehre, Treue, Vaterland) und Wirklichkeit (ein als Kapitalist gekennzeichneter Tod) gegenübergestellt.

(2685) *S.R.I.*
Bezeichnung: u.r. »Ho. / 34.«
La Défense Nr. 239, 9.3.1934
Die Propagandazeichnung für die »Internationale Rote Hilfe« zeigt eine Frau, die auf den Barrikaden vor der Fahne des SRI für eine bessere Zukunft, symbolisiert durch das Kind, kämpft.

(2686) *Patience...La guerre. – Bientôt, j'aurais beaucoup de travail pour tout le monde*
Bezeichnung: u.r. »Ho 34«
La Patrie Humaine Nr. 107, 16.3.1934

(2687) *Le jeux de la guerre – le commencement et la fin*
Bezeichnung: o.l. »Ho. 34.«
La Patrie Humiane Nr. 109, 30.3.1934

(2688) *Unité d'action*
Front Mondial, 1934, Nr. 13, 1. Aprilhälfte
Die Zeichnung kann aufgrund stilistischer Übereinstimmungen dem Werk Strempels zugeordnet werden. Sie ist ein Aufruf zur antifaschistischen Versammlung, die am 20. und 21. Mai 1934 in Paris stattfand. Der schwarze dreizackige Stern (»Papillon«) mit eingeschriebenem »A« auf weißer Kreisfläche war das Symbol des »Comité antifasciste«. – In der folgenden Ausgabe von »Front mondial« erschien diese Zeichnung als zweifarbiges Plakat (WVZ 2692).

(2689) *Donnez pour la société des forges...Weygand, agent général*
Bezeichnung: u.r. »Ho. 34.«
Monde Nr. 299, 13.4.1934
Maxime Weygand (1867–1965) leitete seit 1924 den »Centre des Hautes Etudes Militaires« und war Mitglied des »Conseil Supérieur de la Guerre«. 1930 wurde er Chef des Generalstabs des Heeres und löste 1931 Pétain als Oberbefehlshaber ab. Angesichts der Ereignisse von 1934 brachte er ein Mißtrauen gegenüber der Regierung zum Ausdruck und quittierte 1935 seinen Dienst. (Qu.: Histoire de la France contemp., 5, 354)

(2690) *»Nahrungsmittelverschwendung und Krieg«*
Bezeichnung: (6. Szene) u.l. »Ho 34«
La Jeune-République, 15.4.1934
In sechs Szenen stellte Strempel die systematische Lebensmittelvernichtung Bildern von Arbeitslosen und Waffenarsenalen gegenüber. Sowohl die Bilder als auch die zugeordneten Texte formulieren knapp die

Fakten. Es bleibt dem Betrachter überlassen, seine Schlußfolgerungen daraus zu ziehen.

(2691) *Emile Vandervelde*
Bezeichnung: o.r. .«Ho. 33.«
La Jeune-République, 15.4.1934
Emile Vandervelde (1866–1938), belgischer sozialistischer Politiker, 1929–1936 Präsident der Sozialistischen Arbeiter-Internationale.

(2692) *Rassemblement national des antifascistes*
Front Mondial, 1934, Nr. 14, 2. Aprilhälfte
Siehe die Zeichnung WVZ 2688.

(2693) *La paix dans la sécurité ... sous la protection du capitalisme!*
Bezeichnung: u.l. »Ho. 34.«
La patrie Humaine Nr. 111, 20.4.1934

(2694) *»Bauern und Nazibonzen«*
Bezeichnung: u.r. »H.«
Gegen-Angriff, 21.4.1934
Obwohl die Signatur untypisch für Strempel ist, scheint die Hitlerfigur für seine Urheberschaft zu sprechen.

(2695) *Sir John Simon*
Bezeichnung: u.r. »Ho. 33.«
La Jeune-République, 22.4.1934
La République, 11.7.1934
Sir John Simon (1873–1954), britischer Politiker, 1931–1935 Außenminister, war in dieser Funktion an den Abrüstungsverhandlungen beteiligt; er vertrat eine Appeasement-Politik gegenüber Deutschland.

(2696) *La course aux armements*
Bezeichnung: u.r. »Ho. 34.«
La Jeune-République, 22.4.1934

(2697) *»Angler in einem Boot«*
Bezeichnung: u.l. »Ho. 33.«
La République, 24.4.1934
Die Zeichnung illustrierte eine Umfrage in »La République« zu Fragen der Zeit; sie steht in losem Zusammenhang mit dem Text.

(2698) *Choeur impérialiste...*
Monde Nr. 300, 27.4.1934
Dieser fünfteilige Bilderbogen ist, obwohl unbezeichnet, eindeutig aufgrund stilistischer Übereinstimmungen dem Werk Strempels zuzuordnen. Strempel stellte jeweils einen Vertreter einer Großmacht ins Zentrum einer Szene und läßt ihn, vor dem Hintergrund von Kanonen, Bomben, Flugzeugen und Kriegsschiffen, seine Friedensabsichten beteuern. Durch die Gegenüberstellung von Worten – in den Bildunterschriften – und Fakten werden die Phrasen entlarvt.

(2699) *Edouard Herriot*
Bezeichnung: u.r. »Ho. 33.«
La Jeune-République, 29.4.1934; 6.9.1936
Edouard Herriot (1872–1957) betätigte sich als Politiker und Schriftsteller. Seit 1905 war er, unterbrochen durch die deutsche Besatzungszeit, Bürgermeister von Lyon und lange Zeit als Radikalsozialist Abgeordneter der Deputiertenkammer.

(2700) *Marcel Déat*
Bezeichnung: u.l. »Ho. 33.«
La Jeune-République, 29.4.1934

(2701) *Trois illustrations de la prochaine...*
Bezeichnung: u.r. »Ho. 34.«
La Patrie Humaine Nr. 113, 4.5.1934
Vor dem Hintergrund von prall gefüllten Geldsäcken und Gasflaschen entwirft Strempel drei Zukunftsvisionen: eine Frau, die mit ihren Kindern vor explodierenden Granaten flüchtet, einen Reiter mit Gasmaske – eine Anspielung auf den apokalyptischen Reiter Dürers – und einen Kapitalisten, der sich offenbar über seine Profite freut.

(2702) *1 mai*
Bezeichnung: u.l. »H.«
La Défense Nr. 247, 4.5.1934
Der etwas verspätet publizierte Aufruf zum 1. Mai 1934 zeigt stark typisierte Arbeitergestalten, die im Gleichschritt unter einem Transparent voranmarschieren. Der Globus im Hintergrund ist durch einen Drahtzaun in zwei Lager gespalten: in eine schlechte Hälfte, die vornehmlich durch Ruinen und Galgen gekennzeichnet ist, und in eine gute, auf der, vor dem Hintergrund dampfender Fabrikschlote, Hammer und Sichel einen breiten Raum einnehmen.

(2703) *Un postier s'est pendu (les journaux) – les rentes montent...*
Bezeichnung: u.r. »Ho. 34.«
Monde Nr. 301, 11.5.1934

(2704) *Ceux du 13 mai*
Monde Nr. 301, 11.5.1934
Die Zeichnung bezieht sich wahrscheinlich auf den 13. Mai 1931. An diesem Tag wurde Paul Doumer in der Nachfolge von Doumergue französischer Präsident. Dargestellt ist die Allianz aus Klerus, Kapital und Militär, im Hintergrund ergänzt durch einen rechtsradikalen Ligisten. Auf dem Boden, als Symbol für die französische Republik, die phrygische Mütze.

(2705) *La moralité de la guerre*
Bezeichnung: u.r. »Ho / 34.«
La Patrie Humaine Nr. 114, 11.5.1934
Die ergänzende Unterschrift »Zwanzigjährige Kinder sterben im Stacheldraht – die Generäle in ihren Betten« wird in einem dreigeteilten Bild anschaulich illustriert. Ein toter General in Uniform, nur durch scharfe Umrisse auf weißem Grund gezeichnet, teilt die Bildfläche in der Diagonalen. Oben und unten werden, dunkel unterlegt, die sterbenden Jugendlichen gezeigt. Die Karikatur illustriert einen Artikel von Jean Arabia, der sich mit den Zusammenhängen von Politik und Waffenhandel beschäftigt.

(2706) *Profit*
Bezeichnung: u. Mitte »Ho. 34.«
La Patrie Humaine Nr. 115, 18.5.1934
Die Zeichnung, die zwei feindliche Soldaten zeigt, die im Begriff sind, sich vor den Augen eines gesichtslosen Kapitalisten gegenseitig umzubringen, ist als Illustration eines Zitats von Guy de Maupassant, entnommen aus seinem Roman »Sur l'eau«, zu verstehen, das unter die Karikatur gesetzt

wurde. Es lautet: »Wenn die Völker verstehen würden, daß sie selber Gerechtigkeit mit ihren mörderischen Kräften schaffen könnten, wenn sie sich weigern würden, sich grundlos töten zu lassen, wenn sie ihre Waffen gegen diejenigen einsetzen würden, die sie ihnen zum Töten gegeben haben, an diesem Tag würde der Krieg sterben.«

(2707) *»Aufruf zum ‹Antifaschistischen Sportleraufmarsch›«*
Bezeichnung: u.l. »H. 34«
Humanité, 1.6.1934
Front mondial, 1934, Nr. 3, 1. Junihälfte
Gegen-Angriff, 9.6.1934
Diese Zeichnung mit dem Motiv eines Boxers, der einem Soldaten einen Faustschlag erteilt, wurde aus Anlaß des in Paris stattfindenden »Antifaschistischen Sportleraufmarsches« konzipiert. Die Veranstaltung richtete sich gegen die traditionelle Vereinnahmung des Sports durch das Militär. (Vgl. dazu WVZ 2712).

(2708) *Des obus ou du pain?*
Bezeichnung: u.l. »Ho. 34«
La Jeune-République, 3.6.1934

(2709) *Les manœuvres. La civilisation pénètre jusque dans les milieus les plus reculés*
Bezeichnung: u.r. »Ho 34«
Monde Nr. 303, 8.6.1934

(2710) *Les gaz!...*
Bezeichnung: (2. Szene) u.l. »Ho. 34.«
La Patrie Humaine Nr. 119, 15.6.1934
Die Zeichnung steht in Zusammenhang mit der damaligen Diskussion über die Auswirkungen der Giftgase. Von Seiten der Regierung wurde ein Gesetzesvorschlag eingebracht, um Luftmanöver als Prophylaxe zu ermöglichen. Diese Bestrebungen wurden von den politischen Gegnern als Versuch gewertet, die Massen psychologisch auf den kommenden Krieg vorzubereiten. Man vertrat die Auffassung, daß die propagierte »passive Verteidigung« ein Mythos sei, da man gegen die Gase, sollten sie zur Anwendung kommen, nichts ausrichten könne. Fazit der Argumentation war, daß die Übungen lediglich zur Bereicherung der Gasmasken-Hersteller beitragen würden. – Diese Meinung wurde in verschiedenen Stellungnahmen auch in »La Patrie humaine« vertreten.

(2711) *Contre la guerre et le fascisme*
Bezeichnung: u.l. »H. 34«
Sport Nr. 38, 20.6.1934

(2712) *Aufruf zum »Antifaschistischen Sportleraufmarsch«*
Bezeichnung: u.r. »H. 34«
Sport Nr. 38, 20.6.1934; Gegen-Angriff, 30.6.1934

(2713) *Ça y est, Messieurs, le seizième est mort!*
Bezeichnung: u.r. »Ho. 34.«
La Défense Nr. 254, 22.6.1934
Im Juni 1934 eskalierten die Auseinandersetzungen zwischen den Extremisten. Der Ausgangspunkt für diese Zeichnung war, ebenso wie für die folgende (WVZ 2714),

ein Justiz-Skandal. Während Unschuldige inhaftiert wurden, wurden faschistische Arbeitermörder, Mitglieder rechtsradikaler Ligen, wie den »Croix du Feu«, freigesprochen.

(2714) *»Mörder«*
La Défense Nr. 255, 29.6.1934
Die Karikatur bezieht sich auf das gleiche Ereignis wie die vorgenannte (WVZ 2713), jedoch war in der Zwischenzeit ein siebzehntes Mordopfer zu beklagen. Der Zeichnung ist ein entsprechender Artikel zugeordnet.

(2715) *Discours de M. Barthou à Bucarest*
Bezeichnung: (2. Szene) u.r. »Ho. 34.«
La Patrie Humaine Nr. 121, 29.6.1934
Ausgangspunkt dieser zweiteiligen Karikatur, die auf der einen Seite Tote in einer Ruinenlandschaft, auf der andern Seite einen Waffenhändler, der sein Geld hortet, zeigt, war der Versuch Barthous, mit den osteuropäischen Ländern einen Vertrag, ähnlich dem von Locarno, auszuhandeln. Grundlage der Zeichnung ist ein Zitat aus der Rede, die der französische Außenminister anläßlich seiner Verhandlungen in Bukarest hielt: »Wenn auch nur ein Quadratzentimeter der Erde eures Landes angerührt wird, wird Frankreich an eurer Seite sein.« – Der Tenor eines Aufsatzes von Robert Tourly zur Reise Barthous nach Rumänien und Jugoslawien geht in die gleiche Richtung wie Strempels Zeichnung und steht damit in krassem Gegensatz zu den offiziellen Verlautbarungen. Tourly, der Barthou als »Botschafter des Krieges« betitelt, unterstellt diesem, daß er im Zuge seiner Kriegsvorbereitungen eine Reorganisierung der alten Allianzen anstrebe.

(2716) *»Aufruf zum ‹Antifaschistischen Sportleraufmarsch›«*
Bezeichnung: u.r. »H. 34«
Sport Nr. 40, 4.7.1934
Front mondial, 1934, Nr. 20, 2. Julihälfte

(2717) *La jeunesse, c'est l'avenir*
Bezeichnung: u.l. »Ho. 34.«
La Patrie Humaine Nr. 123, 13.7.1934
Die Zeichnung wendet sich gegen das Gesetz der »Zwei Jahre«, das die Einberufung der Jugend zum Militär im Zuge der Aufrüstung neu regeln sollte.

(2718) *1789*
Bezeichnung: Mitte r. »Ho 34«
La Défense Nr. 257, 13.7.1934

(2719) *1934*
La Défense Nr. 257, 13.7.1934
Die beiden Zeichnungen (WVZ 2718 und 2719) erschienen in der Ausgabe zum 14. Juli sich einander gegenüberstehend als Kopf der Titelseite. Die Verbindung von französischer Revolution mit den Kämpfen der 30er Jahre des 20. Jahrhunderts, die hier in Bild und Text hergestellt wird, wurde in dieser Zeit im allgemeinen von der Linken vertreten.

(2720) *A nous la liberté*
Bezeichnung: u.l. »Ho. 34.«
La Défense Nr. 257, 13.7.1934

(2721) *Dialogue des morts*
Bezeichnung: u.r. »Ho. 34«
La Patrie Humaine Nr. 124, 20.7.1934
Das in zwei Zonen unterteilte Bild zeigt in der oberen Hälfte einen Aufmarsch von Faschisten und Kapitalisten vor dem Arc de Triomphe, in der unteren Hälfte hingegen Skelette schon beerdigter Soldaten, von denen der eine fragt, ob sie nicht gestorben seien, um den Krieg zu besiegen, worauf der andere antwortet, daß ihr Tod nur der Kriegspropaganda der Faschisten diene. Die Zeichnung wurde von Strempel anläßlich eines Kongresses der »Anciens Combattants«, der die Kriegsereignisse von Verdun glorifizieren sollte, geschaffen.

(2722) **»Zum 20. Jahrestag des Beginns des 1. Weltkrieges«**
Bezeichnung: u.r. »Ho. 34«
Monde Nr. 306, 20.7.1934
Front mondial, 1934, Nr. 22, 2. Augusthälfte
Während die Zeichnung in »Monde« im Zusammenhang mit dem Gedenktag des Beginns des 1. Weltkrieges gesehen wird, zielt sie in »Front mondial« vor allem auf die Rolle der Frau im antifaschistischen Kampf ab. Die Deutungsunterschiede gehen aus den begleitenden Artikeln hervor.

(2723) *Contre la guerre par la conscience*
Bezeichnung: u.l. »Ho. 34«
La Patrie Humaine Nr. 125, 27.7.1934
Aus Anlaß des Jahrestages des Beginns des 1. Weltkrieges erschien eine Sondernummer von »La Patrie humaine«. Strempel gestaltete zwei zusammenhängende Seiten, auf denen unterschiedliche Texte über den Krieg abgedruckt waren, mit Randzeichnungen. In schmalen Leisten zeigte er den Krieg, seine politischen und wirtschaftlichen Ursachen, seine Auswirkungen für Soldaten und Zivilisten, rief aber gleichzeitig in einigen Szenen zum Kampf dagegen auf.

(2724) *»Familie eines Arbeitslosen«*
La Patrie Humaine Nr. 125, 27.7.1934
Die Abbildung entspricht dem Gemälde WVZ 52.

(2725) *Vingt ans après — une nouvelle fois? Jamais!...*
Bezeichnung: u.r. »Ho. 33.«
La Patrie Humaine Nr. 125, 27.7.1934
Diese Zeichnung ist nahezu identisch mit einer kurze Zeit vorher in »Monde« und »Front mondial« (WVZ 2722) veröffentlichten. Der einzige gravierende Unterschied besteht in der technischen Ausführung, Während in der Zeichnung für »La Patrie humaine« die Figuren durch feine Federstriche modelliert wurden, wurde die frühere durch harte Schwarzweiß-Kontraste bestimmt. Für die inhaltliche Aussage ergeben sich jedoch daraus keine Konsequenzen.

(2726) *Erich Mühsam*
Bezeichnung: u.l. »Ho. 34«
La Défense Nr. 259, 27.7.1934
Das Gedenkblatt für Erich Mühsam entstand, nachdem seine Ermordung durch die Nazis im KZ Oranienburg bekannt geworden war. Anders als bei dem Großteil seiner gezeichneten Porträts, verzichtete Strempel, wie auch bei den Bildnissen Dimitroffs und Barbusses, auf Übertreibungen jeglicher Art, sondern war bestrebt, den Dargestellten einen naturalistischen Ausdruck zu verleihen.

(2727) *Anniversaire — Pourquoi? Pourquoi?*
Bezeichnung: u.l. »Ho. 34.«

(2728) *La leçon d'il y a vingt ans n'aurait-elle servi à rien?*
Bezeichnung: u.r. »Ho. 33.«
Le Peuple, 5.8.1934

(2729) *Petit précis de la guerre*
Bezeichnung: (4. Szene) u.l. »Ho. 34.«
La Patrie Humaine Nr. 127, 10.8.1934

(2730) *Cérémonies commémoratives*
Bezeichnung: u.r. »Ho.«
La Patrie Humaine Nr. 128, 24.8.1934

(2731) *Avant la répétition générale — Après la première*
Bezeichnung: (2. Szene) u.r. »Ho 34«
La Patrie Humaine Nr. 129, 7.9.1934
In diesen beiden Zeichnungen stellte Strempel ausnahmsweise einmal nicht Opfer und Täter gegenüber, sondern er verglich das Vorher mit dem Nachher. In der ersten Zeichnung sind die Bereiche von oben und unten noch klar getrennt; die zahlreichen am Himmel aufgetauchten Flugzeuge sind für die Menschen auf der Straße offenbar keine Objekte der Bedrohung; diese tritt erst im zweiten Bild deutlich zutage.

(2732) *Germain-Martin*
Bezeichnung: u.l. »Ho. 34«
Le Peuple, 11.9.1934; 27.9.1934; 5.12.1934; 31.5.1935

(2733) *La leçon — la menace — la sauvegarde*
Bezeichnung: (3. Szene) u.r. »Ho, 34.«
La Patrie Humaine Nr. 130, 21.9.1934

(2734) *Contre la guerre*
Bezeichnung: u.r. »Ho 34«
La Patrie Humaine Nr. 132, 5.10.1934
Entwurf eines Plakates für »La Patrie humaine« zur Werbung von Abonnementen.

(2735) *»Mord an der Freiheit«*
La Défense Nr. 268, 5.10.1934
Ein in die Zeichnung integriertes Hinweisschild gibt nähere Erläuterungen zu der Szene, in der Marianne — hier als Symbol für Freiheit zu interpretieren — von Kapitalisten und Rechtsligisten gehenkt wird. »Die Freiheit stört noch, obwohl sie sehr geschwächt ist / Faschisten, g.P., Croix de Feu wollen endlich Schluß mit ihr machen«.

(2736) *Albert Sarraut*
Bezeichnung: u.l. »Ho. 34«
Le Peuple, 12.10.1934
Albert Sarraut (1872—1962) französischer Politiker, Radikalsozialist, Journalist; von 1914—1940 war er Minister in verschiedenen Bereichen.

(2737) *Soutenez la lutte du S.R.I.*
Bezeichnung: u.r. »Ho. 34«
La Défense Nr. 270, 12.10.1934

(2738) *La grand fête de La Défense*
Bezeichnung: (4. Szene) u.r. »Ho. / 34.«
La Défense Nr. 271, 19.10.1934
Die Zeichnung zeigt in vier Bildern die Vorbereitung des Pressefestes von »La Défense«, seinen Verlauf und das Resultat, d. h. die Übergabe des Erlöses an Familien von politischen Gefangenen.

(2739) *Pour les prochaines moissons — le blé qui lève*
Bezeichnung: u.r. »Ho. 34«
La Patrie Humaine Nr. 134, 19.10.1934

(2740) *La guerre sans fin*
Bezeichnung: (letzte Szene) u.r. »Ho. 34«
La Patrie Humaine Nr. 137, 9.11.1934
Diese mehrteilige Zeichnung wurde in Anlehnung an Comic-Strips unter teilweiser Verwendung von schon früher gedruckten Bildern konzipiert. Sie bildeten die unteren Randleisten von vier Seiten einer Sondernummer von »La Patrie humaine« zum Waffenstillstandstag am 11. November. Die oft bruchlos ineinander übergehenden Szenen legen Strempels Auffassung von einem sich ständig wiederholenden Kreislauf von Profitgier, Aufrüstung und Kriegshandlungen dar. Roger Prat, ein französischer Zeichner, der ebenfalls bei »La Patrie humaine« beschäftigt war, gestaltete zwei Seiten der gleichen Ausgabe unter einer ähnlichen Themenstellung. Abgesehen von seinem Zeichenstil, der sich von dem Strempels dadurch unterscheidet, daß er kaum im eigentlichen Sinne karikiert und die Szenen in lockerer Folge zusammenfügt, widmete sich Prat in diesen Zeichnungen mehr den Opfern als den Tätern und gab auch nur ansatzweise eine Analyse der bestehenden Verhältnisse ab.

(2741) *»Hommage an Victor Méric«*
Bezeichnung: u.r. »Ho. 34«
La Patrie Humaine Nr. 137. 9.11.1934
In der Sondernummer der »La Patrie humaine« zum Waffenstillstandstag war eine Seite dem Gründer der Zeitung Victor Méric gewidmet, der sich Zeit seines Lebens mit seinem schriftstellerischen Werk für den Frieden eingesetzt hatte.

(2742) *»Hommage an Gustave Dupin«*
La Patrie Humaine Nr. 137, 9.11.1934
Gustave Dupin (1861—1933) war als pazifistisch eingestellter Schriftsteller lange Jahre bei »La Patrie humaine« beschäftigt. Auch ihm wurde in der Sondernummer der Zeitschrift eine Seite zur Würdigung seines Engagements eingeräumt, die Strempel ähnlich wie die von Victor Méric gestaltete.

(2743) *L'ordre règne aux Asturies!*
Bezeichnung: u.r. »Ho. St.«
La Défense Nr. 275, 16.11.1934
Die Zeichnung bezieht sich auf die Ereignisse Anfang Oktober 1934, als drei Mitglieder der CEDA (Konföderation der Autonomen Rechten) als Minister in die spanische Regierung berufen wurden. Darauf begann in ganz Spanien ein Generalstreik, der aber in den meisten Provinzen brutal

niedergeschlagen wurde. Nur die nördliche Provinz Asturien, ein Gebiet, in dem Kohlebergbau und Waffenproduktion betrieben wurden, konnte sich länger halten, weil es hier gelang, eine Aktionseinheit von Sozialisten, Kommunisten und Anarchisten zu bilden und in den bewaffneten Widerstand einzutreten. Franco schaffte es aber endlich, dem Streik ein blutiges Ende zu setzen. Die Ereignisse in Asturien jedoch wurden zu einem Fanal.- Die Zeichnung stellt die Opfer dieses Aufstandes dar, am Boden liegen tote Männer, Frauen und Kinder. Im Hintergrund, hoch über dem Geschehen, stehen, hinter Barrikaden verschanzt, die Verantwortlichen dieses Massakers — Militär und Klerus —, die die Interessen der Großgrundbesitzer, hier symbolisiert durch Fabriken, vertreten. Die Bildunterschrift im Stil einer offiziellen Mitteilung »Die Ordnung regiert wieder in Asturien!« wird durch die bildliche Darstellung Lügen gestraft.

(2744) *La commune des Asturies aura sa revanche*
Bezeichnung: u.r. »Ho. 34.«
La Défense Nr. 276, 23.11.1934
Die Zeichnung zeigt die Zukunftsperspektive des in der vorgenannten nur manifestierten Zustandes. »Asturien wird sich revanchieren!« ist eine Aufforderung, den Kampf weiterzuführen, um die Opfer nicht ungesühnt zu lassen.

(2745) *Le munnitionaire — L'état c'est moi...*
Bezeichnung: u.r. »Ho.«
La Patrie Humaine Nr. 139, 23.11.1934

(2746) *Chômeurs*
Le Peuple, 1.12.1934
Sowohl das Motiv der Mutter mit ihren Kindern als auch deren Physiognomien lassen Horst Strempel als den Urheber der Zeichnung vermuten.

(2747) *»Nazi-Paar beim Festmahl«*
Bezeichnung: u.l. »St.«
La Défense Nr. 278, 7.12.1934
Die Karikatur wurde als Pendant zu einem Artikel gewählt, der die Situation politischer Gefangener beleuchtet.

(2748) **Les gaz! – A quelle heure viendront-ils?**
Bezeichnung: u.r. »Ho. / 34.«
La Patrie Humaine Nr. 141, 7.12.1934

(2749) *Soutenez la lutte du S.R.I.*
La Défense Nr. 279, 14.12.1934
Die Agitationsgrafik soll die Leser der »Défense« aufrufen, neue Abonnenten zu gewinnen und damit den Kampf der »Internationalen Roten Hilfe« zu unterstützen.

(2750) *L'enseignement selon Pétain — Le retour de l'école*
Bezeichnung: u.l. »Ho. / 34«
La Patrie Humaine Nr. 143, 21.12.1934
Strempel bezieht sich in dem Motiv der Eltern, die vor ihrem Sohn, der durch Uniform, Stahlhelm, Gasmaske und Waffen als Soldat gekennzeichnet ist, zurückschrekken, auf Gesetzesvorlagen, die neben einer Aufstockung des Rüstungsetats auch die

Verlängerung des Militärdienstes auf zwei Jahre vorsehen; Ziel sollte die Schaffung einer Berufsarmee sein. Nach einer Order Pétains vom Dezember 1934 sollten weiterhin Schule und Armee vereinigt werden, um schon die Kinder auf den Krieg vorzubereiten.

(2751) *»Aktion gegen Kriegsspielzeug«*
Bezeichnung: u.r. »Ho.«
La Patrie Humaine Nr. 143, 21.12.1934
Die in »La Patrie humaine« publizierte Zeichnung wurde durch die »Ligue Internationale d'Action Pacifiste et Sociale« als Flugblatt verteilt. Strempel teilte das Bild in zwei Bereiche: im oberen Teil zeigte er kriegspielende Kinder, im unteren einen gefallenen Soldaten. Durch einen diagonal einfallenden Pfeil in Kombination mit einem ergänzenden Text wird die Verbindung zwischen beiden hergestellt. — Hans-Martin Kaulbach wies in seiner Untersuchung über »Bombe und Kanone in der Karikatur« auf die hier angesprochene Problematik hin. Er sah in kriegspielenden Kindern »eine der deutlichsten Metaphern für die Militarisierung der Gesellschaft und für die Gefahr, die aus der Abrichtung der Kinder auf die Bereitschaft und Fähigkeit zum Krieg erwächst.« (Kaulbach 1987, 31). Andererseits betonte er jedoch, daß auch die Kritik am Kriegsspielzeug eine lange Tradition aufzuweisen habe. Insbesondere die Zeit nach den beiden Weltkriegen seien wichtige Phasen gewesen (Kaulbach 1987, 32).

(2752) *Assainissement de la race allemande sous Hitler*
Bezeichnung: u.l. »St.«
Monde Nr. 316, 21.12.1934; Gegen-Angriff 30.11.1935

(2753) *Unité d'action pour le statu-quo*
Bezeichnung: u.r. »Ho. 34.«
Front Mondial, 1935, Nr. 1, 1. Januarhälfte
Die Arbeit Horst Strempels nimmt zum Saarkampf Stellung. Möglicherweise wurde sie nicht ausschließlich als Pressezeichnung konzipiert. Die Differenzierungen innerhalb der Schwarz-Weiß-Skala im Druck lassen vermuten, daß es sich um eine farbige Originalvorlage, vielleicht ein Plakat, gehandelt hat. — Nach eigenen Angaben hielt sich Strempel um 1934/35 längere Zeit im Saarland auf. Ob dieses aus politischen Gründen geschah oder zu Studienzwekken, läßt sich nicht sagen. »Front mondial« setzte sich in einer Kampagne für die Beibehaltung des Status quo ein, da man zwar das Recht der Saarländer auf eine eigene Entscheidung anerkannte, aber andererseits weder den deutschen Nationalsozialismus noch die imperialistische Politik Frankreichs unterstützen wollte.

(2754) *Unité d'action*
Front Mondial, 1935, Nr. 1, 1. Januarhälfte
Solidaritätsaufruf der Eisenbahner des Saargebiets.

(2755) *L'inventaire du munitionnaire ... et celui du chômeur*
Bezeichnung: (2. Szene) u.r. »Ho. 34.«
La Patrie Humaine Nr. 145, 4.1.1935

(2756) *Papa, est-ce que les chevaux ont faim comme nous?*
Bezeichnung: u.r. »Ho. 34.«
La Patrie Humaine Nr.147, 18.1.1935

(2757) *Souvenez-vous!*
Bezeichnung: (gedruckt) »Dessin de HO.«
La Patrie Humaine Nr. 149, 1.2.1935
Die Zeichnung, die im Untertitel den Satz führt: »Waffenhändler, wir sind nicht fürs Vaterland, sondern für euch gestorben«, diente als Illustration eines entsprechenden redaktionellen Beitrags, der u.a. auch auf die Verquickung von Kriegsindustrie und Banken hinwies. Dieser Zusammenhang, der häufig auch in anderen Karikaturen Strempels auf verschiedene Art und Weise dargestellt wurde, regte viele kritische Zeichner zu Stellungnahmen an.

(2758) *Nos Devinettes (No 2)*
Bezeichnung: (4. Szene) u.r. »Ho.«
Femmes, 1935, Nr. 7 (März)

(2759) *Kurt Schuschnigg*
Bezeichnung: u.r. »Ho. 34«
La Défense Nr. 290, 8.3.1935
Kurt Schuschnigg (1897–1977), reaktionärer österreichischer Politiker, löste 1934 Dollfuß als Bundeskanzler ab.

(2760) *Celui qui gagne à tous les coups!*
Bezeichnung (gedruckt) »Dessin de Ho.«
La Patrie Humaine Nr. 155, 15.3.1935

(2761) **Liberté pour Thaelmann**
La Défense Nr. 295, 12.4.1935
Aufgrund der Gestaltung der demonstrierenden Menschenmasse im Vordergrund, ihrer Physiognomien und ihrer Gesten, liegt der Schluß nahe, daß die Zeichnung von Strempel stammt. Sie entstand anläßlich des 49. Geburtstages von Ernst Thälmann am 16. April, der zum antifaschistischen Kampftag bestimmt wurde.

(2762) *Les rameaux*
Bezeichnung: (gedruckt) »Dessin de Ho.«
La Patrie Humaine Nr. 159, 12.4.1935

(2763) *Nos devinettes (No 3)*
Bezeichnung: (4. Szene) u.r. »Ho.«
Femmes, 1935, Nr. 8 (April)

(2764) *»Menschenmasse«*
Bezeichnung: u.l. »Ho. 34.«
La Patrie Humaine Nr.161, 24.4.1935
Diese Zeichnung wurde einem Artikel von Robert Tourly zum 1. Mai zugeordnet.

(2765) *»Klage«*
Bezeichnung: u.l. (?)
La Patrie Humaine Nr. 161, 24.4.1936

(2766) *Les cloches sont revenues...et le sonneur attend l'heure H...*
Bezeichnung: (gedruckt) »Dessin de Ho.«
La Patrie Humaine Nr. 161, 26.4.1935

(2767) *»Comic-Strip für Kinder«*
Femmes, 1935, Nr. 10 (Juni)
Die Zuschreibung erfolgt aufgrund stilistischer Übereinstimmungen mit den Bilderrätseln *Nos Devinettes* (WVZ 2758 und 2763).

(2768) *Luttez contre la guerre*
Bezeichnung: u. Mitte »Ho. 34«
La Patrie Humaine Nr. 170, 28.6.1935
Die doppelseitige zweifarbige Grafik dien-
te als Vorlage für ein Plakat zur Abonnen-
tenwerbung.

(2769) *Amnistie!*
Bezeichnung: (gedruckt) »Dessins de Ho.«
La Patrie Humaine Nr. 172, 12.7.1935
Die Zeichnung, die den Sturm auf die Bas-
tille thematisiert, ist in enger Verbindung
mit der gegenüber plazierten Arbeit, einer
antimilitaristischen Demonstration (WVZ
2770), zu sehen. In der voraufgehenden
Ausgabe von »La Patrie humaine« war ein
vorbereitender Artikel von Robert Tourly
unter der Parole »Auf zu neuen Bastillen!«
zu lesen, der dazu aufrief, sich der revolutionären Traditionen zu besinnen und dem
14. Juli seine ursprüngliche Bedeutung zu-
rückzugeben. Der Kampf gegen den Faschismus und für den Frieden sollte in diesem Sinne die vorrangige Aufgabe sein.
Weiterhin wurde auch die Forderung nach
einer Generalamnestie für die politischen
Gefangenen laut, die vor allem in der Folge
der Februar-Ereignisse von 1934 inhaftiert
worden waren.

(2770) *Guerre à la guerre!*
Bezeichnung: u.l. »Ho 35.«
La Patrie Humaine Nr. 172, 12.7.1935

(2771) *»Amnistie«*
Bezeichnung: u.r. »Ho«
La Défense Nr. 309, 19.7.1935 und Nr. 311,
2.8.1935

(2772) *1914 — 1918 — 1935*
Bezeichnung: (3. Szene) u.r. »Ho. 35.«
La Patrie Humaine Nr. 175, 2.8.1935
Die Zeichnung stellt in einer Folge von drei
Bildern die Lebensstationen eines Soldaten dar. Man sieht ihn 1914 voller Optimismus in den Krieg ziehen, 1918 als Invalide
heimkehren und 1935 als Bettler. Strempel
illustrierte mit dieser Zeichnung das von
Gaston Delaviere verfaßte Gedicht »Civilisation«.

(2773) *1914 — 1935. Le calvaire de la paix*
Bezeichnung: (gedruckt) »Dessin de Ho«
La Patrie Humaine Nr. 175, 2.8.1935

(2774) *»Porträt Henri Barbusse«*
Bezeichnung: u.l. »H. 34«
La Défense Nr. 316, 6.9.1935

(2775) *1936?*
Bezeichnung: u.r. »henry«
La Patrie Humaine Nr. 193, 5.1.1936
Strempel stellte in dieser Karikatur »die da
oben«, die Kapitalisten, die sich für 1936
Aufrüstung und neue Kriege wünschen,
den Menschen im unteren Teil der Komposition gegenüber, die gegen den Krieg demonstrieren.

(2776) *Le retour des victimes*
Bezeichnung: u.r. »henry«
La Patrie Humaine Nr. 197, 31.1.1936
In dieser Zeichnung verwendete Strempel
verschiedene Mittel der Karikatur bzw. Satire. Er stellte seinem Bild eine knappe Zeitungsmeldung voran, die lediglich besagt,

daß kranke und verwundete Italiener aus
Äthiopien heimgeführt werden. In der
Zeichnung selbst ist im Vordergrund eine
Mutter mit ihrem Kind zu sehen, die auf einen endlos erscheinenden Zug verwunde-
ter Männer blicken, um eventuell den Vater
bzw. Mann unter ihnen auszumachen —
was sich als schwierig erweist, da die meisten Soldaten wegen ihrer Verbände kaum
noch zu identifizieren sind.

(2777) *La civilisation continue...*
Bezeichnung: u.r. »henry«
La Patrie Humaine Nr. 199, 14.2.1936

(2778) *André Tardieu*
Bezeichnung: u.r. »Ho. 34.«
Le Peuple, 10.3.1936

(2779) *La destinée d'un enfant du siècle?*
Bezeichnung: (gedruckt) »Dessin de Henry«
La Patrie Humaine Nr. 205, 27.3.1936
Die Zeichnung erläutert Strempels Vision
von der Zukunft der Kinder, wenn ein Ge-
setzesentwurf zur obligatorischen militäri-
schen Erziehung der Jugend realisiert werden würde.

(2780) *Pâques 1936 ou le printemps à l'om-
bre des canons*
Bezeichnung: u.r. »henry«
La Patrie Humaine Nr. 207, 10.4.1936
Die Karikatur bezieht sich auf die Auflösung des Vertrags von Locarno durch Hitler am 7. März 1936 und auf die sich daran
anschließende Remilitarisierung des
Rheinlandes.

(2781) *1919—1936. — Et elle n'a pourtant
que dix-sept ans!*
Bezeichnung: (gedruckt) »Dessin de Henry«
La Patrie Humaine Nr. 203, 13.4.1936

(2782) *Notre numéro spécial*
Bezeichnung: u.r. »henry 36.«
La Patrie Humaine Nr. 211, 15.5.1936

(2783) *»Der Tod als Soldat mit Gasmaske
und Demonstranten«*
La Patrie Humaine Nr. 215, Juni 1936

(2784) *»Gefangener«*
Bezeichnung: u.l. »henry. 36«
La Patrie Humaine Nr. 215, Juni 1936

(2785) *Assez!!! A bas la guerre!*
Bezeichnung: u.r. »Ho? 36«
La Patrie Humaine Nr. 215, Juni 1936

(2786) *»Gefangener mit Frauenkopf im
Hintergrund«*
Bezeichnung: u.l. »henry 1936«
La Patrie Humaine Nr. 215, Juni 1936

(2787) *ohne Titel*
La Patrie Humaine Nr. 215, Juni 1936

(2788) *»Landschaft mit Toten«*
La Patrie Humaine Nr. 215, Juni 1936

(2789) *»Trauernde vor Gräbern«*
Bezeichnung: u.r. »henry«
La Patrie Humaine Nr. 215, Juni 1936
Die Zeichnungen WVZ 2786—2789 befin-

den sich auf einer von Horst Strempel gestalteten Seite, auf der außerdem Gedichte
über Krieg und Frieden abgedruckt sind.

(2790) *La douleur*
Bezeichnung: u.r. »henry. / 36«
La Patrei Humaine Nr. 216, 19.6.1936

(2791) *Les malfaiteurs*
Bezeichnung: u.r. »henry«
La Patrie Humaine Nr. 217, 26.6.1936

(2792) *Les regents de la Banque de France*
Bezeichnung: u.r. »henry 36«
La Patrie Humaine Nr. 221, 31.7.1936
Die Zeichnung, die mit folgendem Untertitel versehen ist: »Eigentlich sind die Leute
von der Volksfront sehr nett...Sie wollen
nur einen Pinselstrich auf die Fassade unseres Hauses setzen«, hat die am 24. Juli
1936 beschlossenen Reformen der Banque
de France zum Thema.

(2793) *A la gloire de l'infantrie*
Bezeichnung: u.l. »henry 36.«
La Patrie Humaine Nr. 229, 30.10.1936
Strempel stellte einer Zeitungsmeldung,
der zufolge zur Ehre der französischen In-
fanterie von den Infantristen des Großen
Krieges ein Bauwerk errichtet werden sollte, einen Bauplan gegenüber. Er schuf eine
Pyramide, die im unteren Teil aus Skeletten
in Uniform besteht und die von einem Bil-
derbuchkapitalisten gekrönt wird.

(2794) *Avec le peuple espagnol contre l'ar-
mée*
La Patrie Humaine Nr. 224, 11.9.1936
Die Zeichnung lehnt sich eng an einen Entwurf für eine Solidaritätspostkarte (WVZ
669) an. Sie entstand zu einem Zeitpunkt,
als eine Reihe von Staaten sich anschick-
ten, in London eine Konferenz anzutreten,
auf der die Nicht-Einmischung in »inner-
spanische Angelegenheiten« beschlossen
werden sollte.

(2795) *Aidons nos frères d'Espagne!*
Bezeichnung: u.l. »henry. 36.«
La Patrie Humaine Nr. 227, 16.10.1936

(2796) *R.I.G.M.*
Bezeichnung: u.r. »ho«
La Patrie Humaine Nr. 230/31, November
1936
Strempel gestaltete eine Doppelseite der
Sondernummer von »La Patrie humaine«.
In mehreren Zeichnungen, die den Text
umrahmen, stellte er Menschen dar, die
sich in Demonstrationen gegen den Krieg
wenden.- Der R.I.G.M (*Rassemblement International contre la Guerre et le Fascisme*)
hatte sich in der Nachfolge der großen antimilitaristischen Kongresse von Amsterdam
1904 und 1907 gebildet und war in den 30er
Jahren eng mit »La Patrie humaine« ver-
flochten. Die Sondernummer, in der diese
Zeichnungen erschienen, war der Vorbereitung eines weiteren Kongresses, der im
Mai 1937 in Paris stattfinden sollte, gewidmet.

(2797) *Pacifistes! Contre ça, rassemble-
ment!*
Bezeichnung: (gedruckt) »Dessin de Ho.«
La Patrie Humaine Nr. 232, 20.11.1936

(2798) *1 mai — quand viendra celui de la paix*
Bezeichnung: (gedruckt) »Dessin de Ho.«
La Patrie Humaine Nr. 253, 30.4.1937

(2799) *Der Traum des Pariser Hoteliers 1937*
Bezeichnung: o.r. »Ho«
Pariser Tagblatt, 26.5.1937

Angewandte Kunst

Tapeten- und Stoffentwürfe

Die Entwürfe wurden für das Tapetenatelier Frei-Herrmann, Berlin geschaffen. Da sie durchweg nicht datiert sind, läßt sich auch nur das ungefähre Entstehungsdatum nennen, die Zeitspanne von 1957 bis 1963, in der er für die Firma tätig war. Gleichfalls ist nicht mehr herauszufinden, welche der Entwürfe an welche Produzenten verkauft wurden. Die hier registrierten Dekors stellen wahrscheinlich nur einen Bruchteil der von Strempel geschaffenen Entwürfe dar.

(2800) *»6 Tapetenentwürfe«*
Gouache/Karton
46,0 x 27,6 cm / pro Dekor 12,6 x 12,0 cm
a) Zwei Frauen
b) Sitzende Frau mit Stilleben
c) Frau am Balkon
d) Abstrakte Komposition in Beige, Schwarz, Weiß mit Gelb und Rot
e) Abstrakte Kompositon in Schwarz, Weiß, Beige
f) Dekorativer Frauenkopf

(2801) *»6 Tapetenentwürfe«*
Gouache/Karton
47,0 x 28,5 cm / pro Dekor: 12,8 x 12,0 cm
a) Abstrakte Komposition mit Vase
b) Abstrakte Komposition in Beige, Schwarz, Weiß mit Gelb und Rot
c) Drei Segelschiffe
d) Zwei Segelschiffe
e) Zwei Frauen
f) Zwei Frauen mit Spiegeln

(2802) *»Abstrakte Komposition in Schwarz, Rot, Grau«*
Gouache/Papier
25,5 x 35,5 cm
Bezeichnung: u.l. (a.d. Passepartout) »Skizze 1:10«; u.r. (a.d. Passepartout) »Strempel«

(2803) *»Kreise in Gelb, Grün und Blau auf Schwarz«*
Gouache/Papier
26,2 x 35,3 mm
Bezeichnung: u.l. (a.d. Passepartout) »Skizze 1:10«; u.r. (a.d. Passepartout) »Strempel«

(2804) *»Graue und rote Flecken auf blauem Grund«*
Gouache/Papier
26,0 x 35,6 cm
Bezeichnung: u.l. (a.d. Passepartout) »Skizze 1:10«; u.r. (a.d. Passepartout) »Strempel«

(2805) *»Grau und Rot auf Schwarz«*
Gouache/Karton
26,0 x 35,2 cm
Bezeichnung: u.l. (a.d. Passepartout) »Skizze 1:10«; u.r. (a.d. Passepartout) »Strempel«

(2806) *»Rot und Weiß auf blauem Grund«*
Gouache/Papier
22,5 x 35,5 cm
Bezeichnung: u.l. (a.d. Passepartout) »Skizze 1:10«; u.r. (a.d. Passepartout) »Strempel«

(2807) *»Abstrakte Komposition Schwarz und Rot«*
Gouache/Papier
25,8 x 35,6 cm
Bezeichnung: u.l. (a.d. Passepartout) »Skizze 1:10«; u.r. (a.d. Passepartout) »Strempel«

(2808) *»Schwarzer Block auf Grau«*
Gouache/Papier
26,0 x 35,7 cm
Bezeichnung: u.l. (a.d. Passepartout) »Skizze 1:10«; u.r. (a.d. Passepartout) »Strempel«

(2809) *»Pflanzen und Tiere«*
Gouache/Karton
23,5 x 17,9 cm

(2810) *»Abstrakte Komposition in Weiß, Grau und Blau«*
Mischtechnik/Karton
24,6 x 34,6 cm

(2811) *»Weiße Linien auf Schwarz und Grau«*
Gouache/Karton
18,7 x 24,6 cm

(2812) *»Bunte Flecken auf Schwarz«*
Gouache/Karton
ca. 23,0 x 24,5 cm

(2813) *»Bunte Flecken mit zwei weißen Balken«*
Gouache/Karton
24,7 x 23,1 cm

(2814) *»Abstrakte Komposition mit Flecken in Blau und Grün«*
Gouache/Karton
25,5 x 24,5 cm

(2815) *»Abstrakte Komposition in Schwarz mit weißen Flecken«*
Absprengtechnik/Karton
ca. 24,5 x 24,0 cm

(2816) *»Weiße Linien auf Schwarz und Grau«*
Enkaustik/Karton
ca. 21,0 x 20,5 cm

(2817) *»Dekorative Komposition Weiß auf Schwarz«*
Enkaustik/Karton
43,5 x 31,5 cm

(2818) *»Segelschiffe schwarz/weiß«*
Enkaustik/Karton
ca. 33,5 x 26,0 cm

(2819) *»Schwarze Muster auf Weiß«*
Gouache/Papier
20,5 x 25,5 cm

(2820) *»Abstrakte Komposition schwarz/weiß«*
Siebdruck/Papier
ca. 14,0 x 20,5 cm

(2821) *»Zwei abstrakte Kompositionen«*
Enkaustik/Karton
24,0 x 49,0 cm; linkes Motiv 21,3 x 20,5 cm / rechtes Motiv 17,1 x 18,5 cm

(2822) *»Fischernetze«*
Gouache, Bleistift, Feder und Tusche/Karton
25,0 x 52,5 cm
Bezeichnung: u. Mitte »A«; verso o.l. »1:5«;

(2823) *»Dekorative Komposition in Schwarz, Weiß, Blau und Orange mit weißer Gitterstruktur«*
Gouache, Bleistift/Papier
67,0 x 59,5 cm
Besitzer: Privatbesitz

(2824) *»Jazzkapelle«*
Gouache, Bleistift/Papier
70,0 x 63,0 cm
Besitzer: Privatbesitz

(2825) *»Blumenvase«*
Gouache, Bleistift/Papier
73,0 x 63,7 cm
Besitzer: Privatbesitz

(2826) *»Blumenvasen«*
Gouache, Bleistift/Papier
69,5 x 82,0 cm
Besitzer: Privatbesitz

(2827) *»Abstrakte Komposition in Schwarz, Weiß, Rot«*
Gouache, Bleistift, teilweise in Drucktechnik/Papier
58,5 x 65,0 cm
Besitzer: Privatbesitz

(2828) *»Gräser«*
Gouache/Papier
85,0 x 67,5 cm
Besitzer: Privatbesitz

(2829) *»Blumen«*
Gouache, Bleistift/Papier
54,0 x 53,0 cm (73,0 x 58,5 cm)
Besitzer: Privatbesitz

(2830) *»Dreiecke und Linien«*
Gouache/Papier
60,5 x 58,0 cm
Besitzer: Privatbesitz

(2831) *»Schwarz-weiße Vögel auf gelbem Grund«*
Gouache/Papier
63,5 x 60,5 cm
Besitzer: Privatbesitz

(2832) *»Dekorative Komposition in Braun, Weiß und Gelb«*
Gouache, Bleistift/Papier
67,0 x 59,5 cm
Besitzer: Privatbesitz

(2833) »Stilleben mit Vase und Schale«
Gouache/Papier
66,5 x 63,5 cm
Besitzer: Privatbesitz

(2834) »Schwarz-weiße Segelschiffe auf grünem Grund«
Gouache, Bleistift/Papier
71,0 x 63,5 cm
Besitzer: Privatbesitz

(2835) »Bäume«
Dispersionsfarbe, Bleistift/Papier
73,0 x 65,0 cm
Besitzer: Privatbesitz

(2836) »Stilleben mit Blumenvase«
Gouache/grünem Papier
67,5 x 69,0 cm
Besitzer: Privatbesitz

(2837) Spessart
Gouache, Bleistift/grünem Papier
71,0 x 63,0 cm
Bezeichnung: verso u.r. »LPSpessart«
Besitzer: Privatbesitz

(2838) »Stilleben mit Obstschale und Vase«
Gouache/grünem Papier
79,0 x 66,5 cm
Besitzer: Privatbesitz

(2839) »Vase und Zweige«
Gouache/Papier
68,0 x 63,0 cm
Besitzer: Privatbesitz

(2840) »Abstrakte Komposition mit Blau und Orange«
Gouache/Papier
61,0 x 36,0 cm
Besitzer: Privatbesitz

(2841) »Abstrakte Komposition«
Gouache/Papier
49,5 x 62,5 cm
Besitzer: Privatbesitz

(2842) »Abstrakte Komposition mit Gelb und Orange«
Gouache/Papier
45,5 x 66,0 cm
Besitzer: Privatbesitz

(2842) »Abstrakte Komposition mit Gelb und Orange«
Acrylfarbe/Papier
48,0 x 60,0 cm
Besitzer: Privatbesitz

(2844) »Abstrakte Komposition«
Gouache/Kupferfolie
70,0 x 35,0 cm
Besitzer: Privatbesitz

(2845) »Südliche Landschaft«
Feder und Tusche, Bleistift/Papier
73,5 x 53,0 cm
Besitzer: Privatbesitz

(2846) »Südliche Landschaft«
Feder und Tusche, Bleistift/Papier
71,0 x 53,0 cm
Besitzer: Privatbesitz

(2847) »Stilleben mit Blumenvase und

Spiegel«
Feder und Tusche/Papier
60,5 x 60,0 cm (72,0 x 66,0 cm)
Besitzer: Privatbesitz

(2848) »Abstrakte Komposition mit Blau und Gelb«
Gouache, Feder und Tusche/Papier
56,0 x 54,5 cm
Besitzer: Privatbesitz

(2849) »Segelboot«
Aquarell, Feder und Tusche/Papier
63,5 x 59,0 cm
Besitzer: Privatbesitz

(2850) »Gräser«
Gouache, Feder und Tusche/Papier
67,0 x 62,0 cm
Besitzer: Privatbesitz

(2851) »Abstrakte Komposition mit gelben und roten Ecken«
Gouache, Feder und Tusche, teilweise laviert/Papier
53,5 x 51,5 cm (74,0 x 56,0cm)
Besitzer: Privatbesitz

(2852) »Zwei Frauen am Strand«
Gouache, Feder und Tusche, Bleistift/rotem Papier
61,0 x 60,0 cm (73,0 x 66,5 cm)
Besitzer: Privatbesitz

(2853) »Segelboote«
Gouache, Feder und Tusche, Bleistift/gelbem Papier
71,5 x 65,0 cm
Besitzer: Privatbesitz

(2854) »Blüten«
Gouache, Feder und Tusche, Bleistift/Papier
69,5 x 62,0 cm
Besitzer: Privatbesitz

(2855) »Fischernetze am Strand«
Gouache, Kohle/Papier
ca. 60,0 x 60,0 cm (71,5 x 64,0 cm)
Besitzer: Privatbesitz

(2856) »Blumenvase«
schwarze und weiße Kreide/grauem Papier
70,0 x 62,0 cm
Besitzer: Privatbesitz

(2857) »Blumenvase«
Wachs- und Pastellkreide/Papier
49,5 x 60,0 cm
Besitzer: Privatbesitz

(2858) »Obstschale«
Pastellkreide/Papier
49,5 x 60,0 cm
Besitzer: Privatbesitz

(2859) »Blumendekor«
Wachskreide/grauem Glanzpapier
66,5 x 67,0 cm
Besitzer: Privatbesitz

(2860) »Abstrakte Komposition Blau-Gelb«
Collage, Gouache, Bleistift/Papier
53,5 x 53,5 cm (72,0 x 58,0 cm)
Besitzer: Privatbesitz

(2861) »Abstrakte Komposition«
Collage, Gouache/Papier
54,0 x 52,5 cm (72,5 x 66,5 cm)
Besitzer: Privatbesitz

(2862) »Blumenvase und Obstschale«
Collage, Gouache/Papier
53,5 x 53,0 cm (73,5 x 68,0 cm)
Besitzer: Privatbesitz

(2863) »Dekor mit Stilleben«
Enkaustik mit Gouache/Papier
67,5 x 59,0 cm
Besitzer: Privatbesitz

(2864) »Blätter«
Enkaustik mit Gouache/Papier
67,0 x 57,0 cm
Besitzer: Privatbesitz

(2865) »Tiermotive«
Enkaustik mit Gouache/Papier
64,5 x 57,5 cm; je Motiv ca. 26,5 x 26,5 cm
Besitzer: Privatbesitz

(2866) »Abstrakte Komposition Schwarz-Weiß«
Enkaustik mit Gouache/Papier
54,0 x 63,0 cm
Besitzer: Privatbesitz

(2867) »Abstrakte Komposition Gelb-Weiß«
Enkaustik mit Gouache/Papier
67,5 x 59,5 cm
Besitzer: Privatbesitz

(2868) »Linien auf Schwarz«
Enkaustik mit Gouache/Papier
61,0 x 63,5 cm
Besitzer: Privatbesitz

(2869) »Vasen«
Enkaustik mit Gouache/Papier
27,5 x 77,5 cm
Besitzer: Privatbesitz

(2870) »Blumenvase«
Enkaustik mit Gouache, Bleistift/Papier
50,0 x 59,0 cm (64,5 x 72,5 cm)
Besitzer: Privatbesitz

(2871) »Blätter«
Enkaustik mit Gouache/Papier
51,5 x 61,0 cm
Besitzer: Privatbesitz

(2872) »Venedig«
Enkaustik mit Gouache/Papier
65,5 x 64,0 cm
Besitzer: Privatbesitz

(2873) »Abstrakte Komposition«
Enkaustik mit Gouache/Papier
69,0 x 63,0 cm
Besitzer: Privatbesitz

(2874) »Stilleben unter Rautenraster«
Enkaustik mit Gouache/Papier
ca. 64,0 x 64,0 cm
Besitzer: Privatbesitz

(2875) »Abstrakte Komposition in Blau, Schwarz und Orange«
Linolschnitt/Papier (2 Platten)
70,0 x 56,5 cm
Besitzer: Privatbesitz

(2876) »*Abstrakte Komposition*«
a) Siebdruck/Papier
64,5 x 41,0 cm
Besitzer: Privatbesitz
b) Siebdruck/Papier
60,0 x 42,0 cm
Besitzer: Privatbesitz
Die unterschiedlichen Maße ergeben sich durch Doppeldrucke mit verschobenen Sieben.

(2877) »*Abstrakte Komposition*«
Siebdruck
40,0 x 53,0 cm
Besitzer: Privatbesitz
Drei Varianten.

(2878) »*Zwei Blumenvasen*«
Gouache, Kohle (mit einer Drucktechnik?)/Papier
76,5 x 62,5 cm
Besitzer: Privatbesitz

(2879) *Segelboote*
120,0 x 240,0 cm
Datierung: um 1958
Hersteller: Flammersheim & Steinmann, Köln
Ausstellung: Kassel 1958
Literatur: Tapetenztg. 1958, H. 24, 8 (Abb.)
Abbildungen: Tapetenztg. 1958, H. 22, 8; Tapetenztg. 1958, H. 24, 8

Entwürfe für Bucheinbände

(2880) *Schicksale am Montparnasse*
Gouache, Bleistift/Papier
26,2 x 16,3 cm
Besitzer: Privatbesitz

(2881) *Schicksale am Montparnasse*
Gouache, Feder und Tusche/Papier
35,5 x 24,3 cm
Besitzer: Privatbesitz

(2882) *Schicksale am Montparnasse*
Aquarell/Papier
24,0 x 19,5 cm
Besitzer: Privatbesitz

(2883) *Stendal. Die Schatzkammer*
Collage, Feder und Tusche/Papier
21,0 x 13,5 cm
Besitzer: Privatbesitz

(2884) *Herbert Roch. Die Schatzkammer*
Collage, Feder und Tusche, Deckweiß/Papier
21,0 x 13,6 cm
Besitzer: Privatbesitz

Arbeiten unter Glas

(2885) 21 Glasuntersetzer
Tempera, Feder, Pinsel und Tusche unter Glas
Datierung: 1974
Besitzer: Privatbesitz
Nach einer Skizze Strempels können die Untersetzer, wenn sie nicht in Gebrauch sind, zu einem einheitlichen Bild zusammengefügt werden.
1. »*Orchideen*«
24,0 x 18,0 cm
Bezeichnung: o.r. »H. St.74«
2. »*Birne*«
12,0 x 12,0 cm

Bezeichnung: u.r. »H. St. 74«
3. »*Apfel*«
12,0 x 12,0 cm
Bezeichnung: o.r. »H. St. 74«
4. »*Pflaumen*«
12,0 x 12,0 cm
Bezeichnung: o.r. »Horst Strempel 74«
5. »*Kirschen*«
12,0 x 12,0 cm
Bezeichnung: o.l. »H. St. 74«
6. »*Weiblicher Akt*«
24,0 x 18,0 cm
Bezeichnung: o.l. »H. St. 74«
7. »*Liegende*«
18,0 x 24,0 cm
Bezeichnung: o.l. »H. St. 74.«
8. »*Eva*«
36,0 x 24,0 cm
Bezeichnung: o.r. »H. St. 74.«
9. »*Adam*«
36,0 x 24,0 cm
Bezeichnung: o.r. »H. St. 74.«
10. »*Tulpen*«
24,0 x 18,0 cm
Bezeichnung: u.r. »H. St. 74«
11. »*Mohnblüten*«
18,0 x 24,0 cm
Bezeichnung: o.r. »H. St. 74.«
12. »*Stehender Akt*«
24,0 x 18,0 cm
Bezeichnung: u.r. »H. St. 74«
13. »*Mädchen mit Blumen im Haar*«
36,0 x 24,0 cm
Bezeichnung: o.l. »H. St. 74.«
14. »*Rückenakt*«
24,0 x 18,0 cm
Bezeichnung: o.r. »H. St. 74.«
15. »*Zitrone*«
12,0 x 12,0 cm
Bezeichnung: o. »Horst Strempel 74«
16. »*Stilleben mit Blüten*«
24,0 x 18,0 cm
Bezeichnung: u.r. »H. St. 74«
17. »*Mädchenkopf*«
36,0 x 24,0 cm
Bezeichnung: o.r. »H. St. 74.«
18. »*Weintrauben*«
12,0 x 12,0 cm
Bezeichnung: o.r. »H. St. 74«
19. »*Äpfel*«
12,0 x 12,0 cm
Bezeichnung: u.r. »H. St. 74«
20. »*Stilleben*«
2 Platten je 12,0 x12,0 cm
Bezeichnung: linke Platte u.l. »H. St. 74«; rechte Platte u.r. »H. St. 74«
21. »*Pfirsich*«
12,0 x 12,0 cm
Bezeichnung:

(2886) »*Selbstporträt*«
Tempera, Pinsel und Tusche/Metallfolie unter Glas
12,0 x 12,0 cm
Datierung: um 1974
Besitzer: Privatbesitz

(2887) »*Selbstporträt*«
Tempera, Pinsel und Tusche/Metallfolie unter Glas
12,0 x 12,0 cm
Datierung: um 1974
Besitzer: Privatbesitz

(2888) »*Liegender Rückenakt*«
Tempera, Pinsel und Tusche/Metallfolie

unter Glas
12,0 x 12,0 cm
Datierung: um 1974
Besitzer: Privatbesitz

(2889) »*Liegender Akt*«
Tempera, Pinsel und Tusche/Metallfolie unter Glas
12,0 x 12,0 cm
Datierung: um 1974
Besitzer: Privatbesitz

(2890) Tischplatte: »*Zwei weibliche Akte mit Torso*«
Tempera, Pinsel und Tusche/Metallfolie unter Glas
60,0 x 60,0 cm (s.u.)
Datierung: um 1974
Besitzer: Privatbesitz
Der Tisch hat die Form eines Dreiecks mit abgerundeten Ecken. Gemessen wurden die größten Ausdehnungen.

Kupferätzungen

(2891) »*Mädchenkopf im Profil nach rechts blickend*«*
Kupferätzung, Email
53,0 x 48,0 cm
Datierung: um 1963 (?)
Besitzer: unbekannt
Ausstellung: Berlin/W. 1970
Abbildung: Berlin/W. 1963, 9

(2892) *Mädchen mit Blumen**
Kupferätzung
107,0 x 35,0 cm
Datierung: um 1963 (?)
Besitzer: unbekannt
Ausstellung: Berlin/W. 1963, Nr. 69

(2993) *David mit der Harfe*
Kupferätzung
112,0 x 100,0 cm
Datierung: um 1963 (?)
Besitzer: unbekannt
Ausstellung: Berlin/W. 1963, Nr. 68
Abbildung: Berlin/W. 1963, 10

(2894–2898) »*Entwürfe für geätzte Kupfertüren*«*
Kupferätzung
5 Platten je 70,0 x 32,0 cm
Datierung: 1964
Besitzer: unbekannt

Werbegrafik

(2899) *Schultheiß Patzenhofer Weißer Bock*
Werbeplakat
Datierung: 1931
Besitzer: unbekannt
Eine Fotografie mit handschriftlicher Datierung befindet sich im Archiv der NG Berlin.

(2900) *Schultheiß Patzenhofer Weißer Bock*
Werbeplakat
Datierung: 1931
Besitzer: unbekannt
Eine Fotografie mit handschriftlicher Datierung befindet sich im Archiv der NG Berlin.

(2901) *Trumpf-Schokolade*
Werbeplakat
Bezeichnung: u.r. »Ho-Co«
Datierung: 1931
Besitzer: unbekannt
Eine Fotografie mit handschriftlicher Datierung befindet sich im Archiv der NG Berlin.- Die Bezeichnung »Ho-Co« weist darauf hin, daß Strempel dieses Plakat zusammen mit Zsiega Cohn konzipiert hat. In dem Briefwechsel, den beide während ihrer Exilzeit führten, ist davon die Rede, daß man sich möglicherweise weiterhin mit Werbegrafik beschäftigen wolle.

(2902) *Drei schöne Mädchen*
Werbeplakat
Datierung: um 1931 (?)
Besitzer: unbekannt
Eine Fotografie des Plakats befindet sich im Archiv der NG Berlin.- Das Plakat wirbt für die Werbeagentur »Die Zwei — atelier für moderne reklame«, die Strempel gemeinsam mit Cohn betrieb.

Abkürzungen und Siglen

Zeitungen und Zeitschriften

ADN — Allgemeine Deutsche Nachrichtenagentur
AIZ — Arbeiter Illustrierte Zeitung
BaM — Berlin am Mittag
BI — Berliner Illustrierte
Berl. Kunstbl. — Berliner Kunstblatt
bk — bildende kunst (1947–1949)
BK — Bildende Kunst (1953ff.)
BM — Berliner Morgenpost
BTbl. — Berliner Tageblatt
BZ — Berliner Zeitung (SBZ)
BZaA — BZ am Abend
BZ/W — BZ (Westberlin)
FAZ — Frankfurter Allgemeine Zeitung
Märk. Volksst. — Märkische Volksstimme
Nat.Ztg. — National- Zeitung
ND — Neues Deutschland
NE — Nacht-Express

NN — Nürnberger Nachrichten
Norddt.Ztg. — Norddeutsche Zeitung
NZ — Neue Zeit
PTbl. — Pariser Tageblatt
RF — Rote Fahne
Rhein. Post — Rheinische Post
Sächs. Tbl. — Sächsisches Tageblatt
Sächs. Ztg. — Sächsische Zeitung
SpVbl. — Spandauer Volksblatt
TG — Telegraph
TR — Tägliche Rundschau
TS — Tagesspiegel
WaA — Welt am Abend
Westf.-Blatt — Westfalen-Blatt
WsZs Univ. Leipzig — Wissenschaftliche Zeitschrift der Universität Leipzig

Institutionen

Berlin, AG 13. August — Berlin, Arbeitsgemeinschaft 13. August
Berlin, BG — Berlin, Berlinische Galerie
Berlin, DAK — Berlin, Deutsche Akademie der Künste (Ost)
Berlin, Märk.Mus. — Berlin, Märkisches Museum
Berlin, StM, NG — Berlin, Staatliche Museen, Nationalgalerie (Ost)
Berlin, StM, KpstK — Berlin, Staatliche Museen, Kupferstichkabinett (Ost)
Berlin, StM, SdZ — Berlin, Staatliche Museen, Sammlung der Zeichnungen (Ost)
Dresden, StKS, Gemäldegal. Neue Meister — Dresden, Staatliche Kunstsammlungen, Gemäldegalerie Neue Meister
Halle, Staatl. Gal. Moritzburg — Halle, Staatliche Galerie Moritzburg
Nürnberg, Stadtgesch. Mus. — Nürnberg, Stadtgeschichtliches Museum
Ratingen, Mus. — Ratingen, Museum
Regensburg, Ostdt. Gal. — Regensburg, Ostdeutsche Galerie
Wuppertal, Von der Heydt-Mus. — Wuppertal, Von der Heydt-Museum

Fotografen

Christina Bolduan, Berlin
3 (BG), 5, 6, 9, 10, 14, 15, 16, 17, 19, 20, 21, 25, 26 (BG), 27, 57, 62, 64, 65, 66, 67, 68, 71, 72, 73, 74, 76, 80, 81, 89, 90 (BG), 91, 94, 96 (BG), 100, 103, 104, 106, 108, 111, 112 (BG), 114, 117, 118, 120, 121 (BG), 122, 124, 127, 128, 129, 135, 138, 140, 141, 142, 144, 145, 147, 148, 150, 151, 152, 153, 154, 156, 158, 160, 162, 163, 164, 167, 168, 170, 171, 172, 186, 190, 196, 197, 199, 203, 204, 206, 209, 210, 211, 212, 213, 215, 217, 219, 220, 221, 222, 224, 225, 226, 227, 228, 229, 230, 231, 234, 235, 246
David Cohn, New York
1, 30, 52, 54, 56, 69, 70, 165, 202, 205, 218
Reinhard Hentze, Halle (Staatliche Galerie Moritzburg, Halle)
11, 105
Jürgen Karpinski, Dresden (Staatliche Kunstsammlungen, Dresden)
12
Wolfgang Morell, Bonn
23, 28, 29, 149
Klaus Musolf, Wendelstein
22, 31, 32, 116, 143, 201
Märkisches Museum, Berlin
214, 223
Wolfram Schmidt, Regensburg (Ostdeutsche Galerie, Regensburg)
131, 133
Staatliche Kunstsammlungen, Dresden
95, 98, 101
Staatliche Museen Preußischer Kulturbesitz, Berlin
7, 46, 47, 48, 49, 50, 51, 53, 55, 58, 59, 60, 61, 63, 75, 77, 78, 79, 83, 84, 85, 86, 88, 97, 102, 107, 109, 110, 146, 173, 174, 175, 176, 177, 178, 179, 180, 181, 182, 183, 191, 194, 195, 247, 248
Werner Steidel, München
2, 4, 13, 24, 82, 126, 139, 200
Archiv Martin Strempel
33, 34, 35, 36, 37, 38, 39, 40, 41, 42, 43, 44, 45, 92, 113, 115, 119, 123, 125, 130, 132, 134, 136, 137, 155, 157, 184, 185, 192, 193, 207, 227, 232, 233
Hans-Georg Stuhr, Niederzier
93, 159, 161, 187, 188, 189, 198, 208
Elke Walford, Hamburg
8, 18, 87, 99, 216

Die Ziffern beziehen sich auf die Abbildungsnummern.